RON KALENUIK

TOUT SIMPLEMENT

DÉLICIEUX 2

MAGNANIMITY
HOUSE PUBLISHING

Coordinatrice du projet
Dianna Kalenuik

Rédactrice Lori Koch

Coordinateur de Cuisine Styliste
Chef Ron Kalenuik

Assistantes de cuisine
Mary Gifford
Jacqueline Hunt
Evelyn Hohn

Direction artistique
Sylvia Cook

Photographie Kim Griffiths Photography,
Edmonton

Design / Separations de couleurs/ Films
Creative Edge Graphic Design,
Edmonton

© *1994 par Magnanimity House Publishers*
51 Glenthorne Dr., Scarborough, Ontario M1C 3S9

ISBN 1-55185-428-7

Ce livre est une Edition exclusive de

Imprimé aux États-Unis d'Amérique

TABLE DES MATIÈRES

Apropos de l'auteur

Mr. Kalenuik, affectueusement connu sous le nom de Chef K (par ceux qui ne savent pas prononcer son nom), commença sa carrière culinaire à Jasper, Alberta, Canada, en 1973 au pavillon de renommée mondiale du Jasper Park Lodge. Depuis lors, il s'est établi comme chef de Cuisine dans plusieurs restaurants et hôtels supérieurs à travers le Canada.

Ron possédait et gérait plusieurs restaurants qui ont remporté des prix nationaux. Il est professeur et expert-conseil pour l'industrie hôtelière ainsi que président du North American Institute of Modern Cuisine Inc.

Comme auteur, il démontre un flair unique dans tous les domaines de la cuisine, qu'il s'agisse de la cuisine classique ou simplement familiale, ou qu'il s'agisse de présentation moderne, tous les styles sont présentés et sont faciles à préparer. Ce livre est plus qu'une collection de recettes, c'est une collection de recettes délicieuses et utilisables qui deviendront standard dans n'importe quelle cuisine, pour la ménagère comme pour le chef professionel.

Avec *Tout simplement délicieux 2, la carrière de* M. Kalenuik compte jusqu'à présent huit livres de cuisine. Ses meilleures ventes internationales des éditions de *Tout simplement délicieux* comprenaient plus de 850,000 exemplaires à travers le monde. De ses autres livres sont inclus *L'essentiel du goût, La cuisine extraordinaire, Dîner chez soi, Championnat de cuisine, Le meilleur fromage du chef K* et *L'épice qu'il faut.*

$\mathcal{U}$N MOT DE L'AUTEUR

La passion des gens pour la cuisine est profonde, qu'ils fassent du dernier cri ou qu'ils fassent "juste comme maman." Les gens se tiennent à ce qui marche le mieux pour eux. C'est bien pourquoi la série de Tout simplement délicieux 2 est tellement importante pour plus de 850 000 personnes. Ce sont des livres de recettes que l'on peut garder, et sur la réussite desquelles on peut compter dans sa cuisine. Maintenant, vous aussi, vous pouvez *partager ce succès avec Tout simplement délicieux 2.*

La plupart veulent le meilleur pour leurs familles et elles le méritent. C'est cela ce que nous vous donnons avec la Cuisine *Simplement Délicieuse 2*, les meilleures recettes simples et délicieuses. N'importe où l'on habite celles-ci offriront à votre famille ce que vous aimez le plus: le meilleur possible.

Ce sont toujours les cuisiniers qui cherchent la muse essayant de combiner le passé avec le présent afin de trouver l'inspiration. Dans *Tout simplement délicieux 2*, celle-ci est définie et perfectionnée . Il n'y a pas de recettes trop difficiles ni si différentes qu'on voudra négliger. Chaque recette a le goût "d'encore une petite bouchée", laissant l'invité avec un immense désir du retour à table.

Il n'y a pas de cuisiniers qui sachent résister à leurs recettes; moi non plus d'ailleurs. Je vous ai donné des créations qui ont gagné des prix et qui ont plu à des amis ainsi qu'à des critiques. Je vous ai donné plus que des années d'expériences culinaires. Je vous ai donné le goût d'un rêve culinaire. J'espère que vous partagerez ce rêve avec moi.

Depuis mon premier best-seller culinaire international *Tout simplement délicieux*, j'ai appris de mes lecteurs qu'ils cherchaient la cuisine internationale. Nous avons répondu à l'appel, parce que dans ces pages vous trouverez la cuisine de l'Afrique, à l'Asie, de la Nouvelle Zélande jusqu'à Terre-Neuve, des États-Unis d'Amérique jusqu'au Royaume-Uni ainsi qu'aux régions intermédiaires.

Dans *Tout simplement délicieux 2* , nous cherchons à vous donner des années de plaisir à cuisiner. Après tout un mets devrait être un plaisir à préparer et à servir. Ceci a été accompli. Le goût est le concert de tous les sens, non seulement celui de la bouche, mais avec tous les sens qui travaillent ensemble pour votre plaisir. Pour en arriver au meilleur goût, on doit incorporer la présentation, la touche, l'odeur , l'écoute et la saveur pour parvenir au goût. Ici je l'ai accompli pour vous; nos images ne sont qu' un prélude des goûts qui suivront. Ce sont les apéritifs pour les yeux.

Votre livre est beau et grand , pour faire de l'effet. Cependant, bien qu'il soit beau, sa place est dans la cuisine ou vous gardez vos utensiles de cuisine préférés. Ouvrez les pages dans un nouveau monde de délices qui changeront vos capacités culinaires pour toujours.

Ron Kalenuik, Chef K

HORS D'OEUVRE

Les ailes de poulets — quelqu'un a laissé sortir le poulet et il a appris à voler! Appétissantes "les ailes de poulet" sont servies partout autour du monde et elles gagnent en popularité, jour après jour.

Ne vous êtes-vous jamais demandé comme ils préparent les fameuses Ailes de poulet Buffalo, N.Y.est célèbre pour celles-ci (elles sont apparues dans le Anchor Bar, un petit restaurant situé au coeur deBuffalo)? Dans ce chapitre de *Tout Simplement Délicieux 2*, vous découvrirez la façon de les préparer sans avoir à aller à Buffalo. A moins que vous préféreriez un goût plus exotique — elles sont toutes contenues dans les pages qui suivent. Nous vous en avons donné plus de 10 différentes sortes, partant des Ailes Buffalo, aux ailes au brandy aux abricots, aux ailes fumées du Texas. Pourquoi ne pas toutes les essayer?

Cependant vous ne trouverez pas que des ailes de poulet. Nous avons inclus d'appétissant démarreurs de fête et hors d'oeuvre de gourmet pour les occasions spéciales dans votre vie. Pourquoi ne pas préparer un repas contitué d'hors d'oeuvre seulement; ils deviennent très spéciaux pour vos soirées d'occasions spéciales.

Le concept des hors d'oeuvre a été introduit il y a plusieurs années en Russie, où pour affûter l'appétit, on grignotait un petit quelque chose de délicieux et d'appétissant. Les Français ont toujours reconnu la place que les hors d'oeuvre accordaient aux plats qui suivaient. Si ce premier plat d'aventure était de qualité inférieure, alors même la présence de la plus fine vaisselle était considérée sous son plus faible éclat. Mais les préparer avec *Tout Simplement Délicieux* et les louanges pour les plats qui suivront resteront des semaines après que le repas ait été consommé.

Aujourd'hui les hors d'oeuvre sont plus qu'une simple grignotine; ils peuvent être la meilleure avenue d'un repas mémorable. Qu l'on choisisse les Crevettes à la sauce aux pommes et au chocolat ou les fascinantes Capellini aux Tomates accompagné de Pesto au poivre rouge et aux Crevettes, le résultat sera toujours le même — un succès! Comptez sur la créativité de ces délices extraordinaires pour faire ressortir le meilleur de vos convives. Leur approbation est garantie, ces hors d'oeuvre (comme nos Ravioli au Saumon Fumee servi avec Sauce au Fromage Poivré et à la Vodka) sont les meilleurs qu'ils aient jamais goûté, et ce sont ceux que vous avez préparez. Les commentaires qu'ils vous feront, ainsi que tout ce qu'ils diront de votre repas, sera "capriccioso," l'équivalent italien de *Tout Simplement Délicieux.*

Crevettes Marinées de Réception

CANAPÉS AU CRABE ET AUX NOIX DE CAJOU

1 livre	450 g	chair de crabe cuite
1 tasse	250 mL	noix de cajou, non salées
1 c. à table	15 mL	beurre
2 c. à thé	10 mL	farine
¾ tasse	180 mL	crème légère
2 c. à table	30 mL	persil haché
¼ tasse	60 mL	fromage Parmesan fraîchement, râpé
36	36	craquelins de blé entier, ou pointes de pain grillé

Mélanger le crabe et les noix de cajou. Faire fondre le beurre dans une poêle, ajouter la farine et cuire à feu doux pendant 2 minutes. Ajouter la crème et faire mijoter jusqu'à l'obtention d'une sauce épaisse. Ajouter le persil, le fromage et le crabe.

Servir chaud sur des craquelins.

DONNE 6 PORTIONS

CANAPÉS AUX CREVETTES, AUX PÉTONCLES ET AUX ESCARGOTS

24	24	grosses crevettes décortiquées et parées
24	24	gros pétoncles
24	24	escargots très gros
3 c. à table	45 mL	beurre
2	2	gousses d'ail hachées
¼ tasse	60 mL	vin blanc
2 c. à table	30 mL	Pernod
1 c. à table	15 mL	ciboulette hachée
1 c. à table	15 mL	persil haché

Sur des brochettes, enfiler deux de chaque; crevettes, escargots et pétoncles en les alternant. Déposer sur un gril.

Faire fondre le beurre dans une poêle, ajouter les autres ingrédients. Cuire jusqu'à ce que le mélange soit réduit de moitié.

Badigeonner les brochettes avec le beurre. Faire griller pendant 2 à 3 minutes. Retourner les brochettes et les badigeonner de beurre une autre fois et poursuivre la cuisson pendant 2 à 3 minutes. Retirer du four, badigeonner une troisième fois et servir immédiatement.

DONNE 6 PORTIONS

OEUFS ARMADILLO

16	16	piments jalapeño
1 tasse	250 mL	fromage Monterey Jack râpé
2	2	oeufs
¼ tasse	60 mL	lait
½ tasse	125 mL	farine
1 tasse	250 mL	chapelure épicée
2 tasses	500 mL	huile de tournesol
2 tasses	500 mL	sauce Créole forte (voir page 121)
		feuilles de laitue frisée

Couper le bout des piments. À l'aide d'un petit couteau retirer la membrane et les graines du piment.

Remplir chaque piment avec autant de fromage que possible. Déposer sur un moule de four.

Mélanger les oeufs et le lait dans un petit bol.

Saupoudrer les piments avec la farine et les tremper dans le mélange d'oeufs et de lait et les enrober de chapelure.

Chauffer l'huile à 350°F (190°C). Frire les piments dans l'huile jusqu'à ce qu'ils soient dorés.

Placer la sauce Créole dans un petit bol et le déposer sur un grand plat de service. Disposer les feuilles de laitue autour du bol. Placer les oeufs Armadillo sur le plat et servir immédiatement.

DONNE 4 PORTIONS

Canapés aux Crevettes, aux Pétoncles & aux Escargots

Oeufs Armadillo

AILES ÉPICÉES YUCATAN

½ tasse	125 mL	huile de tournesol
1	1	oignon finement haché
1	1	poivron vert finement haché
1	1	branche de céleri finement hachée
2	2	gousses d'ail hachées
2 c. à thé	10 mL	piments forts finement hachés
1 tasse	250 mL	tomates écrasées
1 tasse	250 mL	banane écrasée
½ c. à thé	3 mL	sel (facultatif)
½ c. à thé	3 mL	poivre de cayenne
1 c. à thé	5 mL	origan
¼ c. à thé	1 mL	poivre blanc
¼ c. à thé	1 mL	poivre noir
2¼ livres	1 kg	ailes de poulet

Faire chauffer l'huile dans une poêle. Ajouter l'oignon, le poivron vert, le celeri, l'ail et les piments forts. Cuire jusqu'à ce qu'ils soient tendres. Ajouter les tomates, la banane et les épices. Faire mijoter pendant 15 à 20 minutes.

Laver et couper le bout des ailes. Éponger le poulet avec du papier absorbant. Placer les ailes dans une grande casserole. Ajouter la sauce et couvrir la casserole avec du papier d'aluminium. Cuire au four préchauffé à 350°F (180°C) pendant 45 minutes. Découvrir et cuire encore pendant 15 minutes. Mettre dans un plat de service. Servir immédiatement.

DONNE 4 PORTIONS

Ailes de Poulet Buffalo

AILES DE POULET BUFFALO

2¼ livres	1 kg	ailes de poulet
4 tasses	1 L	huile
¼ tasse	60 mL	beurre
5 c. à table	75 mL	Sauce Franks-Durkees au poivre de cayenne: moins pour une sauce peu épicée, plus pour une sauce forte
1 pied	1	céleri
1 tasse	250 mL	fromage bleu, émietté
1 tasse	250 mL	mayonnaise

Couper le bout des ailes. Séparer les ailes aux jointures. Faire chauffer l'huile à 375°F (190°C). Frire quelques ailes à la fois, pendant 10 minutes. Maintenir l'huile à température constante. Conserver au chaud dans le four.

Faire fondre le beurre dans une poêle et ajouter la sauce forte. Mettre les ailes dans un plat de service. Ajouter la sauce et mélanger pour bien enrober.

Pendant la cuisson des ailes, couper le céleri en bâtons. Mélanger le fromage bleu et la mayonnaise pour servir comme trempette pour le céleri et les ailes.

Servir les ailes avec le céleri.

DONNE 4 PORTIONS

COCKTAIL DE HOMARD

1 livre	450 g	chair de homard cuite
¼ tasse	60 mL	ketchup aux tomates
2 c. à table	30 mL	sherry
1 c. à table	15 mL	raifort fort, rapé
¼ c. à thé	1 mL	poivre de cayenne
1 c. à table	15 mL	jus de citron
2 c. à thé	10 mL	ciboulette hachée
1 c. à thé	5 mL	câpres hachés
6	6	feuilles d'endives
6	6	pinces de homard – chair seulement

Couper en dés la chair de homard

Dans un petit bol, mélanger le ketchup, le sherry, le raifort, le poivre de cayenne, le jus de citron, la ciboulette et les câpres. Ajouter la chair de homard et mélanger.

Placer le mélange sur les feuilles d'endives dans un plat refroidi ou dans des verres à champagne refroidis. Garnir des pinces de homards. Servir.

NOTE: Remplacer par de la chair de crabe ou de crevette si désiré.

DONNE 6 PORTIONS

AILES DE POULET DIJONNAISES AUX AMANDES

2¼ livres	1 kg	ailes de poulet
1 tasse	250 mL	moutarde de Dijon
1 tasse	250 mL	amandes en poudre
1 tasse	250 mL	chapelure fine épicée
4 tasses	1 L	huile de tournesol

Laver et couper le bout des ailes. Éponger le poulet avec du papier absorbant. Enrober chaque aile de moutarde de Dijon.

Mélanger les amandes avec la chapelure. Déposer les ailes dans la chapelure et les retourner pour les enrober.

Chauffer l'huile à 375°F (180°C). Faire frire quelques ailes à la fois, pendant 10 minutes. Conserver les ailes au chaud dans le four pendant que cuisent les autres. Servir chaud

DONNE 4 PORTIONS

AILES DE POULET AUX ABRICOTS ET AU BRANDY

1 tasse	250 mL	abricots secs
1 tasse	250 mL	eau chaude
½ tasse	125 mL	brandy aux abricots
3 c. à table	45 mL	sucre
½ c. à thé	3 mL	cannelle
2¼ livres	1 kg	ailes de poulet

Dans une poêle faire cuire les abricots dans l'eau chaude jusqu'à ce qu'ils soient mous. Mettre les abricots dans un robot culinaire et les réduire en purée. Remettre dans la poêle et ajouter le brandy, le sucre et la cannelle. Faire mijoter pendant 5 minutes.

Déposer les ailes de poulets sur un gril. Faire griller dans un four préchauffé pendant 10 minutes. Retourner les ailes et poursuivre la cuisson pendant 10 minutes. Durant les 3 dernières minutes badigeonner les ailes avec la sauce au moins deux fois. Retirer les ailes du four et les badigeonner avec la sauce une autre fois. Servir chaud.

NOTE: Vous pouvez remplacer le brandy pour du jus de pomme ou du nectar d'abricot.

DONNE 4 PORTIONS

AILES DE POULET CAJUN

2¼ livres	1 kg	ailes de poulet
2 tasses	500 mL	chapelure
2 c. à thé	10 mL	origan
1 c. à thé	5 mL	basilic
1 c. à thé	5 mL	sel
1 c. à thé	5 mL	piments forts en poudre
½ c. à thé	3 mL	poudre d'onions
½ c. à thé	3 mL	paprika
½ c. à thé	3 mL	poivre de cayenne
¼ c. à thé	1 mL	poivre noir
¼ c. à thé	1 mL	poivre blanc
2	2	oeufs
¼ tasse	60 mL	lait
½ tasse	125 mL	farine
4 tasses	1 L	huile de tournesol

Préchauffer l'huile à 375°F (190°C).

Laver et couper le bout des ailes. Éponger le poulet avec du papier absorbant. Mélanger la chapelure et les épices.

Battre les oeufs dans le lait, mettre la farine dans un autre bol à mélanger. En travaillant rapidement, rouler chaque aile dans la farine, la plonger dans le mélange d'oeufs et de lait et l'enrober de chapelure assaisonnée.

Faire frire quelques ailes à la fois, pendant 10 à 12 minutes. Conserver les ailes au chaud dans le four pendant que cuisent les autres. Servir chaud.

DONNE 4 PORTIONS

Ailes Dijonnaises aux Amandes, aux Abricots et au Brandy & Cajun

CRÊPES AUX FRUITS DE MER

¼ tasse	60 mL	beurre
½ livre	225 g	crevettes
½ livre	225 g	chair de crabe
½ livre	225 g	chair de homard
3 c. à table	45 mL	farine
1 tasse	250 mL	bouillon de poisson (voir page 76)
2 tasses	500 mL	vin blanc
½ tasse	125 mL	crème légère
½ c. à thé	3 mL	sel (facultatif)
½ tsp	3 mL	poivre
1/3 tasse	80 mL	fromage Parmesan fraîchement râpé
16	16	crêpes (voir pâte à crêpes, page 469)
2 c. à table	30 mL	persil haché

Faire chauffer le beurre dans une poêle. Ajouter les fruits de mer et cuire lentement. Saupoudrer de farine et cuire pendant 2 autres minutes à feu doux. Ajouter le bouillon, le vin et la crème. Faire mijoter jusqu'à ce que le mélange soit épais et homogène. Ajouter le sel, le poivre et le Parmesan. Faire cuire pendant 2 autres minutes.

Mettre de côté 1 tasse (250 mL) de garniture. Déposer une quantité égale de garniture dans chaque crêpe et les rouler. Disposer sur un plat de service. Garnir du restant de sauce. Parsemer de persil et servir.

DONNE 8 PORTIONS

Ailes de Poulet Barbecue

BOUCHÉES AU FROMAGE MASCARPONE

¼ livre	115 g	fromage Mascarpone ou fromage à la crème
1 c. à thé	5 mL	sel
¼ c. à thé	1 mL	poivre blanc
¼ tasse	60 mL	ciboulette finement hachée
2½ tasses	625 mL	noix de Grenoble hachées

Dans un robot culinaire, mélanger le fromage, le sel, le poivre et la ciboulette jusqu'à l'obtention d'un mélange crémeux. Retirer du robot culinaire et façonner de petites boulettes.

Mettre les noix de Grenoble dans un petit bol. Y rouler les boulettes de fromage pour les enrober. Disposer les boulettes de fromage sur un plat de service recouvert de papier ciré. Réfrigérer pendant 1 heure avant de servir.

DONNE 6 PORTIONS

AILES DE POULET BARBECUE

½ tasse	125 mL	sucre brun
½ tasse	125 mL	ketchup aux tomates
2 c. à table	30 mL	sauce Worcestershire
1 c. à thé	5 mL	poudre de chili
½ c. à thé	3 mL	de chaque: origan, poudre d'ail, thym, poudre d'oignon, paprika, sel, poivre, basilic
2¼ livres	1 kg	ailes de poulet

Mélanger ensemble le sucre brun, le ketchup, la sauce Worcestershire et les épices.

Laver et couper le bout des ailes (couper le bout de chaque aile). Éponger le poulet avec du papier absorbant. Déposer les ailes sur un gril. Faire griller dans un four préchauffé pendant 10 minutes. Retourner les ailes et les badigeonner avec la sauce. Poursuivre la cuisson pendant 10 minutes. Rebadigeonner durant les 2 dernières minutes de cuisson.

Servir chaud avec le restant de sauce.

DONNE 4 PORTIONS

CHAMPIGNONS FARCIS AU CRABE

3 c. à table	45 mL	beurre
3 c. à table	45 mL	farine
½ tasse	125 mL	bouillon de poulet (voir page 77)
½ tasse	125 mL	crème moitié et moitié
½ c. à thé	3 mL	sel
¼ c. à thé	1 mL	poivre blanc
1 c. à thé	5 mL	moutarde de Dijon
1	1	jaune d'oeuf
1 tasse	250 mL	chair de crabe cuite
1 lb	454 g	grosses têtes de champignons frais
3	3	oeufs
2 tasses	500 mL	chapelure épicée
4 tasses	1 L	huile de tournesol

Faire fondre le beurre dans une poêle, ajouter la farine et cuire pendant 2 minutes à feu doux. Ajouter le bouillon, la crème, le sel, le poivre et la moutarde. Faire mijoter jusqu'à ce que la sauce s'épaississe et y ajouter un jaune d'oeuf battu.

Ajouter le crabe à la sauce et la verser dans un robot culinaire. Réduire en purée et laisser refroidir à la température de la pièce. Mettre une petite quantité de la garniture dans chaque tête de champignon. Placer deux têtes ensemble afin d'enfermer la garniture au milieu. Bien enrober les champignons du restant de garniture.

Battre les oeufs jusqu'à l'obtention d'un mélange léger. Plonger les champignons dans les oeufs et les enrober de chapelure.

Faire chauffer l'huile à 375°F (190°C) et frire une petite quantité de champignons à la fois, jusqu'à ce qu'ils soient dorés. Conserver au chaud dans le four pendant que cuisent les autres. Servir chaud immédiatement.

DONNE 6 PORTIONS

RISSOLES FRANÇAISES

1 quan	1	pâte feuilletée (voir page 689)
2 tasses	500 mL	poulet cuit haché
¾ tasse	190 mL	sauce Mornay (voir page 111)
3	3	oeufs
¼ tasse	60 mL	crème moitié et moitié
4 tasses	1 L	huile de tournesol

Rouler la pâte à l'aide d'un rouleau à pâtisserie. Couper en petits carrés.

Mélanger le poulet avec la sauce Mornay. Mettre 1½ c. à thé de garniture (8 mL) au centre de chaque carré. Humecter les rebords avec une petite quantité d'eau. Mettre les coins opposés ensemble pour enfermer la garniture. Pincer la pâte ensemble au-dessus de la garniture.

Mélanger les oeufs avec la crème.

Faire chauffer l'huile à 375°F (190°C).

Plonger les pochettes dans le mélange d'oeufs et faire frire une petite quantité à la fois, jusqu'à ce qu'elles soient dorées. Déposer sur un moule de four recouvert de papier absorbant et conserver au chaud dans le four pendant que cuisent les autres. Servir chaud immédiatement.

DONNE 6 PORTIONS

FLAUTAS AU BOEUF

1 c. à table	15 mL	chili en poudre
2 c. à thé	10 mL	paprika
1 c. à thé	5 mL	origan
½ c. à thé	3 mL	de chaque: basilic, thym, poudre d'ail, poudre d'oignon, sel, poivre
1 lb	450 g	steak de sirloin finement tranché
3 c. a table	45 mL	huile de tournesol
1	1	oignon finement tranché
1	1	piment vert finement tranché
4 oz	120 g	champignons finement tranchés
12	12	tortillas à la farine de maïs doux

Mélanger ensemble toutes les épices et saupoudrer légèrement la viande. Faire chauffer l'huile et y faire sauter la viande pendant 5 minutes. Retirer la viande et conserver au chaud.

Faire sauter les légumes rapidement dans l'huile. Envelopper la viande et les légumes dans les tortillas. Servir chaud avec de la sauce Salsa (voir page 115).

DONNE 6 PORTIONS

Champignons Farcis au Crabe

Flautas au Boeuf

TOMATES CAPELLINI AU PESTO AU POIVRON ROUGE ET AUX CREVETTES

1	1	gousse d'ail finement hachée
2 c. à table	30 mL	pignes
1 c. à table	15 mL	feuilles de basilic frais finement coupées
3 c. à table	45 mL	persil frais haché
1 tasse	250 mL	poivrons rouges épépinés et hachés
3 oz	90 mL	fromage Romano fraîchement râpé
¼ cup	60 mL	huile d'olive
1 quan	1	pâte à pâte de tomates (voir page 440)
1 livre	450 g	grosses crevettes cuites

Mettre l'ail et les pignes dans un robot culinaire et mélanger jusqu'à consistance fine. Ajouter le basilic, le persil, le poivre et le fromage et mélanger jusqu'à l'obtention d'une pâte. Ajouter lentement l'huile et continuer à mélanger jusqu'à consistance d'une mayonnaise.

Faire cuire les pâtes al dente dans 4 litres (4 L) d'eau bouillante salée. Égoutter

Mélanger la sauce et les pâtes et servir sur des assiettes chaudes. Garnir avec les crevettes et servir.

DONNE 6 PORTIONS

CUISSES DE GRENOUILLES DU CHEF K

16 paires	16	cuisses de grenouilles
2 tasses	500 mL	bière
2 tasses	500 mL	farine
1 c. à thé	5 mL	feuilles de basilic
½ c. à thé	3 mL	de chaque: thym, paprika, origan, sel, poudre d'ail poudre d'oignon, poivre
3 c. à table	45 mL	beurre
3 c. à table	45 mL	huile d'olive
2 c. à table	30 mL	jus de citron
2 c. à table	30 mL	persil frais haché

Faire mariner les cuisses de grenouilles dans la bière pendant 2 heures.

Pendant ce temps, mélanger ensemble la farine et les épices.

Retirer les cuisses de grenouilles de la bière. Les éponger avec du papier absorbant.

Soupoudrer les cuisses de grenouilles du mélange de farine assaisonnée. Dans une grande poêle faire chauffer l'huile et le beurre ensemble. Faire sauter les cuisses de grenouilles dans l'huile et le beurre jusqu'à ce qu'elles soient dorées. Placer sur un plat de service. Arroser avec le jus de citron, le persil et servir.

DONNE 4 PORTIONS

AILES DE POULET À LA JÉZABEL

½ tasse	125 mL	gelée de pommes
½ tasse	125 mL	ananas en boîte
1 c. à thé	5 mL	moutarde sèche
½ c. à thé	3 mL	flocons de piments rouges
1 c. à table	15 mL	raifort fort
8 onces	225 g	fromage à la crème
2¼ livres	1 kg	ailes de poulet
		sel & poivre au goût

Mélanger la gelée de pommes, les ananas, la moutarde, les piments rouges et le raifort. Ajouter au fromage à la crème.

Laver et enlever le bout des ailes. Éponger avec du papier absorbant. Déposer sur une tôle à biscuits. Saupoudrer de sel et de poivre. Cuire dans un four préchauffé à (180°C) pendant 45 minutes. Transférer dans une casserole. Couvrir les ailes de la sauce à l'aide d'une cuillère. Couvrir avec du papier d'aluminium et cuire pendant 20 minutes de plus. Servir chaud.

DONNE 4 PORTIONS

Tomates Capellini au Pesto au Poivron Rouge & aux Crevettes

Ailes de Poulet au Miel Citronné

HAMBURGERS BERMUDIENS

1 livre	454 g	viande très maigre hachée
¼ c. à thé	1 mL	de chaque: sel, poivre, basilic, thym, origan
2 c. à thé	10 mL	sauce Worcestershire
30	30	oignons perlés marinés
1	1	jaune d'oeuf
½ tasse	125 mL	eau froide
¾ tasse	190 mL	farine pour gâteaux
4 tasses	1 L	huile de tournesol
½ tasse	125 mL	farine non-blanchie
2½ tasses	625 mL	flocons de maïs écrasés
2½ tasses	625 mL	sauce barbecue

AILES DE POULET AU MIEL CITRONNÉ

2¼ livres	1 kg	ailes de poulet
3 c. à table	45 mL	écorce de citron râpée
3 c. à table	45 mL	jus de citron
1 tasse	250 mL	miel
1 c. à thé	5 mL	cannelle

Laver et enlever le bout des ailes. Éponger avec du papier absorbant.

Mélanger ensemble l'écorce de citron râpée, le jus de citron, le miel et la cannelle. Verser sur les ailes, mariner pendant 2 heures. Placer les ailes sur un gril. Conserver la marinade de côté.

Faire griller dans le four pendant 10 à 12 minutes. Retournez lea ailes, les badigeonner avec la marinade. Griller encore pendant 10 minutes. Servir immédiatement.

DONNE 4 PORTIONS

AILES FUMÉES DU TEXAS

2¼ livres	1 kg	ailes de dinde
½ tasse	125 mL	sauce chili
3 c. à table	45 mL	sauce soya
2	2	gousses d'ail finement hachées
½ c. à thé	3 mL	fumée liquide
½ c. à thé	3 mL	poivre de cayenne
½ c. à thé	3 mL	poivre noir
¼ tasse	60 mL	sucre brun

Nettoyer et enlever le bout des ailes. Les éponger avec du papier absorbant. Placer les ailes dans une casserole recouverte de papier d'aluminium. Cuire dans un four préchauffé à 350°F (180°C) pendant ½ heure.

Pendant la cuisson des ailes, mélanger ensemble les autres ingrédients. Retirer le papier d'aluminium, verser la sauce sur les ailes. Couvrir à nouveau et faire cuire pendant 35 à 40 minutes, jusqu'à ce que les ailes soient tendres. Servir immédiatement.

DONNE 4 PORTIONS

Dans un petit bol, mélanger la viande, les épices et la sauce Worcestershire.

Enrober chaque oignon d'une cuillèrée à table (15 ml) du mélange de viande

Battre ensemble le jaune d'oeuf, l'eau et la farine pour gâteaux dans un petit bol.

Faire chauffer l'huile à 375°F (190°C).

Saupoudrer les boulettes de viande de farine, puis les tremper dans l'oeuf et les rouler dans les flocons de maïs. Faire frire une petite quantité de boulettes dans l'huile jusqu'à ce qu'elles soient dorées. Les conserver au chaud dans le four pendant que cuisent les autres boulettes.

Placer la sauce barbecue dans un petit bol au centre d'un plat de service. Disposer les boulettes de viande cuites autour du plat et servir immédiatement.

DONNE 6 PORTIONS

Ailes Fumées du Texas

AILES DE POULET AU MIEL & À L'AIL

2¼ livres	1 kg	ailes de poulet
4 tasses	1 L	huile de tournesol
1 tasse	250 mL	miel liquide
1 c. à table	15 mL	poudre d'ail

Laver et enlever le bout des ailes. Les éponger avec du papier absorbant.

Faire chauffer l'huile à 375°F (190°C). Faire frire les ailes en petites quantités pendant 10 minutes. Conserver au chaud pendant que cuisent les autres.

Mélanger le miel avec la poudre d'ail, (c'est plus facile si le miel est chaud).

Placer les ailes dans un bol de service. Verser le miel sur les ailes. Bien mélanger pour les enrober. Servir.

DONNE 4 PORTIONS

TRANCHES DE CONCOMBRE FARCIES

1	1	long concombre anglais
1 tasse	250 mL	huile d'olive
⅓ tasse	80 mL	jus de citron
2 c. à thé	10 mL	sel
½ c. à thé	3 mL	poivre blanc
1 tasse	250 mL	saumon fumé haché
¼ tasse	60 mL	mayonnaise
2 c. à thé	10 mL	moutarde de Dijon
		feuilles de cresson

Peler le concombre et le couper dans le sens de la longueur en morceaux de ⅓ " de longueur. A l'aide d'un vide-pomme retirer la pulpe et les graines et placer dans un grand bol.

Mélanger ensemble l'huile, le jus de citron, le sel et le poivre et verser sur les concombres. Réfrigérer pendant 2 heures et égoutter.

Mélanger ensemble le saumon, la mayonnaise et la moutarde. Mettre la garniture dans les concombres. Trancher les concombres en bouchées, les déposer sur un plat de service garni de feuilles de cresson et servir.

DONNE 6 PORTIONS

CHAMPIGNONS NEPTUNE

36	36	gros champignons
3 c. à table	45 mL	beurre
½ lb	225 g	chair de crabe
2 c. à table	30 mL	farine
1 c. à table	15 mL	ciboulette
1 c. à table	15 mL	moutarde de Dijon
3 c. à table	45 mL	jus de citron
2 c. à thé	10 mL	sauce Worcestershire
2 c. à thé	10 mL	basilic
¼ tasse	60 mL	sherry
⅓ tasse	80 mL	crème légère
1 tasse	250 mL	sauce béarnaise (voir page 108)

Laver les champignons et retirer les queues. Faire bouillir les têtes de champignons dans de l'eau légèrement salée, égoutter et laisser refroidir. Couper finement les queues.

Faire chauffer le beurre dans une grosse poêle. Faire sauter la chair de crabe et les queues de champignons. Saupoudrer de farine et faire cuire pendant 2 minutes. Ajouter les autres ingrédients à l'exception de la sauce béarnaise. Laisser mijoter jusqu'à épaississement.

Préchauffer le grilloir du four.

Farcir les têtes avec le mélange au crabe et placer sur une tôle à biscuits. Couvrir chaque tête d'une cuillèrée à table de sauce béarnaise. Mettre sous la source de chaleur du four et faire dorer. Servir très chaud.

DONNE 6 PORTIONS

Tranches de Concombre Farcies

DÉLICES ITALIENNES

1	1	miche de pain italien
2 tasse	500 mL	fromage Mascarpone
¾ tasse	190 mL	fromage Gorgonzola émietté
15-20	15-20	filets d'anchois
15-20	15-20	olives vertes farcies

Couper le pain en tranches minces et retirer la croûte. Couper les tranches en formes variées.

Travailler les fromages ensemble et étendre sur les tranches.

Rouler les filets d'anchois autour des olives et en disposer une sur chaque tranche.

DONNE 6 PORTIONS

LINGUINE AU CANARD À L'ORANGE

1 quan	1	pâtes au safran (voir page 436)
2-3 livres	1 kg	caneton
1 tasse	250 mL	bouillon de boeuf (voir page 85)
2 tasses	500 mL	vin blanc
6	6	oranges
2	2	citrons
3 c. à table	45 mL	farine
¼ tasse	60 mL	sucre
¼ c. à thé	1 mL	cannelle
¼ tasse	60 mL	brandy à l'orange
2 c. à table	30 mL	gelée de groseilles

Préparer les pâtes en suivant les indications et les couper en forme de linguine.

Assaisonner le canard avec un peu de sel et de poivre. Placer dans une rôtissoire et verser le vin et le bouillon sur le canard. Râper l'écorce des 3 oranges et d'un citron et extraire leur jus. Verser le jus sur le canard. Couvrir le canard et rôtir dans un four préchauffé à 400°F (200°C) pendant 1¼ heures ou jusqu'à ce que le jus qui s'écoule des cuisses lorsqu'on les pique soit clair. Retirer le canard de la rôtissoire. Enlever le gras du jus. Conserver 3 c. à table (45 mL) de gras et jeter le reste.

Faire chauffer le reste du gras dans une poêle. Ajouter la farine et faire cuire pendant 2 minutes à feu moyen. Réduire la chaleur, ajouter le jus du canard et faire mijoter. Dans une autre casserole, caraméliser le sucre (le faire brunir mais faire attention de ne pas le brûler). Ajouter le brandy et le restant du jus des oranges et du citron.

Ajouter la cannelle et la gelée en brassant à la sauce. Ajouter les écorces des oranges et du citron, poursuivre la cuisson pendant 10 minutes.

Retirer la viande du canard, la couper grossièrement et la conserver au chaud.

Cuire les pâtes al dente dans une casserole d'eau bouillante salée et égoutter. Servir sur des assiettes de service. Ajouter la viande de canard et recouvrir de la sauce. Servir.

DONNE 6 PORTIONS

Linguine au Canard à l'Orange

Canapés Monté Cristo

TORTELLINI AUX ESCARGOTS

¼ quan	0.25	pâte de base (voir page 426)
18	18	gros escargots
1 c. à table	15 mL	beurre
1	1	gousse d'ail finement hachée
1	1	petit oignon finement haché
1 c. à table	15 mL	jus de citron
1 c. à thé	5 mL	basilic
2 c. à table	30 mL	sherry
2 c. à thé	10 mL	Pernod
3 tbsp	15 mL	persil haché
⅓ tasse	80 mL	crème moitié et moitié

Rouler la pâte jusqu'à ce qu'elle soit mince, avec un coupe-biscuits, couper 36 ronds. Les couvrir avec un linge mouillé pour empêcher qu'ils sèchent.

Couper les escargots en deux. Faire fondre le beurre dans une poêle et faire sauter l'ail et l'oignons jusqu'à ce qu'ils soient tendres. Ajouter les escargots et continuer à faire sauter pendant 1 minute. Ajouter le jus de citron, le basilic, le sherry et le Pernod. Baisser le feu et faire mijoter pendant 3 minutes. Ajouter en mélangeant le persil et la crème. Retirer du feu et mettre de côté.

Mettre les escargots dans un bol et laisser refroidir. Badigeonner les ronds de pâte avec de l'eau. Placer la moitié d'un escargot sur chaque rond, plier la pâte et la pincer pour enfermer la garniture. Recourber les pointes autour de la garniture et pincer ensemble.

Cuire les tortellinis dans 3 litres d'eau bouillante salée, jusqu'à ce qu'ils flottent.

Réchauffer la sauce. Ajouter aux tortellinis égouttés et servir.

DONNE 6 PORTIONS

CHAMPIGNONS FARCIS AU PORC

1 livre	450 g	gros champignons
⅓ livre	130 g	saucisses
½ tasse	125 mL	chapelure fine épicée
1 c. à table	15 mL	beurre fondu
1 tasse	250 mL	sauce béarnaise (voir page 108)

Laver les champignons, retirer les queues et les trancher finement. Dans une grosse poêle, faire brunir la saucisse et ajouter les queues tranchées lorsque la cuisson est presque terminée. Poursuivre la cuisson. Retirer du feu et jeter l'excès de gras. Mettre le mélange dans un bol et laisser refroidir à la température de la pièce.

Ajouter la chapelure et le beurre au mélange de saucisse refroidi. Farcir les têtes de champignons du mélange de saucisse. Placer sur une tôle à biscuits et cuire dans un four préchauffé à 350°F (180°C) pendant 15 minutes.

Couvrir chaque champignon d'une demi-cuillèrée à thé (3 ml) de sauce béarnaise. Augmenter la chaleur et faire griller les champignons pendant 2 à 3 minutes jusqu'à ce que la sauce ait bruni. Servir très chaud.

DONNE 6 PORTIONS

CANAPÉS MONTE CRISTO

16	16	tranches de pain blanc
16	16	tranches de Prosciutto
1 tasse	250 mL	fromage suisse râpé
4	4	oeufs
¼ tasse	60 mL	crème moitié et moitié
4 c. à table	60 mL	beurre

Retirer la croute du pain.

Placer 2 tranches de Prosciutto et un peu de fromage entre deux tranches de pain. Couper diagonalement en 4 morceaux.

Mélanger les oeufs avec la crème. Tremper les pointes de sandwich dans le mélange aux oeufs.

Faire chauffer une petite quantité de beurre dans une poêle et faire frire les pointes de sandwich jusqu'à ce qu'elles soient dorées. Servir chaud immédiatement.

DONNE 4 PORTIONS

Crevettes à la Sauce aux Pommes & au Chocolat du Chef K

Crevettes au Miel & au Paprika

CREVETTES À LA SAUCE AUX POMMES ET AU CHOCOLAT DU CHEF K

1 livre	450 g	grosses crevettes, décortiquées et parées
3 c. à table	45 mL	beurre
2 c. à table	30 mL	huile de tournesol
1 tasse	250 mL	pommes pelées, dénoyautées et coupées en dés
3 onces	80 g	champignons
2 c. à table	30 mL	farine
1 tasse	250 mL	crème légère
¼ tasse	60 mL	brandy de pommes (Calvados)
3 onces	80 mL	chocolat blanc râpé

A l'aide d'un petit couteau, faire une entaille dans le dos des crevettes pour les mettre en forme de papillon. Faire chauffer ensemble le beurre et l'huile dans une grande poêle. Faire sauter les crevettes rapidement dans l'huile. Les retirer et les garder au chaud dans le four.

Mettre les pommes et les champignons dans la poêle. Faire sauter pendant 3 minutes. Saupoudrer de farine et faire cuire pendant 2 minutes à feu doux. Ajouter la crème et le brandy et laisser mijoter jusqu'à l'obtention d'une sauce homogène. Ajouter le chocolat et faire cuire pendant 1 minute. Verser la sauce sur les crevettes et servir.

DONNE 4 PORTIONS

CREVETTES AU MIEL ET AU PAPRIKA

½ tasse	125 mL	miel
1 c. à table	15 mL	paprika doux
2 c. à table	30 mL	sauce Worcestershire
2 c. à table	30 mL	sauce soya
1 c. à thé	5 mL	feuilles de thym séchées
1 c. à thé	5 mL	chili en poudre
¼ tasse	60 mL	huile de tournesol
¼ tasse	60 mL	sherry
1½ livres	675 g	grosses crevettes

Battre ensemble le miel, le paprika, la sauce Worcestershire, la sauce soya, le thym, le chili, l'huile et le sherry.

A l'aide d'un petit couteau, faire une entaille dans le dos des crevettes pour les mettre en forme de papillon. Les rincer à l'eau froide et les éponger avec du papier absorbant.

Couvrir les crevettes avec la sauce et laisser mariner pendant 1 heure.

Placer les crevettes sur un grand moule de four. Faire griller dans un four préchauffé pendant 3 minutes, les retourner et poursuivre la cuisson pendant 3 autres minutes.

Placer sur un plat de service et déguster.

DONNE 6 PORTIONS

HUÎTRES MARINIERES

36	36	huîtres
10 onces	300 mL	épinards
2 c. à table	30 mL	beurre
1½ tasses	375 mL	sauce marinière (voir page 111)
1 tasse	250 mL	chapelure
¼ tasse	60 mL	fromage Romano fraichement râpé
¼ tasse	60 mL	fromage Parmesan fraichement râpé

Écailler les huîtres et retirer la viande tout en conservant le jus pour la sauce marinière.

Nettoyer et couper les épinards. Faire chauffer le beurre dans une grande poêle et faire sauter les épinards. Placer une petite quantité d'épinards dans chaque coquille. Recouvrir de la chair de l'huître. Ajouter 1 c. à thé (5 ml) de sauce marinière.

Saupoudrer légèrement chaque huître de chapelure et de fromage. Cuire dans un four préchauffé pendant 10 à 12. Servir très chaud.

DONNE 6 PORTIONS

ROULEAUX AU FROMAGE ET AU BOEUF

½ livre	225 g	rôti de boeuf froid
1 tasse	250 mL	fromage à la crème
3 c. à table	45 mL	raifort en crème
3 c. à table	45 mL	ciboulette finement hachée
¼ tasse	60 mL	olives farcies tranchées

Couper le boeuf en tranches minces.

Mélanger ensemble le fromage, le raifort et la ciboulette.

Étendre le mélange au fromage sur les tranches de boeuf. Replier la viande sur la garniture en la roulant. Trancher les rouleaux en bouchées.

Placer sur un plat de service recouvert de papier ciré. Garnir chaque petit rouleau d'une tranche d'olive placée au centre. Refrigérer pendant 1 heure avant de servir.

DONNE 6 PORTIONS

ROULEAUX AU HOMARD

1 livre	450 g	chair de queue de homard
18	18	tranches de bacon

Couper le homard en 36 morceaux de grosseur égale. Couper en deux toutes les tranches de bacon. Enrouler les morceaux de homard dans les tranches de bacon. Fixer avec un cure-dents.

Cuire dans un four préchauffé à 500°F (250°C) pendant 8 à 10 minutes. Servir très chaud.

DONNE 6 PORTIONS

Rouleaux au Fromage et au Boeuf

RAMEQUINS AU POULET & AUX ÉPINARDS

2 tasses	500 mL	poulet finement coupé en dés
2 tasses	500 mL	épinards cuits, égouttés et tranchés
5	5	oeufs
¾ tasse	180 mL	crème épaisse
2 c. à table	30 mL	persil finement haché
1 c. à thé	5 mL	ciboulette hachée
½ c. à thé	3 mL	feuilles de basilic
2 c. à table	30 mL	beurre

Mélanger le poulet et les épinards. Ajouter les oeufs un à la fois. Ajouter la crème et les épices.

Beurrer six ramequins avec du beurre. Remplir chaque ramequin avec un montant égal de mélange. Les placer dans un grand plat allant au four. Remplir d'eau jusqu'à ce que le niveau atteigne la moitié des ramequins. S'assurer de ne pas mettre d'eau dans les ramequins. Mettre dans un four préchauffé à 350°F (180°C) et cuire pendant 45 minutes.

Renverser sur des assiettes chaudes et servir. Suggestion: Servir accompagné d'un peu de sauce Mornay (voir page 111) — c'est une excellente touche de finition.

DONNE 6 PORTIONS

CROQUETTES AU FROMAGE ET AUX PISTACHES

2 tasses	500 mL	fromage Ricotta
¼ tasse	60 mL	persil finement haché
½ tasse	125 mL	piment rouge finement haché
¼ c. à thé	1 mL	poivre noir moulu
¼ c. à thé	1 mL	sel
2 tasses	500 mL	pistaches décortiquées écrasées

Mettre dans un robot culinaire, le fromage, le persil, le piment et le sel. Mélanger jusqu'à consistance homogène.

Retirer et former de petites boulettes.

Mettre les pistaches dans un bol et y rouler les boulettes pour les recouvrir.

Placer les croquettes de fromage sur plat de service recouvert de papier ciré et réfrigérer pendant 1 heure avant de servir.

DONNE 6 PORTIONS

Croquettes au Fromage & aux Pistaches

SANDWICHES MARINÉS

12	12	gros cornichons marinés à l'aneth
24	24	tranches de salami épicé
3 c. à table	45 mL	moutarde de Dijon

Faire un trou au centre des cornichons, dans le sens de la longueur. (Utiliser une petite baguette ayant un bout pointu).

Étendre une mince couche de moutarde sur les tranches de salami et les rouler bien serrés. Insérer les tranches roulées dans chaque cornichon.

Couper les cornichons en bouchées, placer sur un plat de service. couvrir et réfrigérer jusqu'au moment de servir.

DONNE 6 PORTIONS

AILES DE POULET DOUCES ET ÉPICÉES

2¼ livre	1 kg	ailes de poulet
1 tasse	250 mL	miel
3 c. à table	45 mL	sauce soya
3 c. à table	45 mL	sauce Worcestershire
½ c. à thé	3 mL	gingembre en poudre
½ c. à thé	3 mL	poudre d'ail

Laver et couper le bout des ailes de poulet. Éponger avec du paper absorbant et mettre dans un grand bol.

Mélanger ensemble le miel, la sauce soya, la sauce Worcestershire, le gingembre et la poudre d'ail. Verser sur les ailes et laisser mariner pendant 2 heures.

Placer les ailes dans un plat à griller. Mettre de côté la marinade. Faire griller dans un four préchauffé pendant 10 minutes. Retourner les ailes et les badigeonner avec la marinade. Faire griller pendant 10 autres minutes. Servir chaud.

DONNE 4 PORTIONS

Sandwiches Marinés

RAVIOLI AU SAUMON FUMÉ SAUCE MORNAY AU POIVRE ET À LA VODKA

½ quan	0.5	pâtes au citron et au poivre (voir page 432)
1 c. à table	15 mL	beurre
8 onces	225 g	saumon fumé finement haché
1	1	branche de céleri hachée
1	1	petite carotte hachée
¼ c. à thé	1 mL	sel
¼ tsp	1 mL	poivre noir moulu
1	1	oeuf
¼ tasse	60 mL	vodka
¼ tasse	60 mL	vin Marsala
¼ tasse	60 mL	pâte de tomates
1½ tasses	375 mL	bouillon de poulet (voir page 77)
¼ tasse	60 mL	fromage Romano fraîchement râpé
2 c. à thé	10 mL	grains de poivre vert
1 c. à table	15 mL	persil haché

Préparer les pâtes en suivant les indications. Rouler jusqu'à ce qu'elles deviennent minces. Couper des ronds de pâte avec un coupe-biscuits, d'un diamètre de 3" (7.5 cm). Couvrir d'un linge mouillé et mettre de côté.

Faire chauffer le beurre dans une poêle. Faire sauter la carotte et le céleri jusqu'à ce qu'ils soient tendres. Mettre dans un bol et laisser refroidir à la température de la pièce. Mélanger ensemble le saumon, le sel, le poivre moulu, l'oeuf et les légumes refroidis.

Mettre une cuillèrée à thé (5 ml) du mélange dans chaque rond. Humecter les rebords avec un peu d'eau. Plier les ronds de pâte en deux. Pincer la pâte pour enfermer la garniture et tourner les rebords. Cuire les pâtes dans une large marmite d'eau bouillante salée pendant 2 minutes après qu'elles se mettent à flotter.

Pour la sauce, mettre la vodka et le vin dans un poêlon. Ajouter en mélangeant la pâte de tomates et le bouillon et laisser mijoter pour reduire le volume au ⅔. Ajouter en mélangeant le fromage, les grains de poivre et le persil. Verser sur les ravioli et servir .

DONNE 6 PORTIONS

Ravioli au Saumon Fumé, Sauce Mornay au Poivre & à la Vodka

CREVETTES MARINÉES DE RÉCEPTION

8 tasses	2 L	eau bouillante
1¼ livres	625 g	grosses crevettes décortiquées
1	1	citron
1	1	lime
1	1	carotte hachée
3 tasses	750 mL	oignon haché
1 tasse	250 mL	céleri haché
¼ tasse	60 mL	épices à marinade
6	6	feuilles de laurier
1 tasse	250 mL	huile de tournesol
½ tasse	125 ml	vinaigre
¼ tasse	60 mL	sherry
2 c. à table	30 mL	câpres
2 c. à thé	10 mL	sel
¼ c. à thé	1 mL	sauce aux poivrons rouges

Verser l'eau bouillante sur les crevettes et les mettre dans une casserole. Couper le citron et la lime en quartiers. Ajouter la carotte, 1 tasse (250 ml) d'oignon, le céleri et les épices à marinade aux crevettes. Faire bouillir et cuire pendant 5 minutes. Égoutter et laisser refroidir les crevettes.

Dans un grand bol, mettre en alternant une couche de crevettes et d'oignons. Garnir avec les feuilles de laurier. Mélanger les autres ingrédients qui restent et les verser sur les crevettes. Couvrir et réfrigérer pendant 12 à 24 heurres. Égoutter la marinade et servir.

DONNE 12 PORTIONS

MOULES PROVENÇALES

48	48	moules fraîches
2 c. à table	30 mL	beurre
2	2	gousses d'ail finement hachées
1	1	oignon finement haché
1	1	branche de céleri finement hachée
1 tasse	250 mL	vin rouge
2 tasses	500 mL	tomates cuites
½ c. à thé	3 mL	sel
½ c. à thé	3 mL	feuilles de basilic
¼ c. à thé	1 mL	poivre noir

Bien nettoyer les moules en enlevant les barbes.

Faire fondre le beurre dans un poêlon, ajouter l'ail, l'oignon, le céleri et faire sauter jusqu'à ce qu'ils soient tendres. Ajouter les autres ingredients et faire mijoter pendant 15 minutes.

Ajouter les moules et laisser mijoter pendant 10 autres minutes. Servir.

DONNE 6 PORTIONS

BATEAUX MARINÉS

16	16	petits cornichons marinés à l'aneth
½ tasse	125 mL	jambon haché
½ tasse	125 mL	fromage à la crème
1 c. à thé	5 mL	moutarde préparée
16	16	tranches de saumon fumé

Couper les cornichons en deux dans le sens de la longueur. En utilisant une cuillère à melon retirer la pulpe des cornichons.

Mélanger le jambon, le fromage et la moutarde ensemble. Placer dans une poche à douille ayant une grosse ouverture. Déposer la garniture dans le creux des cornichons.

Couper les tranches de saumon diagonalement en deux. Transpercer chaque tranche avec un cure-dents et déposer au centre du cornichon pour former une voile. Réfrigérer jusqu'au moment de servir.

DONNE 6 PORTIONS

Crevettes Marinées de Réception

AILES DE POULET ORIENTALES

¼ tasse	60 mL	sauce soya
¼ tasse	60 mL	huile de tournesol
⅔ tasse	160 mL	sucre brun
¼ tasse	60 mL	jus de citron
¼ tasse	60 mL	sherry
½ c. à thé	3 mL	de chaque: gingembre, moutarde sèche, poudre d'oignon, poudre d'ail
1 c. à thé	5 mL	sel
1 c. à table	15 mL	sauce Worcestershire
2¼ livres	1 kg	ailes de poulet

Mélanger ensemble tous les ingrédients à l'exception des ailes de poulet.

Laver et enlever le bout des ailes. Éponger avec du papier absorbant. Placer les ailes dans un gril. Badigeonner avec la sauce et faire griller pendant 10 minutes en rebadigeonnant avec la sauce deux fois. Retourner les ailes en les arrosant avec la sauce. Faire griller pendant 10 autres minutes en les arrosant au moins deux fois. Servir chaud.

DONNE 4 PORTIONS

BEIGNETS AU CHORIZO

1 livre	454 g	saucisse chorizo crue *
3	3	oeufs
¼ tasse	60 mL	lait
¼ tasse	60 mL	farine
2 tasses	500 mL	flocons de maïs écrasés
3 tasses	750 mL	huile de tournesol
1½ tasses	375 mL	sauce créole forte (voir page 121)

Couper la viande de saucisse en bouchées d'une cuillèrée à table.

Mélanger les oeufs et le lait.

Saupoudrer la viande de farine, la tremper dans le lait et l'enrober de flocons de maïs émiettés.

Faire chauffer l'huile à 375°F (190°C). Faire frire les beignets en petites quantités jusqu'à ce qu'ils soient dorés. Conserver au chaud dans le four pendant que cuisent les autres.

Placer sur un plat de service et servir accompagnés de la sauce créole.

DONNE 4 PORTIONS

*La saucisse chorizo est une saucisse espagnole très épicée qui peut être obtenue dans la plupart des boucheries espagnoles ou par commande spéciale à votre épicier.

COCKTAIL DE CREVETTES GÉANTES

1	1	citron
1	1	branche de céleri
1	1	petit oignon
4 tasses	1 L	eau
1 tasse	250 mL	vin blanc
1 c. à thé	5 ml	sel
1	1	bouquet garni*
24	24	crevettes géantes, lavées, décortiquées
4	4	feuilles de laitue romaine, taillées
4	4	quartiers de citron

SAUCE		
½ tasse	125 mL	sauce chili
⅓ tasse	80 mL	ketchup aux tomates
⅓ tasse	80 mL	raifort préparé
2 c. à table	30 mL	jus de citron
1 c. à thé	5 mL	sauce Worcestershire

Couper le citron en deux. Couper grossièrement le céleri et l'oignon en dés. Mettre dans un grand bol avec l'eau, le vin, le sel et le bouquet garni. Amener à ébuillition et réduire le feu pour laisser mijoter. Ajouter les crevettes et laisser mijoter pendant 8 minutes. Égoutter, laisser refroidir et réfrigérer.

Mélanger ensemble tous les ingrédients de la sauce.

Placer les feuilles de laitue dans quatre coupes à champagne ou sur des assiettes froides, ajouter 30 mL (2 c. à table) de sauce. Disposer six crevettes autour de chaque verre et garnir d'un quartier de citron.

DONNE 4 PORTIONS

*Un bouquet garni est: du thym, de la marjolaine, des grains de poivres, des feuilles de laurier et de persil attachés ensemble dans une toile à fromage.

Cocktail de Crevettes Géantes

Bâtonnets au Mozzarella & aux Courgettes

BÂTONNETS DE MOZZARELLA

1 tasse	250 mL	farine
$^1/_2$ c. à thé	3 mL	poudre à pâte
$^1/_8$ c. à thé	0.5 mL	bicarbonate de soude
$^3/_4$ tsp	4 mL	sel
pincée	pincée	poivre blanc
1 tasse	250 mL	bière
4 tasses	1 L	huile de tournesol
1	1	blanc d'oeuf
1 livre	454 g	fromage Mozzarella coupé en bâtonnets

Dans un bol mélanger ensemble les ingrédients secs. Ajouter lentement la bière. Mélanger vigoureusement et laisser reposer pendant 1½ heures.

Faire chauffer l'huile à 190°C (375°F).

Battre le blanc d'oeuf dans la pâte. Tremper les bâtonnets de fromage dans la pâte et laisser s'écouler l'excès.

En utilisant une louche perforée, déposer les bâtonnets dans l'huile chaude. Frire pendant 2½ à 3 minutes ou jusqu'à ce qu'il soient dorés. Servir immédiatement. Les servir accompagnés de la trempette à l'oignon (voir page 34). Délicieux.

DONNE 6 PORTIONS

BÂTONNETS DE COURGETTES

2	2	courgettes
2 tasses	500 mL	chapelure
1 c. à thé	5 mL	sel
$^1/_2$ c. à thé	3 mL	de chaque: poivre, paprika, feuilles d'origan feuilles de thym, feuilles de basilic, poudre d'oignon, poudre d'ail
2	2	oeufs
$^1/_2$ tasse	125 mL	lait
$^1/_3$ tasse	80 mL	farine
4 tasses	1 L	huile de tournesol
1½ tasses	375 mL	trempette Campagnarde (voir page 34)

Laver et tailler les courgettes, les couper en bâtonnets. Mélanger ensemble la chapelure et les épices.

Mélanger les oeufs et le lait. Mettre la farine dans un petit bol. Saupoudrer les bâtonnets de farine et les tremper dans le mélange aux oeufs. Les enrober de chapelure.

Faire chauffer l'huile à 190°C (375°F). Faire frire une petite quantité de bâtonnets dans l'huile à la fois. Servir accompagnés de la trempette Campagnarde.

DONNE 6 PORTIONS

LINGUINI AU SARRASIN ET AUX TROIS FROMAGES

1 quan		pâte au sarrasin (voir page 428)
$^1/_3$ tasse	80 mL	fromage Gorgonzola
1 tasse	250 mL	fromage Mascarpone
$^1/_3$ tasse	80 mL	fromage Romano râpé
$^1/_2$ tasse	125 mL	crème moitié et moitié (m. g. 10%)

Préparer les pâtes en suivant les directives et les couper en linguini. Cuire les pâtes al dente dans un grand chaudron rempli d'eau bouillante salée. Égoutter les pâtes.

Mélanger ensemble les trois fromages avec la crème. Ajouter la garniture aux nouilles chaudes en brassant et servir.

DONNE 6 PORTIONS

PLATEAU DE CRUDITÉS & DE TREMPETTES

1	1	tête de broccoli
1	1	tête de chou-fleur
3	3	grosses carottes
1	1	petite courgette
2 tasses	500 mL	tomates cerises
2 tasses	500 mL	champignons

Laver, nettoyer et couper les légumes en bouchées. Disposer sur un large plat de service. Couvrir et réfrigérer pendant la préparation des trempettes.

Servir ces trempettes accompagnées de chips, pretzels ou de craquelins.

Plateau de Crudités & de Trempettes

TREMPETTE AUX OIGNONS

1 tasse	250 mL	fromage à la crème
1 tasse	250 mL	crème sure
1 paquet		mélange pour soupe à l'oignon
2 c. à table	30 mL	échalotes hachées
1 c. à thé	5 mL	poudre de chili
1 c. à thé	5 mL	sauce Worcestershire

Mélanger ensemble le fromage et tous les autres ingrédients. Couvrir et réfrigérer.

DONNE 500 mL (2 tasses).

TREMPETTE MEXICALI

1 tasse	250 mL	fromage à la crème
1/2 tasse	125 mL	crème sure
2 c. à table	30 mL	poivron vert haché
2 c. à table	30 mL	piment rouge doux
1 c. à thé	5 mL	piment jalapeño haché
1 c. à thé	5 mL	poudre de chili
1 c. à thé	5 mL	sauce Worcestershire
1/2 c. à thé	3 mL	sel

Mélanger ensemble le fromage et les autres ingrédients. Coouvrir et réfrigérer.

DONNE 375 mL (1½ tasses)

TREMPETTE CAMPAGNARDE

1 tasse	250 mL	fromage à la crème
¼ tasse	60 mL	lait de beurre
¼ tasse	60 mL	mayonnaise
2 c. à table	30 mL	ciboulette émincée
1 c. à table	15 mL	jus de citron
¼ c. à thé	1 mL	sel
pincée		poivre blanc

Mélanger ensemble le fromage à la crème et les autres ingrédients. Couvrir et réfrigérer.

DONNE 375 mL (1½ tasses)

TREMPETTE AUX PALOURDES

2 tasses	500 mL	fromage à la crème
1 tasse	250 mL	palourdes en boîte hachées
2 gouttes		sauce Tabasco™
¼ c. à thé	1 mL	sel
2 c. à thé	10 mL	oignon haché
1 c. à thé	5 mL	jus de citron

Mélanger ensemble le fromage avec les autres indrédients. Couvrir et réfrigérer.

DONNE 750 mL (3 tasses).

BOUCHÉES AU THON ET AUX PISTACHES

16	16	tranches de pain de seigle noir
1 tasse	250 mL	thon cuit en flocons
2 c. à thé	10 mL	moutarde de Dijon
¼ tasse	60 mL	mayonnaise
¼ tasse	60 mL	beurre
1 c. à table	15 mL	ciboulette hachée finement
½ tasse	125 mL	pistaches écaillées, écrasées
2	2	oeufs cuits dur, râpés

Retirer la croûte des tranches de pain.

Mélanger ensemble le thon, la moutarde et la mayonnaise dans un petit bol.

Battre en crème le beurre et la ciboulette. Étendre une mince couche sur le pain. Rouler les rebords dans les noix. Placer sur une tôle à biscuits et remplir les centres de thon.

Saupoudrer d'oeuf, placer sur un plat de service et servir.

DONNE 4 PORTIONS

COQUILLES ST. JACQUES

2¼ livres	1 kg	gros pétoncles
½ livre	225 g	crevettes
4 c. à table	60 mL	beurre
1 tasse	250 mL	champignons tranchés
3 c. à table	45 mL	farine
½ tasse	125 mL	crème
½ tasse	125 mL	bouillon de poulet (voir page 77)
½ tasse	125 mL	vin blanc
½ c. à thé	3 mL	sel
½ tsp	3 mL	poivre blanc
2 tasses	500 mL	purée de pommes de terre, chaude
2 tasses	500 mL	fromage gruyère, râpé

Laver les pétoncles et les éponger avec du papier absorbant. Rincer les crevettes à l'eau froide et mettre de côté.

Faire fondre le beurre dans une grande poêle et faire sauter les champignons. Ajouter la farine et cuire pendant 2 minutes à feux doux. Ajouter la crème, le bouillon de poulet et le vin, et laisser mijoter jusqu'à épaississement. Ajouter les épices.

Ajouter les pétoncles et les crevettes. Cuire pendant 10 minutes.

À l'aide d'une douille, disposer la purée de pommes de terre sur les rebords de grosses coquilles. Remplir du mélange. Saupoudrer de fromage.

Mettre dans le four à 190°C (375°F) pendant 10 minutes.

Servir immédiatement.

DONNE 4 PORTIONS

Coquilles St. Jacques

PÂTÉS

Si la viande hachée avait un souhait, elle deviendrait pâté. Connus comme la plus noble des viandes hachées, les pâtés apportent une présence sensationnelle sur la table. Ils montrent immédiatement aux invités que vous les traitez bien. Après tout, le pâté n'est pas facile à faire, pas vrai? Mais pas ceux que vous trouverez dans *Tout simplement Délicieux 2*.

S'il est servi comme apéritif, entrée légère ou en buffet, un pâté attirera toujours ceux qui aiment la qualité et les choses les plus fines dans la vie. À l'occasion d'une fête "spéciale" parfaite, servez le Saumon Kulebyaka Russe (prononcé kool-leh-be-ah-kah). C'est garantir le succès de votre fête.

Les pâtés sont toujours des mets corrects, n'importe quand, à chaque occasion de repas. Ils sont les hors-d'oeuvre des repas exceptionnels quand "c'est le meilleur et c'est seulement le début. Ils constituent aussi, à l'occasion, l'entrée principale comme dans notre tourtière. Il y a même aussi des pâtés pour dessert, la terrine Rocky Road au chocolat (voir page 542). Les pâtés sont bons pendant le match, quand personne ne veut cuisiner (essayer le pain de veau froid). Ou bien, lors du thé d'après midi des dames, un pâté spécial fort comme le veau français & mousse Basile sera juste au point. C'est pourquoi, on peut commencer et terminer un dîner en servant du pâté.

Le meilleur commentaire que l'on puisse donner c'est que le pâté est suffisamment bon marché à préparer, et ainsi à la portée des budgets les plus parcimonieux. Le temps de préparation est généralement court, et ainsi vous pourrez donner votre temps et vos économies à vos invités.

Nous n'avons offert que dix pâtés dans nos pages, mais ils sont les meilleurs. Un pâté devrait parler des volumes du goût, de la texture et du plaisir de dîner. Ces dix le font–fortement! Aventurez-vous et initiez-vous au goût de façon que vous n'ayez fait auparavant avec *Tout simplement délicieux 2*.

Saumon russe Kulebyaka

PAIN DE VEAU FROID

1½ livre	675 g	veau finement haché
1 c. à thé	5 mL	sel
½ c. à thé	3 mL	de chaque :de poivre blanc, paprika, thym, origan, basil
1 c. à soupe	15 mL	poudre de chili
2 c. à thé	10 mL	sauce Worcestershire
¼ tasse	60 mL	biscuits salés, moulu s
1	1	œuf, battu
½ tasse	125 mL	poivron en dés fins
½ tasse	125 mL	oignon en dés fins
½ tasse	125 mL	céleri en dés fins
1 tasse	250 mL	carrotte en dés fins
½ tasse	125 mL	sauce chili
¼ tasse	60 mL	sauce barbecue

Mélanger le veau, l'assaisonnement, la sauce Worcestershire, les biscuits salés, l'œuf, les légumes et la sauce chili. Verser dans un moule de 11" (28 cm). Étendre la sauce barbecue au-dessus.

Faite cuire au four chauffé à 350°F (180°C) pour 1 heure ¼.

Enlever du four, froid ou chaud, faire sortir du moule et refroidir. Servir froid.

DONNE 6 PORTIONS

TOURTIÈRE QUÉBECOISE JEANNOT

3 c. à soupe	45 mL	beurre
2	2	oignons en dés fins
3	3	gousses d'ail
2 tasses	500 mL	tomates épluchées, épépinées, en dés
¾ livre	345 g	porc maigre haché
¾ livre	345 g	bœuf en dés fins
1 tasse	250 mL	bouillon de bœuf (voir page 85)
2	2	feuilles de laurier
¼ c. à thé	1 mL	quatre-épices, cannelle, muscade
1 c. à thé	5 mL	sel
½ c. à thé	3 mL	poivre
⅓ tasse	80 mL	chapelure fine
1 quan	1	pâte à tarte double
3 c. à soupe	45 mL	lait
1	1	œuf

Dans un grand poêlon, chauffer le beure et, faire sauter l'oignon et l'ail. Ajouter les tomates et laisser cuire pour 3 minutes, à couvert. Ajouter le porc et laisser bien cuire. Ajouter le bœuf, le bouillon, les feuilles de laurier et l'assaisonnement. Laisser mijoter couvert pendant 30 minutes. Laisser mijoter sans couvercle jusqu'à ce que l'eau soit presque évaporée. Ajouter la chapelure en tournant. Laisser refroidir à la température ambiante.

Chauffer le four à 400°F (200°C).

Rouler la pâte, diviser en deux et mettre une moitié dans le fond d'un moule à tarte de 10" (25 cm). Remplir avec le mélange et couvrir avec l'autre moitié de pâte. Pincer les bords et couper une ouverture de 1" (2.5 cm) dans la couverture. Fabriquer une cheminée de papier d'aluminium et la placer sur le trou .

Mélanger le lait et l'œuf et brosser sur la pâte.

Laisser cuire pendant 10 minutes, ensuite réduire le feu à 350°F (180°C) et continuer à cuire pendant 25 minutes. Laisser reposer la tourtière pendant 20 minutes avant de la couper, ou refroidir et rafraîchir et servir.

DONNE 8 PORTIONS

Pain De Veau Froid

Tourtière Québecoise Jeannot

Veau Français & Mousse Basile

POULET ET RIZ EN CROÛTE

Ce plat demande un peu de préparation. Cela vaut l' effort — appréciez le plaisir de ce plat.

1 quan	1	croûte Gourmet (voir page 455)
2 livres	900 g	poulet
2 c à thé	10 mL	sel
3 c à soupe	45 mL	persil haché
½ tasse	125 mL	beurre
1	1	gros oignon haché
¾ tasse	180 mL	riz
2 tasses	500 mL	bouillon de poulet (voir page 77)
½ c. à thé	3 mL	marjolaine
½ c. à thé	3 mL	thym
¾ tasse	180 mL	poulet velouté (voir page 105)
¼ livre	115 g	champignons cuits, hachés
3	3	œufs durs, hachés
1	1	jaune d'œuf
2 c. à soupe	30 mL	crème légère

Couper le poulet en morceaux de ¾" (2 cm). Saupoudrer le poulet avec du sel et 1 c. à thé de persil. Laisser refroidir.

Chauffer la moitié du beurre dans une casserole; faire sauter un quart de l'oignon jusqu'à ce qu'il soit cuit. Ajouter le riz et le bouillon de poulet, faire cuire le riz jusqu'à ce qu'il soit prêt. Laisser refroidir.

Dans une autre casserole, chauffer le reste du beurre et sauter le reste de l'oignon et laisser refroidir. Mélanger le riz cuit, l'oignon sauté, le reste du persil, les champignons, l'œuf haché, l'assaisonnement et le velouté. Rouler la pâte en rectangle. Placer du mélange de riz sur la pâte, laissant libre un bord de ¾" (2 cm). Placer les morceaux de poulet sur le riz. Continuer à faire des couches de riz et de poulet.

Vous devriez obtenir 4 couches de riz et 3 couches de poulet.

Rouler le reste de la pâte un peu plus grande que la première. Mélanger le jaune d'œuf avec la crème. Brosser sur les bords libres de la pâte du dessous. Placer le deuxième morceau de pâte au-dessus. Brosser bien les bords pour bien les fermer. Couper l'excès de pâte. Brosser avec le mélange d'oeuf.

Couper une ouverture au milieu de la pâte pour laisser sortir la vapeur. Décorer au goût avec le reste de la pâte pour la dernière fois avec le mélange d'oeuf. Faire cuire dans un four chauffé à 400°F (200°C) pendant 20 minutes, couvrir avec du papier d'aluminium et continuer à cuire pendant encore 15 minutes. Enlever du four et servir très chaud, chaud ou froid.

DONNE 8 PORTIONS

VEAU FRANCAIS ET MOUSSE BASILE

1 ½ livre	675g	veau haché maigre
1c. à thé	5ml	sel
¼ c. à thé	1ml	poivre blanc
2 c. à thé	10ml	basilic frais haché
3	3	blancs d'oeufs
¾ tasse	180ml	crème légère
¼ tasse	60ml	sherry

Dans un robot culinaire, mélanger le veau, le sel, le poivre, le basilic et le blanc d'œufs. Avec le robot en marche, ajouter la crème et le sherry.

Chauffer le four jusqu'à 350°F (180°C).

Verser le mélange dans un moule de 9" (23 cm). Couvrir avec du papier ciré et poser dans une casserole contenant de l'eau de 1"(2.5 cm) de profondeur. Faite cuire pendant 45 minutes. Enlever du four et laisser reposer pendant 10 minutes.

Enlever du moule et servir la sauce de champignons sauvages au sherry. (voir page 105).

DONNE 6 PORTIONS

Poulet et riz en croûte

PÂTÉ EN PÂTISSERIE

1 quan	1	pâtisserie pâté gourmet
1 tasse	250 mL	fromage cheddar râpé
4	4	œufs
2 c à soupe	30 mL	beurre
4 on	115 g	champignons coupés
1	1	oignon haché
1	1	gousse d'ail hachée
1¼ livre	565 g	veau maigre, haché
1¼ livre	565 g	porc maigre, haché
1 livre	450 g	viande de saucisses, non cuite
1 c. à soupe	15 mL	sel
½ c. à thé	3 mL	de chaque: poivre, thym, marjolaine
4	4	carottes juliennes blanchies
6	6	œufs durs

Mélanger la croûte avec une ½ tasse (125mL de fromage. Ajouter un œuf et malaxer jusqu'à ce qu' une pâte souple soit obtenue.

Doubler le moule avec du papier d'aluminium. Graisser légèrement le papier d'aluminium. Rouler les ⅔ de la pâte, et mettre dans le moule, étendre la pâte jusqu'au-dessus des bords. Laisser refroidir.

Fondre le beurre et faire sauter l'oignon, les champignons et l'ail jusqu'à ce que le tout soit cuit. Mettre dans un grand bol pour malaxer. Ajouter le bœuf, le porc, la viande de saucisses et l'assaisonnement; bien malaxer.

Battre les 3 œufs et mettre de côté un ¼ de tasse (60 mL). Ajouter le reste des œufs à la viande. Remplir à moitié le moule avec le mélange. Ranger les carottes et les oeufs par dessus. Mettre le reste de la viande au-dessus. Ajouter le reste du fromage

Rouler la pâte. La mettre au dessus du moule et fermer bien les bords. Décorer au désir avec le reste de la pâte. Brosser la pâte avec le reste des œufs battus. Faire cuire dans un four chauffé à 350°F (180°C) pour 2 heures ou jusqu'à ce que la pâte soit brunie. Enlever du moule. Jeter le papier d'aluminum. Servir chaud ou laisser refroidir et servir froid.

PÂTISSERIE GOURMET AU PÂTÉ

1 tasse	250 mL	Farine tout usage, tamisée
¼ c. à thé	1 mL	sel
1 c. à thé	5 mL	levure en poudre
¼ tasse	60 mL	saindoux
¼ tasse	60 mL	eau chaude
¼ tasse	60 mL	beurre
1 c. à thé	5 mL	jus de citron
1	1	jaune d'œuf battu

Tamiser ensemble la farine, le sel et la levure. Ajouter le saindoux. Mélanger l'eau chaude avec le beurre et le jus de citron, et puis battre le jaune d'œufs dedans. Bien mélanger dans les ingrédients secs. Laisser refroidir et servir au besoin.

Pâté en Patisserie

Mousse au Jambon

TERRINE DE MOUTON ET DE VEAU

⅓ tasse	80 mL	huile de tournesol
1	1	oignon haché
3	3	gousses d'ail hachées
1½ livre	675 g	mouton maigre désossé
1½ livre	675 g	veau maigre désossé
1 livre	450 g	tranches de bacon
⅓ tasse	80 mL	sherry
2 c. à thé	10 mL	de chaque: thym, romarin, sauge, origan
1 c. à soupe	15 mL	sel
½ c. à thé	3 mL	poivre
½ tasse	125 mL	chapelure assaisonnée
2	2	feuilles de laurier
3	3	œufs

Chauffer l'huile dans un poêlon. Faire sauter l'oignon et l'ail jusqu'à ce qu'ils soient cuits. Mettre dans un grand bol.

Dans un robot de cuisine préparer le mouton, le veau et la moitié du bacon jusqu'à ce que ce soit bien lisse. Mélanger avec l'oignon. Ajouter le reste des ingrédients et mélanger bien.

Graisser un moule de 9" (23 cm). Tapisser avec le reste du bacon. Avec une cuillère mettre le mélange dans le moule. Garnir le dessus avec des feuilles de laurier.

Graisser un papier ciré avec du beurre, et le placer à l'envers au-dessus du pâté. Mettre dans une casserole avec un peu d'eau et faire cuire dans un four chauffé à 350°F (180°C) pour 2 heures. Enlever du four et laisser refroidir pendant 30 minutes.

Réfrigérer pendant 1 à 4 jours avant de servir. Enlever du moule et retirer le bacon. Nettoyer l'excès de graisse. Servir.

DONNE 6 PORTIONS

PÂTÉ À TROIS VIANDES

1 livre	450 g	viandes de poule
1¼ livre	565 g	porc gras désossé
1¼ livre	565 g	veau désossé
3 c. à soupe	45 mL	sherry
1	1	œuf
1 c. à thé	5 mL	sel
½ c. à thé	3 mL	poivre
½ c. à thé	3 mL	paprika
1 c. à thé	5 mL	thym
1 c. a thé	5 mL	basilic
8 onces	225 g	bacon tranché

Préparer la viande dans un robot froid jusqu'à ce qu'elle soit très fine. Mettre dans un bol et mélanger avec le sherry, l'œuf, l'assaisonnement et le sel.

Doubler un moule de 9" (23cm) avec du papier d'aluminium. Graisser légèrement le papier d'aluminium et y placer les tranches de bacon. Remplir avec le mélange fin. Couvrir avec un morceau de papier ciré.

Mettre dans un bain-marie et faire cuire dans un four chauffé à 250°F (130°C) pour 3 heures. l'enlever et le laisser reposer pendant 30 minutes. Réfrigérer pour la nuit.

Enlever du moule et sortir le bacon. Nettoyer l'excès de graisse. Trancher pour servir.

DONNE 6 PORTIONS

MOUSSE AU JAMBON

2 c à soupe	30 mL	gélatine, sans agent
⅔ tasse	160 mL	eau
1¼ tasses	310 mL	sauce Béchamel chaude (voir page 112)
1 c. à thé	5 mL	Moutarde de Dijon preparée
½ c. à thé	3 mL	sauce Worcestershire
2 tasses	500 mL	jambon cuit haché
¼ tasse	60 mL	oignon haché
½ tasse	125 mL	mayonnaise
½ tasse	125 mL	crème fraîche, fouettée

Amollir la gélatine dans l'eau. Mélanger la sauce Béchamel, avec la moutarde et la sauce Worcestershire. Laisser refroidir.

Ajouter le jambon, l'oignon, la mayonnaise et la crème fraîche. Verser dans un moule de (2 L). Réfrigérer et laisser refroidir jusqu'à ce qu'elle se soit durcie. Enlever du moule et servir.

DONNE 8 PORTIONS

Pâté de foie de poulet

PÂTÉ DE FOIE DE POULET

2 c. à soupe	30 mL	gélatine sans agent
1 tasse	250 mL	tomates, bouillon de bœuf ou de poulet froid
6 c. à soupe	90 mL	beurre
1 livre	450 g	foie de poulet
3 c. à soupe	45 mL	oignon haché
½ c. à thé	3 mL	sel
1 c. à soupe	15 mL	moutarde de Dijon
½ c. à thé	3 mL	quatre-épices
½ c. à thé	3 mL	poudre d'ail
½ c. à thé	3 mL	poivre
¼ tasse	60 mL	Madère
½ tasse	125 mL	crème fraîche

Faire dissoudre la gélatine dans le bouillon; faire bouillir et puis l'enlever du feu. Verser la moitié du liquide dans un moule et faire refroidir. Décorer l'aspic frais, à volonté.

Fondre le beurre dans un poêlon. Ajouter les foies de poulet et l'oignon; faire sauter pendant 7 minutes. Verser dans un robot culinaire. Ajouter le reste du bouillon et le reste des ingrédients. Mélanger jusqu'à ce que ce soit très lisse. Avec une louche mettre dans un moule et réfrigérer, couvrir d'un papier de plastique.

Enlever du moule en trempant le moule dans de l'eau chaude et détacher les bords avec une spatule. Servir.

DONNE 8 PORTIONS

PÂTÉ DE POULET ET DE CREVETTES

1⅛ livres	510 g	poulet désossé
½ livres	225 g	jambon
¾ livre	340 g	bacon
1	1	petit oignon en dés
1½ livre	675 g	crevettes écaillées et déveinées
1 tasse	250 mL	chapelure fine
¾ tasse	180 mL	crème légère
2 c. à soupe	30 mL	persil haché
1 c. à thé	5 mL	sel
½ c. à thé	3 mL	poivre blanc
¼ tasse	60 mL	vermouth blanc sucré

Avec un robot de cuisine, hacher ¼ liv (115 g) de bacon emsemble avec l'ognion.

Mélanger avec les crevettes, la chapelure, la crème, l'assaisonnement et le vermouth.

Tapisser un moule de 8 tasses (2L) avec la moitié du reste du bacon. Remplir le moule avec le mélange.

Couvrir avec le reste du bacon. couvrir avec du papier d'aluminium et mettre dans une casserole avec de l'eau de 1" (2.5 cm) de profondeur.

Faite cuir dans un four chauffé à 375˚F (190˚C) pour 3 heures. Égouter la graisse. Laisser refroidir et puis réfrigérer. Enlever du moule, puis enlever le bacon et servir. Excellent avec la sauce Béarnaise (voir page 108).

DONNE 8 PORTIONS

Pâté de poulet de crevettes

ARBECUE

Ne vous êtes-vous jamais démandé pourquoi un homme n'ayant aucune connaissance culinaire devient soudainnement un expert losqu'il s'agit du barbecue dans la cour? Pourquoi la nourriture grillée au-dessus d'une flamme semble goûter meilleure? Eh bien dans les quelques pages qui vont suivre vous trouverez les réponses à ces questions perplexes. Dans ce chapitre de *Cuisine Tout Simplement Délicieuse 2*, nous avons raffiné l'art de la cuisson au barbecue pour vous. Aucun homme n'est supérieur à l'autre: si ce n'est qu'il a appris à maîtriser les simples règles du barbecue. Pour vous assurer du meilleur produit fini pour vous-même et pour vos invités, ces règles, comme toutes les autres, ne devraient jamais être transgressées.

N'utilisez que les produits les plus fins. Cette première règle ne s'applique pas uniquement aux ingrédients comestibles, mais aussi à chaque composante du procédé de cuisson, incluant le charbon de bois. Le charbon provenant d'arbre tel que le mesquite, le noyer, l'aune ou le pommier, convient le mieux à la cuisson au barbecue et au gril, et est préférable à ceux à base d'huile. Seul le charbon peut produire une saveur douce de fumée qui convient à l'agneau, aux fruits de mer et au poisson. Pour donner un goût plus prononcé de fumée au boeuf, au porc et au gibier, utilisez aussi des copeaux de bois, provenant de la même matière que le charbon. Trempez les copeaux dans l'eau pendant une demi-heure ou plus avant de les utiliser. Ensuite, étendez les copeaux uniformément sur le charbon. Pour la cuisson à court-terme, cette combinaison vous donnera suffisamment de fumée pour obtenir cette saveur "juste parfaite".

L'utilisation d'une grille couverte garantit que la saveur de fumée pénêtre la nourriture plutôt que de simplement l'assaisonner en s'évaporant dans l'air. De plus il est important de planifier à l'avance. Suivez votre recette et assurez-vous de commencer votre feu au moins 40 minutes avant que vous commenciez la cuisson sur le barbecue. N'utilisez qu'une grille qui a été bien nettoyée, ainsi que graissée de la même manière, et laissez les aliments refroidir à la température de la pièce avant de les cuire sur le barbecue. Utilisez une flamme vive pour faire saisir rapidement la viande, et ensuite la transférer dans une partie moins chaude du grille pour terminer la cuisson. Les coupes de viande plus grasses devraient être cuites au-dessus d'une lèche-frite placée directement sur les charbons. Le poisson et les fruits de mer devraient être cuits sur une partie moins chaude du barbecue parce qu'ils n'ont pas besoin d'être saisis.

En suivant ces simples règles, vous serez récompensé plus que ne saurait l'être le chef de fin-de-semaine. Rappelez-vous aussi que si vous avez le luxe de possèder une grille intérieure (comme une Jenn-Air®), ces recettes vous procureront les mêmes plaisirs culinaires à l'intérieur de votre maison, quelque soit la température à l'extérieur.

Plusieurs recettes de cuisson au barbecue se retrouvent tout au long de ce livre, mais celles spécifiques à ce chapitre sont certaines "d'attiser" le coeur de vos convives. Ces recettes feront de vous un champion de la maîtrise du barbecue.

De *Cuisine Tout Simplement Délicieuse 2*, vous pouvez sélectionner des mets pour le barbecue aussi exquis que notre Vivaneau à la sauce aux framboises ou le Gourmet "T-bone" pour un appétit plus prononcé. Vous trouverez la brochette d'espadon exceptionnelle et aurez beaucoup de plaisir avec les folies new yorkaises. Quoique vous choisissiez, vous serez assuré de plaisir, de souvenirs mémorables et d'une merveilleuse nourriture qui sera toujours *Tout Simplement Délicieuse*.

Brochettes de Fruits de Mer du Pacifique & Côtelettes de Rhénanie

STEAK DE SAUMON AU DIABLE

1¼ tasses	310 mL	vin blanc
¼ tasse	60 mL	oignon vert finement tranché
1¼ tasses	310 mL	sauce Demi-Glace (voir page 123)
1 c. à thé	5 mL	sauce Worcestershire
½ c. à thé	3 mL	moutarde sèche
6 –10 onces	6 – 300 g	steaks de saumon, 1" (2.5 cm) d'épaisseur
2 c. à table	30 mL	huile d'olive

Dans une petite casserole, faire bouillir ensemble le vin et l'oignon vert. Reduire le volume du vin d'un tiers. Ajouter les autres ingrédients, reduire le feu et laisser mijoter pendant 5 minutes. Passer la sauce dans un tamis et conserver chaud.

Badigeonner les steaks avec l'huile et mettre sur la grille à moyenne température pendant 10 minutes, servir recouverts de la sauce.

DONNE 6 PORTIONS

VIVANEAU À LA SAUCE AUX FRAMBOISES

1 livre	450 g	framboises
2 c. à thé	10 mL	fécule de maïs
1 c. à table	15 mL	jus de citron
2 c. à table	30 mL	miel
4 – 6 onces	4 – 170 g	filets de vivaneau
3 c. à table	45 mL	huile d'olive
½ c. à thé	3 mL	sel
½ c. à thé	3 mL	povre blanc

Réduire les framboises en purée dans un robot culinaire et les passer dans un tamis. Verser dans une casserole et amener à ébullition. Mélanger ensemble le jus de citron et la fécule de maïs et ajouter à la sauce avec le miel tout en brassant. Laisser mijoter jusqu'à épaississement.

Badigeonner les filets avec l'huile et les assaisonner légèrement avec le sel et le poivre. Faire griller à chaleur moyenne pendant 5 à 6 minutes pour chaque côté. Badigeonner avec la sauce fréquemment.

Servir avec le restant de la sauce.

DONNE 4 PORTIONS

CÔTES LEVÉES TERIYAKI

4 – 12 onces	4 – 340 g	côtes levées danoises
1 c. à thé	5 mL	de chaque: poivre, sel, paprika, poudre de chili, poudre d'oignon, feuilles de thym, poudre d'ail, feuilles d'origan, basilic
½ tasse	125 mL	eau
⅓ tasse	80 mL	sauce soya
3 c. à table	45 mL	huile d'olive
4 c. à table	60 mL	sherry
2 c. à thé	10 mL	gingembre moulu
2	2	gousses d'ail finement hachées
½ c. à thé	3 mL	sel
3 c. à table	45 mL	miel

Retirer l'excès de gras des côtes et les placer dans un plat profond.

Mélanger ensemble toutes les épices et en saupoudrer les côtes. Ajouter l'eau sans la verser directement sur les côtes. Couvrir et cuire dans un four préchauffé à 350°F (180°C) pendant 1¼ heures. Retirer les côtes, les laisser refroidir et les égoutter en retirant la peau du dessous.

Mélanger tous les autres ingrédients pour former la sauce.

Griller les côtes pendant 7 minutes par côté à feu moyen en les badigeonnant souvent avec la sauce.

DONNE 4 PORTIONS

Vivaneau à la Sauce aux Framboises

Poulet Grillé Kal Bi

POULET GRILLÉ KAL BI

6 – 6 onces	6 – 170 g	poitrines de poulet, désossées, sans la peau
⅓ tasse	80 mL	sauce soya
3 c. à table	45 mL	huile de sesame
3 c. à table	45 mL	sherry
½ tasse	125 mL	échalotes finement hachées
2	2	gousses d'ail hachées
2 c. à thé	10 mL	gingembre frais haché
3 c. à table	45 mL	sucre brrun

Aplanir les poitrines de poulet et les mettre dans un plat peu profond.

Mélanger ensemble les autres ingrédients pour faire la marinade. Verser la marinade seu le poulet et laisser mariner pendant 3 heures. Égoutter le poulet et conserver la marinade.

Faire griller à feu moyen pendant 5 à 6 minutes pour chaque côté en badigeonnant fréquemment avec la marinade.

DONNE 6 PORTIONS

POINTE DE SIRLOIN ROTIE

4½ livres	2 kg	pointe de sirloin
6	6	gousses d'ail
1 tasse	250 mL	huile d'olive
½ tasse	125 mL	vin rouge
1 tasse	250 mL	oignon tranché
1	1	feuille de laurier
1 c. à table	15 mL	sucre
1 c. à thé	5 mL	poudre d'ail
1 c. à table	15 mL	sauce Worcestershire
1 c. à table	15 mL	sauce soya
4 gouttes		sauce Tabasco™
¼ tasse	60 mL	jus de citron

Faire 12 petites incisions égales dnas le rôti. Couper les gousses d'ail en deux et en insérer une moitié dans les incisions. Mettre le rôti dans une grande rôtissoire.

Mélanger ensemble tous les autres ingrédients et les verser en sauce dans une casserole. Amener à ébuillition, retirer du feu et laisser refroidir. Verser sur le rôti et laisser mariner pendant 8 heures.

Insérer la broche à rôtir dans le rôti et faire rôtir à feu moyen-doux pendant 1½ à 2 heures, en badigeonnant fréquemment avec la marinade. Découper et servir.

DONNE 8 PORTIONS

Brochettes de Fruits de Mer Glacées aux Abricots

BROCHETTES DE FRUITS DE MER GLACÉES AUX ABRICOTS

1 livre	454 g	saumon, coupé en gros cubes
½ livre	225 g	grosses crevettes, décortiquées
½ livre	225 g	gros pétoncles
2 c. à table	30 mL	huile d'olive
1 tasse	250 mL	abricots secs
1 tasse	250 mL	eau
2 c. à table	30 mL	sucre granulé
2 c. à thé	10 mL	moutarde de Dijon
¼ tasse	60 mL	jus de pomme

Embrocher les morceaux de fruits de mer dans des bâtonnets de bambou trempés dans l'eau en faisant alterner le saumon, les crevettes et les pétoncles.

Dans une casserole faire bouillir les abricots dans l'eau pendant 5 minutes. Mettre les abricots dans un robot culinaire et réduire en purée. Reserver l'eau.

Mélanger le sucre et la moutarde dans l'eau. Verser sur les abricots et mélanger

Remettre dans la casserole et ajouter le jus de pomme en brassant, Faire chauffer sans toutefois faire bouillir.

Badigeonner les brochettes avec l'huile et faire grillerchaque côté sur une braise moyenne pendant 5 minutes. Badigeonner fréquemment avec la sauce et une dernière fois avant de servir.

DONNE 4 PORTIONS

Côtes Levées Asiatiques au Barbecue

CÔTES LEVÉES ASIATIQUES AU BARBECUE

Sauce:

½ tasse	125 mL	sauce* hoisin
3 c. à table	45 mL	jus d'orange
3 c. à table	45 mL	sherry
1 c. à table	15 mL	gingembre frais, pelé et moulu
1	1	gousse d'ail finement hachée
½ c. à thé	3 mL	épices chinoises
2 c. à table	30 mL	sauce soya
2 c. à table	30 mL	vinaigre de vin rouge
1 c. à table	15 mL	moutarde de Dijon
1 c. à table	15 mL	pâte de chili *

Côtes levées

2¼ livres	1 kg	côtes levées de porc
1 c. à table	15 mL	sel
1 c. à thé	5 mL	épices chinoises
1 c. à thé	5 mL	poivre

Sauce:

Mélanger ensemble tous les ingrédients dans un bol, couvrir et réfrigérer.

Côtes levées:

Couper les côtes en sections comportant 5 os chacune. Mélanger les épices et saupoudrer les côtes. Faire rôtir dans un four préchauffé à 350°F (180°C)pendant ½ heure.

Faire griller les côtes pendant 15 minutes sur une braise moyenne en badigeonnant fréquemment avec la sauce. Badigeonner une dernière fois avant de servir

DONNE 4 PORTIONS

* Disponible dans les magasins asiatiques ou dans la section de produits exotiques de n'importe quel supermarché.

COURGETTES GRILLÉES

1 livre	450 g	courgettes
½ tasse	125 mL	huile d'olive
½ c. à thé	3 mL	de chaque: poudre d'ail, poudre d'oignon, feuilles de thym, basilic, poivre, sel

Laver les courgettes et couper les bouts. Blanchir pendant 3 à 5 minutes dans de l'eau bouillante salée. Refroidir et couper en deux dans le sens de la longueur. Mettre dans un plat profond.

Mélanger ensemble tous les autres ingrédients et verser sur les zucchini. Laisser mariner pendant 1 heure.

Faire rôtir sur une grille pendant 10 à 15 minutes en tournant et arrosant fréquemment.

DONNE 4 PORTIONS

BACALHAU

¼ tasse	60 mL	jus de citron
⅔ tasse	160 mL	huile d'olive
1 c. à table	15 mL	ail finement hachée
1 c. à thé	5 mL	sel
2 c. à thé	10 mL	sauce Worcestershire
½ c. à thé	3 mL	de chaque: thym, basilic, origan
4 – 6 onces	4 – 170 g	filets ou steaks de morue

Mélanger ensemble le jus de citron, l'huile, l'ail, le sel, la sauce Worcestershire et les épices.

Mettre la morue dans un plat profond et verser la marinade. Couvrir et réfrigérer pendant 4 heures. Égoutter et conserver la marinade.

Faire griller le poisson pendant 10 minutes pour chaque pouce d'épaisseur, en badigeonnant fréquemment avec la marinade. Servir immédiatement.

DONNE 4 PORTIONS

SALADE DE POULET BARBECUE

2 c. à thé	10 mL	gousses d'ail finement hachées
1 c. à thé	5 mL	sel
1 c. à thé	5 mL	poivre noir moulu
2 c. à table	30 mL	vin rouge
1 c. à table	15 mL	jus de citron
⅓ tasse	80 mL	huile d'olive
1 c. à thé	5 mL	sauce Worcestershire
1 c. à thé	5 mL	feuilles séchées de chaque: thym, basilic, sauge, origan, romarin,
1	1	poivron rouge
1	1	poivron jaune
1	1	poivron vert
2	2	oignons rouges
1	1	grosse courgette
4 – 4 onces	4 – 115 g	poitrines de poulet, désossées, sans la peau

Dans un bol, mélanger l'ail, le sel, le poivre, le vin, le jus de citron, l'huile, la sauce Worcestershire et les épices.

Couper les poivrons en quartiers et épépiner. Couper les oignons et la courgette en tranches épaisses. Placer les légumes dans un plat profond et verser la moitié de la marinade. Verser le restant de marinade sur le poulet et laisser mariner pendans 2 heures.

Faire griller le poulet sur une braise moyenne pendant 5 minutes, retourner et griller pendant 5 autres minutes.

Pendant que cuit le poulet, faire griller les légumes pendant 6 minutes. Servir ensemble.

DONNE 4 PORTIONS

Salade de Poulet Barbecue

Gourmet "T-Bone"

GOURMET "T-BONE"

4 – 12 onces	4 – 340 g	steaks "T-bone"
1 c. à table	15 mL0	oignon finement haché
½ tasse	125 mL	gelée de groseille
½ tasse	125 mL	porto
2 c. à table	30 mL	vinaigre de vin rouge
1 c. à thé	5 mL	écorce d'orange râpée
1 c. à thé	5 mL	écorce de citron râpée
1 c. à thé	5 mL	moutarde séchée
pincée		cayenne

Retirer l'excès de gras entourant les steaks.

Mélanger les autres ingrédients dans une casserole et réduire le volume de moitié.

Griller les steaks au degré de cuisson désiré en badigeonnant fréquemment avec la sauce. Servir.

DONNE 4 PORTIONS

PINCHO MORUNO ESPAGNOL

1½ livres	675 g	filets de boeuf
2 c. à thé	10 mL	sucre granulé
1 c. à thé	5 mL	poivre noir
1 c. à thé	5 mL	ail finement hachée
1 c. à thé	5 mL	poudre d'oignon
½ tasse	125 mL	vinaigre à l'ail
½ tasse	125 mL	vin rouge
1 tasse	250 mL	huile d'olive
½ c. à thé	3 mL	de chaque: basilic haché, feuilles de thym séchées, feuilles de marjolaine séchées
1 c. à thé	5 mL	sel

Couper les filets en cubes d'un pouce 1" (2.5 cm). Embrocher la viande avec les bâtonnets de bambou, et les mettre dans un plat profond.

Mélanger ensemble les autres ingrédients pour former une marinade. Verser la marinade sur le boeuf, couvrir et laisser mariner au réfrigérateur pendant 6 à 8 heures. Égoutter et conserver la marinade.

Faire griller les brochettes à feu moyen jusqu'au degré de cuisson désiré en badigeonnant fréquemment avec la marinade.

DONNE 4 PORTIONS

CÔTELETTES D'AGNEAU AU YOGOURT AU MIEL ET À L'AIL

8 – 3 onces	8 – 90 g	côtelettes d'agneau dégraissées
2	2	gousses d'ail finement hachées
3 c. à table	45 mL	miel liquide
¼ tasse	60 mL	yogourt nature
1 c. à thé	5 mL	poivre noir moulu

Dégraisser les côtelettes et les mettre dans un plat profond.

Mélanger ensemble l'ail, le miel, le yogourt et le poivre. Verser sur les côtelettes et laisser mariner pendant 8 heures.

Faire griller les côtelettes sur une braise moyenne pendant 3 minutes de chaque côté, en les badigeonnant avec la marinade. Servir.

DONNE 4 PORTIONS

CÔTELETTES FUMÉES

4 – 6 onces	4 – 170 g	côtelettes de porc ou d'agneau fumées
½ tasse	125 mL	sauce au vin blanc
¼ tasse	60 mL	sauce soya brune
2 c. à table	30 mL	huile d'olive
½ c. à thé	3 mL	sauce Worcestershire
½ c. à thé	3 mL	moutarde sèche anglaise, forte
¼ c. à thé	1 mL	de chaque moulu; cannelle, allspice, clou de girofle
2 c. à thé	10 mL	sucre brun

Dégraisser les côtelettes et les mettre dans un plat profond.

Mélanger ensemble les autres ingrédients et verser la marinade sur les côtelettes. Couvrir et réfrigérer pendant 2 heures. Égoutter et reserver la marinade.

Faire griller les côtelettes à feu doux pendant 6 minutes pour chaque côté en les arrosant fréquemment avec la marinade.

DONNE 4 PORTIONS

CÔTELETTES D'AGNEAU GRILLÉES AU CILANTRO

12 – 2 onces	12 – 60 g	côtelettes d'agneau
1 c. à table	15 mL	poudre de chili
½ c. à thé	3 mL	de chaque: feuilles d'origan, feuilles de thym, feuilles de basilic, poudre d'oignon, poudre d'ail, sel, poivre blanc, poivre noir
¼ c. à thé	1 mL	cayenne
½ tasse	125 mL	beurre
4	4	gousses d'ail fraîchement hachées
½ tasse	125 mL	cilantro fraîchement haché
1 c. à thé	5 mL	moutarde de Dijon
1 c. à thé	5 mL	zeste de citron
2 c. à table	30 mL	huile d'olive

Dégraisser les côtelettes.

Mélanger ensemble les épices et saupoudrer les côtelettes. Couvrir les côtelettes et réfrigérer pendant 1 heure.

Mélanger le beurre avec l'ail, le cilantro, la moutarde et le zeste de citron. Étendre sur une feuille de papier ciré et rouler en forme de cigare. Mettre au congélateur pendant une heure.

Badigeonner les côtelettes avec l'huile. Faire griller pendant 3 minutes de chaque côté.

Couper le beurre en tranches épaisses. En déposer une sur chaque portion de 2 côtelettes. Servir immédiatement.

DONNE 6 PORTIONS

Côtelettes d'Agneau au Yogourt, au Miel & à l'Ail

Côtelettes Fumées

GIGOT D'AGNEAU AU BARBECUE

4½ livres	2 kg	patte d'agneau
2 c. à thé	10 mL	gousses d'ail finement hachées
1	1	oignon finement haché
1	1	carotte coupée en petits dés
1	1	branche de céleri finement hachée
1 c. à thé	5 mL	sel
1 c. à thé	5 mL	poivre noir moulu
2 c. à table	30 mL	vin rouge
1 c. à table	15 mL	jus de citron
⅓ tasse	80 mL	huile d'olive
1 c. à thé	5 mL	de chaque: feuilles de thym, de basilic, de sage, d'origan, de romarin

Demander au boucher de retirer l'os de l'agneau. Étendre la viande à plat et la dégraisser.

Farcir la viande avec l'ail, l'oignon, la carotte, le céleri, le sel et le poivre. La rouler et la ficeler très fermement. Mettre dans une casserole peu profonde.

Mélanger ensemble tous les autres ingrédients, verser sur l'agneau et laisser mariner pendant 8 heures ou toute la nuit.

Cuire au barbecue pendant 50 minutes à feu doux, retourner la viande à tous les 8 à 10 minutes et badigeonner avec la marinade. Trancher et servir.

DONNE 6 PORTIONS

POULET GRILLÉ SPECIAL

4 – 6 onces	4 – 170 g	poitrines de poulet, désossées, sans la peau
⅓ tasse	80 mL	jus de papaye
⅓ tasse	80 mL	huile de tournesol
2 c. à thé	10 mL	sel
½ c. à thé	3 mL	poudre d'ail
½ c. à thé	3 mL	poivre noir moulu
1 c. à table	15 mL	menthe fraîchement hachée
1 tasse	250 mL	crème sure
1 c. à table	15 mL	poudre de curry
1 c. à table	15 mL	jus de citron
¼ à thé	1 mL	sucre

Mettre le poulet dans un plat peu profond.

Mélanger le jus de papaye, l'huile, 1 c. à thé (5 ml) sel, la poudre d'ail le poivre noir et la menthe. Verser sur le poulet et laisser mariner pendant 4 heures.

Mélanger ensemble les autres ingrédients et laisser refroidir pendant que le poulet est dans la marinade. Faire griller le poulet sur une braise moyenne pendant 7 à 8 minutes pour chaque côté en le badigeonnant plusieurs fois avec la sauce à la crème sure. Servir.

DONNE 4 PORTIONS

HOMARDS GRILLÉS

4 – l livres	4 – 450 g	homards
⅔ tasse	160 mL	beurre
2 c. à table	30 mL	jus de citron
1 c. à thé	5 mL	écorce de citron râpée
2 c. à thé	10 mL	cilantro haché
½ c. à thé	3 mL	feuilles de basilic doux

Casser en deux le dos des homards pour les décortiquer. Défaire la chair de la carapace et casser les pinces.

Faire fondre le beurre dans une poêle et ajouter les autres ingrédients.

Badigeonner le homard avec le beurre et faire griller pendant 15 à 20 minutes. Badigeonner et retourner fréquemment.

Servir accompagné du restant de beurre afin que vos invités puissent y tremper leur viande.

DONNE 4 PORTIONS

Côtelettes d'Agneau Grillées au Cilantro

THON AU BARBECUE

6 – 8 onces	6 – 250 g	steaks de thon
2 c. à thé	10 ml	gousse d'ail finement hachée
2 c. à table	30 ml	vin rouge
1 c. à table	15 ml	jus de citron
⅓ tasse	80 ml	huile d'olive
1 c. à thé	5 ml	sauce Worcestershire
1 c. à thé	5 ml	sel
1 c. à thé	5 ml	poivre noir moulu
1 c. à thé	5 ml	feuilles séchées de chaque: thym, basilic, sauge, origan, romarin,

SAUCE:

1 tasse	250 mL	ketchup aux tomates
½ tasse	125 mL	mélasse
1	1	oignon moyen finement haché
¼ tasse	60 mL	sucre brun tassé
2 c. à table	30 mL	jus de citron
1 c. à table	15 mL	poudre de chili
1 c. à thé	5 mL	de chaque: sel, feuilles de thym, feuilles d'origan, feuilles de basilic
½ c. à thé	3 mL	de chaque: paprika, poudre d'oignon, poudre d'ail
¼ c. à thé	1 mL	sauce Tabasco™

Laver et éponger le thon. Mettre dans un plat peu profond. Mélanger l'ail, le vin, le jus de citron, l'huile, la sauce Worcestershire et les épices dans un bol. Verser sur le thon et laisser mariner pendant 4 heures.

SAUCE:

Mélanger ensemble tous les ingrédients dans un bol.

Faire griller le poisson pendant 5 à 6 minutes de chaque côté indépendamment de l'épaisseur, en badigeonnant souvent avec la sauce barbecue. Badigeonner une dernière fois juste avant de servir.

DONNE 6 PORTIONS

Brochettes de Fruits de Mer du Pacifique

BROCHETTES DE FRUITS DE MER DU PACIFIQUE

1 livre	454 g	saumon
½ livre	225 g	grosses crevettes
½ livre	225 g	gros pétoncles
¼ tasse	60 ml	farine
2	2	poivrons jaunes
16	16	gros champignons
16	16	tomates cerises
¼ tasse	60 mL	huile d'olive
¼ tasse	60 mL	jus de citron
¼ tasse	60 mL	vermout blanc
1	1	gousse d'ail finement hachée
1 c. à thé	5 mL	de chaque: thym, basilic, cerfeuil, origan, marjolaine, sel
½ c. à thé	3 mL	poivre noir moulu
½ c. à thé	3 mL	cumin moulu
1 c. à thé	5 mL	sauce Worcestershire
3 gouttes		sauce Tabasco™

Tremper 8 longues brochettes de bambou dans de l'eau chaude pendant 30 minutes.

Couper le saumon en cubes. Décortiquer les crevettes. Saupoudrer les pétoncles de farine.

Couper le poivron jaune en gros morceaux. Nettoyer les têtes de champignons.

Enfiler les fruits de mer en alternant avec le poivron, les champignons et les tomates.

Mélanger ensemble l'huile et les autres ingrédients. Faire griller les brochettes pendant 5 minutes de chaque côté en les arrosant fréquemment avec la marinade. Badigeonner une dernière fois avant de servir.

DONNE 4 PORTIONS

Striploins de New York au Barbecue

LÉGUMES GRILLÉS AU MIEL AVEC SAUCE CAMPAGNARDE AU MIEL ET À L'AIL

SAUCE:

1	1	gousse d'ail
2	2	jaunes d'oeufs
1 c. à thé	5 mL	moutarde sèche
pincée		cayenne
¾ tasse	190 mL	huile d'olive
2 c. à thé	10 mL	miel
1½ c. à table	28 mL	lemon juice
¼ tasse	60 mL	lait de beurre
⅓ tasse	80 mL	fromage Parmesan fraîchement râpé
1 c. à table	15 mL	ciboulette fienement hachée
½ c. à thé	3 mL	poivre noir moulu

LÉGUMES:

4	4	carottes moyennes
2	2	grosses courgettes
2 c. à table	30 mL	huile d'olive
2 c. à table	30 mL	miel liquide
1 c. à thé	5 mL	basilic
1 c. à table	15 mL	graines de sésame rôties (facultatif)
16	16	tomates cerises

SAUCE:
Mettre l'ail, les jaunes d'oeufs, la moutarde et le cayenne dans un mélangeur ou un robot culinaire. Pendant que la machine fonctionne, ajouter lentement l'huile en un mince filet jusqu'à ce que le mélange ait la consistance d'une mayonnaise. Ajouter en mélangeant le miel, le jus de citron, le lait de beurre, le fromage, la ciboulette et le poivre.

LÉGUMES:
Éplucher les carottes. Couper les légumes en bâtonnets dans le sens de la longeur. Mélanger ensemble l'huile, le miel et le basilic. Verser sur les légumes et les laisser mariner pendant 30 minutes. Faire griller les légumes pendant 8 minutes. Les mettre dans un plat de service et saupoudrer de graines de sésame, garnir de tomates cerises et servir avec la sauce placée au centre.

DONNE 4 PORTIONS

Légumes Grillés au Miel avec Sauce Campagnarde au Miel et à l'Ail

"STRIPLOINS" DE NEW YORK AU BARBECUE

½ tasse	125 mL	vinaigre de vin rouge
1 c. à table	15 mL	sauce Worcestershire
1 c. à thé	5 mL	de chaque: feuilles de basilic, feuilles de thym, feuilles d'origan
½ tasse	125 mL	ketchup aux tomates
2	2	gousses d'ail finement hachées
½ c. à thé	3 mL	assaisonnement de fumée liquide
1 c. à table	15 mL	sucre
6 – 8 onces	6 – 225 g	steaks de striploin de New York

Dans une casserole, mélanger tous les ingrédients à l'exception des steaks.

Dégraisser les steaks. Couper les petits tendons pour éviter que les steaks ne recourbent durant la cuisson. Verser la marinade sur les steaks, couvrir et réfrigérer pendant 6 heures.

Faire griller les au-dessur d'une braise moyenne jusqu'au degré de cuisson désiré. Badigeonner fréquemment avec la marinade.

DONNE 6 PORTIONS

LOTTE AIGRE-DOUCE AU BARBECUE

3 lbs	1.3 kg	filets de lotte
½ tasse	125 mL	huile d'olive
¼ tasse	60 mL	vinaigre d'estragon
2 c. à thé	10 mL	sauce Worcestershire
½ c. à thé	3 mL	gingembre moulu
1 c. à table	15 mL	sucre brun
2 c. à table	30 mL	sherry
3 c. à table	45 mL	sauce soya
½ c. à thé	3 mL	poudre d'ail

Disposer les filets de poisson dans un plat profond.

Mélanger ensemble les autres ingrédients pour former une marinade et verser sur les filets. Couvrir et laisser mariner au réfrigérateur pendant 1 heure.

Faire griller le poisson au-dessus d'une braise moyenne pendant 10 minutes, en badigeonnant avec la marinade. Déposer sur un plat de service et badigeonner une dernière fois avant de servir

DONNE 6 PORTIONS

Steaks de Porc au Miel Citronné

CÔTELETTES DE RHÉNANIE

4½ livres	2 kg	côtelettes de porc
2 c. à thé	10 mL	sel
1½ tasses	375 mL	bouillon de boeuf (voir page 85)
¼ tasse	60 mL	ketchup
2 c. à table	30 mL	sucre brun
3 c. à table	45 mL	vin rouge
¼ c. à thé	1 mL	assaisonnement quatre-épices moulu
¼ c. à thé	1 mL	graines de cumin
2 c. à table	30 ml	sauce Worcestershire
pincée		cayenne
1 c. à thé	5 mL	écorce de citron râpée
1 c. à table	15 mL	fécule de maïs
2 c. à table	30 mL	eau froide

Dégraisser les côtelettes. Les mettre dans une tôle à pâtisserie. Saupoudrer de sel et cuire dans un four préchauffé à 300°F (160°C) pendant 2 heures.

Mettre tous les autres ingrédients dans une casserole à l'exception de la fécule de maïs et de l'eau. Amener à ébuillition. Mélanger ensemble la fécule de maïs et l'eau et ajouter à la sauce. Faire mijoter jusqu'à ce que la sauce épaississe.

Mettre les côtelettes dans réchaud à charbon de bois et cuire chaque côté pendant 10 minutes en badigeonnant fréquemment avec la sauce. Servir.

DONNE 6 PORTIONS

BROCHETTES EXOTIQUES AUX CREVETTES

1½ lbs	675 g	grosses crevettes
⅓ tasse	80 mL	sauce soya
⅓ tasse	80 mL	huile d'olive
⅓ tasse	80 mL	sherry
½ c. à thé	3 mL	de chaque: poudre d'oignon, poudre d'ail, gingembre moulu, poivre

Décortiquer les crevettes, les embrocher avec des bâtonnets de bambou. Mettre dans un plat peu profond.

Mélanger ensemble les autres ingrédients, verser sur les crevettes et laisser mariner pendant 30 minutes.

Faire griller au-dessus d'une braise vive pendant 3 à 5 minutes pour chaque côté.

DONNE 4 PORTIONS

STEAKS DE PORC AU MIEL CITRONNÉ

½ tasse	125 mL	cilantro haché
1 c. à table	15 mL	huile d'olive
1 c. à table	15 mL	miel
1 c. à table	15 mL	jus de citron
1 c. à thé	5 mL	poivre noir moulu
1 c. à thé	5 mL	écorce de citron râpée
4 – 6 onces	4 – 170 g	steaks de porc

Mélanger ensemble le cilantro, l'huile, le miel, le jus de citron, le poivre et l'écorce de citron dans un petit bol.

Faire griller les steaks de porc au-dessus d'une braise moyenne pendant 4 minutes. Retourner les steaks, les couvrir de sauce et poursuivre la cuisson pendant 4 autres minutes. Couvrir du restant de sauce et servir.

DONNE 4 PORTIONS

Côtelettes de Rhénanie

Côtés Levées du Chef

CÔTES LEVÉES DU CHEF

CÔTES LEVÉES:

6 – 12 onces	6 – 340 g	côtes levées danoises
3 c. à table	45 mL	huile d'olive
1 c. à thé	5 mL	de chaque; sel, poivre noir crqué, paprika, poudre de chili

SAUCE:

3 c. à table	45 mL	huile d'olive
2 c. à table	30 mL	oignon finement haché
2 c. à table	30 mL	poivrons verts finement coupés
2 c. à table	30 mL	céleri émincé
1	1	gousse d'ail émincé
¼ tasse	60 mL	vin blanc
¼ c. à thé	1 mL	poivre noir
½ c. à thé	3 mL	feuilles d'origan
½ c. à thé	3 mL	cumin moulu
3 c. à table	45 mL	sucre brun
1¼ tasses	310 mL	purée de tomates
½ c. à thé	3 mL	sel hickory fumé

CÔTES LEVÉES:

Mettre les côtes dans un plat profond, les badigeonner d'huile et les saupoudrer avec les épices. Cuire dans un four préchauffé à 300°F (160°C) pendant 2 heures.

SAUCE:

Pendant la cuisson des côtes, faire chauffer l'huile dans une casserole et ajouter l'oignon, le piment vert, le céleri et l'ail. Faire sauter les légumes jusqu'à ce qu'ils soient tendres. Ajouter les autres ingrédients en brassant. Amener la sauce à ébuillition, reduire le feu et faire mijoter pendant 20 minutes.

Sortir les côtes du four, retirer la peau du dessous et couper en portions individuelles. Faire griller les côtes à feu moyen pendant 6 à 8 minutes de chaque côté. Arroser généreusement de la sauce pendant la cuisson et une dernière fois juste avant de servir.

DONNE 6 PORTIONS

POITRINES DE POULET GRILLÉES

6 – 6 onces	6 – 170 g	poitrines de poulet, désossées, sans la peau
½ tasse	125 mL	huile d'olive
3 c. à table	45 mL	vinaigre d'estragon
1 c. à table	15 mL	jus de citron
1 c. à thé	5 mL	sel d'ail
½ c. à thé	3 mL	cilantro haché

Mettre les poitrines de poulet dans un plat peu profond.

Mélanger ensemble tous les autres ingrédients et verser la marinade sur le poulet. Couvrir et réfrigérer pendant 2 heures. Égoutter et mettre la marinade de côté.

Faire griller le poulet pendant 7 à 8 minutes de chaque côté, indépendamment de l'épaisseur de la poitrine. Badigeonner avec la marinade. Servir.

DONNE 6 PORTIONS

BROCHETTES D'ESPADON

2 livres	900 g	espadon
3 c. à table	45 mL	vinaigre à l'ail
⅓ tasse	80 mL	huile d'olive
1 c. à thé	5 ml	écorce de citron râpée
½ c. à thé	3 mL	de chaque; poudre d'oignon, poudre d'ail, origan
1 c. à thé	5 mL	feuilles de laurier craquées
1 c. à table	15 mL	cilantro haché
1 c. à thé	5 mL	sel

Couper l'espadon en cubes d'un pouce 1" (2.5 cm), enfiler la viande sur des brochettes de bambou, et mettre dans un plat peu profond.

Mélanger ensemble tous les autres ingrédients et verser sur les poisson. Couvrir et faire mariner au réfrigérateur pendant 2 heures.

Faire griller à feu moyen pendant 10 minutes, en retournant et en arrosant de sauce fréquemment.

DONNE 6 PORTIONS

HAMBURGERS BUFFALO

HAMBURGERS:

1 livre	450 g	viande hachée maigre
4 onces	120 g	porc haché, gras
1	1	oeufs
2 c. à table	30 mL	chapelure fine
2 c. à table	30 mL	oignon finement haché
1 c. à table	15 mL	moutarde de Dijon
1 c. à thé	5 mL	sauce Worcestershire

SAUCE:

3 c. à table	45 mL	huile
¼ tasse	60 mL	oignon finement haché
¼ tasse	60 mL	piment vert finement haché
¼ tasse	60 mL	céleri finement haché
3 tasses	750 mL	tomates épépinées, pelées, en morceaux
1 c. à table	15 mL	sel hickory fumé
3 c. à table	45 mL	vinaigre blanc
½ c. à thé	3 mL	moutarde forte
⅓ tasse	80 ml	pâte de tomates
½ c. à thé	3 mL	de chaque: basilic, thym, origan, sariette, paprika, poudre d'ail, poivre,
⅓ tasse	80 mL	sucre brun

HAMBURGER:

Placer tous les ingrédients dans un grand bol et bien mélanger. Façonner la viande en pâté et placer sur une tôle à four recouverte de papier ciré. Couvrir de papier ciré et conserver au réfrigérateur.

SAUCE:

Faire chauffer l'huile dans une casserole, ajouter les légumes et les faire sauter jusqu'à ce qu'ils soient tendres. Ajouter tous les autres ingrédients, réduire la chaleur et laisser mijoter jusqu'à ce que le volume du liquide ait atteint le tiers de son volume original. Faire griller les hamburgers au-dessus d'une braise moyenne en arrosant souvent de sauce. Servir chaud accompagné de sauce sur des pains "kaiser".

DONNE 4 PORTIONS

CÔTELETTES DE VEAU À LA LIME AVEC SALSA AUX TOMATES

CÔTELETTES:

4 – 6 onces	4 – 170 g	côtelettes de veau
3 c. à table	45 mL	jus de lime
2 c. à table	30 mL	huile d'olive
2 c. à table	30 mL	crème sure
2 c. à thé	10 mL	sucre
¼ c. à thé	1 mL	sel
½ c. à thé	3 mL	piments forts écrasés

SALSA:

4	4	grosses tomates épépinées, pelées, coupées en dés
1	1	petit oignon finement tranché
2	2	piments jalapeños finement tranchés
¼ tasse	60 mL	cilantro frais haché
2 c. à table	30 mL	jus de lime
½ c. à thé	3 mL	sel
¼ c. à thé	1 mL	poivre noir moulu

CÔTELETTES:

Dégraisser les côtelettes.

Mélanger ensemble tous les ingrédients et verser sur les côtelettes. Laisser mariner pendant 3 heures. Faire griller chaque côte des côtelettes pendant 5 minutes au-dessus d'une braise moyenne en badigeonnant avec la marinade.

SALSA:

Mélanger ensemble tous les ingrédients dans un bol. Couvrir et laisser mariner pendant 3 heures. Servir les côtelettes dans un plat, recouvertes de salsa.

DONNE 4 PORTIONS

Côtelettes de Veau à la Lime avec Salsa aux Tomates

STEAK ET HOMARD

Un plat continuellement adoré, sans le prix du restaurant.

4 – 4 onces	4 – 115 g	filets de tenderloin
4	4	tranches de bacon
4 – 4 onces	4 – 115 g	queues de homard
⅓ tasse	80 mL	beurre fondu
½ c. à thé	3 mL	de chaque: poudre d'oignon, graines de cumin, feuilles de thym, feuilles de basilic, cerfeuil, paprika
1 c. à thé	5 mL	poudre d'ail
1 c. à table	15 mL	poudre de chili
3 c. à table	45 mL	sel de mer
1 tasse	250 mL	sauce béarnaise (voir page 108)

Steak et Homard

Entourer chaque filet d'une tranches de bacon en la maintenant fermement à l'aide d'un cure-dents.

Fendre les queues de homard en les coupant au milieu. Retirer la chair de la carapasse et la déposer sur la carapace. Badigeonner avec un peu de beurre. Faire cuire dans un four préchauffé à 400°F (200°C) pendant 15 à 20 minutes, ou jusqu'à ce que la chair soit cuite.

Pendant la cuisson des homards, mélanger ensemble les épices et les saupoudrer sur les filets. Faire griller chaque côté des filets pendant 7 minutes pour un steak cuit à point. Moins pour un steak saignant, davantage pour un steak bien cuit.

Servir le steak accompagné d'une sauce béarnaise. Servir le homard accompagné du restant de beurre chaud. Un petit contenant expressément fait pour le beurre du homard conserve le beurre plus chaud.

DONNE 4 PORTIONS

CÔTES LEVÉES DE STYLE CAJUN

Sauce:

1 tasse	250 mL	ketchup aux tomates
½ tasse	125 mL	mélasse
1	1	oignon moyen finement haché
¼ tasse	60 mL	sucre brun tassé
2 c. à table	30 mL	jus de citron
1 c. à table	15 mL	poudre de chili
1 c. à thé	5 mL	de chaque, feuilles de thym, feuilles d'origan, feuilles de basilic
½ c. à thé	3 mL	de chaque; paprika, poudre d'oignon, poudre d'ail
¼ c. à thé	1 mL	sauce Tabasco™

Côtes levées:

2¼ livres	1 kg	côtes levées danoises ou de porc
½ c. à thé	3 mL	de chaque: sel, paprika, feuillles de thym, feuilles d'origan, poivre blanc, poivre noir, cayenne, poudre d'oignon, poudre d'ail
1 c. à table	15 mL	poudre de chili

Sauce:

Dans un robot culinaire, bien mélanger tous les ingrédients. Verser dans une bol et réserver.

Côtes levées:

Couper les côtes en sections comprenant 5 os chacune.

Mélanger toutes les épices. Saupoudrer les côtes du mélange et frotter pour le faire pénétrer dans la viande. Réfrigérer pendant 1 heure. Faire cuire les côtes au four préchauffé à 350°F (180°C) pendant ½ heure. Faire griller les côtes pendant 15 minutes au-dessus d'une braise moyenne en badigeonnant fréquemmennt. Badigeonner une dernière fois avant de servir.

DONNE 8 PORTIONS

LOTTE AUX PÊCHES

6 – 6 onces	6 – 170 g	filets de lotte
2 c. à table	30 mL	huile d'olive
2 c. à thé	10 mL	feuilles de basilic
2 tasses	500 mL	tranches de pêche
1 tasse	250 mL	eau
2 c. à table	30 mL	sucre
2 c. à thé	10 mL	moutarde de Dijon
1 c. à thé	5 mL	fécule de maïs
1 c. à table	15 mL	jus de citron
¼ tasse	60 mL	jus de pommes

Badigeonner les filets avec l'huile et saupoudrer de basilic.

Dans une casserole, faire bouillir les pêches dans l'eau pendant 5 minutes. Mettre les pêches dans un robot culinaire et réduire en purée. Mettre l'eau de côté. Mélanger le sucre et la moutarde dans l'eau. Mélanger la fécule de maïs avec le jus de citron, ajouter à l'eau et faire mijoter jusqu'à ce que le mélange épaississe. Verser sur les pêches et mélanger.

Remettre dans la casserole et ajouter le jus de pomme en brassant. Chauffer le mélange sans le faire bouillir.

Faire griller les filets de lotte pendant 10 minutes en les arrosant avec la sauce. Arroser une dernière fois juste avant de servir.

DONNE 6 PORTIONS

STEAKS DE VEAU AUX FRUITS

6 – 6 onces	6 – 170 g	steaks de veau
2 c. à table	30 mL	huile d'olive
1 c. à table	15 mL	basilic
¼ tasse	60 mL	sucre
¼ tasse	60 mL	eau
¼ c. à thé	1 mL	cannelle moulue
2	2	clous de girofle
1 c. à table	15 mL	écorce de citron râpée
1 c. à table	15 mL	écorce d'orange râpée
1 tasse	250 mL	fraises fraîches, tranchées
1 tasse	250 mL	pêches fraîches, tranchées
1 tasse	250 mL	bleuets frais
2 c. à thé	10 mL	jus de citron

Dégraisser les steaks. Badigeonner d'huile et soupoudrer de basilic. Faire griller au-dessus d'une braise moyenne jusqu'au degré de cuisson désiré.

Mélanger ensemble le sucre, l'eau, la cannelle et l'écorce râpée des fruits dans une petite casserole et amener au point d'ébuillition. Réduire le feu et laisser mijoter jusqu'à l'obtention d'un sirop épais.

Dans un bol, mélanger tous les autres ingrédients, ajouter le sirop et déposer à l'aide d'une cuillère sur les steaks avant de servir.

DONNE 6 PORTIONS

SAUMON AU MIEL

3 c. à table	45 mL	beurre
3 c. à table	45 mL	huile
1	1	oignon moyen finement haché
1	1	gousse d'ail finement hachées
⅔ tasse	160 mL	ketchup aux tomates
⅔ tasse	160 mL	miel liquide
¼ tasse	60 mL	vinaigre de cidre
1 c. à table	15 mL	sauce Worcestershire
½ c. à thé	3 mL	de chaque: feuilles de thym, feuilles d'origan, feuilles de basilic, paprika, poivre poudre de chili , sel
½ c. à thé	3 mL	fumée liquide
4 – 6 onces	4 – 170 g	filets de saumon, sans arêtes 1" (2.5 cm) d'épaisseur

Faire chauffer le beurre avec 2 c. à table (30 mL) d'huile dans une poêle. Ajouter l'oignon et l'ail et faire sauté jusqu'à consistance tendre.

Ajouter le ketshup, le miel, le vinaigre, la sauce Worcestershire, les épices et la fumée liquide. Mijoter jusqu'à ce que la sauce soit épaisse et luisante. Laisser refroidir.

Badigeonner le saumon avec le restant d'huile. Faire griller au-dessus d'une braise moyenne pendant 5 minutes pour chaque côté, en arrosant fréquemment avec la sauce. Arroser une dernière fois avant de servir.

DONNE 4 PORTIONS

Lotte aux Pêches

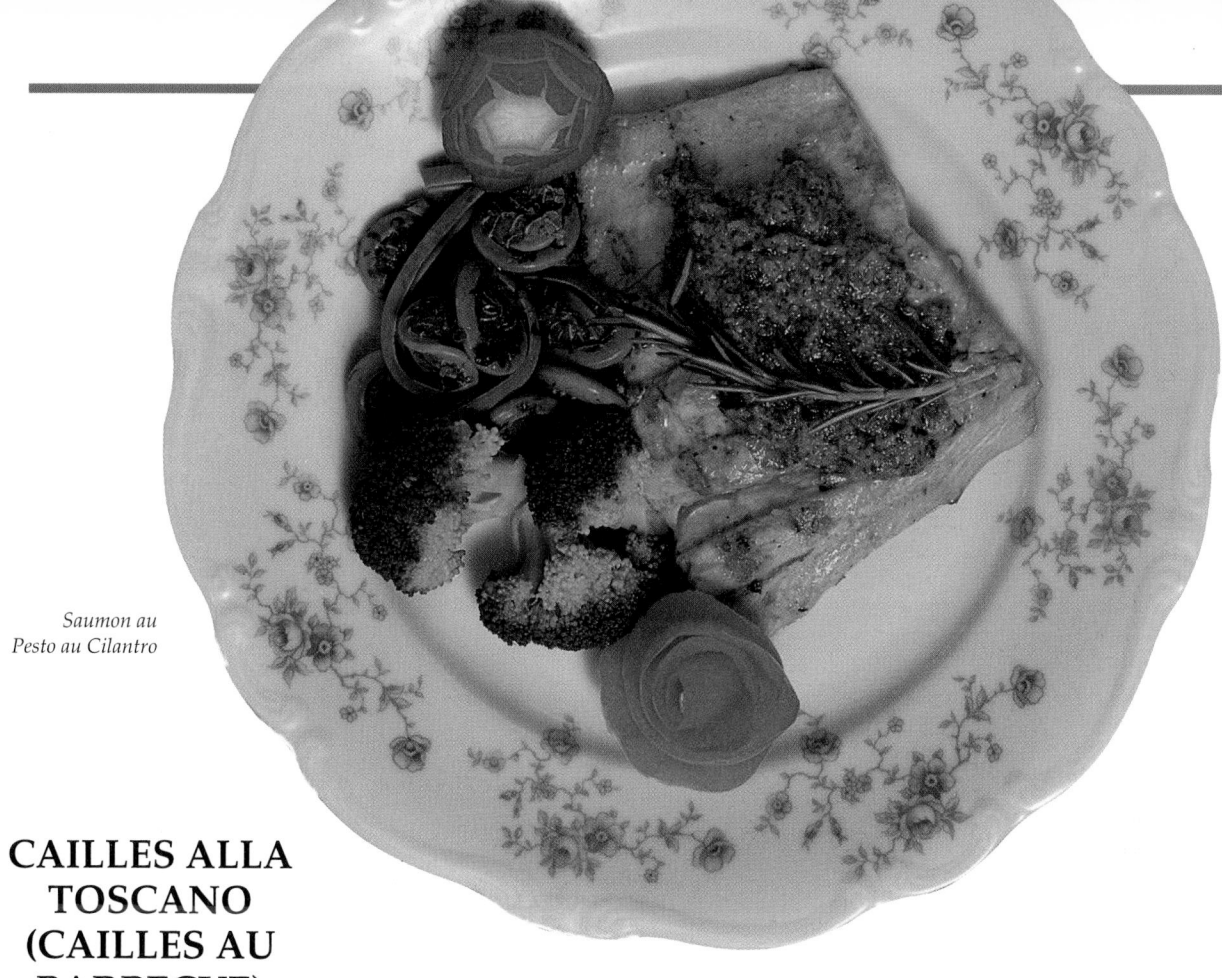

*Saumon au
Pesto au Cilantro*

CAILLES ALLA TOSCANO (CAILLES AU BARBECUE)

12	12	cailles
½ tasse	125 mL	huile d'olive
3 c. à table	45 mL	vinaigre de vin blanc
1 c. à thé	5 mL	poudre d'ail
½ c. à thé	3 mL	poivre noir moulu
2 c. à thé	10 mL	cilantro haché
½ c. à thé	3 mL	de chaque: romarin frais, estragon, origan, thym, basilic, hachés

Couper les cailles en deux et les mettre dans un plat peu profond.

Mélanger ensemble les autres ingrédients dans un bol, verser sur les cailles et laisser mariner pendant 2 heures à la température de la pièce. Égoutter et réserver la marinade.

Faire griller les cailles au-dessus d'un feu moyen pendant 10 à 15 minutes en arrosant souvent avec la marinade. Servir.

DONNE 6 PORTIONS

SAUMON AU PESTO AU CILANTRO

SAUCE :

1½ tasses	375 mL	cilantro frais, haché, tassé
6	6	gousses d'ail finement hachées
⅓ tasse	80 mL	pignes rôties
⅔ tasse	160 mL	fromage Parmesan râpé
1 c. à thé	5 mL	sel
½ c. à thé	3 mL	poivre
¾ tasse	180 mL	huile d'olive

POISSON:

4 – 6 onces	4 – 170 g	filets de saumon
2 c. à table	30 mL	huile d'olive
½ c. à thé	3 mL	sel
½ c. à thé	3 mL	poivre blanc

SAUCE:

Mélanger ensemble tous les ingrédients à l'exception de l'huile, dans un robot culinaire, mélanger jusqu'à ce que tout soit bien homogène. Ajouter lentement l'huile jusqu'à l'obtention d'une sauce à consistence de mayonaise épaisse. Mettre de côté.

POISSON:

Badigeonner les filets avec l'huile et assaisonner avec le sel et le poivre. Faire griller les filets au-dessus d'un feu moyen de 5 à 6 minutes pour chaque côté. Servir les filets garnis d'une bonne cuillèrée de sauce

DONNE 4 PORTIONS

Poivrons Grillés avec Pesto aux Noix de Macadam

Côtellettes D'agneau Okey

POIVRONS GRILLÉS AVEC PESTO AUX NOIX DE MACADAM

2	2	poivrons rouges
2	2	poivrons verts
2	2	poivrons jaunes
¾ tasse	190 mL	huile d'olive
1 tasse	250 mL	basilic frais haché
2	2	gousses d'ail finement hachées
1 tasse	250 mL	noix de macadam, rôties, salées et hachées
¼ tasse	60 mL	Parmesan fraichement râpé

Mettre les poivrons sur une plaque à pâtisserie et faire rôtir dans un four préchauffé à 400°F (200°C) jusqu'à ce que la peau se couvre d'ampoules. Les placer dans un sac de papier pour leur permettre de condenser pendant 20 minutes.

Retirer du sac et enlever la peau. Couper en quartier et retirer les graines.

Dans un robot culinaire ou un mélangeur, mélanger ¼ tasse (60 ml) d'huile, le basilic, l'ail, les noix et le fromage. Pendant que la machine fonctionne, ajouter lentement le restant d'huile.

Faire griller les quartiers de poivrons au-dessus d'un feu moyen pendant 6 minutes. Placer dans un plat de service et couvrir avec la sauce. Servir.

DONNE 6 PORTIONS

CÔTELLETTES D'AGNEAU OKEY

4	4	frenched lamb racks
¼ tasse	60 mL	huile d'olive
¼ tasse	60 mL	jus de citron
¼ tasse	60 mL	vermout blanc
1 c. à thé	5 mL	de chaque: thym, basilic, cerfeuil, origan, marjolaine, sel
½ c. à thé	3 mL	poivre noir moulu
½ c. à thé	3 mL	cumin moulu
1 c. à thé	5 mL	sauce Worcestershire
3 gouttes		sauce Tabasco™

Dégraisser les côtes d'agneau et les mettre dans un plat peu profond.

Mélanger ensemble les autres ingrédients, et verser sur les côtes d'agneau. Laisser mariner pendant 8 heures.

Faire griller les côtes d'agneau pendant 5 minutes pour chaque côté au-dessus d'une braise vive. Incérer un thermomètre à viande dans une des côtes, mettre dans une partie moins chaude du grille, couvrir et continuer la cuisson jusqu'à ce que le thermomètre indique 160°F (66°C) pour une cuisson à point, davantage pour bien cuit. Arroser de marinade occasionellement. Servir.

DONNE 4 PORTIONS

FOLIES NEW YORKAISES

4 – 8 onces	4 – 225 g	tranches de steak de New York strip
½ tasse	125 mL	vin rouge
2 c. à table	30 mL	jus de citron
2	2	gousses d'ail finement hachées
¼ tasse	60 mL	huile d'olive
1 c. à thé	5 mL	de chaque: feuilles de thym, feuilles de basilic, origan, paprika, poudre d'oignon
2 c. à thé	10 mL	poivre noir moulu
½ c. à thé	3 mL	sel ou ¼ c. à thé (1 mL) sel hickory fumé

Dégraisser les steaks, retirer les tendons en suivant la graisse afin d'éviter que les steaks ne coubent durant la cuisson sur le grill. Placer les steaks dans un plat peu profond.

Mélanger ensemble les autres ingrédients et verser sur les steaks. Couvrir et laisser mariner au réfrigérateur pendant 6 à 8 heures.

Égoutter les steaks et conserver la marinade. Cuire les steaks au-dessus d'un feu moyen dans un gril à charbon de bois, jusqu'au degré de cuisson désiré, badigeonner plusieurs fois durant la cuisson.

DONNE 4 PORTIONS

STEAKS DE SAUMON AU BEURRE AUX PIGNES

4 – 6 onces	4 – 170 g	steaks de saumon
¼ tasse	60 mL	huile d'olive
2 c. à table	30 mL	vin rouge
2 c. à table	30 mL	jus de citron
2 c. à table	30 mL	ciboulettes finement hachées
1	1	gousse d'ail finement hachée
2 c. à table	30 mL	cilantro haché
¼ tasse	60 mL	beurre
¼ tasse	60 mL	pignes hachées fin

Laver et éponger le saumon, le placer dans un plat profond.

Mélanger ensemble l'huile, le vin, le jus de citron, la ciboulette, l'ail et le cilantro dans un petit bol et verser sur les steaks. Couvrir et laisser mariner au réfrigérateur pendant 3 heures.

Mélanger le beurre et les pignes, mettre à la cuillère sur du papier ciré, rouler et réfrigérer pendant 3 heures.

Faire griller le poisson pendant 5 minutes pour chaque côté, en badigeonnant avec la marinade. Placer sur un plat de service, couper le beurre et mettre une grosse cuillèrée sur chaque steak.

DONNE 4 PORTIONS

POMMES DE TERRE FUMÉES

1½ livres	675 g	pommes de terre nouvelles
½ tasse	125 mL	huile d'olive
1 c. à table	15 mL	sel hickory fumé

Laver et badigeonner les pommes de terre. Faire bouillir dans une grande marmite d'eau salée jusqu'à ce qu'elles soient tendres mais encore fermes. Égoutter les pommes de terre et les laisser refroidir à la température de la pièce. Les couper en tranches de ¼ pouce. Les placer sur une tôle à four.

Badigeonner les pommes de terre avec l'huile et les soupoudrer de sel.

Faire griller au-dessus d'une braise vive pendant 3 minutes de chaque côté. Servir.

DONNE 4 PORTIONS

STEAKS FLAMBÉS

6 – 10 onces	6 – 300 g	New York steaks de surloin
1 c. à thé	5 mL	granules d'ail
2 c. à thé	10 mL	poivre noir
½ c. à thé	3 mL	de chaque: cayenne feuilles d'origan, feuilles de thym, romarin séché, feuilles de basilic, poudre d'oignon, sel

Dégraisser les steaks et retirer les tendons sur les rebords (pour empêcher les steaks de se replier durant la cuisson).

Mélanger ensemble les épices et en endure les steaks. Laisser les steaks de côté pendant 30 minutes.

Cuire au-dessus d'un feu moyen jusqu'au degre de cuisson désiré.

DONNE 6 PORTIONS

Steaks de Saumon au Beurre aux Pignes

Steaks Flambés

SOUPES

La marque de bon cuisinier n'est pas l'élégance apparente du repas, à la suite de son labeur, mais la qualité de sa préparation. Rien ne peut exprimer cette excellence comme un bol de soupe délicieuse.

L'ancienne expression " Tous les biens de la nature dans une cuillère "nous vient à l'esprit quand on nous sert un bol de soupe copieuse. On ne pourrait pas s'exprimer d'une façon plus vraie, parce que quand la viande, les légumes et l'assaisonnment mijotent, l'arôme seule qui s'en échappe donne un sentiment de bien-être. Après tout, Maman a toujours su qu'un bol de soupe au poulet fait à la maison vous fait sentir mieux. Peut-être qu'elle ne savait pas que le mijotement lent de la viande et des légumes en tirait toutes les valeurs nutritives dans le bouillon. Elle savait seulement que ça marche et c'est tout ce dont elle s'occupait .

Ajourd'hui, la soupe tient encore toujours une place préférée au cœur des cuisiniers, parce qu'ils savent que prendre son temps de faire de la soupe est le meilleur temps dans la cuisine. Tout un repas peut être préparé pour être consommé en une heure. Bien que la soupe ne puisse prendre que quelques minutes à préparer, des heures mises à mijoter sont souvent nécessaires pour compléter ce délicieux procédé. En même temps, l'arôme de la soupe flotte à travers la maison comme le roi du pot-pourri.

Que la soupe soit préparée comme une entrée ou comme mets principal, celles qui sont présentées dans ce chapitre sont parmi les meilleures; elles sont du style international ainsi que du style local, mais elles sont toutes d'un goût sensationnel. Vos soupes peuvent être aussi remarquables que n'importe quel autre plat, comme elles devraient l'être.

À l' exception de la viande de nageoire de requin et d'alligator, tous les ingrédients peuvent se trouver au supermarché local. Soyez sûr de ne prendre que les meilleurs ingrédients disponibles. La soupe n'est pas un plat qui se permet un compromis de qualité. Lorsqu'un amuse-gueule n'est pas servi, la soupe déterminera le restant du repas. Une soupe inférieure suggère que le repas qui suit pourrait être de la même qualité inférieure. Celui qui compromet la soupe pourrait en faire autant avec les autres plats du repas.

Si votre menu nécessite de la purée, de la crème, une bisque, de la soupe aux palourdes, ou d'une variété de bouillon, vous les trouverez tous dans les pages de ce chapitre. La soupe du jour, quand elle est faite avec amour, votre temps et nos recettes, sera , comme toujours, tout simplement délicieuse.

POTAGE DOYEN

⅔ tasse	170 mL	poulet frais haché deux fois
1 c. à thé	5 mL	oignon haché
¼ c. à thé	1 mL	chacune de poivre, basilic, thym, paprika
½ c. à thé	3 mL	sel
1	1	blanc d'œuf
⅛ tasse	30 mL	crème fraîche
6 tasses	1.5 L	bouillon de poulet (voir page 77)
⅓ tasse	90 mL	beurre
⅓ tasse	90 mL	farine tout usage
2 tasses	500 mL	moitié crème et moitié lait
1 c. à thé	5 mL	sel
¼ c. à thé	1 mL	poivre blanc
1½ tasses	375 mL	poulet cuit en dés
2 tasses	500 mL	petits pois blanchis

Dans un grand bol mélanger le poulet haché, l'oignon, l'assaisonnement, le blanc d'œuf et la crème. Passer au tamis et faire des petites boulettes.

Faire bouillir 2 tasses (500 mL) de bouillon, mettre les boulettes dans le bouillon, réduire le feu et faire mijoter pour 10 minutes. Enlever les boulettes.

Sauter le beurre dans un grand poêlon, Ajouter la farine en tournant et laisser cuire pour 2 minutes.

Ajouter le reste du bouillon, la crème, le sel et le poivre, laisser mijoter pour 10 minutes.

Diviser la soupe dans deux casseroles plus petites, ajouter le poulet cuit en dés dans l'une des casserole et 1 tasse (250mL) de petits pois dans l'autre. Faire mijoter chaqu'une pour 5 minutes, faire de la purée de chacune séparément dans un robot culinaire, remettre dans les casseroles originelles et continuer à faire mijoter pour 5 minutes additionnelles.

Mettre une petite soucoupe debout dans un bol à servir, avec une louche verser la soupe au poulet d'un côté et la soupe au petit pois de l'autre, enlever rapidement la soucoupe. Saupoudrer avec les boulettes et le reste des petits pois, servir immédiatement.

DONNE 6 PORTIONS

MINESTRONE MILANAISE

3 c.à table	45 mL	beurre
2	2	gousses d'ail hachées
½ tasse	125 mL	oignon tranché
½ tasse	125 mL	céleri
½ tasse	125 mL	poivron en dés
½ tasse	125 mL	champignon
½ tasse	125 mL	courgette en dés
3	3	pommes de terre moyennes, épluchées, en dés
2 tasses	500 mL	tomates épluchées, épépinées, en dés
5 tasses	1.25 L	bouillon de poulet (voirpage 77)
2 tasse	500 mL	poulet cuit, en dés
2c. à thé	10 mL	sauce Worcestershire
1 c. à thé	5 mL	basilic
½ c. à thé	3 mL	thym
½ c. à thé	3 mL	origan
1 c. à thé	5 mL	sel
2 tasses	500 mL	nouilles penne
1 tasse	250 mL	fromage Parmesan fraîchement râpé

Chauffer le beurre dans une grande casserole ou un grand poêlon. Ajouter l'ail, l'oignon, le céleri, le poivron les champignons et la courgette, faire sauter jusqu'à ce que ce soit cuit.

Ajouter les pommes de terre et les tomates et faire sauter 5 minutes.

Verser dans le bouillon de poulet ensemble avec le poulet en dés, la sauce Worcestershire, le basilic, le thym, l'origan et le sel. Faire mijoter doucemnent pour 15 à 20 minutes (ou jusqu'à ce que les pommes de terre soient cuites), mais encore fermes .

Ajouter en tournant les nouilles et le fromage. Laisser cuire pendant encore 2 minutes. Servir.

DONNE 8 PORTIONS

Potage Doyen

Minestrone Milanaise

Bisque Bretonne aux Crevettes

BOUILLON AU POISSON

4½ livres	2 kg	morceaux de poisson et arêtes
1	1	oignon en dés
3	3	grandes carottes en dés
3	3	bâtons de céleri en dés
1	1	bouquet garni (voir le Glossaire)
12 tasses	3 L	d'eau

Mettre les morceaux de poissons et les arêtes dans une grande casserole ou une cocotte. Ajouter les légumes, le bouquet et l'eau.

Chauffer lentement sans faire bouillir. Laisser mijoter pour 2 heures. Pendant que cela mijote, enlever l'écume qui pourrait flotter au-dessus.

Faire passer par une passoire fine et ensuite à travers un e toile àcoton.

Consommer au besoin.

DONNE 8 TASSES (2 L)

BISQUE BRETONNE AUX CREVETTES

3 c.à table	45 mL	oignon râpé
3 c.à table	45 mL	céleri râpé
3 c.à table	45 mL	carotte râpée
4 c.à table	60 mL	piment rouge en petits dés
¼ tasse	60 mL	champignons finement hachés
½ tasse	125 mL	beurre
1 livre	450 g	crevettes décaillées et déveinées
2¼ tasses	625 mL	bouillon de poisson (recette précédente) ou bouillon de poulet (voir page 77)
½ tasse	125 mL	sherry
4 c.à table	60 mL	farine tout usage
1 tasse	250 mL	crème épaisse
1 tasse	250 mL	très petites crevettes cuites

Dans une grande casserole faire sauter l'oignon, le céleri, les carottes le piment, les champignons dans 4 c.à table (60mL) de beurre jusqu'à ce que le tout soit bien cuit. Ajouter les crevettes décaillées, faire sauter pour 5 minutes.

Ajouter le bouillon et porter à ébullition pour 15 minutes.

Verser dans un robot culinaire pour en faire une purée, et remettre dans la même casserole. Ajouter le sherry, laisser mijoter pour 5 minutes.

Chauffer le reste du beurre dans un petit poêlon, ajouter la farine et laisser cuire pour 2 minutes sur un feu doux. Ajouter la crème en tournant et laisser mijoter jusqu'à ce qu'elle soit très épaisse. Fouetter la crème dans la soupe et faire mijoter pour 5 minutes additionnelles.

Avec une louche verser la soupe dans les bols et garnir avec les petites crevettes. Servir immédiatement.

DONNE 6 PORTIONS

VELOUTÉ À LA CHAMPENOISE

2 tasses	500 mL	pommes de terre épluchées, en dés
1½ tasses	375 mL	céleri en dés
½ tasse	125 mL	beurre
½ tasse	125 mL	farine tout usage
6 tasses	1.5 L	bouillon de poulet (voir recette sur cette page)
1½ c. à thé	8 mL	sel
½ c.à thé	3 mL	poivre blanc
¾ tasse	190 mL	jambon en petits dés
½ tasse	125 mL	carottes blanchies en très petits dés
½ tasse	125 mL	céleri blanchi en très petits dés

Mettre les pommes de terre dans une petite casserole, remplie d'eau et cuire jusqu'à ce qu'elles soient cuites. Les mettre dans un robot culinaire pour en faire une purée.

Mettre le céleri en dés dans une casserole, remplie d'eau et porter à ébullition jusqu'à ce qu'il soit bien cuit, mettre dans un robot culinaire pour faire une purée.

Dans une casserole, faire fondre le beurre, ajouter la farine et tourner, faire cuire pour 2 minutes sur un feu doux.

Ajouter le bouillon de poulet, le sel, et le poivre et tourner. Laisser mijoter pendant 30 minutes ou jusqu'à ce que la soupe se soit épaissie.

Diviser la soupe dans deux casseroles plus petites, dans l'une d'elles mélanger la purée de pomme de terre. Dans l'autre mélanger la purée de céleri. Faire mijoter les deux pour 10 minutes.

Mettre une petite soucoupe debout dans un bol pour servir, à l'aide d'une louche verser la soupe aux pomme de terre d'un côté de la soucoupe et la soupe au céleri de l'autre côté, enlever la soucoupe rapidement. Saupoudrer avec le jambon, les carottes et le céleri, servir immédiatement.

DONNE 6 PORTIONS

SOUPE D'ARTICHAUTS

4	4	artichauts
4 tasses	1 L	bouillon de poulet (voir recette cette page)
3 c.à table	45 mL	beurre
3 c.à table	45 mL	farine tout usage
2 tasses	500 mL	lait

Enlever la queue des artichauts. Couper les feuilles du bas et couper le dessus. Dans l'eau en ébullition cuire les artichauts jusqu'à ce qu'ils soient tendres. Les plonger dans de l'eau froide. Égoutter et étaler les feuilles. Ouvrir les artichauts avec les doigts et enlever l'intérieur à l'aide d'une cuillère.

Chauffer le bouillon de poulet dans une casserole. Ajouter les artichauts et faire mijoter pour 1 heure. Mettre les artichauts dans un robot culinaire et mélanger pour faire une purée. Retourner la purée à la soupe. Laisser mijoter.

Chauffer le beurre dans un petit poêlon, ajouter la farine et faire cuire pour 2 minutes sur un feu doux. Verser dans la soupe tout en fouettant. Ajouter le lait et laisser mijoter jusqu'à ce qu'elle se soit épaissie. Goûter, ajuster l'assaisonnement au goût, servir chaud.

DONNE 4 PORTIONS

BOUILLON DE POULET

2¼ livres	1 kg	os de poulet avec viande
10 tasses	2.5 L	d'eau froide
2	2	tiges de céleri grossièrement haché
2	2	grandes carottes grossièrement hachées
1	1	oignon grossièrenment haché
1	1	bouquet garni (voir le Glossaire)
1 c. à thé	5 mL	sel

Mettre les os dans une grande casserole ou dans une grosse cocotte. Ajouter l'eau et le reste de l'assaisonnement; faire mijoter. Laisser mijoter sans couvercle pour 3 à 4 heures, enlever l'écume ou la graisse qui monte à la surface.

Enlever la viande (garder et consommer au désir), les os (les jeter), le bouquet (le jeter) et les légumes (le jeter). Faire passer avec une passoire fine ou à travers une toile à coton.

Refroidir le bouillon et enlever la graisse de la surface.

Réfrigérer le bouillon pendant 24 heures avant de servir. Utiliser pour les soupes et les sauces, ou au besoin.

DONNE 6 TASSES (1.5 L)

Velouté à la Champenoise

77

Tom Kar Gai

SOUPE AUX POIS CANADIENNE FRANÇAISE

Cette soupe donne de grandes portions, congelez ce que vous ne consommez pas.

1 livre	450 g	petits pois
1	1	os de jambon
3½ qts	4 L	d'eau
3	3	poireaux en petits dés
3	3	céleris en petits dés
2	2	carottes en petits dés
½ livres	225 g	jambon en dés
		sel, au désir seulement
½ c. à thé	3 mL	poivre blanc

Faire tremper les petits pois dans l'eau pour la nuit ou pour 8 heures. Mettre dans une grande casserole avec l'os de jambon et couvrir d'eau. Porter à ébullition, ensuite réduire le feu pour faire mijoter et ajouter les légumes. Laisser mijoter pour 3½ à 4 heures.

Jeter l'os. Ajouter le jambon et faire mijoter pour 15 minutes de plus. Goûter, et ajuster l'assaisonnement. Servir très chaud.

DONNE 10 PORTIONS

TOM KAR GAI

1 c à thé	5 mL	racines de gingembre
3 c à soupe	45 mL	beurre
3 c à soupe	45 mL	farine tout usage
4 tasses	1 L	bouillon de poulet (voir page 77)
2 tasses	500 mL	moitié lait et moitié crème
2 tasses	500 mL	viande de poulet cuite en dés
½ tasse	125 mL	lait de noix de coco
2 c à soupe	30 mL	cilantro haché (coriandre)
		tranches de lime pour garniture

Dans un poêlon faire sauter les racines de gingembre dans le beurre, ajouter la farine en tournant et faire cuire pour 2 minutes.

Verser le bouillon de poulet dans le poêlon et faire mijoter jusqu'à ce que la soupe commence à devenir épaisse. Ajouter la crème, la viande de poulet, la noix de coco et continuer à faire mijoter pendant 20 minutes.

Ajouter le cilantro en tournant et servir, garnir en faisant flotter le lime sur la surface.

DONNE 6 PORTIONS

LE POT AU FEU

Le bouillon traditionnel français. Est ce un repas ou une soupe? Pourquoi pas en faire les deux.

1 livre	450 g	os de bœuf à soupe
4 c. à table	60 mL	d'huile
2¼ livres	1 kg	rôti de bœuf, n'importe quel morceau
4	4	carottes
2	2	navets
2	2	poireaux
2	2	oignon espagnol
3	3	tiges de céleri
1	1	panais
1 c. à thé	5 mL	sel
1	1	bouquet garni (voir le Glossaire)

Faire rôtir les os dans un four chauffé à 400°F (200°C) jusqu'à ce que les os soient brunis.

Faire chauffer l'huile dans une grande casserole, faire rissoler le rôti de tous les côtés dans l'huile. Mettre les os dans la casserole avec le rôti. Couvrir le rôti avec 12 à 16 tasses (3 à 4 L) d'eau.

Peler les légumes et couper en grands dés, et ajouter dans la casserole. Ajouter le sel et le bouquet garni.

Réduire le feu pour faire mijoter de 3½ à 4 heures. Enlever l'écume qui monte à la surface pour garder le bouillon clair.

Enlever la viande et les légumes, les garder chauds.

Passer le bouillon au tamis. Trancher le rôti et le servir avec les légumes, verser le bouillon au-dessus.

DONNE 8 PORTIONS

Soupe aux Pois Canadienne Française

BISQUE D'ÉCREVISSES CARDINAL

5 livres	2 kg	écrevisses
10 tasses	2.5 L	d'eau
4 c. à table	60 mL	beurre
1	1	oignon moyen en petits dés
1	1	gousse d'ail haché
1	1	tige de céleri en dés
4 c. à table	60 mL	farine tout usage
1 tasse	250 mL	tomates pelées épépinés, en dés
3 on	80 mL	pâte de tomate
⅓ tasse	80 mL	sherry
½ c. à thé	3 mL	sel
¼ c. à thé	1 mL	poivre
1 tasse	250 mL	crème fraîche

Mettre les écrevisses dans une grande casserole. Couvrir avec de l'eau. Porter à ébullition et laisser bouillir pour 30 minutes. Enlever les écrevisses et les.laisser refroidir. Retirez la viande de la queue, garder la viande, remettre les coquilles dans l'eau.

Faire mijoter les coquilles d'écrevisses jusqu'à ce que l'eau se soit évaporée jusqu'à 4 tasses (1L) Faire passer le bouillon par la passoire en la gardant. Jeter les coquilles.

Chauffer le beurre dans un grand poêlon. Faire sauter l'oignon, l'ail et le céleri jusqu'à ce qu'ils soient cuits. Saupoudrer avec de la farine et laisser cuire pour 2 minutes sur un feu doux.

Verser le bouillon d'écrevisses sur les légumes. Ajouter les tomates, la pâte de tomates, les queues d'écrevisses, le sherry, le sel et le poivre. Faire mijoter pour 15 minutes. Verser la soupe dans un robot culinaire et en faire une purée. Remettre dans la casserole et continuer à faire mijoter pour 5 minutes.

Ajouter la crème en fouettant et laisser mijoter pour 10 minutes supplémentaires. Servir très chaud.

DONNE 4 PORTIONS

Crème de Fenouil

KUMMEL SUPPE

2 c. à table	30 mL	beurre
1	1	oignon espagnol en dés fins
1	1	carotte moyenne en petits dés
2	2	tiges de céleri en petits dés
2 c. à table	30 mL	farine tout usage
1 c. à thé	5 mL	graines de carvi
5 tasses	1.25 L	bouillon de bœuf (voir page 85)
2 tasses	500 mL	coudes de macaroni cuits

Chauffer le beurre dans un grand poêlon. Ajouter les légumes et faire sauter jusqu'à ce qu'ils soient cuits. Saupoudrer avec de la farine et les graines de carvi. Faire cuire jusqu'à ce que les légumes et la farine soient brunis.

Ajouter le bouillon et faire mijoter jusqu'à ce que la soupe devienne un peu plus épaisse. Ajouter le macaroni en tournant et laisser mijoter pour 5 minutes. Servir chaud.

DONNES 4 PORTIONS

CREME DE FENOUIL

2½ tasses	625 mL	fenouil haché
4 tasses	1 L	bouillon de poulet (voir page 77)
3 c. à table	45 mL	beurre
3 c. à table	45 mL	farine tout usage
2 tasses	500 mL	crème

Mettre le fenouil dans une casserole et verser le bouillon de poulet par dessus. Fair mijoter pour 30 minutes. Passer au tamis et garder le bouillon et le fenouil.

Mettre le fenouil dans un robot culinaire pour en faire une purée ou le faire passer par un moulin. Remettre le fenouil dans le bouillon.

Dans un petit poêlon chauffer le beurre et ajouter la farine, faite cuire pour 2 minutes sur un feu doux. Ajouter la crème et faire cuire en une sauce épaisse.

Ajouter la sauce à la soupe tout en la fouettant. Réchauffer très chaud.

DONNE 6 PORTIONS

SOUPE DU BATEAU À LA CÔTE

⅔ tasse	170 mL	poulet haché deux fois
1 c. à thé	5 mL	oignon râpé
¼ c. à thé	1 mL	de chaque: poivre, basilic, thym, paprika
½ c. à thé	3 mL	sel
1	1	blanc d'œuf
⅛ tasse	30 mL	crème fraîche
6 tasses	1.5 L	bouillon de poisson (voir page 76) ou bouillon de poulet (voir page 77)
1 c. à table	15 mL	beurre
¾ tasse	190 mL	viande de homard en dés
1 tasse	250 mL	crevettes décaillées et déveinées
½ tasse	125 mL	champignons boutons
1 tasse	250 mL	long riz cuit

Mélanger la viande, l'oignon, l'assaisonnement, le blanc d'œuf et la crème dans un grand bol. Faire passer dans une passoire fine et puis en faire de petites boulettes.

Porter à ébulition 2 tasses (500mL) de bouillon, mettre les boulettes dans le bouillon, réduire le feu pour faire mijoter pour 10 minutes. Enlever les boulettes.

Chauffer le beurre dans une grande casserole ou une grosse marmite, faire sauter ensemble la viande de homard, les crevettes et les champignons. Ajouter le reste du bouillon et du poulet, réduire le feu et faire mijoter pour 10 minutes. Servir.

DONNE 6 PORTIONS

SOUPE AU CRESSON

Une bonne soupe poivrée pour l'hiver

10 onces	280 mL	cresson lavé, haché
4 c. à table	60 mL	beurre
¼ tasse	60 mL	oignon râpé
3 c. à table	45 mL	farine tout usage
3 tasses	750 mL	bouillon de poulet (voir page 77)
2 tasses	500 mL	crème fraîche
½ c. à thé	3 mL	sel
¼ c. à thé	1 mL	poivre
⅛ c. à thé	pincée	cayenne

Faire sauter le cresson, le beurre et les oignons ensemble. Saupoudrer avec la farine et laisser cuire pour 2 minutes sur un feu doux.

Ajouter le bouillon, la crème et l'assaisonnement. Faire mijoter pour 30 minutes. Servir très chaud.

DONNE 4 PORTIONS

CONSOMMÉ D'ANJOU

⅔ tasse	170 mL	viande de biche, haché deux fois
1 c. à thé	5 mL	oignon râpé
¼ c. à thé	1 mL	de chaque: poivre, basilic, thym, paprika
½ c. à thé	3 mL	sel
1	1	blanc d'œuf
⅛ tasse	30 mL	crème fraîche
6 tasses	1.5 L	bouillon de gibier (voir page 85)
1½ tasses	375 mL	bouts d'asperges
1 tasse	250 mL	ri z long, cuit

Mélanger dans un bol la viande, l'oignon, l'assaisonnent, le blanc d'œuf et la crème. Passer dans une passoire fine et rouler en petites boulettes.

Porter à ébullition 2 tasses (500 mL) de bouillon ,mettre les boulettes dans le bouillon, réduire le feu et laisser mijoter pour 10 minutes. Enlever les boulettes.

Chauffer le reste du bouillon dans une grande casserole, ajouter les boutsd'asperges, le riz et les boulettes, faire mijoter pour 10 minutes, servir.

DONNE 6 PORTIONS

Soupe du Bateau à la Côte

SOUPE TACO

2 livres	900 g	bœuf maigre haché
3 c. à table	45 mL	huile de tournesol
2	2	jalapeños épépinés, en dés
1	1	oignon espagnol, en dés
2 tasses	500 mL	tomates, épluchées, épépinées, en dés
3 tasses	750 mL	bouillon de bœuf (voir page 85)
2 tasses	500 mL	jus de 8 légumes "V8"™
1 c. à table	15 mL	cumin
1 c. à table	15 mL	poudre de chili
1 c. à thé	5 mL	sel
1½ tasses	375 mL	fromage Cheddar, râpé
		chips de tortilla

Dans une grande casserole, frire le bœuf dans l'huile. Ajouter les poivrons et l'oignon. Faire sauter jusqu'à ce qu'ils soient tendres.

Ajouter les tomates, le bouillon, le jus et l'assaisonnement. Porter à ébullition. Réduire le feu et laisser mijoter pendant 15 minutes.

Verser la soupe dans les bols, garnir avec les tortillas et le fromage, servir.

DONNE 6 PORTIONS

SOUPE AUX FEVES

8 onces	225 g	fèves
8 tasses	2 L	bouillon de poulet (voir page 77)
2 tasses	500 mL	jus de tomates
¼ livre	125 g	bacon en dés
1	1	oignon espagnol en petits dés
2	2	tiges de céleri en petits dés
2	2	carottes en petits dés
¼ tasse	60 mL	pâte de tomates
1 c. à table	15 mL	poudre de chili
1 c. à thé.	5 mL	sel
¼ c. à thé	1 mL	poivre noir

Tremper les fèves dans l'eau froide de 6 à 8 heures. Égoutter. Mettre les fèves dans une grande casserole, couvrir avec le bouillon de poulet, faire mijoter les fèves pour 2½ heures. Ajouter le jus de tomates.

Faire sauter le bacon dans un poêlon et ajouter l'oignon, le céleri et les carottes, continuer à faire sauter jusqu'à ce tout soit tendre. Égoutter l'excès de graisse et ajouter le bacon et les légumes à la soupe.

Ajouter en tournant la pâte et l'assaisonnement. Continuer à faire mijoter pendant encore 1 heure. Servir très chaud.

DONNE 8 PORTIONS

FROMAGE ET POULET TORTELLINI EN BRODO

½ quan	0.5	Pâte de base (voir page 426)
½ livre	225 g	viande de poulet en petits dés
1 tasse	250 mL	fromage Ricotta
1	1	œuf
½ c. à thé	3 mL	basilic
¼ c. à thé	1 mL	muscade
¼ c. à thé	1 mL	sel
¼ c. à thé	1 mL	poivre
8 tasses	2 L	bouillon de poulet fort (voir page 77)

Préparer la pâte suivant les instructions. Rouler la pâte jusqu'à ce qu'elle soit mince. Découper des rondelles de 3" (7.5 cm) avec un coupe-biscuits Couvrir avec un tissu humide et garder.

Dans un bol mélanger le poulet, le ricotta, l'œuf et l'assaisonnement. Mettre une cuillère de farce sur chaque rondelles de pâte. Humecter le bord avec un peu d'eau. Plier les rondelles en deux. Pincer les bords pour bien les fermer. Retourner les bords au-dessus du farci et pincer ensemble. Mettre la moitié du bouillon dans une grande casserole, porter à ébullition et cuire la pâte pour 2 minutes ou jusqu'à ce qu'ils flottent.

Mettre les tortellini avec une cuillérée d'une quantité égale dans les bols à soupe. Couvrir avec le reste du bouillon de poulet. Servir.

DONNE 4 PORTIONS

Fromage et Poulet Tortellini en Brodo

Soupe Taco

Gulyasleves (Soupe Goulache)

BOUILLON DE BŒUF OU DE GIBIER

2¼ livres	1 kg	os de bœuf ou de veau avec viande
¼ tasse	60 mL	huile d'olive
10 tasses	2.5 L	d'eau froide
2	2	tiges de céleri , grossièrement haché
2	2	grandes carottes, grossièrement haché
1	1	oignon, grossièrement haché
1	1	bouquet garni (voir le Glossaire)
1 c. à thé	5 mL	sel

Mettre les os dans une casserole et couvrir avec l'huile. Faire cuire dans un four chauffé à 350°F (180°C) pour 1 heure ou jusqu'à ce que les os soient bien brunis. Les mettre dans une grande casserole.

Ajouter l'eau et le reste des ingrédients; faire mijoter. Laisser mijoter sans couvercle de 3 à 4 heures, enlever l'écume ou de la graisse qui pourrait monter à la surface.

Enlever la viande(garder et consommer au besoin), jeter les os, le bouquet et les légumes. Passer au tamis ou dans une toile à fromage

Refrigérer le bouillon et enlever la graisse de la surface.

Laisser refroidir le bouillon pendant 24 heures avant de le consommer. Employer pour les soupes ou les sauces, ou au besoin.

DONNE 6 TASSES (1.5 L)

**Pour le bouillon de veau, ne pas brunir les os.

REMARQUE: Pour faire du bouillon de gibier, ont peut remplacer avec des os de biche ou de l'orignal (élan).

Soupe D'Alphabet D'Autrefois

GULYASLEVES (SOUPE GOULACHE)

1/2 livre	225 g	rôti de bœuf cuit
1/4 livre	115 g	rôti de porc cuit
1/4 livre	115 g	jambon fumé
3 c. à table	45 mL	beurre
3 c. à table	45 mL	huile
1	1	oignon espagnol en dés
1	1	tige de céleri en dés
1	1	piment rouge en dés
3 c. à table	45 mL	farine tout usage
2 tasses	500 mL	tomates pelées épépinées, en dés
6 tasses	1.5 L	bouillon riche de bœuf (voir recette cette page)
1 c. à thé	5 mL	graine de cumin

Hacher finement a viande ensuite la mettre dans un robot culinaire pour la déchiqueter.

Chauffer le beurre et l'huile ensemble dans un grand poêlon. Ajouter les légumes et faire sauter jusqu'à ce qu'ils soient tendres. Saupoudrer avec de la farine et cuire pour 5 minutes ou jusqu'à ce que la farine se caramélise.

Ajouter en tournant les tomates et le bouillon. Ajouter la viande et faire mijoter doucement pour 90 minutes. Saupoudrer avec les graines de cumin et laisser mijoter pour 5 minutes de plus. Servir très chaud.

DONNE 8 PORTIONS

SOUPE D'ALPHABET D'AUTRE FOIS

2 c. à table	30 mL	huile de tournesol
1	1	oignon en petits dés
2	2	carottes pelées en petits dés
3	3	tiges de céleri, en petits dés
2 tasses	500 mL	bœuf cuit, en dés
6 tasses	1½ L	bouillon de bœuf (voir recette cette page)
2 tasses	500 mL	tomates, épluchées, épépinées
½ c. à thé	3 mL	sel
¼ c. à thé	1 mL	poivre
⅓ tasse	80 mL	nouilles alphabet

Chauffer l'huile dans une grande casserole.

Ajouter les légumes et les faire sauter jusqu'à ce qu' ils soient tendres.

Ajouter le bœuf, le bouillon, les tomates, le sel et le poivre. Porter à ébullition. Ajouter les nouilles. Couvrir et réduire feu. Faire mijoter pour 10 minutes.

Servir très chaud.

DONNE 6 PORTIONS

Crème de Poulet avec Deux Olives

Potage à L'Andalouse

CRÈME DE POULET AVEC DEUX OLIVES

3 c.à table	45 mL	beurre
3 c.à table	45 mL	farine tout usage
2½ tasses	625 mL	bouillon de poulet (voir page 77)
2 tasses	500 mL	moitié crème et moitié lait
2 tasses	500 mL	viande de poulet, cuit, en dés
¼ tasse	60 mL	olives farcies, tranchées
¼ tasse	60 mL	olives noires, dénoyautées, tranchées

Chauffer le beurre dans une casserole de 3 L. Saupoudrer avec de la farine et faire cuire pour 2 minutes sur un feu doux. Ajouter le bouillon de poulet et faire mijoter pour 10 minutes. Ajouter la crème, la viande de poulet, laisser encore mijoter pour 10 minutes. Ajouter les olives en tournant et laisser mijoter pendant encore 1 minute.

Servir très chaud ou très froid. Pour servir froid ajouter en tournant 2 cuillèrées (30 mL) du reste de la crème pour chaque plat avant de servir.

DONNE 6 PORTIONS

POTAGE À L'ANDALOUSE

4 tasses	1 L	tomates , pelées, épépinées, en dés
1	1	oignon en petits dés
2	2	feuilles de laurier
2	2	clous de girofle
2	2	brins de persil
2	2	brins de marjolaine
1	1	tige de céleri
6	6	grains de poivre
2 c. à thé	10 mL	sucre
1 c. à thé	5 mL	sauce Worcestershire
¼ c. à thé	1 mL	sel
¼ c. à thé	1 mL	poivre blanc
pincée	pincée	muscade
1 tasse	250 mL	riz long cuit
3 c. à table	45 mL	piment rouge, en petitsdés
3 c. à table	45 mL	piment jaune, en petits dés
3 c. à table	45 mL	piment vert, en petits dés

Faire mijoter ensemble les tomates, l'oignon, les feuilles de laurier, les clous de girofle, le persil, le marjolaine, le céleri, les grains de poivre et le sucre pour 30 minutes. Faire passer dans une passoire, ajouter l'assaisonnement, et remettre dans la casserole pour laisser mijoter pour 5 minutes et laisser mijoter pour encore 2 minutes.

Ajouter le riz en tournant et faire mijoter pour 3 minutes.

Avec une louche verser dans les bols et garnir avec les dés de piments.

DONNE 4 PORTIONS

SOUPE AU BROCCOLI & FROMAGE CHEDDAR

¼ tasse	60 mL	beurre
¼ tasse	60 mL	farine tout usage
3 tasses	750 mL	bouillon de poulet (voir page 77)
3 tasses	750 mL	lait
½ c. à thé	3 mL	sel
½ c.à thé	3 mL	poivre blanc
2 tasses	500 mL	fleurettes de broccoli, blanchies
3 tasses	750 mL	fromage cheddar fort, râpé

Dans une grande casserole, chauffer le beurre, ajouter la farine et réduire le feu. Laisser cuire pour 2 minutes.

Ajouter le bouillon, le lait, le sel et le poivre. Porter à ébulition. Réduire le feu et laisser mijotter pour 10 minutes.

Ajouter le broccoli et le fromage. Laisser mijoter pour encore l 5 minutes.

Servir la soupe immédiatement.

DONNE 6 PORTIONS

CONSOMMÉ ADÈLE

⅔ tasse	170 mL	poulet, haché deux fois
1 c. à thé	5 mL	oignon râpé
¼ c. à thé	1 mL	de chaque: poivre, basilic, thym, paprika
½ c. à thé	3 mL	sel
1	1	blanc d'œuf
⅛ tasse	30 mL	crème fraîche
6 tasses	1.5 L	bouillon de poulet (voir page 77)
¾ tasse	190 mL	pois
2	2	carottes, pelées, en petits dés

Dans un bol mélanger la viande, l'oignon,l'assaisonnement, le blanc d'œuf et la crème fraîche. Faire passer par une passoire fine et en faire des petites boulettes.

Porter à ébullition 2 tasses (500 mL) de bouillon, mettre les boulettes dans le bouillon, réduire le feu et laisser mijoter pour 10 minutes. Enlever les boulettes.

Porter à ébullition le reste du bouillon, réduire le feu pour mijoter, ajouter les pois et les carottes et laisser mijoter pour 10 minutes. Ajouter les boulettes et laisser mijoter pour encore 5 minutes. Servir la soupe très chaud.

DONNE 4 PORTIONS

GUMBO AUX FRUITS DE MER

¼ tasse	60 mL	huile de tournesol
1	1	oignon espagnol en dés
2	2	piments vert, en dés
3	3	tiges de céleri
½ liv	225 g	saucisses italiennes, épicées , tranchées
3 c. à table	45 mL	farine
2 tasses	500 mL	tomates, pelées, épépinées, hachées
3 tasses	750 mL	eau ou bouillon de poisson
1 tasse	250 mL	riz cru
2 c. à thé	10 mL	sel
½ c. à thé	3 mL	de chaque: feuilles d'origan, feuilles de thym, paprika, poivre noir, poudre d'ail, poudre d'oignon, poudre de chili
2 tasses	500 mL	okra tranché
½ livre	225 g	crevettes décaillées, déveinées
½ livre	225 g	viande de crabe
½ livre	225 g	viande d'homard
½ livre	225 g	palourdes
2 c. à table	30 mL	gumbo filé*

Dans grande marmite, chauffer l'huile, ajouter l'oignon, les piments, le céleri et les saucisses. Laisser cuire jusqu'à ce que les saucisses soient bien cuites. Ajouter la farine et laisser cuire pour 3 minutes.

Ajouter les tomates, l'eau, le riz, l'assaisonnement et le okra, avec couvercle faire mijoter pendant30 minutes.

Ajouter les fruits de mer et laisser mijoter encore pour 15 minutes. Ajouter le gumbo filé en tournant et servir.

DONNE 6 PORTIONS

* Le Gumbo filé est une herbe faite des feuilles de sassafas, qu'on peut obtenir dans la section de nourritures spéciales des supermarchés. Il contient un agent pour épaissir qui est unique au goût et il a l'apparence du gumbo.

Gumbo aux Fruits de Mer

Soupe au Broccoli & Fromage Cheddar

Potages Crème de Volaille Suprême

CONSOMMÉ CHERBOURG

⅔ tasse	170 mL	jambon, haché deux fois
1 c. à thé	5 mL	oignon râpé
¼ c. à thé	1 mL	dechaque: de poivre, basilic, thyme, paprika
½ c. à thé	3 mL	sel
1	1	blanc d'œuf
⅛ tasse	30 mL	crème fraîche
7 tasses	1.75 L	bouillon de bœuf (voir page 85)
6	6	œufs
1 tasse	250 mL	vin Madère
1 tasse	250 mL	champignons, brossés, tranchés
2 c. à soupe	30 mL	truffes julienne

Dans un bol mélanger le jambon, l'oignon, l'assaisonnement, le blanc d'œuf et la crème. Faire passer au tamis faire de petites boulettes.

Porter à ébullition 2 tasses (500 mL) de bouillon, mettre les boulettes dans le bouillon, reduire le feu et faire mijoter pour 10 minutes. Enlever les boulettes. Pocher les œufs dans une pocheuse jusqu'à ce que le blanc soit cuit mais que le jaune soit encore mou.

Pendant que les œufs pochent, chauffer le reste du bouillon avec le vin, les boulettes et les champignons. Faire mijoter pour 10 minutes.

Mettre les œufs pochés dans un bol à servir, couvrir de soupe et garnir avec les truffes, servir immédiatement.

DONNE 6 PORTIONS

POTAGE CRÈME DE VOLAILLE SUPRÊME

½ quan	0.5	Pâte feuilletée (voir page 689)
1	1	œuf
⅓ tasse	90 mL	beurre
⅓ tasse	90 mL	farine tout usage
4 tasses	1 L	bouillon de poulet (voir page 77)
1½ tasses	375 mL	poulet cuit, en dés
2 tasses	500 mL	crème fraîche
1 c. à thé	5 mL	sel
¼ c. à thé	1 mL	poivre blanc
6	6	brins de persil

Rouler la pâte suivant les instructions couper en petites formes, placer sur un plat allant au four. Battre l'œuf et brosser sur la pâte. Faire cuire pendant 10 minutes dans un four chauffé à 400°F (180°C).

Dans une grande casserole chauffer le beurre et ajouter la farine, faite cuire pour 2 minutes sur un feu doux. Ajouter le bouillon de poulet et la viande de poulet cuit, faire mijoter pendant 15 minutes.

Ajouter la crème, le sel et le poivre et laisser mijoter pour encore 10 minutes.

Avec une louche verser dans les bols, garnir avec la pâtisserie à pâte feuilletée un brin de persil.

DONNE 6 PORTIONS

SOUPE AU CILANTRO ET AUX CAROTTES

6	6	grandes carottes
4 tasses	1 L	eau
½ tasse	60 mL	oignon râpé
4 c. à soupe	60 mL	beurre
3 c. à table	45 mL	farine tout usage
3 tasses	750 mL	bouillon de poulet (voir page 77)
2 tasses	500 mL	crème légère
1 c. à thé	5 mL	sel
¼ c. à thé	1 mL	poivre blanc
⅛ c. à thé	pincée	poivre de cayenne
2 c. à table	30 mL	cilantro (coriandre)

Peler et hacher les carottes. Faire bouillir les carottes dans l'eau jusqu'à ce qu'elles soient tendres. Égoutter et mettre dans un robot de cuisine pour en faire de la purée.

Faire sauter l'oignon dans le beurre, saupoudrer avec de la farine, et faire cuire pour 2 minutes sur un feu doux. Ajouter le bouillon de poulet, la crème et la purée de carottes. Faire mijoter pour 3 minutes. Mélanger en tournant l'assaisonnement. Laisser mijoter pour encore 5 minutes. Saupoudrer avec le cilantro et servir.

DONNE 6 PORTIONS

Soupe au Cilantro et aux Carottes

BOUILLON AUX LÉGUMES

½ tasse	60 mL	beurre
2	2	oignons
6	6	carottes pelées, en dés
4	4	tiges de céleri en dés
1	1	gousse d'ail écrasée
1 livre	450 g	tomates épluchées, épépinées, en dés
1	1	bouquet garni (voir le Glossaire)
12 tasses	3 L	eau

Chauffer le beurre dans une grande casserole, ajouter les oignons, les carottes et le céleri, faire sauter jusqu'à ce qu'ils soient bien cuits.

Ajouter l'ail, les tomates, le bouquet et l'eau. Faire mijoter sans couvercle jusqu'à ce que l'eau soit réduite de la moitié de son volume. Faire passer par une toile à fromage, servir au besoin.

DONNE 8 TASSES (2 L)

LA SOUPE GRATINÉE LYONNAISE

¼ tasse	60 mL	beurre
3	3	oignons gros, finement hachés
1 c. à thé	5 mL	sucre semoule
6 tasses	1.5 L	bouillon de bœuf ou de veau (voir page 85)
½ c. à thé	3 mL	de chaque: feuilles de thym, feuilles d'origan, sel
½ c. à thé	3 mL	sauce Worcestershire
1c. à table	15 mL	sauce de soya
6	6	croûtons
2 tasses	500 mL	fromage de Gruyère

Faire chauffer le beurre dans une grande casserole.

Ajouter les oignons et le sucre, réduire le feu et faire sauter jusqu'à ce que les ognions se caramélisent.

Ajouter le bouillon, l'assaisonnement, la sauce worcestershire et la sauce de soya. Faire mijoter pour 15 minutes.

Avec une louche verser dans des bols de soupes d'oignons, des croûtons au-dessus. Saupoudrer avec le fromage.

Mettre les bols de soupes d'oignons sous le grilloir chauffé, faire griller jusqu' à ce que le fromage soit doré.

Servir immédiatement.

DONNE 6 PORTIONS

CONSOMMÉ ROYALE

2	2	œufs
4	4	jaune d'œufs
1 tasse	250 mL	bouillon de poulet (voir page 77)
⅛ c. à thé	pincée	de chaque: sel, poivre blanc, poivre de cayenne, muscade
⅛ tasse	30 mL	purée de carottes
⅛ tasse	30 mL	purée d' asperges
⅛ tasse	30 mL	pâte de tomates
6 tasses	1.5 L	bouillon de bœuf ou de gibier (voir page 85) ou bouillon de poulet (voir page 77)

Battre les œufs avec les jaunes d'œufs, ajouter le bouillon et l'assaisonnement. Diviser dans trois bols.

Bien mélanger la puré de carottes dans l'une d'elle, la purée d'asperges dans la deuxième et la pâte de tomates dans la troisième.

Verser dans trois petits poêlons, les poser dans un grand poêlon à moitié rempli d'eau chaude et faire cuire dans un four chauffé à 350°F (180°C) jusqu'à ce qu'ils soient très fermes Enlever du four et laisser refroidir, et puis refroidir d'avantage pour les faire devenir encore plus fermes.

Dès qu'ils sont devenus bien fermes les couper en carrés, losanges, en cœurs ou en autres formes différentes.

Chauffer le consommé, ajouter les formes de la crème royale, faire mijoter pour 5 minutes et servir.

DONNE 6 PORTIONS

La Soupe Gratinée Lyonnaise

Consommé Royale

SOUPE WON TON

¼ livre	115 g	petites crevettes décortiquées et déveinées
¼ livre	115 g	porc maigre , haché
3	3	petits oignons verts hachés
2 c. à table	30 mL	sauce soya
1	1	gousse d'ail écrasé
¼ c. à thé	1 mL	5 épices moulues
½ c. à thé	3 mL	sel
¼ livre	115 mL	enveloppes won ton
6 tasses	1.5 L	bouillon de poulet (voir page 77)
3	3	ciboulette, hachée
1	1	oignon moyen, émincé
1 tasse	250 mL	fleurettes de broccoli
1 tasse	250 mL	champignons en boutons
½ tasse	125 mL	carottes épluchées , tranchées
¼ livre	115 g	grosses crevettes,décortiquées, déveinées

Placer dans un robot culinaire les petites crevettes, le porc, les oignons verts, la sauce soya sauce, l'ail, les épices et le sel. Mélangerpendant une minute.

Place r une petite quantité du mélange sur une enveloppe won ton. Brosser avec de l'eau. Plier par dessus en triangle. Ajuster ensemble les trois coins et presser pour fermer. Repéter l'opération jusqu'à épuisement du mélange.

Placer le bouillon dans une grande casserole et amener à ébullition. Ajouter les won tons et cuire pendant six minutes. Ajouter le reste des ingrédients et continuer à faire mijoter pendant cinq minutes de plus.

Servir immédiatement

DONNE 6 PORTIONS

POTAGE ALLIGATOR AU SHERRY

2 tbsp	30 mL	beurre
2 c. à table	30 mL	huile de tournesol
1 livre	450 g	chair d'alligator, coupée en dés*
1	1	oignon coupé en dés fins
2	2	carottes coupées en dés fins
2	2	tiges de céleri coupées en dés fins
2 quarts	2.5 L	bouillon de poulet (voir page 77)
2 tasses	500 mL	riz cuit
½ tasse	125 mL	crème sherry crème

Dans une grande cocotte, chauffer le beurre et l'huile, faire brunir la viande d'alligator, retirer et mettre de côté.

Ajouter les légumes et faire sauter jusqu'à ce qu'ils soient tendres. Remettre la viande dans la cocotte. recouvrir de bouillon de poulet, réduire la température et faire mijoter pendant une heure et demie à découvert. Ecumer la soupe de toute impureté qui monte à la surface .

Ajouter le riz cuit et le sherry, faire mijoter pendant 15 minutes de plus. Servir.

DONNE 8 PORTIONS

* La viande d'alligator peut être un peu difficile à trouver.Essayez de faire une commande spéciale par votre boucher ou votre fournisseur en produits de mer.

SOUPE À L'OSEILLE, À LA LAITUE, ET AU CERFEUIL

¼ livres	115 g	oseille
1	1	petite tête de laitue
1 c. à table	15 mL	cerfeuil
2 c. à table	30 mL	beurre
5 tasses	1.25 l	bouillon de poulet froid (voir page 77)
2	2	jaunes d'œufs
1 tasse	250 mL	croûtons

Laver et choisir les oseilles, la laitue et le cerfeuil. Hacher les très finement.

Chauffer le beurre dans un grand poêlon, ajouter les légumes et les faire sauter jusqu'à ce qu'ils soient bien cuits. Ajouter tout le bouillon excepté une ½ tasse (125 mL). Faire mijoter pour une demi-heure.

Dans un petit bol mélanger les jaunes d'œufs avec le bouillon froid, ajouter graduellement un peu de bouillon chaud en fouettant jusqu'à ce qu'une sauce épaisse se soit formée

Enlever la soupe du feu. Ajouter la sauce dans la soupe petit à petit en fouettant. Servir immédiatement.

DONNE 6 PORTIONS.

SOUPE AUX HARICOTS NOIRS

1 tasse	250 mL	haricot s noirs, haricots -tortues ,secs
¼ lb	115 g	bacon, en dés
2	2	oignons coupees en dés fins
1	1	carottes finement coupées en dés
4 tasses	1L	bouillon de poulet (voir page 77)
½ c. à thé	3 mL	de chaque: feuilles de marjolaine, de thym, sel, poivre, paprika
pincée	pincée	poivre de cayenne
½ c. à thé	3 mL	sauce Worcestershire
1	1	feuille de laurier
⅓ tasse	80 mL	sherry
½ tasse	125 mL	crème sûre
¼ tasse	60 mL	oignon rouge en dés fins

Faire tremper les haricots pendant 8 heures ou pendant la nuit, dans l'eau.

Dans une grande casserole ou dans une marmite, faire frire le bacon. Ajouter les légumes et faire sauter jusqu'à ce qu'ils soient tendres. Ajouter les haricots, le bouillon de poulet, l'assaisonnement, la sauce Worcestershire et la feuille de laurier. Couvrir et faire mijoter pendant 1 ½ heure. Jeter la feuille de laurier.

Réduire en purée la soupe par petites quantités dans un robot culinaire ou un mixer. Remettre à la casserole et réchauffer

Placer dans des bols à soupe et recouvrir de crème sûre. Garnir avec un oignon rouge.

DONNE 6 PORTIONS

Soupe Aux Haricots Noirs

LA CREME MINESTRA DI DUE COLORI

Soupe italienne de deux couleurs

1 tasse	250 mL	lait
1½ c.à table	20 mL	beurre
¼ c. à thé	1 mL	sel
⅛ c. à thé	pincée	muscade
1½ tasse	375 mL	farine tout usage
1	1	oeuf
1	1	jaune d'oeuf
¼ tasse	60mL	fromage Parmesan fraîchement râpé
4 onces	120 g	épinards lavés et épluchés
8 tasses	2 L	bouillon de poulet (voirpage 77)

Chauffer le lait dans une casserole. Ajouter le beurre, le sel, la muscade.

Ajouter graduellement la farine, en faisant une pâte lisse. Retirer du feu, y battre l'oeuf, puis le jaune d'oeuf. Y incorporer le Parmesan, en le remuant,

Cuire à la vapeur les épinards. Les réduire en purée dans un robot culinaire, bien égoutter. Incorporer les épinards dans une partie de la pâte.

Chauffer jusqu'à ébullition le bouillon de poulet. Jeter des cuillérées de pâte verte et jaune dans la soupe. Cuire jusqu'à ce que les boulettes de pâte flottent, puis servir très chaud.

DONNE 6 PORTIONS

SAN SI YU CHI SOUPE AUX AILERONS DE REQUINS

Le requin a eu un regain de faveur ces dernières anneés à travers les pays occidentaux. Nous vous présentons ici la version classique de leur très fameuse soupe. On peut trouver des ailerons de requin dans les marchés orientaux.

6 onces	170 g	ailerons de requin sèchés
1	1	gousse d'ail émincé
½ onces	15 mL	racine de gingembre émincée
4 tasses	1 L	bouillon de poisson (voir page 76)
6 onces	170 g	poulet
3 tasses	750 mL	pousses de bambou
⅛ c. à thé	2 gouttes	huile de sesame
1 c. à table	15 mL	sauce soya

Placer les ailerons de requin dans l'eau froide et faire tremper pendant 12 à 20 heures. Transférer dans une marmite et ajouter l'ail et le gingembre. Amener à ébullition, réduire au mijotement pendant 3½ à 4 heures. Egoutter et rincer sous l'eau froide. Retirer la chair des ailerons. Cuire à la vapeur la chair pendant 1½ à 2 heures. Couper les ailerons en très fines bandes.

Placer le bouillon dans une marmite, ajouter les ailerons et porter à ébullition.

Couper le poulet en fines bandes, le mettre dans la soupe avec les pousses de bambou. Bouillir pendant 10 minutes.

Y remuer l'huile et la sauce au soja. Servir immédiatement.

DONNE 6 PORTIONS

SOUPE AUX ASPERGES ET AU BRIÉ

⅓ tasse	80 mL	beurre
½ lb	225 g	asperges, épluchées blanchies
¼ tasse	60 mL	farine tout usage
3 tasses	750 mL	bouillon de poulet (voir page 77)
½ tasse	125 mL	vin blanc doux
1 tasse	250 mL	crème
½ tasse	125 mL	brié, croûte enlevée

Chauffer le beurre dans une casserole, ajouter les asperges et faire sauter jusqu'à ce qu'elles soient tendres.

y ajouter et mélanger la farine, réduire la température et cuire pendant 2 minutes.

Ajouter le bouillon, le vin et la crème. Porter à ébullition, réduire la chaleur et laisser mijoter pendant 10 minutes.

Transférer la soupe dans un robot culinaire ou un mixer, faire une purée. Remettre en casserole et réchauffer.

Y mélanger le fromage, continuer à mijoter pendant 5 minutes.

Servir la soupe très chaude.

DONNE 4 PORTIONS

SOUPE AURORE (MORGENROT)

6 tasses	1.5 L	bouillon de poulet (voir page 77)
1 tasse	250 mL	tapioca
½ tasse	125 mL	concentré de tomates
2 tasses	500 mL	poulet cuit, coupé en julienne

Chauffer le bouillon dans une casserole de deux quarts (2 L). Ajouter le tapioca et faire mijoter pendant 30 à 40 minutes

Incorporer en fouettant le concentré de tomates et ajouter le poulet, faire mijoter pendant 5 minutes de plus et servir.

DONNE 6 PORTIONS

LE WATERZOIE (SOUPE DE POULET BELGE)

Voici encore une autre version d'un repas complet en casserole.

1 – 5 lbs	1 – 2 k	poulet entier
1	1	citron
10 tasses	2.5 L	bouillon de poulet froid
1	1	oignon, piqué d'un clou de girofle
2	2	tiges de céleri coupées en dés
2	2	carottes coupées en dés
1	1	bouquet garni (voir Glosssaire)
2 cups	500 mL	vin blanc
3 cups	750 mL	pommes de terre épluchées et coupées en dés

Frotter le poulet avec le citron, le placer dans une grande marmite et le recouvrir avec du bouillon de poulet

Ajouter oignon, céleri, carotte et bouquet garni, couvrir et amener le liquide à mijoter. Ecumer le bouillon pour enlever toutes impuretés qui remontent à la surface pendant les 2½-4 heures de cuisson à petit feu. Jeter le bouquet garni.

Retirer le poulet et le garder chaud. Ajouter le vin et les pommes de terre, cuire à petit feu pendant encore 30 minutes (ou jusqu'à ce que les pommes de terre soient cuites).

Découper le poulet et le placer dans de grands bols individuels, recouvrir avec le bouillon et les légumes et servir.

DONNE 6 PORTIONS

Le Waterzoie (Soupe de Poulet Belge)

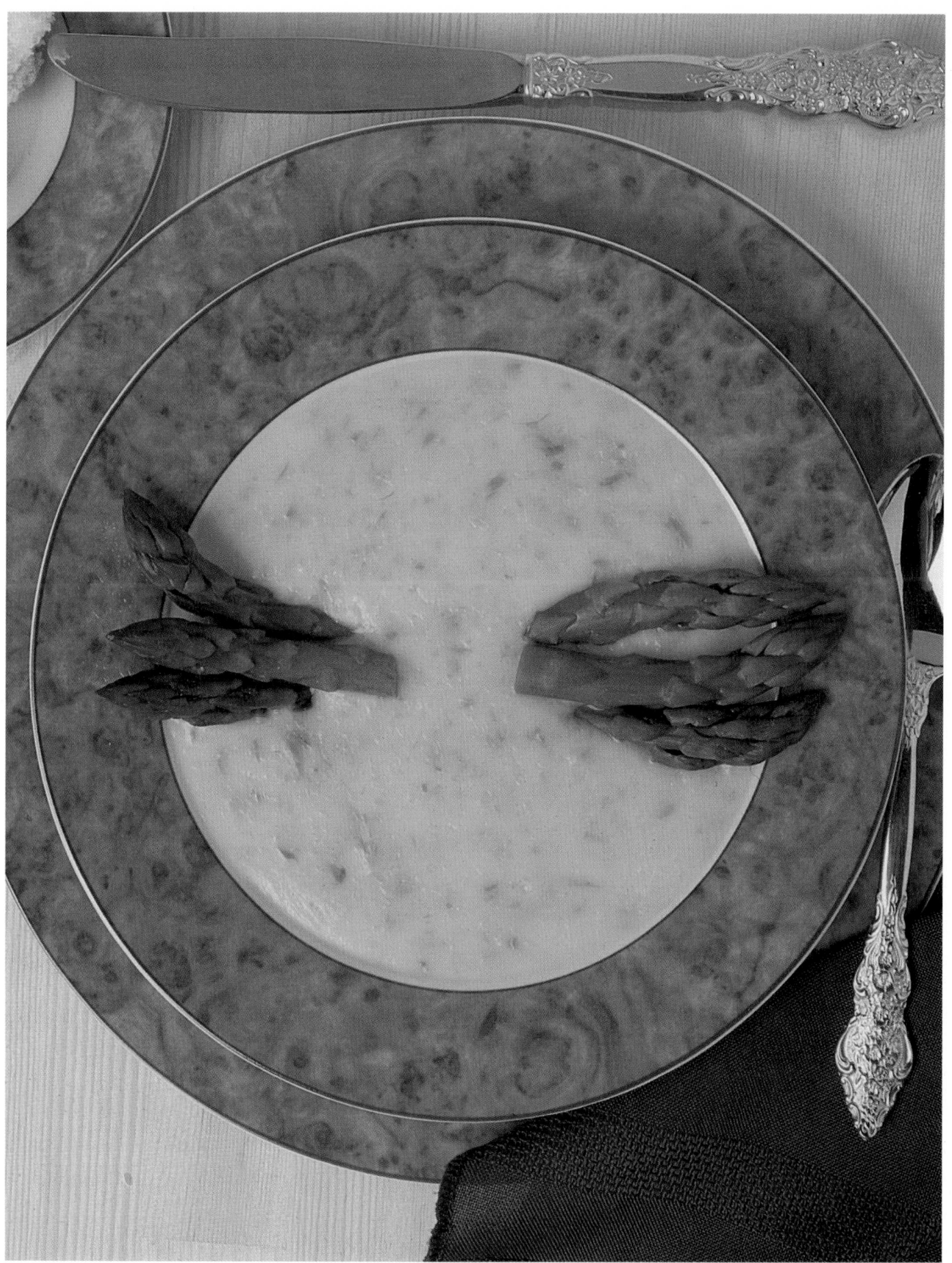

Soupe aux Asperges et au Brie

Sopa de Quimgomba (Soupe au Légumes Sud Américaine)

Soupe Campagnarde au Poulet et Nouilles

SOPA DE QUIMGOMBA (SOUPE AU LÉGUMES SUD AMÉRICAINE)

3 c. à table	45 mL	beurre
1	1	oignon finement coupé
2	2	tiges de céleri finement coupées
2	2	carottes finement coupées en dés
3 c. à table	45 mL	farine tout usage
2 tasses	500 mL	okra en tranches
4 cups	1 L	bouillon de légumes (voir page 92)
2 cups	500 mL	tomates épluchée , épépinées,coupées en dés
¼ c. à thé	1 mL	chacune d'origan, de thym, basilic, poudre d'ail, poudre d'oignon
1 c. à thé	5 mL	sel
½ c. à thé	3 mL	poivre noir

Chauffer le beurre dans une grande casserole, ajouter l'oignon, le céleri et les carottes, faire sauter jusqu'à ce qu'ils soient tendres. Saupoudrer de farine et cuire pendant 2 minutes.

Ajouter l'okra et le bouillon de légumes. Faire mijoter pendant 30 minutes. Ajouter la tomate et l'assaisonnement, continuer à faire mijoter pendant 15 minutes. Servir très chaud.

DONNE 6 PORTIONS

SOUPE CAMPAGNARDE AU POULET ET NOUILLES

5 livres	2 kg	poulet coupé en morceaux
12 tasses	3 L	eau
4	4	tiges de céleri, coupées en dés
4	4	carottes épluchées, coupées en dés
2	2	oignons moyens coupés en dés
1 tasse	250 mL	tomates épluchées épépinées, coupées en dés
1 c. à table	15 mL	sel
1	1	feuille de laurier
2 tasses	500 mL	nouilles plates aux oeufs

Placer le poulet dans une grande casserole ou une marmite. Recouvrir d'eau, ajouter le céleri, les, carottes et les oignons. Porter à ébullition, réduire la température, et faire mijoter à couvert, pendant 8 heures

Enlever les morceaux de poulet et en retirertoute la viande.Jeter au rebut les os, couper en dés la viande et la remettre dans la soupe.

Ajouter le reste des ingrédients. Amener à ébullition, réduire la température et faire mijoter 15 minutes de plus. Jeter le laurier. Servir la soupe très chaude.

DONNE 6 PORTIONS

MISOSHIRU

Soupe japonaise au thon et légumes

6 tasses	1.5 L	bouillon de poisson ou de poulet
18	18	petits oignons blancs
1	1	poireau coupé en julienne
1	1	navet coupé en dés
2 tasses	500 mL	pousses de bambou
1 tasse	250 mL	tofu ferme en dés
6 onces	170 g	thon sèché râpé

Mettre le thon dans une grande casserole. Ajouter l'oignon, le poireau et le navet. Amener à ébullition jusqu'à ce que le navet soit tendre. Ajouter le bambou, le tofu et le thon. Faire mijoter pendant 5 minutes. Servir très chaud.

DONNE 6 PORTIONS

*On trouve le thon séché dans les marchés orientaux .

SAUCES

Le chef responsable de la preeparation des grandes sauces dans les cuisines commerciales est un "saucier." Il ou elle sait que le produit qu'ils préparent est normalement le premier à toucher les papilles gustatives de leurs patrons. Par conséquent ils est appelé à exécuter plusieurs exploits de premier goût, et donc de de première qualité.

Une bonne sauce doit pouvoir se servir seule, sans toutefois être si puissante qu'elle accable le plat qu'elle accompagne. Elle doit compléter les mets qu'elle accompagne. Une bonne sauce doit être préparée à partir de zéro, et ne peut être considérée comme bonne si elle provient d'un petit sachet auquel on a seimplement ajouté de l'eau chaude. Il n'existe rien de tel qu'une bonne sauce instantannée; les sauces ne servent qu'à masquer des repas médiocres.

Le saucier produit les mets les plus créatifs grâce aux sauces qu'il est appelé à préparer, ainsi il transforme une sauce Hollandaise Sauce en Délice aux Framboises comme on la retrouve sur les Tournedos Dianna Lynn. Ou peut-être une sauce qui peut être employée de diverses manières, comme n'importe laquelle des cinq sauces fondamentales se doit de le faire. Découvrez et maîtrisez ces cinq sauces et vous aurez commencé votre voyage dans l'univers reconnu de l'art culinaire. Comme plusieurs le savent, les cultures ne suivent par leurs souveraisns, mais plutôt leurs artistes.

Les cinq sauces du saucier artiste sont l'hollandaise, l'espagnole, le velouté, la béchamel et la sauce aux tomates, à partir desquelles toutes les sauces ont connu leur commencement. Vous n'avez pas besoin de chercher au-delà des pages de *Cuisine Tout Simplement Délicieuse 2*. Vous voudrez aussi savoir comment préparer des sauces aux fruits qui apparaissent sur plusieurs mets excitants partant des hors d'oeuvre en allant jusqu'aux desserts. Celles-ci aussi se retrouvent dans ce chapitre.

Grâce à une sauce, vous pouvez transformer un vieux succès en une toute nouvelle réussiste. Par exemple, couvez la Tarte aux Pommes de Sauce aux Cerises de Logan et voyez se dessiner un nouveau bonheur sur les visages des membres de votre famille. Ou encore, le Gâteau aux Carottes accompagné d'une Sauce aux Pralines — quelque chose de merveilleux! Avec les sauces de *Tout Simplement Délicieux* Sauces, vous êtes certains de faire de chaque repas un défilé de louanges.

Sauce Espagnole

SAUCE AUX PRALINES

½ tasse	125 mL	beurre
2 tasses	500 mL	cassonnade
½ tasse	125 mL	crème à fouetter
1 c. à table	15 mL	jus de citron
¼ tasse	60 mL	pacanes hachées
1 c. à thé	5 mL	vanille

Faire fondre le beurre dans un bain-marie. Ajouter le sucre en mélangeant. Ajouter la crème en fouettant jusqu'à ce que le mélange soit homogène. Ajouter le jus de citron et cuire pendant 45 minutes au-dessus de l'eau qui mijote. Mélanger de temps à autre.

Retirer de la source de chaleur et ajouter les noix et la vanille. Servir chaud.

DONNE 2 TASSES (500 mL)

AILLOLI

2	2	gousses d'ail, réduites en pâte
2	2	jaunes d'oeufs
½ c. à thé	3 mL	sel
pincée		poivre
½ c. à thé	3 mL	moutarde de Dijon
1 tasse	250 mL	huile d'olive
4 c. à thé	20 mL	vinaigre de vin

Dans un malaxeur ou un robot culinaire, mélanger l'ail, les jaunes d'oeufs, le sel, le poivre et la moutarde.

Pendant que la machine fonctionne, ajouter lentement l'huile en mince filet. Ajouter le vinaigre.

Verser dans un bol de service et servir au besoin.

1½ TASSES (375 mL)

BEURRE À LA CANNELLE

4 c. à table	60 mL	beurre
1 c. à table	15 mL	sucre granulé
1½ c. à thé	8 mL	cannelle moulue

Mélanger ensemble tous les ingrédients. Utiliser tel que demandé.

DONNE ⅓ TASSE (90 mL)

SAUCE AU CHAMPAGNE

3 c. à table	45 mL	beurre
3 c. à table	45 mL	farine tout usage
½ tasse	125 mL	bouillon de poulet (voir page 77)
½ tasse	125 mL	crème épaisse
½ tasse	125 mL	champagne

Faire fondre le beurre dans une casserole. Ajouter la farine et mélanger jusqu'à la formation d'une pâte (roux) en cuisant à feu doux.

Ajouter le bouillon de poulet, la crème et le champagne. Fouetter ensemble tous les ingrédients.

Laisser mijoter pendant 10 minutes à feu moyen.

DONNE 1¾ TASSES (430 mL)

Sauce aux Pralines

Ailloli

Sauce aux Champignons Sauvages & au Sherry

SAUCE AUX PÊCHES OU AUX ABRICOTS

1 tasse	250 mL	abricots secs
1 tasse	250 mL	eau
2 c. à table	30 mL	sucre blanc granulé
1 c. à thé	5 mL	fécule de maïs
1 c. à table	15 mL	jus de citron
¼ tasse	60 mL	jus de pomme

Dans une casserole, faire bouillir les abricots dans l'eau pendant 5 minutes. Mettre les abricots dans un robot culinaire et réduire en purée.

Ajouter en mélangeant le sucre à l'eau des abricots. Ajouter à l'eau, la fécule de maïs et le jus de citron et laisser mijoter jusqu'à consistance épaisse. Verser sur les abricots et mélanger.

Remettre dans la casserole et ajouter en brassant le jus de pomme, faire chauffer dans faire bouillir. Utiliser au besoin.

DONNE 1½ TASSES (310 mL)

SAUCE AUX CHAMPIGNONS SAUVAGES ET AU SHERRY

2 tasses	500 mL	sauce espagnole (voir page 111)
1 tasse	250 mL	sherry
1½ tasses	375 mL	champignons sauvages *
2 c. à table	30 mL	beurre
1 c. à table	15 mL	farine tout usage

Mélanger la sauce espagnole avec le sherry, faire bouillir jusqu'à ce que le liquide soit réduit de moitié.

Faire sauter les champignons dans le beurre à feu haut, saupoudrer de farine, réduire le feu et faire cuire pendant 2 minutes. Ajouter la sauce en mélangeant. Laisser mijoter pendant 5 minutes.

* Utiliser les champignons shiitake, paille, huîtres, forêt noire, morelles, chanterelles, ou porcini.

DONNE 3 TASSES (750 mL)

SAUCE À LA MOUTARDE

2 c. à table	30 mL	beurre
2 c. à table	30 mL	farine tout usage
1 tasse	250 mL	lait
¼ c. à thé	1 mL	sel
¼ c. à thé	1 mL	poivre blanc
pincée		muscade
¼ tasse	60 mL	crème à fouetter
2 c. à table	30 mL	jus de citron
1 c. à thé	5 mL	moutarde préparée
1 c. à thé	5 mL	moutarde de Dijon

Faire fondre le beurre dans une casserole. Ajouter la farine et mélanger jusqu'à l'obtention d'une pâte (roux) et cuire pendant 2 minutes à feu doux.

Ajouter le lait et mélanger; laisser mijoter jusqu'à ce que le liquide s'épaississe. Ajouter le sel, le poivre et la muscade et laisser mijoter pendant 2 autres minutes.

Ajouter en mélangeant la crème, le jus de citron et les moutardes. Utiliser telle que demandée.

DONNE 1¾ TASSES (440 mL)

VELOUTÉ

½ tasse	125 mL	beurre
½ tasse	125 mL	farine tout usage
4 tasses	1 L	bouillon de poulet (voir page 77)

Faire fondre le beurre dans une casserole, ajouter la farine et mélanger. Cuire à feu doux pendant 2 minutes.

Ajouter le bouillon de poulet et mélanger. Laisser mijoter pendant 30 minutes ou jusqu'à ce que la sauce s'épaississe.

DONNE 4 TASSES (1 L)

Velouté

Sabayon

SABAYON

6	6	jaunes d'oeufs
¾ tasse	180 mL	sucre blanc granulé
1¼ tasses	310 mL	crème de sherry
1 c. à thé	5 mL	jus de citron
⅛ c. à thé	pincée	muscade

Fouetter les jaunes d'oeufs et le sucre ensemble jusqu'à l'obtention d'un mélange léger. Mettre dans un bain-marie, au-dessus d'une eau mijotante. Ajouter lentement le sherry en brassant. Cuire jusqu'à ce que la sauce s'épaississe; les oeufs vont figer si la sauce est trop cuite. Ajouter le jus de citron et la muscade.

Servir immédiatement, sur des fruits, des desserts glacés ou verser dans des coupes de champagne et servir sans accompagnement.

DONNE 2½ TASSES (625 mL)

SAUCE TOMATE

¼ tasse	60 mL	beurre
2	2	gousses d'ail hachées
2	2	carottes hachées
1	1	oignon haché
2	2	branches de céleri hachées
3¼ livres	1.5 kg	tomates pelées, épepinées et coupées
3	3	feuilles de laurier
1 c. à thé	5 mL	feuilles de thym
1 c. à thé	5 mL	feuilles d'origan
1 c. à thé	5 mL	feuilles de basilic
1 c. à table	15 mL	sel
1 c. à thé	5 mL	poivre

Dans un grande casserole faire fondre le beurre et faire sauter l'ail, les carottes, l'oignon et le céleri jusqu'à ce qu'ils soient tendres. Ajouter les tomates et les épices. Reduire le feu et laisser mijoter pendant 3 heures.

Égoutter la sauce et la remettre dans la casserole et laisser mijoter jusqu'à consistance désirée.

DONNE 4 TASSES (1 L)

SAUCE AUX KIWIS ET À LA PAPAYE

6	6	kiwis pelés et hachés
2 tasses	500 mL	pulpe de papaye
¼ tasse	60 mL	sucre blanc granulé
1½ c. à table	24 mL	fécule de maïs
⅓ tasse	80 mL	jus de pomme

Réduire les kiwis et la papaye en purée dans un robot culinaire. Presser dans un tamis au-dessus d'une petite casserole. Ajouter au liquide le sucre, la fécule de maïs et le jus de pommes en brassant. Ajouter la préparation aux fruits et faire chauffer à feu doux jusqu'à ce que la sauce soit épaisse.

Servir sur des fruits, de la crème glacée, des soufflés ou au goût. Accompagne très bien les desserts au chocolat.

DONNE 3 TASSES (750 mL)

SAUCE AU BRANDY AUX CERISES

1¼ tasses	310 mL	cerises Bing – fraîches ou en boîte, dénoyautées
¼ tasse	60 mL	brandy aux cerises
3 c. à table	45 mL	liquide de cerises ou de jus de pommes
1 c. à table	15 mL	jus de citron
2 c. à table	30 mL	sucre blanc granulé

Faire chauffer les cerises dans le brandy à feu doux jusqu'à ce qu'elles soient tendres. Les presser dans un tamis au-dessus d'une casserole et y ajouter les cerises.

Ajouter tous les autres ingrédients et faire mijoter jusqu'à ce que le mélange s'épaississe. Servir chaud ou froid avec des fruits, de la crème glacée, du sorbet, des crêpes, des pâtes au chocolat ou avec des soufflés.

DONNE 1½ TASSES (375 mL)

SAUCE AU BRANDY À L'ORANGE

2 c. à thé	10 mL	fécule de maïs
½ tasse	125 mL	sucre blanc granulé
1½ tasse	375 mL	jus d'orange
½ tasse	125 mL	Grand Marnier
2 c. à thé	10 mL	écorce d'orange râpée
1½ c. à table	24 mL	beurre

Mélanger la fécule de maïs et le sucre. Faire bouillir le Grand Marnier et le jus d'orange. Incorporer le sucre en brassant, réduire le feu et laisser mijoter jusqu'à ce que le mélange s'épaississe. Retirer du feu et ajouter l'écorce d'orange râpée et le beurre.

Servir chaud avec de la crème glacée, des sorbets, des crêpes et des soufflés.

DONNE 2¼ TASSES (560 mL)

COULIS AUX FRAISES

2 tasses	500 mL	fraises lavées équeutées
⅓ tasse	80 mL	jus de pomme
3 c. à table	45 mL	sucre blanc granulé

Mettre les fraises dans un robot culinaire avec le jus de pomme et le sucre et réduire en purée. Verser dans une casserole, faire mijoter à feu doux jsuq'à ce que la sauce s'épaississe. Presser dans un tamis au-dessus d'un bol.

Servir sur des fruits frais, des crêpes, de la crème glacée, des sorbets, des pâtes au chocolat ou avec des soufflés.

DONNE 2 TASSES (500 mL)

SAUCE AUX FRAMBOISES

1½ livres	675 g	framboises fraîches
¼ tasse	60 mL	sucre blanc granulé
1 c. à table	15 mL	jus de citron
2 c. à thé	10 mL	fécule de maïs

Réduire les framboises en purée dans un robot culinaire, les presser dans un tamis (pour retirer les graines) au-dessus d'une casserole. Ajouter le sucre en brassant, faire chauffer à feu élevé et réduire pour laisser mijoter.

Incorporer le jus de citron et la fécule de maïs à la sauce et laisser mijoter jusqu'à ce que le mélange s'épaississe.

DONNE 2 TASSES (500 mL)

Sauce aux Framboises

SAUCE AUX ABRICOTS ET AUX FRAMBOISES

¾ livre	340 g	abricots pelés dénoyautés
1 livre	450 g	framboises fraîches
½ tasse	125 mL	jus de pomme
2 c. à table	30 mL	jus de citron
¼ tasse	60 mL	sucre blanc granulé

Mettre les abricots et les framboises dans un robot culinaire et les réduire en purée. Presser à travers un tamis (pour retirer les graines) au-dessus d'une casserole.

Ajouter les autres ingrédients et faire mijoter pour obtenir une sauce épaisse. Servir sur des fruits, des gâteaux, de la crème glacée ou des soufflés.

DONNE 3 TASSES (750 mL)

SAUCE BÉARNAISE

3 c. à table	45 mL	vin blanc
1 c. à table	15 mL	feuilles d'estragon séchées
1 c. à thé	5 mL	jus de citron
½ tasse	125 mL	beurre
3	3	jaunes d'oeufs
1 c. à thé	5 mL	estragonfrais haché

Mélanger le vin, l'estragon et le jus de citron dans une petite casserole. Faire chauffer à feu fort pour réduire à 2 c. à table (30 mL), et égoutter.

Dans une autre casserole, faire fondre le beurre en chauffant presqu'à l'ébullition.

Dans un mélangeur ou un robot culinaire mélanger les jaunes d'oeufs jusqu'à consistance homogène.

Pendant que la machine fonctionne, ajouter lentement le beurre en un mince filet.

Pendant que la machine fonctionne à petite vitesse, ajouter le mélange de vin réduit. Mélanger jusqu'à ce que le mélange soit homogène. Mettre dans un bol de service. Ajouter en brassant l'estragon frais.

DONNE ¾ TASSE (180 mL)

SAUCE HOLLANDAISE AUX FRAMBOISES

½ livre	250 g	framboises
½ tasse	125 mL	beurre
2	2	jaunes d'oeufs

Réduire les framboises en purée à l'aide d'un robot culinaire, égoutter et jeter la pulpe et les graines. Dans une casserole faire réduire doucement le jus à 2 c. à table (30 ml), et laisser refroidir.

Mélanger en fouettant le jus et les jaunes d'oeufs. Faire fondre le beurre et conserver chaud. Mettre les jaunes d'oeufs dans un bain-marie à feu doux et brasser constamment jusqu'à épaississement. Retirer du feu, ajouter le beurre chaud en brassant constamment jusqu'à l'obtention d'une sauce crémeuse. Ne pas réchauffer. Utiliser telle que demandée.

SAUCE JARDINIÈRE

1 tasse	250 mL	sauce espagnole (voir page 111)
2 c. à table	30 mL	carotte blanchie finement hachée
2 c. à table	30 mL	courgette épluchée finement hachée
2 c. à table	30 mL	céleri blanchi finement haché
2 c. à table	30 mL	piment rouge doux finement haché
1 c. à thé	5 mL	de chaque: persil' cerfeuil, ciboulette

Mélanger ensemble tous les ingrédients dans une petite casserole, faire bouillir, reduire le feu et laisser mijoter pendant 5 minutes.

Utiliser telle que demandée.

DONNE 1½ TASSES (375 mL)

Sauce Jardinière

Sauce aux Abricots & aux Framboises

Sauce Marinière

SAUCE ESPAGNOLE

4½ livres	2 kg	os de boeuf ou de veau
1	1	oignon haché
4	4	carottes hachés
3	3	branches de céleri hachées
3	3	feuilles de laurier
3	3	gousses d'ail finement hachées
2 c. à thé	10 mL	sel
½ tasse	125 mL	farine tout usage
12 tasses	3 L	eau
1	1	bouquet garni (voir Glossaire)
1 tasse	250 mL	purée de tomates
¾ tasse	180 mL	poireau haché
3	3	bottes de persil

Préchauffer le four à 450°F (230°C).

Mettre les os, l'oignon, les carottes, le céleri, les feuilles de laurier, l'ail et le sel dans une rôtissoire.

Cuire pendant 45 à 50 minutes jusqu'à ce que les os soient brunis, Faire attention de ne pas les brûler. Saupoudrer de farine et cuire pendant 15 autres minutes.

Transférer les ingrédients dans une marmite. Rincer la rôtissoire avec un peu d'eau et verser l'eau avec le gras dans la marmite. Ajouter les ingrédients qui restent et faire bouillir.

Reduire le feu et laisser mijoter pendant 3 à 4 heures ou jusqu'à ce que le contenu soit réduit de moitié. Écumer le liquide des impuretés qui flottent au-dessus. Égoutter la sauce pour retirer les os, etc. Ensuite égoutter une seconde fois à travers un filet à fromage. Remettre dans la marmite et réduire jusqu'à ce que le volume soit atteint. Utiliser telle que demandée.

DONNE 6 TASSES (1.5 L)

Sauce Mornay

SAUCE MARINIÈRE

3	3	piments cascabel rouges
⅓ tasse	80 mL	olives noires hachées
2 c. à table	30 mL	câpres
⅓ tasse	80 mL	huile d'olive
1	1	oignon finement haché
2	2	gousses d'ail hachées
1½ livres	675 g	tomates pelées, épépinés et hachées
2 c. à thé	10 mL	feuilles d'origan

Épépiner et hacher les piments, mélanger avec les olives, les câpres et la moitié de l'huile. Laisser mariner pendant 1 heure.

Faire chauffer le restant d'huile dans une poêle et faire sauter l'oignon et l'ail jusqu'à ce qu'ils soient tendres.

Égoutter la marinade et ajouter aux oignons. Incorporer les tomates et l'origan. Reduire le feu à moyen et cuire la sauce jusqu'à épaississement. Servir sur des pâtes.

DONNE 3 TASSES (750 mL)

SAUCE MORNAY

3 c. à table	45 mL	beurre
3 c. à table	45 mL	farine tout usage
1¼ tasses	310 mL	bouilllon de poulet (voir page 77)
1¼ tasses	310 mL	crème moitié et moitié (10% m. g.)
½ tasse	125 mL	fromage Parmesan fraîchement râpé

Faire fondre le beurre dans une caaserole. Ajouter la farine et cuire pendant 2 minutes à feu doux.

Incorporer en brassant le bouillon de poulet et la crème. Reduire le feu et laisser mijoter jusqu'à consistance épaisse. Incorporer le fromage en brassant et faire mijoter pendant 2 autres minutes.

Utiliser telle que demandée.

DONNE 3 TASSES (750 mL)

SAUCE AU VIN DE MADÈRE

| 2 tasses | 500 mL | sauce espagnole (voir page 111) |
| 1 tasse | 250 mL | sherry |

Mélanger la sauce espagnole avec le sherry, faire bouillir et réduire de moitié.

DONNE 1½ TASSES (375 mL)

BEURRE À L'AIL

1	1	gousse d'ail hachée
⅓ tasse	80 mL	beurre
½ c. à thé	3 mL	de chaque: ciboulette, persil, cerfeuil, basilic, échalotes
1 c. à table	15 mL	Pernod

Mettre tous les ingrédients dans un robot culinaire ou un mélangeur et actionner jusqu'à consistance lisse. Utiliser tel que demandé.

DONNE ½ TASSE (125 mL)

SAUCE BÉCHAMEL

2 c. à table	30 mL	beurre
2 c. à table	30 mL	farine tout usage
1 tasse	250 mL	lait
¼ c. à thé	1 mL	sel
¼ c. à thé	1 mL	poivre blanc
pincée		muscade

Faire fondre le beurre dans une poêle. Ajouter la farine et brasser jusqu'à l'obtention d'une pâte (roux) et cuire pendant 2 minutes à feu doux.

Ajouter le lait et mélanger; laisser mijoter jusqu'à épaississement. Ajouter les épices et laisser mijoter pendant 2 autres minutes.

DONNE 1¼ TASSES (310 mL)

BEURRE AUX CREVETTES OU AUX LANGOUSTES

| ¼ tasse | 60 mL | langoustes cuites ou de chair de crevettes |
| ¼ tasse | 60 mL | beurre |

Mettre les ingrédients dans un mélangeur et mélanger jusqu'à consistance lisse. Utiliser tel que demandé.

DONNE ½ TASSE (125 mL)

SAUCE AU CAFÉ À LA MENTHE

¼ tasse	60 mL	sucre blanc granulé
4	4	jaunes d'oeufs
2 tasses	500 mL	lait chaud non bouilli
2 c. à table	30 mL	café fort
½ c. à thé	3 mL	extrait de menthe

Battre le sucre dans les jaunes d'oeufs jusqu'à ce que le mélange soit léger et pâle. Ajouter le lait en brassant et mettre dans un bain-marie. Melanger constamment jusqu'à épaississement. Retirer du feu et incorporer le café et la menthe. Servir chaud sur de la crème glacée, des soufflés ou des baies.

DONNE 2 TASSES (500 mL)

SAUCE AU CAFÉ & AU CHOCOLAT

1 tasse	250 mL	eau bouillante
2 c. à thé	10 mL	café instantané
2 c. à table	30 mL	sucre blanc granulé
4	4	jaunes d'oeufs
⅓ tasse	80 mL	crème à fouetter
1½ c. à thé	8 mL	fécule de maïs
2 c. à table	30 mL	lait
2 onces	60 g	brisures de chocolat

Dissoudre le café dans l'eau bouillante et mettre dans un bain-marie. Ajouter le sucre et mélanger jusqu'à ce qu'il soit dissous. Incorporer un jaune d'oeuf à la fois en brassant. Incorporer la crème et cuire pendant 2 minutes.

Mélanger ensemble le lait et la fécule de maïs et ajouter à la sauce avec le chocolat. Cuire à feu doux jusqu'à ce que la sauce soit épaisse. Retirer du feu. Servir telle que demandée.

DONNE 2 TASSES (500 mL)

Sauce Béchamel

Sauce au Café à la Menthe

Sauce Hollandaise

SAUCE AU CARAMEL

3 onces	80 g	brisures de caramel
¾ tasse	180 mL	sucre à glacer
¼ tasse	60 mL	eau bouillante
1 tasse	250 mL	crème à fouetter
1	1	blanc d'oeuf
1 c. à thé	5 mL	vanille

Dans un bain-marie, faire fondre le caramel et ajouter le sucre et l'eau en brassant. Retirer du feu et laisse refroidir.

Fouetter la crème et l'incorporer au caramel en pliant. Battre le blanc d'oeuf et l'incorporer au mélange en pliant avec la vanille. Servir telle que demandée.

DONNE 2 TASSES (500 mL)

SAUCE MALTAISE

½ tasse	125 mL	beurre
2	2	jaunes d'oeufs
2 c. à thé	10 ml	jus de citron
⅛ c. à thé	pincée	cayenne
3 c. à table	45 mL	jus d'orange fraîchement pressés
1 c. à thé	5 mL	écorce d'orange râpée

Faire fondre le beurre pour qu'il soit très chaud.

Mettre les jaunes d'oeufs dans un bain-marie à feu doux.

Ajouter le jus de citron lentement, en s'assurant qu'il est bien incorporé.

Retirer du feu et fouetter doucement dans le beurre chaud.

Ajouter la cayenne et incorporer le jus d'orange et l'écorce d'orange râpée en pliant. Servir la sauce telle que suggérée avec du poisson, des fruits de mer ou des légumes.

DONNE 1 TASSE (250 mL)

VÉRONIQUE

1 tasse	250 mL	bouillon de poisson (voir page 76)
¼ tasse	60 mL	vin blanc
4 c. à thé	20 mL	oignons verts
1 c. à thé	5 mL	fécule de maïs
1 c. à table	15 mL	eau froide
½ tasse	125 mL	crème à fouetter
¼ c. à thé	1 mL	sel
¼ c. à thé	1 mL	poivre
1	1	jaune d'oeuf
16	16	raisins verts sans pépins

Mélanger ensemble le bouillon, le vin et l'oignon vert dans une poêle. Faire bouillir et réduire le volume de moitié. Égoutter et remettre le liquide dans la poêle.

Mélanger la fécule de maïs avec l'eau froide, et incorporer à la sauce. Faire chauffer de nouveau et ajouter la crème en brassant, et incorporer le sel et le poivre.

Mélanger le jaune d'oeuf à un peu de sauce refroidie et ajouter au reste de la sauce en brassant. Retirer du feu.

Ajouter les raisins en brassant. Servir telle que demandée.

DONNE 1 TASSE (250 mL)

SAUCE HOLLANDAISE

½ tasse	125 mL	beurre
2	2	jaunes d'oeufs
2 c. à thé	10 mL	jus de citron
pincée		cayenne

Faire fondre le beurre pour qu'il soit très chaud.

Mettre les jaunes d'oeufs dans un bain-marie à feu doux.

Ajouter lentement le jus de citron en s'assurant qu'il soit bien incorporé.

Retirer du feu et fouetter doucement dans le beurre chaud.

Ajouter le cayenne et servir la sauce immédiatement.

DONNE ¾ TASSE (180 mL)

SAUCE AU CHOCOLAT ET AUX FRAMBOISES

1 livre	450 g	framboises fraîches
2 c. à table	30 mL	jus de citron
3 c. à table	45 mL	sucre blanc granulé
3 oz	80 g	chocolat mi-sucré râpé
1 c. à table	15 mL	beurre

Réduire les framboises en purée dans un robot culinaire, presser dans un tamis (pour retirer les graines) au-dessus d'une casserole.

Ajouter le jus de citron et le sucre et amener à ébullition, réduire le feu et laisser mijoter pour obtenir 1 tasse (250 mL). Ajouter le chocolat en brassant. Retirer du feu et ajouter le beurre en fouettant. Servir telle que suggérée.

DONNE 1½ TASSES (375 mL)

GUACAMOLE

2	2	avocats
1	1	tomates épépinées, pelées, en dés
1	1	oignon rouge haché
3 c. à table	45 mL	cilantro haché
2 c. à table	30 mL	jus de lime
1 c. à thé	5 mL	sauce Worcestershire
¼ c. à thé	1 mL	sel

Peler et dénoyauter les avocats, mettre la chair dans un robot culinaire avec tous les autres ingrédients. Mélanger jusqu'à consistance homogène. Servir telle que suggérée.

DONNE 2 TASSES (500 mL)

SALSA

1 livre	450 g	tomates pelées, épépinées
1	1	oignon espagnol
3	3	gousses d'ail écrasées
1	1	botte de cilantro hachée
2	2	jalapeños
1	1	poivron vert
2 c. à table	30 mL	jus de lime
½ c. à thé	3 mL	sel

Hacher les tomates, hacher finement l'oignon. Mettre dans un bol avec l'ail et le cilantro.

Épépiner les piments jalapeños, les couper finement et les ajouter aux tomates.

Peler, épépiner et hacher finement le poivron vert et l'ajouter aux tomates avec le jus de lime et le sel.

Réfrigérer pendant 30 minutes avant de servir.

DONNE 4 TASSES (1 L)

Salsa & Guacamole

115

SAUCE AU CITRON

2 c. à thé	10 mL	fécule de maïs
¾ tasse	180 mL	sucre blanc granulé
1¾ tasses	430 mL	eau bouillante
¼ tasse	60 mL	jus de citron
1 c. à table	15 mL	écorce de citron râpée
2 c. à table	30 mL	beurre

Mélanger la fécule de maïs avec le sucre. Ajouter en brassant dans l'eau bouillante et laisser mijoter jusqu'à épaississement. Incorporer le jus et l'écorce de citron râpée en brassant et laisser mijoter jusqu'à ce que la sauce devienne épaisse de nouveau.

Retirer du feu. Ajouter le beurre en brassant. Servir chaud ou froid avec des fruits, des sorbets, des crêpes, des gâteaux et des soufflés.

DONNE 1¾ TASSES (430 mL)

SAUCE AU GRAND MARNIER ET AU CHOCOLAT

2 onces	60 g	chocolat mi-sucré râpé
3 c. à table	45 mL	beurre
3	3	jaunes d'oeufs
3 c. à table	45 mL	sucre blanc
¼ tasse	60 mL	crème moitié et moitié (10% m. g.)
⅓ tasse	80 mL	Grand Marnier
1 c. à thé	5 mL	écorce d'orange râpée

Faire fondre le chocolat dans un bain-marie, ajouter le beurre et brasser jusqu'à ce que le mélange soit fondu. Ajouter un jaune d'oeuf à la fois tout en battant, et ensuite le sucre. Incorporer la crème en brassant et cuire jusqu'à ce que le mélange soit épais. Ajouter la liqueur et l'écorce d'orange, et retirer du feu. Servir telle que suggérée.

DONNE 1½ TASSES (375 mL)

Sauce aux Tomates Épaisse

SAUCE TOMATE ÉPAISSE (SAUCE TOMATES II)

2 c. à table	30 mL	huile d'olive
2	2	gousses d'ail finement hachées
1	1	poivron vert, en dés
1	1	oignon haché
2	2	branches de céleri, en dés
4 oz	120 g	champignons tranchés
1 c. à thé	5 mL	sel
½ c. à thé	3 mL	poivre
1 c. à thé	5 mL	feuilles de basilic
½ c. à thé	3 mL	feuilles d'origan
½ c. à thé	3 mL	feuilles de thym
½ c. à thé	3 mL	paprika
¼ c. à thé	1 mL	cayenne
3 livres	1.35 kg	tomates épépinées, pélées et hachées

Faire chauffer l'huile dans une casserole. Faire sauter l'ail, le poivron vert, l'oignon, le céleri et les champignons jusqu'à ce qu'ils soient tendres. Ajouter les épices et les tomates et laisser mijoter pendant 3 heures ou jusqu'à consistance désirée. Servir telle que suggérée.

DONNE 4 à 6 TASSES (1-1.5 L)

COURT BOUILLON

16 tasses	4 L	eau
1 c. à table	15 mL	grains de poivre vert
1 c. à table	15 mL	sel
1	1	oignon tranché
2	2	carottes hachées
1	1	branche de céleri hachée
1	1	citron coupé en deux
1 tasse	250 mL	vin blanc
1	1	bouquet garni (voir le Glossaire)

Mélanger ensemble tous les ingrédients. Amener à ébuillition. Faire bouillir pendant 30 minutes.

Égoutter à l'aide d'un filet à fromage et mettre le liquide de côté. Jeter le bouquet.

Utiliser le bouillon pour cuire le poisson et les crustacés.

DONNE 16 TASSES(4 L)

CRÈME ANGLAISE FRANGIPANE

1	1	oeuf
3	3	jaunes d'oeufs
½ tasse	125 mL	sucre granulé
1 c. à table	15 mL	farine tout usage
1¼ tasses	310 mL	lait
¾ tasse	180 mL	amandes moulues
1 c. à table	15 mL	beurre
2 c. à thé	10 mL	extrait d'orange
1 c. à thé	5 mL	extrait de rhum

Battre ensemble l'oeuf, les jaunes d'oeuf, le sucre et la farine jusqu'à consistance lisse. Mélanger le lait et les amandes dans une casserole et faire bouillir. Retirer du feu et laisser mariner pendant 10 minutes.

Passer les amandes au tamis et les ajouter au mélange aux oeufs. Incorporer lentement le lait dans le mélange en brassant. Mettre dans un bain-marie et cuire la sauce jusqu'à ce qu'elle s'épaississe.

Retirer du feu et jouter le beurre et les extraits en brassant.

Utiliser pour garnir les gâteaux lorsque refroidi ou servir chaud ou froid pour garnir des fruits ou des desserts congelés.

DONNE 3 TASSES (750 mL)

SAUCE AUX PETITS FRUITS

1 livre	450 g	fraises lavées, équeutées
½ livre	225 g	framboises lavées, équeutées
½ livre	225 g	mûres lavées, équeutées
1 tasse	250 mL	sucre
2 c. à thé	10 mL	jus de citron
1 c. à thé	5 mL	écorce de citron râpée

Mettre les fruits dans un robot culinaire et réduire en purée. Presser dans un tamis fin et mettre dans une marmite. Ajouter le sucre et brasser jusqu'à ce qu'il soit dissous. Ajouter le jus et l'écorce de citron. Amener à ébuillition et réduire la chaleur pour laisser mijoter jusqu'à ce que la sauce donne 2 tasses (500 ml).

Servir sur des crêpes, de la crème glacée, ou de la pâte de bananes.

DONNE 2 TASSES (500 mL)

SAUCE DU MARCHAND DE VINS

2 c. à table	30 mL	beurre
½ tasse	125 mL	jambon en dés
½ tasse	125 mL	champignons hachés
½ tasse	125 mL	oignons verts
1½ tasses	375 mL	sauce demi-glace (voir page 123)
½ tasse	125 mL	sherry
¼ tasse	60 mL	crème épaisse – facultatif

Faire fondre le beurre dans une casserole et faire sauter le jambon, les champignons et l'oignon vert.

Ajouter la sauce demi-glace et le sherry. Réduire le feu et laisser mijoter la sauce jusqu'à ce son volume ait diminué de moitié.

Ajouter la crème et laisser mijoter pendant 2 autres minutes avant de servir.

DONNE 1¾ TASSES (430 mL)

SAUCE CAMPAGNARDE

4 c. à table	60 mL	beurre
3 c. à table	45 mL	farine tout usage
1 tasse	250 mL	lait
1 tasse	250 mL	bouillon de poulet (voir page 77)
½ c. à thé	3 mL	sel
¼ c. à thé	1 mL	poivre noir moulu

Faire fondre le beurre dans une casserole, ajouter la farine et cuire pendant 2 minutes à feu doux. Ajouter le lait, le bouillon, le sel et le poivre en brassant. Réduire le feu laisser mijoter jusqu'à consistance lisse.

DONNE 2 TASSES (500 mL)

Sauce du Marchand de Vins

Sauce Campagnarde

Sauce à la Mangue & aux Ananas

SAUCE À LA MANGUE ET AUX ANANAS

1 tasse	250 mL	ananas écrasés, égouttés, le jus de côté
1 tasse	250 mL	pulpe de mangue
¼ tasse	60 mL	sucre granulé
1½ c. à table	24 mL	fécule de maïs

Mettre les ananas et la mangue dans un robot culinaire et réduire en purée. Presser dans un tamis au-dessus d'une petite casserole. Ajouter le sucre en brassant.

Mélange la fécule de maïs dans ¼ tasse (60 mL) de jus d'ananas. Incorporer aux fruits. Cuire à feu doux jusqu'à ce que la sauce s'épaississe.

Servir chaud ou froid sur des fruits, de la crème glacée ou des desserts au chocolat.

DONNE 2¼ TASSES (560 mL)

SAUCE AUX FRAMBOISES DE LOGAN OU AUX MÛRES

2 livres	900 g	petits fruits frais
1½ c. à table	25 mL	fécule de maïs
1 c. à table	15 mL	jus de pomme
¼ tasse	60 mL	sucre granulé

Réduire les fruits en purée dans un robot culinaire, égoutter dans un tamis au-dessus d'une petite casserole. Ajouter la fécule de maïs, le jus de pomme et le sucre. Faire chauffer à feu doux jusqu'à ce que le mélange soit épais.

Servir chaud ou froid dur des fruits, de la crème glacée, des crêpes, des soufflés ou au besoin.

DONNE 2 TASSES (500 mL)

CRÈME ANGLAISE

¾ tasse	180 mL	sucre granulé
6	6	jaunes d'oeufs
2 tasses	500 mL	lait chaud non bouilli
¼ c. à thé	2 mL	vanille

Dans la partie supérieure d'un bain-marie battre ensemble le sucre et les jaunes d'oeufs jusqu'à ce qu'ils soient pâles et légers. Mettre au-dessus de l'eau mijotante. Incorporer lentement le lait en brassant et cuire jusqu'à consistance épaisse en brassant constamment.

Retirer du feu et ajouter la vanille en brassant. Servir chaud ou froid avec des fruits, des sorbets glacés, des desserts au chocolat, des îles flottantes, des pâtes au chocolat blanc ou au goût.

DONNE 2 TASSES (500 mL)

SAUCE CRÉOLE

3 c. à table	45 mL	huile de tournesol
3	3	oignons finement hachés
2	2	piments verts finement hachés
3	3	branches de céleri finement hachées
20	20	tomates épépinées, pelées et finement hachées
2 c. à thé	10 mL	sel
2 c. à thé	10 mL	paprika
1 c. à thé	5 mL	poudre d'ail
1 c. à thé	5 mL	poudre d'oignon
1 c. à thé	5 mL	cayenne
½ c. à thé	3 mL	poivre blanc
½ c. à thé	3 mL	poivre noir
1 c. à thé	5 mL	feuilles de basilic
½ c. à thé	3 mL	feuilles d'origan
½ c. à thé	3 mL	feuilles de thym
6	6	oignons en dés
1	1	botte de persil hachée

Faire chauffer l'huile dans une grande casserole. Faire sauter l'oignon, le céleri et le piment vert jusqu'à ce qu'ils soient tendres. Ajouter les tomates et les épices, et laisser mijoter à feu doux jusqu'à consistance désirée. (environ 4 heures).

Ajouter l'oignon vert et le persil et laisser mijoter pendant 15 autres minutes. La sauce est prête à servir.

DONNE 4 à 6 TASSES (1-1.5 L)

SAUCE À L'ÉRABLE ET AUX NOIX DE GRENOBLE

2	2	jaunes d'oeufs
½ tasse	125 mL	sirop d'érable
½ tasse	125 mL	crème à fouetter
¼ tasse	60 mL	noix de Grenoble en morceaux

Battre les jaunes d'oeufs. Ajouter le sirop tout en brassant, mettre dans un bain-marie et cuire jusqu'à consistance épaisse. Retirer du feu et laisser refroidir.

Ajouter la crème fouettée et les noix en pliant. Servir telle que suggérée.

DONNE 1½ TASSES (375 mL)

BEURRE AUX HERBES

¼ tasse	60 mL	beurre
½ c. à thé	3 mL	de chaque: ciboulette, persil, cerfeuil, estragon, échalotes
1 c. à table	15 mL	crème à fouetter

Mettre les ingrédients dans un mélangeur et faire fonctionner jusqu'à consistance homogène.

DONNE ⅓ TASSE (90 mL)

Sauce Créole

Sauce au Chocolat

Sauce Californienne

SAUCE AU CHOCOLAT

3 onces	80 g	chocolat mi-sucré
1 tasse	250 mL	sucre granulé
½ tasse	125 mL	eau
½ c. à thé	1 mL	sel
1 c. à thé	5 mL	vanille
3 c. à table	45 mL	beurre

Faire fondre le chocolat dans un bain-marie.

Dans une casserole faire chauffer le sucre, l'eau, le sel et la vanille, réduire à ¾ tasse (180 mL) ou la moitié du volume. Ajouter le chocolat en brassant et retirer du feu.

Battre le beurre dans la sauce et servir telle que suggérée.

DONNE 1¾ TASSES (430 mL)

DEMI-GLACE

3 tasses	750 mL	sauce espagnole (voir page 111)
1¼ tasses	310 mL	bouillon de boeuf (voir page 85)
¼ tasse	60 mL	sherry

Mélanger la sauce espagnole et le bouillon de boeuf. Laisser mijoter jusqu'à ce que le volume de la sauce soit réduit au deux tiers.

Ajouter le sherry et servir telle que suggérée.

DONNE 1¾ TASSES (430 mL)

REMOULADE

2 c. à table	30 mL	moutarde preparée
2 c. à table	30 mL	paprika
2 c. à table	30 mL	raifort à la crème
2 tasses	500 mL	huile d'olive
½ tasse	125 mL	vinaigre à l'estragon
2 c. à thé	10 mL	sauce Worcestershire
1 c. à thé	5 mL	sauce Tabasco™
2 c. à thé	10 mL	sel
2 c. à table	30 mL	persil haché
¾ tasse	180 mL	poivron rouge haché finement
¾ tasse	180 mL	poivron vert haché finement
½ tasse	125 mL	oignon haché finement
½ tasse	125 mL	cornichons marinés à l'aneth, hachés finement

Dans un mélangeur, mettre la moutarde, le paprika et le raifort. Faire fonctionner la machine à petite vitesse. Pendant que fonctionne la machine, ajouter l'huile très lentement.

Ajouter les autres ingrédients et mélanger jusqu'à consistance lisse. La recette peut être divisée en petites quantités.

DONNE 4 TASSES (1 L)

SAUCE CALIFORNIENNE

3 c. à table	45 mL	huile d'olive
3 c. à table	45 mL	farine tout usage
⅔ tasse	160 mL	bouillon de poulet (voir page 77)
⅔ tasse	160 mL	crème légère
⅓ tasse	80 mL	ketchup aux tomates
2 c. à thé	10 mL	sauce Worcestershire
1 c. à thé	5 mL	paprika
3 gouttes		sauce Tabasco™
1 c. à table	15 mL	jus de citron

Faire chauffer l'huile dans une poêle, ajouter la farine et cuire pendant 2 minutes à feu doux.

Ajouter le bouillon en brassant et laisser mijoter pour épaissir.Ajouter les autres ingrédients en brassant, et laisser mijoter pendant 2 autres minutes.

Retirer du feu et servir au besoin.

DONNE 2 TASSES (500 mL)

123

SALADES

Quelle chose remarquable qu'une salade bien faite. La capacité de rafraîchir l'appétit et de faire danser de fraîcheur les papilles gustatives ne peut être surpassée par aucun autre article du menu.

Une salade mémorable n'est pas toujours celle qui a plusieurs ingrédients. Souvent, les salades sont mélangées avec des ingrédients imperceptibles qui laissent l'invité à deviner ce qu'il a mangé. Une bonne salade doit donner l'impression de fraîcheur et de rafraîchissement du palais. Elle doit préparer l'invité aux plats qui suivent, laissant ainsi l'anticipation et l'euphorie dans son sillage.

Il semble être superflu de dire qu'en préparation d'une salade il faut se tenir aux ingrédients les plus frais et les plus fins que l'on puisse obtenir. Mais, nulle part ne se montre plus vite l'apparence déplaisante que dans les plats qui devraient être frais. Une feuille fanée, un légume ridé ou un fruit séché et bruni implique un sentiment dédaigneux envers le plat servi en même temps qu'une attitude désinvolte envers l'invité. C'est une attidude inappropriée envers l'art culinaire, et en particulier le garde-manger (une section spécialisée dans la préparation de la nourrture froide), dont la préparation de la salade est partie intégrante.

Nous avons fait remonter les salades sur un niveau plus élevé dans Tout simplement Délicieux 2. Ce chapitre contient une grande variété de salades pour tous les goûts. Ces recettes sont pour les salades chaudes, froides et salades gelées. Il y a des salades qui peuvent être servies au barbecue dans jardin ou à un pique-nique en famille. D'autres trouveront leur place dans les menus de vos dîners officiels ou pour vos invités à diner. Nous avons aussi présenté des salades multiculturelles qui vous permettront d'essayer la cuisine exquise d'autres pays sans quitter votre maison.

Du genre populaire, ou du genre de bistrot aux salades classiques qui ont été le standard de bons restaurants à travers le monde depuis des années, quel que soit vôtre goût, vous trouverez la salade parfaite dans ce chapitre. Pour vos invités, la plus grande attraction de nos salades est qu'elles seront toujours tout simplement délicieuses.

Une Salade de plusieurs couleurs

MAYONNAISE AUX GROSEILLES ROUGES

1 tasse	250 mL	mayonnaise
3 c. à soupe	45 mL	conserve de groseilles rouges
2 c.à soupe	30 mL	sucre à glacer
1 c. à thé	5 mL	écorce d'orange râpée

Mélanger ensemble tous les ingrédients dans un petit bol. Combiner.

Servir au besoin ou à volonté.

DONNE 1¼ TASSE (310 mL)

MAYONNAISE

½ c. à thé	3 mL	moutarde préparée
½ c. à thé	3 mL	sucre semoule
⅛ c. à thé	pincée	poivre de cayenne
1	1	jaune d'œuf
1c. à soupe	15 mL	jus de citron
⅔ tasse	170 mL	huile d'olive

Mélanger ensemble la moutarde, le sucre et le poivre.

Ajouter le jaune d'œuf en battant fermement, ajouter le jus de citron, mélanger complètement.

Ajouter l'huile quelques gouttes à la fois en fouettant jusqu'à ce que la sauce soit très épaisse.

DONNE 1 TASSE (250 mL)

SAUCE SUZETTE

8 onces	225 g	fromage à la crème
½ tasse	125 mL	conserve de groseilles rouges
3 c. à soupe	45 mL	jus d'orange
1 c. à thé	5 mL	écorce d'orange râpée
1 tasse	250 mL	crème fraîche
3 c. à soupe	45 mL	noix pistachio haché

Rendre le fromage à la crème mou et le battre jusqu'à ce qu'il soit très léger. Ajouter et mélanger en battant les conserves, le jus et la peau d'orange.

Incorporer la crème fraîche et les noix.

Servir au besoin ou au désir.

DONNE 3 TASSES (750 ML)

Sauce à la crème de framboises, Mayonnaise,Suzette et Mayonnaise aux Groseilles rouges Dressings

SALADE ITALIENNE DE FRUITS DE MER

2	2	gousses d'ail, écrasées en pâte
2	2	jaunes d'œufs
½ c. à thé	3 mL	sel
pincées	pincées	poivre
½ c. à thé	3 mL	moutarde de Dijon
1 tasse	250 mL	huile d'olive
4 c. a thé	20 mL	vinaigre de vin
16	16	tomates cerises
1	1	poivron rouge à la julienne
1	1	poivron jaune à la julienne
1	1	poivron vert à la julienne
1	1	oignon espagnol tranché
1 tasse	250 mL	homard cuit, en dés
1 tasse	250 mL	pétoncles cuits
1 tasse	250 mL	grandes crevettes cuites

Dans un malaxeur ou dans un robot culinaire faire battre en pâte l'ail, les jaunes d'œufs, le sel, le poivre et la moutarde.

Avec la machine en marche ajouter lentement l'huile. Ajouter le vinaigre et bien mélanger.

Dans un grand bol mélanger le reste des ingrédients. Verser la sauce audessus et bien mélanger pour les enduire, servir froid.

DONNE 6 PORTIONS

Salade Italienne de Fruits de Mer

SAUCE À LA CRÈME DE FRAMBOISES

1 tasse	250 mL	framboises
¼ tasse	60 mL	vinaigre de framboises
2 c. à soupe	30 mL	sucre semoule
½ tasse	125 mL	huile de tourne sol
⅓ tasse	80 mL	crème épaisse

Laver et équeuter les framboises. Faire passer au tamis au-dessus d'un bol.

Ajouter le vinaigre et le sucre en tournant. Bien battre le mélange en ajoutant l'huile.

Ajouter la crème en battant avant de servir.

DONNE 1¾ TASSES (430 mL)

INSALADA PRIMAVERA

1 tasse	250 mL	fleurettes de broccoli
1 tasse	250 mL	fleurettes de chou-fleur
1	1	grande carotte julienne
1	1	tige de céleri julienne
1	1	poivron rouge julienne
1 tasse	250 mL	tomates pelées, épépinées, hachées
4	4	oignons verts hachés
4 tasses	1 L	rotini cuits
1½ tasses	375 mL	mayonnaise
1½ c. à thé	8 mL	chacunede basilic thym, origan, sel, poivre
1 tasse	250 mL	fromage cheddar râpé

Mélanger les légumes avec le srotini.

Mêler ensemble la mayonnaise, l'assaisonnement et le fromage. Bien mélanger avec la salade et servir.

DONNE 8 PORTIONS

Salade Grecque Classique

UNE AUTRE SALADE AUX HARICOTS

1 livre	450 g	haricots verts, coupés en longueur
¼ livre	115 g	bacon
1	1	oignon espagnol
3	3	tomates pelées, épépinées, et hachées
½ tasse	125 mL	huile d'olive
3 c.à thé	45 mL	vinaigre
2 c. à soupe	30 mL	jus de citron
½ c. à thé	3 mL	sel
¼ c. à thé	1 mL	poivre noir
½ tasse	125 mL	fromage Parmesan fraîchement râpé
2	2	œufs durs, râpé

Faire blanchir les haricots dans l'eau salée bouillante pour 5 minutes. Rincer sous l'eau froide. Égoutter, mettre dans un grand bol.

Couper le bacon en dés, faire sauter jusqu'à ce qu'il soit croquant et puis en égoutter la graisse et le garder.

Couper l'oignon en dés et mélanger avec haricots et les tomates.

Bien mélanger l'huile le vinaigre, le citron, le sel et le poivre. Verser au-dessus de la salade et laisser mariner pour 1 heure.

Saupoudrer avec le fromage, l'œuf et le bacon et servir.

DONNE de 6 à 8 PORTIONS

SALADE DE PÊCHES ET D'AMANDES

10 onces	300 g	épinards, lavés et équeutés
8	8	gros champignons, tranchés
1 tasse	250 mL	fromage de Gruyère
1 tasse	250 mL	raisins rouges sans pépins
1½ tasses	375 mL	pêches fraîches, en tranches
¼ tasse	60 mL	amandes grillées
1 tasse	250 mL	mayonnaise
½ tasse	125 mL	jus d'orange concentré
¼ c. à thé	1 mL	cannelle moulue

Découper les épinards de la taille de bouchées et mettre sur des assiettes refroidies. Mettre les champignons, le fromage, les raisins, les tranches de pêches et les amandes dessus.

Dans un bol, mélanger ensemble la mayonnaise, le jus et la cannelle.Servir avec la salade, à part.

DONNE 4 PORTIONS

SALADE GRECQUE CLASSIQUE

4	4	grosses tomates, hachées
1	1	oignon espagnol, haché
1	1	petit concombre pelé, haché
2	2	poivrons vert, hachés
24	24	champignons, en quarts
24	24	olives noires
1 tasse	250 mL	fromage Feta
½ tasse	125 mL	huile d'olive
2 c. à soupe	30 mL	jus de citron
2 c. à soupe	30 mL	vinaigre de vin blanc
1 c. à soupe	5 mL	feuilles d'origan
1 c. à thé	5 mL	sel
½ c. à thé	3 mL	poivre noir écrasé

Dans un grand bol, mélanger les légumes, les olives, et le fromage.

Dans un petit bol, mélanger ensemble le reste des ingrédients. Verser au-dessus de la salade, mélanger pour enduire. Servir tout de suite.

DONNE 4 PORTIONS

SALADE DE HOMARD À LA LIECHTENSTEIN

2 onces	60 g	petits champignons
1 c. à soupe	15 mL	beurre
1 livre	450 g	viande de homard cuite, en dés
⅓ tasse	80 mL	huile d'olive extra vierge
3 c. à soupe	45 mL	jus de citron
½ c. à thé	3 mL	poudre de moutarde
¼ c. à thé	1 mL	chacune de sel, poivre, paprika
1 tasse	250 mL	crème fraîche
4	4	feuilles de laitue frisée
1	1	oignon rouge en rondelles

Laver les champignons, enlever les tiges.

Chauffer le beurre dans un poêlon et faire sauter les champignons.

Mettre la viande cuite de homard dans un bol.

Mélanger bien l'huile et le jus de citron, la moutarde et l'assaisonnement. Battre la crème, incorporer la crème dans la vinaigrette. Verser sur le homard.

Laisser refroidir. Mettre les feuilles de laitue sur des assiettes refroidies. Placer la viande de homard sur la laitue, garnir avec les champignons cuits el les rondelles d'oignon. Servir

DONNE 4 PORTIONS

FRUITS GELÉS RENVERSÉS

8 onces	225 g	fromage à la crème mou
1 tasse	250 mL	mayonnaise
¼ tasse	60 mL	sucre à glacer
pqt 1–3 onces	1–80 g	gélatine cerise
½ tasse	125 mL	eau bouillante
1 tasse	250 mL	segments de mandarine
1 tasse	250 mL	poires en dés
1 tasse	250 mL	ananas écrasé
1 tasse	250 mL	pêches en dés
1 tasse	250 mL	crème fraîche

Battre le fromage à la crème ensemble avec la mayonnaise et le sucre à glacer.

Mélanger ensemble la gélatine avec l'eau et incorporer dans le mélange du fromage.

Bien mélanger les fruits.

Battre la crème fraîche et incorporer dans la salade.

Verser le mélange dans un moule. Faire geler à couvert.

Enlever du moule en immergeant le moule dans de l'eau très chaude. Renverser sur un plat prêt à servir. Servir.

DONNE de 6 à 8 PORTIONS

SALADE DE POMMES DE TERRE GRAND'MÈRE

8	8	grosses pommes de terre
¼ livre	115 g	bacon
1 c. à soupe	15 mL	huile de tournesol
2 c. à soupe	30 mL	vinaigre
3	3	oignons verts hachés
5	5	radis en dés
2	2	tiges de céleri en dés
1 tasse	250 mL	mayonnaise
1 c. à soupe	15 mL	moutarde
3	3	œufs durs hachés
1 c. à thé	5 mL	sel
½ c. à thé	3 mL	poivre blanc

Peler les pommes de terre et les couper en dés. Mettre dans une casserole et laisser bouillir jusqu'à ce qu'elles soient molles. Faire égoutter et rincer sous l'eau froide pour les refroidir.

Couper le bacon et faire cuire jusqu'à ce qu'il soit croquant. Égoutter la graisse et metttre de côté.

Mettre les pommes de terre dans un grand bol. Saupoudrer avec l'huile et le vinaigre.

Ajouter en tournant les oignons, les radis et le céleri.

Dans un petit bol, bien mélanger la mayonnaise, la moutarde, les œufs,le sel et le poivre. Incorporer dans les pommes de terre, ainsi qu'avec le bacon.

Servir au besoin.

DONNE 6 PORTIONS

Salade de Pommes de Terre de Grand'm ère

Fruits Gelés Renversés

Salade de Crabe et de Poulet en Tomate

SALADE DE CRABE ET DE POULET EN TOMATES

1/3 livre	125 g	viande de crabe cuite
1/3 livre	125 g	viande de poulet cuite
3	3	oignons verts hachés
1	1	céleri en petits dés
¼ tasse	60 mL	poivron vert en petits dés
¼ tasse	60 mL	poivron rouge en petits dés
1 tasse	250 mL	yaourt nature
1 c. à soupe	15 mL	jus de citron
½ c. à thé	3 mL	sel
¼ c. à thé	1 mL	poivre noir fraîchement écrasé
1 c. à thé	5 mL	sucre cristallisé
1 c. à thé	5 mL	fenouil
1 c. à thé	5 mL	basilic sucré
6	6	grosses tomates
2 tasses	500 mL	germes de luzerne
6	6	feuilles d'endive
1 c. à soupe	15 mL	cilantro haché

Couper la viande en petits dés et mettre dans un bol. Mélanger avec les légumes en dés.

Bien mélanger ensemble le yaourt, le citron, et l'assaisonnement.

Couper les bouts du haut des tomates. Enlever la pulpe. Couper les bouts en dés et mélanger avec la viande de crabe ainsi que la pulpe.

Verser la moitié de la sauce dans la salade et bien mélanger. Remplir les tomates avec la salade.

Mettre la luzerne et l'endive sur des assiettes refroidies en forme de nid.

Mettre une tomate dans chaques nid. Avec une cuillère mettre un peu de sauce sur chaques tomate. Saupoudrer avec le cilantro et servir.

DONNE 6 PORTIONS

INSALATA D'INDIVIA

1 tête	1 tête	salade endive
1/3 tasse	80 mL	huile d'olive
1	1	gousse d'ail écrasée
2 c. à soupe	30 mL	jus de citron
2 c. à thé	10 mL	menthe fraîchement hachée
¼ c. à thé	1 mL	sel
1/8 c. à thé	pincée	poivre
2	2	œufs durs hachés
1/3 tasse	80 mL	bouts de bacon croquants
1/3 tasse	80 mL	fromage Romano fraîchement râpé

Laver bien les feuilles d'endive. Equeuter les feuilles et couper en morceaux de bouchés.

Bien mélanger l'huile, les gousses d'ail, le jus de citron et l'assaisonnement. Verser sur les feuilles d'endive et mettre dans bol pour servir. Saupoudrer avec les œufs, le bacon et le fromage, servir immédiatement.

DONNE 4 PORTIONS

SALADE À L'ORANGE ET AUX AMANDES

10 onces	300 g	épinards, lavés et équeutés
8	8	gros champignons tranchés
1 tasse	250 mL	fromage de Gruyère râpé
1 tasse	250 mL	raisins rouges sans pépins
1 tasse	250 mL	conserve de segments de mandarines, égouttés
¼ tasse	60 mL	amandes grillés
1 tasse	250 mL	mayonnaise
¼ tasse	60 mL	jus d'orange
¼ tasse	60 mL	jus d'oranges concentré
¼ c. à thé	1 mL	cannelle

Déchiqueter les épinards en morceaux de bouchées et mettre sur des assiettes refroidies. Mettre les champignons, le fromage, les raisins, les segments de mandarines et les amandes au-dessus des épinards.

Bien mélanger ensemble la mayonnaise, les jus et la cannelle dans un bol. Servir avec la salade, à côté.

DONNE 4 PORTIONS

Salade à l'Orange et aux Amandes

Salade Multicolore

SALADE MULTICOLORE

1 tête	1 tête	laitue tendre
1 tête	1 tête	petit radicchio
2	2	endives belges
1	1	grande carotte
1	1	poivron rouge finement coupé en julienne
16	16	capucines jaunes et orange
8	8	boutons de roses rouge s et blancs ou pétales de rose
1	1	gousse d'ail écrasée
⅓ tasse	80 mL	huile d'olive extra vierge
2 c. à table	30 mL	jus de citron
¼ c. à thé	1 mL	sel
¼ c. à thé	1 mL	poivre noir
1 c. à table	15 mL	oignons verts hachés
1 c. à thé	5 mL	thym fraîchement haché

Laver, couper et sécher la laitue, le radicchio and les endives. Mélanger dans un grand bol.Eplucher la carotte et couper en fines tranches en forme d'étoiles.Les répandre sur la laitue ainsi que le poivron.

Placer les fleurs et les pétales de rose autour de la salade.

Mélanger l'ail avec l'huile d'olive, le jus decitron et l'assaisonnement.

Servir la salade avec la vinaigrette séparément.

DONNE de 4 à 6 PORTIONS

SALADE NIÇOISE AU THON

¾ tasse	180 mL	huile d'olive
¼ tasse	60 mL	vinaigre
½ c. à thé	3 mL	de chaque: poivre et moutarde sèche
1 c. à thé	5 mL	sel
2 c. à soupe	30 mL	jus de citron
8	8	pommes de terre moyennes pelées, cuites et coupées en dés
1	1	oignon vert coupé en dés fins
½ livre	225 g	haricots verts coupes blanchis
4	4	feuilles de laitue
4	4	tomates
4	4	oeufs durs
2 tasses	500 mL	thon en boite égoutté
12	12	olives noires dénoyautées
8	8	filets d'anchois
1 c. soupe	15 mL	feuilles de basilic frais

Combiner l'huile, le vinaigre , le poivre, la moutarde, le jus de citron et le sel .

Verser la moitié de la vinaigrette sur les pommes de terre. Réfrigérer pendant une heure.

Mélanger les oignons et les haricots avec ¼ de la vinaigrette.

Mélanger les haricots aux pommes de terre.

Placer les laitues sur des assiettes refroidies. Mettre au-dessus des portions égales de salade.

Disposer des portions égales de tomates, d'oeufs, de thon, d'olives et d'anchois au-dessus de la salade. Verser le restant de sauce sur la salade. Parsemer de basilic et servir.

DONNE 4 PORTIONS

Salade Niçoise au Thon

Salade de Choux-Raves Tiède

SALADE DE CHOUX-RAVES TIÈDES

20 onces	560 g	feuilles de chou-rave
3 onces	80 g	champignons coupees en tranches
⅓ tasse	80 mL	huile d'olive extra vierge
3 c. à soupe	45 mL	jus de citron
2 c. à soupe	30 mL	vinaigre
2 c. à thé	10 mL	moutarde deDijon
1 c. à thé	5 mL	sauce Worcestershire
¼ c. à thé	1 mL	sel
¼ c. à thé	1 mL	poivre blanc fraîchement moulu
½ tasse	125 mL	bacon cuit émietté
½ tasse	125 mL	fromage Parmesan fraîchement râpé
2	2	oeufs durs râpés

Laver et peler les feuilles de chou-rave. Les placer dans un bol à mélanger ou un saladier. Parsemer de champignons. Chauffer l'huile dans une petite casserole, Y battre le jus de citron, le vinaigre, la moutarde, la sauce Worcestershire, le sel et le poivre. Chauffer pendant deux minutes Verser aussitôt sur le chou-rave.

Parsemer de bacon, de fromage et d'oeufs et servir immédiatement.

DONNE 4 PORTIONS

SALADE ASTORIA

1	1	sections de pamplemousse jaune
1	1	sections de pamplemousse rose
3	3	poires Bartlett coupées en julienne
1	1	poivron vert coupé en julienne
1	1	poivron rouge coupé en julienne
½ tasse	125 mL	noisettes coupées en tranches fines (avelines)
½ tasse	125 mL	huile d'olive extra vierge
3 c. à soupe	45 mL	jus de citron
1 c. à thé	5 mL	basilic
¼ c. à thé	1 mL	sel
⅛ c. à thé	pincées	poivre
4	4	feuilles de chicorée frisée

Mélanger les pamplemousses, les poires, les poivrons et les noisettes.

Mélanger l'huile, le jus de citron et l'assaisonnement.

Placer les feuilles de laitue sur des assiettes refroidies, recouvrir de salade, verser la vinaigrette sur la salade et servir.

DONNE 4 PORTIONS

Salade Astoria

ASSAISONNE-MENT AU FROMAGE BLEU

¼ tasse	60 mL	fromage bleu
1½ tasses	375 mL	mayonnaise
1 c. à soupe	15 mL	jus de citron
½ c. à thé	3 mL	sel
¼ c. à thé	1 mL	poivre blanc

Faire fondre le fromage au bain-marie. Retirer du feu.

Le placer dans un bol à mélanger. Incorporer la mayonnaise, le jus de citron, l'assaisonnement.

Réfrigérer, utiliser quand nécessaire. Vous pouvez, si vous le désirez, émietter encore du fromage bleu sur l'assaisonnement avant de servir .

DONNE 2 TASSES (500 mL)

VINAIGRETTE AU MIEL ET AU GRAIN DE POIVRE

1½ tasse	375 mL	huile de tournesol
¼ tasse	60 mL	jus de citron
¼ tasse	60 mL	vinaigre blanc
1 c. à thé	5 mL	de chaque: sel,sucre granulé,paprika
2 c. à thé	10 mL	grains de poivre rose
2 c. à thé	10 mL	grains de poivre vert
¼ tasse	60 mL	miel liquide

Mélanger complètement tous les ingrédients. Réfrigérer. Utiliser au besoin

DONNE 2¼ TASSES (560 mL)

VINAIGRETTE CAMPAGNARDE AU POIVRE NOIR CRAQUÉ

1 tasse	250 mL	mayonnaise
½ tasse	125 mL	lait de beurre
3 c. à soupe	45 mL	oignons verts émincés
1 c. à thé	5 mL	poivre noir craqué
1 c.à thé	5ml	jus de citron
¼ c. à thé	1 mL	sel

Incorporer la mayonnaise au lait de beurre. Y mélanger le reste des ingrédients. Réfrigérer. Servir quand nécessaire.

DONNE 2 TASSES (500 mL)

VINAIGRETTE MILLE -ÎLES

1 tasse	250 mL	mayonnaise
⅓ tasse	80 mL	sauce chili
⅓ tasse	80 mL	ketchup aux tomates
¼ tasse	60 mL	condiments marinés doux
½ c. à thé	3 mL	moutarde deDijon
½ c. à thé	3 mL	feuilles de basilic
½ c. à thé	3 mL	sauce Worcestershire
3 gouttes	3	sauce Tabasco™
1 c. à soupe	15 mL	piment rouge
2	2	oeufs durs râpés

Bien mélanger ensemble tous les ingrédients. Réfrigérer. Utiliser selon les besoins.

DONNE 2 TASSES (500 mL)

Vinaigrettes Italienne, Vinaigrette Campagnarde au Poivre Noir Craqué,
Assaisonnement au Fromage Bleu, Mille-Îles, Vinaigrette au Miel et au Grain de Poivre

SALADE PAMELA KRYSTAL

4 onces	120 g	chocolat blanc
8 onces	225 g	fromage à la crème ramolli
1–3 onces	1–80 g	gelatine au fraises
½ tasse	125 mL	crème légère
2 tasses	500 mL	crème à fouetter
½ tasse	125 mL	sucre à glacer
2 tasses	500 mL	fraises tranchées
		fraises entières pour garnir

Faire fondre le chocolat au bain marie

Battre le fromage à la crème. Incorporer le chocolat au fromage. Placer la gélatine dans la crème légère, ébouillanter en remuant jusqu'à ce que la gélatine se dissolve. Laisser refroidir. Incorporer au mélange de fromage. Refroidir et réfrigérer mais ne pas laisser se figer.

Battre la crème à fouetter. Y incorporer le sucre à glacer.

Laver et écosser les fraises puis les trancher et les incorporer au fromage. Verser la salade dans un moule bundt ou autre moule. Gongeler à couvert.

Démouler la salade en immergeant rapidement le moule dans de l'eau chaude. Retourner sur un plat à servir. Garnir avec des fraises. Servir.

DONNE 6 PORTIONS

Salade Jardinière de Campagne

VINAIGRETTE ITALIENNE

1½ tasse	375 mL	huile d'olive
1	1	gousse d'ail émincée
3 c. à soupe	45 mL	oignon haché
2 c. à soupe	30 mL	piment rouge haché
2 c. à soupe	30 mL	sucre cristallisé
2 c. à thé	10 mL	sauce Worcestershire
1 c. à thé	5 mL	de chaque: sel, moutarde sèche, paprika
½ c. à thé	3 mL	de chaque: feuilles de thym, basilic, origan, marjolaine, cerfeuil
¼ tasse	60 mL	jus de citron
¼ tasse	60 mL	vinaigre blanc

Mélanger à fond ensemble tous les ingrédients. Réfrigérer. Utiliser selon les besoins.

DONNE 560 mL (2¼ TASSES)

SALADE JARDINIERE DE CAMPAGNE

1	1	tête de laitue
1	1	paquet d'oignons verts
3	3	tiges de céleri
4	4	gros radis
½ tasse	125 mL	champignons brossés, tranchés mushrooms
1	1	poivron rouge
1	1	petit concombre
1	1	petit radicchio
1½ tasses	375 mL	fleurettes de broccoli
1½ tasses	375 mL	fleurettes de chou-fleur
24	24	tomates-cerises

Laver et déchiqueter les laitues en petits morceaux. Placer dans un grand saladier. Couper les oignons, le céleri, les radis. les champignons, le poivron, le concombre e t le radicchio endés grossiers. Ajouter à la laitue.

Melanger le reste des légumes. Servir avec un ou une combinaison d'assaisonnement: Italien, Campagnard au poivre noir concassé, Mille Îles et Grain de poivre au miel (page précédente)

DONNE 6 PORTIONS

SALADE AU BON COEUR

8 onces	225 g	fromage à la crème, ramolli
1 tasse	250 mL	mayonnaise
¼ tasse	60 mL	sucre à glacer
¼ c. à thé	1 mL	colorant alimentaire liquide rouge
1 tasse	250 mL	eau bouillante
1 c. à soupe	15 mL	gélatine sans saveur
⅔ tasse	160 mL	coeurs de bonbons à la cannelle
2 tasses	500 mL	crème fouettée
2 tasses	500 mL	guimauves miniatures

Battre ensemble le fromage à la crème, la mayonnaise, le sucre à glacer et le colorant alimentaire.

Dissoudre la gélatine et la moitié des coeurs dans l'eau bouillante. Refroidir Incorporer au mélange à fromage. Réfrigérer mais ne pas laisser se figer.

Fouetter la crème et l'incorporer au mélange à fromage avec les guimauves. Verser dans un moule en forme de coeur et congeler recouvert.

Démouler en immergeant le moule dans de l'eau chaude. Retourner sur un plat à servir. Parsemer des coeurs de bonbons qui restent et des guimauves. Servir.

DONNE de 6 à 8 PORTIONS

SALADE AUX FRUITS DE MER

4	4	très grosses tomates
¼ livre	115 g	crevettes cuites, décortiquées, déveinées
¼ livre	115 g	chair de homard cuit
¼ livre	115 g	chair de crabe cuit
¼ livre	115 g	petits pétoncles cuits
2	2	oignons verts hachés
3 c. à soupe	45 mL	poivron rouge en dés fins
3 c. à soupe	45 mL	céleri en dés fin
1 tasse	250 mL	vinaigrette campagnarde au poivre noir craqué (voir page 138)
2 tasses	500 mL	germes de luzerne

Couper le dessus des tomates, retirer la pulpe et la mettre de côté. Dans un bol, mélanger les fruits de mer, les légumes et l'assaisonnement.

Remplir la cavité des tomates avec le mélange à fruits de mer.

Placer les germes de luzerne sur quatre assiettes, placer une tomate au-dessus et servir.

DONNE 4 PORTIONS

SALADE AU CRABE ET AUX NOUILLES ORZO

1 livre	450 g	chair de crabe, cuite
3	3	tomates, pelées, épépinées et hachées
1	1	carottes pelées, coupées en petits dés
1	1	poivron rouge coupé en petit dés
1	1	poivron vert coupé en petit dés
3	3 gouttes	oignons verts hachés
4 tasses	1 L	orzo* cuit et refroidi
½ tasse	125 mL	mayonnaise
3 c. à soupe	45 mL	sauce chili
1 c. à soupe	15 mL	jus de citron
1 c. à thé	5 mL	sel
½ c. à thé	3 mL	poivre blanc
3 gouttes	3 gouttes	sauce Tabasco™

Mélanger la chair de crabe, les tomates, les carottes, les poivrons et les oignons verts avec l'orzo dans un grand bol.

Dans un petit bol mélanger la mayonnaise, la sauce chili, le jus de citron, le sel, le poivre et le Tabasco. Verser sur la salade. Remuer pour enduire les ingrédients. Servir.

DONNE 6 PORTIONS

*L'orzo est une sorte de nouille de la forme du grain de riz. On en trouve dans la section des pâtes au supermarché.

Salade au Crabe et aux Nouilles Orzo

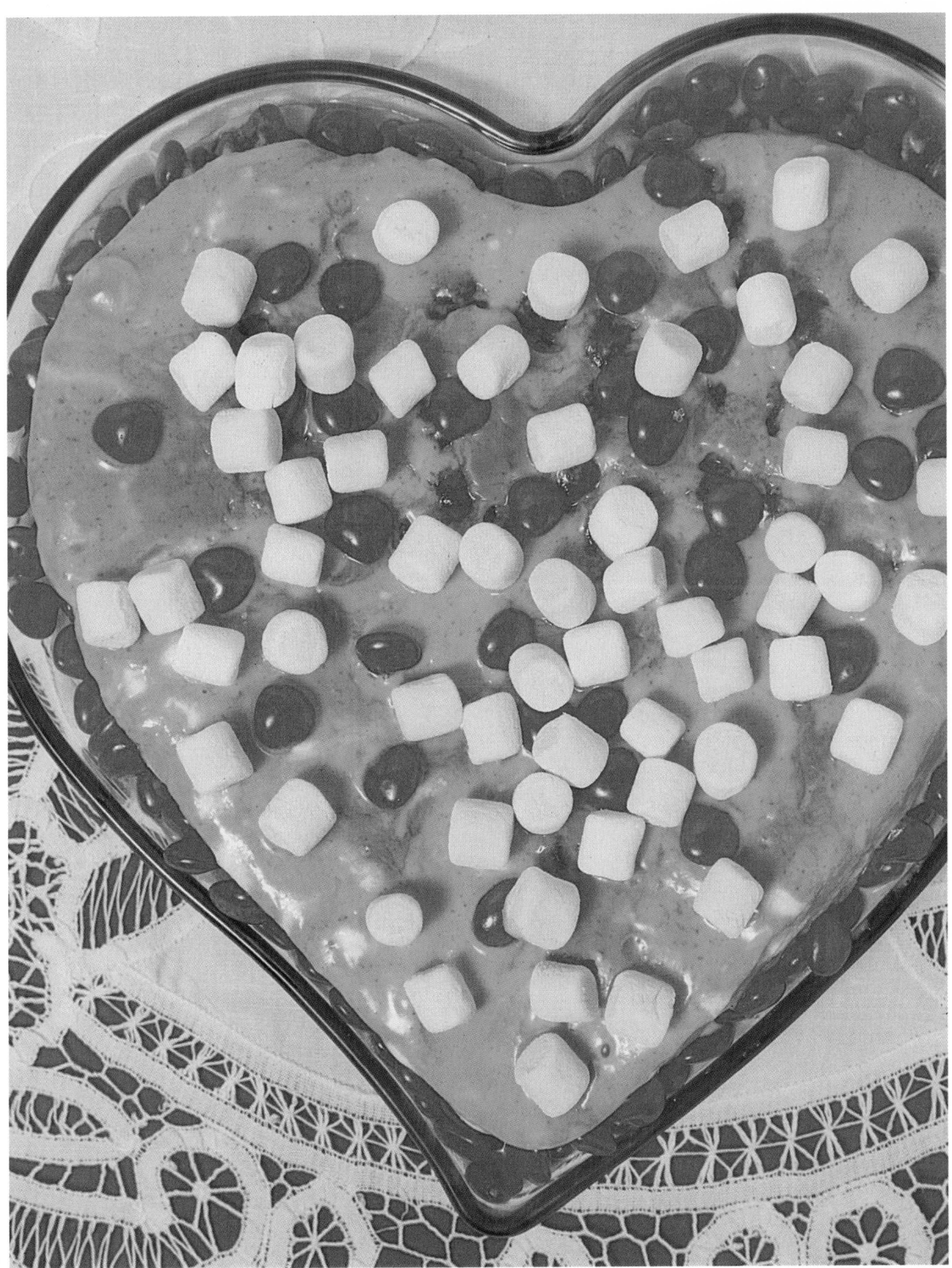

Salade au Bon Coeur

Salade Russe

Salade César Crémeuse Ranch

SALADE CÉSAR CRÉMEUSE RANCH

1	1	gousse d'ail
2	2	jaune d'oeufs
1 c. à thé	5 mL	moutarde en poudre
2 c. à thé	10 mL	sucre cristallisé
⅛ c. à thé	pincée	cayenne
1½ tasse	375 mL	huile d'olive
3 c. à soupe	45 mL	jus de citron
¼ tasse	60 mL	lait de beurre
⅓ tasse	80 mL	fromage Parmesan fraîchement râpé
2 c. à soupe	30 mL	ciboulette hachée
½ c. à thé	3 mL	poivre noir craqué
2	2	têtes de salade romaine, lavées
⅓ tasse	80 mL	bacon cuit en dés
⅓ tasse	80 mL	croûtons

Placer l'ail, les jaunes d'oeufs, la moutarde, le sucre et le cayenne dans un malaxeur ou un robot culinaire.

Pendant que l'appareil est en marche, ajouter très doucement l'huile dans un écoulement fin jusqu'à ce que le mélange atteigne la consistance d'une mayonnaise.

Incorporer en mélangeant le jus de de citron, le lait de beurre, le fromage, la ciboulette et le poivre.

Couper la laitue en morceaux de la taille de bouchées et placer dans un grand bol. Couvrir la laitue avec l'assaisonnement et remuer pour enduire le tout.

Servir la salade sur des plats refroidis et garnir avec du bacon et des croûtons.

DONNE 6 PORTIONS

SALADE AIDA

1 tête	1 tête	salade d'endive frisée
8	8	artichauts marinés coupés en julienne
4	4	tomates coupées en quartiers
1	1	poivron vert coupé en julienne
1	1	poivron rouge coupé en julienne
3	3	oeufs durs hachés
½ tasse	125 mL	huile d'olive extra vierge
3 c. à soupe	45 mL	vinaigre de vin rouge
1 c. à thé	5 mL	de chaque: basilic, d'estragon,
¼ c. à thé	1 mL	sel
¼ c. à thé	1 mL	poivre noir craqué

Laver, éplucher et couper la laitue. La placer dans un saladier. Disposer les artichauts, les tomates, les poivrons et les oeufs autour de la laitue.

Mélanger l'huile, le vinaigre et l'assaisonnement. Verser sur la salade et servir.

DONNE 6 PORTIONS

SALADE RUSSE

½ livre	225 g	chair de crabe cuit
½ livre	225 g	décortiquée, en dés
½ tasse	125 mL	pois blanchis
½ tasse	125 mL	carottes blanchies, en petits dés
3 onces	80 g	haricots verts coupés, blanchis
3	3	pommes de terre blanchies pelées, en dés
1	1	navet épluché, blanchi, en dés
1½ tasse	375 mL	mayonnaise
1 c. à soupe	15 mL	jus de citron
½ c. à thé	3 mL	de chaque: sel, poivre et paprika
6-8	6-8	feuilles de romaine lavées

Mélanger le homard, le poulet et les légumes dans un bol.

Lier la mayonnaise avec le citron et l'assaisonnement. Mélanger dans la salade. Réfrigérer pendant 30 minutes.

Placer les feuilles de romaine autour d'un saladier. Déposer avec une cuillère la salade au centre des feuilles.

DONNE 6 PORTIONS

Salade César à l'Ail et au Poulet Grillé

SALADE CESAR À L'AIL ET AU POULET GRILLÉ

4 – 4 onces	4 – 115 g	poitrines de poulet désossées, sans peau
4 onces	115g	bacon en dés
1	1	gousse d'ail
2	2	jaunes d'oeufs
1 c. à thé	5 mL	moutarde en poudre
2 c. à thé	10 mL	sucre cristallisé
⅛ c. à thé	pincée	cayenne
1½ tasses	375 mL	huile d'olive
3 c. à soupe	45 mL	jus de citron
1 c. à soupe	15 mL	persil haché
¼ c. à thé	1 mL	de chaque: thym, basilic, origan, sel, poivre
⅓ tasse	80 mL	fromage Parmesan fraîchement râpé
1	1	tête de laitue romaine, lavée
12	12	tomates cerises

Griller les poitrines de poulet pendant 6 minutes de chaque côté ou jusqu'à ce que cuites.

Frire le bacon jusqu'à croquant, égoutter la graisse et refroidir la viande.

Pendant que le poulet cuit, placer l'ail, le jaune d'oeuf, la moutarde, le sucre et le cayenne dans un robot culinaire ou un mixer. Pendant que l'appareil fonctionne au ralenti, ajouter l'huile en écoulement fin et régulier jusqu'à ce que le mélange prenne la consistance d'une mayonnaise.

Incorporer le jus de citron et l'assaisonnement.

Couper la laitue en morceaux de taille de bouchée et les mettre dans un grand bol. Recouvrir d'assaisonnement et remuer pour enduire le tout.

Placer dans des assiettes refroidies.

Couper le poulet en julienne et le placer au-dessus de la salade. Parsemer de fromage, tomates et bacon.

DONNE 4 PORTIONS

* REMARQUE: Substituer de grosses crevettes cuites, décortiquées et déveinées au poulet, pour faire des Crevettes César.

SALADE DIVINE

2	2	artichauts blanchis , en julienne
2	2	tiges de céleri coupées en julienne
1 once	30 mL	truffes en petits dés
3 tasses	750 mL	pointes d'asperges blanchies
⅓ tasse	80 mL	huile extra vierge
3 c. à soupe	45 mL	jus de citron
¼ c. à thé	1 mL	de chaque: sel, poivre, basilic cerfeuil
½ tasse	125 mL	mayonnaise
1 tasse	250 mL	crème fouettée
¼ tasse	60 mL	vin glacé ou sherry doux
1 head	1 tête	laitue tendre
½ livre	225 g	crevettes miniatures cuites

Mélanger les artichauts, le céleri, les truffes et les asperges ensemble.

Lier l'huile au jus de citron et aux épices. Verser sur la salade et faire mariner pendant 2 heures dans le réfrigérateur. Egoutter.

Mélanger l mayonnaise, la crème fouettée et le sherry.

Laver et couper la laitue. Placer les feuilles de laitue sur des plat refroidis. Mettre la salade par dessus.

Déposer sur la salade 4 cuillères à thé (60 mL) de sauce mayonnaise.

Parsemez de crevettes par-dessus et servir.

DONNE 6 PORTIONS

VINAIGRETTE FRANÇAISE ORIGINALE

1½ tasse	375 mL	huile d'olive
¼ tasse	60 mL	jus de citron
¼ tasse	60 mL	vinaigre
1 c. à soupe	15 mL	oignon râpé
1 c. à thé	5 mL	sel
½ c. à thé	3 mL	poivre

Combiner ensemble tous les ingr´dients en les mélangeant à fond.

DONNE 2 TASSES (500 ml)

SALADE CHAUDE AUX ÉPINARDS

½ livre	225 g	bacon
10 onces	300 g	épinard
1½ tasse	375 mL	champignon
⅓ tasse	80 mL	fromage Parmesan râpé
2	2	oeufs durs râpés

Assaisonnement:

4 c. à thé	20 mL	moutarde deDijon
2 c. à thé	10 mL	sucre cristallisé
¼ tasse	60 mL	vinaigre de vin blanc
2 c. à thé	10 mL	sauce Worcestershire
1 c. à thé	5 mL	sel épicé
½ tasse	125 mL	huile d'olive
2	2	oignons verts hachés

Couper en dés le bacon et le frire jusqu'à ce qu'il soit croquant. Egoutter,mettre en réserve la graisse

Laver les épinards et couper les feuilles. Les déchiqueter à la taille de bouchées. Placer sur des assiettes à servir. Mettre par dessus le bacon, les champignons, le fromage et les oeufs.

Chauffer 3 cuillères à soupe (45ml) de la graisse du bacon dans une casserole. Ajouter la moutarde et le sucre et porter à ébullitioon

Y fouetter le vinaigre, la sauce Worcestershire et le sel.

Ajouter lentement l'huile, en remuant constamment. Incorporer les oignons verts. Verser sur la salade et servir immédiatement.

DONNE 4 PORTIONS

Salade Chaude aux Épinards

145

Salade Crispi

LA SALADE GENGHIS KHAN

1 tasse	250 mL	blé bulgare (concassé)
1 tasse	250 mL	courgettes coupées en dés fins
3	3	tomates pelées, épépinées et hachées
6	6	oignons verts hachés fin
4 c. à soupe	60 mL	persil haché
1	1	tiges de céleri coupées en dés fins
1	1	poivron vert en dés fins
1	1	gousse d'ail hachée
4 c. à soupe	60 mL	menthe fraîche hachée
1 c. à soupe	15 mL	basilic doux
¼ tasse	60 mL	huile d'olive extra vierge
1 c. à thé	5 mL	sel
½ tasse	125 mL	jus de citron

Faire tremper le blé dans de l'eau froide pendant une heure. Bien égoutter. Placer dans un bol ajouter les légumes et l'ail. Mélanger à fond.

Verser sur la salade. Refroidir pendant deux heures et demie. Servir.

REMARQUE: Cette salade ne se conserve pas bien d'un jour à l'autre. Ellle devrait être servie immédiatement après réfrigération.

DONNE 8 PORTIONS

SALADE JENNYK

1livre	450 g	poulet cuit, en dés
2 tasses	500 mL	pommes pelées, creusées et coupées en julienne
4 onces	120 g	champignons boutons
1 livre	450 g	pointes d'asperges blanchies
1½ tasse	375 mL	mayonnaise
¼ tasse	60 mL	sucre à glacer
1 c. à thé	5 mL	poudre de cari
6 onces	170 g	cresson

Mettre le poulet, les pommes et les légumes dans un bol.

Mélanger la mayonnaise, le sucre et la poudre de cari ensemble. Lier ensemble la salade et la mayonnaise.

Laver et couper le cresson. Placer la salade sur des plats refroidis, entourer de cresson.

DONNE 8 PORTIONS

SALADE CRISPI

8	8	feuilles d'endive frisée
2	2	avocats pelés
1	1	sections de pamplemousse rose
2	2	sections d'oranges
2 tasses	500 mL	cerises dénoyautées
½ tasse	125 mL	pignons
1 tasse	250 mL	mayonnaise
¼ tasse	60 mL	sucre à glacer
½ c. à thé	3 mL	cannelle moulue
⅓ tasse	80 mL	noix de coco rôtie, râpée

Placer l'endive sur des assiettes à salade refroidies.

Couper en deux les avocats. Faire de petites incisions le long des moitiés d'avocat depuis ¼ de pouce (6mm) de l'extrémité étroite jusqu'à l'extrémité épaisse. Etaler les moitiés d'avocat en éventail.

Mélanger les fruits et les pignons. Lier la mayonnaise au sucre et à la cannelle. Mélanger à fond avec le fruit

Diviser la salade de fruit entre les assiettes. Placer un avocat en éventail sur chacune. Parsemer de noix de coco. Servir.

DONNE 4 PORTIONS

La Salade Genghis Khan

SALADE TNRK

6	6	grosses oranges navel
4 oz	120 g	fromage à la crème
2 c. à soupe	30 mL	mayonnaise
¼ tasse	60 mL	sucre à glacer
1-pqt 3onces	1-80 g	gélatine de tangerine
1½ tasse	375 mL	crème moitié et moitié (m.g.10%)
3	3	grosses pommes pelées creusées, en dés
1	1	tige de céleri coupé en julienne
1	1	carotte pelée, coupée en julienne
2 tasses	500 mL	raisins verts - coupés en moitié
1 tasse	250 mL	mayonnaise
1 tête	1 tête	laitue tendre
⅓ tasse	80 mL	amandes finement tranchées

Couper le dessus des oranges, faire un trou,vider la pulpe et le jus, mettre de côté dans un petit bol

Blanchir les cavités des oranges pendant 3 minutes dans l'eau bouillante, égoutter et refroidir.

Battre le fromage à la crème avec 2 cuillères à thé (30 mL) de mayonnaise et le sucre. Incorporer la pulpe d'orange et le sucre.

Echauder la crème, dissoudre la gélatine dans la crème. Laisser refroidir. Mêler au mélange à fromage Verser de cuillérées de ce mélange dans les creux des oranges. Couvrir avec du papier ciré et congeler.

Mélanger ensemble les pommes, le céleri, les carottes, les raisins et la mayonnaise.

Laver et éplucher la laitue, la couper en petites feuilles. Placer sur des assiettes refroidies. Mettre par dessus le mélange à salade et parsemer d'amandes. Placer une orange au centre de l'assiette. Servir.

DONNE 6 PORTIONS

SALADE ROSEANNE AU RÔTI DE BOEUF ET ORZO

1 livre	450 g	rôti de boeuf cuit, coupé en dés
3	3	tomates pelées, épépinées et hachées
1	1	carotte pelée,en petits dés
1	1	poivron rouge en petits dés
1	1	poivron vert en petits dés
3	3	oignons verts hachés
4 tasses	1 L	orzo* cuit réfrigéré
½ tasse	125 mL	mayonnaise
3 c. à soupe	45 mL	sauce chili
1 c. à soupe	15 mL	jus de citron
½ c. à thé	3 mL	de chaque: poudre d'oignon et de poudre d'ail
1 c. à thé	5 mL	poudre chili
3 gouttes	3 gouttes	sauce Tabasco™
6	6	grandes feuilles de salade frisée
		brins de persil

Mélanger le rôti de boeuf, les légumes et l'orzo dans un bol.

Mélanger ensemble la mayonnaise, la sauce chili, le jus de citron, l'assaisonnement et le Tabasco. Verser sur la salade et remuer.

Placer les feuilles de laitue sur des assiettes refroidies, mettre par dessus la salade, garnir avec du persil et servir.

DONNE 6 PORTIONS

*L'orzo est une pâte ayant la forme de grain de riz. On le trouve dans la section des pâtes chez votre épicier.

Salade TNRK

Salade Roseane au Rôti de Boeuf et Orzo

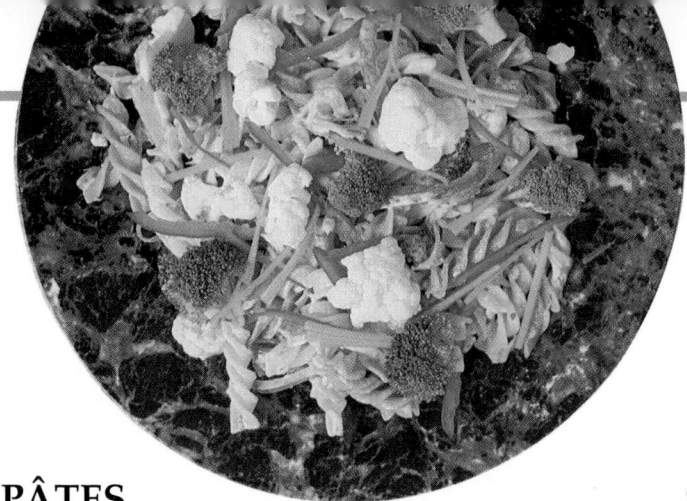

Salade de Pâtes Variées

SALADE DE PÂTES VARIÉES

3 tasses	750 mL	fleurettes de broccoli
2	2	oignons verts hachés
1	1	poivron rouge en dés
1	1	poivron vert en dés
2	2	tomates pelées, épépinées, en dés
4 tasses	1 L	rotini cuits, multicolores
¼ tasse	60 mL	sucre cristallisé
1 c. à thé	5 mL	moutarde en poudre
1 c. à thé	5 mL	paprika
½ c. à thé	3 mL	graines de céleri
½ c. à thé	3 mL	sel
⅓ tasse	80 mL	miel
2 c. à soupe	30 mL	vinaigre
2 c. à soupe	30 mL	jus de citron
⅔ tasse	160 mL	huile de tournesol

Blanchir le broccoli et refroidir dans de l'eau froide, égoutter et placer dans un bol.

Y mélanger les légumes et les rotini

Mélanger le sucre, l'assaisonnement, le miel, le vinaigre, le citron et l'huile. Verser sur la salade, refroidir pendant une heure avant de servir.

DONNE de 6 à 8 PORTIONS

SALADE PARISIENNE AU BOEUF

1 livre	450 g	rôti de boeuf maigre cuit
3	3	grosses pommes de terre cuites coupées en dés
1	1	oignon rouge en tranches
½ tasse	125ml	huile d'olive
3 c. à soupe	45 mL	vinaigre à l'ail
2 c. à soupe	30 mL	jus de citron
½ c. à thé	3 mL	de chaque: sel, poivre, origan, thym
¼ c. à thé	1 mL	de chaque: basilic, poudre d'ail, poudre d'oignon
6-8	6-8	feuilles de laitue
2	2	tomates en quartiers
2	2	oeufs durs en quartiers

Couper le rôti de boeuf en tranches fines, le mettre dans un bol, Y mélanger les pommes de terre et l'oignon.

Mélanger l'huile, le vinaigre, le citron et l'assaisonnement ensemble. Verser sur le boeuf. Mariner, en réfrigé rant pendant une heure.

Disposer les feuilles de laitue sur un plat et déposer avec une cuillère la salade au-dessus des feuilles. Garnir avec tomate et oeuf. Servir très froid.

DONNE de 6 à 8 PORTIONS

SALADE DE POMMES

6	6	grosses pommes
1½ tasse	375 mL	sucre cristallisé
4 tasses	1 L	eau
½ livre	225 g	crevettes miniatures
1	1	tige de céleri coupée en dés fins
2	2	oignons verts hachés
¼ tasse	60 mL	poivron rouge coupé en dés fins
¼ tasse	60 mL	poivron vert coupé en dés fins
1 tasse	250 mL	mayonnaise
6	6	feuilles d' endive frisée
1 c. à table	1	persil haché

Peler les pommes et enlever le coeur. Fouetter le sucre dans l'eau. Chauffer dans une casserole. Pocher les pommes dans le sirop de sucre jusqu'à ce qu'elles soient tendres. Retirer du feu et laisser refroidir.

Pendant que les pommes refroidissent, mélanger les crevettes, le céleri, les oignons verts, les poivrons et la mayonnaise.

Remplir le centre des pommes avec le mélange aux crevettes. Placer une feuille de laitue sur les assiettes refroidies, former de petits nids avec le reste du mélange aux crevettes. Placer une pomme au-dessus et parsemer de persil. Servir.

DONNE 6 PORTIONS

SALADE BOMBAY

12	12	feuilles d'endive frisée
1 livre	450 g	grosses crevettes cuites décortiquées et déveinées
3 tasses	750 mL	riz long grain cuit
1	1	poivron vert coupé en petits dés
1	1	poivron rouge coupé en petits dés
4	4	oignon vert haché
2 tasses	500 mL	tomates pelées, épépinées et hachées
2	2	tiges de céleri coupées en petits dés
½ tasse	125 mL	huile extra-vierge
4 c. à table	60 mL	jus de citron
½ c. à thé	3 mL	sel
1 c. à thé	5 mL	poudre de cari
¼ c. à thé	1 mL	poivre noir
2 c. à table	30 mL	persil haché

Placer sur un grand plateau de service les feuilles de laitue. Mettre les crevettes autour des feuilles vers le bord du plateau.

M'langer le riz et les légumes

Mélanger l'huile, le jus de citron, le sel, le cari et le poivre. Verser sur le riz et mélanger à fond.

Placer le riz au centre de l'anneau de crevettes . Parsemer de persil et servir.

DONNE 6 PORTIONS

SALADE A L'EGYPTIENNE

¼ livre	115 g	foie de poulet
2 c. à table	30 mL	beurre
¼ livre	115 g	jambon cuit coupé en julienne
1	1	artichaut blanchi coupé en julienne
1 tasse	250 mL	champignons tranchés
1 tasse	250 mL	pois blanchis
1	1	poivron rouge coupé en julienne
4	4	oignons verts hachés
4 tasses	1 L	riz long grain cuit
½ tasse	125 mL	huile de tournesol
3 c. à table	45 mL	jus de citron
¼ c. à thé	1 mL	de chaque:,poivre, poudre d'ail, basilic, poudre d'oignon,thym
1 c. à thé	5 mL	sauce Worcestershire
8	8	feuilles de romaine, lavées, taillées
3	3	tomates coupés en quartiers

Faire sauter les foies de poulet et les placer sur une serviette en papier pour absorber l'excédent de graisse.

Mélanger avec le jambon, les légumes et le riz.

Mélanger l'huile, le citron, l'assaisonnement et la Worcestershire. Mélanger afond la salade.

Placer les feuilles de romaine autour d'un saladier, remplir de salade. Garnir avec des quartiers de tomate. Servir.

DONNE 8 PORTIONS

Salade à l'Egyptienne

Salade aux Cerises

SALADE AUX CERISES

3 tasses	750 mL	cerises fraîches dénoyautées
1 tasse	250 mL	morceaux de noix hachées
1 tasse	250 mL	céleri en dés grossiers
1 tasse	250 mL	mayonnaise
¼ tasse	60 mL	sucre à glacer
1 c. à thé	5 mL	extrait de vanille blanche

Mélanger les cerises. les noix et le céleri dans un bol.

Mélanger la mayonnaise au sucre et à la vanille.

Verser sur les cerises et remuer pour mélanger. Refroidir pendant une heure avant de servir.

DONNE 4 PORTIONS

SALADE DU CHEF

4 onces	115 g	jambon
4 onces	115 g	dinde
4 onces	115 g	rôti de boeuf
4 onces	115 g	fromage Cheddar cheese
1 quan	1	salade jardinière de campagne (voir page 139)
4	4	oeuf durs tranchés
12	12	tomates cerises

Découper le jambon, la dinde, le boeuf et le fromage en julienne.Diviser la salade en quatre assiettes réfrigérées.

Mettre au-dessus de la salade des quantités égales de viandes, un oeuf et trois tomates

Servir avec votre choix de vinaigrette.

DONNE 4 PORTIONS

SALADE CHAMBERRY

6	6	grosses tomates
1 tasse	250 mL	vinaigrette au miel (voir recette)
½ livre	225 g	viande de homard cuit, en dés
¼ livre	115 g	saumon fumé coupé en julienne
2	2	artichauts pelés, coupés finement
¼ livre	115 g	haricots verts blanchis
3 c. à table	45 mL	petits cornichons marinés dans l'aneth
1 tasse	250 mL	mayonnaise
½ tête	0.5 tête	**laitue "bibb" déchiquetée**

Couper le haut des tomates, creuser les coeurs avec soin. Faire mariner les tomates dans la vinaigrette pendant une heure.

Pendant que les tomates sont marinées, mélanger le homard, le saumon, les artichauts, les haricots verts et les petits cornichons, lier ensemble avec la mayonnaise.

Enlever les tomates de la marinade et remplir les cavités des tomates avec la salade.

Placer es nids de laitue sur des assiettes réfrigérées, et déposer une tomate sur les nids. Verser la marinade sur la salade et servir.

VINAIGRETTE AU MIEL

¾ tasse	180 mL	huile de tournesol
3 c. à table	45 mL	jus de citron
¼ tasse	60 mL	miel
¼ c. à thé	1 mL	de chaque: basilic, thym, ail, poudre d'ail, origan, poudre d'oignon, sel, poivre noir, cerfeuil

Bien mélanger ensemble tous les ingrédients

DONNE 6 PORTIONS

Salade du Chef

153

SALADE DAME CHARMANTE

1	1	melon d'hiver
6 onces	170 g	chair de poulet cuit coupé en dés
2	2	tomates pelées, épépinées et hachées
2	2	sections de tangerine
1 tasse	250 mL	mayonnaise
2 c. à table	30 mL	ketchup
2 c. à table	30 mL	jus d'orange
1	1	poivron rouge doux finement coupé

Couper le melon en deux Retirer les graines et les filaments. Enlever la pulpe et la couper en dés, réserver les cavités. Mélanger la pulpe avec le poulet, les tomates et les tangerines.

Mélanger la mayonnaise, la catsup et le jus d'orange. Lier ensemble la salade et la mayonnaise. Remplir les cavités de melon avec la salade.Parsemer de poivron rouge et servir.

DONNE 2 PORTIONS

INSALADA DELLE 24 ORE

½ tête	0.5 tête	laitue "bibb"
½ tête	0.5 tête	laitue "bibb"
1 once	30 g	truffes noires en tranches
2	2	jaunes d'oeufs
⅓ tasse	80 mL	huile d'olive
2	2	filets d'anchois
½ c. à thé	3 mL	moutarde de Dijon
3 c. à table	45 mL	vinaigre
2 c. à table	30 mL	jus de citron
3 c.à table	45 mL	caviar noir
12	12	fleurs de capucines jaunes et oranges

Mélanger les deux laitues. Parsemer de truffes hachées, Mettre au malaxeur le jaune d'oeuf. Incorporer graduellemnt, à grande vitesse l'huile dans l'oeuf, formant une mayonnaise épaisse. Incorporer les filets d'anchois,la moutarde, le vinaigre et le citron.

Verser cet assaisonnement sur la laitue et secouer. Placer la laitue sur des assiettes bien refroidies. Parsemer de caviar et garnir de fleurs. Servir.

DONNE 4 PORTIONS

CESAR CLASSIQUE

1 c. à thé	5 mL	sel
1	1	gousse d'ail finement hachée
3	3	fiets d'anchois
½ c. à thé	3 mL	poudre de moutarde
1 c. à table	15 mL	jus de citron
¼ c. à thé	1 mL	sauce Worcestershire
3		3 gouttes sauce Tabasco™
1 c.à table	15 mL	vinaigre de vin rouge
½ c.à thé	3 mL	poivre noir concassé
¼ tasse	60 mL	huile d'olive
1	1	jaune d'oeuf
1	1	tête de salade romaine lavée
1	1	oeuf dur râpé
⅓ tasse	80 mL	fromage Parmesan
⅓ tasse	80 mL	bacon cuit, en dés
½ tasse	125 mL	croûtons

Frotter de sel le fond d'un grand bol en bois. Ajouter l'ail et les filets d'anchois. Ecraser avec deux fourchettes.

Ajouter la moutarde., le jus de citron, la Worcestershire, le Tabasco, le vinaigre, le poivre et l'huile. Mélanger à fond. Ajouter le jaune d'oeuf et bien mélanger.

Couper la laitue en morceaux de la taille de bouchés. Remuer la laitue avec l'assaisonnement.

Servir la salade sur des assiettes refroidies. Garnir d'oeuf, de fromage, de bacon et de croûtons. Servir immédiatement.

DONNE 4 PORTIONS

César Classique

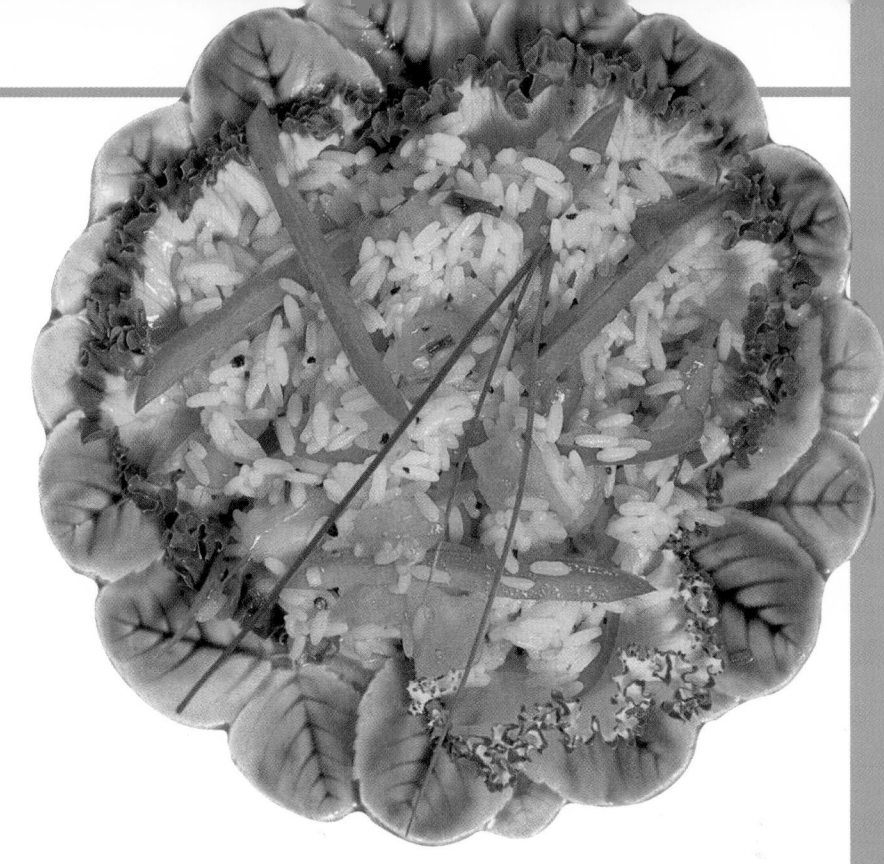

Ensalada Andaluza

ENSALADA ANDALUZA

1	1	poivron rouge
2 tasses	500 mL	tomates peléesé, épépinées et coupées en dés
3 tasses	750 mL	riz au long grain , cuit, refroidi
3 c. à table	45 mL	ciboulette hachée
⅓ tasse	80 mL	huile de tournesol
2 c. à table	30 mL	lemon juice
2 c. à table	30 mL	vinaigre
1 c. à thé	5 mL	finement haché
½ c. à thé	3 mL	sel
½ c. à thé	3 mL	poivre noir frais craqué
4	4	feuilles de laitue

Creuser le poivron rouge , retirer les graines et les membranes. Couper en dés fins. Dans un bol, mélanger le poivron rouge, les tomates, le riz et les ciboulettes.

Battre l'huile avec les autres ingrédients sauf les feuilles de laitue. Verser sur le riz. Faire mariner pendant 2 heures au réfrigérateur.

Placer les feuilles de laitue lavées sur des plateaux refroidis. Couronner de salade et servir.

DONNE 4 PORTIONS

SALADE AU POULET CHAUD

1 livre	450 g	poitrine de poulet désossé
⅛ c.à thé	pincée	de chaque: d'origan, de basilic, de thym, de sel, de poivre, de paprika, d'oignon en poudre, de poudre d'ail
1 tête	1 tête	laitue romaine
1	1	gousse d'ail haché
1	1	jaune d'oeuf
⅓ tasse	80 mL	huile d'olive
3 c. à table	45 mL	jus de citron
¼ c. à thé	1 mL	de chaque: basilic, thym, poivre, sel,poudre de moutarde
½ c.à thé	3 mL	sauce Worcestershire
1 tasse	250 mL	croûtons de pain
⅛ tasse	60 g	bacon cuit, émietté
1 tasse	250 mL	fromage Cheddar râpé

Placer le poulet dans un platà griller.

Mélanger la première liste d'assaisonnement et répandre sur le poulet. Griller pendant 6 minutes de chaque côté sous le grilloird'un four préchauffé ou jusqu'il soitbien cuit. Retirer et garder chaud.

Pendant que le poulet cuit, couper et laver la laitue et bien la sécher. Placer l'ail et le jaune d'oeuf dans un malaxeur. Mélanger à vitesse moyenne. Verser lentement l'huile dans le malaxeur, en formant une mayonnaise. Ajouter le jus de citron , la seconde liste d'assaisonnements et la sauce Worcestershire.

Répandre en remuant la vinaigrette sur la laitue. Placer sur des assiettes refroidies. Parsemer de croûtons, de bacon et de fromage.

Trancher le poulet en julienne et placer au-dessus. Servir immédiatement.

DONNE 4 PORTIONS

𝒥RUITS DE MER

Avec les supermarchés d'aujourd'hui, offrant de vastes comptoirs de poissons frais, les sélections de poissons et de fruits de mer pour votre table peuvent varier chaque soir. Les variétés de poissons sont si diverses qu'on pourrait consommer un repas différent chaque jour pendant toute une année sans avoir à répéter la même recette. Tout ce qu'il faut faire est de laisser aller votre créativité.

C'est exactement ce que nous avons fait pour vous dans *Tout Simplement Délicieux 2*. Peu importe si vous êtes d'humeur à consommer poisson ou crustacé, votre profondeur d'esprit sera toujours satisfaite par les recettes contenues dans ce chapitre.

Le poisson répond aux exigences alimentaires de la famille moderne, et dépasse celles qui se retrouvent dans plusieurs coupes de viande. Les repas légers et délicats sont meilleurs lorsqu'ils sont préparés avec du poisson ou des crustacés. Les aventureux savent que lorsqu'ils sont devant un plat tel que le vivaneau aux noisettes, ils rencontrent non seulement les exigences nutritionnelles, mais aussi celles d'une grande cuisine. Il n'y a jamais de compromis avec des fruits de mer frais.

Il ne suffit pas de regarder les saumons ou les soles pour être satisfait, mais de contempler toutes les sortes de poissons. Le vivaneau et la perche sont aussi délicieux que leurs confrères plus dispendieux; plusieurs genres de poissons moins coûteux rivalisent souvent avec les plus grands noms sans toutefois faire exploser les budgets. Ainsi plusieurs recettes qui font appel au saumon, peuvent être préparées avec des sortes de poissons beaucoup moins coûteuses, tout en étant le résultat d'insondables louanges.

La fascination qui se retrouve dans les fruits de mer va vous engager à approfondir votre découverte de ce chapitre. Avec une nouvelle recette pour chaque jour du mois, personne ne sera ennuyé par votre prise du jour. Nous avons présenté des plats aussi intéressants que le gamberi piccanti (crevettes épicées) ou le requin mako aux noix de macadam. Tout le monde a entendu parlé de la lotte, mais quand vous lui aurez donné un nom italien, elle deviendra encore plus intéressante; ainsi la lotte aux tomates devient la rana pescatrice al forno.

Bien entendu plus le poisson est frais, plus il est bon. Si vous l'attrapez vous-même, vous l'aimerez davantage. Aussi attrapez nos recettes fraîches et appréciez des fruits de mer et du poisson qui sont *Tout Simplement Delicieux.*

Ragoût de Thon au Vin Rouge & Truite Farcie aux Crevettes

Crevettes aux Abricots et aux Framboises

REQUIN À LA SAUCE TOMATE ET AU GINGEMBRE

1 livre	454 g	requin désossé
3 c. à table	45 mL	huile d'olive
2 c. à table	30 mL	sauce soya
2 c. à table	30 mL	sherry
1	1	gousse d'ail finement hachée
1 c. à thé	5 mL	gingembre haché finement
6	6	champignons chinois séchés, trempés pendant 1 heure dans de l'eau chaude
2 c. à table	30 mL	pâte de tomates

Couper le requin en tranches minces.

Mélanger 1 c. à thé (5 mL) d'huile avec la sauce soya, le sherry, l'ail et le gingembre, verser sur le requin et laisser mariner pendant 2 heures.

Trancher les champignons.

Faire chauffer l'huile dans un wok. Faire frire rapidement le requin sans l'égoutter, avec les champignons. Ajouter la pâte de tomates en brassant et cuire pendant 1 minute de plus. Servir.

DONNE 4 PORTIONS

CREVETTES AUX ABRICOTS ET AUX FRAMBOISES

¾ livre	345 g	abricots pelés, dénoyautés
1 livre	450 g	framboises fraîches
½ tasse	125 mL	jus de pomme
2 c. à table	30 mL	jus de citron
¼ tasse	60 mL	sucre
4 tasses	1 L	court bouillon (voir page 117)
2¼ livres	1 kg	grosses crevettes décortiquées

Mettre les abricots et les framboises dans un robot culinaire et réduire en purée. Presser dans un tamis (pour retirer les graines) au-dessus d'une casserole.

Ajouter le jus de pomme, le jus de citron et le sucre en brassant, et faire mijoter jusqu'à consistance épaisse.

Pendant que la sauce mijote, amener le court bouillon à ébuillition, ajouter les crevettes et réduire le feu. Laisser mijoter pendant 15 minutes.

Placer les crevettes dans un grand plat et servir accompagnées de la sauce dans un petit contenant.

DONNE 6 PORTIONS

SOLE FARCIE AU CRABE

¼ tasse	60 mL	beurre
2	2	oignons verts finement hachés
½ c. à thé	3 mL	basilic frais haché
1 c. à table	15 mL	persil haché
½ c. à thé	3 mL	sel
¼ c. à thé	1 mL	poivre blanc
½ tasse	125 mL	crème
½ livre	225 g	chair de crabe cuite
4 c. à thé	20 mL	jus de citron
2 tasses	500 ml	chapelure assaisonnée
6 – 6 onces	6 – 170 g	filets de sole

Sauce:		
3 c. à table	45 mL	beurre
3 c. à table	45 mL	farine
1 tasse	250 mL	bouillon de poulet (voir page 77)
¼ tasse	60 mL	crème
½ tasse	125 mL	fromage cheddar râpé

Faire fondre le beurre dans une petite casserole. Ajouter les oignons avec le persil, le basilic, le sel, le poivre, la crème, la chair de crabe et le jus de citron. Verser dans un bol et ajouter la chapelure en brassant.

Placer le poisson sur une tôle à biscuits graissée. Garnir du mélange. Cuire dans un four préchauffé à 375°F (190°C) pendant 25 minutes.

Sauce:

Pendant la cuisson du poisson, faire fondre le beurre dans une petite casserole. Ajouter la farine, réduire le feu et cuire pendant 2 minutes. Ajouter le bouillon de poulet et la crème en brassant et laisser mijoter jusqu'à épaississement. Ajouter le fromage tout en brassant. Placer le poisson sur un plat de service. Couvrir de la sauce et servir.

DONNE 6 PORTIONS

Sole Farcie au Crabe

SOGLIOLA AL LIMONE "SOLE AU BEURRE CITRONNÉ"

¼ tasse	60 mL	beurre son salé
1 c. à table	15 mL	jus de citron
1 c. à table	15 mL	persil haché
4 – 6 onces	4 – 170 g	filets de sole ou de perche
1 c. à table	15 mL	huile d'olive

Battre le beurre en crème, y mélanger le jus de citron et le persil. Placer sur une feuille de papier ciré et rouler en forme de tube. Réfrigérer pendant au moins une heure.

Brosser les filets de sole avec l'huile et faire légèrement sauter pendant 7½ à 8 minutes à feu moyen. Placer les filets sur un plat de service et garnir d'une épaisse tranche de beurre. Servir.

DONNE 4 PORTIONS

REQUIN MAKO AUX NOIX DE MACADAM

6 – 6 onces	6 – 170 g	requin mako ou steaks d'espadon
½ tasse	125 mL	noix de macadam moulues
¼ tasse	60 mL	Parmesan fraîchement râpé
1 tasse	250 mL	chapelure fine
¼ tasse	60 mL	beurre fondu

Laver et éponger le requin mako.

Mélanger les noix, le fromage et la chapelure dans un bol.

Tremper les steaks dans le beurre fondu et les déposer dans le mélange de chapelure aux noix pour bien les enrober. Placer dans une petite casserole. Cuire dans un four préchauffé à 350°F (180°C) pendant 15 minutes ou jusqu'à ce que le requin soit doré. Servir immédiatement accompagné d'une sauce aux abricots et aux framboises (voir page 108).

DONNE 6 PORTIONS

MOUSSELINE AU "ROUGHY" ORANGE POCHÉ

4 tasses	1 L	eau
2 tasses	500 mL	vin blanc
1	1	oignon haché
1	1	grosse carotte hachée
1	1	branche de céleri hachée
1	1	bouquet garni*
6 – 6 onces	6 – 170 g	filets "roughy" orange
3	3	jaunes d'oeufs
1 c. à table	15 mL	eau
1 c. à table	15 mL	jus de citron
¾ tasse	180 mL	beurre fondu
½ tasse	125 mL	crème à fouetter
¼ c. à thé	1 mL	de chaque: sel et poivre
pincée		cayenne

Dans une grande casserole, amener à ébuillition l'eau, le vin, l'oignon, la carotte, le céleri et le bouquet garni. Réduire le volume du liquide de moitié. Réduire le feu, ajouter le poisson et laisser mijoter pendant 10 minutes.

Pendant que cuit le poisson, mélanger les oeufs avec 15 mL (1 c. à table) d'eau et le jus de citron. Placer dans un bain-marie. Cuire en brassant constamment jusqu'à ce que les oeufs deviennent épais mais non trop cuits. Retirer du feu et ajouter le beurre en brassant jusqu'à ce que la sauce soit homogène et épaisse. Battre la crème et l'ajouter à la sauce en pliant, ajouter les épices.

Placer le poisson poché sur des assiettes de service. Recouvrir de la sauce et servir.

DONNE 6 PORTIONS

*Le bouquet garni pour ce plat est; une feuille de laurier, 8 tiges de persil, 2 tiges de thym, 6 grains de poivre et un petit poireau haché, le tout attaché dans une toile à fromage.

Sogliola al Limone "Sole au Beurre Citronné"

Requin Mako aux Noix de Macadam

GAMBERI PICCANTI

1½ livres	675 g	grosses crevettes
¼ tasse	60 mL	huile d'olive
1 c. à thé	5 mL	sel
½ c. à thé	3 mL	de chaque: poudre d'ail, poudre d'oignon, cayenne, origan, thym, basilic, poivre blanc, poivre noir

Décortiquer les crevettes, les enfiler dans le sens de la longueur afin qu'elles ne se courbent pas durant la cuisson. Les badigeonner d'huile et les placer sur une tôle à biscuits.

Mélanger ensemble les épices et bien assaisonner les crevettes. Faire griller les crevettes pendant 2½ à 3 minutes de chaque côté au-dessus d'une braise moyenne ou sous l'élément chauffant du four. Servir immédiatement.

DONNE 4 PORTIONS

REQUIN À LA BIÈRE

1½ livres	675 g	requin sans arêtes
2	2	oeufs
1 ½ tasses	375 mL	farine tout usage
½ tasse	125 mL	bière froide
1 c. à thé	5 mL	poudre à pâte
3 tasses	750 mL	huile de tournesol

Couper le requin en tranches de 1". Battre ensemble les oeufs, 1 tasse (250 mL) de farine, la bière et la poudre à pâte.

Faire chauffer l'huile à 375°F (190°C).

Saupoudrer le requin du restant de farine. Tremper dans la pâte et faire frire en petite quantité jusqu'à ce qu'il soit doré. Conserver au chaud. Une fois que tout le requin a été cuit, servir avec la sauce Remoulade (voir page 123).

DONNE 6 PORTIONS

SAUMON POCHÉ GRIBICHE

4 tasses	1 L	eau
1 tasse	250 mL	vin blanc
1	1	citron
1	1	branche de céleri
1	1	oignon haché
1	1	carotte hachée
1 ¼ c. à thé	6 mL	sel
1	1	bouquet garni*
6 – 6 onces	6 – 170 g	filets de saumon
3	3	oeufs cuits dur
½ c. à thé	3 mL	moutarde de Dijon
¼ c. à thé	1 mL	moutarde séchée
1 tasse	250 mL	huile d'olive
¼ tasse	60 mL	vinaigre de vin blanc
1	1	gousse d'ail finement hachée
1 c. à thé	5 mL	de chaque: estragon basilic, cerfeuil, marjolaine, fraîchement hachés
2 c. à thé	10 mL	persil fraîchement haché
8	8	câpres

Dans une grande casserole, amener l'eau et le vin à ébuillition. Couper le citron en deux. Presser le jus dans le liquide et y jeter le citron avec le celeri, l'oignon, la carotte, 1 c. à thé (5 mL) de sel et le bouquet garni. Bouillir jusqu'à ce que les bouillon soit réduit de moitié.

Reduire le feu et faire cuire le saumon dans le bouillon mijotant pendant 10 à 12 minutes.

Pendant la cuisson du saumon, séparer les oeufs, réserver les blancs et mettre les jaunes durs dans un robot culinaire. Mélanger en ajoutant les moutardes et le restant de sel.

Pendant que la machine fonctionne, ajouter lentement l'huile en un mince filet de deux cuillèrées à table à la fois. Une fois que la sauce est très épaisse, ajouter le vinaigre en procédant de la même façon que pour l'huile pour conserver la sauce épaisse. Ajouter les ingrédients qui restent.

Couper les blancs d'oeufs en julienne.

Placer le poisson poché sur des assiettes de service. Garnir d'une bonne cuillèrée de sauce et décorer des blancs d'oeufs. Servir.

DONNE 6 PORTIONS

* Ce bouquet garni devrait se constituer de persil, feuille de laurier, thym, cerfeuil et 5 grains de poivre attachés dans une toile à fromage. (J-Cloth fonctionne très bien).

Gamberi Piccanti

STEAKS DE REQUIN MARCHAND DE VINS

6 c. à table	90 mL	beurre
⅔ tasse	160 mL	oignon vert haché
1 tasse	250 mL	vin rouge
½ tasse	125 mL	crème de sherry
¼ c. à thé	1 mL	romarin écrasé
¼ c. à thé	1 mL	marjolaine
4 c. à table	60 mL	persil haché
2 c. à table	30 mL	farine tout usage
½ tasse	125 ml	bouillon de boeuf (voir page 85)
1 c. à table	15 mL	jus de citron
6 – 6 onces	6 – 170 g	steaks de requin, 1" d'épaisseur

Faire fondre 2 c. à table (30 mL) de beurre dans une casserole et faire sauter les oignons verts pendant 3 minutes. Ajouter le vin, le sherry et les épices. Amener à ébuillition, réduire le feu et laisser mijoter pour obtenir ¾ tasse (160 mL) de liquide. Égoutter dans un tamis.

Dans une autre casserole, faire fondre 2 c. à table (30 mL) de beurre, ajouter la farine et cuire à feu doux pendant 8 minutes ou jusqu'à ce que le mélange soit de couleur doré. Ajouter la sauce, le bouillon de boeuf et le jus de citron, continuer à faire mijoter pendant 7 autres minutes. Saupoudrer du restant de persil.

Faire fondre le restant de beurre et badigeonner les steaks. Faire griller les steaks pendant 5 minutes pour chaque côté. Placer dans des assiettes de service, verser la sauce sur les steaks et servir.

DONNE 6 PORTIONS

Steaks de Thon au Citron Poivré

STEAKS DE THON AU CITRON POIVRÉ

4 – 6 onces	4 – 170 g	steaks de thon, 1" d'épaisseur
¼ tasse	60 mL	citron poivré
2 c. à table	30 mL	huile de tournesol
2 c. à table	30 mL	beurre
1 tasse	250 mL	sauce au sherry et aux champignons sauvages (voir page 105)
⅓ tasse	80 mL	crème sure

Enrober chaque steak dans le citron poivré.

Faire chauffer l'huile dans une grande poêle et faire sauter le thon pendant 5 minutes pour chaque côté.

Pendant que cuisent les steaks, faire chauffer la sauce dans une casserole. Ajouter la crème sure en brassant.

Lorsque les steaks sont prêts, les placer sur des plats de service et les couvrir de sauce. Servir.

DONNE 4 PORTIONS

VIVANEAU AUX NOISETTES

¾ tasse	180 mL	noisettes moulues (avelines)
¼ tasse	60 mL	chapelure fine
¼ tasse	60 mL	fromage Romano
¼ tasse	60 mL	lait
1	1	oeuf
4 – 6 onces	4 – 170 g	filets de vivaneau
3 c. à table	45 mL	beurre
¼ tasse	60 mL	farine tout usage
3 c. à table	45 mL	huile de tournesol

Mélanger les noix, la chapelure et le fromage. Battre l'oeuf et le lait. Saupoudrer les filets de farine, les tremper dans le lait et les enrober de la chapelure aux noix.

Faire chauffer ensemble le beurre et l'huile dans une grande poêle. Faire sauter les filiets à feu moyen 5 à 6 minutes pour chaque côté, indépendamment de l'épaisseur.

Servir accompagné de la sauce hollandaise aux framboises (voir page 108)

DONNE 4 PORTIONS

Pétoncles Cajun avec Mayonnaise au Chili

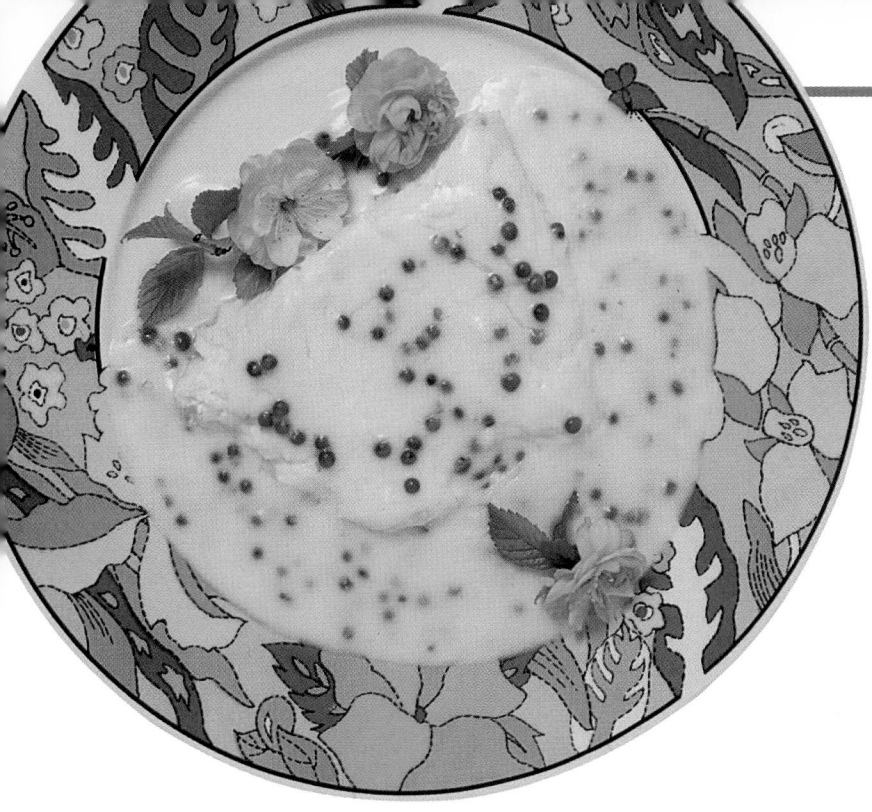

Lotte à la Sauce au Poivre Vert et Rose

LOTTE À LA SAUCE AU POIVRE VERT ET ROSE

2 c. à table	30 mL	beurre
2 c. à table	30 mL	farine tout usage
½ tasse	125 mL	bouillon de poisson (voir page 76) ou bouillon de poulet (voir page 77)
½ tasse	125 mL	crème légère
3 c. à table	45 mL	brandy
1 c. à table	15 mL	grains de poivre rose
1 c. à table	15 mL	grains de poivre vert
1 c. à table	15 mL	oignon vert haché
1 c. à table	15 mL	persil haché
4 – 6 onces	4 – 170 g	filets de lotte
2 c. à table	30 mL	beurre fondu
½ c. à thé	3 mL	sel
¼ c. à thé	1 mL	poivre vert

Faire chauffer le beurre dans une casserole, ajouter la farine et cuire pendant 2 minutes à feu doux. Ajouter en brassant le bouillon, la crème, le brandy et laisser mijoter jusqu'à épaississement. Ajouter en brassant les grains de poivre, l'oignon et le persil. Pendant que la sauce mijote, badigeonner les filets avec le beurre fondu. Assaisonner de sel et de poivre et cuire dans un four préchauffé à 375°F (190°C) pendant 10 minutes. Retirer du four et déposer sur un plat de service. Couvrir de la sauce et servir immédiatement.

DONNE 4 PORTIONS

PÉTONCLES CAJUN AVEC MAYONNAISE AU CHILI

MAYONNAISE:

2	2	jaunes d'oeufs
1 tasse	250 mL	huile de tournesol
1 c. à table	15 mL	jus de citron
¼ c. à thé	1 mL	sel
1 c. à table	15 mL	poudre de chili
3 gouttes		sauce Tabasco™

Mettre les jaunes d'oeufs dans un mélangeur. Pendant que la machine fonctionne, ajouter très lentement l'huile jusqu'à l'obtention d'une sauce épaisse.

Ajouter le jus de citron, le sel, la poudre et chili et la sauce Tabasco. Éteindre la machine, verser la sauce dans un bol et servir avec les pétoncles.

PÉTONCLES:

1 livre	450 g	gros pétoncles
½ c. à thé	3 mL	de chaque: feuilles d'origan, feuilles de thym, feuilles de basilic, cayenne, poivre noir, poudre d'oignon, poudre d'ail
1 c. à thé	5 mL	de chaque: paprika, sel, poudre de chili
1 ½ tasses	375 mL	farine tout usage
¾ tasse	180 mL	lait
2 tasses	500 mL	huile de tournesol

Laver et éponger les pétoncles.

Mélanger ensemble toutes les épices dans la farine. Tremper les pétoncles dans le lait et ensuite dans la farine assaisonnée.

Faire chauffer l'huile dans une grande poêle à 375°F (190°C) et faire frire les pétoncles (quelques unes à la fois) pendant 3 à 4 minutes jusqu'à ce qu'elles soient dorées. Servir immédiatement accompagnés de la mayonnaise.

DONNE 4 PORTIONS

SAUMON ASIATIQUE

4 – 6 onces	4 – 170 g	filets de saumon
½ tasse	125 mL	yogourt
2 c. à thé	10 mL	farine tout usage
1 c. à table	15 mL	poudre de curry
2 c. à table	30 mL	chapelure fine
2 c. à table	30 mL	eau

Mettre le saumon dans une petite casserole.

Dans un petit bol, mélanger le yogourt, la farine et le curry. Étendre sur le saumon. Saupoudrer de chapelure et verser l'eau le long des côtés.

Mettre dans un four préchauffé à 350°F (180°C) et cuire pendnat 15 minutes.

Retirer et servir accompagné de riz pilaf.

DONNE 4 PORTIONS

POMPANO MONTMORENCY

1 ¼ tasses	310 mL	cerises Bing – fraîches ou en boîte, dénoyautées
¼ tasse	60 mL	brandy aux cerises
3 c. à table	45 mL	jus de cerise ou jus de pomme
1 c. à table	15 mL	jus de citron
2 c. à table	30 mL	sucre granulé
6 – 6 onces	6 – 170 g	filets de pompano
2 c. à table	30 mL	beurre fondu

Faire chauffer les cerises dans le brandy aux cerises à feu doux jusqu'à ce qu'elles soient très tendres. Presser dans un tamis au-dessus d'une casserole et remettre dans la casserole.

Ajouter le jus de cerise, le jus de citron et le sucre, et laisser mijoter jusqu'à ce que la sauce soit épaisse.

Mettre le poisson sur une tôle à biscuits et badigeonner avec le beurre. Faire cuire dans un four préchauffé à 375°F (180°C) pendant 8 minutes.

Mettre le poisson dans un plat et recouvrir de sauce. Servir.

DONNE 6 PORTIONS

STEAKS DE REQUIN OU DE THON AU BARBECUE

2	2	gousses d'ail finement hachées
1	1	oignon espagnol finement haché
2 c. à table	30 mL	beurre
2 c. à table	30 mL	huile d'olive
1 tasse	250 mL	sucre brun
2 c. à thé	10 mL	sauce Worcestershire
½ c. à thé	3 mL	de chaque: feuilles de thym, feuilles d'origan, cerfeuil, cumin, paprika, poivre noir, poivre blanc
1 c. à table	15 mL	poudre de chili
1 c. à thé	5 mL	sel
2 tasses	500 mL	ketchup aux tomates
2 c. à thé	10 mL	jus de citron
6 – 6 onces	6 – 170 g	steaks de requin ou de thon, 1" d'épaisseur
2 c. à table	30 mL	beurre fondu

Dans une poêle, faire sauter l'ail et l'oignon dans le beurre et l'huile d'olive. Mélanger ensemble le sucre, la sauce Worcestershire, les épices, le ketchup et le jus de citron et mettre dans la poêle. Reduire le feu et laisser mijoter pendant 15 à 20 minutes, en brassant de temps en temps.

Brosser le poisson avec le beurre et faire griller au-dessus d'une braise moyenne pendant 5 minutes pour chaque côté, badigeonner fréquemment avec la sauce. Brosser avec la sauce une dernière fois avant de servir.

DONNE 6 PORTIONS

Steak de Requin au Barbecue

Pompano Montmorency

"ROUGHY" ORANGE MEUNIÈRE

6 – 6 onces	6 – 175 g	filets de "roughy" orange
½ tasse	125 mL	beurre
1 c. à table	15 mL	jus de citron
2 c. à table	30 mL	persil fraîchement haché

Placer les filets sur une tôle à biscuits.

Faire fondre le beurre dans une petite poêle. Brosser les filets avec le beurre et cuire dans un four préchauffé à 375°F (190°C) pendant 10 minutes.

Pendant la cuisson des filets, continuer à faire cuire le beurre à feu doux jusqu'à ce qu'il devienne doré. Ajouter le jus de citron et le persil.

Retirer le poisson du four et mettre sur des assiettes de service. Verser le beurre sur le poisson et servir.

DONNE 6 PORTIONS

COQUILLES ST. JACQUES ALFONSO XII

3 c. à table	45 mL	beurre
1 livre	450 g	pétoncles
1 tasse	250 mL	figues séchées coupées en dés
1	1	poivron rouge coupé en dés fins
3 c. à table	45 mL	farine
2 tasses	500 mL	bouillon de poisson (voir page 76) ou bouillon de poulet (voir page 77)
1 tasse	250 mL	tranches de banane
1 ½ tasses	375 mL	sauce béarnaise (voir page 108)

Faire fondre le beurre dans une grande poêle. Faire sauter les pétoncles, les figues et le poivron jusqu'à ce qu'ils soient tendres. Saupoudrer de farine et continuer à faire sauter pendant 2 minutes. Ajouter le bouillon et laisser mijoter jusqu'à ce que le mélange s'épaississe. Ajouter les tranches de banane en brassant.

Mettre à la cuillère dans quatre coquilles. Couvrir de sauce béarnaise. Mettre dans un four préchauffé à 500°F (250°C) pendant 5 à 6 minutes ou jusqu'à ce qu'elles soient dorées. Servir immédiatement avec du riz.

DONNE 4 PORTIONS

BROCHETTES DE THON ET DE REQUIN CALIFORNIENNES

1 livre	454 g	thon en gros dés
1 livre	454 g	requin en gros dés
½ tasse	125 mL	nectar d'abricot
1 c. à table	15 mL	jus de citron
1 c. à table	15 mL	jus de lime
¼ tasse	60 mL	huile d'olive
1 c. à table	15 mL	sauce Worcestershire
½ c. à thé	3 mL	sel
½ c. à thé	3 mL	feuilles de thym
1 c. à table	15 mL	cilantro haché
2	2	poivrons verts coupés en dés
1	1	poivrons jaunes coupés en dés
12	12	champignons
12	12	tomates cerises
1	1	oignon espagnol coupé en dés
1	1	courgette coupée en tranches épaisses

Couper le poisson en cubes de ¾" (2 cm). Placer les cubes dans un bol.

Mélanger le jus d'abricot, le jus de citron, le jus de lime, l'oil, la sauce Worcestershire, le sel, le thym et le cilantro, verser cette marinade sur le poisson et laisser mariner dans le réfrigérateur pendant 12 heures ou toute la nuit.

Enfiler sur des brochettes de bambou en les alternant, le poisson, les poivrons, les champignons, les tomates, et les courgettes. Les faire griller au-dessus d'une braise moyenne de 8 à 10 minutes. Brosser avec la marinade. Servir.

DONNE 6 PORTIONS

Brochettes de Thon & de Requin Californiennes

THON AU CURRY

1½ livres	675 g	thon
2 c. à table	30 g	oignon
¼ tasse	60 mL	chapelure
1	1	oeuf
½ c. à thé	3 mL	de chaque: cayenne, turmeric, poudre de gingembre, poivre noir, basilic, feuilles de thym, origan, paprika
1 c. à thé	5 mL	sel
1	1	gousse d'ail finement hachée
3 c. à table	45 mL	huile de tournesol
2 c. à table	30 mL	beurre
2 c. à table	30 mL	farine tout usage
1 c. à thé	5 mL	poudre de curry
1 ½ tasse	375 mL	bouillon de poulet (voir page 77)
¾ tasse	180 mL	crème légère

Dans un robot culinaire, haché le thon. Ajouter l'oignon, la chapelure, l'oeuf, les épices et l'ail. Mélanger jusqu'à l'obtention d'un mélange homogène. Retirer et former des boulettes.

Faire chauffer l'huile dans une grande poêle et faire brunir les boulettes de poisson. Égoutter toute l'huile. Mettre les boulettes dans une cocotte.

Faire fondre le beurre dans une poêle, ajouter la farine et le curry et cuire pendant 2 minutes à feu doux. Ajouter le bouillon et la crème et laisser mijoter pendant 5 minutes. Verser la sauce sur les boulettes.

Couvrir le plat et cuire dans un four préchauffé à 350°F (180°C) pendant 25 minutes. Servir avec du riz.

DONNE 6 PORTIONS

Pétoncles à l'Orientale

PÉTONCLES À L'ORIENTALE

½ tasse	125 mL	sauce soya
¼ tasse	60 mL	sauce d'huître
¼ tasse	60 mL	sherry
1 c. à table	15 mL	sauce Worcestershire
1 livre	454 g	gros pétoncles
¼ tasse	60 mL	farine tout usage
3 c. à table	45 mL	huile de tournesol
2	2	gousses d'ail écrasées
1 c. à table	15 mL	racine de gingembre coupée en julienne fine
2	2	piments rouges séchés forts

Dans un bol, mélanger la sauce soya, la sauce d'huître, le sherry et la sauce Worcestershire.

Laver les pétoncles tet les éponger. Saupoudrer de farine.

Dans un wok ou une grande poêle faire sauter le gingembre, l'ail et les piments rouges pendant 30 secondes. Ajouter les pétoncles et faire cuire pendant 2 minutes. Ajouter la sauce, reduire le feu et cuire jusqu'à ce que le liquide se soit évaporé.

Servir immédiatement.

DONNE 4 PORTIONS

SOLE ALMANDINE

4 – 6 onces	4 – 175 g	filet de sole
⅓ tasse	90 mL	lait
⅓ tasse	90 mL	farine tout usage
⅓ tasse	90 mL	beurre
2 c. à table	30 mL	persil frais
2 c. à table	30 mL	jus de citron
⅓ tasse	90 mL	tranches d'amandes rôties

Tremper la sole dans le lait et saupoudrer de farine.

Faire fondre le beurre dans une grande poêle et faire sauter les filets dans le beurre pendant 2½ minutes de chaque côté. Mettre le poisson dans un plat chaud.

Ajouter le persil, le jus de citron et les amandes. Faire cuire pendant 1 minute. Verser la saucce sur les filets et servir immédiatement.

DONNE 4 PORTIONS

Souvlaki aux Pétoncles, aux Crevettes & au Flétan

SOUVLAKI AUX PÉTONCLES, AUX CREVETTES ET AU FLÉTAN

½ livre	225 g	grosses crevettes, décortiquées
½ livre	225 g	gros pétoncles
½ livre	225 g	flétan coupé en dés
⅓ tasse	80 mL	huile d'olive
3 c. à table	45 mL	jus de citron
1	1	gousse d'ail finement hachée
¼ c. à thé	1 mL	sel
¼ c. à thé	1 mL	poivre
2 c. à thé	10 mL	origan

Enfiler les fruits de mer en les alternant avec le flétan sur des brochettes, et les placer dans un plat peu profond.

Mélanger, l'huile avec le jus de citron, l'ail et les épices. Verser sur les brochettes et laisser mariner pendant 4- à 6 heures. Faire griller les brochettes pendant 10 minutes au-dessus d'un feu moyen, retourner et badigeonner avec la marinade. Server chaud avec du riz.

DONNE 4 PORTIONS

MOUSSE VÉRONIQUE À LA PERCHE ET AU HOMARD

2 c. à table	30 mL	gélatine sans saveur
¼ tasse	60 mL	vin blanc
¾ tasse	180 mL	bouillon de poisson (voir page 76) ou bouillon de poulet (voir page 77)
¼ tasse	60 mL	mayonnaise
½ c. à thé	3 mL	sel
½ c. à thé	3 mL	paprika
½ c. à thé	3 mL	poivre blanc
2 c. à thé	20 mL	écorce de citron râpée
1 ¾ tasses	430 mL	flocons de perche cuits
¾ tasse	180 mL	crème épaisse
⅓ tasse	80 mL	craquelins salés écrasés
1 tasse	250 mL	chair de homard hachée, cuite
1 ½ tasses	375 mL	sauce Véronique (voir page 114)

Dissoudre la gélatine dans le vin. Ajouter le bouillon et amener à ébulition. Refroidir à la température.

Dans un bol mélanger la mayonnaise, le sel, le paprika, le poivre et l'écorce de citron. Ajouter en pliant les ⅔ du bouillon et ajouter la perche, la crème et les craquelins.

Dans un deuxième bol, mélanger le homard avec le restant de bouillon. Verser la moitié du mélange dans 6 moules (1 tasse– 250 mL).

Étendre le mélange de homard sur le mélange de perche. Ajouter ensuite le restant du mélange de perche sur celui de homard.

Laisser refroidir pendant 5 à 6 heures ou durant toute la nuit, et démouler. Placer sur un plat de service et couvrir de la sauce Véronique et servir.

DONNE 6 PORTIONS

Mousse Véronique à la Perche & au Homard

CREVETTES FROIDES AILLOLI

2¼ livres	1 kg	petites crevettes
4 tasses	1 L	court bouillon (voir page 117)
2	2	gousses d'ail, écrasées en une pâte
2	2	jaunes d'oeufs
½ c. à thé	3 mL	sel
pincée		poivre
½ c. à thé	3 mL	moutarde de Dijon
1 tasse	250 mL	huile d'olive
4 c. à thé	20 mL	vinaigre de vin

Faire cuire les crevettes dans le court bouillon mijotant peandant 15 minutes, égoutter, placer dans un bol et laisser refroidir.

Dans un mélangeur ou un robot culinaire, mettre en crème l'ail, les jaunes d'oeufs, le sel, le poivre et la moutarde.

Pendant que la machine fonctionne, ajouter lentement l'huile en un mince filet. Ajouter le vinaigre.

Verser dans un bol de service et servir comme trempette au centre d'un plateau recouvert de crevettes froides.

DONNE 6 PORTIONS

HOMARD MORNAY

1 livre	454 g	chair de homard
¼ tasse	60 mL	beurre
¼ tasse	60 mL	farine tout usage
1 tasse	250 mL	bouillon de poisson (voir page 76) ou bouillon de poulet (voir page 77)
1 tasse	250 mL	crème légère
½ c. à thé	3 mL	poivre blanc
½ tasse	125 mL	Parmesan fraîchement râpé

Couper la chair de homard en dés.

Faire fondre le beurre dans une petite poêle. Faire sauter la chair de homard et mettre de côté.

Ajouter la farine dans la poêle et réduire le feu. Cuire pendant 2 minutes.

Ajouter le bouillon, la crème et le poivre. Laisser mijoter jusqu'à ce que la sauce s'épaississe.

Ajouter le fromage et le homard, et poursuivre la cuisson pendant 5 minutes.

Servir accompagné de riz pilaf.

DONNE 4 PORTIONS

CREVETTES DIJONNAISES

¼ tasse	60 mL	huile
¼ tasse	60 mL	farine tout usage
1	1	oignon espagnol finement coupé en dés
2	2	poivrons verts finement coupés en dés
3	3	branches de céleri finement coupées en dés
2 tasses	500 mL	tomates épépinées, pelées et hachées
2 c. à thé	10 ml	sel
1 c. à thé	5 mL	de chaque: feuilles d'origan, feuilles de thym, feuilles de basilic
2 c. à table	30 mL	moutarde de Dijon
1 ½ tasses	375 mL	bouillon de poisson (voir page 76) ou bouillon de poulet (voir page 77)
1 c. à table	15 mL	sucre brun
1 ½ livres	675 g	grosses crevettes, décortiquées
¼ tasse	60 mL	oignons verts hachés
3 c. à table	45 mL	persil haché

Faire chauffer l'huile dans une grande poêle ou un four danois. Ajouter la farine, reduire le feu et cuire jusqu'à l'obtention d'une pâte doré (roux). Ajouter les oignons, les poivrons et le céleri et faire sauter jusqu'à ce qu'ils soient tendres en brassant constamment.

Ajouter les tomates, les épices, la moutarde, le bouillon et le sucre. Couvrir et laisser mijoter pendant 20 minutes.

Ajouter les crevettes et laisser mijoter à découvert pendant 10 minutes. Ajouter l'oignon vert et le persil, et servir immédiatement sur du riz cuit.

DONNE 4 PORTIONS

Crevettes Froides Ailloli

Crevettes Dijonnaises

CREVETTES À LA NOIX DE COCO ET À LA BIÈRE AVEC MARMALADE AUX JALAPEÑOS

½ tasse	125 mL	farine tout usage
¼ c. à thé	1 mL	poudre à pâte
⅛ c. à thé	pincée	bicarbonate de sodium
½ c. à thé	3 mL	sel
½ tasse	125 mL	bière
2 tasses	500 mL	huile végétale
1	1	egg white
1 livre	450 g	grosses crevettes décortiquées
¼ tasse	60 mL	flocons de noix de coco
1 tasse	250 mL	marmelade aux Jalapeños*

Dans un bol tamiser ensemble tous les ingrédients secs. Ajouter lentement la bière.Battre rapidement et laisser reposer pendant 1 heure.

Faire chauffer l'huile à 375°F (190°C).

Battre le blanc d'oeuf et ajouter à la pâte en pliant. Rouler les crevettes dans la noix de coco et les tremper dans la pâte.Faire frire dans l'huile pendant 2½ à 3 minutes ou jusqu'à ce qu'elles soient dorées. Servir immédiatement accompagnés de marmelade.

*Utiliser notre marmelade aux Jalapeños (voir page 701) ou mélanger 3 piments jalapeño épépinés et finement hachés avec 1 tasse (250 mL) de marmelade au citron ou à l'orange.

DONNE 4 PORTIONS

SAUMON NADINE EN CROÛTE

4 onces	120 g	crevettes décortiquées
4 onces	120 g	pétoncles
2 c. à table	30 mL	beurre
1 quan	1	pâte à pâtisserie (voir page 689)
4 – 4 onces	4 – 120 g	filets de saumons
4 onces	120 g	fromage à la crème
2 c. à table	30 mL	grains de poivre rouge
1 tasse	250 mL	sauce au sherry et aux champignons sauvages (voir page 105)

Faire sauter les crevettes et les pétoncles dans le beurre, égoutter et laisser refroidir.

Abaisser la pâte pour la dernière étape et couper en quatre morceaux égaux. Couvrir d'un filet de saumon, et d'une quantité égale de crevettes, de pétoncles,de fromage et saupoudrer de grains de poivre rouge.

Envelopper délicatement la pâte autour des filets. Bien fermer les rebords et décorer avec les restants de pâte. Déposer les filets sur le côté scellé.

Cuire dans un four préchauffé à 425°F (220°C) pendant 20 minutes ou jusqu'à ce que la pâte soit brun doré. Servir accompagné de la sauce au sherry et aux champignons sauvages.

DONNE 4 PORTIONS

Crevettes à la Noix de Coco et à la Bière avec Marmelade aux Jalapeños

Saumon Nadine en Croûte

"ROUGHY" ORANGE AU GRAND MARNIER

⅔ tasse	160 mL	abricots secs
1 tasse	250 mL	eau
1 c. à table	15 mL	sucre granulé
1 c. à thé	5 mL	fécule de maïs
¼ tasse	60 mL	Grand Marnier
4 – 6 onces	4 – 170 g	filets de "roughy" orange
2 c. à table	30 mL	beurre fondu
½ c. à thé	3 mL	sel
½ c. à thé	3 ml	poivre blanc

Dans une petite casserole faire cuire les abricots dans l'eau jusqu'à ce qu'ils soient moux. Retirer les abricots et réserver.

Ajouter le sucre au liquide, mélanger la fécule de maïs et le Grand Marnier. Mettre dans un robot culinaire avec les abricots. Réduire en purée conserver au chaud.

Laver et éponger les filets. Chauffer le beurre dans une poêle et faire sauter doucement les filets pendant 2½ à 3 minutes de chaque côté. Assaisonner de sel et de poivre. Mettre dans un plat de service, recouvrir de sauce et servir.

DONNE 4 PORTIONS

SAUMON AU GINGEMBRE ET AU CIDRE DE POIRE

3 tasses	750 mL	cidre de poire
4 – 6 onces	4 – 170 g	filets de saumon
3 c. à table	45 mL	beurre
¼ tasse	60 mL	biscuits secs au gingembre finement écrasés
½ tasse	125 mL	crème épaisse

Faire chauffer 2 tasses (500 ml) de cidre dans grand plat peu profond. Reduire le feu pour laisser mijoter, ajouter le saumon et le poché pendant 12 à 15 minutes. Pendant que le saumon poche, faire chauffer le beurre dans une poêle. Ajouter les biscuits au gingembre et cuire pendant 2 minutes. Ajouter le restant de cidre et la crème, et laisser mijoter jusqu'à ce que le mélange s'épaississe.

Déposer le saumon dans des assisettes de service, recouvrir de sauce et servir.

DONNE 4 PORTIONS

"Roughy" Orange au Grand Marnier

SAUTÉ DE FRUITS DE MER AU BARBECUE

2	2	gousses d'ail finement hachées
1	1	oignon espagnol finement haché
2 c. à table	30 mL	beurre
2 c. à table	30 mL	huile d'olive
1 tasse	250 mL	sucre brun
2 c. à thé	10 mL	sauce Worcestershire
½ c. à thé	3 mL	de chaque: feuilles de thym, feuilles d'origan, cerveuil, cumin, paprika, poivre noir, poivre blanc
1 c. à table	15 mL	poudre de chili
1 c. à thé	5 mL	sel
2 tasses	500 mL	ketchup aux tomates
2 c. à thé	10 mL	jus de citron
½ livre	225 g	chair de homard coupée en dés
½ livre	225 g	grosses crevettes décortiquées
½ livre	225 g	gros pétoncles
2 c. à table	30 mL	beurre
2 c. à table	30 mL	huile de tournesol

Dans une poêle, faire sauter l'ail et l'oignon dans le beurre et l'huile d'olive. Mélanger le sucre, la sauce Worcestershire, les épices, le ketchup et le jus et citron et mettre dans la poêle. Réduire le feu et laisser mijoter pendant 15 à 20 minutes, en brassant de temps en temps.

Faire frire les fruits de mer dans le mélange de beurre et d'huile dans une grande poêle. Ajouter la sauce et laisser mijoter pendant 10 minutes. Servir sur du riz ou des nouilles.

DONNE 6 PORTIONS

Saumon Dianna Lynn

SAUMON DIANNA LYNN

4 – 6 onces	4 – 170 g	filets de saumon
3	3	jaunes d'oeufs
1 c. à thé	5 mL	eau froide
pincée		cayenne
2 c. à table	30 mL	jus de citron frais
½ tasse	125 mL	beurre fondu
⅔ tasse	160 mL	crevettes cuites
½ tasse	125 mL	pulpe de pêche fraîche

Griller ou pocher le saumon pendant 10 minutes pour chaque pouce d'épaisseur.

Mélanger les jaunes d'oeufs, l'eau froide, le poivre, le jus de citron en battant constamment. Placer le mélange au-dessus de l'eau mijotante. Battre jusqu'à épaississement.

Retirer du feu et battre doucement le beurre en en ajoutant un peu à la fois. La sauce hollandaise est prête une fois que le mélange est épais. Ajouter les crevettes et la pêche en pliant.

Placer le saumon cuit sur des assiettes de service et couvrir de sauce. Servir accompagné de légumes de son choix.

DONNE 4 PORTIONS

THON À LA NOIX DE COCO

1½ livres	675 g	thon frais coupé en cubes
1 c. à thé	5 mL	de chaque: sel, paprika, poivre
6 c. à table	90 mL	beurre
1	1	oignon espagnol coupé en dés
1	1	gousse d'ail finement hachée
3 c. à table	45 mL	farine tout usage
¾ tasse	180 mL	amandes blanchies, râpées
1 c. à thé	5 mL	piments fort écrasés
½ c. à thé	3 mL	feuilles de thym
1	1	feuille de laurier
¼ tasse	60 mL	jus de citron
¼ tasse	60 mL	miel
2 tasses	500 mL	lait de noix de coco
1 tasses	250 mL	noix de coco fraîchement râpée

Saupoudrer les morceaux de thon avec le sel, le paprika et le poivre.

Faire chauffer le beurre dans une grande poêle et faire frire l'oignon et l'ail avec le thon jusqu'à ce qu'ils soient bruns. Saupoudrer de farine et cuire pendant 2 minutes. Ajouter les ingrédients qui restent. Couvrir, réduire le feu et laisser mijoter pendant 30 minutes. Servir avec du riz pilaf.

DONNE 6 PORTIONS

SAUMON FARCI 2

4½ livres	2 kg	saumon Coho, rose ou Chinook
2 c. à table	30 mL	huile d'olive oil
¼ livre	115 g	jambon forêt noire coupé en dés
1	1	oignon coupé en dés
1	1	branche de céleri coupée en dés
2	2	carottes pelées, coupées en dés
2 tasses	500 mL	chapelure assaisonnée
1 tasse	250 mL	petites crevettes
1 c. à thé	5 mL	paprika
¼ c. à thé	1 mL	poivre
½ tasse	125 mL	vin blanc

Préchauffer le four à 375°F (190°C).

Laver minutieusement le saumon. Faire chauffer l'huile dans une casserole. Ajouter le jambon, l'oignon, le céleri et les carottes. Faire sauter jusqu'à ce qu'ils soient tendres. Laisser refroidir.

Mélanger la chapelure avec les crevettes, les épices et le vin. Ajouter au mélange frit. Mettre la farce dans la cavité du poisson. Attacher avec une corde. Mettre dans un plat graissé, recouvrir et cuire pendant 40 à 45 minutes. Découper et servir.

DONNE 8 PORTIONS

BROCHETTES DE FRUITS DE MER À LA MOUTARDE DOUCE

1 livre	454 g	grosses crevettes décortiquées
1 livre	454 g	gros pétoncles
½ tasse	125 mL	huile de tournesol
¼ tasse	60 mL	persil haché
2 c. à table	30 mL	jus de citron
2 c. à table	30 mL	miel liquide
½ c. à thé	3 mL	poivre noir moulu
2	2	gousses d'ail finement hachées
2 c. à thé	10 mL	moutarde de Dijon

Enfiler les crevettes et les pétoncles en les alternant sur des bâtonnets de bambou mouillés et mettre dans un plat peu profond.

Mélanger ensemble les autres ingrédients dans un mélangeur et mélanger pendant 30 secondes, verser sur les brochettes, couvrir et laisser mariner pendant 1 heure au réfrigérateur.

Faire griller les brochettes au-dessus d'une braise moyenne pendant 5 minutes de chaque côté, en badigeonnant fréquemment avec la marinade. Brosser une dernière fois avant de servir.

DONNE 6 PORTIONS

ESPADON KHARIA

¾ livre	375 g	espadon
3 c. à table	45 mL	huile d'olive
1	1	gousse d'ail
2 c. à thé	10 mL	gingembre pelé, fraîchement tranché
1	1	poivron rouge finement tranché
1	1	poivron vert finement tranché
1	1	petit oignon finement tranché
2 c. à table	30 mL	farine tout usage
2 c. à table	30 mL	sauce soya
1 c. à thé	5 mL	sauce Worcestershire
⅓ tasse	90 mL	vin Gewürztraminer
¾ tasse	190 mL	bouillon de poulet (voir page 77)
1	1	oeuf

Couper l'espadon en tranches.

Faire chauffer l'huile dans une grande poêle et bien faire frire le poisson, retirer et réserver.

Ajouter l'ail, le gingembre, le poivre et l'oignon, faire sauter jusqu'à ce que tout soit tendre, jeter la gousse d'ail. Saupoudrer de farine et cuire pendant 2 minutes à feu doux. Ajouter la sauce soya, la sauce Worcestershire, le vin, le bouillon et laisser mijoter jusqu'à ce que la sauce épaississe.

Ajouter le poisson en brassant et laisser mijoter pendant 5 minutes.

Battre l'oeuf avec un peu de sauce et l'ajouter graduellement au mélange, laisser mijoter peadant 1 minute, ne pas faire bouillir, retirer du feu et servir sur du riz ou des nouilles.

DONNE 4 PORTIONS

Espadon Kharia

Brochettes de Fruits de Mer à la Moutarde Douce

FRICASSÉE DE CREVETTES

2 c. à table	30 mL	beurre
2 c. à table	30 mL	oignon finement haché
2 c. à table	30 mL	poivron vert finement haché
2 c. à table	30 mL	poivron rouge finement haché
1	1	gousse d'ail finement haché
2 c. à table	30 mL	farine tout usage
1½ tasses	375 mL	tomates écrasées
¼ c. à thé	1 mL	de chaque, poivre, paprika, basilic, cerfeuil, marjolaine
1 c. à table	15 mL	persil haché
1 c. à thé	5 mL	sel
⅛ c. à thé		5 gouttes sauce Tabasco™
½ c. à thé	3 mL	sauce Worcestershire
1 livre	454 g	crevettes décortiquées
2½ tasses	625 mL	riz à grain long cuit

Faire fondre le beurre dans une poêle et faire sauter les légumes jusqu'à ce qu'ils soient tendres. Les saupoudrer de farine et cuire pendant 2 minutes à feu doux.

Ajouter les tomates, les épices, la sauce Tabasco sauce et la sauce Worcestershire. Couvrir et laisser mijoter pendant 15 minutes.

Incorporer les crevettes et laisser mijoter pendant 10 autres minutes.

Placer le riz dans un plat de service, recouvrir de crevettes et ensuite de sauce. Servir immédiatement.

DONNE 4 PORTIONS

SAUMON ROSÉ

4 – 6 onces	4 – 170 g	filets de saumon
3 tasses	750 mL	vin rosé
3 c. à table	45 mL	beurre
3 c. à table	45 mL	farine tout usage
½ tasse	125 mL	crème épaisse
3 c. à table	45 mL	échalote hachée
1 c. à table	15 mL	persil fraîchement haché

Laver et éponger les filets de saumon. Verser 2 tasses (500 mL) de vin rosé dans une grande poêle et amener à ébuillition. Réduire le feu et laisser mijoter. Faire pocher le saumon dans le vin pendant 10 à 12 minutes.

Dans un casserole, faire fondre le beure, ajouter la farine et cuire pendant 2 minutes à feu doux. Ajouter la dernière tasse de vin rosé et la crème. Laisser mijoter jusqu'à ce que la sauce s'épaississe. Incorporer les échalotes et le basilic.

Servir le saumon dans un plat et recouvrir de sauce.

DONNE 4 PORTIONS

SAUMON OSCAR

4 – 6 onces	4 – 170 g	filets de saumon
2 c. à table	30 mL	beurre fondu
8 onces	225 g	chair de crabe des neiges cuite
12	12	asperges
1 tasse	250 mL	sauce béarnaise (voir page 108)

Placer les filets de saumon dans un plat à cuisson. Brosser avec le beurre fondu. Cuire dans un four préchauffé à 350°F (180°C) pendant 10 à 12 minutes.

Retirer le poisson du four et allumer le grilloir.

Couvrir chaque filet de 2 onces (30 g) de chair de crabe, 4 asperges et d'une même quantité de sauce béarnaise. Remettre au four pendant 3 à 4 minutes ou jusqu'à ce que la sauce soit dorée. Servir immédiatement.

DONNE 4 PORTIONS

Saumon Rosé

Saumon Oscar

RAGOÛT DE THON AU VIN ROUGE

4 c. à table	60 mL	huile de tournesol
8	8	tranches de bacon
20	20	petits champignons
20	20	oignons perlés
3	3	branches de céleri coupées en dés
3	3	carottes coupées en dés
4 c. à table	60 mL	farine tout usage
1 tasse	250 mL	tomates, pelées, épépinées, hachées
2 tasse	500 mL	red wine
1 tasse	250 mL	bouillon de boeuf (see page 85)
2 c. à thé	10 mL	sauce Worcestershire
1 c. à table	15 mL	sauce soya
½ c. à thé	3 mL	moutarde de Dijon
¼ c. à thé	1 mL	sel
¼ c. à thé	1 ml	poivre noir moulu
1 ½ livres	675 g	thon frais, sans arêtes, coupé en cubes

Couper le bacon en cube, le faire frire dans une grande poêle, ajouter l'huile et les légumes et faire sauter pendant 3 minutes. Saupoudrer de farine et cuire pendant 3 minutes. Ajouter tous les autres ingrédients à l'exception du thon. Couvrir et laisser mijoter pendant 20 minutes.

Ajouter le thon, couvrir et laisser mijoter pendant 30 minute. Servir accompagné de riz ou sur des nouilles.

DONNE 6 PORTIONS

HOMARD OH LA LA

¼ c. à thé	1 mL	sel
¼ c. à thé	1 mL	poivre noir moulu
3 c. à table	45 mL	sauce soya
3 c. à table	45 mL	sherry
1 c. à thé	5 mL	oignon vert finement haché
¼ c. à thé	1 mL	poudre d'ail
¼ c. à thé	1 mL	gingembre moulu ou 5 épices chinoises
2 c. à thé	10 mL	sucre brun
1 livre	450 g	chair de homard
2 c. à table	30 mL	huile de sésame
1 c. à table	15 mL	eau
1 c. à thé	5 mL	fécule de maïs

Mélanger ensemble le sel, le poivre, la sauce soya, le sherry, l'oignon vert, l'ail, le gingembre et le sucre.

Hacher grossièrement la chair de homard en dés. Faire chauffer l'huile dans une grande poêle ou un wok et faire frire le homard pendant 3 minutes. Ajouter la sauce et réduire le feu.

Mélanger l'eau avec la fécule de maïs et ajouter au homard et laisser mijoter jusqu'à épassissement. Servir immédiatement avec du riz Bombay (voir page 709).

DONNE 4 PORTIONS

SURPRISE CALIFORNIENNE AU CRABE

3 c. à table	45 mL	huile d'olive
3 c. à table	45 mL	farine tout usage
⅔ tasse	160 mL	bouillon de poulet (voir page 77)
⅔ tasse	160 mL	crème légèrre
¼ tasse	80 mL	ketchup aux tomates
2 c. à thé	10 mL	sauce Worcestershire
1 c. à thé	5 mL	paprika
3 gouttes		sauce Tabasco™
1 c. à table	15 mL	jus de citron
1¾ livres	800 g	pinces de crabe avec carapace
3 tasses	750 mL	riz espagnol (voir page 749)

Faire chauffer l'huiledans une casserole, ajouter la farine et cuire pendant 2 minutes à feu doux.

Ajouter le bouillon et la crème en brassant et laisser mijoter jusqu'à épaississement. Incorporer le ketchup, la sauce Worcestershire, le paprika, la sauce Tabasco et le jus de citron et laisser mijoter pendant 2 autres minutes. Ajouter les pinces de crabes et laisser mijoter pendant 10 autres minutes.

Placer le riz sur des assiettes et service, couvrir du mélange et servir.

DONNE 6 PORTIONS

Ragoût de Thon au Vin Rouge

Crevettes au Barbecue du Chef K

CREVETTES AU BARBECUE DU CHEF K

3 c. à table	45 mL	beurre
3 c. à table	45 mL	huile
1	1	oignon finement haché
1	1	gousse d'ail émincée
²⁄₃ tasse	160 mL	ketchup aux tomates
²⁄₃ tasse	160 mL	brandy à l'orange
½ tasse	125 mL	vinaigre de cidre
½ tasse	125 mL	jus d'orange
½ tasse	125 mL	jus d'orange concentré
⅓ tasse	80 mL	mélasse légère
1 c. à table	15 mL	sauce Worcestershire
½ c. à thé	3 mL	de chaque: feuilles de thym, feuilles de basilic, cerfeuil, feuilles d'origan, poudre d'ail, poivre noir moulu., poivre blanc, paprika, salt
¼ c. à thé	1 mL	sauce Tabasco™
½ c. à thé	3 mL	fumée liquide
2¼ livres	1 kg	grosses crevettes
1 quan	1	court bouillon (voir page 117)
3 c. à table	45 mL	beurre fondu

Faire chauffer le beurre et l'huile dans une casserole, ajouter l'oignon et l'ail et faire sauter jusqu'à ce qu'ils soient tendres.

Ajouter le ketchup, le brandy, le vinaigre, le jus d'orange, le jus d'orange concentré, la mélasse, la sauce Worcestershire, les épices, la sauce Tabasco et la fumée liquide. Amener à ébuillition. Réduire le feu et laisser mijoter jusqu'à ce que la sauce soit très épaisse. Laisser refroidir.

Décortiquer les crevettes. Amener le court bouillon à ébuillition et laisser mijoter les crevettes jusqu'à ce qu'elles soient cuites. Ajouter les crevettes à la sauce barbecue et servir.

Ou, badigeonner les crevettes avec le beurre fondu et faire griller au-dessus d'une braise moyenne pendant 10 minutes en badigeonnant souvent avec la sauce.

DONNE 6 PORTIONS

"Roughy" Orange au Porto & aux Framboises

"ROUGHY" ORANGE AU PORTO & AUX FRAMBOISES

½ tasse	125 mL	confiture de groseilles
¼ tasse	60 mL	porto
2 c. à thé	10 mL	jus de citron
1½ tasses	375 mL	framboises
2 c. à thé	10 mL	fécule de maïs
¼ c. à thé	1 mL	poivre noir moulu
4 – 6 onces	4 – 170 g	filet de "roughy" orange
1 c. à table	15 mL	beurre fondu

Mettre la confiture de groseilles dans une petite casserole, ajouter le porto et le jus de citron, laisse mijoter à feu doux.

Presser les framboises dans un tamis pour retirer les graines et verser dans la sauce. Amener la sauce à ébuillition.

Mélanger la fécule de maïs avec 1 c. à table (15 mL) d'eau, ajouter à la sauce et laisser mijoter jusqu'à ce qu'elle s'épaississe. Retirer du feu et ajouter le poivre en brassant.

Brosser les filets de poisson avec le beurre et cuire dans un four préchauffé à 350°F (180°C) pendant 8 minutes.

Disposer le poisson dans un plat, couvrir de sauce et servir.

DONNE 4 PORTIONS

SAUMON TERIYAKI

⅓ tasse	80 mL	sucre brun
1 c. à thé	5 mL	gingembre moulu
1 tasse	250 mL	bouillon de boeuf (voir page 85)
⅓ tasse	80 mL	sauce soya
2 c. à table	30 mL	fécule de maïs
¼ tasse	60 mL	vin blanc
4 – 6 onces	4 – 170 g	steaks de saumon 1" (2.5 cm) d'épaisseur

Dans une casserole, dissoudre le sucre et le gingembre dans le bouillon et la sauce soya. Amener à ébuillition. Mélanger ensemble le vin et la fécule de maïs. Ajouter au bouillon et laisser mijoter jusqu'à épaississement. Laisser refroidir.

Placer le saumon sur une tôle peu profonde, couvrir de sauce et laisser mariner pendant 1 heure au réfrigérateur.

Faire griller les steaks de saumon au-dessus d'une braise moyenne, ou dans le four pendant 10 minutes, retourner une seule fois. Brosser avec la sauce plusieurs fois pendant la cuisson.

DONNE 4 PORTIONS

TRUITE AU CHAMPIGNONS

6 – 8 onces	6 – 225 g	truites
5 c. à table	75 mL	beurre
1¾ tasses	440 mL	champignons finement hachées
2 c. à table	30 mL	ciboulettes émincées
1½ tasses	375 mL	chapelure fraîche
2 c. à table	30 mL	persil haché
1 c. à thé	5 mL	de chaque: basilic, cerfeuil et sel
½ c. à thé	3 mL	poivre noir moulu
¾ tasse	190 g	petites crevettes cuites
¼ tasse	60 mL	crème épaisse

Laver et éponger les truites.

Faire chauffer 3 c. à table (45 mL) de beurre dans une poêle et faire sauter les champignons jusqu'à ce que le liquide se soit évaporé.

Bien mélanger les champignons avec les autres ingrédients dans un bol. Farcir la cavité des truites.

Placer les truites dans une petite cocotte et les badigeonner avec le beurre. Cuire dans un four préchauffé à 375°F (190°F) pendant 20 minutes. Servir.

DONNE 6 PORTIONS

Saumon Teriyaki

CREVETTES GÉANTES DE LA NOUVELLE-ORLÉANS

3 c. à table	45 mL	huile de tournesol
3	3	oignons finement coupés en dés
2	2	poivrons verts finement coupés en dés
3	3	branches de céleri finement coupés en dés
20	20	tomates pélées, épépinées et hachées
2 c. à thé	10 mL	sel
2 c. à thé	10 mL	paprika
1 c. à thé	5 mL	de chaque: poudre d'ail, poudre d'oignon, cayenne, feuilles de basilic
½ c. à thé	3 mL	de chaque: poivre blanc, poivre noir, feuilles d'origan, feuilles de thym
2 c. à thé	10 mL	sauce Worcestershire
¼ c. à thé	1 mL	sauce Tabasco™
6	6	oignons verts coupés en dés
1	1	botte de persil haché
2¼ livres	1 kg	crevettes géantes
1 quan	1	court bouillon (voir page 117)
1 quan	1	riz matriciana (voir page 757)

Faire chauffer l'huile dans une grande casserole. Faire sauter l'oignon, le céleri et le poivron vert jusqu'à ce qu'ils soient tendres. Ajouter les tomates, les épices, la sauce Worcestershire, la sauce Tabasco et laisser mijoter doucement jusqu'à consistance désirée (environ 4 heures).

Ajouter l'oignon vert et le persil. Laisser mijoter pendant 15 autres minutes.

Pendant la dernière demi-heure de cuisson de la sauce, amener le court bouillon à ébuillition. Décortiquer les crevettes et les faire mijoter pendant environ 12 minutes.

Placer le riz dans un plat, couvrir de sauce ajouter les crevettes.

Servir immédiatement.

DONNE 6 PORTIONS

Crevettes Géantes de la Nouvelles-Orléans

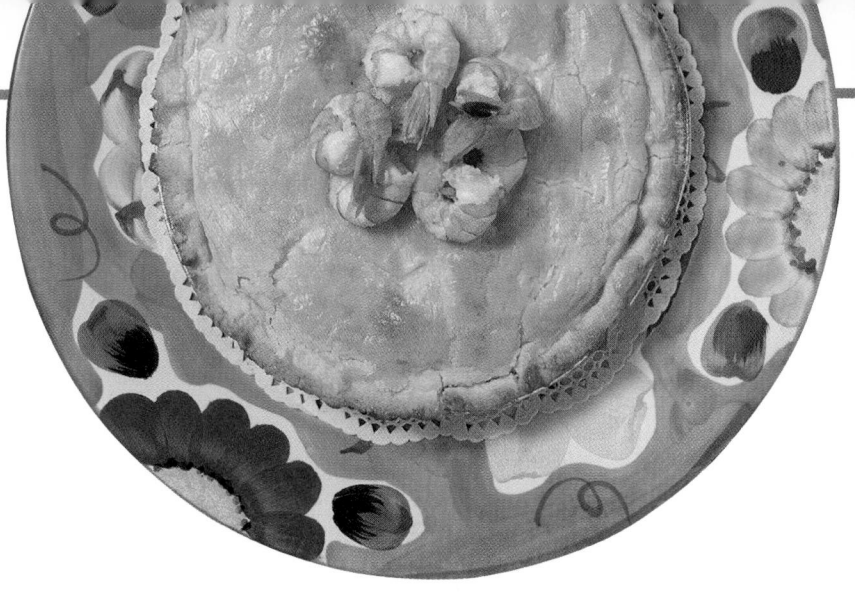

Pâté au Saumon & aux Crevettes

FILETS DE SOLE FLORENTINE STYLE "FILETTI DI SOGLIOLA ALLA FIORENTINA"

4 – 6 onces	4 – 170 g	filets de sole
3 tasses	750 mL	bouillon de poisson
10 onces	280 g	épinards fraîchement hachés
3 c. à table	45 mL	vin blanc sec
1 tasse	250 mL	chair de crevettes cuite
1 ¼ tasses	310 mL	sauce Mornay (voir page 111)
¼ tasse	60 mL	Parmesan fraîchement râpé
¼ tasse	60 mL	fromage Romano fraîchement râpé
3 c. à table	45 mL	olives noires, dénoyautées et tranchées
¼ tasse	60 mL	tomates pelées, épépinées et hachées

Laver et éponger les filets de sole. Placer le bouillon de poisson dans une grande casserole, amener à ebuillition, réduire le feu et laisser mijoter. Pocher délicatement la sole dans le bouillon pendant 5 à 6 minutes. Retirer et réserver.

Cuire les épinards à la vapeur et les égoutter. Les mettre ensuite dans la casserole. Couvrir des filets. Arroser de vin blanc et étendre la chair de crevettes.

Couvrir le tout avec la sauce Mornay et saupoudrer de fromage.

Cuire dans un four préchauffé à 400°F (200°C) pendant 10 minutes. Garnir d'olives et de tomates. Servir immédiatement.

DONNE 4 PORTIONS

PÂTÉ AU SAUMON & AUX CREVETTES

½ quan	0.5 quan	pâte nature (voir page 616)
1 tasse	250 mL	saumon finement coupé en dés
1 tasse	250 mL	crevettes finement coupées en dés
2 tasses	500 mL	Velouté (voir page 105)
¼ c. à thé	1 mL	de chaque: sel, poivre, muscade
1 c. à table	15 mL	persil
1 c. à table	15 ml	oignon râpé
3	3	oeufs séparés

Abaisser la pâte et la mettre dans un moule à tarte de 9".

Dans un bol, mélanger le saumon, les crevettes et le Velouté. Ajouter les épices et l'oignon.

Battre les jaunes d'oeufs et les incorporer au mélange en pliant. Battre les blancs d'oeufs rapidement et les incorporer au mélange en pliant.

Verser le mélange dans le moule à tarte et cuire pendant 25 à 30 minutes dans un four préchauffé à 400°F (200°C) ou jusqu'à ce que le mélange soit monté et doré. Servir immédiatement.

DONNE 6 PORTIONS

ESPADON À LA LIMONADE AU BARBECUE

¾ tasse	190 mL	limonade concentrée
¼ tasse	60 mL	ketchup
3 c. à table	45 mL	sucre brun
3 c. à table	45 mL	vinaigre blanc
¼ c. à thé	1 mL	gingembre moulu
1 c. à thé	5 mL	sauce soya
¼ c. à thé	1 mL	de chaque: paprika, poudre de chili, poudre d'ail, poudre d'oignon, thym, basilic, origan, sel et poivre
1 – 2¼ lb	1 – 1 kg	espadon coupé en morceaux
½ tasse	125 mL	farine tout usage
¼ tasse	60 mL	huile de tournesol

Dans un bol, mélanger la limonade, le ketchup, le sucre, le vinaigre, le gingembre, la sauce soya et les épices.

Enrober les morceaux d'espadon de farine. Faire chauffer l'huile dans une grande poêle un four danois et faire dorer l'espadon. Égoutter l'excès d'huile. Ajouter les morceaux de poisson à la sauce, couvrir et cuire à feu doux pendant 15 minutes.

DONNE 4 PORTIONS

POISSON CHAT GOURMET

8 – 4 onces	8 – 115 g	filets de poisson-chat
2	2	oeufs
¼ tasse	60 mL	lait
½ tasse	125 mL	farine tout usage
1⅓ tasses	325 mL	chapelure
1 c. à table	15 mL	paprika
1 c. à thé	5 mL	de chaque: origan, thym, sage, poudre d'ail, poudre d'oignon, poivre noir, marjolaine, poudre de chili
2 tasses	500 mL	huile de tournesol
3 c. à table	45 mL	beurre
3 c. à table	45 mL	farine tout usage
½ tasse	125 mL	bouillon de poulet (voir page 77)
½ tasse	125 mL	crème épaisse
½ tasse	125 mL	champagne

Laver et éponger le poisson chat.

Dans un bol, mélanger les oeufs et le lait. Mettre la farine dans un deuxième bol et la chapelure dans un troisième. Mélanger ensemble la chapelure et les épices.

Saupoudrer le poisson chat de farine, le tremper dans les oeufs et l'enrober de chapelure.

Faire chauffer l'huile à 325°F (160°C). Faire frire les filets de poisson-chat en petite quantité, jusqu'à ce qu'ils soient dorés tout en s'assurant qu'ils sont bien cuits. Le temps de cuisson dépend de la grosseur des morceaux de poisson.

Conserver au chaud jusqu'à ce que tout le poisson soit cuit.

Faire fondre le beurre dans une casserole. Ajouter le restant de farine et mélanger à feu doux, jusqu'à l'obtention d'une pâte (roux).

Ajouter le bouillon de poulet, la crème et le champagne. Battre ensemble tous les ingrédients.

Laisser mijoter à feu moyen pendant 10 minutes.

Mettre le poisson dans un plat et recouvrir de sauce. Servir.

DONNE 4 PORTIONS

ROULEAUX DE PERCHE

6 – 4 onces	6 – 120 g	filets de perche
1 tasse	250 mL	raisins verts, coupés en deux, sans pépins
6 onces	170 g	fromage Brie sans la croûte
1 tasse	250 mL	petites crevettes
2	2	oeufs
⅓ tasse	80 mL	lait
⅓ tasse	80 mL	pignes moulues
½ tasse	125 mL	chapelure fine assaisonnée
⅓ tasse	80 mL	fromage Romano fraîchement râpé
½ tasse	125 mL	farine tout usage
⅓ tasse	80 mL	huile de tournesol

Placer les filets de perche entre deux morceaux de papier ciré et les aplatir avec un maillet à viande.

Placer quelques raisins sur la perche avec 1 once (30 g) de fromage et saupoudrer de crevettes. Rouler les filets de perche pour bien enfermer la garniture. Placer sur une tôle à biscuits et réfrigérer pendant 1 heure.

Mélanger ensemble les oeufs et le lait. Mélanger les pignes avec la chapelure et le fromage. Tremper les rouleaux de perche dans les oeufs et les rouler dans la chapelure.

Faire chauffer l'huile dans une grande poêle et faire frire les rouleaux jusqu'à ce qu'ils soient dorés de chaque côté. Servir accompagnés de sauce au brandy et aux mûres (voir rôti de veau à la sauce au brandy et aux mûres, page 214)

DONNE 6 PORTIONS

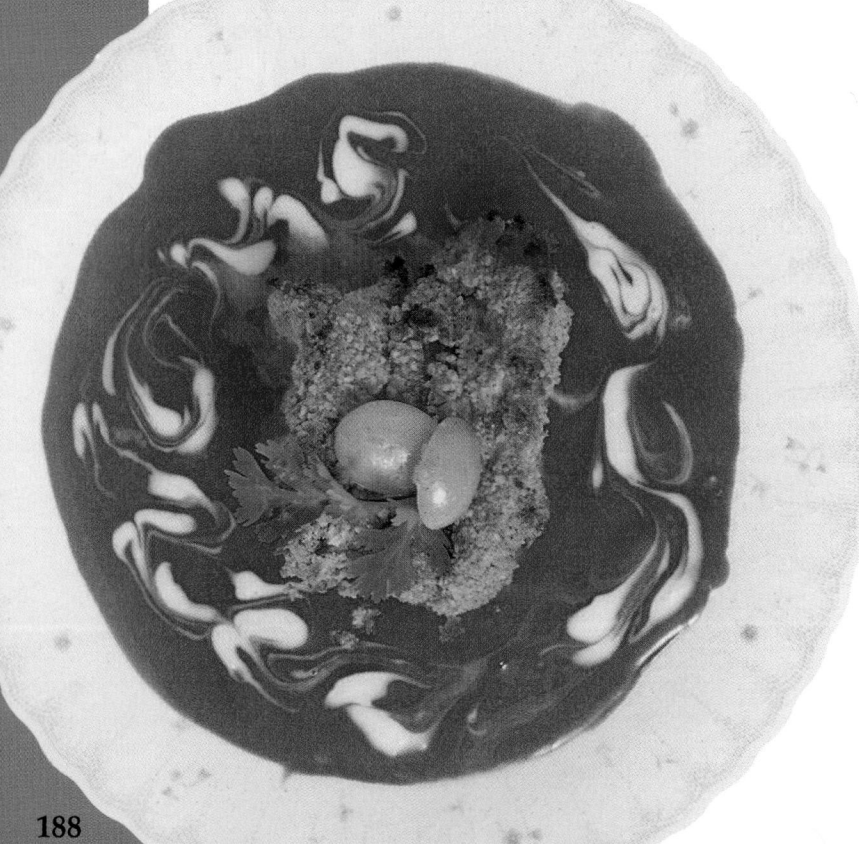

Rouleaux de Perche

Poisson Chat Gourmet

Morue Noire Fumée à la Canadienne avec Beurre Citronné aux Herbes

MORUE NOIRE FUMÉE À LA CANADIENNE

1 tasse	250 mL	vin blanc Riesling
2 tasses	500 mL	eau
10	10	grains de poivre noir
1	1	feuille de laurier
1	1	tige de persil
½ c. à thé	3 mL	de chaque: thym, basilic, marjolaine
1	1	petit oignon espagnol coupé en dés
2	2	carottes pelées coupées en dés
2	2	branches de céleri coupées en dés
1	1	citron coupé en deux
4 – 6 onces	4 – 170 g	filets de morue noire (sablefish)

Dans une grande casserole ou une grosse cocotte, mélanger le vin et l'eau.

Attacher ensemble les grains de poivre, la feuille de laurier, le persil et les épices dans une toile à fromage et mettre dans la casserole. Ajouter les légumes et le citron. Amener à ébuillition. Réduire le feu et laisser mijoter pendant 10 minutes.

Mettre les filets dans le pot et cuire doucement à feu doux pendant 15 minutes. Retirer et déposer dans des assiettes de service et servir immédiatement accompagnés du beurre citronné aux herbes (la recette qui suit), de carottes cuites à la vapeur, de broccoli et de riz pilaf.

DONNE 4 PORTIONS

BEURRE CITRONNÉ AUX HERBES

1 tasse	250 mL	beurre ramolli
½ c. à thé	3 mL	de chaque: basilic, thym, origan, marjolaine
1 c. à table	15 mL	zeste de citron
3 c. à table	45 mL	jus de citron

Mélanger ensemble tous les ingrédients. Placer sur une feuille de papier ciré et rouler ensemble. Réfrigérer pendant 1 heure. Retirer du papier ciré et trancher. déposer 2 tranches sur chaque filet.

TRUITE FARCIE AUX CREVETTES

6 – 8 onces	6 – 225 g	truites
2 c. à table	30 mL	ciboulette finement hachée
1½ tasse	375 mL	chapelure fraîche
2 c. à table	30 mL	persil haché
1 c. à thé	5 mL	de chaque: basilic, cerfeuil et sel
½ c. à thé	3 mL	poivre noir moulu
¾ tasse	190 g	petites crevettes cuites
¼ tasse	60 mL	crème épaisse
3 c. à table	45 mL	beurre fondu

Laver et éponger les truites.

Dans un bol, bien mélanger ensemble tous les autres ingrédients. Farcir la cavité de la truite.

Placer les truites dans une casserole, badigeonner avec le beurre. Cuire dans un four préchauffé à 375°F (190°C) pendant 20 minutes. Servir.

DONNE 6 PORTIONS

Truite Farcie aux Crevettes

CASSEROLE DE VIVANEAU À LA BÉARNAISE

1½ livres	675 g	filets de vivaneau
¾ tasse	190 mL	beurre
1	1	petit oignon, finement coupé en dés
¼ tasse	60 mL	poivron rouge finement coupé en dés
¼ tasse	60 mL	poivron jaune finement coupé en dés
¼ tasse	60 ml	poivron vert finement coupé en dés
2⅔ tasses	675 mL	riz à grain long cuit
3 c. à table	45 mL	vin blanc
1 c. à table	15 mL	feuilles d'estragon séchées
1 c. à thé	5 mL	jus de citron
3	3	jaunes d'oeufs
1 c. à thé	5 mL	estragon fraîchement haché

Couper le vivaneau en gros cubes.

Faire chauffer 3 c. à table(45 mL) de beurre dans une grande poêle et faire sauter le poisson. Retirer et réserver. Mettre les oignons et les poivrons dans la poêle et faire sauter jusqu'à ce qu'ils soient tendres. Incorporer le riz et cuire pendant 8 minutes. Placer dans un plat graissé.

Mettre le poisson sur le riz, couvrir de papier ciré et cuire dans un four préchauffé à 350°F (180°C) pendant 15 minutes.

Pendant que cuit le poisson, mélanger le vin, l'estragon et le jus de citron dans une petite casserole. Réduire le volume à 2 c. à table (30 mL) à feu doux et égoutter.

Dans une autre casserole, faire chauffer le beurre presque jusqu'à ébuillition.

Dans un mélangeur ou un robot culinaire, battre les jaunes d'oeufs.

Pendant que l'appareil fonctionne ajouter lentement le beurre en un mince filet. Ralentir la vitesse de l'appareil et ajouter le mélange de vin réduit. Mélanger jusqu'à l'obtention d'un mélange homogène. Placer dans un bol de service et incorporer l'estragon frais.

Retirer le papier ciré, étendre la sauce sur le poisson, augmenter la température du four à 450°F (230°C) et cuire pendant 10 minutes ou jusqu'à ce que la sauce soit dorée.

DONNE 6 PORTIONS

HUÎTRES CASINO

36	36	huîtres
6	6	tranches de bacon coupées en dés
1	1	petit oignon finement coupé en dés
¼ tasse	60 mL	poivron vert finement coupé en dés
¼ tasse	60 mL	céleri finement coupé en dés
1 c. à table	15 mL	jus de citron
1 c. à thé	5 mL	sel
¼ c. à thé	1 mL	poivre
1 c. à thé	5 ml	sauce Worcestershire
⅛ c. à thé	5 gouttes	sauce Tabasco™
½ tasse	125 mL	fromage Provolone râpé

Écailler les huîtres et les mettre sur une tôle à biscuits.

Dans une poêle cuire le bacon, égoutter tout en conservant 2 c. à thé (10 mL) de gras. Faire sauter l'oignon, le poivron et le céleri jusqu'à ce qu'ils soient tendres. Ajouter les autres ingrédients et laisser mijoter pendant 5 minutes.

Garnir les huîtres d'une même quantité de garniture et cuire dans un four préchauffé à 350°F (180°C) pendant 10 minutes, saupoudrer de fromage et continuer la cuisson pendant 5 minutes jusqu'à ce qu'elles soient dorées. Servir très chaud.

DONNE 6 PORTIONS

Excellent avec les palourdes.

Huîtres Casino

Vol-au-Vent au Saumon

VOL-AU-VENT AU SAUMON

1 quan	1	pâte feuilletée (voir page 689)
2	2	oeufs battus
1½ livres	675 g	filets de saumon
4 c. à table	60 mL	beurre
2 c. à table	30 mL	farine
1 tasse	250 mL	lait
¼ c. à thé	1 mL	sel
¼ c. à thé	1 mL	poivre blanc
1 c. à thé	5 mL	basilic
2 c. à table	30 mL	piment rouge finement haché

Abaisser la pâté en suivant les directives. Découper 6 ronds de 4" (10 cm) et 6 ronds de 3" (7.5 cm) ayant un trou de 2" (5 cm) dans le milieu. Placer les ronds de 4" (10 cm) sur une tôle à biscuits, badigeonner avec les oeufs, couvrir des ronds de 3" (7.5 cm) et badigeonner avec les oeufs.Cuire dans un four préchauffé à 425°F (215°C) pendant 5 minutes, réduire la chaleur à 350°F (180°C) et poursuivre la cuisson pendant 20 à 25 autres minutes. Retirer du four et laisser refroidir. Retirer et conserver le centre.

Couper le saumon en petits dés. Faire chauffer 2 c. à table (30 mL) de beurre dans une petite poêle et faire sauter le saumon.

Faire fondre le restant de beurre dans une poêle. Ajouter la farine et mélanger jusqu'à l'obtention d'une pâte (roux), cuire pendant 2 minutes à feu doux.

Ajouter le lait en brassant, laisser mijoter jusqu'à épaississement. Ajouter les épices et les piments, laisser mijoter 2 minutes de plus. Incorporer le saumon et laisser mijoter pendant 5 autres minutes.

Verser la garniture dans les vol-au-vent et garnir du centre de pâte. Servir.

DONNE 6 PORTIONS

TRUITE PISZTRANG — AVEC MAYONNAISE AU VIN BLANC

4 c. à table	60 mL	blanc d'oeuf
3	3	jaunes d'oeufs
½ tasse	125 mL	huile
4 – 8 onces	4 – 225 g	truite– apprêté ou nettoyée
3 c. à table	45 mL	beurre
1 c. à table	15 mL	jus de citron

Reduire le vin dans une casserole à 2 c. à table (30 mL). Dans un mélangeur ou un robot culinaire, bien mélanger les jaunes d'oeufs. Pendant que l'appareil fonctionne, ajouter lentement l'huile en un mince filet. Pendant que l'appareil fonctionne à petite vitesse ajouter le vin. Bien mélanger et verser dans une saucière.

Faire sauter la truite à feu moyen pendant 4 à 6 minutes de chaque côté dans le beurre et le jus de citron. Servir accompagnée de la mayonnaise.

DONNE 4 PORTIONS

193

ZUPPA DI PESCE

2 c. à table	30 mL	huile d'olive
4 onces	120 g	champignons coupés en deux
1	1	oignon moyen coupé en dés
2	2	carottes coupées en dés
2	2	branches de céleri coupées en dés
4 tasses	1 L	bouillon de poisson (see page 76)
1 ½ tasses	375 mL	tomates pelées, épépinés et hachées
8 onces	225 g	vivaneau coupé en dés
8 onces	225 g	chair de homard coupée en dés
8 onces	225 g	crevettes décortiquées
8 onces	225 g	pétoncles
16	16	moules lavées, barbes retirées
16	16	palourdes lavées, brossées
½ tasse	125 mL	vin blanc
½ c. à thé	3 mL	sel
1 c. à thé	5 mL	basilic fraîchement haché

Faire chauffer l'huile dans une grosse cocotte ou une poissonnière. Ajouter les légumes et les faire sauter jusqu'à ce qu'ils soient tendres.

Ajouter les tomates et le bouillon et laisser mijoter pendant 5 minutes.

Ajouter tous les autres ingrédients et laisser mijoter doucement pendant 15 minutes. Servir immédiatement.

DONNE 4 PORTIONS

Jambalaya au Saumon

JAMBALAYA AU SAUMON

2 c. à table	30 mL	huile de tournesol
2 c. à table	30 mL	beurre
½ livre	225 g	saucisse d'andouille (voir Glossaire)
½ tasse	125 mL	oignon coupé en dés
2	2	gousses d'ail finement hachées
3 c. à table	45 mL	persil haché
1 ½ tasses	375 mL	poivron vert coupé en dés
2	2	branches de céleri coupées en dés
2 tasses	500 mL	tomates pelées, épépinées et hachées
1 c. à thé	5 mL	sel
½ c. à thé	3 mL	de chaque: poivre blanc, poivre noir, feuilles d'origan basilic, feuilles de thym, poudre d'ail, poudre d'oignon, poudre de chili
2 c. à thé	10 mL	sauce Worcestershire
⅛ c. à thé	5 gouttes	sauce Tabasco™
1½ tasse	375 mL	eau
1 tasse	250 mL	riz à grain long cru
1½ livres	670 g	saumon, sans arêtes, coupé en dés
2 tasses	500 mL	queues d'écrevisses cuites

Dans une grosse cocotte ou une poissonnière, faire sauter la saucisse dans l'huile et le beurre. Ajouter les légumes et faire sauter jusqu'à ce qu'ils soient tendres.

Ajouter tous les autres ingrédients en brassant à l'exception du saumon et des écrevisses. Réduire le feu, couvrir et laisser mijoter pendant 40 minutes. Ajouter les poissons et poursuivre la cuisson pendant 15 minutes. Servir.

DONNE 6 PORTIONS

Saumon Grand Duc

SAUMON GRAND DUC

4 – 6 onces	4 – 170 g	filets de saumon, 1" (2.5 cm) d'épaisseur
5 c. à table	75 mL	beurre
3 tasses	750 ml	bouillon de poulet
3 c. à table	45 mL	farine tout usage
½ tasse	125 mL	crème épaisse
¼ tasse	60 mL	beurre d'écrevisse (voir page 112)
1 tasse	250 mL	queues d'écrevisses cuites
1 tasse	250 mL	pointes d'asperges blanchies
⅓ tasse	90 mL	Parmesan fraîchement râpé
4	4	grosses tranches de truffes

Laver et épnger les filets de saumon. Les placer sur une tôle à biscuits. Faire fondre 2 c. à table (30 mL) de beurre et badigeonner le poisson. Cuire dans un four préchauffé à 350°F (180°C) pendant 10 minutes.

Amener le bouillon de poulet à ébuillition et réduire le volume à 1½ tasses (375 mL).

Faire chauffer le restant de beurre dans une casserole et ajouter la farine. Cuire à feu doux pendant 2 minutes. Ajouter le bouillon de poulet réduit et la crème et laisser mijoter jusqu'à épaississement. Ajouter en brassant le beurre d'écrevisse, les queues d'écrevisses et les pointes d'asperges. Faire mijoter pendant 3 minutes et ajouter le fromage.

Placer le poisson sur des assiettes de service, recouvrir de sauce et garnir d'une tranche de truffe.

Servir immédiatement.

DONNE 4 PORTIONS

BEIGNETS AUX PÉTONCLES

1¼ tasse	310 mL	farine tout usage
2	2	oeufs séparés
¾ tasse	190 mL	bière
¼ c. à thé	1 mL	de chaque: thym, cayenne, sel, poivre, basilic
3 tasses	750 mL	huile de tournesol
2¼ livres	1 kg	gros pétoncles
2 tasses	500 mL	sauce Remoulade (voir page 123)

Mélanger 1 tasse (250 mL) de farine et les jaunes d'oeufs dans un bol. Ajouter suffisamment de bière pour préparer une pâte lisse. Incorporer les épices et laisser reposer pendant 1 heure.

Battre les blancs d'oeufs fermes et les incorporer à la pâte en pliant.

Faire chauffer l'huile à 375°F (180°C).

Saupoudrer les pétoncles avec le restant de farine et les tremper dans la pâte. Les faire frire en petite quantité jusqu'à ce qu'ils soient dorés. Les conserver au chaud pendant que cuisent les autres.

Servir accompagné de sauce Remoulade.

DONNE 6 PORTIONS

SAUTÉ DE "ROUGHY" ORANGE À LA SAUCE CLÉMENTINE

6 – 6 onces	6 – 170 g	filets de "roughy" orange
3 c. à table	45 mL	huile
		sel et poivre
⅓ tasse	80 mL	jus de tangerine ou d'orange concentré
½ tasse	125 mL	bouillon de poulet (voir page 77)
1 c. à thé	5 mL	beurre
¼ c. à thé	1 mL	poivre noir moulu
1 c. à thé	5 mL	jus de lime

Fair chauffer l'huile dans une grande poêle. Faire sauter les filets pendant 6 à 8 minutes. Assaisonner de sel et de poivre et conserver au chaud.

Dans une casserole, faire chauffer le jus de tangerine et le bouillon de poulet. Amener à ébuillition et réduire le feu. Ajouter la crème et laisser mijoter jusqu'à ce que la sauce adhère à une cuillère. Retirer du feu. Ajouter le beurre et le jus de lime en battant. .

Placer les filets dans un plat de service, couvrir de sauce et servir.

DONNE 6 PORTIONS

Beignets aux Pétoncles

CREVETTES CHASSEUR

1 livre	454 g	grosses crevettes décortiquées
¼ tasse	60 mL	beurre
1 c. à table	15 mL	huile de tournesol
4 onces	115 g	champignons tranchés
1 c. à thé	5 mL	oignons verts finement hachés
3 c. à table	45 mL	brandy
⅓ tasse	90 mL	vin blanc
1 ¼ tasses	310 mL	sauce demi-glace (voir page 123)
2 c. à table	30 mL	pâte de tomates
1 c. à thé	5 mL	persil fraîchement haché
3 tasses	750 mL	riz cuit à la vapeur

Laver les crevettes et les égoutter.

Faire chauffer 1 c. à table (15 mL) de beurre avec l'huile dans une petite casserole et faire sauter les champignons et les oignons. Ajouter le brandy et le vin et réduire le volume de moitié. Ajouter la sauce demi-glace et la pâte de tomates. Amener à ébuillition, réduire le feu et laisser mijoter pendant 5 minutes. Incorporer le persil.

Dans une poêle faire chauffer le restant de beurre et faire sauter les crevettes. Verser la sauce sur les crevettes. Servir les crevettes sur le riz dans des assiettes de service.

DONNE 4 PORTIONS

THON ET RIZ

¼ tasse	60 mL	beurre
1½ livres	680 g	thon sans arêtes, coupé en dés
½ livre	225 g	champignons tranchés
¼ tasse	60 mL	oignon finement coupé en dés
3 c. à table	45 mL	farine tout usage
1½ tasses	375 mL	bouillon de poulet (see page 77)
½ tasse	125 mL	crème légère
¼ tasse	60 mL	sherry
⅓ tasse	90 mL	amandes tranchées rôties
2 tasses	500 mL	riz à grain long cuit
		touffe de persil

Dans une grande poissonnière ou une grosse cocotte faire fondre le beurre, ajouter le thon et le faire brunir. Retirer et réserver.

Ajouter les champignons et les oignons et faire sauter jusqu'à ce qu'ils soient tendres. Saupoudrer de farine et cuire pendant 2 minutes à feu doux. Ajouter le bouillon, la crème et le sherry, laisser mijoter pendant 3 minutes.

Incorporer le thon et laisser mijoter pendant 35 autres minutes.

Incorporer les amandes au riz et le disposer en nid tout autour d'un plat de service. Disposer le mélange au thon dans le milieu. Garnir de persil et servir.

DONNE 4 PORTIONS

FRUITS DE MER À L'ÉTOUFFÉE

⅓ tasse	90 mL	beurre
¾ tasse	190 mL	oignons coupés en dés
1	1	poivron vert coupé en dés
2 tasses	500 mL	tomates pelées, épépinées, coupées en dés
1 c. à thé	5 mL	de chaque; sel, poivre, paprika
½ c. à thé	3 mL	de chaque: feuilles d'origan, feuilles de thym, cayenne, poudre d'ail , poudre d'oignon, poudre de chili
1 c. à thé	5 mL	sauce Worcestershire
⅛ c. à thé	5 gouttes	sauce Tabasco™
¼ tasse	60 mL	oignons verts hachés
2 c. à table	30 mL	persil haché
1 livre	454 g	crevettes décortiquées
½ livre	225 g	chair de crabe
¼ livre	115 g	chair de homard
4 tasses	1 L	riz cuit à la vapeur

Faire fondre le beurre dans une poêle. Ajouter l'oignon et le poivron et faire sauter jusqu'à ce qu'ils soient tendres. Ajouter les tomates, les épices, la sauce Worcestershire et la sauce Tabasco. Réduire le feu et laisser mijoter pendant 30 minutes.

Ajouter l'oignon haché, le persil et les fruits de mer. Couvrir et laisser mijoter pendant 15 minutes.

Place le riz dans des assiettes de service, couvrir du mélange et servir.

DONNE 6 PORTIONS

Fruits de Mer à l'Étouffée

Crevettes Chasseur

PERCHE AVEC CRÈME ITALIENNE AU VIN ET AUX FRAISES

6 – 4 onces	6 – 120 g	filets de perche
1 c. à table	15 mL	huile d'olive
¼ c. à thé	1 mL	de chaque: basilic, sel, poivre, paprika
6	6	jaunes d'oeufs
½ tasse	125 mL	sucre granulé
½ tasse	125 mL	Marsala ou sherry
1½ tasses	375 mL	fraises tranchées

Brosser les filets d'huile et les saupoudrer avec les épices. Faie griller dans un four pendant 3 à 5 minutes de chaque côté. Conserver au chaud.

Battre les jaunes d'oeufs avec le sucre dans la seconde partie d'un bain-marie jusqu'à ce qu'ils soient mousseux et de couleur pâle. Placer au-dessus de l'eau bouillante. Ajouter lentement le sherry en battant continuellement jusqu'à ce que le mélange devienne épais et mousseux. Retirer du feu et incorporer les fraises.

Placer le poisson sur un plat de service et recouvrir de la moitié de la sauce. Conserver l'autre moitié pour accompagner.

DONNE 6 PORTIONS

LOUP DE MER FINOCCHIO

1½ livres	675 g	filets de loup de mer sans arêtes
3 tasses	750 mL	bouillon de poulet (voir page 77)
6 c. à table	90 mL	beurre
1½ tasses	375 mL	fenouil finement haché
1	1	carotte coupée en julienne
1	1	poivron rouge coupé en julienne
3 c. à table	45 mL	farine tout usage
¾ tasse	190 mL	crème légère
1 quan	1 quan	risotto alla certosian (voir page 740)

Couper le poisson en gros cubes.

Faire chauffer le bouillon dans une grande poissonnière ou une grosse cocotte et pocher délicatement le poisson pendant 10 minutes. Retirer et mettre de côté le loup de mer, égoutter le bouillon. Remettre le bouillon dans le récipient et amener à ébuillition et réduire pour obtenir 1½ tasses.

Dans une casserole faire chauffer le beurre et faire sauter les légumes jusqu'à ce qu'ils soient tendres. Saupoudrer de farine et cuire à feu doux pendant 2 minutes. Ajouter le bouillon et la crème et laisser mijoter jusqu'à ce que la sauce soit épaisse. Ajouter le loup de mer en brassant et faire mijoter pendant 5 minutes.

Placer the risotto en nid autour d'un plat de service et mettre le mélange de poisson dans le milieu. Servir.

DONNE 4 PORTIONS

RANA PESCATRICE AL FORNO

1 ½ livres	750 g	queues de lotte sans peau
2 c. à table	30 mL	huile d'olive
1	1	petit oignon finement haché
1	1	branche de céleri finement hachée
1 tasse	250 mL	champignons tranchés
1 c. à table	15 mL	farine tout usage
1 tasse	250 mL	tomates pelées, épépinées et coupées en dés
½ tasse	125 mL	bouillon de poisson (voir page 76) ou bouillon de poulet (voir page 77)
½ c. à thé	3 mL	feuilles de basilic

Placer la lotte dans une grande casserole. Faire chauffer l'huile dans une grande poêle et faire sauter l'oignon, le céleri et les champignons jusqu'à ce qu'ils soient tendres. Saupoudrer de farine, réduire le feu, et cuire pendant 2 minutes.

Ajouter les tomates, le bouillon et le basilic. Laisser mijoter pendant 5 minutes. Verser sur le poisson, couvrir la casserole et cuire dans un four préchauffé à 350°F (180°C) pendant 30 minutes.

DONNE 4 PORTIONS

Loup de Mer Finocchio

Rana Pescatrice Al Forno

BOEUF ET VEAU

Comme dans tous les autres chapitres de ce livre, nous vous offrons celles qui sont les plus créatrices de nos recettes. On ne peut jamais s'ennuyer en cuisinant avec Tout simplement délicieux 2. Que vous choisissiez la cuisine cajun, orientale, allemande ou de n'importe quel autre style, vous trouverez toujours ici un grand choix. Une utilisation créatrice de recettes telles que les Paupiettes de veau - Veau oiseaux ou boeuf diable laisseront toujours à un invité le désir de revenir.

Utilisez les meilleures coupes qui conviennent à votre tâche et ne faites jamais de compromis sur la qualité. Après tout, vous devez en manger aussi. Enlevez l'excédent de gras et suivez les méthodes de cuisson pour de meilleurs résultats. Le boeuf nourri au grain du Canada de l'ouest et le boeuf nourri au maïs du mid-ouest américain sont parmi les plus fins du monde. Achetez-les de préférence à tout autre. Utilisez toujours les meilleurs des ingrédients car ils feront toute la différence dans la présentation finale. Les viandes âgées sont préférables (21-30 jours d'âge) et ce ne sont pas celles que l'on obtient du supermarché, alors achetez-les chez un bon boucher fiable. Cela constituerait le premier pas dans la préparation de votre recette.

Saler et poivrer les viandes grillées ne devraient se faire que lorsque la cuisson est presque terminée. Ajouter du sel et du poivre plus tôt dans le processus de cuisson tendrait à dessécher les aliments. Evitez de saler, si possible; essayez à sa place d'utiliser des herbes et des épices. Vous découvrirez qu'elles rendent un produit bien supérieur.

Rôtir lentement et longtemps produira toujours un résultat incomparablement supérieur à celui qui provient d'une température élevée et d'une cuisson rapide. Essayez de cuire à l'étouffée, de griller, de faire sauter ou même de bouillir vos viandes. Si les gens étaient plus créateurs dans leur manière de cuisiner, ils n'auraient pas tant besoin de directions dans leur nourriture, car ils pourraient atteindre leurs buts alimentaires simplement en se servant de leur créativité.

C'est alors cela que nous vous avons offert dans Tout simplement délicieux 2. Que vous choisissiez un Ragoût de veau aux tomates, un Kébab californien grillé ou un Veau rôti en sauce de brandy aux mûres, c'est votre créativité qui brillera.

En France on peut parler des "plaisirs de la bonne table" quand on a goûté des plaisirs de fine gastronomie, surtout lorsqu'il s'agit de votre préparation dérivée de ce livre. En anglais, comme toujours, on dit "C'était tout simplement délicieux."

Baron de Rôti de Boeuf

Steak aux Lasagnes de Tom

STEAK AUX LASAGNES DE TOM

1 quan	1	pâte de base (voir page 426)
1 livre	454 g	steak de surlonge finement tranchée
3 c. à table	45 mL	huile d'olive
1	1	oignon espagnol tranché
1	1	poivron rouge tranché
1	1	poivron vert tranché
3	3	tiges de céleri en dés
2	2	gousses d'ail finement tranchées
2 livres	500 mL	tomates pelées , épépinées, en dés diced tomatoes
½ c. à thé	3 mL	de chaque: feuilles d'origan, thym, basilic, marjolaine, cerfeuil, paprika, poivre, poudre d'oignon, poudre d'ail
1 c. à thé	5 mL	sel
2 c. à thé	10 mL	poudre chili
1 tasse	250 mL	fromage Ricotta
1½ tasses	375 mL	fromageCheddar râpé
2	2	oeufs
1	1	oignon vert haché
1½ tasses	375 mL	Mozzarella râpé

Traiter la pâte selon les instructions. Couper en nouilles lasagnes. Mettre de côté.

Dans une grande poêle à frire, faire frire le steak dans de l'huile. Ajouter l'oignon, le poivron vert, le céleri et l'ail. Faire sauter jusqu'à ce que le mélange soit tendre. Ajouter les tomates et l'assaisonnement, couvrir et faire mijoter pendant 30 minutes.

Mélanger la ricotte, le Cheddar, les oeufs et les oignons verts.

Mettre dans un grand plat des couches alternés de pâte, de sauce de steak et de mélange de fromage. Finir avec une couche de sauce. Couvrir avec du fromage mozzarella.

Cuire dans un four préchauffé à 375°F (190°C) pendant 50-60 minutes, ou jusqu'à ce que le fromage soit brun doré.

DONNE 6 PORTIONS

STEAKS DE VEAU GRILLE AU MIEL

3 c. à table	45 mL	beurre
3 c. à table	45 mL	huile
1	1	oignon moyen finement tranché
1	1	gousse d'ail finement tranchée
⅔ tasse	160 mL	ketchup aux tomates
⅔ tasse	160 mL	miel liquide
¼ tasse	60 mL	vinaigre de pommes
1 c. à table	15 mL	sauce Worcestershire
½ c. à thé	3 mL	de chaque: feuilles de thym origan, basilic, paprika, poivre poudre de chili, sel
½ c. à thé	3 mL	fumée liquide
4 – 6 onces	4 – 170 g	steaks degîte à la noix de veau

Chauffer le beurre avec 30 mL (2 c. à table) d'huile dans une caserole. Ajouter l'oignon et l'ail et faire sauter jusqu' à ce qu'ils soient tendres.

Ajouter the ketchup, le miel, le vinaigre, le Worcestershire, les assaisonnements et la fumée liquide. Faire mijoter jusqu'à ce que la sauce soit épaisse et luisante.

Brosser les steaks avec le restant d'huile. Faire griller, sur charbons moyens, 6 minutes de chaque côté, en brossant fréquemment avec la sauce. Brosser une dernière fois avant de servir.

DONNE 4 PORTIONS

Steaks de Veau au Miel, Grillés au Barbecue

RAGOÛT AU VIN ROUGE

1½ tasses	675 g	veau maigre sans os veal
5 c. à table	75 mL	beurre
1	1	gousse d'ail hachée
3 c. à table	45 mL	farine tout usage
1 c. à table	15 mL	persil frais haché
¼ tasse	60 mL	vin rouge
1 tasse	250 mL	tomates pelées, épépinées, hachées
½ tasse	125 mL	bouillon de veau (voir p. 85) ou bouillon de poulet(voir page 85)
½ c. à thé	3 mL	de chaque: sel, poivre paprika
1 c. à thé	5 mL	origan
2 c. à thé	10 mL	câpres
2 c. à thé	10 mL	écorce de citron râpée

Couper le veau en gros dés. Chauffer le beurre dans une grande casserole. Ajouter le veau et l'ail; cuire jusqu'à ce que la viande brunisse. Saupoudrer de farine et continuer à cuire pendant 3 minutes à basse température.

Ajouter le reste des ingrédients. Couvrir et faire mijoter pendant 30 minutes.

Servir avec du riz.

DONNE 6 PORTIONS

CÔTELETTES DE VEAU AU POIVRE

6 – 6 onces	6 – 180 g	côtelettes de veau
¼ tasse	60 mL	grains de poivre noir écrasés
¼ tasse	60 mL	beurre
2 c. à table	30 mL	brandy
1 tasse	250 mL	demi-glace (voir page 123)
2 c. à table	30 mL	sherry
¼ tasse	60 mL	crème épaisse

Tapoter le poivre sur les côtelettes de veau.

Chauffer le beurre dans une grande poêle et faire sauter les côtelettes de veau jusqu'à cuisson désirée. Retirer du feu et mettre de côté au chaud.

Y verser le brandy et flamber. Ajouter le demi-glace et le sherry. Faire mijoter une minute. Ajouter la crème, en mélangeant bien.

Verser la sauce sur les côtelettes et servir.

DONNE 6 PORTIONS

BLANQUETTE DE VEAU A L'INDIENNE

1½ livres	675 g	épaule de veau, en dés de ¾"
4 tasses	1 L	bouillon de poulet (voir page 77)
2 c. à thé	10 mL	sel
20	20	petits oignons blancs
4	4	carottes en julienne
2 c. à table	30 mL	beurre
2 c. à table	30 mL	farine tout usage
2 c. à table	30 mL	poudre de curry
2 c. à table	30 mL	jus de citron
2	2	jaunes d'oeuf
1 c. à table	15 mL	persil haché

Placer dans une cocotte le veau, le bouillon de poulet et le sel. Couvrir et faire mijoter pendant une heure et demie. Ajouter les oignons et les carottes. Continuer à cuire pendant 15 minutes. Retirer 2 tassesde liquide.

Faire fondre le beurre dans une petite casserole. Ajouter la farine et la poudre de curry. Cuire pendant 3 minutes à basse température. Ajouter lentement 2 tasses de liquide, en remuant jusqu'à consistance épaisse.

Battre le jus de citron dans les jaunes d'oeuf. Incorporer à la sauce. Ne pas faire bouillir.

Ajouter la sauce au veau. Réchauffer mais ne pas bouillir. Verser dans un plat de service. Garnir de persil. Servir sur des oeufs aux nouilles

DONNE 6 PORTIONS

Ragoût au Vin Rouge

Ragoût de Boeuf à l'Ancienne

RAGOÛT DE BOEUF DU PAYS

2¼ livres	1 kg	gîte à la noix de boeuf
3 c. à table	45 mL	huile d'olive
3 c. à table	45 mL	farine tout usage
3	3	oignons en dés
1	1	gousse d'ail écrasé
3	3	carottes en gros dés
4	4	tiges de céleri, en dés
20	20	champignons en bouton
3 tasses	750 mL	bouillon de boeuf (voir page 85)
⅓ tasse	90 mL	concentré de tomates
1 c. à table	15 mL	sauce Worcestershire
2 c. à table	30 mL	sauce soya
½ c. à thé	3mL	de chaque: sel, poivre, paprika, poudre chili,thym, origan
6	6	grosses pommes de terre

Couper le boeuf en gros dés. Chauffer l'huile dans une grande marmite ou dans une cocotte. Ajouter le boeuf et faire brunir. Retirer le boeuf.

Saupoudrer de farine et cuire à basse température pendant 5 minutes ou jusqu'à ce que ce soit brun doré.

Ajouter l'oignon, l'ail, les carottes ,le céleri et les champignons. Faire sauter jusqu'à ce que ce soit tendre. Y remuer le boeuf, le bouillon, le concentré de tomates, le Worcestershire, le soya et les assaisonnements. Couvrir et faire mijoter pendant 45 minutes.

Peler les pommmes de terre et les couper en dés. Ajouter au ragoût et continuer à laisser mijoter pendant encore 30 minutes. Servir avec les Meilleures boulettes de grand'mère (recette suivante) ou avec des biscuits frais.

DONNE 6 PORTIONS

LES MEILLEURES BOULETTES DE GRAND'MÈRE

1 tasse	250 mL	farine non blanchie
1½ c. à thé	8 mL	poudre à pâte
½ c. à thé	3 mL	sel
½ tasse	125 mL	lait de beurre

Passer ensemble au tamis la farine, la poudre à pâte et le sel dans un bol. Ajouter peu à peu le lait jusqu'à ce qu'une pâte légère et douce se forme.

Y jeter en petites cuillérées un ragoût ou une fricassée. Couvrir et laisser mijoter pendant 15 minutes avant de servir. Ne pas découvrir pendant le mijotage.

DONNE 6 PORTIONS

VEAU OSCAR

1½ livre	675 g	épaule de veau
2	2	oeufs
¼ tasse	60 mL	lait
½ tasse	125 mL	farine
1 tasse	250 mL	chapelure de pain assaisonnée
¼ tasse	60 mL	huile de tournesol
1½ tasse	375 mL	chair de crabe cuite
18	18	pointes d'asperges blanchies
¾ tasse	180 mL	sauce béarnaise (voir page 108)

Couper l'épaule de veau en 6 morceaux de 4 onces (120 g). Aplatir et attendrir chaque morceau avec un maillet à viande.

Incorporer les oeufs au lait. Saupoudrer de farine chaque côtelette, tremper dans l'oeuf et saupoudrer de chapelure.

Chauffer l'huile dans une grande poêle et frire jusqu'à ce que ce soit brun doré de chaque côté.

Transférer les côtelettes sur une tôle à biscuits. Déposer sur chacune une quantité égale de chair de crabe, 3 pointes d'asperge et 2 c. à table (30 mL) de sauce béarnaise. Placer au four, sous le gril préchauffé pendant 1½ minutes. Servir

DONNE 6 PORTIONS

Ragoût de Boeuf à l'Ancienne

Steak Frit de Poulet

STEAK FRIT DE POULET

6 – 4 onces	6 – 115 g	tranches de steaks
2	2	oeufs
¼ tasse	60 mL	lait
1 tasse	250 mL	chapelure fine
¼ c. à thé	1 mL	de chaque: sel, poivre feuilles de basilic, thym poudre de chili, poudre d'oignon, origan, paprika
⅓ tasse	80 mL	farine tout-usage
¼ tasse	60 mL	huile de tournesol
2 tasses	500 m	sauce Campagnarde (voir page 118)

Aplatir les steaks avec un maillet de cuisine pour attendri. Mélanger les oeufs avec le lait. Mélanger la chapelure avec les assaisonnements.

Saupoudrer les steaks avec de la farine, puis les tremper dans les oeufs, ensuite recouvrir les steaks de chapelure.

Chauffer l'huile dans une grande poêle. Frire les steaks pendant 3 minutes de chaque côté. Servir avec de la sauce à côté.

DONNE 6 PORTIONS

STEAK AU POIVRE ET AU CITRON

1 livre	450 g	filet de boeuf
¼ tasse	60 mL	poivre au citron
2 c. à table	30 mL	huile de tournesol
2 c. à table	30 mL	beurre
1 tasse	250 mL	sauce sherry aux champignons sauvages (voir page 105)
⅓ tasse	80 mL	crème sure

Arranger les filets et les couper en steaks. Rouler chaque steak dans le poivre au citron.

Chauffer l'huile avec le beurre dans une grande poêle et faire sauter les filets jusqu'a cuisson désirée.

Pendant que les steaks cuisent, chauffer la sauce dans une casserole. Y battre la crème sure.

Quand les steaks sont prêts, les placer dans des plats de service, verser la sauce sur les steaks et servir.

DONNE 4 PORTIONS

BOEUF ET TOMATES SUR NOUILLES

½ c. à thé	3 mL	bicarbonate de soude
3 c. à table	45 mL	huile d'arachides
2	2	gousse d'ail hachée
2 c. à thé	10 mL	sucre cristallisé
1 c. à thé	5 mL	sel
3 c. à table	45 mL	sauce soya
2 c. à table	30 mL	sherry
1 livre	454 g	flanchet de boeuf
½ tasse	125 mL	champignons en tranches
1	1	oignon moyen en tranches
1 tasse	250 mL	tomates pelées, épépinées, hachées
1 c. à thé	5 mL	fécule de maïs
1 c. à table	15 mL	eau
12 onces	345 g	nouilles chinoises

Mélanger le bicarbonate de soude avec 1 c. à table (15 mL) d'huile et l'ail, le sucre, le sel, la sauce soya et le sherry.

Trancher finement le steak; le placer dans un grand bol. Verser la marinade sur le boeuf et mettre de côté pendant 20 minutes.

Dans un grand wok ou poêle, chauffer le restant d'huile. Faire égoutter le boeuf et mettre en réserve la marinade. Frire le boeuf, les champignons et l'oignon pendant 3 minutes Ajouter la marinade de réserve et les tomates; réduire la température et faire mijoter pendant 1 minute.

Mélanger la fécule de maïs avec l'eau et ajouter au boeuf. Faire mijoter jusqu'à ce que la sauce s'épaississe.

Pendant la cuisson du boeuf, cuire les nouilles dans une grande marmite d'eau salée bouillante. Egoutter et transférer sur un grand plat. Verser le boeuf sur les nouilles et servir

DONNE 6 PORTIONS

Steak au Poivre et au Citron

CÔTELETTES DE VEAU AUX CANNEBERGES

6 – 6 onces	6 – 170 g	côtelettes de veau sans os
3 c. à table	45 mL	huile d'olive
2 tasses	500 mL	canneberges fraîches
¾ tasse	180 mL	sucre cristallisé
½ c. à thé	3 mL	sel
⅓ tasse	80 mL	eau

Brunir les côtelettes dans l'huile dans une grande poêle Faire égoutter l'excédent de graisse.

Ajouter le reste des ingrédients. Porter à ébullition. Réduire la chaleur et cuire en mijotant pendant ½ heure à couvert. Servir les côtelettes recouvertes de sauce.

DONNE 6 PORTIONS

HAMBURGERS À LA SAUCE AUX POMMES

1 livre	450 g	boeuf haché maigre
1	1	petit oignon haché
½ tasse	125 mL	sauce aux pommes
2 c. à table	30 mL	sucre brun
¼ tasse	60 mL	ketchup aux tomates
½ tasse	125 mL	chapelure
6	6	petits pains "kaiser"

Bien mélanger le boeuf haché avec le reste des ingrédients. Former six pâtés.

Placer sur sur un plat à griller; cuire 15 minutes dans un four préchauffé à 400°F (200°C).

Placer chaque pâté sur un pain, garnir par-dessus selon vos désirs. Servir chaud.

DONNE 6 PORTIONS

CÔTELETTES DE VEAU DIABLE

2 c. à table	30 mL	beurre
¼ c. à thé	1 mL	de chaque: cayenne poivre noir poivre blanc
6 – 6 onces	6 – 170 g	côteletes de veau sans os
½ tasse	125 mL	sauce chili
½ tasse	125 mL	ketchup aux tomates
¼ c. à thé	1 mL	de chaque: sel, basilic paprika, poudre dechili, thym, origan
2 c. à table	30 mL	sauce Worcestershire
2 c. à table	30 mL	moutarde deDijon
½ tasse	125 mL	eau

Faire une pâte lisse avec le beurre et les poivres.

Placer les côtelettes de veau dans des plats à rôtir et les tartiner de beurre. Placer sous le gril du four pendant 3 minutes, retourner le veau et griller pendant 3 autres minutes

Pendant que le veau est en train de rôtir, combiner le reste des ingrédients ensemble dans un petit bol. Verser sur le veau et cuire à 350°F (180°C) pendant 20-25 minutes dans un four préchauffé.

Servir avec un pilaf de riz .

DONNE 6 PORTIONS

Côtelettes de Veau aux Canneberges

KÉBABS CALIFORNIA

2 livres	900 g	faux-filets
½ tasse	125 mL	nectar d'abricots
1 c. à table	15 mL	jus de citron
1 c. à table	15 mL	jus de lime
¼ tasse	60 mL	huile d'olive
1 c. à table	15 mL	sauce Worcestershire
½ c. à thé	3 mL	sel
½ c. à thé	3 mL	feuilles de thym
1 c. à table	15 mL	cilantro haché
2	2	poivrons verts en dés
1	1	poivron jaune en dés
12	12	champignon
12	12	tomates-cerises
1	1	oignon espagnol en dés
1	1	courgette en grosses tranches

Enlever toute graisse du faux-filet et couper la viande en cubes de ¾" (2 cm). Place les cubes dans un bol.

Mélanger ensemble la sauce Worcestershire, le sel, le thym et le cilantro. Verser cette marinade sur le boeuf et faire mariner au réfrigérateur pendant 12 heures ou pendant la nuit.

Faire alterner sur des brochettes de bambou boeuf, poivrons, champignons, tomates, oignons et courgettes. Faire griller ceux-ci à température moyenne sur un gril pendant 8-10 minutes, en brossant avec la marinade. Servir.

DONNE 6 PORTIONS

Kébabs California

DINDES DE VEAU CRÉOLE

8	8	¾" double côtelettes de veau
2¾ tasses	680 mL	cubes de pain
5 c. à table	75 mL	beurre
1	1	petit oignon haché
½ c. à thé	3 mL	sauce Worcestershire
½ c. à thé	3 mL	sel
½ c. à thé	3 mL	poivre
4 c. à table	60 mL	huile
2 tasses	500 mL	sauce créole (voir page 121)

Mélanger le pain, ajouter le beurre, l'oignon, la sauce Worcestershire, le sel et le poivre dans une farce, Farcir les côtelettes.

Chauffer l'huile dans une grande poêle. Egoutter l'excédent d'huile. Verser la sauce sur les côtelettes. Couvrir et réduire la température. Mijoter pendant 1 heure

Servir avec du riz

DONNE 6 PORTIONS

FOIE ORIENTAL

1 livre	450 g	foie de veau
¼ tasse	80 mL	farine tout usage
4 c. à table	60 mL	huile de tournesol
4 onces	115 g	champignons en boutons
3 onces	80 g	pois mange - tout
1	1	gousse d'ail hachée
1	1	oignon en tranches
1 c. à thé	5 mL	racine de gingembre hachée
¼ c. à thé	1 mL	cinq épices chinoises
½ tasse	125 mL	bouillon de boeuf (voir page 85)
1 c. à table	15 mL	sauce soya
1 c. à thé	5 mL	sauce Worcestershire

Enlever toutes les membranes du foie. Trancher en fines bandes. Saupoudrer de farine les bandes de foie.

Chauffer l'huile dans un wok à très forte température. Ajouter le foie et frire pendant 3 minutes. Ajouter le reste des ingrédients. Réduire la chaleur et faire mijoter jusqu'à ce que la sauce s'épaississe.

Servir avec du riz Bombay (voir page 709).

DONNE 4 PORTIONS

Foie de Veau en Sauce aux Grains de Poivre et aux Agrumes

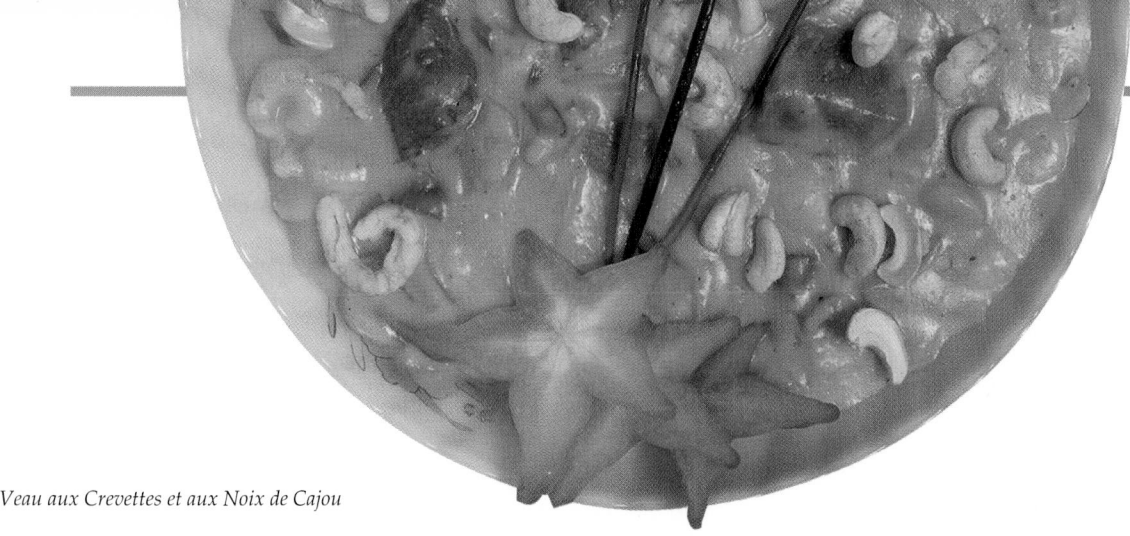

Veau aux Crevettes et aux Noix de Cajou

FOIE DE VEAU EN SAUCE AU GRAIN DE POIVRE ET AUX AGRUMES

6 – 4 onces	6 – 115 g	tranches de foie de veau
⅓ tasse	80 mL	farine tout - usage
¾ tasse	180 mL	beurre
½ tasse	125 mL	sucre fin
3	3	oranges
2	2	pamplemousses
1 c. à table	15 mL	poivre vert en grains

Enlever toutes les veines du foie, puis saupoudrer les tranches avec de la farine.

Chauffer 4 c. à table (60 mL) de beurre dans une poêle; faire sauter les foies pendant 3 minutes de chaque côté.

Chauffer le reste du beurre dans une casserole. Ajouter le sucre et le caraméliser. Ajouter le jus de 2 oranges et d'un pamplemousse. Oter l'écorce de l'orange et du pamplemousse restants puis les couper en sections chacun. Ajouter 2c. à thé (10 mL) d' écorce de citron et 1 c. à thé (5 mL) d' écorce de pamplemousse à la sauce.

Placer le foie sauté sur des assiettes à servir. Couvrir avec une sauce et servir

DONNE 6 PORTIONS

CONTREFILET NEW YORK DIABLE

6 – 10 onces	6 – 300 g	contrefilets New York
1¼ tasses	310 mL	vin blanc
¼ tasse	60 mL	oignons verts finement hachés
1¼ tasses	310 mL	saucedemi-glace (voir page 123)
1 c. à thé	5 mL	sauce Worcestershire
½ c. à thé	3 mL	moutarde en poudre

Oter la graisse du steak et la bande de cartilage le long du bord pour empêcher que la viande se recourbe pendant la cuisson.

Dans une petite casserole, bouillir le vin et et les oignons verts ensemble. Reduire d'un tiers le volume du vin. Ajouter le reste des ingrédients. Réduire la chaleur et faire mijoter pendant 5 minutes. Passer au tamis la sauce et garder chaud.

Griller les steaks sur des braises moyennes jusqu'à consistance désirée. Servir recouvert de sauce.

DONNE 6 PORTIONS

VEAU AUX CREVETTES ET AUX NOIX DE CAJOU

2 livres	900 g	épaule de veau sans os
3 c. à table	45 mL	huile de tournesol
1	1	oignon en tranches
2	2	carottes grossièrement coupées en dés
2	2	tiges de céleri grossièrement coupées en dés
3 c. à table	45 mL	farine tout usage
2 tasses	500 mL	bouillon de poulet (voir page 77)
1 tasse	250 mL	crème légère
1 livre	450 g	petites crevettes cuites
1 tasse	250 mL	noix de cajou

Couper le veau en dés de ¾" (2 cm).

Chauffer l'huile dans une cocotte. Ajouter le veau et faire brunir. Ajouter l'oignon, les carottes et le céleri; faire sauter jusqu'à ce qu'il soit tendre. Saupoudrer de farine et cuire pendant 2 minutes. Ajouter le bouillon de poulet et la crème. Réduire la chaleur et faire mijoter doucement pendant une heure.

Verser sur un plat de service. Parsemer de crevettes et de noix. Servir avec des nouilles.

DONNE 6 PORTIONS

Chili Con Carne et Fromage

FILET AU POIVRE

6 – 8 onces	6 – 225 g	filets de boeuf
¼ tasse	60 mL	poivre en grains écrasés
¼ tasse	60 mL	beurre
2 c. à table	30 mL	brandy
1 tasse	250 mL	demi-glace (voir page 123)
2 c. à table	30 mL	sherry
¼ tasse	60 mL	crème épaisse

Retirer toute graisse des filets. Tapoter les grains de poivre sur les filet.

Chauffer le beurre et faire sauter jusqu'à cuisson désirée. Retireret servir chaud.

Verser le brandy dans la casserole et faire flamber avec précaution. Ajouter le demi-glace, le sherry et la crème. Mélanger bien. Verser la sauce sur les steaks et servir.

DONNE 6 PORTIONS

RÔTI DE VEAU EN SAUCE À L'EAU-DE-VIE DE MÛRES

1½ livres	675 g	épaule de veau sans os et ficelé
1	1	gousse d'ail
¼ c. à thé	1 mL	de chaque: feuilles de thym, d'origan feuilles sel, poivre, paprika, moutarde en poudre
1 c. à table	15 mL	huile d'olive

SAUCE:		
1¼ livres	625 g	mûres
4 c. à thé	20 mL	fécule de maïs
¼ tasse	60 mL	eau-de-vie de mûres
2 c. à table	30 mL	sucre fin

Préchauffer le four à 350°F (180°C).

Frotter le rôti avec la gousse d'ail. Mêler les assaisonnements ensemble. Verser peu à peu l'huile sur le rôti. Rôtir, sans couvrir, pendant 35-45 minutes, selon la cuisson demandée.

Pendant que cuit le rôti, écraser en purée les mûres dans un robot culinaire. Égoutter pour enlever la pulpe et les graines. Placer le jus dans une petite casserole. Y incorporer la fécule de maïs, l'eau-de-vie et le sucre. Chauffer lentement jusqu'à ce que la sauce s'épaississe.

Retirer le rôti du four et découper. Placer sur un plat de service et verser la sauce par-dessus. Servir.

DONNE 4 PORTIONS

CHILI CON CARNE ET FROMAGE

2¼ livres	1 kg	boeuf haché gras
3 c. à table	45 mL	huile de tournesol
1	1	oignon coupé en déS
1	1	poivron vert en dés
1	1	poivron rouge en dés
3 oz	90 g	champignons tranchés
3	3	tiges de céleri en dés
1	1	gousse d'ail hachée
3 tasses	750 mL	tomates pelées, épépinées, hachées
1 c. à thé	5 mL	de chaque: sel, poivre, paprika, feuilles de thym
1 c. à table	15 mL	poudre de chili
2 c. à thé	10 mL	sauce Worcestershire
3 gouttes	3 gouttes	sauce Tabasco™
2¼ tasses	560 mL	haricots rouges en boîte, égouttés
¼ tasse	60 mL	concentré de tomate
1½ tasses	375 mL	fromage Cheddar râpé

Dans une grande cocotte ou marmite, brunir le boeuf dans l'huile. Ajouter les légumes et l'ail et faire sauter jusqu'à ce qu'il soit tendre.

Y ajouter en remuant tous les autres ingrédients, sauf le fromage. Baisser la chaleur et faire mijoter pendant une heure ou jusqu'à obtenir l'épaisseur désirée.

Placer dans des bols à servir, parsemer de fromage et servir.

DONNE 6 PORTIONS

BOEUF DANS UNE SAUCE DE TOMATES AU GINGEMBRE

1 livre	450 g	filet de boeuf
3 c. à table	45 mL	huile d'olive
2 c. à table	30 mL	sauce soya
2 c. à table	30 mL	sherry
1	1	gousse d'ail hachée
1 c. à thé	5 mL	gingembre haché
6	6	champignons chinois secs, trempés pendant 1 heure en eau tiède
2 c. à table	30 mL	concentré de tomate

Retirer toute graisse du boeuf et couper en fines bandes.

Mélanger 1 c. à thé (5 mL) d'huile avec le soya, le sherry, l'ail et le gingembre et verser sur le boeuf. Faire mariner pendant 2 heures.

Couper en tranches les champignons.

Chauffer les ingrédients restants dans de l'huile dans un wok. Frire rapidement le boeuf, non égoutté, avec les champignons. Y incorporer le concentré de tomates et cuire 1 minute de plus. Servir.

DONNE 4 PORTIONS

SCALOPPINE DE VEAU

1½ livres	675 g	côtelettes de veau
¼ tasse	60 mL	farine tout usage
1 c. à thé	5 mL	sel
¼ c. à thé	1 mL	poivre blanc
1	1	gousse d'ail
3 c. à table	45 mL	huile d'olive
⅔ tasse	170 mL	bouillon de veau (voir page 85) ou bouillon de poulet (voir page 77)
2 c. à table	30 mL	jus de citron
⅓ tasse	90 mL	vin blanc
2 c. à table	30 mL	persil haché

Couper le veau en petites portions individuelles.

Mélanger la farine avec le sel et le poivre et en saupoudrer le veau.

Chauffer l'huile dans une grande poêle et frire l'ail jusqu'à ce qu'il soit brun-doré, puis le retirer et le jeter. Frire le veau dans l'huile jusqu'à ce qu'il soit brun doré.

Réduire la chaleur et ajouter le bouillon, le jus de citron et le vin. Couvrir et faire mijoter pendant 45 minutes.

Parsemer de persil et servir:

DONNE 6 PORTIONS

Filet au Poivre

BOEUF EN SAUCE À L'ANANAS

1 livre	450 g	filet de boeuf
1 c. à table	15 mL	sucre brun
½ c. à thé	3 mL	gingembre haché
2 c. à table	30 mL	sauce soya
2 c. à table	30 mL	sherry
2 c. à table	30 mL	huile de tournesol
1 tasse	250 mL	morceaux d'ananas
½ tasse	125 mL	jus d'ananas
1 c. à thé	5 mL	fécule de maïs
2 c. à table	30 mL	eau

Préparer la viande, enlever tout le gras et couper en bandes fines

Mélanger le sucre avec le gingembre, le soya et le sherry; verser sur lee boeuf et faire mariner pendant 2 heures.

Chauffer l'huile dans un wok. Ajouter le boeuf, non égoutté, avec les morceaux d'ananas. Cuire pendant 3 minutes. Verser Le jus d'ananas. Mélanger la fécule de maïs et l'eau et l'ajouter au boeuf. Faire mijoter jusqu'à ce que la sauce s'épaississe. Servir.

DONNE 6 PORTIONS

T-BONE GRILLÉS AUX CHAMPIGNONS

1 tasse	250 mL	huile d'olive
4	4	gousse d'ail hachée
1 c. à table	15 mL	feuilles de basilic
1 c. à thé	5 mL	cerfeuil
2 c. à thé	10 mL	romarin écrasé
½ c. à thé	3 mL	poivre noir écrasé
3 c. à table	45 mL	jus de citron
½ tasse	125 mL	vin rouge sec
4 – 8 onces	4 – 225 g	bifteck d'aloyau
6 onces	175 g	champignons-huitres frais
6 onces	175 g	champignons chinois re-hydratés
3 c. à table	45 mL	beurre

Dans une saucière, combiner l'huile, l'ail, le basilic, le cerfeuil, le romarin, le poivre, le jus de citron et le vin rouge.

Placer les steaks dans une casserole peu profonde. Verser la marinade sur les steaks et faire mariner une heure. Egoutter les steaks. Griller sur charbon chaud pendant 7 minutes de chaque côté pour une cuisson moyenne, plus longtemps pour "à point" et moins longtemps pour "saignant".

Pendant que les steaks grillent, trancher les champignons. Chauffer le beurre. Servir au-dessus des steaks.

DONNE 4 PORTIONS

VEAU SATAY

2 livres	900 g	Veau maigre sans os, grossièrement coupé en dés
4 c. à table	60 mL	huile d'arachide
1¼ c. à table	20 mL	noix du Brésil moulues
½ c. à thé	3 mL	gingembre moulu
1½ c. à thé	8 mL	coriandre moulu
¼ c. à thé	1 mL	de chaque: cayenne, poudre d'ail
½ c. à thé	3 mL	de chaque: poivre, poudre d'oignon
2 c. à thé	10 mL	mélasse
4 c. à thé	20 mL	jus de lime
4 c. à thé	20 mL	jus de citron
3 c. à table	45 mL	eau chaude

Embrocher la viande avec des brochettes de bambou. La placer dans un grand plat peu profond .

Mélanger dans un bol le reste des ingrédients. Verser sur le boeuf embroché. Faire mariner, couvert, dans le réfrigérateur, pendant trois heures et demie à quatre heures.

Griller les brochettes à forte température pendant 10-12 minutes, ou jusqu'à ce que la viande soit cuite à l'inté rieur, en brossant fréquemment avec la marinade.

Servir avec du riz Bombay (voir page 709)

DONNE 6 PORTIONS

Boeuf en sauce à l'ananas

Veau Satay

CÔTELETTES DE VEAU EN FRICASSEE II

4½ livres	1-2 kg	petites côtelettes de veau
½ tasse	125 mL	farine épicée
4 c. à table	60 mL	huile d'olive
2	2	oignons hachés
2	2	carottes coupées en morceaux
2	2	tiges de céleri haché
1	1	bouquet garni*
4 tasses	1 L	bouillon de veau froid (voir page 85) ou bouillon de poulet (voir page 77)
½ c. à thé	3 mL	de chaque: sel, poivre paprika, poudre de chili, basilic
½ tasse	125 mL	concentré de tomate
3 c. à table	45 mL	beurre
3 c. à table	45 mL	farine tout usage

Laver et essuyer les côtelettes

Enrober les côtelettes avec la farine épicée.

Chaufffer l'huile dans un grand chaudron ou une cocotte. Faire brunir les côtelettes de tous côté et égoutter l'excédent d'huile. Ajouter les oignons, les carottes, le céleri et le bouquet. Couvrir avec le bouillon et porter à ébullition. Réduire la température et faire mijoter doucement pendant 45 minutes.

Retirer les côtelettes et les garder chaudes. Filtrer le bouillon et mettre au rebut les légumes et le bouquet. Retourner au pot et ajouter les assaisonnements et le concentré de tomates. Porter à ébullition et réduire le liquide à 2 tasses (500 mL).

Dans une petite casserole, chauffer le beurre, ajouter la farine et cuire à basse température pendant 2 minutes. Ajouter le bouillon réduit et faire mijoter dans une sauce épaisse. Verser la sauce sur les côtelettes et servir avec du riz ou des nouilles.

DONNE 4 PORTIONS

**Le bouquet garni pour ce plat est: une feuille de laurier, 8 brins de thym, 6 grains de poivre et un petit poireau haché, liés ensemble dans un filet à fromage.

Steaks de Veau au Beurre et aux Fines Herbes

STEAKS DE VEAU AU BEURRE ET AUX FINES HERBES

1	1	gousse d'ail écrasée
½	0.5	citron
½	0.5	lime
2 c. à thé	10 mL	de chaque: persil, basilic ,marjolaine, thym
¼ livre	115 g	beurre doux
6	6	tranches de bacon à l'érable
6 – 6 onces	6 – 170 g	steaks de veau maigre

Dans un robot culinaire, combiner l'ail, les jus de citron et de lime, les herbes et le beurre, jusqu'à ce que ce soit lisse. Donner au beurre une forme enlacée. Envelopper de papier ciré et congeler pendant une heure.

Envelopper le bacon autour des steaks de veau. Griller sur gril au charbon, à feu moyen,ou dans un four jusqu'à cuisson complètes.

Placer les steaks dans un plat et les recouvrir d'une tranche de beurre aux fines herbes.

DONNE 6 PORTIONS

CÔTES DE BOEUF DIABLE

18	18	côtes levées
¼ tasse	60 mL	moutarde de Dijon
2 c. à thé	10 mL	moutarde en poudre
¼ tasse	60 mL	vin blanc
4 c. à table	60 mL	mélasse
1 c. à table	15 mL	vinaigre de cidre
¼ tasse	60 mL	sauce Worcestershire
1 c. à thé	5 mL	sauce Tabasco™
¼ c. à thé	1 mL	de chaque: gingembre moulu,poudre d'oignon,poudre d'ail

Placer les côtes dans une grande rôtissoire allant au four.

Mélanger complètement le reste des ingrédients. Verser sur les côtes. Cuire les côtes dans un four préchauffé à 350°F (180°C) pendant 1¼ to 1½ heures ou jusqu'à ce que ce soit tendre à la fourchette. Servir.

DONNE 6 PORTIONS

STEAK LYONNAISE SALISBURY

1½ livres	675 g	boeuf maigre, haché
⅓ tasse	80 mL	croûtons épicés
1	1	oeuf
2 c. à thé	10 mL	sauce Worcestershire
2 c. à table	30 mL	oignons hachés
2 c. à table	30 mL	carottes hachées
2 c. à table	30 mL	céleri haché
¼ tasse	60 mL	beurre
1	1	oignon espagnol en tranches
2 c. à thé	10 mL	sucre cristallisé
3 c. à table	45 mL	farine tout usage
¼ tasse	60 mL	sherry
1½ tasses	375 mL	bouillon de boeuf (voir page 85)
3 c. à table	45 mL	concentré de tomate
½ c. à thé	3 mL	sel
¼ c. à thé	1 mL	poivre noir

Combiner dans un grand bol le boeuf, les croûtons, l'oeuf, la sauce Worcestershire, l'oignon, la carotte et le céleri hachés. Former 6 pâtés de même taille. Placer dans un plat à rôtir et cuire dans un four préchauffé à 400°F (200°C) pendant 15-20 minutes. La durée dépend de l'épaisseur des pâtés.

Pendant la cuisson des pâtés, chauffer le beurre dans une casserole. Ajouter les oignons en tranches et le sucre. Faire sauter à faible température jusqu'à ce que les oignons se caramélisent. Saupoudrer de farine et continuer à cuire pendant 4 minutes. Ajouter le sherry, le bouillon, le concentré de tomates et l'assaisonnement. Faire mijoter jusqu'à ce que la sauce s'épaississe.

Placer les pâtés sur des assiettes. Enrober de sauce et servir.

DONNE 6 PORTIONS

BOEUF SZECHUAN ÉMINCÉ

1½ livres	675 g	faux-filet de boeuf, en tranches d'⅛" d'épaisseur
3 c. à table	45 mL	sherry
3 c. à table	45 mL	sauce soya
1 c. à thé	5 mL	ail haché
1 c. à thé	5 mL	racine de gingembre hachée
¼ c. à thé	2 mL	poivre cayenne
2 c. à table	30 mL	huile de tournesol

Couper le steak en fines bandes.

Mélanger ensemble le sherry, le soya, l'ail, le gingembre et le cayenne. Verser sur le steak et bien mélanger. Faire mariner 30 minutes.

Chauffer l'huile à forte température dans un wok ou dans une grande poêle. Ajouter le boeuf non égoutté. Frire en remuant constamment pendant 5 minnutes. Servir

DONNE 6 PORTIONS

Steak Lyonnaise Salisbury

Goulache de Boeuf Revue

GOULASH DE BOEUF REVUE

3 c. à table	45 mL	beurre
3 c. à table	45 mL	oignon haché
2 c. à thé	10 mL	sel
1 c. à thé	5 mL	poivre
1 c. à table	15 mL	paprika
2¼ livres	1 kg	gîte à la noix de boeuf, en dés
3 c. à table	45 mL	farine tout usage
4 tasses	1 L	bouillon de boeuf chaud (voir page 85)
1	1	bouquet garni (voir Glossaire)
1½ tasses	375 mL	pommes de terre en dés
1	1	brins de marjolaine fraîche
1 tasse	250 mL	crème sure
¼ tasse	60 mL	concentré de tomates
1 c. à thé	5 mL	graines de carvi

Dans un grand chaudron ou une cocotte, chauffer le beurre et ajouter les oignons. Cuire jusqu'à ce qu'ils soient tendres sans brunir.

Mélanger le sel, le poivre et le paprika ensemble. Saupoudrer le boeuf de l'assaisonnement et ajouter au pot. Cuire le boeuf jusqu'à ce qu'il brunisse. Saupoudrer de farine et continuer à cuire pendant 3 minutes à basse température.

Ajouter le bouillon et le bouquet. Faire mijoter pendant 1¼ heures.

Ajouter les pommes de terre et la marjolaine. Continuer à laisser mijoter pendant 30 minutes de plus. Mettre au rebut le bouquet. Incorporer la crème sure, le concentré de tomates et les graines de carvi. Faire mijoter 5 minutes de plus et servir immédiatement avec des boulettes de goulache (recette suivante).

DONNE 6 PORTIONS

Boeuf Satay

BOULETTES DE GOULACHE

4 tasses	1 L	farine tout usage
1 c. à thé	5 mL	sel
2	2	oeufs
¼ tasse	60 mL	eau
2	2	tranches de bacon
2 tasses	500 mL	bouillon de boeuf (voir page 85)

Tamiser la farine avec le sel. Placer dans un bol, ajouter les oeufs et pétrir. Ajouter l'eau (juste assez pour former une pâte ferme).

Rouler la pâte sur une surface enfarinée et la laisser dessécher très dur. Lorsqu'elle est sèche, la briser en morceaux et la râper avec une râpe à légumes à gros trous. Frire le bacon dans une poêle et égoutter la viande (utiliser le bacon pour une autre recette), en mettant de côté 2 cuillères à thé (30 mL) de graisse de bacon.

Verser la graisse de bacon dans une petite saucière, ajouter le bouillon et porter à ébullition. Cuire les boulettes pendant 4-5 minutes. Servir avec la goulache.

DONNE 6 PORTIONS

B0EUF SATAY

1 livre	450 g	steak de flanchet
3 c. à table	45 mL	huile d'arachide
1 c. à table	15 mL	noix du Brésil moulues
¼ c. à thé	1 mL	gingembre moulu
1 c. à thé	5 mL	coriandre moulue
¼ c. à thé	1 mL	de chaque: poivre, poudre d'oignon
¼ c. à thé	1 mL	de chaque: cayenne, poudre d'ail
1 c. à thé	5 mL	mélasse
1 c. à table	15 mL	jus de lime
1 c. à table	15 mL	jus de citron
3 c. à table	45 mL	eau chaude

Parer et couper la viande en tranches fines. Embrocher la viande avec des brochettes de bambou. Les placer dans une grande casserole peu profonde.

Placer le reste des ingrédients dans un bol; verser par-dessus le boeuf embroché. Faire mariner couvert dans le réfrigérateur pendant 3½ to 4 heures.

Griller les brochettes à forte chaleur pendant 2 minutes de chaque côté, en brossant fréquemment avec la marinade pendant la cuisson. Servir immédiatement.

DONNE 4 PORTIONS

STEAKS DE VEAU EN SAUCE AU POIVRE ROSE ET VERT

2 c. à table	30mL	beurre
2 c. à table	30 mL	farine tout usage
½ tasse	125 mL	bouillon de veau (voir page 85) ou bouillon de poulet (voir page 77)
½ tasse	125 mL	crème légère
3 c. à table	45 mL	brandy
1 c. à table	15 mL	grains de poivre rose
1 c. à table	15 mL	grains de poivre vert
1 c. à table	15 mL	oignon vert haché
1 c. à table	15 mL	persil haché
4 – 6 onces	4 – 170 g	steaks de gîte à la noix de veau
2 c. à table	30 mL	beurre fondu
½ c. à thé	3 mL	sel
¼ c. à thé	1 mL	poivre blanc

Chauffer le beurre dans une casserole et ajouter la farine. Réduire la chaleur et cuire pendant 2 minutes.

Incorporer en remuant le beurre, la crème et le brandy. Faire mijoter jusqu'à ce que la sauce s'épaississe. Y remuer les grains de poivre, l'oignon et le persil.

Brosser le veau avec du beurre fondu. Assaisonner avec du sel et du poivre. Cuire dans un four préchauffé à 375°F (190°C) pendant 15-20 minutes.

Retirer et placer sur un plat de service. Recouvrir de sauce et servir

DONNE 4 PORTIONS

CÔTES BRAISÉES

2¼ livres	1 kg	côtes de boeuf
2 tasses	500 mL	farine tout usage
½ c. à thé	3 mL	de chaque: poudre d'ail, poudre d'oignon, sel, poivre
¼ c. à thé	1 mL	de chaque: thym, origan, poudre chili, paprika
1	1	gousse d'ail hachée
½ tasse	60 mL	sauce soya
½ c. à thé	3 mL	gingembre moulu
½ tasse	60 mL	sucre brun
½ tasse	60 mL	sherry
¾ tasse	180 mL	eau

Couper les côtes en portions de la taille désirée.

Mélanger la farine avec l'assaisonnement; saupoudrer de farine les côtes. Faire brunir dans un four préchauffé à 350°F (180°C).

Mélanger l'ail, le soya, le gingembre, le sucre, le sherry et l'eau ensemble et verser ce mélange sur les côtelettes. Couvrir les côtes. Réduire la température du four à 300°F (150°C) et cuire pendant 2 heures.

Servir avec du riz à l'espagnole (voir page 749).

DONNE 6 PORTIONS

BOEUF STROGANOFF

2 c. à table	30 mL	huile de tournesol
2 c. à table	30 mL	beurre
1	1	tiges de céleri coupées en dés
1	1	petit oignon en dés
1	1	poivron vert en dés
1 livre	454 g	faux-filet finement tranché
3 c. à table	45 mL	farine tout usage
1½ tasses	375 mL	bouillon de boeuf (voir page 85)
¼ tasse	60 mL	sherry
½ c. à thé	3 mL	de chaque: sel, poivre paprika
1 c. à thé	5 mL	moutarde de Dijon
1 tasse	250 mL	crème sure
3 tasses	750 mL	riz cuit à la vapeur ou nouilles

Dans une grande poêle, chauffer l'huile et le beurre. Faire sauter les légumes. Ajouter le boeuf et faire sauter. Saupoudrer de farine. Cuire pendant 3 minutes.

Ajouter le bouillon de boeuf, le sherry, l'assaisonnement et la moutarde. Réduire la chaleur et faire mijoter, couvert pendant 1¼ heures.

Incorporer la crème sure et mélanger complètement. Placer le riz ou les nouilles sur un plat de service. Recouvrir du Stroganoff et servir.

DONNE 4 PORTIONS

Côtes Braisées

Ragoût de Veau aux Clous de Girofle

RÔTI DE VEAU FARCI

1½ livres	675 g	épaule de veau rôtie, désossée
1	1	oignon coupé en dés fins
2	2	tiges de céleri en dés fins
2	2	carottes en dés fins
2 c. à table	30 mL	beurre
¼ tasse	60 mL	raisins secs
⅓ tasse	80 mL	noix de cajou
3 tasses	750 mL	cubes de pain
1 c. à thé	5 mL	de chaque: sel, poivre, sucre, feuilles de basilic, de thym
2	2	oeufs

Préchauffer le four à 350°F (180°C).

Déployer le veau en faisant une incision jusqu'au centre. À l'aide d'un maillet à viande, aplatir le veau.

Faire sauter l'oignon, le céleri et les carottes dans une poêle avec le beurre. Faire refroidir à la température ambiante. Placer dans un bol. Ajouter les raisins secs, les noix de cajou, les cubes de pain et l'assaisonnement. Lier ensemble tous les ingrédients avec les oeufs.

Aplatir la farce sur le veau. Rouler et brider le veau. Le placer dans un plat à rôtir. Rôtir, à découvert, pendant 45-50 minutes. Retirer et découper. Placer sur un plat de service. Servir avec la Sauce au champignons sauvages et au sherry (voir page 105).

DONNE 4 PORTIONS

RAGOÛT DE VEAU AUX CLOUS DE GIROFLE

2 c. à table	30 mL	huile d'olive
2 livres	900 g	veau sans os, coupé en dés
1 livre	450 g	tomates pelées, épépinées, hachées
6	6	clous de girofle
1 tasse	250 mL	bouillon de poulet (voir page 77)
2	2	gousses d'ail hachées
¼ c. à thé	1 mL	de chaque: basilic, thym, marjolaine
½ c. à thé	3 mL	sel et poivre
1 c. à table	15 mL	persil haché

Chauffer l'huile d'olive dans une cocotte. Ajouter le veau et brunir. Ajouter les tomates, les clous de girofle, le bouillon, l'ail et l'assaisonnement.

Couvrir, réduire la chaleur et faire mijoter pendant 2 heures .

Servir sur des nouilles ou du riz. Parsemer de persil pour garnir.

DONNE 6 PORTIONS

RAGOÛT DE VEAU AUX TOMATES

1½ livres	675 g	épaule de veau coupée en gros dés
3 tasses	750 mL	bouillon de poulet (voir page 77)
2 c. à thé	10 mL	sel
1 c. à thé	5 mL	de chaque: feuilles de thym et d'origan
3 c. à table	45 mL	beurre
20	20	petits oignons blancs
2	2	carottes en julienne
2	2	tiges de céleri en julienne
1	1	gousse d'ail hachée
20	20	champignons en boutons
3 c. à table	45 mL	farine tout usage
1½ tasse	375 mL	purée de tomates

Dans une cocotte, mettre le veau le bouillon, le sel, le thymet l'origan. Couvrir et faire mijoter 1½ heure.

Chauffer le beurre dans une casserole. Ajouter les carottes, le céleri, les oignons, les champignons et l'ail. Faire sauter pendant 5 minutes. Saupoudrer de farine et cuire pendant 3 minutes sans faire brunir.

Verser sur le veau et mélanger. Ajouter la purée de tomates et faire mijoter pendant 10 minutes. Sevir avec du riz.

DONNE 6 PORTIONS

CÔTELETTES DE VEAU SAUTÉES À LA SAUCE CLÉMENTINE

6 – 6 onces	6 – 170 g	côtelettes de veau sans os
3 c. à table	45 mL	huile
		sel, poivre selon le goût
⅓ tasse	80 mL	jus concentré de mandarine ou d'orange
½ tasse	125 mL	bouillon de veau (voir page 85) or bouillon de poulet (voir page 77)
¼ tasse	60 mL	crème à fouetter
1 c. à table	15 mL	beurre
1 c. à thé	5 mL	jus de lime

Chauffer l'huile dans une grande poêle. Faire sauter le veau pendant 6-8 minutes. Assaisonner avec du sel et du poivre et garder au chaud.

Chauffer le jus de mandarine dans une casserole avec le bouilon, porter à ébullition et réduire la chaleur. Ajouter la crème et faire mijoter jusqu'à ce que la sauce s'attache à la cuillère. Retirer du feu. Y fouetter le beurre et le jus de lime.

Placer les côtelettes de veau sur un plat de service. Couvrir de sauce et servir.

DONNE 6 PORTIONS

BOEUF EN SAUCE AUX CHAMPIGNONS ET AU VIN ROUGE

2¼ livres	1 kg	faux-filet, coupé en fines bandes
3 c. à table	45 mL	beurre
3 c. à table	45 mL	huile de tournesol
4 onces	115 g	champignons tranchés
3 c. à table	45 mL	carottes coupées en dés fins
3 c. à table	45 mL	céleri coupé en dés fin
¼ tasse	60 mL	farine tout usage
½ tasse	125 mL	vin rouge
2 tasses	500 mL	bouillon de boeuf (voir page 85)
3 c. à table	45 mL	concentré de tomate
1 c. à thé	5 mL	de chaque: poivre noir, poudre d'ail et d'oignon

Dans une grande cocotte or un chaudron, faire sauter le boeuf dans le beurre et l'huile. Ajouter les légumes et continuer à cuire jusqu'à ce qu'ils soient tendres. Parsemer de farine, réduire la chaleur et cuire pendant 5 minutes.

Ajouter le vin, le bouillon, le concentré de tomates et l'assaisonnement. Faire mijoter pendant 50 minutes, recouvert. Servir sur des nouilles.

DONNE 6 PORTIONS

BIFTECK MARCHAND DE VINS

4 c. à table	60 mL	beurre
⅔ tasse	160 mL	oignons verts hachés
1 tasse	250 mL	vin rouge
½ tasse	125 mL	sherry genrecrémeux
¼ c. à thé	1 mL	romarin écrasé
¼ c. à thé	1 mL	marjolaine
4 c. à table	60 mL	persil haché
2 c. à table	30 mL	farine tout usage
½ tasse	125 mL	bouillon de boeuf (voir page 85)
1 c. à table	15 mL	jus de citron
6 – 6 onces	6 – 150 g	steaks New York en bandes

Chauffer 2 cuillérées à thé (30mL) de beurre dans une casserole. Faire sauter les oignons verts pendant 3 minutes. Ajouter le vin, le sherry et les herbes. Amener à ébullition, réduire la chaleur et faire mijoter jusqu'à ¾ tasse (160mL) de liquide. Faire passer à travers un tamis fin.

Dans une seconde casserole, chauffer le restant du beurre. Ajouter la farine et cuire à basse température pendant 8 minutes ou jusqu'à ce que ce soit d'une couleur noisette. Ajouter la sauce filtrée, le bouillon de boeuf et le jus de citron. Continuer à faire mijoter pendant 7 minutes de plus. Parsemer du reste de persil.

Retirer des steaks tout excédent de graisse. Retirer la bande de cartilage avec la graisse car ceci empêchera les steaks de se recourber pendant la cuisson. Griller les steaks selon la cuisson désirée. Placer sur des assiettes Verser de la sauce sur les steaks et servir.

DONNE 6 PORTIONS

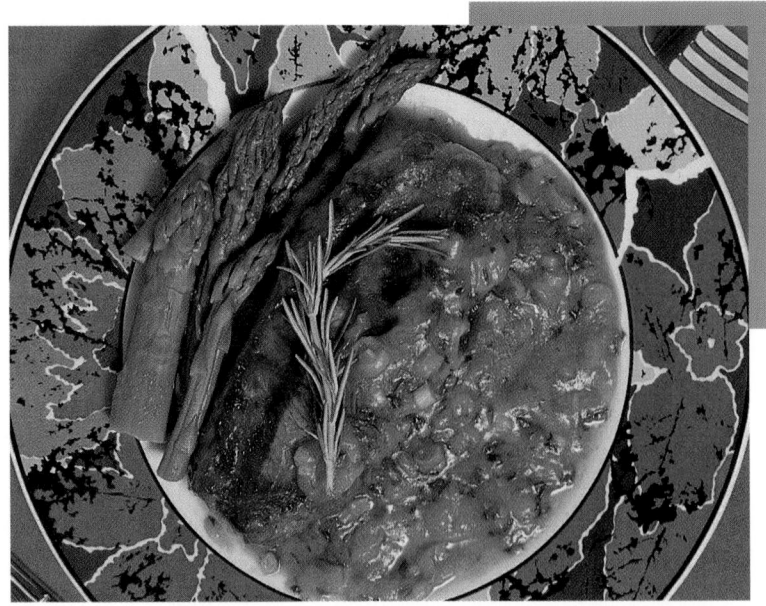

Bifteck Marchand de Vins

Boeuf en Sauce aux Champignons et au Vin Rouge

TOURNEDOS DIANNA LYNN

12	12	tranches de bacon à l'érable
12	12	3 onces (80 g) de steaks de filet
12 onces	360 g	chair de crabe cuite
⅓ tasse	90 mL	sauce hollandaise aux framboises (voir page 108)

Entourer une tranche de bacon autour de chaque steak. Cuire au gril jusqu'à consistance désirée. Recouvrir de chair de crabe. Verser sur chaque steak une cuillèrée à thé (15 mL) de sauce hollandaise aux framboises. Placer sur une tôle à four. Griller pendant 1 minute ou jusqu'à ce que ce soit brun doré.

DONNE 6 PORTIONS

BOEUF VIENNOISE

1½ livres	675 g	dessus de ronde
3 c. à table	45 mL	huile de tournesol
2	2	oignon espagnol en tranches
2 c. à thé	10 mL	paprika
¼ tasse	60 mL	sherry
20	20	champignons en boutons
¼ livre	115 g	champignons-huitres - rais ou re-hydratés, en tranches
1	1	gousse d'ail écrasée
1 c. à table	15 mL	sauce Worcestershire
1 c. à thé	5 mL	basilic
¼ tasse	60 mL	vinaigre de vin
¼ tasse	60 mL	farine tout usage
4	4	grosses pommes de terre, épluchées, en cubes
2 tasses	500 mL	bouillon de boeuf (voir page 85)

Couper le dessus de ronde en cubes de ¾" (2 cm).

Chauffer l'huile dans une cocotte. Ajouter l'oignon, et le paprika, Faire sauter jusqu'à ce que ce soit tendre. Ajouter le boeuf et continuer à faire sauter jusqu'à ce que le boeuf soit bruni. Ajouter le sherry, les champignons, l'ail, la sauce Worcestershire, le basilic et le vinaigre. Faire mijoter jusqu'à ce que la plupart du liquide se soit évaporé.

Saupoudrer de farine et cuire 3 minutes. Ajouter les pommes de terre et le bouillon. Couvrir et faire mijoter jusqu'à ce que la sauce se soit épaissie et que les pommes de terre soient devenues tendres. Servir.

DONNE 4 PORTIONS

Tournedos Dianna Lynn

Boeuf Viennoise

Boeuf Sud Africain

Boeuf à la Ceylanaise

BOEUF
SUD AFRICAIN

6 – 6 onces	6 – 150 g	steaks de paleron
½ tasse	125 mL	farine tout usage
½ c. à thé	3 mL	de chaque: basilic, feuilles d'origan feuilles de thym, sel
¼ c. à thé	1 mL	de chaque: poudre chili, paprika, poivre
3 c. à table	45 mL	huile de tournesol
1 tasse	250 mL	champignons en tranches
1 tasse	250 mL	poivron vert tranché
1 tasse	250 mL	oignon tranché
2 tasses	500 mL	tomates hachées
½ tasse	125 mL	eau
½ c. à thé	3 mL	sauce Worcestershire

Faire attendrir la viande par votre boucher ou aplatir finement avec un maillet à viande.

Mélanger la farine et les épices puis rouler les steaks dans la farine assaisonnée.

Chauffer l'huile dans une grande poêle. Brunir les steaks. Les retirer dans un grand plat à four. Faire sauter les champignons, le poivron vert et les oignons dans l'huile. Ajouter la tomate, l'eau et la Worcestershire. Faire mijoter pendant 5 minutes, Verser sur les steaks, couvrir et cuire dans un four préchaufffé à 350°F (180°C) pendant 1 to 1heure½ .

Retirer du four et servir avec un pilaf de riz.

DONNE 6 PORTIONS

VEAU À LA
RHÉNANE

1½ livres	675 g	paleron de veau
2	2	oeufs
¼ tasse	60 mL	lait
½ tasse	125 mL	farine tout usage
1 tasse	250 mL	fine chapelure assaisonnée
¼ tasse	60 mL	huile de tournesol
1½ tasse	375 mL	crevettes miniatures
18	18	pointes d'asperge blanchies
¾ tasse	180 mL	sauce hollandaise (voir page 114)

Couper le paleron de veau en morceaux de 6, 4 onces (120 g). Aplatir et attendrir chaque morceau en côtelette avec un maillet à viande.

Mélanger les oeufs au lait. Saupoudrer chaque côtelette avec de la farine, tremper dans l'oeuf battu et rouler dans la chapelure de pain.

Chauffer l'huile dans une grande poêle. Frire chaque côtelette jusqu'à une couleur brun doré de chaque côté placer sur une tôle à four

Répartir les crevettes sur chaque côtelette. Poser dessus 3 pointes d'asperges et 2 c. à table (30 mL) de sauce hollandaise. sPlacer sous le gril du four pendant 1 minute ½ ou jusqu'à ce que ce soit brun doré. Servir.

DONNE 6 PORTIONS

BOEUF À LA
CEYLANAISE

3 c. à table	45 mL	huile de tournesol
2 livre	900 g	paleron de boeuf coupé en fines lanières
1 tasse	250 mL	oignons en tranches
1 tasse	250 mL	champignons tranchés
2	2	gousses d'ail hachées
3 c. à table	45 mL	farine tout usage
½ c. à thé	3 mL	sel
2 c. à thé	10 mL	poudre de curry
4 tasses	1 L	tomates pelées, épépinées, en dés
¼ tasse	60 mL	sherry
½ tasse	125 mL	amandes blanchies, tranchées
2 tasses	500 mL	pois mangetout

Chauffer l'huile dans une grande poêle ou dans une casserole. Ajouter le boeuf et faire sauter pour le brunir.

Ajouter les oignons, les champignons et l'ail et continuer à cuire jusqu'à ce que les leegumes soient tendres. Saupoudrer de farine, Réduire la chaleur et cuire 2 minutes de plus. Ajouter le sel, le curry, les tomates et le sherry. Porter à ébullition; réduire la chaleur et faire mijoter pendant 15-20 minutes. Ajouter les amandes et les pois. Continuer `a cuire pendant 3 minutes de plus. Servir avec du riz.

DONNE 6 PORTIONS

PAUPIETTES DE VEAU

6 – 4 onces	6 – 115 g	côtelettes de veau provimi
4 onces	115 g	veau haché
2 onces	60 g	bacon
1	1	petit oignon
1	1	carotte
1	1	tige de céleri
¼ c. à thé	1 mL	écorce de citron râpée
½ c. à thé	3 mL	de chaque: sel,feuilles de basilic, poivre, feuilles de thym
2 tasse	500 mL	chapelure fine
1	1	oeuf
3 c. à table	45 mL	huile
3 c. à table	45 mL	beurre
4 c. à table	60 mL	farine tout usage
1½ tasses	375 mL	bouillon de poulet (voir page 77)
¾ tasse	180 mL	crème épaisse
2 c. à table	30 mL	persil haché

Aplatir très finement les côtelettes. Mettre dans un robot culinaire le veau haché, le bacon, l'oignon, la carotte et le céleri, broyer très finement. Transférer dans un bol et ajouter le citron, l'assaisonnement et la chapelure, en mélangeant complètement. Ajouter l'oeuf pour lier. Étendre la farce sur les côtelettes, puis rouler et attacher ensemble.

Chauffer l'huile et le beurre dans une casserole. Faire durcir le veau de chaque côté puis le transférer dans un plat à four. Répandre la farine dans la casserole. Réduire la chaleur et cuire pendant 2 minutes. Ajouter le bouillon de poulet et la crème. Faire mijoter pendant 5 minutes. Verser la sauce sur le veau.

Cuire dans un four préchauffé à 350°F (180°C). Retirer les paupiettes, détacher, les placer sur un plateau, verser la sauce par-dessus et parsemer de persil pour garnir avant de servir.

DONNE 6 PORTIONS

FILET MIGNON STÉFANIE BLAIS

2 c. à table	30 mL	beurre
1 c. à thé	5 mL	huile d'olive
1 c. à thé	5 mL	oignon haché
1 c. à thé	5 mL	ciboulette hachée
½ livre	225 g	champignons
6 – 4 onces	6 – 115 g	filets mignons
½ quan	0.5 quan	pâte feuilletée (voir page 689)
½ livre	225 g	queues d'écrevisses ou petites crevettes
1	1	oeuf
1½ tasses	375 mL	sauce béarnaise sauce (voir page 108) ou demi-glace (voir page 123)

Chauffer une cuillère à thé de beurre et d'huile ensemble dans une grande poêle. Faire sauter les oignons, les ciboulettes et les champignons jusqu'à ce que le liquide se soit évaporé.

Chauffer le reste du beurre dans une seconde poêle et brunir le filet de tous côtés. Sécher sur une serviette en papier.

Rouler la pâte selon les indications; couper en 6 morceaux égaux. Placer quelques unes des duxelles de champignons sur la pâte, mettre par-dessus l'écrevisse et un filet. Enrouler la pâte autour pour enfermer complètement la farce. Retirer tout l'excédent de pâte.

Rouler le reste de la pâte et l'utiliser pour décorer les steaks. Mélanger l'oeuf avec un peu d'eau et brosser sur la pâte. Cuire dans un four préchauffé à 375°F (190°C) pendant 15-18 minutes.

Servir avec la sauce béarnaise à côté.

DONNE 6 PORTIONS

Filet Mignon Stéfanie Blais

Paupiettes de Veau

BARON DE RÔTI DE BOEUF

¼ tasse	60 mL	farine tout usage
2 c. à table	30 mL	moutarde en poudre
1 c. à thé	5 mL	basilic
½ c. à thé	3 mL	de chaque: feuilles de thym, cerfeuil, sel
5 livres	2.2 kg	baron de boeuf
2 c. à table	30 mL	sauce Worcestershire
1	1	oignon haché
2	2	carottes hachées
2	2	tiges de céleri hachées
1	1	feuille de laurier
1 tasse	250 mL	vin rouge
1 tasse	250 mL	bouillon de boeuf (voir page 85) ou eau

Préchauffer le four à 325°F (160°C).

Mélanger ensemble la farine, la moutarde et l'assaisonnement.

Frotter sur le rôti. Placer le rôti dans un plat à rôtir. Verser la sauce Worcestershire sur le rôti.

Entourer le rôti de légumes et d'une feuille de laurier. Y verser le vin rouge et l'eau.

Cuire jusqu'à cuisson désirée. (voir tableau ci-dessous), en arrosant souvent.

Utiliser les liquides de la poêle pour faire une sauce.

DONNE 8 PORTIONS

Tableau de rôtissage:

Saignant	Moyen	bien cuit
27	34	44 minutes par livre (454 g)

PÂTÉ AUX HERBES ET À LA CRÈME SURE

1 livre	454 g	boeuf maigre haché
¾ livre	345 g	veau haché
½ livre	225 g	porc maigre haché
2	2	oeufs
1 tasse	250 mL	miettes de biscuits sodas
1 tasse	250 mL	crème sure
⅓ tasse	80 mL	persil haché
3 c. à table	45 mL	ciboulettes hachées
½ c. à thé	3 mL	de chaque: feuilles de thym, cerfeuil, basilic
l, 1 c. à thé	5 mL	sel
¾ c. à thé	4 mL	poivre noir craqué
½ tasse	125 mL	sauce Mornay (voir page 111)

Préchauffer le four à 350°F (180°C).

Combiner tous les ingrédients dans un grand bol, excepté la sauce Mornay .

Tapisser d'une feuille d'aluminium un grand moule à pain. Entasser le mélange dans le moule. Cuire pendant une heure et demie. Retourner le moule, retirer la feuille d'aluminium. Découper et servir avec la sauce Mornay.

DONNE 6 PORTIONS

CÔTELETTES DE VEAU AVEC CONFITURE DE TOMATES ET DU FROMAGE

1 tasse	250 mL	tomates écrasées
1 tasse	250 mL	sucre cristallisé
¼ tasse	60 mL	sherry
6 – 4 onces	6 – 120 g	côtelettes de veau
1	1	oeuf
¼ tasse	60 mL	lait
½ tasse	125 mL	farine tout usage
1 tasse	250 mL	croûtons épicés
3 c. à table	45 mL	huile de tournesol
2 tasses	500 mL	fromage Havarti râpé

Mélanger les tomates, le sucre, et le sherry dans une casserole. Chauffer à faible chaleur, en remuant constamment. Réduire jusqu'à ce que le mélange aux tomates soit très épais et ressemble à la consistance d'une confiture.

Aplatir finement les côtelettes avec un maillet à viande. Mélanger l'oeuf avec le lait. Enduire les côtelettes de farine, tremper dans l'oeuf et saupoudrer de chapelure de pain.

Chauffer l'huile dans une grande poêle. Frire les côtelettes jusqu'à ce qu'elles soient dorées des deux côtés Placer chaque côtelette sur une feuille de cuisson, recouvrir de confiture de tomates et parsemer de fromage. Placer dans un four préchauffé à 450°F (230°C) jusqu'à ce que le fromage soit fondu et doré.

Servir immédiatement.

DONNE 6 PORTIONS

Baron de Rôti de Boeuf

CÔTELETTES DE VEAU AU CITRON ET AU MIEL

6 – 4 onces	6–115 g	côtelettes de veau
½ tasse	125 mL	farine tout usage
3 c. à table	45 mL	huile de tournesol
2 c. à table	30 mL	beurre
2 c. à table	30 mL	farine tout usage
⅔ tasse	160 mL	crème légère
¼ tasse	60 mL	jus de citron
¼ tasse	60 mL	miel liquide
12	12	tranches de citron
		brins de persil pour la garniture

Aplatir les côtelettes avec un maillet Saupoudrer les côtelettes avec ½ tasse (125 mL) de farine.

Chauffer l'huile dans une poêle et frire les côtelettes pendant 3 minutes de chaque côté. ou jusqu'à ce que ce soit brun doré.

Chauffer le beurre dans une cassserole. Ajouter la farine et cuire faible chaleur pendant 2 minutes. Ajouter la crème et faire mijoter dans une sauce épaisse. Y battre le jus de citron et le miel. Continuer à faire mijoter pendant 2 minutes.

Placer les côtelettes sur un plat à servir, verser la sauce par-dessus et garnir avec des tranches de citron et du persil. Servir.

DONNE 6 PORTIONS

CÔTES DE VEAU EN CRÈME AU LIME ET CILANTRO

1	1	oeufs
¼ tasse	60 mL	lait
6 – 4 oz	6 – 120 g	côte de veau désossée
½ tasse	125 mL	farine tout usage
1 tasse	250 mL	chapelure épicée
6 c. à table	90 mL	huile d'olive
3 c. à table	45 mL	beurre
2 c. à table	30 mL	farine tout usage
½ tasse	125 mL	bouillon de poulet (voir page 77)
½ tasse	125 mL	crème légère
¼ tasse	60 mL	jus de lime
2 c. à table	30 mL	cilantro haché (coriandre)
1 tasse	250 mL	poivrons verts en julienne

Mélanger l'oeuf avec le lait. Saupoudrer les côtes avec ½ tasse (125 mL) de farine, tremper dans l'oeuf, puis saupoudrer de chapelure de pain

Chauffer l'huile dans une grande poêle. Frire les côtes pendant 3 minutes par côté ou jusqu'à ce qu'elles aient une couleur doré eMettre de côté au chaud dans le four.

Chauffer le beurre dans une casserole. Ajouter la farine et cuire 2 minutes sur faible chaleur. Ajouter le bouillon de poulet et la crème; faire mijoter en une sauce légère. Y battre le jus de lime et le cilantro; continuer à faire mijoter pendant 5 minutes.

Placer les côtes sur des assiettes et verser la sauce sur les côtes. Garnir avec des poivrons.

DONNE 6 PORTIONS

Côtes de Veau en Crème au Lime et au Cilantro

Côtelettes de Veau au Citron et au Miel

Le Steak Matinal du Gourmet

CÔTELETTES DE VEAU CHERBOURG

6 – 4 onces	6 – 120 g	côtelettes de veau
1	1	oeuf
¼ tasse	60 mL	lait
½ tasse	125 mL	farine tout usage
1 tasse	250 mL	chapelure épicée
3 c. à table	45 mL	huile de tournesol
6 c. à table	90 mL	beurre
3 c. à table	45 mL	farine tout usage
1 tasse	250 mL	bouillon de poulet (voir page 77)
1 tasse	250 mL	crème légère
1½ tasses	375 mL	queues d'écrevisses cuites
¼ c. à thé	2 mL	sel
pincée	pincée	de chaque: poivre blanc, paprika

Aplatir finement les côtelettes avec un maillet. Mélanger l'oeuf dans le lait. Saupoudrer les côtelettes dans ½ tasse (125 mL) de farine. Tremper dans l'oeuf, puis saupoudrer de chapelure. Chauffer l'huile dans une grande poêle et frire les côtelettes jusqu'à ce qu'elles soient dorées. Garder au chaud.

Chauffer la moitié du beurre dans une casserole. Ajouter la farine et cuire pendant 2 minutes à feu doux. Ajouter le bouillon de poulet et la crème en même temps et faire mijoter 15 minutes ou jusqu'à ce que la sauce s'épaississe.

Dans un robot culinaire faire une purée avec le reste du beurre et la moitié de queues d'écrevisses, Retirer la sauce du feu; la fouetter dans la purée. Ajouter le reste des écrevisses et l'assaisonnement.

Placer les côtelettes sur des assiettes. Recouvrir de sauce et servir.

DONNE 6 PORTIONS

LE STEAK MATINAL DU GOURMET

6 – 6 onces	6 – 170 g	filets de boeuf
2 c. à table	30 mL	beurre
¾ tasse	190 mL	champignons tranchés
3 c. à table	45 mL	ciboulettes hachées
1½ tasses	375 mL	demi-glace (voir page 123)
3 c. à table	45 mL	brandy
3 c. à table	45 mL	sherry
¼ tasse	60 mL	crème épaisse
6	6	oeufs
3	3	muffins

Assaisonnez les steaks selon vos préférences et les griller selon le degré de cuisson désiré.

Pendant que cuisent les steaks s, chauffer le beurre dans une petite casserole. Ajouter les champignons et faire sauter jusqu'à ce que toute humidité se soit évaporée. Ajouter les oignons, la sauce demi-glace, le brandy et le sherry. Porter à ébullition et réduire la sauce jusqu'à la moitié de son volume Y faire tournoyer la crème.

Pocher les oeufs et rôtir les muffins. Placer un demi muffin sur les assiettes placer dessus un steak et recouvrir de sauce. Placer un oeuf au-dessus. Garnir selon vos désirs.

DONNE 6 PORTIONS

STEAKS DE VEAU SAUTÉS À LA PROVENÇALE

6 – 6 onces	6 – 170 g	steaks de filets de veau
4 c. à table	60 mL	beurre
3	3	gousses d'ail hachées
1	1	poivron vert en tranches
1	1	oignon en tranches
3 tasses	750 mL	tomates pelées, épépinées, hachées
¼ tasse	60 mL	sherry
1 c. à thé	5 mL	paprika
½ c. à thé	3 mL	sel
¼ c. à thé	1 mL	poivre

Dans une poêle, frire le veau dans le beurre pendant 4 -6 minutes par côté (selon l'épaisseur). Retirer et garder chaud.

Ajouter l'ail, le poivron et les oignons à la poêle et faire sauter jusqu'à ce que ce soit tendre. Ajouter les tomates et porter à ébullition. Diminuer la chaleur et faire mijoter pendant 10 minutes. Ajouter le sherry et l'assaisonnemnt; continuer à mijoter jusqu'à ce que le liquide se soit évaporé.

Placer les steaks de veau sur le plat, verser la sauce par-dessus et servir avec un pilaf de riz au citron.

DONNE 6 PORTIONS

Steaks de Veau Sautés à la Provençale

Steak de Veau Cumberland

STEAK DE VEAU CUMBERLAND

6	6	tranches de bacon
6 – 6 onces	6 – 170 g	steaks de veau
3	3	échalotes
¼ tasse	60 mL	eau
1	1	orange
1	1	citron
pincée	pincée	de chaque: gingembre moulu cayenne, poivre
⅓ tasse	80 mL	gelée de groseilles rouges
¼ tasse	60 mL	vin de Porto

Entourer les steaks de veau avec du bacon. et fixer avec des cure-dents. Griller sur un gril à charbon à température moyenne, ou dans le four jusqu'à ce que bien cuit.

Hacher les échalotes et les placer dans l'eau dans une casserole.

Enlever l' écorce de l'orange et du citron. Placer les échalotes, faire cuire pendant 3 minutes, puis égoutter.

Ajouter le jus de l'orange et ½ citron, l'assaisonnement, la gelée et le Porto. Porter à ébullition et réduire de moitié

Verser sur les steaks et servir.

DONNE 6 PORTIONS

CÔTELETTES DE VEAU VERDE

6 – 4 onces	6 – 120 g	côtelettes de veau
1	1	oeuf
¼ tasse	60 mL	lait
½ tasse	125 mL	farine tout usage
1 tasse	250 mL	chapelure épicée
4 c. à table	60 mL	huile
3 c. à table	45 mL	beurre
1	1	gousse d'ail hachée
2 c. à table	30 mL	farine tout usage
2 tasses	500 mL	bouillon de veau (voir page85) oubouillon de poulet (voir page 77)
1 tasse	250 mL	pois
¼ c. à thé	1 mL	de chaque: sel et poivre

Aplatir les côtelettes avec un maillet.Mélanger les oeufs avec le lait. Saupoudrer avec ½ tasse de farine, tremper dans l'oeuf et saupoudrer de chapelure de pain.

Chauffer l'huile dans une poêle et frire les côtelettes jusqu'à ce qu'elles soient brun doré de chaque côté. Mettre de côté au chaud.

Chauffer le beurre avec l'ail. Saupoudrer de farine et cuire pendant 2 minutes sur feu doux. Ajouter le bouillon, les pois et l'assaisonnement. Faire mijoter jusqu'à ce que la sauce s'épaississe. Verser dans un robot culinaire et le faire fonctionner jusqu'à ce que ce soit lisse.

Mettre les côtelettes sur un plat et recouvrir de sauce.

DONNE 6 PORTIONS

CÔTES DE BOEUF ÉPICÉES DE PREMIER CHOIX

¼ tasse	60 mL	farine tout usage
2 c. à table	30 mL	poudre de moutarde
1 c. à thé	5 mL	basilic
1/2 c. à thé	3 mL	de chaque: feuilles de thym, cerfeuil, sel, poudre chili ,paprika, feuilles d'origan, ail granulé, poudre d'oignon
5 livres	2.2 kg	rôti de côtes levées (avec 4 os)
2 c. à table	30 mL	sauce Worcestershire
1 c. à table	5 mL	sauce soya
1	1	oignon haché
2	2	carottes hachées
2	2	tiges de céleri hachées
1	1	feuille de laurier
1 tasse	250 mL	vin rouge

Préchauffer le four à 325°F (160°C).

Mélanger ensemble la farine, la moutarde et l'assaisonnement.

Frotter sur le rôti. Placer le rôti dans un plat à rôtir. Verser de la sauce Worcestershire et de la sauce soya.

Entourer le rôti de légumes et de feuille de laurier. Verser le vin par-dessus.

Cuire jusqu'à cuisson désirée (voir tableau, page 223), arroser souvent.

Utiliser les jus du plat pour faire la sauce.

DONNE 8 PORTIONS

Côtes de Boeuf Épicées Premier Choix

Côtes de Veau Style Créole

CROQUETTES DE BOEUF

2 c. à table	30 mL	beurre
4 c. à table	60 mL	farine tout usage
1 tasse	250 mL	lait
2 tasses	500 mL	boeuf haché maigre, graisse égouttée
½ c. à thé	3 mL	de chaque: sel, paprika, poudre chili
¼ c. à thé	1 mL	poivre
1 c. à thé	5 mL	sauce Worcestershire
2 c. à thé	10 mL	sauce soya
1 c. à thé	5 mL	persil finement haché
1	1	oeuf
2 c. à table	30 mL	eau
½ tasse	125 mL	farine épicée
1½ tasses	375 mL	chapelure fine
1 tasse	250 mL	huile de tournesol

Chauffer le beurre dans une casserole. Ajouter la farine et cuire à faible température pendant 2 minutes. Y remuer le lait et faire mijoter jusqu'à formation d'une sauce très épaisse .Tout en remuant constamment y mettre le boeuf, l'assaisonnement, les sauces Worcestershire et soya et le persil. Refroidir à la température ambiante. Former six pâtés de taille égale.

Mélanger l'oeuf avec l'eau. Saupoudrer chaque pâté de farine, le tremper dans l'oeuf, puis le recouvrir de chapelure.

Chauffer l'huile dans une grande poêle. Frire les pâtés en les faisant devenir brun doré de chaque côté. Servir.

DONNE 6 PORTIONS

Veau aux champignons

VEAU AUX CHAMPIGNONS

1½ livres	675 g	veau sans os
8	8	champignons chinois noirs ouchampignons sauvages séchés
1½ c. à thé	8 mL	fécule de maïs
4 c. à thé	20 mL	sauceau soya légère
1	1	blanc d'oeuf
¼ tasse	60 mL	huile de tournesol
1	1	gousse d'ail hachée
2 c. à thé	10 mL	sucre cristallisé
3 c. à table	45 mL	sauce d'huître
2 c. à table	30 mL	vin rouge

Couper le veau en tranches fines.

Faire tremper les champignons dans de l'eau tiède pendant 1 heure.

Mélanger la fécule de maïs avec la sauce soya et le blanc d'oeuf. Verser sur le veau et faire mariner une heure de plus.

Égoutter les champignons et les couper en fines bandes.

Chauffer l'huile dans un wok. Frire en remuant l'ail. Ajouter le veau et frire 2 minutes. Ajouter le sucre, la sauce d'huître et le vin. Continuer à frire jusqu'à la presque complète évaporation du liquide.

Servir avec du riz cuit à la vapeur.

DONNE 6 PORTIONS

CÔTES DE VEAU STYLE CRÉOLE

12	12	petites côtes de veau
¼ c. à thé	1 mL	de chaque: thym, basilic, origan, sel, poivre de cayenne, poivre noir, poivre blanc
½ c. à thé	3 mL	paprika
1 c. à thé	5 mL	poudre de chili
1½ tasses	375 mL	chapelure fine
2	2	oeufs
¼ tasse	60 mL	lait
½ tasse	125 mL	farine tout usage
¼ tasse	60 mL	huile d'olive
2 tasses	500 mL	sauce créole épicée (voir page 121)

Retirer des côtes tout excédent de gras.

Mélanger dans un bol l'assaisonnement et la chapelure

Mélanger les oeufs avec le lait.

Saupoudrer les côtes en les roulant dans la farine, les tremper dans l'oeuf et les rouler dans la chapelure .

Chauffer l'huile dans une grande poêle et frire les côtes pendant 8 minutes ou moins, selon leur taille. Mettre les côtes dans un plat et les recouvir de sauce créole. Servir immédiatement.

DONNE 6 PORTIONS

Rouleaux de Veau L.T.

ROULEAUX DE VEAU L.T.

6 – 4 onces	6–120 g	côtelettes de veau
18	18	pointes d'asperges blanchies
18	18	grosses crevettes décortiquées, déveinées
3 onces	80 g	fromage Havarti râpé
1½ tasses	375 mL	jus frais de clémentine ou de mandarine
1 tasse	250 mL	bouillon de veau (voir page 85) ou bouillon de poulet (voir page 77)
½ tasse	125 mL	crème épaisse
2 c. à table	30 mL	beurre
¼ c. à thé	1 mL	poivre fraîchement moulu
½ tasse	125 mL	oranges mandarines

Aplatir très finement le veau avec un maillet à viande. Placer 3 asperges, 3 grandes crevettes et ½ once (15 g) de fromage dans chaque côtelette. Repliez aux extrémités et rouler le tout ensemble. Consolider avec un cure-dents. Brosser avec de l'huile. Cuire dans un four préchauffé à 350°F (180°C) pendant 25-30 minutes.

Pendant que cuit le veau, combiner le jus d'orange avec le bouillon de poulet dans une casserole. Chauffer et réduire de moitié. Ajouter la crème et réduire à nouveau de moitié.

Retirer du feu. Y battre le beurre. Ajouter le poivre et les sections d'orange mandarine.

Placer les rouleaux sur un plat de service. Verser la sauce sur eles rouleaux et servir.

DONNE 6 PORTIONS

VEAU À LA FORESTIÈRE

1½ livres	675 g	épaule de veau
2	2	oeufs
¼ tasse	60 mL	lait
½ tasse	125 mL	farine tout usage
1 tasse	250 mL	fine chapelure épicée
¼ tasse	60 mL	huile de tournesol
½ livre	225 g	champignons en tranches
1	1	oignon espagnol finement coupé en dés
3 c. à table	45 mL	beurre
1½ tasses	375 mL	sauce Mornay (voir page 111)
¼ tasse	60 mL	fromage Parmesan fraîchement râpé

Couper l'épaule de veau en 6 morceaux de 4 onces (120 g). Aplatir et attendrir chaque morceau avec un maillet à viande.

Mélanger les oeufs avec le lait. Saupoudrer chaque côtelette avec de la farine, les tremper dans l'oeuf et recouvrir de chapelure

Chauffer l'huile et frire les côtelettes pendant 3 minutes de chaque côté placer sur une tôle allant au four.

Faire sauter les champignons et l'oignon dans le beurre jusqu'à ce que l'humidité se soit évaporée Répandre sur les côtelettes. Verser la sauce Mornay sur chacune, parsemer de Parmesan et placer en-dessous d'un gril préchauffé pendant 2 minutes. Servir.

DONNE 6 PORTIONS

Veau à la Forestière

$\mathcal{V}$OLAILLE

Plus que le poulet, la volaille représente sur le menu d'aujourd'hui, la créativité et le bon goût à leur meilleur. Les innombrables façons de préparer la volaille s'étend du traditionnel oiseau farci à tout ce qu'il y a de nouveau, ainsi vous n'aurez jamais rencontré des plats le poulet à la crème italienne au vin et aux fraises.

D'étendue internationale, de saveur locale, ces recettes sont faciles à préparer et un plaisir à servir. Aucune recette ne peut être préférée à une autre, simplement parce qu'elles sont trop bonnes pour ne pas être essayées. Cependant, lorsque vous contemplez quelque chose de différent pour les occasions spéciales, penchez-vous premièrement sur ce chapitre. Des mets tel que la lasagne au canard sont sûrs de plaire à n'importe quel groupe. À moins qu'il ne s'agisse de quelque chose de plus formel. Alors préparez le rôti de pintades à la sauce hollandaise aux bleuets et laissez-vous porter par les louanges que vous recevrez.

Les façons d'apprêter la volaille sont illimitées. Qu'il s'agisse de la faire griller, de la faire rôtir ou de la faire sauter, il n'y a qu'à faire place à votre créativité et à apprécier. Avec *Tout Simplement Délicieux* 2, vos repas inciteront vos convives à en demander davantage.

Le poulet n'est désormais plus un humble oiseau. Il a atteint un nouveau sommet de succès et, malheureusement, en tant qu'approvisionneur son prix a suivi le même chemin. Par contre, ce qui est passionnant c'est que n'importe quel plat peut être préparé avec une autre sorte d'oiseau. Ainsi la dinde s'impose d'elle-même. Elle n'est plus que le met de choix qui pare le centre de la table durant le temps des fêtes, plusieurs nouveaux plats de dinde démontrent un amour renouvelé pour cette vieille amie, comme les filets de dinde créole ou la dinde fumée à la sauce aux cerises.

Tout le monde apprécie un repas préparé avec amour, et tout le monde aime la personne qui prépare le repas aimé de tous. Cela signifie normalement qu'il s'agit d'un repas de volaille *Tout Simplement Délicieux*.

Dinde Rôtie de Noël

Poulet à la Crème Italienne au Vin & aux Fraises

POULETTES DE CORNOUAILLES À LA MODE DES ÎLES GRÈCQUES

4	4	poulettes de cornouailles
1	1	aubergine
1	1	gousse d'ail finement hachée
3 c. à table	45 mL	huile d'olive
1 tasse	250 mL	sauce tomate (voir page 106)
2 c. à thé	10 mL	feuilles d'origan
1 c. à thé	5 mL	basilic
¼ c. à thé	1 mL	poivre noir craqué
¾ livre	340 g	fromage Feta émietté

Couper les poulettes en deux en suivant le dos. Utiliser un petit couteau bien aiguisé pour désosser les poulettes.

Peler l'aubergine et la couper en tranches de ¾" (2 cm), placer dans un plat allant au four de 8 x 8" (20 x 20 cm) et faire griller pendant 10 minutes de chaque côté.

Frotter les poulettes avec l'ail. Faire chauffer l'huile dans une poêle, faire brunir les poulettes et les mettre dans le plat.

Mélanger ensemble la sauce tomate, l'origan, le basilic et le poivre, et verser sur les poulettes. Saupoudrer de fromage, couvrir et cuire dans un four préchauffé à 350°F (180°C) pendant 25 minutes. Retirer le couvercle et cuire pendant 15 autres minutes.

Servir accompagnées de Linguine à l'huile d'olive, à l'ail et aux herbes (voir page 448).

DONNE 4 PORTIONS

Poulettes de Cornouailles à la Mode des Îles Grèques

POULET À LA CRÈME ITALIENNE AU VIN ET AUX FRAISES

6 – 4 onces	6 – 120 g	poitrines de poulet désossées
1 c. à table	15 mL	huile d'olive
¼ c. à thé	1 mL	de chaque: basilic, sel, poivre, paprika
6	6	jaunes d'oeufs
½ tasse	125 mL	sucre granulé
½ tasse	125 mL	Marsala ou sherry sucré
1½ tasses	375 mL	fraises tranchées

Brosser le poulet avec l'huile et saupoudrer avec les épices. Faire griller dans le four pendant 3 à 5 minutes de chaque côté. Conserver au chaud.

Battre les jaunes d'oeufs avec le sucre dans la partie supérieure d'un bain- marie jusqu'à ce que le mélange soit mousseux et de couleur pâle. Mettre au-dessus de l'eau bouillante et ajouter lentement le sherry en battant continuellement jusqu'à ce que le mélange soit devenu épais et mousseux. Retirer du feu et ajouter les fraises en brassant.

Mettre le poulet sur un plat de service et couvrir de la moitié de la sauce. Servir accompagné du restant de sauce.

DONNE 6 PORTIONS

POULET & CREVETTES GRILLÉS AU BRANDY AUX MÛRES

2 tasses	500 mL	mûres
1½ tasses	375 mL	sucre granulé
½ tasse	125 mL	brandy aux mûres
2 – 6 onces	2 – 170 g	poulet désossé, coupé en cubes
1 livre	454 g	grosses crevettes, décortiquées
1 c. à table	15 mL	huile

Réduire les mûres en purée dans un robot culinaire. Presser dans un tamis pour retirer les graines.

Mélanger ensemble la pulpe des mûres, le sucre et le brandy dans une casserole. Amener à ébuillition, réduire le feu et laisser mijoter jusqu'à ce que la sauce épaississe.

Enfiler le poulet et les crevettes sur des brochettes de bambou mouillées. Les brosser avec l'huile. Faire griller les brochettes pendant 5 minutes de chaque côté, en les brossant fréquemment avec la sauce. Les brosser une dernière fois avant de servir.

DONNE 4 PORTIONS

POULETTES DE CORNOUAILLES AVEC SAUCE AU POIVRE

3 – 1 livre	3 – 450 g	poulettes de Cornouailles
¼ c. à thé	1 mL	de chaque: sel, basilic, origan, poivre, paprika
1	1	gousse d'ail
1 c. à table	15 mL	huile d'olive
2 c. à table	30 mL	beurre
2 c. à table	30 mL	farine tout usage
1 tasse	250 mL	bouillon de poulet (voir page 77)
½ tasse	125 mL	crème légère
1 c. à table	15 mL	grains de poivre vert
1 c. à thé	5 mL	moutarde de Dijon
1 c. à table	15 mL	ciboulette hachée
1 c. à table	15 mL	persil haché

Couper les poulettes en deux.

Mélanger ensemble les épices. Frotter les poulettes avec la gousse d'ail, les brosser avec l'huile et les saupoudrer du mélange d'épices. Placer dans un plat à rôtir et cuire dans un four préchauffé à 350°F (180°C) pendant 45 minutes.

Pendant la cuisson des poulettes, faire fondre le beurre dans une casserole, ajouter la farine et cuire pendant 2 minutes à feu doux. Ajouter en battant le bouillon, la crème, les grains de poivre, la moutarde et la ciboulette. Laisser mijoter pendant 10 minutes.

Mettre les poulettes dans un plat de service, couvrir de sauce, saupoudrer de persil et servir.

DONNE 6 PORTIONS

POULET À LA DIABLE DE FLORENCE

6 – 6 onces	6 – 170 g	poitrines de poulet, avec les os
¼ tasse	60 mL	huile d'olive
1	1	gousse d'ail
2 c. à thé	10 mL	racine de gingembre finement hachée
1 c. à table	15 mL	jus de citron

Aplatir les poitrines tout en laissant les os et mettre dans un plat peu profond.

Mélanger ensemble tous les autres ingrédients, verser sur le poulet et laisser mariner pendant 6 heures.

Faire griller le poulet dans un barbecue au gaz ou au charbon de bois pendant 7 minutes de chaque côté au-dessus d'une braise moyenne. Servir très chaud.

DONNE 6 PORTIONS

Poulettes de Cornouailles avec Sauce au Poivre

Riz aux Pacanes & au Poulet

RIZ AUX PACANES & AU POULET

¼ tasse	60 mL	beurre
1½ livres	675 g	poulet désossé, coupé en cubes
½ livre	225 g	champignons tranchés
¼ tasse	60 mL	oignons finement coupés en dés
3 c. à table	45 mL	farine tout usage
1½ tasses	375 mL	bouillon de poulet (voir page 77)
½ tasse	125 mL	crème légère
¼ tasse	60 mL	sherry
⅓ tasse	80 mL	pacanes
2 tasses	500 mL	riz à grain long cuit
		tiges de persil

Dans une grande poissonnière ou une grosse cocotte, faire fondre le beurre, ajouter le poulet et le faire brunir. Retirer le poulet et le mettre de côté.

Ajouter les champignons et les oignons et les faire sauter jusqu'à ce qu'ils soient tendres. Saupoudrer de farine et cuire pendant 2 minutes à feu doux. Ajouter le bouillon, la crème et le sherry, et laisser mijoter pendant 3 minutes.

Ajouter le poulet et laisser mijoter pendant encore 35 minutes.

Incorporer les pacanes au riz et le verser à la cuillère sur les rebords d'un plat de service. Disposer le poulet dans le centre et servir garni de persil.

DONNE 4 PORTIONS

POULETTES DE CORNOUAILLES RÔTIES AVEC SAUCE AUX NOIX

4	4	poulettes de Cornouailles
2 c. à thé	10 mL	moutarde de Dijon
1 c. à table	15 mL	jus de citron
¼ c. à thé	1 mL	sel
¼ c. à thé	1 mL	poivre noir craqué
2 c. à thé	10 mL	huile de noix
¼ tasse	60 mL	huile d'olive

Laver les poulettes et les couper en deux en suivant le dos et les placer dans un plat peu profond.

Dans un petit bol, mélanger tous les autres ingrédients et verser sur les poulettes. Couvrir et laisser mariner au réfrigérateur pendant 8 heures.

Faire rôtir les poulettes au-dessus d'une braisse moyenne pendant 20 à 25 minutes, en badigeonnant fréquemment avec la marinade. Servir immédiatement après avoir badigeonner une dernière fois avec la marinade.

DONNE 4 PORTIONS

POULET AU PARMESAN

¾ tasse	180 mL	chapelure fine
¼ tasse	60 mL	flocons de persil séché
⅓ tasse	80 mL	Parmesan fraîchement râpé
¼ tasse	60 mL	beurre
1	1	gousse d'ail finement hachée
4 – 6 onces	4 – 170 g	poitrines de poulet, désossées sans la peau
½ c. à thé	3 mL	sel
¼ c. à thé	1 mL	poivre

Mélanger ensemble le fromage, le persil et le fromage dans un petit bol.

Faire fondre le beurre dans une poêle, ajouter l'ail et cuire pendant 1 minute à feu doux.

Tremper le poulet dans le beurre, l'enrober de chapelure et le mettre dans une petite cocotte. Assaisonner de sel et de poivre et badigeonner avec le restant de beurre. Cuire dans un four préchauffé à 350°F (180°C) pendant 45 minutes.

DONNE 4 PORTIONS

POULET SAUTÉ À LA SAUCE CLÉMENTINE

6 – 6 onces	6 – 170 g	poitrines de poulet, désossées
3 c. à table	45 mL	huile
		sel et poivre
⅓ tasse	80 mL	jus de tangerine ou d'orange concentré
½ tasse	125 mL	bouillon de poulet (voir page 77)
¼ tasse	60 mL	crème à fouetter
1 c. à thé	5 mL	beurre
1 c. à thé	5 mL	jus de lime

Faire chauffer l'huile dans une grande poêle. Faire sauter le poulet pendant 6 à 8 minutes. Assaisonner de sel et de poivre et conserver au chaud.

Faire chauffer le jus de tangerine dans une casserole avec le bouillon de poulet. Amener à ébuillition et réduire le feu. Ajouter la crème et laisser mijoter jusqu'à ce que la sauce adhère à une cuillère. Retirer du feu. Ajouter le beurre et le jus de lime en battant.

Placer le poulet sur un plat de service, recouvrir de la sauce et servir.

DONNE 6 PORTIONS

PÂTÉ AU POULET & AUX CREVETTES

½ quan	0.5 quan	pâte (voir page 616)
1 tasse	250 mL	poulet cuit, finement coupé en dés
1 tasse	250 mL	crevettes cuites, finement en coupées dés
2 tasses	500 mL	sauce béchamel (voir page 112)
¼ c. à thé	1 mL	de chaque: sel, poivre, muscade
1 c. à table	15 mL	persil
1 c. à table	15 mL	oignon râpé
3	3	oeufs séparés

Abaisser la pâte et l'étendre dans un moule à tarte de 9".

Dans un bol, mélanger le poulet, les crevettes et la sauce béchamel. Ajouter les épices et l'oignon.

Battre les jaunes d'oeufs et les ajouter au mélange en pliant. Battre les blancs d'oeufs en neige ferme et les ajouter au mélange en pliant.

Verser le mélange dans le moule à tarte et cuire dans un four préchauffé à 400°F (200°C) pendant 25 à 30 minutes ou jusqu'à ce le pâté soit doré. Servir immédiatement.

DONNE 6 PORTIONS

JAMBALAYA AU POULET

1½ livres	675 g	poulet désossé, coupé en dés
2 c. à table	30 mL	huile de tournesol
2 c. à table	30 mL	beurre
½ livre	225 g	saucisse d' andouille*
½ tasse	125 mL	oignon coupé en dés
2	2	gousses d'ail finement hachées
3 c. à table	45 mL	persil haché
1½ tasses	375 mL	poivron vert coupé en dés
2	2	branches de céleri coupées en dés
2 tasses	500 mL	tomates pelées, épépinées, hachées
½ c. à thé	3 mL	de chaque: poivre blanc, poivre noir, feuilles d'origan, basilic, feuilles de thym, poudre d'ail, poudre d'oignon, poudre de chili.
2 c. à thé	10 mL	sauce Worcestershire
3 gouttes		sauce Tabasco™
2¼ tasses	625 mL	eau
1 tasse	250 mL	riz à grain long cru

Dans une grande poêle électrique ou une grande poissonnière, faire sauter le poulet dans l'huile et le beurre. Ajouter la saucisse et les légumes et poursuivre la couisson jusqu'à ce que les légumes soient tendres.

Incorporer les autres ingrédients et réduire le feu et faire mijoter pendant 40 à 45 minutes. Servir.

DONNE 6 PORTIONS

*Si vous ne trouvez pas de saucisse d'andouille, utilisez des saucisses italiennes épicées.

Pâté au Poulet & aux Crevettes

Jambalaya au Poulet

Poulet à l'Estragon Espagnol

POULET DE JENNIFER

6 – 4 onces	6 – 120 g	poitrines de poulet désossées
1 tasse	250 mL	raisins verts, sans pépin
6 onces	170 g	fromage Brie sans croûte
1 tasse	250 mL	petites crevettes
2	2	oeufs
⅓ tasse	80 mL	lait
⅓ tasse	80 mL	pignes moulues
½ tasse	125 mL	chapelure fine assaisonnée
⅓ tasse	80 mL	fromage Romano fraîchement râpé
½ tasse	125 mL	farine tout usage
⅓ tasse	80 mL	huile de tournesol

Aplatir le poulet à l'aide d'un maillet à viande.

Couper les raisins en deux et en placer quelques uns sur le poulet avec 1 once (30 g) de fromage et parsemer de crevettes. Rouler le poulet pour enfermer la garniture à l'intérieur. Placer sur une tôle à biscuits et réfrigérer pendant 1 heure.

Battre ensemble les oeufs et le lait. Mélanger les pignes, le fromage et la chapelure. Saupoudrer les rouleaux de poulet de farine, les tremper dans le lait et les enrober de chapelure.

Faire chauffer l'huile dans une grande poêle et faire frire le poulet jusqu'à ce qu'il soit doré de chaque côté. Mettre sur la tôle à biscuits et cuire dans un four préchauffé à 350°F (180°C) pendant 15 à 18 minutes.

Servir accompagné de la sauce au brandy aux mûres (voir le rôti de veau avec sauce au brandy aux mûres page 214).

DONNE 6 PORTIONS

POULET À L'ESTRAGON ESPAGNOL

1 c. à table	15 mL	huile d'olive
1 – 3 livre	1 – 1 kg	poulet
8 onces	225 g	petites lanières de jambon tranché
2	2	oignons tranchés
2	2	branches de céleri tranchées
3	3	carottes coupées en dés
1½ tasses	375 mL	bouillon de poulet
1 c. à table	15 mL	estragon fraîchement haché
2 c. à table	30 mL	beurre
2 c. à table	30 mL	farine tout usage

Badigeonner le poulet d'huile et le placer dans une cocotte de terre cuite (plat à rôtir). Ne pas couvrir et cuire dans un four préchauffé à 350°F (180°C) pendant 30 minutes.

Ajouter le jambon, le céleri, les carottes, le bouillon et l'estragon. Couvrir et poursuivre la cuisson pendant 1 heure. Retirer du four, égoutter le bouillon et découper le poulet.

Remettre le poulet dans la cocotte et conserver au chaud avec les légumes.

Faire chauffer le beurre dans une casserole, ajouter la farine et incorporer 2 tasses (500 mL) du bouillon égoutté. Laisser mijoter jusqu'à ce que la sauce épaississe, verser sur le poulet et les légumes. Servir dans la cocotte.

DONNE 6 PORTIONS

Poulet de Jennifer

VOLAILLE

POULET AUX NOIX

1 livre	450 g	poulet désossé, coupé en lanières
3 c. à table	45 mL	sherry
⅔ tasse	160 mL	bouillon de poulet (voir page 77)
2 c. à table	30 mL	sauce soya
1 c. à table	15 mL	fécule de maïs
3 c. à table	45 mL	huile de tournesol
1½ tasses	375 mL	pois des neiges
4 onces	120 g	petits champignons
1 tasse	250 mL	céleri tranché
1	1	oignon tranché
1	1	poivron vert tranché
¾ tasse	180 mL	morceaux de noix

Laisser mariner le poulet dans le sherry pendant 30 minutes.

Mélanger ensemble le bouillon de poulet, la sauce soya et la fécule de maïs dans un bol. Faire chauffer 2 c. à table (30 mL) d'huile dans un wok, ajouter le poulet et bien faire frire. Retirer la viande, ajouter le restant d'huile et faire frire les légumes.

Remettre le poulet, ajouter le bouillon et laisser mijoter pendant 2 minutes. Incorporer les noix et servir sur du riz cuit à la vapeur.

DONNE 6 PORTIONS

POULET ET CHÂTAIGNES

4 c. à table	60 mL	huile de tournesol
1½ livres	675 g	viande de poulet désossé
1	1	oignon espagnol finement haché
1	1	poivron rouge coupé finement en dés
1	1	poivron vert coupé finement en dés
3 onces	80 g	champignons tranchés
3 onces	80 g	châtaignes pélées, coupées en dés
4 c. à table	60 mL	farine tout usage
1 c. à table	15 mL	poudre de curry
2 tasses	500 mL	bouillon de poulet (voir page 77)
1 tasse	250 mL	crème épaisse

Faire chauffer l'huile dans une grande cocotte. Ajouter le poulet, les légumes at les châtaignes. Faire brunir le poulet. Saupoudrer de farine et de poudre de curry. Réduire le feu et cuire pendant 2 minutes. Incorporer le bouillon et la crème et laisser mijoter pendant 35 à 45 minutes.

Servir sur des nouilles ou du riz.

DONNE 6 PORTIONS

FRICASSÉE DE POULET

1 – 4 ½ livres	1 – 2 kg	poulet, découpé en 8 morceaux
2	2	oignons hachés
2	2	carottes hachées
2	2	branches de céleri hachées
1	1	bouquet garni *
4 tasses	1 L	bouillon de poulet froid (voir page 77)
1 c. à thé	5 mL	sel de céleri
½ c. à thé	3 mL	poivre blanc
3 c. à table	45 mL	beurre
3 c. à table	45 mL	farine tout usage

Laver et éponger le poulet.

Mettre le poulet dans une grande poissonnière ou une grosse cocotte avec les oignons, les carottes, le céleri et le bouquet. Couvrir de bouillon, amener à ébuillition, réduire le feu et laisser mijoter doucement pendant 1½ heures.

Retirer le poulet et le conserver au chaud. Égoutter le bouillon, jeter les légumes et le bouquet. Remettre le bouillon dans le récipient, ajouter le sel et le poivre, amener à ébuillition et réduire le volume du liquide à 2 tasses (500 mL).

Dans une petite casserole faire fondre le beurre, ajouter la farine et cuire à feu doux pendant 2 minutes. Ajouter le bouillon réduit et laisser mijoter jusqu'à ce que la sauce épaississe. Verser la sauce sur le poulet et servir accompagné de nouilles ou de riz.

DONNE 4 PORTIONS

*Le bouquet garni pour ce plat est composé d'une feuille de laurier, de 8 brins de persil, 2 brins de thym, 6 grains de poivre et 1 petit poivron haché attachés ensemble dans un filet à fromage.

Poulet aux noix

Rouleaux de Poulet

RÔTI D'OIE DE NOËL

3	3	pommes pelées, sans trognon, coupées en dés
2	2	carottes râpées
1	1	oignon espagnol, finement haché
2	2	branches de céleri, finement coupées en dés
1 tasse	250 mL	raisins secs sans pépin
1 tasse	250 mL	noix blanchies et écaillées
½ tasse	125 mL	lait
½ c. à thé	3 mL	de chaque: sel, poivre
1 c. à thé	5 mL	marjolaine
3 tasses	750 mL	pain rassis coupé en cubes
1 – 9 livre	1 – 4 kg	oie
1	1	gousse d'ail
1 c. à table	15 mL	huile de tournesol
½ c. à thé	3 mL	paprika
1 c. à thé	5 mL	fécule de maïs

Mélanger ensemble les pommes, les carottes, l'oignon, le céleri, les raisins, les noix, le pain, le lait et les épices. Farcir l'oie de ce mélange et la refermer.

Placer dans un grand plat à rôtir. Frotter l'oie avec l'ail, la badigeonner d'huile et la parsemer de paprika.

Placer dans un four préchauffé à 350°F (180°C) et cuire de 3½ à 4 heures. Arroser plusieurs fois durant la cuisson. Lorsque l'oie est cuite, la retirer du plat, la déposer sur un plat de service et la conserver au chaud.

Dégraisser les jus du plat, mélanger la fécule de maïs avec 2 c. à table (30 mL) d'eau. Ajouter aux jus du plat, amener à ébuillition. Verser dans une saucière et et servir avec l'oie.

ROULEAUX DE POULET

3	3	tranches de bacon, coupées en dés
1	1	carotte finement hachée
1	1	branche de céleri finement hachée
1	1	oignon finement coupé en dés
1 tasse	250 mL	fromage Havarti râpé
4 – 6 onces	4 – 170 g	poitrines de poulet, désossées, sans la peau, aplaties
2 c. à table	30 mL	beurre fondu
2 tasses	500 mL	sauce Mornay chaude (voir page 111)

Dans une grande poêle, faire frire le bacon. Ajouter la carotte, le céleri et l'oignon et faire sauter jusqu'à ce qu'ils soient tendres. Égoutter l'excès de gras, placer dans un petit bol et laisser refroidir à la température de la pièce.

Incorporer le fromage au mélange précédent et bien le presser sur les poitrines de poulet. Rouler les poitrines pour bien enfermer le mélange. Mettre sur une tôle à biscuits, badigeonner de beurre et cuire dans un four préchauffé à 350°F (180°C) pendant 25 à 30 minutes.

Mettre le poulet sur des assiettes de service, recouvrir de sauce Mornay et servir.

DONNE 4 PORTIONS

POULET FARCI À L'AUTRICHIENNE

3 onces	80 g	champignons tranchés
1	1	oignon moyen coupé finement en dés
1 c. à table	15 mL	huile de tournesol
2½ tasses	625 mL	riz cuit, froid
½ tasse	125 mL	pois
1½ c. à thé	7 mL	de chaque: sel, poivre, feuilles de thym, basilic
¼ c. à thé	1 mL	cannelle
1	1	oeuf
1 – 5 livres	1 – 2 kg	poulet
2 tasses	500 mL	sauce tomate (voir page 106)

Faire sauter les champignons et les oignons dans une grande poêle avec l'huile jusqu'à ce que le liquide se soit évaporé. Laisser refroidir à la température de la pièce. Incorporer le riz, avec les pois, les épices et l'oeuf.

Farcir le poulet de ce mélange et bien le refermer. Mettre le poulet dans un plat à rôtir et faire rôtir dans le four à 325°F (160°C) pendant 1½ heures. Vérifier le degré de cuisson. Retirer le poulet du four. Mettre la farce dans un plat de service, découper le poulet et servir accompagné de sauce tomate.

DONNE 6 PORTIONS

BOULETTES DE POULET AU CURRY

2 livres	900 g	viande de poulet
2 c. à table	30 mL	oignon
¼ tasse	60 mL	chapelure
1	1	oeuf
½ c. à thé	3 mL	de chaque: cayenne, safran, poudre de gingembre, basilic, poivre noir, feuilles de thym, origan, paprika
1 c. à thé	5 mL	sel
1	1	gousses d'ail finement haché
3 c. à table	45 mL	huile de tournesol
2 c. à table	30 mL	beurre
2 c. à table	30 mL	farine tout usage
1 c. à thé	5 mL	poudre de curry
1½ tasses	375 mL	bouillon de poulet (voir page 77)
¾ tasse	180 mL	crème légère

Dans un robot culinaire hacher grossièrement le poulet. Ajouter l'oignon, la chapelure, l'oeuf, les épices et l'ail. Faire fonctionner l'appareil jusqu'à l'obtention d'un mélange fin. Retirer et former des boulettes.

Faire chauffer l'huile dans une grande poêle et faire brunir les boulettes de viande. Égoutter l'huile et mettre les boulettes dans une cocotte.

Faire fondre le beurre dans une casserole, ajouter la farine et le curry. Cuire pendant 2 minutes à feu doux. Ajouter le bouillon et la crème et laisser mijoter pendant 5 minutes. Verser la sauce sur les boulettes de viande.

Couvrir le plat et cuire dans un four préchauffé à 350°F (180°C) pendant 45 minutes. Servir avec du riz.

DONNE 6 PORTIONS

Poulet à la Limonade

POULET À LA LIMONADE

¾ tasse	190 mL	limonade concentrée
¼ tasse	60 mL	ketchup
3 c. à table	45 mL	sucre brun
3 c. à table	45 mL	vinaigre blanc
¼ c. à thé	1 mL	gingembre moulu
1 c. à thé	5 mL	sauce soya
¼ c. à thé	1 mL	de chaque: paprika, poudre de chili, poudre d'ail, poudre d'oignon, thym, basillic, origan, sel et poivre
1 – 2¼ livres 1 – 1 kg		poulet découpé en 8 morceaux
½ tasse	125 mL	farine tout usage
¼ tasse	60 mL	huile de tournesol

Dans un bol, mélanger la limonade concentrée, le ketchup, le sucre, le vinaigre, le gingembre, la sauce soya et les épices.

Enrober le poulet de farine. Chauffer l'huile dans une grande poissonnière ou une grosse cocotte et faire brunir le poulet. Égoutter l'excès de gras. Verser la sauce sur le poulet, couvrir et cuire à feu doux pendant 35 à 40 minutes. Servir accompagné de bouchées Hickory fumées (voir page 70).

DONNE 4 PORTIONS

POULET AUX NOIX DE MACADAM

6 – 6 onces	6 – 170 g	poitrines de poulet, désossées, sans la peau
½ tasse	125 mL	noix de macadam moulues
¼ tasse	60 mL	fromage Parmesan fraîchement râpé
1 tasse	250 mL	chapelure fine
¼ tasse	60 mL	beurre fondu

Laver et éponger les poitrines de poulet.

Mélanger les noix, le fromage et la chapelure dans un petit bol.

Tremper le poulet dans le beurre fondu et l'enrober de chapelure. Mettre dans un petit plat allant au four et cuire dans un four préchauffé à 350°F (180°C) pendant 40 à 45 minutes ou jusqu'à ce que le poulet soit doré. Servir immédiatement accompagné de sauce aux abricots et aux framboises (voir page 108).

DONNE 6 PORTIONS

Boulettes de Poulet au Curry

POULET À LA BIÈRE

1½ livres	675 g	poitrines de poulet, désossées
2	2	oeufs
1½ tasses	375 mL	farine tout usage
½ tasse	125 mL	bière froide
1 c. à thé	5 mL	poudre à pâte
3 tasses	750 mL	huile de tournesol

Couper le poulet en languettes de 1" (2.5 cm). Battre ensemble les oeufs, 1 tasse (250 mL) de farine, la bière et la poudre à pâte.

Faire chauffer l'huile à 375°F (190°C).

Enrober le poulet du restant de farine et le tremper dans la pâte. Le faire frire en petite quantité jusqu'à ce qu'il soit doré et le conserver au chaud. Servir dès que tout le poulet est cuit.

DONNE 6 PORTIONS

POULETTES AVEC SAUCE AUX FRAMBOISES, AU KIWI ET AU POIVRE VERT

4	4	petites poulettes
2 c. à table	30 mL	beurre fondu
1 c. à thé	5 mL	sel
½ c. à thé	3 mL	poivre noir
1 tasse	250 mL	framboises
½ tasse	125 mL	crème épaisse
¼ tasse	60 mL	sucre en poudre
1 c. à table	15 mL	grains de poivre vert
2	2	kiwis

Mettre les poulettes dans un plat peu profond, les badigeonner de beurre et les assaisonner de sel et de poivre. Cuire dans un four préchauffé à 350°F (180°C) pendant 45 à 50 minutes.

Pendant la cuisson des poulettes, réduire les framboises en purée et les presser dans un tamis pour retirer les graines.

Faire chauffer ensemble la crème, les framboises et le sucre dans une petite casserole. Ajouter les grains de poivre et laisser mijoter pendant 5 minutes.

Peler les kiwis, les couper en dés et les ajouter à la sauce.

Retirer les poulettes du four et les placer sur des assiettes de service et les recouvrir de sauce. Servir immédiatement.

DONNE 4 PORTIONS

Poulet à la Bière

FRICASSÉE DE POULET II

1 – 4½ livre	1 – 2 kg	poulet, découpé en 8 morceaux
½ tasse	125 mL	farine assaisonnée
4 c. à table	60 mL	huile d'olive
2	2	oignons hachés
2	2	carottes hachées
2	2	branches de céleri hachées
1	1	bouquet garni (voir Glossaire)
4 tasses	1 L	bouillon de poulet froid (voir page 77)
½ c. à thé	3 mL	de chaque: sel, poivre, paprika, poudre de chili, basilic
½ tasse	125 mL	pâte de tomates
3 c. à tasse	45 mL	beurre
3 c. à table	45 mL	farine tout usage

Laver et éponger le poulet. Le saupoudrer de farine assaisonnée.

Faire chauffer l'huile dans une grande poissonnière ou une grosses cocotte et faire brunir le poulet de chaque côté. Égoutter l'excès d'huile. Ajouter les oignons, les carottes et le bouquet, couvrir de bouillon et amener à ébuillition. Réduire le feu et laisser doucement mijoter pendant 1½ heures.

Retirer le poulet et conserver au chaud. Égoutter le bouillon, jeter les légumes et le bouquet et remettre dans le plat. Ajouter les épices et la pâte de tomates, amener à ébuillition et réduire le volume du liquide à 2 tasses (500 mL).

Faire fondre le beurre dans une petite casserole, ajouter la farine et cuire à feu doux pendant 2 minutes. Ajouter le bouillon réduit et laisser mijoter jusqu'à ce que la sauce épaississe. Verser la sauce sur le poulet et servir accompagné de riz ou de nouilles.

DONNE 4 PORTIONS

Fricassée de Poulet II

POULET À LA SAUCE AUX TROIS POIVRES

5 livres	2 kg	poulet, découpé en morceaux
⅓ tasse	80 mL	farine tout usage
½ c. à thé	3 mL	de chaque: poudre d'oignon, paprika, feuilles de thym, feuilles d'origan, poivre noir, cerfeuil
2 c. à thé	10 mL	de chaque: sel, poudre de chili
¼ tasse	60 mL	huile de tournesol
3 onces	85 g	champignons tranchés
2 c. à thé	10 mL	grains de poivre vert
2 c. à thé	10 mL	grains de poivre rose
1 c. à thé	5 mL	grains de poivre noir
2 tasses	500 mL	sauce demi-glace (voir page 123)
⅓ tasse	80 mL	crème à fouetter
¼ tasse	60 mL	vin de Marsala
1 c. à table	15 mL	beurre

Laver et éponger le poulet.

Mélanger la farine et les épices et saupoudrer le poulet.

Faire chauffer l'huile dans une grande poêle et faire frire le poulet jusqu'à ce qu'il soit doré. Retirer et mettre de côté.

Faire frire les champignons jusqu'à ce qu'ils soient tendres. Remettre le poulet dans la poêle, ajouter les grains de poivre et la sauce demi-glace. Réduire le feu, couvrir et laisser mijoter pendant 1 heure. Mettre le poulet dans un plat de service.

Augmenter le feu et réduire le volume de la sauce de moitié. Ajouter le vin et la crème en brassant. Incorporer le beurre en battant, verser la sauce sur le poulet et servir.

DONNE 6 PORTIONS

Lasagne au Canard

POLLO FINOCCHIO

1½ livres	675 g	poulet désossé
3 tasses	750 mL	bouillon de poulet (voir page 77)
6 c. à table	90 mL	beurre
1½ tasse	375 v	fenouil finement haché
1	1	carotte coupée en julienne
1	1	poivron rouge coupé en julienne
3 c. à table	45 mL	farine tout usage
¾ tasse	180 mL	crème légère
1 quan	1 quan	risotto alla certosina (voir page 740)

Couper le poulet en gros cubes.

Faire chauffer le bouillon dans une grande poissonnière ou une grosse cocotte et pocher doucement le poulet pendant 35 minutes. Retirer et conserver de côté, égoutter le bouillon et le remettre dans le plat. Amener à ébuillition et réduire son volume à 1½ tasses (375 mL).

Faire fondre le beurre dans une casserole et faire sauter les légumes jusqu'à ce qu'ils soient tendres. Saupoudrer de farine et cuire à feu dous pendant 2 minutes. Ajouter le bouillon et la crème et laisser mijoter jusqu'à ce que la sauce épaississe. Incorporer le poulet et laisser mijoter pendant 5 minutes.

Placer le risotto en forme de nid autour du rebord de l'assiette de service et mettre le poulet dans le centre. Servir.

DONNE 4 PORTIONS

Pollo Finocchio

LASAGNE AU CANARD

2 livres	900 g	viande de canard désossée
1	1	gros oignon espagnol
1	1	poivron rouge
1	1	poivron vert
3	3	branches de céleri
1	1	gousse d'ail finement hachée
¼ tasse	60 mL	huile d'olive
3 tasses	750 mL	tomates écrasées
½ c. à thé	3 mL	de chaque: basilic, marjolaine
¼ c. à thé	1 mL	de chaque: poivre, paprika
1 c. à thé	5 mL	sauce Worcestershire
1½ livres	625 g	nouilles mafalda (pâte de 1" de largeur)
¾ livre	345 g	fromage mozzarella râpé

Couper la viande de canard en cubes de ½" (1.5 cm). Couper les légumes en cubes de grosseur moyenne.

Faire chauffer l'huile dans une grosse cocotte. Ajouter le canard et les légumes et faire sauter jusqu'à ce que le canard soit bien cuit. Ajouter les tomates, les épices et la sauce Worcestershire. Réduire le feu et laisser mijoter pendant 1½ à 2 heures ou jusqu'à ce que la sauce soit très épaisse. Retirer la graisse qui flotte sur le dessus de la sauce.

Cuire les nouilles dans un gros chaudron rempli d'eau bouillante salée, jusqu'à ce qu'elles soient *al dente*. Égoutter et laisser refroidir.

Faire alterner les couches de nouilles et de sauce dans un grand plat graissé. Couvrir de fromage et cuire dans un four préchauffé à 350°F (180°C) pendant 15 minutes ou jusqu'à ce que le fromage soit doré. Servir.

DONNE 8 PORTIONS

BLANQUETTE DE POULET

1½ livres	675 g	viande de poulet désossée
3 tasses	750 mL	bouillon de poulet (voir page 77)
1 c. à thé	5 mL	sel
¼ c. à thé	1 mL	feuilles de thym
1	1	feuille de laurier
20	20	oignons perlés
4	4	carottes coupées en julienne
2 c. à table	30 mL	beurre
2 c. à table	30 mL	farine tout usage
2 c. à table	30 mL	jus de citron
2	2	jaunes d'oeufs
pincée		cayenne
1 c. à table	15 mL	persil haché

Dans une grande poêle électrique ou une grande poissonnière, mettre le poulet, le bouillon, le sel, le thym et la feuille de laurier; couvrir et laisser mijoter pendant 45 minutes. Ajouter les oignons et les carottes et laisser mijoter pendant 10 autres minutes.

Retirer 2 tasses (500 mL) de liquide. Faire fondre le beurre dans une petite casserole, ajouter la farine et cuire pendant 2 minutes à feu doux (ne pas faire brunir). Ajouter lentement les 2 tasses (500 mL) de liquide en brassant jusqu'à ce que le mélange épaississe.

Battre ensemble le jus de citron et les jaunes d'oeufs et ajouter à la sauce. Chauffer de nouveau sans faire bouillir pour que les jaunes d'oeufs ne se durcissent pas. Mélanger la sauce avec le poulet. Incorporer le cayenne. Verser dans un bol de service.

Parsemer de persil et servir sur des nouilles ou du riz.

DONNE 6 PORTIONS

Rouleaux de Poulet à la Florentine

DINDE FUMÉE AVEC SAUCE AUX CERISES

1½ livres	675 g	poitrines de dinde fumée
1½ livres	675 g	cerises fraîches, dénoyautées
¼ tasse	60 mL	sucre granulé
¼ tasse	60 mL	sherry sucré ou jus de pomme
¼ c. à thé	1 mL	cannelle moulue
⅛ c. à thé	pincée	quatre-épices
1 c. à thé	5 mL	fécule de maïs

Mettre la dinde dans un plat à rôtir, couvrir et cuire dans un four préchauffé à 350°F (180°C) pendant 1 heure. Retirer du four, trancher et conserver au chaud.

Pendant que la dinde est en train de rôtir, mettre tous les autres ingrédients, à l'exceptions de la fécule de maïs, dans un robot culinaire et réduire en purée.

Mettre le mélange dans une casserole et laisser doucement mijoter pendant 1 heure. Mélanger la fécule de maïs avec 2 c. à table (30 mL) d'eau froide. Ajouter à la sauce et laisser mijoter jusqu'à ce qu'elle épaississe.

Mettre la dinde sur un plat de service, recouvrir de sauce et servir.

DONNE 6 PORTIONS

ROULEAUX DE POULET À LA FLORENTINE

6 – 4 onces	6 – 120 g	poitrine de poulet
10 onces	280 g	feuilles d'épinards
6 onces	170 g	fromage Havarti
6 onces	170 g	saumon fumée
2 c. à table	30 mL	beurre fondu
2 tasses	500 mL	velouté de poulet (voir page 105)

Aplatir les poitrines de poulet à l'aide d'un maillet à viande.

Hacher finement les épinards.

Placer 1½ once (45 g) d'épinards, 1 once (30 g) de fromage et 1 once (30 g) de saumon sur chaque poitrine. Rouler et bien maintenir à l'aide d'un cure-dents.

Badigeonner de beurre fondu, placer sur une tôle à biscuits et cuire pendant 20 minutes dans un four préchauffé à 350°F (180°C).

Mettre sur un plat de service, recouvrir de velouté et servir.

DONNE 6 PORTIONS

BEIGNETS DE POULET GRAND'MERE

1 tasse	250 mL	farine tout usage
1½ c. à thé	6 mL	sel
¼ c. à thé	1 mL	de chaque: marjolaine et paprika
1 c. à thé	5 mL	poudre à pâte
2	2	oeufs séparés
⅓ tasse	80 mL	lait froid
2 c. à table	30 mL	sherry
1 tasse	250 mL	poulet cuit, coupé en dés
1 tasse	250 mL	petits pois cuits
3 tasses	750 mL	huilde de tournesol

Tamiser ensemble la farine, le sel, les épices et la poudre à pâte.

Battre les jaunes d'oeufs jusqu'à ce qu'ils soient crémeux et ajouter le lait et le sherry tout en brassant. Incorporer lentement la farine en continuant de battre. Battre les blancs d'oeufs jusqu'à ce qu'ils soient fermes et les ajouter au mélange en pliant. Incorporer le poulet et les poix en pliant.

Faire chauffer l'huile à 375°F (190°C). Faire frire de petites quantités de beignets d'une grosseur d'environ une cuillèrée jusqu'à ce qu'ils soient dorés. Conserver au chaud jusqu'à ce tout soit cuit. Servir très chaud accompagné de sauce Mornay (voir page 111).

DONNE 4 PORTIONS

POULET "STIR FRY"

8 onces	225 g	poitrine de poulet, désossées, sans la peau
2 c. à table	30 mL	huile de tournesol
1	1	petit oignon coupé en dés
½ tasse	125 mL	poivron vert coupé en dés
½ tasse	125 mL	poivron rouge coupé en dés
20	20	petits champignons
2 c. à table	30 mL	sauce aux huîtres*
2 c. à table	30 mL	sauce soya
1 c. à thé	5 mL	fécule de maïs
1 c. à table	15 mL	sherry ou eau

Couper le poulet en bouchées.

Faire chauffer l'huile dans un wok ou une grande poêle. Faire frire le poulet pendant 3 minutes. Ajouter les légumes et les faire frire jusqu'à ce qu'ils soient tendres.

Ajouter la sauce aux huîtres et la sauce soya et laisser mijoter pendant 2 minutes.

Mélanger la fécule de maïs et le sherry, et incorporer au poulet. Laisser mijoter jusqu'à épaississement. Servir sur un lit de riz ou de nouilllles.

DONNE 2 PORTIONS

*Disponible dans la section de produits orientaux de votre supermarché.

POULET À LA BOURGUIGNONNE

3 – 2¼ livre	3 – 1 kg	poulet
¼ tasse	60 mL	beurre clarifié (voir Glossaire)
1 c. à table	15 mL	échalote
1 c. à table	15 mL	farine tout usage
1	1	bouquet garni*
¼ livre	115 g	bacon cuit coupé en dés
20	20	oignons perlés
20	20	petits champignons
¾ tasse	180 mL	vin rouge

Couper le poulet en quartiers.

Faire fondre le beurre dans une grande poissonnière ou une grosse cocotte et faire frire le poulet jusqu'à ce qu'il soit doré. Le retirer et le réserver. Mettre l'échalote et la farine, réduire le feu et cuire pendant 4 minutes.

Incorporer tous les autres ingrédients, ainsi que le poulet. Réduire le feu et laisser mijoter doucement pendant 40 à 45 minutes ou jusqu'à ce que le poulet soit bien cuit. Jeter le bouquet garni et servir sur un lit de riz ou de nouilles.

DONNE 6 PORTIONS

*Le bouquet garni pour ce met est constitué d'une feuille de laurier, 8 tiges de persil, 2 tiges de thym, 6 grains de poivre et 1 petit poivron attachés dans un filet à fromage.

Beignets de Poulet Grand'Mere

POULET TIA JUANA

1 – 4½ livre	1 – 2 kg	poulet, couper en 8 morceaux
¼ tasse	60 mL	farine tout usage
2 c. à thé	10 mL	sel
¼ c. à thé	1 mL	de chaque: poivre noir, poivre blanc, clous de girofle
2 c. à thé	10 mL	de chaque: paprika, poudre de chili
⅓ tasse	80 mL	huile d'olive
1	1	gros oignon tranché
2	2	gousses d'ail finement hachées
1	1	poivron vert tranché
1	1	poivron rouge tranché
1½ tasses	375 mL	champignons tranchés
3 tasses	750 mL	tomates pelées, épépinées et hachées
½ tasse	125 mL	sherry
⅓ tasse	80 mL	olives vertes farcies

Laver et éponger le poulet.

Mélanger la farine et les épices. Enrober le poulet de farine.

Faire chauffer l'huile dans une grande poissonnière ou une grosse cocotte et faire brunir le poulet. Mettre le poulet dans un plat à rôtir.

Faire sauter l'oignon, l'ail, les poivrons et les champignons jusqu'à ce qu'ils soient tendres. Ajouter les tomates en brassant ainsi que le sherry, laisser mijoter pendant 5 minutes. Verser sur le poulet, couvrir et cuire dans un four préchauffé à 350°F (180°C) pendant 45-50. Retirer le couvercle et ajouter les olives et poursuivre la cuisson pendant 15 autres minutes.

Servir accompagné de riz.

DONNE 4 PORTIONS

FILETS DE DINDE CRÉOLE

1½ livres	675 g	poitrines de dinde
½ tasse	125 mL	farine assaisonnée
2	2	oignons espagnol coupés en dés
2	2	poivrons verts coupés en dés
1	1	poivrons rouges coupés en dés
3 c. à table	45 mL	huile de tournesol
½ c. à thé	3 mL	de chaque: basilic, origan, thym, paprika, poudre d'ail, poudre d'oignon, poudre de chili
¼ c. à thé	1 mL	de chaque: poivre noir, poivre blanc, cayenne
1 c. à thé	5 mL	sel
1 c. à table	15 ml	sauce Worcestershire
3 tasses	750 mL	tomates écrasées
½ tasse	125 mL	oinions verts hachés
2 c. à table	30 mL	persil haché

Couper la dinde en larges bandes de ¾" (2 cm) et saupoudrer de farine.

Dans une grosse cocotte, faire frire la dinde, les oignons et les poivrons dans l'huile jusqu'à ce que la dinde soit cuite. Ajouter les épices, la sauce Worcestershire et les tomates, réduire le feu et laisser mijoter pendant 1¼ heures.

Ajouter les oignons verts et le persil et laisser mijoter pendant 5 minutes de plus. Servir sur un nid de nouilles ou de riz.

DONNE 6 PORTIONS

Poulet Tia Juana

Filets de Dinde Créole

Poulet du Marchand de Vin

POULET DU MARCHAND DE VIN

1–2¼ livres	1 – 1 kg	poulet, coupé en 8 morceaux
2 c. à table	30 mL	huile d'olive
½ c. à thé	3 mL	de chaque: sel, poivre, paprika, poudre de chili, basilic, thym, origan
2 c. à table	30 mL	beurre
½ tasse	125 mL	jambon coupé en dés
½ tasse	125 mL	champignons coupés en dés
½ tasse	125 mL	oignon vert
1½ tasses	375 mL	sauce demi-glace (voir page 123)
½ tasse	125 mL	sherry
¼ tasse	60 mL	crème épaisse – facultatif

Placer le poulet dans un plat peu profond, le badigeonner d'huile et le parsemer d'épices. Cuire dans un four préchauffé à 350°F (180°C) pendant 45 minutes.

Faire fondre le beurre dans une casserole et faire sauter le jambon, les champignons et l'oignon vert. Ajouter la sauce demi-glace et le sherry. Réduire le feu et laisser mijoter jsuqu'à ce que le volume soit réduit de moitié.

Ajouter la crème et laisser mijoter pendant 2 minutes ou plus si nécessaire.

Verser la sauce sur le poulet et poursuivre la cuisson pendant 10 autres minutes. Servir accompagné de riz ou de nouilles.

DONNE 4 PORTIONS

Poitrines de Poulet à la Diable

POITRINES DE POULET À LA DIABLE

2 c. à table	30 mL	beurre
¼ c. à thé	1 mL	de chaque: cayenne, poivre noir, poivre blanc
6 – 6 onces	6 – 170 g	poitrines de poulet, désossées, dans la peau
½ tasse	125 mL	sauce chili
½ tasse	125 mL	ketchup
¼ c. à thé	1 mL	de chaque: sel, basilic, paprika, poudre de chili, thym, origan
2 c. à table	30 mL	sauce Worcestershire
2 c. à table	30 mL	moutarde de Dijon
½ tasse	125 mL	eau

Conferctionner une pâte tendre avec le beurre et les poivres. Mettre les poitrines de poulet dans une cocotte et les enduire de beurre. Mettre sous l'élément chauffant du four et faire griller pendant 3 minutes, retourner les poitrines et faire griller pendant 3 autres minutes.

Pendant que rôtit le poulet, mélanger ensemble les autres ingrédients dans un petit bol. Verser sur le poulet et cuire au four à 350°F (180°C) pendant 20 à 25 minutes.

Servir accompagnées de riz pilaf.

DONNE 6 PORTIONS

POULET CRÉOLE AU GRATIN

3 tasses	750 mL	bouillon de poulet (voir page 77)
1½ livres	675 g	poulet, désossé coupé en cubes
2 tasses	500 mL	fettucini cuites et égouttées
1½ tasses	375 mL	sauce créole (voir page 121)
½ tasse	125 mL	fromage cheddar doux râpé
½ tasse	125 mL	fromage cheddat fort râpé
½ tasse	125 mL	fromage Havarti râpé

Préchauffer le four à 400°F (200°C).

Amener le bouillon à ébuillition. Ajouter le poulet et laisser mijoter doucement pendant 30 minutes. Égoutter et conserver le poulet de côté.

Mettre les nouilles dans un plat graissé allant au four. Parsemer de poulet et recouvrir de sauce. Mélanger ensemble les fromages et en parsemer la casserole. Cuire pendant 15 à 20 minutes ou jusqu'à ce que le fromage soit fondu et doré. Servir immédiatement.

DONNE 4 PORTIONS

Poulet aux Pistaches

POULET AUX ABRICOTS

1 tasse	250 mL	eau bouillante
10 onces	280 g	confiture d'abricots secs
⅔ tasse	160 mL	huile de tournesol
⅓ tasse	80 mL	jus de citron
¼ c. à thé	1 mL	de chaque: poudre d'ail, poudre d'oignon, basilic, feuilles de thym, feuilles d'origan, sel, poivre blanc
⅓ tasse	80 mL	oignon finement haché
¼ tasse	60 mL	poivron rouge finement haché
2 c. à table	30 mL	beurre
1	1	oignon espagnol tranché
1 tasse	250 mL	bouillon de poulet (voir page 77)
4½ livres	2 kg	morceaux de poulet

Verser l'eau bouillante sur les abricots et laisser reposer pendant 10 minutes. Égoutter et mettre dans un robot de cuisine avec l'huile, le jus de citron et les épices. Actionner la machine pendant 1 minute. Verser dans un bol et ajouter l'oignon hachee et le poivron en brassant.

Faire chauffer l'huile dans une poêle et faire sauter l'oignon. Ajouter le bouillon, amener à ébuillition pour réduire le volume à ⅓ tasse (80 mL). Incorporer le mélange aux abricots.

Mettre les morceaux de poulet dans un grand plat allant au four. Recouvrir de sauce, couvrir et cuire dans un four préchauffé à 350°F (180°C) pendant 45 minutes. Retirer le couvercle et pousuire la cuisson pendant 15 autres minutes. Servir accompagné de riz pilaf.

DONNE 8 PORTIONS

POULET AUX PISTACHES

6 – 4 onces	6 – 120 g	poitrines de poulet désossées
2 onces	60 g	graisse de rognon
1 livre	450 g	viande de poulet hachée
3 c. à table	45 mL	oignon râpé
3 c. à table	45 mL	carotte finement hachée
3 c. à table	45 mL	céleri finement haché
¼ c. à thé	1 mL	de chaque: basilic, feuilles de thym, sel, marjolaine, poivre
1 tasse	250 mL	pistaches écaillées
1	1	oeuf
2 c. à table	30 mL	beurre fondu

Attendrir et aplatir les poitrines à l'aide d'un maillet à viande.

Mélanger ensemble la graisse de rognon, le poulet haché, les légumes, les épices, les noix et les oeufs dans un grand bol. Diviser le mélange et l'étendre uniformément sur les poitrines de poulet. Rouler les poitrines pour enfermer la garniture. Maintenir fermer à l'aide d'un cure-dents ou d'un corde.

Badigeonner de beurre fondu et placer sur une tôle à biscuits. Cuire dans un four préchauffé à 350°F (180°C) pendant 30 à 40 minutes. Servir accompagné de la sauce aux champignons sauvages et au sherry (voir page 105).

DONNE 6 PORTIONS

POULET PROVENÇAL

3 c. à table	45 mL	huile d'olive
1	1	gousse d'ail finement haché
1½ livres	675 g	poulet désossé, coupé en lanières
3 onces	80 g	petits champignons
20	20	oinions perlés
¾ livre	345 g	courgette coupée en julienne
2 tasses	500 mL	tomates écrasées
3 c. à table	45 ml	jus de citron
¼ c. à thé	1 ml	de chaque: feuilles de thym, basilic, sel, paprika,
½ c. à thé	3 mL	poivre noir craqué

Faire chauffer l'huile dans une grosse cocotte, ajouterl'ail, le poulet, les champignons et les oignons et faire sauter jusqu'à ce que le poulet soit bien cuit. Ajouter la courgette et pousuivre la cuisson pendant 5 minutes. Ajouter les tomates, le jus de citron et les épices, réduire le feu et laisser mijoter pendant 30 minutes.

Servir avec du riz.

DONNE 6 PORTIONS

POITRINES DE POULET FARCIES AUX FRUITS

¼ tasse	60 mL	groseilles
¼ tasse	60 mL	dattes hachées
¼ tasse	60 mL	pommes séchées hachées
½ tasse	125 mL	chapelure
6 – 6 onces	6 – 170 g	poitrines de poulet, désossées, sans la peau, attendries et aplaties
¼ tasse	60 mL	farine assaisonnée
2 c. à table	30 mL	huile d'olive
½ tasse	125 mL	jus d'orange
¼ tasse	60 mL	eau

Mélanger ensemble les groseilles, les dattes, les pommes et la chapelure. Insérer une quantité égale de garniture sur chaque poitrine de poulet. Rouler les poitrines pour bien enfermer la garniture. Maintenir fermer à l'aide d'un cure-dents et réfrigérer pendant 1 heure.

Saupoudrer les poitrines de farine. Faire chauffer l'huile dans une grande poêle et faire brunir les poitrines de tous les côtés. Mettre dans un plat allant au four.

Verser le jus d'orange et l'eau sur le poulet et cuire dans un four préchauffé à 350°F (180°C) pendant 30 à 35 minutes.

Servir accompagné d'un riz pilaf à l'orange et aux noix de cajou. (voir page 724).

DONNE 6 PORTIONS

RÔTI DE POULET À L'AILLOLI

1 – 5 livre	1 – 2 kg	poulet
1	1	gousse d'ail
¼ c. à thé	1 mL	sel
½	0.5	citron
¾ tasse	180 mL	sauce ailloli (voir page 102)

Trousser le poulet.

Le frotter entièrement avec la gousse d'ail. L'enduire de sel et de jus du citron. Placer dans un plat à rôtir et cuire dans un plat préchauffé à 325°F (160°C) pendant 1¾ à 2½ heures ou jusqu'à ce qu'il soit bien cuit.

Retirer le poulet et le découper. Déposer sur un plat de service accompagné de sauce ailloli.

DONNE 6 PORTIONS

Rôti de Poulet à l'Ailloli

POULET RÔTI AU ROMARIN

2 tasses	500 mL	bouillon de poulet (voir page 77)
⅓ tasse	80 mL	jus de citron
3 c. à table	45 mL	miel liquide
5 livres	2.2 kg	poulet
8	8	brins frais de romarin
		sel et poivre
1	1	bulbe d'ail
2 c. à table	30 mL	beurre
2 c. à table	30 mL	farine tout usage
¼ tasse	60 mL	vin blanc

Mettre 1 tasse (250 mL) de bouillon de poulet, le jus de citron et le miel dans une casserole. Amener à ébuillition. Réduire le feu et laisser mijoter jusqu'à ce que le volume soit réduit de moitié.

À l'aide d'un petit couteau, couper une pochette entre la peau et la poitrine de chaque côté du poulet et y insérer les brins de romarin. Bien frotter le poulet avec l'ail et assaisonner généreusement de sel et de poivre. Farcir la cavité du restant de romarin et d'ail.

Placer dans un plat à rôtir et faire rôtir pendant 2¾ à 3½ heures en arrosant fréquemment durant la dernière heure de cuisson.

Retirer le poulet du plat à rôtir, égoutter la graisse dans un tamis.

Faire fondre le beurre dans une casserole et ajouter la farine. Réduire le feu et cuire jusqu'à ce que le roux* soit doré. Ajouter le vin, la graisse égouttée et le restant du bouillon de poulet. Réduire le feu et laisser mijoter jusqu'à ce que la sauce ait épaissi.

Découper le poulet et le servir accompagné de la sauce brune.

DONNE 6 PORTIONS

*Le roux est contitué de n'importe quelle sorte de gras auquel on a ajouté de la farine et fait cuire pendant 2 minutes ou plus.

Poulettes de Cornouailles à la Catalane

POULETTES DE CORNOUAILLES À LA CATALANE

3–12 onces	3 – 340 g	poulettes de Cornouailles
1 c. à table	15 mL	huile de tournesol
3 c. à table	45 mL	beurre
1	1	oignon espagnol finement haché
3 onces	80 g	champignons tranchés
2 c. à table	30 mL	farine tout usage
1½ tasses	375 mL	tomates, pelées, épépinées et hachées
1 onces	30 g	chocolat mi-amer râpé
1½ tasses	375 mL	sauce espagnole (voir page 111)

Couper les poulettes en deux et les badigeonner d'huile. Placer sur une tôle à biscuits et rôtir dans un four préchauffé à 350°F (180°C) pendant 45 minutes.

Pendant la cuisson des poulettes, faire chauffer le beurre dans une casserole, ajouter l'oignon et les champignons et les faire sauter jusqu'à ce que le liquide se soit évaporé. Saupoudrer de farine et cuire pendant 2 minutes de plus. Ajouter les tomates, le chocolat et la sauce espagnole. Réduire le feu et laisser mijoter pendant 30 minutes. Retirer les poulettes du four, les placer sur un plat de service, couvrir de sauce et servir.

DONNE 6 PORTIONS

POULET DIANNE

⅓ tasse	80 mL	beurre
4 – 6 onces	4 – 170 g	poitrines de poulet, désossées, sans la peau
4 onces	115 g	champignons tranchés
2	2	oignons verts finement hachés
¼ tasse	60 mL	brandy
1½ tasse	375 mL	sauce demi-glace (voir page 123)
¼ tasse	60 mL	sherry
¼ tasse	60 mL	crème

Dans une grande poêle, faire chauffer le beurre. Faire frire le poulet dans le beurre pendant 6 minutes de chaque côté. Retirer et conserver au chaud.

Ajouter les champignons dans la poêle et les faire sauter jusqu'à ce qu'ils soient tendres. Ajouter les oignons et les faire flamber délicatement avec le brandy. Incorporer la sauce demi-glace, le sherry et la crème, réduire le liquide à ¾ tasse (175 mL).

Placer le poulet dans des assiettes de service, recouvrir de sauce et servir.

DONNE 4 PORTIONS

Poulet Rôti au Romarin

POULET VELOURS

1½ livres	675 g	poitrine de poulet désossées
3 onces	80 g	champignons
3 c. à table	45 mL	huile de tournesol
3 c. à table	45 mL	farine tout usage
1½ tasse	375 mL	bouillon de poulet (voir page 77)
⅔ tasse	160 mL	crème épaisse
¼ c. à thé	1 mL	sel
¼ c. à thé	1 mL	poivre blanc
8 onces	225 g	fromage cheddar râpé

Couper le poulet en lanières.

Dans une grande poêle, faire frire le poulet avec les champignons dans l'huile. Saupoudrer de farine, réduire le feu et poursuire la cuisson pendant 2 minutes. Incorporer le bouillon et la crème. Ajouter les épices et pousuivre la cuisson pendant 35 minutes.

Ajouter le fromage en brassant et laisser mijoter pendant 5 minutes de plus. Servir sur du riz ou des nouilles.

DONNE 6 PORTIONS

POULET ÉPICÉ À LA NOIX DE COCO

1½ livres	675 g	morceaux de poulet
1 c. à thé	5 mL	de chaque: sel, paprika, poivre
6 c. à table	90 mL	beurre
1	1	oignon espagnol coupé en dés
1	1	gousse d'ail finement hachée
¾ tasse	180 mL	amandes blanchies, râpées
1 c. à thé	5 mL	piments rouges broyés
½ c. à thé	3 mL	feuilles de thym
1	1	feuille de laurier
¼ tasse	60 mL	jus de citron
¼ tasse	60 mL	miel
2 tasses	500 mL	lait de noix de coco
1 tasse	250 mL	noix de coco fraîchement râpée

Assaisonner les morceaux de poulet de sel, de paprika et de poivre.

Faire chauffer le beurre dans une grande poêle et faire frire l'oignon avec le poulet. Ajouter tous les autres ingrédients. Couvrir, réduire le feu et laisser mijoter pendant 45 minutes.

Servir accompagné de riz pilaf.

DONNE 6 PORTIONS

HAMBURGER AU POULET

4 – 3 onces	4 – 90 g	poitrines de poulet, désossées, sans la peau
4 c. à table	60 mL	huile d'olive
1 c. à table	15 mL	sherry
1	1	gousse d'ail finement hachée
½ c. à thé	3 mL	de chaque: sel, poivre noir craqué, feuilles de thym, feuilles d'origan, feuilles de basilic, paprika
¼ c. à thé	1 ml	sauce Worcestershire
12	12	tranches de bacon
4	4	pains kaiser
1	1	grosse tomate coupée en tranches épaisses
4	4	feuilles de laitue
4 c. à table	60 mL	vinaigrette campagnarde

Laver et éponger les poitrines de poulet. Placer dans un plat peu profond.

Dans un bol, mélanger ensemble l'huile, le sherry, l'ail, les épices et la sauce Worcestershire. Verser sur le poulet, couvrir et laisser mariner pendant 3 heures.

Faire griller les poitrines de poulet pendant 4 minutes de chaque côté en badigeonnant fréquemment avec la marinade.

Faire frire le bacon jusqu'à ce qu'il soit croustillant, le mettre sur du papier absorbant pour absorber l'excès de gras.

Couper les pains en deux, placer une tranche de tomate et une feuille de laitue sur une moitié. Sur l'autre moitié, étendre 1 c. à table (15 mL) de vinaigrette. Placer une poitrine de poulet et 3 tranches de bacon. Servir immédiatement.

DONNE 4 PORTIONS

Hamburger au Poulet

POULET AU MIEL
AU BARBECUE

3 c. à table	45 mL	beurre
3 c. à table	45 mL	huile
1	1	oignon moyen finement haché
1	1	gousse d'ail finement haché
⅔ tasse	160 mL	ketchup aux tomates
⅔ tasse	160 mL	miel liquide
¼ tasse	60 mL	vinaigre de cidre
1 c. à table	15 mL	sauce Worcestershire
½ c. à thé	3 mL	de chaque: feuilles de thym, feuilles d'origan, feuilles de basilic, paprika, poivre, poudre de chili, sel
½ c. à thé	3 mL	fumée liquide
4 – 6 onces	4 – 170 g	poitrines de poulet, désossées, sans la peau

Poulet au Miel au Barbecue

Faire chauffer le beurre avec 2 c. à table (30 mL) d'huile dans une casserole. Ajouter l'oignon et l'ail et faire sauter jusqu'à ce qu'ils soient tendres.

Ajouter le ketchup, le miel, le vinaigre, la sauce Worcestershire, les épices et la fumée liquide. Laisser mijoter jusqu'à ce que la sauce soit épaisse et glacée. Laisser refroidir.

Badigeonner le poulet du restant d'huile. Griller au-dessus d'une braise moyenne pendant 8 minutes de chaque côté en badigeonnant fréquemment avec la sauce. Badigeonner une dernière fois avant de servir.

DONNE 4 PORTIONS

POULET
PROVENÇAL II

1 – 4½ livre	1 – 2 kg	poulet, coupé en 8 morceaux
⅓ tasse	80 mL	farine tout usage
¼ tasse	60 mL	huile d'olive
3	3	gousses d'ail finement hachées
20	20	oignons perlés
20	20	petits champignons
2	2	carottes coupées en julienne
2 tasses	500 mL	tomates pelées, épépinées et hachées
1 tasse	250 mL	bouillon de poulet double (voir page 77)
1 tasse	250 mL	vin rouge
½ c. à thé	3 mL	de chaque: poivre, basilic, cerfeuil, marjolaine

Laver et éponger le poulet.

Enrober le poulet de farine. Faire chauffer l'huile dans une grande poissonnière ou une grosse cocotte, faire brunir le poulet et le retirer.

Ajouter l'ail, les oignons, les champignons et les carottes et les faire sauter jusqu'à ce qu'ils soient tendres. Saupoudrer du restant de farine et cuire pendant 2 minutes à feu doux.

Remettre le poulet dans la cocotte, ajouter les ingrédients qui restent et brasser pour bien mélanger. Couvrir et laisser doucement mijoter pendant 1½ heures.

Servir accompagné de riz ou de pâte.

DONNE 4 PORTIONS

Poulet à l'Orange & au Romarin

Poulet St. Jacques à l'Indienne

POULET ST. JACQUES À L'INDIENNE

1 tasse	250 mL	vin blanc
1 livre	450 g	poulet désossé, coupé en dés
¼ tasse	60 mL	beurre
1	1	petit oignon coupé en dés
1	1	poivron vert coupé en dés
1	1	branche de céleri coupée en dés
3 c. à table	45 mL	farine tout usage
1 tasse	250 mL	crème épaisse
⅓ tasse	90 mL	sherry
½ c. à thé	3 mL	sel
2 c. à thé	10 mL	poudre de curry
1 tasse	250 mL	tomates pelées, épépinées et hachées

Faire chauffer le vin dans une petite casserole, ajouter le poulet et laisser mijoter doucement pendant 20 minutes. Égoutter et mettre de côté le poulet et le bouillon.

Dans une seconde casserole, faire fondre le beurre et faire sauter l'oignon, le poivron vert et le céleri jusqu'à ce qu'ils soient tendres. Ajouter la farine et cuire pendant 2 minutes à feu doux. Ajouter la crème, le sherry et les épices en brassant et laisser mijoter jusqu'à ce que la sauce soit épaisse.

Ajouter les tomates et le poulet, et laisser mijoter pendant 5 minutes. Si la sauce est trop épaisse, l'éclaircir légèrement avec le bouillon.

Servir sur des assiettes de service accompagnée de l'Aloo Madarasi (voir page 710).

DONNE 4 PORTIONS

POULET À L'ORANGE & AU ROMARIN

2	2	oranges
1 c. à table	15 mL	beurre
4 – 6 onces	4 – 170 g	poitrines de poulet, désossées, sans la peau
2 c. à thé	10 mL	romarin
1 quan	1 quan	riz à l'orange et aux cajous (voir page 724)

Peler et trancher une orange, et extraire le jus de l'autre.

Dans une grande poêle faire chauffer le beurre et faire frire le poulet jusqu'à ce qu'il soit cuit à point. Parsemer de romarin et ajouter le jus et les tranches d'orange. Réduire le feu et laisser mijoter pendant 2 minutes.

Déposer le riz dans des assiettes de service, recouvrir de poulet et de sauce, et servir immédiatement.

DONNE 4 PORTIONS

POULET CAMPAGNARD

4 – 6 onces	4 – 170 g	poitrines de poulet, désossées, sans la peau
½ tasse	125 mL	yogourt
2 c. à thé	10 mL	farine tout usage
1 c. à table	15 mL	poudre de curry
2 c. à table	30 mL	chapelure fine
2 c. à table	30 mL	eau

Placer le poulet dans un petit plat allant au four.

Dans un petit bol, mélanger le yogourt, la farine et le curry. Étendre sur le poulet. Saupoudrer de chapelure et verser l'eau sur les rebords du plat.

Mettre dans un four préchauffé à 350°F (180) et cuire pendant 40 minutes ou jusqu'à ce que le poulet soit tendre.

Retirer du four et servir accompagné de riz pilaf.

DONNE 4 PORTIONS

POULET RÔTI À L'HAWAÏENNE

1 – 4½ livre	1 – 2 kg	poulet à rôtir
2	2	gousses d'ail finement hachées
¼ c. à thé	1 mL	poivre
½ c. à thé	3 mL	sel
¼ tasse	60 mL	sauce soya
3 c. à table	45 mL	miel liquide
¼ tasse	60 mL	ketchup

Placer le poulet dans un plat à rôtir, le frotter avec une gousse d'ail, l'assaisonner de sel et de poivre. Faire rôtir dans un four préchauffé à 350°F (180°C) pendant 2½ heures ou jusqu'à ce qu'il soit bien cuit. Combiner les autres ingrédients dans une petit bol et badigeonner le poulet du mélange au moins 6 fois durant sa cuisson. Badigeonner une dernière fois avant de découper et de servir.

DONNE 6 PORTIONS

DINDE À LA PROVENÇALE

6 – 6 onces	6 – 170 g	poitrines de dinde désossées
4 c. à table	60 mL	beurre
3	3	gousses d'ail finement hachées
1	1	petit poivron rouge tranché
1	1	oignon tranché
3 tasses	750 mL	tomates pelées, épépinées et hachées
¼ tasse	60 mL	sherry
1 c. à thé	5 mL	paprika
½ c. à thé	3 mL	sel
¼ c. à thé	1 mL	poivre

Dans une poêle, faire frire la dinde dans le beurre pendant 4 à 6 minutes de chaque côté (indépendamment de l'épaisseur des poitrine). Retirer du feu et conserver au chaud.

Ajouter l'ail, le poivron rouge et l'oignon dans la poêle et faire sauter jusqu'à ce qu'ils soient tendres. Ajouter les tomates et amener à ébuillition, réduire le feu et laisser mijoter pendant 10 minutes. Ajouter le sherry et les épices et poursuivre la cuisson jusqu'à ce que le liquide se soit évaporé.

Placer les poitrines de dinde dans un plat, recouvrir de sauce et servir accompagnées d'un riz pilaf au citron.

DONNE 6 PORTIONS

POULET AVEC SAUCE AU POIVRE VERT ET ROSE

2 c. à table	30 mL	beurre
2 c. à table	30 mL	farine tout usage
½ tasse	125 mL	bouillon de poulet (voir page 77)
½ tasse	125 mL	crème légère
3 c. à table	45 mL	brandy
1 c. à table	15 mL	grains de poivre rose
1 c. à table	15 mL	grains de poivre vert
1 c. à table	15 mL	oignon vert, finement haché
1 tbsp	15 mL	persil haché
4 – 6 onces	4 – 170 g	poitrine de poulet, désossées, sans la peau
2 c. à table	30 mL	beurre fondu
½ c. à thé	3 mL	sel
¼ c. à thé	1 mL	poivre blanc

Faire chauffer le beurre dans une casserole et ajouter la farine. Réduire le feur et cuire pendant 2 minutes.

Ajouter le bouillon, la crème et le brandy. Laisser mijoter jusqu'à ce que la sauce épaississe. Ajouter les grains de poivron et le persil.

Badigeonner le poulet de beurre fondu. Assaisonner de sel et de poivre. Cuire dans un four préchauffee à 375°F (190°C) pendant 15 à 20 minutes.

Retirer et disposer sur un plat de service. Couvrir de sauce et servir.

DONNE 4 PORTIONS

Poulet avec Sauce au Poivre Vert et rose

Crêpes au Cheddar & à la Dinde

POULET GRILLÉ

⅔ tasse	160 mL	huile d'olive
⅓ tasse	80 mL	jus de citron
⅓ tasse	80 mL	sherry
2 c. à table	30 mL	romarin haché
2 c. à table	30 mL	feuilles de basilic
1 c. à table	15 mL	feuilles de thym
½ c. à thé	3 mL	de chaque: sucre granulé, poirvre, sel
4 – 6 onces	4 – 170 g	poitrines de poulet, désossées, sans la peau

Mélanger ensemble tous les ingrédients à l'exception du poulet dans un bol.

Placer le poulet dans un plat peu profonde et incorporer la sauce. Couvrir et réfrigérer pendant 6 heures.

Griller le poulet au-dessus d'une braise moyenne pendant 6 minutes de chaque côté.

DONNE 4 PORTIONS

CRÊPES AU CHEDDAR & À LA DINDE

CRÊPES:

3	3	oeufs
⅔ tasse	160 mL	farine tout usage
¼ c. à thé	1 mL	sel
1 tasse	250 mL	lait
1 c. à table	15 mL	huile de tournesol

Battre les oeufs, ajouter la farine, le sel, le lait et l'huile tout en brassant. Faire chauffer un poêlon de 8" (20 cm) et le vaporiser d'enduit anti-collant en vaporisateur. Ajouter 3 à 4 c. à table (45 mL-60 mL) de pâte et cuire à feu moyen jusqu'à ce qu'elle soit dorée. Retourner et laisser refroidir.

Garniture

1½ livres	675 g	poitrine de dinde fumée
2 c. à table	30 mL	beurre
1 tasse	250 mL	champignons tranchés
2 c. à table	30 mL	farine tout usage
1 tasse	250 mL	bouillon de poulet (voir page 77)
1 tasse	250 mL	fromage cheddar mi-fort, râpé

Dans une grande poêle, faire revenir la dinde et les champignons dans le beurre. Saupoudrer de farine et cuire pendant 2 minutes. Ajouter le bouillon de poulet et réduire le feu, laisser mijoter pendant 5 minutes. Incorporer le fromage et poursuivre la cuisson pendant 3 minutes.

Remplir les crêpes d'une quantité égale de garniture, rouler et servir.

DONNE 6 PORTIONS

Poulet Grillé Teriyaki

POULET RÔTI DU SUD

4½ livres	2 kg	poulet, coupé en morceaux
4	4	oeufs
¾ tasse	180 mL	lait
1½ tasses	375 mL	farine tout usage
3 tasses	750 mL	chapelure
1 c. à table	15 mL	paprika
1 c. à thé	5 mL	de chque: origan, thym, sauge, poudre d'ail, poudre d'oignon, poivre noir, marjolaine, poudre de chili
4 tasses	1 L	huile de tournesol

Laver et éponger le poulet.

Dans un bol, combiner l'oeuf et le lait. Mettre la farine dans un second bol, et la chapelure dans un troisième. Mélanger les épices avec la chapelure.

Saupoudrer le poulet de farine, tremper dans les oeufs et enrober de chapelure.

Faire chauffer l'huile à 325°F (160°C). Faire frire le poulet, en petite quantité, jusqu'à ce qu'il soit doré, tout en s'assurant qu'il soit bien cuit. Le temps de cuisson dépend de la grosseur des morceaux de poulet.

Conserver au chaud jusqu'à ce que tout le poulet soit cuit.

DONNE 6 PORTIONS

Poulet Rôti du Sud

POULET GRILLÉ TERIYAKI

⅓ tasse	80 mL	sucre brun
1 c. à thé	5 mL	gingembre moulu
1 tasse	250 mL	bouillon de boeuf (voir page 85)
⅓ tasse	80 mL	sauce soya
2 c. à table	30 mL	fécule de maïs
¼ tasse	60 mL	sherry
1 c. à table	15 mL	huile
4 – 6 oz	4 – 175 g	poitrine de poulet, désossées, sans la peau

Dans une casserole, faire dissoudre le sucre et le gingembre dans le bouillon et la sauce soya, amener à ébuillition.

Mélanger la fécule et maïs avec le sherry et ajouter à la sauce. Réduire le feu et laisser mijoter jusqu'à ce que la sauce ait épaissi. Laisser refroidir.

Badigeonner les poitrines de poulet d'huile. Griller au-dessus d'un feu moyen pendant 8 minutes de chaque côté. Badigeonner fréquemment avec la sauce pendant la cuisson. Badigeonner une dernière fois avant de servir.

DONNE 4 PORTIONS

DINDE FUMÉE AVEC SAUCE À LA CRÈME SURE ET AU FROMAGE

11/2 livres	675 g	poitrines de dinde fumée
2 c. à table	30 mL	beurre
2 c. à table	30 mL	farine tout usage
1½ tasse	375 mL	bouillon de poulet (voir page 77)
¾ tasse	180 mL	crème sure
¼ c. à thé	1 mL	de chaque: sel, poivre
½ c. à thé	3 mL	paprika
6 onces	170 g	fromage Gruyère râpé
2 c. à table	30 mL	persil haché

Placer la dinde dans un plat à rôtir, cuire dans un four préchauffé à 350°F (180°C) pendant 1 heure. Retirer, découper et conserver au chaud.

Faire fondre le beurre dans une casserole; ajouter la farine et cuire à feu doux pendant 2 minutes. Incorporer le bouillon de poulet, et laisser mijoter pendant 5 minutes. Incorporer en brassant, la crème sure, les épices et le fromage et laisser mijoter pendant 5 minutes de plus.

Placer la dinde sur un plat de service, recouvrir de sauce et parsemer de persil. Servir.

DONNE 6 PORTIONS

POULET FARCI EN COCOTTE

1 – 3 livre	1 – 1 kg	poulet
¼ livre	115 g	foie de poulet
2	2	échalotes
2 c. à table	30 mL	persil haché
¼ tasse	60 mL	beurre
2 tasses	500 mL	chapelure
¼ tasse	60 mL	lait
¼ c. à thé	1 mL	de chaque: feuilles de thyme, basilic, origan, sel, poivre

Laver le poulet. Nettoyer le foie de toutes les membranes et et couper finement en dés. Couper finement les échalotes en dés et mélanger avec le persil.

Faire chauffer 1 c. à table (15 mL) de beurre dans un poêlon, et faire sauter le foie et les échalotes pendant 10 minutes et laisser refroidir à la température de la pièce.

Dans un bol mélanger ensemble la chapelure, le lait, les épices et le foie. Farcir le poulet. Faire chauffer le restant de beurre dans une cocotte en terre cuite (plat à rôtir) ajouter le poulet et le faire brunir de chaque côté. Placer le couvercle sur la cocotte et cuire dans un four préchauffé à 350°F (180°C) pendant 1½ heures. Découper le poulet et servir dans la cocotte.

DONNE 6 PORTIONS

PINTADE RÔTIE AVEC SAUCE HOLLANDAISE AUX BLEUETS

2 – 1½ livre	2 – 675 g	pintades
6	6	tranches de bacon
¼ c. à thé	1 mL	de chaque: romarin, thym, sel, poivre
2 tasses	500 mL	bleuets
2	2	jaunes d'oeufs
½ tasse	125 mL	beurre très chaud

Couper les pintades en deux et les placer sur une tôle à biscuits. Étendre les tranches de bacon sur les pintades et les parsemer d'épices. Les faire rôtir dans un four préchauffé à 350°F (180°C) pendant 45 minutes. Retirer du four et désosser pendant que c'est chaud.

Pendant la cuisson des pintades, réduire les bleuets en purée dans un robot culinaire, et les presser dans un tamis pour retirer la pulpe et les graines. Mettre le jus dans une casserole et amener à ébuillition et réduire à 2 c. à table (30 mL) de liquide épais. Laisser refroidir.

Battre les jaunes d'oeufs dans un bain-marie avec le sirop aux bleuets, ajouter lentement le beurre chaud tout en battant jusqu'à l'obtention d'une sauce épaisse. Servir les pintades sur un grand plat de service accompagné de la sauce.

DONNE 4 PORTIONS

POULET ATLANTA

6 – 6 onces	6 – 175 g	poitrines de poulet désossées
6 onces	175 g	chair de crevettes
6 onces	175 g	fromage suisse
6 onces	175 g	pêches tranchées
2	2	oeufs
¼ tasse	60 mL	lait
½ tasse	125 mL	farine
2 tasses	500 mL	chapelure assaisonnée
½ tasse	125 mL	huile de tournesol
1 tasse	250 mL	sauce aux abricots et au brandy

Attendrir et aplatir les poitrines de poulet. Mettre 1 once (28 g) de crevette, 1 once (28 g) de fromage et 1 once (28 g) de pêche sur le poulet. Rouler les poitrines pour bien enfermer la garniture. Mettre sur une tôle à biscuits et congeler pendant pendant ½ heure.

Mélanger les oeufs avec le lait. Saupoudrer le poulet de farine, le tremper dans le lait et enrober de chapelure.

Faire chauffer l'huile dans une grande poêle. Faire brunir le poulet de chaque côté et remettre sur la tôle à biscuits.

Cuire dans un four préchauffé à 350°F (180°C) pendant 5 minutes. Servir avec la sauce.

DONNE 6 PORTIONS

MOUSSELINE DE POULET POCHÉ

4 tasse	1 L	eau
2 tasses	500 mL	vin blanc
1	1	oignon haché
1	1	grosse carotte hachée
1	1	branche de céleri haché
1	1	bouquet garni*
6 – 6 onces	6 – 170 g	poitrine de poulet, désossées, sans la peau
3	3	jaunes d'oeufs
1 c. à table	15 mL	eau
1 c. à table	15 mL	jus de citron
⅔ tasse	180 mL	beurre fondu
½ tasse	125 mL	crème à fouetter
¼ c. à thé	1 mL	de chaque: sel, poivre
pincée	pincée	cayenne

Dans une grande casserole, amener à ébuilliton l'eau, le vin, l'oignon, la carotte, le céleri et le bouquet garni. Réduire le volume du liquide de moitié. Réduire le feu. Placer le poulet dans le liquide et laisser mijoter pendan 12 minutes.

Pendant la cuisson du poulet, mélanger les oeufs avec 15 mL (1 c. à table) d'eau et de jus de citron. Placer dans un bain-marie. Cuire en brassant constamment jusqu'à ce que l'oeuf devienne épais, mais ne pas trop cuit. Retirer du feu et ajouter le beurre en brassant jusqu'à ce que la sauce devienne très épaisse et lisse. Battre la crème et l'incorporer à la sauce en pliant et ajouter les épices.

Placer le poulet poché sur des assiettes de service. Couvrir de sauce et servir.

DONNE 6 PORTIONS

*Le bouquet garni pour ce plat est composé d'une feuille de laurier, 8 tiges de persil, 2 tiges de thym, 6 grains de poivre et 1 petit poireau attaché ensemble dans un filet à fromage.

POULET GRILLÉ CACCIATORE

1 quan	1 quan	pâte de base (voir page 426)
3 c. à table	45 mL	huile d'olive
2	2	gousses d'ail finement hachées
1	1	poivron vert finement haché
1	1	oignon coupé en dés
2	2	branches de céleri coupées en dés
4 onces	115 g	champignons tranchés
1 c. à thé	5 mL	de chaque: sel, feuilles de basilic
½ c. à thé	3 ml	de chaque: poivre, feuilles de thym, feuilles d'origan, paprika
½ c. à thé	3 mL	sauce Worcestershire
3 livres	1.5 kg	tomates, pelées, épépinées et hachées
6 – 6 onces	6 – 170 g	poitrines de poulet désossées

Préparer les pâtes en suivant les directions et les couper en forme de fettucini, couvrir d'une serviette humectée et mettre de côté.

Dans une grande casserole, faire chauffer 2 c. à table (30 mL) d'huile. Ajouter l'ail, le poivre, l'oignon, le céleri et les champignons et faire sauter jusqu'à ce qu'ils soient tendres.

Ajouter les épices, la sauce Worcestershire et les tomates. Réduire le feu et laisser mijoter pendant 3 heures ou jusqu'à l'obtention d'une sauce épaisse.

Badigeonner les poitrines de poulet avec le restant d'huile. Griller chaque côté pendant 7 minutes.

Faire bouillir les pâtes dans une grande casserole remplie d'eau salée. Égoutter et placer sur des assiettes, recouvrir de sauce et d'une poitrine de poulet. Servir immédiatement.

DONNE 6 PORTIONS

Poulet grillé Cacciatore

PORC ET AGNEAU

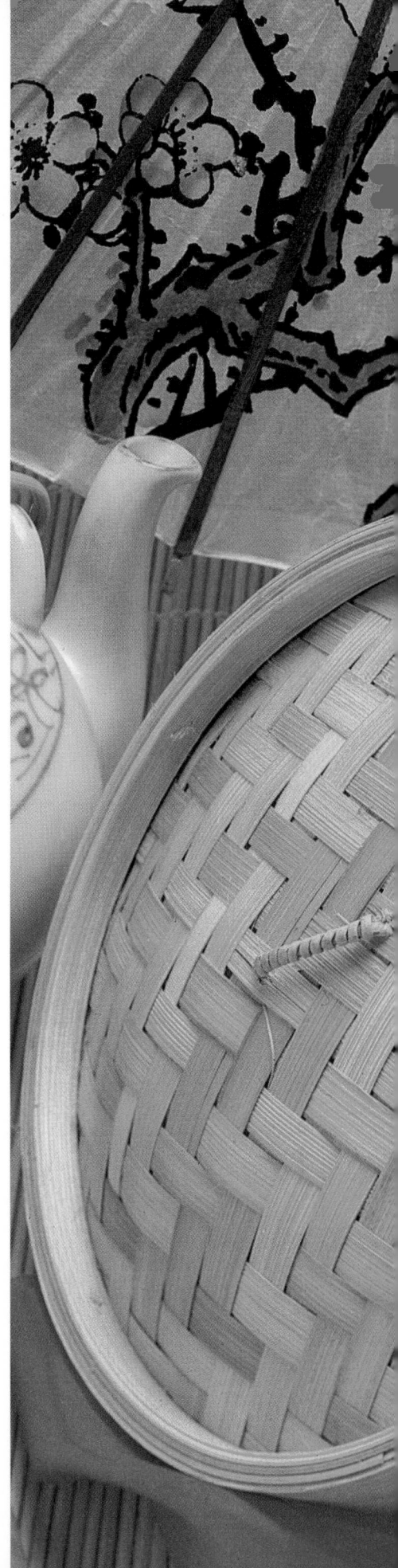

Le porc est la viande blanche que l'on examine sous un jour culinaire tout à fait nouveau. Le porc se laisse voir comme une souple alternative au poulet, au veau et même aux produits de la mer.

N'oublions pas non plus l'agneau qui tient une place honorable dans toute citadelle gastronomique que l'on peut trouver dans toute sorte de cuisine, depuis la Nouvelle, la thailandaise et celle du bistrot, jusqu'à la cuisine classique française.

Ils captivent à eux deux un groupe d'élite de plus en plus grand de personnes qui savent que ces deux viandes sont tout simplement délicieuses dès la première bouchée. Sans être limités par leurs analogues culinaires, le porc et l'agneau permettent à toute personne créatrice de montrer ses talents tout en effectuant le minimum de dépense. Ce qui est ordinaire devient extraordinaire lorsqu'il s'agit de quelque chose d'aussi simple que d'orienter le caractère principal du menu vers le porc ou l'agneau.

Ce qui est vraiment fantastique à propos de ces deux éléments, c'est qu'en utilisant une recette pour le boeuf, le veau ou le poulet, et en faisant preuve d'une certaine ingéniosité, on peut créer un plat complètement nouveau, ou créer quelque nouvelle aventure personnelle comme Dindes de porc créole ou Côtelettes d'agneau Cherbourg.

Le porc et l'agneau se prêtent à des repas classiques originaux et mémorables et à de stimulant repas ordinaires. Lorsqu'il doit être juste comme il faut, éblouissez vos invités avec un steak de porc recouvert de crabe et de sauce hollandaise au poivre et aux framboises. Lorsque la soirée atteint son crescendo, poussez la à l'extrême à l'aide cordiale des Côtes grillées aux pêches fraîches.

Un repas de porc ou d'agneau habilement préparé signifie que vous avez à coeur de bien traiter vos invités et cela se verra. Tout en étant théoriquement une viande rouge, le porc est maintenant considéré comme une viande blanche parce qu'il est aussi nutritif et aussi adaptable que n'importe quelle viande blanche. Ainsi lorsque vos invités décident de venir dîner et vous demandent: "Qu'allons-nous avoir?", dites-leur: "Côtes de porc charcutière" et écoutez les compliments fuser sur votre repas et comme il est *"Tout Simplement Délicieux"*.

Porc Satay

PORC ENIVRÉ

3 c. à table	45 mL	huile
1 - 5 livre	1-1.75 kg	coupe centrale d'échine de porc sans os, bridée
3	3	gousses d'ail hachées
¼ tasse	60 mL	persil haché
4 tasses	1 L	vin rouge
½ c. à thé	3 mL	sel
1 c. à thé	5 mL	grains de poivre
2 c. à table	30 mL	beurre
2 c. à table	30 mL	farine tout usage

Chauffer l' huile dans une cocotte. Faire sauter légèrement la viande dans l' huile pour la brunir de tous côtés.

Ajouter l'ail, le persil, le vin, le sel et les grains de poiv re. Réduire la chaleur et faire mijoter à couvert pendant 3 heures. Retirer la viande et réduire le bouillon au ⅓ de son volume. Passer au tamis.

Chauffer le beurre dans une plus petite casserole. Ajouter la farine et cuire pendant 2 minutes, Y verser le bouillon et faire mijoter jusqu'à épaississement.

Découper le porc et servir séparément avec une sauce.

DONNE 8 PORTIONS

PAIN DE JAMBON

PAIN:

1 livre	450 g	jambon haché
1 livre	450 g	porc fraîchement haché
1 tasse	250 mL	chapelure de pain épicée
¼ tasse	60 mL	oignon haché
1	1	carotte hachée
1	1	tige de céleri hachée
½ tasse	125 mL	lait

SAUCE:

½ tasse	125 mL	sucre brun
1 c. à table	15 mL	moutarde de Dijon
2 c. à table	30 mL	vinaigre
1 c. à table	15mL	eau

Combiner ensemble tous les ingrédients. Presser dans un moule en forme d'anneau (type bundt), placer dans un four à 350°F (180°C) et cuire pendant 45 minutes. Égoutter l'excédent de graisse.

Mélanger ensemble les ingrédients de sauce. Verser sur la viande. Continuer à cuire pendant 30 minutes. Mettre sur un plat de service.

Servir avec un pilaf de riz.

DONNE 6 PORTIONS

CÔTELETTES D'AGNEAU STYLE GRAND DUC

4-6 onces	4-170	côtelettes d'agneau
2c. à table	30 mL	huile d'olive
3 tasses	750 ml	bouillon de poulet (voir page 77)
3 tasses	45 mL	beurre
3 c. à table	45 mL	farine tout usage
1/2 tasse	125mL	crème épaisse
1/4 tasse	60 mL	beurre d'écrevisse (voir page 112)
1 tasse	250 mL	queues d'écrevisses cuites
1 tasse	250 mL	pointes d'asperges blanchies
1/3 tasse	90 mL	fromage Parmesan fraîchement râpé
4	4	grosses tranches de truffes

Laver et sécher les côtelettes.

Chauffer l'huile dans une poêle et faire brunir les côtelettes.

Ajouter le bouillon de poulet, pocher doucement les côtelettes pendant 15 minutes, retirer et garder chaud. Égoutter le bouillon, le remettre au feu pendant 2 minutes. Ajouter le bouillon réduit et la crème, faire mijoter jusqu'à consistance épaisse. Y mélanger le beurre d'écrevisse, les queues d'écrevisse et les pointes d'asperge, mijoter pendant 3 minutes et ajouter le fromage.

Placer les côtelettes sur des assiettes , recouvrir de sauce et mettre au-dessus une tranche de truffe. Servir immédiatement.

DONNE 4 PORTIONS

Pain de Jambon

Porc Enivré

Steaks de Porc au Crabe et à la Framboise en Sauce Hollandaise au Poivre

STEAKS DE PORC AU CRABE ET À LA FRAMBOISE EN SAUCE HOLLANDAISE AU POIVRE

2 tasses	500 mL	framboises
6	6	tranches de bacon
6 – 4 onces	6 – 120 g	steaks de porc
6 onces	170 g	chair de crabe
2	2	jaunes d'oeuf
½ tasse	125 mL	beurre fondu chaud
1 c. à thé	5 mL	grains de poivre rose

Trier et laver les framboises. Les réduire en purée dans un robot culinaire puis tamiser pour ôter la pulpe et les graines. Verser dans une casserole et porter à ébullition, réduire la chaleur et faire mijoter jusqu'à ce qu'il ne reste plus que 4 cuillères à thé (60 mL de liquide).

Enrouler le bacon autour des steaks de porc. Griller à point sur charbon ou dans un four. Mettre du crabe par-dessus.

Placer les jaunes d'oeuf dans un robot culinaire. Pendant que l'appareil est en marche, ajouter lentement le beurre. Ajouter le liquide des framboises en le faisant couler lentement et régulièrement. Y verser le poivre en grains.

Placer une bonne cuillèrée de sauce sur chaque steak sur une tôle à four. La mettre sous un grilloir préchauffé et faire un glaçage.

Servir immédiatement.

DONNE 6 PORTIONS

STEAKS DE PORC À L'ORANGE ET AU ROMARIN

2	2	oranges
1 c. à table	15 mL	beurre
4 – 6 onces	4 – 170 g	steaks de porc sans os
2 c. à thé	10 mL	romarin
1 quan	1 quan	riz à l'orange et aux noix de cajou (voir page 724)

Peler et couper en tranches une orange, extraire le jus de l'autre.

Chauffer le beurre dans une large pôele et ajouter les steaks de porc, frire jusqu'à ce que ce soit cuit. Parsemer de romarin et ajouter le jus et les tranches d'orange. Réduire la chaleur et faire mijoter pendant 2 minutes.

Déposer le riz sur des assiettes de service, couvrir avec les steaks de porc et la sauce, servir immédiatement.

DONNE 4 PORTIONS

CÔTELETTES D'AGNEAU GRILLÉES AUX HERBES

⅔ tasse	160 mL	huile d'olives
⅓ tasse	80 mL	jus de citron
⅓ tasse	80 mL	sherry
2 c. à table	30 mL	romarin haché
2 c. à table	30 mL	feuilles de basilic
1 c. à table	15 mL	feuilles de thym
½ c. à thé	3 mL	de chaque: sucre cristallisé, poivre, sel
8 – 3 onces	8 – 90 g	côtelettes d'agneau de 1" (2.cm) d'épaisseur

Combiner tous les ingrédients, sauf les côtelettes, dans un grand bol.

Placer les côtelettes dans un plat peu profond et verser de la sauce par-dessus. Couvrir et réfrigérer pendant 6 heures. Griller les côtelettes sur charbon à moyenne température, pendant 5 minutes de chaque côté .

DONNE 4 PORTIONS

Steaks de Porc à l'Orange et au Romarin

Couronnes d'Agneau en Sauce aux Framboises, Kiwis et Poivre Vert

COURONNES D'AGNEAU EN SAUCE AUX FRAMBOISES KIWI ET POIVRE VERT

2	2	couronnes d'agneau*
2 c. à table	30 mL	beurre fondu
1 c. à thé	5 mL	sel
½ c. à thé	3 mL	poivre noir
1 tasse	250 mL	framboises
½ tasse	125 mL	crème épaisse
¼ tasse	60 mL	sucre en poudre
1 c. à table	15 mL	grains de poivre vert
2	2	kiwis

Placer les couronnes d'agneau dans un plat à four peu profond, brosser avec du beurre et assaisonner avec sel et poivre. Cuire dans un four préchauffé à, 350°F(180°C) pendant 35-40 minutes.

Pendant la cuisson, réduire en purée les framboises et les presser à travers un tamis fin pour en enlever les graines.

Chauffer les framboises et le sucre ensemble dans une petite casserole. Réduire jusqu'au ⅓ du volume. Ajouter la crème, le poivre en grains et faire mijoter pendant 5 minutes.

Peler les kiwis et les couper en dés, les mélanger dans la sauce.

Retirer les grilles du four et placer la viande sur des assiettes à servir. Servir immédiatement.

DONNE 4 PORTIONS

* Une couronne est deux rangées de côtes liées ensemble pour former un cercle. Placer une grande boule de papier d'aluminium au centre pendantla cuisson pour conserver la forme.

Steaks de Porc Grillés avec Marinade aux Noix

AGNEAU TRATTORIA

1½ livres	675 g	agneau maigre désossé
5 c. à table	75 mL	beurre
1	1	gousse d'ail hachée
3 c. à table	45 mL	farine tout usage
1 c. à table	15 mL	persil fraîchement haché
¼ tasse	60 mL	vin rouge
1 tasse	250 mL	tomates pelées, épépinées, hachées
½ tasse	125 mL	bouillon de poulet (voir page 77)
½ c. à thé	3 mL	de chaque: sel, poivre paprika
1 c. à thé	5 mL	origan
2 c. à thé	10 mL	câpres
2 c. à thé	10 mL	écorce de citron râpée

Couper l'agneau en gros dés. Chauffer le beurre dans une grande casserole. Ajouter l'agneau et l'ail, cuire jusqu'à ce que la viande brunisse. Saupoudrer de farine et continuer à cuire pendant 3 minutes sur feu doux.

Ajouter le reste des ingrédients, faire mijoter pendant 30 minutes.

Servir avec du riz.

DONNE 6 PORTIONS

STEAKS DE PORC GRILLÉS AVEC MARINADE AUX NOIX

6 – 6 onces	6 – 170 g	steaks de porc sans os
2 c. à thé	10 mL	moutarde deDijon
1 c. à table	15 mL	jus de citron
¼ c. à thé	1 mL	sel
¼ c. à thé	1 mL	poivre noir écrasé
2 c. à thé	10 mL	huile de noix
¼ tasse	60 mL	olive huile

Placer les steaks dans un plat peu profond allant au four.

Combiner dans un petit bol le reste des ingrédients. Verser sur les steaks et faire mariner couvert et réfrigérer pendant 8 heures.

Griller les steaks sur feu moyen pendant 10-15 minutes, en brossant fréquemment avec la marinade. Servir immédiatement avec un dernier brossage à la marinade.

DONNE 4 PORTIONS

CÔTELETES D'AGNEAU AUX NOIX DE CAJOU

6 – 6 onces	6 – 170 g	côtelettes d'agneau
½ tasse	125 mL	noix de cajou moulues
¼ tasse	60 mL	fromgeParmesan fraîchement râpé
1 tasse	250 mL	fine chapelure de pain
¼ tasse	60 mL	beurre fondu

Laver et sécher les côtelettes Combiner les noix, le fromage et la chapelure de pain dans un petit bol.

Plonger les côtelettes dans le beurre fondu puis les plonger dans le mélange à chapelure. Cuire dans un four préchauffé à 350°F (180°C) pendant 45-50 minutes ou jusqu'à ce que les côtelettes soient brunes dorees. Servir immédiatement avec une Sauce aux abricots et framboises Apricot Raspberry Sauce (voir page 108).

DONNE 6 PORTIONS

DÉLICES D'AGNEAU

1 tasse	250 mL	farine tout usage
1 c. à thé	5 mL	sel
¼ c. à thé	1 mL	de chaque: marjolaine et paprika
1 c. à thé	5 mL	poudre à pâte
2	2	oeufs séparés
⅓ tasse	90 mL	lait froid
2 c. à table	30 mL	sherry
1 tasse	250 mL	agneau cuit , en dés
1 tasse	250 mL	petits pois cuits
3 tasses	750 mL	huile de tournesol

Passer ensemble au tamis le sel, les herbes et la poudre à pâte.

Battre les jaunes d'oeuf jusqu'à consistance crémeuse, puis y battre le lait et le sherry.

Battre doucement la farine dans le liquide. Battre les blancs d'oeuf jusqu'à ce qu'ils deviennent fermes et les incorporer dans la pâte. Y incorporer l'agneau et les petits pois.

Chauffer l'huile à 375°F (190°C). Faire tomber de petites cuillérées à table de pâte dans l'huile et cuire jusqu'à ce que la couleur soit brune dorée. Garder au chaud pendant que cuit le reste. Servir très chaud, bon avec la sauce Mornay (voir page 111).

DONNE 4 PORTIONS

LASAGNA AUX SAUCISSES ITALIENNES

1 livre	450 g	saucisse italienne grossièrement hachée
1	1	gousse d'ail hachée
2 c. à thé	10 mL	de chaque: origan, thym, basilic
½ c. à thé	3 mL	de chaque: sel et poivre
4 tasses	1 L	tomates pelées, épépinées et hachées
1 ¼ tasses	310 mL	concentré de tomate
1 quan	1 quan	préparation de base pour pâtes (voir page 426), coupée en larges nouilles
3 tasses	750 mL	fromage cottage crémeux
2	2	oeufs battus
½ tasse	125 mL	fromage Parmesan fraîchement râpé
1 livre	450 g	une livre de mozzarella râpé

Brunir lentement les saucisses dans une cocotte. Égoutter l'excédent de graisse. Ajouter l'ail, les herbes, les tomates et le concentré de tomate. Faire mijoter pendant une heure.

Recouvrir le fond d'un plat beurré d'une couche de pâtes. Mélanger ensemble le fromage cottage, les oeufs et le Parmesan.

Placer une couche de sauce de viande sur les nouilles en les recouvrant du mélange au fromage. Alterner des couches de sauce, de mélange à fromage et de mozzarella. Cuire dans un four préchauffé à 375°F (190°C) pendant 40 minutes.

Laisser reposer 15 minutes et servir .

DONNE 12 PORTIONS

Lasagna aux Saucisses Italiennes

CÔTELETTES DE PORC VERDE

6 – 4 onces	6 – 120 g	côtelettes de porc
1	1	oeuf
¼ tasse	60 mL	lait
½ tasse	125 mL	farine tout usage
1 tasse	250 mL	chapelure de pain assaisonnée
3 c. à table	45 mL	huile
3 c. à table	45 mL	beurre
1	1	gousse d'ail hachée
2 c. à table	30 mL	farine tout usage
2 tasses	500 mL	bouillon de poulet (voir page 77)
1 tasse	250 mL	petits pois
¼ c. à thé	1 mL	de chaque: sel et poivre

Aplatir les côtelettes finement avec un maillet à viande.

Mélanger l'oeuf avec le lait. Saupoudrer de farine, tremper dans l'oeuf puis dans la chapelure.

Chauffer l'huile dans une poêle et frire les côtelettes jusqu'à une couleur brune dorée de chaque côté. Garder au chaud.

Chauffer le beurre avec l'ail, saupoudrer avec la farine et cuire pendant 2 minutes à feu doux. Ajouter le bouillon, les petits pois et l'assaisonnement, faire mijoter jusqu'à ce que la sauce s'épaississe. Verser dans un robot culinaire et couvrir avec de la sauce, servir.

Mettre les côtelettes en plat, couvrir de sauce et servir.

DONNE 6 PORTIONS

Friture de Porc et de Poulet

FRITURE DE PORC ET DE POULET

8 onces	225 g	porc sans os
8 onces	225 g	poulet désossé, sans la peau
2 c. à table	30 mL	huile de tournesol
1	1	petit oignon en dés
½ tasse	125 mL	poivron rouge , en dés
20	20	champignons en bouton
½ tasse	60 mL	sauce d' huitre
2 c. à table	30 mL	sauce soya
1 c. à thé	5 mL	fécule de maïs
1 c. à table	15 mL	sherry ou eau

Couper le porc et le poulet en morceaux de la taille d'une bouchée.

Chauffer l'huile dans un wok ou une grande poêle. Frire les viandes pendant 3 minutes. Ajouter les légumes et frire jusqu'à consistance tendre.

Ajouter la sauce d'huitre et la sauce au soya. Faire mijoter pendant 2 minutes.

Mélanger la fécule de maïs et le sherry et les verser sur le poulet. Faire mijoter jusqu'à consistance épaisse. Servir sur du riz ou Sur des nouilles.

DONNE 2 PORTIONS

ROULADES DE PORC

3	3	tranches de bacon en dés
1	1	carotte en dés fins
1	1	tige de céleri coupée en dés fins
1	1	petit oignon en dés fins
1 tasse	250 mL	fromage Havarti râpé
4 – 6 onces	4 – 170 g	côtelettes de porc, aplaties au maillet
2 c. à table	30 mL	beurre fondu
2 tasses	500 mL	sauce Mornay chaude (voir page 111)

Frire le bacon dans une grande poêle, ajouter la carotte, le céleri et l'oignon et faire sauter jusqu'à ce que ce soit tendre, égoutter l'excédent de graisse, placer dans un petit bol et faire refroidir à la température ambiante.

Combiner le mélange sauté avec le fromage, et presser sur les côtelettes. Rouler les côtelettes de manière à enrober la farce. Placer dans un petit plat à four, enduire de beurre et cuire dans un four préchauffé à 350°F (180°C) pendant 25-30 minutes.

Transférer les côtelettes sur des assiettes , recouvrir de sauce Mornay et servir.

DONNE 4 PORTIONS

PORC ASIATIQUE

11/2 tasses	375mL	riz à grain court
¼ tasse	60mL	groseilles
8 – 4 onces	8 – 115 g	steaks deporc
2 c. à table	30 mL	huile de tournesol
1	1	oignon en dés
1 tasse	250 mL	pommes pelées, coupées en dés fins
2	2	gousses d'ail hachées
2 c. à table	30 mL	poudre de curry
1 tasse	250 mL	bouillon de poulet (voir page 77)
½ tasse	125 mL	condiment
1 tasse	250 mL	crème à fouetter
3 c. à table	45 mL	cilantro fraîchement haché

Mettre le riz dans un grand plat, ajouter les groseilles et déposer en couche le porc sur le riz.

Dans une poêle chauffer l'huile et faire sauter les oignons, les pommes et l'ail jusqu'à ce que ce soit tendre. Y mélanger la poudre de curry, réduire la chaleur et cuire encore 3 minutes.

Y mélanger le bouillon de poulet, les condiments et la crème à fouetter, bouillir pendant 2 minutes. Verser sur le porc et cuire dans un four préchauffé à 350°F (180°C) pendant 1¼ heures.

Retirer, couvrir et parsemer de cilantro, servir immédiatement.

DONNE 8 PORTIONS

FILET DE PORC CHINOIS

1½ livres	675 g	filet de porc
⅓ tasse	80 mL	huile de tournesol
1 c. à thé	5 mL	racine de gingembre pelée, hachée
2	2	gousse d'ail hachée
¼ tasse	60 mL	sauce soya légère
⅓ tasse	80 mL	miel liquide
2 c. à table	30 mL	sherry
4 gouttes	4	colorant alimentaire rouge (facultatif)

Parer et trancher le porc.

Mélanger 2 cuillères à soupe (30 mL) d'huile avec le reste des ingrédients. Verser sur le porc, mariner pendant 4-6 heures

Chauffer le reste d'huile dans un wok. Égoutter le porc mais mettre la marinade en réserve. Frire à fond le porc. Égoutter tout excédent d'huile. Ajouter la marinade et continuer à frire jusqu'à ce que tout le liquide se soit évaporé.

Servir avec du riz

DONNE 6 PORTIONS

AGNEAU MAISON

8 – 3 onces	8 – 90 g	côtelettes d'agneau
½ tasse	125 mL	yaourt
2 c. à thé	10 mL	farine tout usage
1 c. à table	15 mL	poudre de curry
2 c. à table	30 mL	fine chapelure de pain
2 c. à table	30 mL	eau

Mettre l'agneau dans un plat à cuisson.

Mélanger dans un petit bol le yaourt, la farine et le curry. Répandre sur l'agneau. Saupoudrer de chapelure et verser l'eau le long des côtés.

Placer dans un four préchauffé à 350°F (180°C) et cuire pendant 40 minutes ou jusqu'à ce que l'agneau soit tendre.

Retirer et servir avec un pilaf de riz.

DONNE 4 PORTIONS

Agneau Maison

Filet de Porc Chinois

Côtes de Porc du Yucatan

CÔTELETTES D'AGNEAU GLORIA BLAIS

6 – 3 onces	6 – 90 g	côtelettes d'agneau
7 c. à table	105 mL	beurre
¾ livre	340 g	dinde hachée
1 c. à thé	5 mL	ciboulette hachée
1 c. à table	15 mL	oignon haché
1 c. à thé	5 mL	de chaque: cerfeuil persil, estragon
3 c. à table	45 mL	champignons hachés
2 ¼ tasses	560 mL	fine chapelure de pain
3 c. à table	45 mL	sherry
2	2	oeufs
¼ tasse	60 mL	lait
¼ tasse	60 mL	farine tout usage
4 tasses	1 L	huile de tournesol

Aplatir les côtelettes d'agneau.

Mélanger dans un robot culinaire 3 cuillères à soupe (45 mL) de beurre avec la dinde, les ciboulettes, les oignons, l'assaisonnement, les champignons, ¾ tasse (180 mL) de chapelure de pain et le sherry.

Chauffer le restant de beurre dans une poêle et faire sauter le mélange pendant 5 minutes à feu moyen. Refroidir à la température ambiante Répandre sur les côtelettes d'agneau et les façonner en rouleaux.

Mélanger les oeufs avec le lait. Saupoudrer les rouleaux avec la farine puis les plonger dans les oeufs et les rouler dans la chapelure de pain.

Chauffer l'huile à 375°F (190°C), et frire les rouleaux jusqu'ils soient bruns dorés. Servir avec une sauce au vin de Madère (voir page 112).

DONNE 6 PORTIONS

CÔTES DE PORC DU YUCATAN

4½ livres	2 kg	grosses côtelettes de porc
¼ tasse	60 mL	farine tout usage
2 c. à thé	10 mL	sel
¼ c. à thé	1 mL	de chaque: poivre noir, poivre blanc, clous de girofle
2 c. à thé	10 mL	de chaque: poudre chili, paprika
⅓ tasse	90 mL	olive huile
1	1	gros oignon en tranches
2	2	gousses d'ail hachées
1	1	poivron vert en tranches
1	1	poivron rouge en tranches
1½ tasses	375 mL	champignons en tranches
3 tasses	750 mL	tomates pelées, épépinées, hachées
½ tasse	125 mL	sherry
⅓ tasse	90 mL	olives vertes farcies

Laver et sécher les côtes.

Combiner la farine et l'assaisonnement

Chauffer l'huile dans un grand récipient ou dans une cocotte, brunir les côtes dans l'huile. Transférer les côtes dans un grand plat à cuisson.

Faire sauter l'oignon, l'ail, les poivrons et les champignons dans la casserole jusqu'à ce que tendres Y mélanger les tomates et le sherry. Faire mijoter pendant 5 minutes. Verser sur les côtes et cuire dans un four préchauffé à 350°F (180°C) pendant 45-50 minutes à couvert. Retirer le couvercle et y verser les olives et continuer à cuire pendant 15 minutes de plus. Servir avec du riz.

DONNE 4 PORTIONS

Côtelettes d'Agneau Gloria Blais

Côtes Chinoises Aigres-Douces

Côtelettes d'Agneau Farcies aux Fruits

CÔTELETTES D'AGNEAU FARCIES AUX FRUITS

¼ tasse	60 mL	groseilles
¼ tasse	60 mL	dates hachées
¼ tasse	60 mL	pommes séchées, hachées
½ tasse	125 mL	croûtons de pain sec
6 – 3 onces	6 – 90 g	côtelettes d'agneau aplaties au maillet
¼ tasse	60 mL	farine tout usage épicée
2 c. à table	30 mL	huiled'olive
½ tasse	125 mL	jus d'orange
¼ tasse	60 mL	eau

Combiner les groseilles, les dates, les pommes et les croûtons de pain ensemble. Placer des quantités égales de farce sur les côtelettes. Plier et rouler les poitrines pour envelopper la farce. Maintenir ensemble à l'aide de cure-dents. Réfrigérer pendant une heure.

Saupoudrer les côtelettes de farine. Chauffer l'huile dans une grande poêle et brunir les poitrines de tous côtés. Transférer dans un plat à four.

Verser le jus d'orange et l'eau sur les côtelettes et cuire dans un four préchauffé à 350°F (180°C) pendant 30-35 minutes.

Servir avec un pilaf de riz (voir page 724).

DONNE 6 PORTIONS

CÔTES CHINOISES AIGRES-DOUCES

4 livres	1.75 kg	côtes découvertes
⅓ tasse	80 mL	sauce soya
1 tasse	250 mL	sucre brun
¾ tasse	180 mL	vinaigre
½ tasse	125 mL	sherry
2 c. à table	30 mL	sauce d'huître
1	1	poivron vert finement tranché
1 c. à table	5mL	gingembre confis haché
¾ tasse	180 mL	morceaux d'ananas
2 c. à thé	10 mL	fécule de maïs
2 c. à table	30 mL	eau

Couper les côtes en morceaux de 2" (5 cm) . Les placer sur une tôle à four. Cuire dans un four préchauffé à 325°F (160°C) pendant 1½ heures ou jusqu'à ce que ce soit croquant.

Mélanger la sauce soya, le sucre, le vinaigre, le sherry, la sauce d'huître,les poivrons verts dans une casserole. Amener à ébullition. Ajouter le gingembre et les morceaux d'ananas.

DONNE 4 PORTIONS

CÔTES DE PORC CHARCUTIÈRE

6 – 6 onces	6 – 170 g	côtes d'épaule de porc
2 c. à table	30 mL	huile de tournesol
1	1	oignon espagnol en dés
2 c. à table	30 mL	beurre
2 c. à table	30 mL	farine tout usage
1 tasse	250 mL	vin blanc
1 tasse	250 mL	bouillon de poulet (voir page 77)ou bouillon de veau (voir page 85)
2 c. à table	30 mL	cornichons hachés
1 c. à thé	5 mL	moutarde de Dijon

Brosser les côtes avec de l'huile. Assaisonner avec un peu de sel et de poivre si désiré. Griller au four jusqu'à cuisson complète.

Frire l'oignon dans le beurre dans une casserole jusqu'à ce qu'il brunisse. Saupoudrer de farine et continuer à cuire pendant 2 minutes à feu doux. Ajouter le vin, le bouillon, les cornichons et la moutarde, faire mijoter pendant 15 minutes.

Placer les côtes sur un plat de service, verser la sauce sur les côtes et servir.

DONNE 6 PORTIONS

297

DINDES DE PORC CRÉOLE

8	8	doubles côtes de porc de ¾"
2 ¾ tasses	680 mL	cubes de pain
5 c. à table	75 mL	beurre
1	1	petit oignon haché
½ c. à thé	3 mL	sauce Worcestershire
½ c. à thé	3 mL	sel
½ c. à thé	3 mL	poivre
4 c. à table	60 mL	huile
2 tasses	500 mL	sauceCréole (voir page 121)

Faire une incision profonde dans chaque côte.

Mélanger le pain, le beurre, l'oignon, la sauce Worcestershire, le sel et le poivre. dans une farce. Farcir les côtes.

Chauffer l' huile dans une grande poêle. Brunir les côtes dans l'huile, égoutter l'excédent d'huile. Verser la sauce sur les côtes. Couvrir et réduire le feu, faire mijoter pendant une heure

Servir avec du riz

DONNE 6 PORTIONS

AGNEAU AUX OLIVES

1½ livres	675 g	agneau coupé en fines tranches
3 onces	80 g	anchois
2 c. à table	30 mL	câpres
¼ tasse	60 mL	piment s rouges
1 tasse	250 mL	farine tout usage
⅔ tasse	160 mL	fécule de maïs
1 c. à thé	5 mL	poudre à pâte
1	1	oeuf
2 c. à table	30 mL	huile d'olive
1 c. à table	15 mL	jus de citron
1½ tasses	375 mL	eau glacée
3 tasses	750 mL	huile de tournesol

Aplatir très fin l'agneau.

Dans un robot culinaire, faire une purée avec les anchois, les câpres et le piment, placer un peu de purée au centre de chaque tranche d'agneau. Envelopper de viande, donner la forme d'une olive. Réfrigérer pendant une heure.

Passer ensemble au tamis la farine , la fécule de maïs et la pâte à cuire .

Mélanger ensemble l'oeuf,l'huile d'olive, le jus de citron et l'eau. Y mélanger en fouettant la farine, de manière à former une pâte fine.

Chauffer l' huile de tournesol à 375°F (190°C). Plonger l'agneau dans la pâte et frire dans l'huile jusquˆa ce que ce soit brun doré. Servir très chaud.

DONNE 6 PORTIONS

CÔTES D'AGNEAU AVEC CRÈME AU LIME ET AU CILANTRO

1	1	oeuf
¼ tasse	60 mL	lait
6 – 4 onces	6 – 120 g	côtes de paleron d'agneau sans os
1/2 tasse	125 mL	farine tout usage
1 tasse	125 mL	chapelure de pain
6 c. à table	90 mL	huile d'olive
3 c. à table	45 mL	beurre
2 c. à table	30 mL	farine tout usage
½ tasse	125 mL	bouillon de poulet (voir page 77)
½ tasse	125 mL	crème légère
¼ tasse	60 mL	jus de lime
2 c. à table	30 mL	cilantro haché (coriandre)

Mélanger l'oeuf avec le lait. Saupoudrer les côtes d'agneau avec la farine, plonger dans l'oeuf puis dans la chapelure de pain.

Chauffer l'huile dans une grande poêle, frire les côtes pendant 3 minutes par côté ou jusqu'à ce qu'elles soient brunes dorées. Garder au chaud dans le four.

Placer les côtes sur des assiettes.Verser de la sauce sur les côtes.

DONNE 6 PORTIONS

Côtes d'Agneau avec Crème au Lime et au Cilantro

Agneau Sauté à la Provençale

PORC ET AGNEAU AVEC UNE DIFFÉRENCE

6 onces	170 g	porc maigre haché
4 onces	120 g	agneau maigre haché
2 onces	60 g	bacon haché
3 c. à table	45 mL	oignon vert haché
¼ c. à thé	1 mL	ail haché
1 c. à table	15 mL	persil frais haché
2 c. à table	30 mL	sherry
¼ c. à thé	1 mL	de chaque: paprika, origan thym basilic
½ c. à thé	3 mL	sel
1	1	oeuf extra gros battu
2 – 1 livre	2 – 450 g	ailes entières de poulet, avec la peau
2 c. à table	30 mL	huile d'olive

Dans un robot culinaire (réfrigérer le bol et la lame d'abord), couper le porc, l'agneau, le bacon, les oignons verts, l'ail, le persil, le sherry, l'assaisonnement et l'oeuf dans un mélange de pâté lisse.

Avec un couteau pointu enlever le gras etc. du poulet en prenant soin de ne pas séparer la peau des bords. Farcir avec le mélange sous la peau. Embrocher la peau pour la garder intacte.

Brosser le poulet avec de l'huile, cuire dans un four préchauffé à 375°F (190°C) pendant 25 minutes. Retirer les broches, découper et servir.

DONE 6 PORTIONS

CÔTES DE PORC DU DIABLE

2 c. à table	30 mL	beurre
¼ c. à thé	1 mL	de chaque: piment de cayenne, poivre noir, poivre blanc
6 – 6 onces	6 – 170 g	côtelette de porc sans os
½ tasse	125 mL	sauce au chili
½ tasse	125 mL	ketchup
¼ c. à thé	1 mL	de chaque: sel, basilic, paprika, poudre chili, thym origan
2 c. à table	30 mL	sauce Worcestershire
2 c. à table	30 mL	moutarde de Dijon
½ tasse	125 mL	eau

Faire une pâte lisse avec le beurre et les poivres.

Placer les côtelettes dans un plat de cuisson et les tartiner de beurre. Les placer sous le grilloir du four pendant 3 minutes, tourner les côtelettes et les griller encore 3 minutes.

Pendant que grillent les côtelettes, combiner ensemble le reste des ingrédients dans un petit bol. Verser sur les côtelettes et cuire pendant 20-25 minutes.

Servir sur un pilaf de riz.

DONNE 6 PORTIONS

AGNEAU SAUTÉ À LA PROVENÇALE

12 – 3 onces	12 – 90 g	côtelette d'agneau avec ou sans os
4 c. à table	60 mL	beurre
3	3	gousses d'ail hachées
1	1	poivron vert tranché
1	1	oignon en tranches
3 tasses	750 mL	tomates pelées. épépinées, hachées
¼ tasse	60 mL	sherry
1 c. à thé	5 mL	paprika
½ c. à thé	3 mL	sel
¼ c. à thé	1 mL	poivre

Frire les côtelettes dans une poêle avec le beurre pendant 4-6 minutes de chaque côté (selon l'épaisseur). retirer et servir chaud.

Ajouter l'ail, le poivron et les oignons dans la poêle et faire sauter jusqu'à ce que ce soit tendre. Ajouter les tomates et porter à ébullition, réduire la chaleur et faire mijoter pendant 10 minutes. Ajouter le sherry et l'assaisonnement, continuer à faire mijoter jusqu'à ce que le liquide se soit évaporé.

Placer les côtelettes sur un plat de service, verser la sauce par-dessus et servir avec un pilaf de riz au citron

DONNE 6 PORTIONS

CÔTES GRILLÉES AUX PÊCHES FRAÎCHES

2 tasses	500 mL	pêches pelées, en dés
¼ tasse	60 mL	vinaigre
½ tasse	125 mL	jus de pêches
¼ tasse	60 mL	sucre brun
1 c. à thé	5 mL	sauce Worcestershire
1 c. à thé	5 mL	sel
½ c. à thé	3 mL	origan
4 gouttes	4 gouttes	sauce Tabasco™
4 livres	1.75 kg	petites côtes de dos

Placer dans un robot culinaire tous les ingrédients sauf les côtes. En faire une purée, puis transférer dans une casserole. Faire mijoter en une sauce très épaisse.

Faire cuire à demi les côtes dans l'eau bouillante salée jusqu'à ce qu'elles soient tendres.

Transférer sur une rôtissoire et griller au charbon à feu moyen. Brosser avec abondance de sauce. Servir avec un coup de brosse final de sauce.

DONNE 4 PORTIONS

KÉBABS NOUVEAUX D'AGNEAU ET DE PORC

2 tasses	500 mL	mûres
1½ tasses	375 mL	sucre cristallisé
½ tasse	125 mL	eau-de-vie de mûres
1 livre	450 g	porc maigre en cubes
1 livre	450 g	agneau maigre en cubes
1 c. à table	15 mL	huile

Réduire les mûres en purée dans un robot culinaire. Passer au tamis pour enlever les graines.

Mélanger la pulpe des mûres, le sucre et l'eau-de-vie ensemble dans une casserole. Chauffer jusqu'à ébullition, réduire la température et faire mijoter jusqu'à épaississement de la sauce.

Mettre en broche le porc et l'agneau sur des brochettes de bambou ayant été trempées dans l'eau. Brosser avec de l'huile. Les griller pendant 5 minutes de chaque côté, en les brossant fréquemment avec de la sauce. Brosser une dernière fois avant de servir.

DONNE 4 PORTIONS

CÔTELETTES D'AGNEAU CHERBOURG

6 – 4 onces	6 – 120 g	côtelettes d'agneau
1	1	oeuf
¼ tasse	60 mL	lait
½ tasse	125 mL	farine tout usage
1 tasse	250 mL	chapelure de pain assaisonnée
3 c. à table	45 mL	huile de tournesol
6 c. à table	90 mL	beurre
3 c. à table	45 mL	farine tout usage
1 tasse	250 mL	bouillon de poulet (voir page 77)
1 tasse	250 mL	crème légère
1 ½ tasses	375 mL	queues d'écrevisses cuites
¼ c. à thé	2 mL	sel
pinch	pinch	de chaque: poivre blanc, paprika

Aplatir les côtelettes avec un maillet à viande.

Mélanger les oeufs au lait. Saupoudrer de farine les côtelettes, les plonger dans l'oeuf battu, puis les rouler dans la chapelure. Chauffer l'huile dans une grande poêle et frire les côtelettes jusqu'à ce qu'elles soient brunes dorées. Garder chaud.

Chauffer ½ du beurre dans une casserole et cuire pendant 2 minutes à feu doux. Ajouter le bouillon de poulet et la crème et faire mijoter 15 minutes ou jusqu'à l'épaississement de la sauce.

Dans un robot culinaire mettre en purée ½ des queues d'écrevisses. Retirer la sauce du feu, y battre la purée. Ajouter le reste des écrevisses et l'assaisonnement. Placer les côtelettes sur un plat, recouvrir de sauce et servir.

DONNE 6 PORTIONS

Côtes Grillées aux Pêches Fraîches

Kebabs Nouveaux d'Agneau et de Porc

Ragoût de Porc en Sauce aux Trois Poivres

RAGOÛT DE PORC EN SAUCE AUX TROIS POIVRES

5 livres	2 kg	gros cubes de porc
1/3 tasse	80 mL	farine tout usage
1/2 c. à thé	3 mL	de chaque: oignon en poudre feuilles de, thym, feuilles d'origan poivre noir, cerfeuil.
2 c. à thé	10 mL	de chaque: sel, poudre de chili
1/2 tasse	60 mL	huile de tournesol
3 onces	90 g	champignons hachés
2 c. à thé	10 mL	poivre vert en grains
2 c. à thé	10 mL	poivre rose en grains
1 c. à thé	5 mL	poivre noir en grains
2 tasses	500 mL	demi-glace (voir page 123)
1/3 tasse	80 mL	crème à fouetter
1/4 tasse	60 mL	vin de Marsala
1 c. à table	15 mL	beurre

Laver le porc et le sécher.

Combiner la farine avec l'assaisonnement. Saupoudrer le porc de farine.Chauffer l'huile dans une grande poêle. Frire le porc jusqu'à ce qu'il soit brun doré. Mettre de côté.

Frire les champignons jusqu'à ce qu'ils soient tendres. Remettre le porc à la casserole. Ajouter les poivres en grain et le demi-glace. Diminuer la chaleur. Couvrir et faire mijoter pendant 1 heure. Transférer le porc sur un plat de service.

Augmenter la chaleur et réduire la sauce jurqu'à la moitié de son volume. Y mélanger la crème et le vin. Y battre le beurre, verser la sauce sur le porc et servir.

DONNE 6 PORTIONS

CÔTELETTES D'AGNEAU AU POIVRE

6 – 6 onces	6 – 180 g	côtelettes de porc
1/4 tasse	60 mL	poivre noir en grains craqués
1/4 tasse	60 mL	beurre
2 c. à table	30 mL	brandy
1 tasse	250 mL	demi-glace (voir page 123)
2 c. à table	30 mL	sherry
1/4 tasse	60 mL	crème épaisse

Tapoter le poivre en grains sur les côtelettes de porc.

Chauffer le beurre dans une grande poêle et faire sauter l'agneau jusqu'à consistance désirée. Retirer et garder chaud.

Verser le brandy et flamber. Faire mijoter 1 minute. Ajouter la crème en mélangeant bien.

Verser la sauce sur les côtelettes d'agneau et servir.

DONNE 6 PORTIONS

RAGOÛT DE PORC GOURMET

¼ tasse	60 mL	beurre
1½ livres	675 g	porc maigre san os, en dés
½ livre	225 g	champignons en tranches
¼ tasse	60 mL	oignons en dés fins
3 c. à table	45 mL	farine tout usage
1½ tasses	375 mL	bouillon de poulet (voir page 77)
½ tasse	125 mL	crème légère
¼ tasse	60 mL	sherry
⅓ tasse	80 mL	amandes grillées tranchées
2 tasses	500 mL	riz au long grain cuit
		brins de persil

Chauffer dans un grand récipient ou une cocotte le beurre, ajouter le porc et faire brunir. Retirer le porc et mettre de côté.

Ajouter les champignons et les oignons et faire sauter jusqu'à ce qu'ils soient tendres

Remettre le porc et continuer à faire mijoter pour 45 minutes de plus.

Remuer les amandes dans le riz et mettre des cuillérées de riz tout autour, au bord d'un plat de service. Mettre le porc au centre et servir garni avec du persil.

DONNE 4 PORTIONS

CÔTELETTES DE PORC AU PARMESAN

¾ tasse	180 mL	fine chapelure de pain
¼ tasse	60 mL	flocons de persil sec
⅓ tasse	80 mL	fromage de Parmesan fraîchement râpé
¼ tasse	60 mL	beurre
1	1	gousse d'ail hachée
4 – 6 onces	4 – 170 g	côtelettes de porc sans os
½ c. à thé	3 mL	sel
¼ c. à thé	1 mL	poivre

Combiner la chapelure de pain, le persil et le fromage ensemble dans un bol.

Faire fondre le beurre dans une poêle et ajouter l'ail, cuire pendant 1 minute à feu doux.

Plonger es côtelettes de porc dans le beurre puis dans la chapelure de pain, les placer dans un petit plat à four. Assaisonner avec le sel et le poivre et brosser avec le restant du beurre. Cuire dans un four préchauffé à 350°F (180°C) pendant 45 minutes.

DONNE 4 PORTIONS

STEAK DE PORC CUMBERLAND

6	6	tranches de bacon
6 – 6 onces	6 – 170 g	steaks de porc maigre
3	3	échalotes
¼ tasse	60 mL	eau
1	1	orange
1	1	citron
pincée	pincée	de chaque: gingembre moulu, piment de cayenne
⅓ tasse	80 mL	gelée de groseilles
¼ tasse	60 mL	vin de Porto

Envelopper de bacon les steaks de porc et attacher avec un cure-dents. Griller au charbon à température moyenne, ou au four jusqu'à ce que à point.

Hacher les échalotes et les placer dans l'eau dans une casserole.

Ôter l'écorce de l'orange et du citron, les placer avec les échalotes, blanchir pendant 3 minutes, égoutter.

Ajouter le jus d'orange et la moitié du jus de citron, l'assaisonnement et réduire de moitié

Verser sur les steaks et servir

DONNE 6 PORTIONS

Ragoût de Porc Gourmet

Côtelettes d'Agneau à la Confiture de Tomates et au Fromage

AGNEAU GRILLÉ CACCIATORE

1 quan	1 quan	préparation de base pour pâtes (voir page 426)
3 c. à table	45 mL	huile d'olive
2	2	gousses d'ail hachées
1	1	poivron vert coupé en dés
1	1	oignons en dés
2	2	tiges de céleri en dés
4 onces	115 g	champignons en tranches
1 c. à thé	5 mL	de chaque: sel, feuilles de basilic
½ c. à thé	3 mL	de chaque: poivre, feuilles de thym feuilles d'origan, paprika
½ c. à thé	3 mL	sauce Worcestershire
3 livres	1.5 kg	tomates pelées, épépinées et hachées
6 – 6 onces	6 – 170 g	côtelettes d'agneau hachées

Travailler la préparation des pâtes selon les instructions, couper en nouilles fettucini, couvrir avec une serviette humide et mettre de côté.

Dans une grande casserole, chauffer 2 c. à table (30 mL) d'huile. Ajouter l'ail, le poivron, l'oignon, le céleri et les champignons, faire sauter jusqu'à ce que ce soit tendre.

Ajouter l'assaisonnement, la sauce Worcestershire et les tomates, réduire la chaleur et faire mijoter pendant 3 heures ou jusqu'à ce qu'une sauce épaisse se forme.

Brosser les côtelettes avec le reste de l'huile. Griller 5 minutes de chaque côté.

Bouillir les pâtes dans un grand récipient d'eau salée, égoutter. Mettre sur des assiettes, recouvrir de sauce et mettre une côtelette d'agneau par-dessus. Servir immédiatement.

DONNE 6 PORTIONS

CÔTELETTES D'AGNEAU À LA CONFITURE DE TOMATES ET AU FROMAGE

1 tasse	250 mL	tomates écrasées
1 tasse	250 mL	sucre cristallisé
¼ tasse	60 mL	sherry
6 – 4 onces	6 – 120 g	côtelettes d'agneau
1	1	oeuf
¼ tasse	60 mL	lait
½ tasse	125 mL	farine tout usage
1 tasse	250 mL	chapelure de pain assaisonnée
3 c. à table	45 mL	huile de tournesol
2 tasses	500 mL	fromage Havarti râpé

Mélanger les tomates, le sucre et le sherry dans une casserole. Chauffer à feu doux, en remuant constamment, réduire jusqu'à ce que le mélange à tomates soit très épais - de la consistance d'une confiture.

Aplatir les côtelettes avec un maillet à viande Mélanger l'oeuf et le lait. Saupoudrer les côtelettes de farine, les plonger dans l'oeuf battu, les rouler dans la chapelure de pain.

Placer chaque côtelette sur une tôle à four, couvrir de confiture aux tomates, parsemer de fromage, placer dans un four à 400°F (230°C) jusqu'à ce que le fromage soit fondu et doré.

Servir immédiatement.

DONNE 6 PORTIONS

PORC ET AGNEAU EN CROÛTE

½ quan	0.5 quan	pâte lisse (voir page 616) porc cuit, en petitsdés
1 tasse	250 mL	agneau cuit, en petits dés
2 tasses	500 mL	sauce béchamel (voir page 112)
½ c. à thé	3 mL	de chaque: sel, poivre, muscade
1 c. à table	15 mL	persil
3	3	oeufs, séparés
¼ tasse	60 mL	oignond en dés

Rouler la pâte et en faire un fond de tarte d'une profondeur de 9" (23 cm.)

Dans un bol, mélanger le porc, l'agneau et la sauce en crème. Ajouter l'assaisonnement et l'oignon.

Battre les jaunes d'oeuf et l'incorporer au mélange. Battre ferme les blancs d'oeuf, incorporer au mélange. Verser le mélange dans le fond de tarte et cuire pendant 20-25 minutes dans un four préchauffé à 400°F (200°C) jusqu'à obtention d'une couleur brune dorée.

DONNE 6 PORTIONS

Porc et Agneau en Croûte

PORC ET AGNEAU

FRICASSEE D'AGNEAU

4½ livres	2 kg	agneau coupé en gros cubes
2	2	oignons hachés
2	2	carottes hachées
2	2	tiges de céleri hachées
1	1	bouquet garni*
4 tasses	1 L	bouillon de poulet froid (voir page 77)
1 c. à thé	5 mL	sel de céleri
½ c. à thé	3 mL	poivre blanc
3 c. à table	45 mL	beurre
3 c. à table	45 mL	farine tout usage

Laver et sécher l'agneau

Placer l'agneau dans un grand récipient ou dans une cocotte, avec les oignons, les carottes, le céleri et le bouquet. Couvrir de bouillon et porter à ébullition, réduire la température et faire mijoter lentement pendant 1½ heure.

Retirer l'agneau et le garder en réserve chaud. Égoutter le bouillon et mettre au rebut les légumes et le bouquet. Remettre le bouillon au pot, ajouter le sel et le poivre, porter à ébullition, réduire le liquide à 2 tasses (500 mL).

Dans une petite casserole chauffer le beurre, ajouter la farine et cuire à feu doux pendant 2 minutes. Ajouter le bouillon réduit et faire mijoter en une sauce épaisse. Verser la sauce sur l'agneau et servir avec du riz ou des nouilles.

DONNE 8 PORTIONS

*Le bouquet garni pour ce plat est: une feuille de laurier, 8 brins de persil, 2 brins de thym, 6 grains de poivre et un petit poireau haché, le tout lié ensemble dans un filet à fromage.

Côtelettes de Porc à la Limonade

CÔTELETTES DE PORC À LA LIMONADE

¾ tasse	180 mL	limonade concentrée
¼ tasse	60 mL	ketchup
3 c. à table	45 mL	sucre brun
3 c. à table	45 mL	vinaigre blanc
¼ c. à thé	1 mL	gingembre moulu
1 c. à thé	5 mL	sauce soya
¼ c. à thé	1 mL	de chaque: paprika, poudre de chili, poudre d'ail, basilic, thym, origan, sel et poivre
2¼ livre	1 kg	côtelettes de porc
½ tasse	125 mL	farine tout usage
¼ tasse	60 mL	huile de tournesol

Combiner dans un bol le concentré de limonade, le ketchup, le sucre, le vinaigre, le gingembre, le soya et l'assaisonnement.

Rouler les côtelettes dans la farine. Chauffer l'huile dans une grande casserole ou une cocotte, brunir les côtelettes. Égoutter tout excédent d'huile. Verser la sauce sur les côtelettes, cuire à feu doux 35-45 minutes couvert.

Servir avec des pommes de terre fumées Hickory (voir page 70).

DONNE 4 PORTIONS

PORC CREOLE AU GRATIN

3 c. à table	45 mL	huile d'olive
1½ livres	675 g	porc maigre en gros dés
3 tasses	750 mL	bouillon de poulet (voir page 77)
2 tasses	500 mL	nouilles fettucini cuites, égouttées
1½ tasses	375 mL	sauce créole (voir page 121)
½ tasse	125 mL	fromage Cheddar doux, râpé
½ tasse	125 mL	fromage Cheddar fort, râpé
½ tasse	125 mL	fromage Havarti râpé

Préchauffer le four à 400°F (200°C).

Chauffer l'huile dans un grand récipient, brunir le porc. Ajouter le bouillon et porter à ébullition, faire mijoter pendant 30 minutes. Égoutter et mettre en réserve le porc.

Placer les nouilles dans un plat à four graissé. Déposer le porc par-dessus les nouilles et recouvrir de sauce.

Combiner les fromages et les répandre au-dessus du plat à four. Cuire pendant 25-30 minutes ou jusqu'à ce que le fromage soit fondu et d'une couleur brune dorée. Servir immédiatement.

DONNE 4 PORTIONS

Fricassée d'Agneau

PORC ET AGNEAU

PORC ET AGNEAU SAUTÉS

1½ livres	675 g	porc maigre
1½ livres	675 g	agneau maigre
¼ tasse	60 mL	beurre éclairci*
1 c. à table	15 mL	échalotes
1 c. à table	15 mL	farine tout usage
1	1	bouquet garni**
¼ livre	115 g	bacon cuit, en dés
20	20	petits oignons blancs
20	20	champignons en bouton
¾ tasse	180 mL	vin rouge

Couper le porc et l'agneau en gros cubes.

Chauffer le beurre dans une grande casserole ou dans une cocotte, frire les viandes jusqu'à ce qu'elles deviennent brunes dorées. Retirer et mettre de côté. Y remuer les échalotes et la farine, diminuer le feu et cuire pendant 4 minutes.

Ajouter le reste des ingrédients aux viandes. Réduire le feu et faire mijoter doucement pendant 1 heure ¼ ou jusqu'à ce que les viandes soient entièremnt cuites. Mettre au rebut le bouquet garni et servir avec du riz ou des nouilles.

DONNE 6 PORTIONS

* Le beurre éclairci est un beurre qui a été fondu, le lait caillé retiré, laissant seulement la graisse dorée

**Le bouquet garni pour ce plat est composé d'une feuille de laurier, 8 brins de persil, 2 brins de thym, 6 grains de poivre et 1 petit poireau, le tout attaché ensemble dans un filet à fromage.

STEAK DE PORC GRILLÉ AU MIEL

3 c. à table	45 mL	beurre
3 c. à table	45 mL	huile
1	1	oignon moyen haché
1	1	gousse d'ail hachée
⅔ tasse	160 mL	ketchup aux tomates
⅔ tasse	160 mL	miel liquide
¼ tasse	60 mL	vinaigre de cidre
1 c. à table	15 mL	sauce Worcestershire
½ c. à thé	3 mL	de chaque: feuilles de thym, feuilles d'origan, feuilles de basilic paprika, poivre, poudre dechili, sel
½ c. à thé	3 mL	fumée liquide
4 – 6 onces	4 – 170 g	steaks de porc

Chauffer le beurre avec 2 cuillères à soupe (30 mL) d'huile dans une casserole. Ajouter l'oignon et l'ail et faire sauter jusqu'à ce que ce soit tendre.

Ajouter le ketchup, le miel, le vinaigre, le Worcestershire, l'assaisonnement et le parfum de fumée. Faire mijoter jusqu'à ce que la sauce soit épaisse et luisante. Refroidir.

Brosser les steaks avec le reste d'huile. Griller au charbon à feu moyen pendant 6 minutes de chaque côté, en brossant fréquemment avec la sauce. Brosser une dernière fois avant de servir

DONNE 4 PORTIONS

Porc et Agneau Sautés

CÔTELETTES DE PORC AVEC DU RIZ AUX POMMES ET DE LA SAUCE AU BEURRE ET À L'ORANGE

6 – 4 onces	6 – 120 g	côtelettes de porc
½ quan	0.5	riz aux pommes aux dattes et aux noix (voir page 710)
1	1	oeuf
¼ tasse	60 mL	lait
½ tasse	125 mL	farine tout usage
1 tasse	250 mL	fine chapelure assaisonnée
¼ tasse	60 mL	huile de tournesol
2 c. à table	30 mL	échalotes hachées
⅓ tasse	80 mL	jus d'orange
3 c. à table	45 mL	sherry sec
4 c. à table	60 mL	beurre doux
2 c. à table	30 mL	écorce d'orange en julienne

Côtelettes de Porc avec du Riz aux Pommes et de la Sauce au Beurre et à l'Orange

Aplatir très finement les côtelettes avec un maillet à viande. Placer 4 mL (60 mL) de riz sur chacune. Plier aux extrémités et rouler ensemble.

Mélanger l'oeuf au lait. Saupoudrer de farine les côtelettes. Les plonger dans l'oeuf, les rouler dans la chapelure de pain. Chauffer l'huile dans une grande poêle, faire brunir les côtelettes dans l'huile.

Transférer sur une tôle à four. Cuire dans un four préchauffé à 350°F (180°C) pendant 25 minutes.

Pendant que cuisent les côtelettes , chauffer ensemble les échalotes, le jus d'orange et le sherry. Réduire à 3 cuillèrées à table (45 mL). Sur feu très doux, battre le beurre un peu à la fois. Ajouter l'écorce d'orange.

Transférer les côtelettes sur un plat à servir, verser la sauce au beurre sur les côtelettes et servir.

DONNE 6 PORTIONS

STEAKS DE PORC DIANNE

4	4	tranches de bacon
4 – 6 onces	4 – 170 g	steaks de porc
⅓ tasse	80 mL	beurre
4 onces	115 g	champignons en tranches
2	2	oignons verts hachés
¼ tasse	60 mL	brandy
1½ tasses	375 mL	sauce demi-glace (voir page 123)
¼ tasse	60 mL	sherry
¼ tasse	60 mL	crème

Entourer les steaks de bacon.

Dans une grande casserole chauffer le beurre. Frire les steaks dans le beurre pendant 6 minutes de chaque côté. Retirer et garder chaud.

Ajouter les champignons à la casserole et faire sauter jusqu'à ce qu'ils soient tendres. Ajouter les oignons verts et flamber soigneusement avec le brandy. Incorporer en remuant le demi-glace, le sherry et la crème, réduire le liquide à ¾ d'une tasse (175 mL).

Placer les steaks sur des assiettes, Verser la sauce sur les steaks et servir.

DONNE 4 PORTIONS

STEAKS DE PORC AU BEURRE ET AUX FINES HERBES

1	1	gousse d'ail hachée
½	0.5	citron
½	0.5	lime
2 c. à thé	10 mL	de chaque: persil, basilic marjolaine, thym
¼ livre	115 g	beurre doux
6	6	tranches de bacon à l'érable
6 – 6 onces	6 – 170 g	steaks de porc maigre

Combiner dans un robot culinaire l'ail, les jus de citron et de lime, les herbes et le beurre, jusqu'à consistance lisse. Envelopper de papier ciré, congeler pendant une heure.

Envelopper de bacon les steaks de porc. Griller sur charbon à feu moyen ou dans un four jusqu'à cuisson. complète.

Mettre les steaks dans un plat et les surmonter d'une tranche de beurre aux herbes.

DONNE 6 PORTIONS

ROULEAUX D'AGNEAU À LA SAUCE CLÉMENTINE

6 – 4 onces	6 – 120 g	côtelettes d'agneau
18	18	têtes d'asperges blanchies
18	18	grosses crevettes décortiquées et déveinées
2 c. à table	30 mL	huile d'olive
1½ tasses	375 mL	jus frais de clémentine ou de mandarine
1 tasse	250 mL	bouillon de poulet (voir page 77)
½ tasse	125 mL	crème épaisse
2 c. à table	30 mL	beurre
¼ c. à thé	1 mL	poivre frais moulu
1 tasse	250 mL	sections d'orange

Aplatir très finement l'agneau avec un maillet. Placer 3 asperges et 3 grosses crevettes dans chaque. Plier et rouler le tout ensemble. Consolider avec un cure-dents. Placer sur une tôle à four.

Brosser avec de l'huile. Cuire dans un four préchauffé à 350°F (180°C) pendant 25-30 minutes.

Pendant que cuit l'agneau, combiner dans une casserole le jus d'orange avec le bouillon de poulet. Chauffer et réduire à moitié. Ajouter la crème et réduire de nouveau à moitié. Retirer du four. Y battre le beurre. Ajouter les rouleaux sur une assiette. Verser la sauce sur les rouleaux et servir.

DONNE 6 PORTIONS

Agneau Grillé Teriyaki

RAGOÛT DE PORC II

4½ livres	2 kg	porc sans os
⅓ tasse	80 mL	farine tout usage
¼ tasse	60 mL	huile d'olive
3	3	gousses d'ail hachées
20	20	petits oignons blancs
20	20	champignons en boutons
2	2	carottes coupées en julienne
2 tasses	500 mL	tomates pelées, épépinées, hachées,
1 tasse	250 mL	double bouillon de poulet (voir page 77)
½ c. à thé	3 mL	de chaque: sel, poivre basilic, cerfeuil, marjolaine

Couper le porc en très gros cubes. Saupoudrer le porc de farine. Chauffer l'huile dans un grand récipient ou cocotte, brunir le porc et le retirer. Ajouter l'ail, l'oignon, les champignons et les carottes, faire sauter jusqu'à ce qu'ils soient tendres, saupoudrer avec le restant de farine et cuire pendant 2 minutes à feu doux.

Remettre le porc dans la cocotte et ajouter le reste des ingrédients, remuer pour bien mélanger. Couvrir le porc et faire mijoter pendant 1½ heure. Servir avec du riz ou des pâtes.

DONNE 8 PORTIONS

AGNEAU GRILLÉ TERIYAKI

⅓ tasse	80 mL	sucre brun
1 c. à thé	5 mL	gingembre moulu
1 tasse	250 mL	bouillon de boeuf (voir page 85)
⅓ tasse	80 mL	sauce soya
2 c. à table	30 mL	fécule de maïs
¼ tasse	60 mL	sherry
1 c. à table	5 mL	huile
8 – 3 onces	8 – 90 g	côtelettes d'agneau sans os

Dans une casserole, dissoudre le sucre et le gingembre dans le bouillon et la sauce soya, porter à ébullition.

Mélanger la fécule de maïs avec le sherry et ajouter à la sauce. Réduire le feu et faire mijoter jusqu'à épaississement de la sauce. Refroidir.

Brosser les côtelettes avec de l'huile. Griller au charbon à feu moyen pendant 5 minutes par côté. Brosser fréquemment avec la sauce pendant la cuisson. Brosser une dernière fois et servir.

DONNE 4 PORTIONS

Rouleaux d'Agneau à la Sauce Clémentine

Rôti de Porc Hawaïen

RÔTI DE PORC HAWAIEN

1 – 4½ livres	1 – 2 kg	échine de porc sans os
2	2	gousse d'ail hachée
¼ c. à thé	1 mL	poivre
½ c. à thé	3 mL	sel
¼ tasse	60 mL	sauce au soya
3 c. à table	45 mL	miel liquide
¼ tasse	60 mL	ketchup

Placer l'échine dans une rôtissoire, frotter avec la moitié de l'ail et assaisonner avec le sel et le poivre. Rôtir dans un four préchauffé à 350°F (180°C) pendant 2 heures ½ hours ou jusqu'à cuisson complète.

Combiner le reste des ingrédients dans un petit bol et brosser le rôti au moins 6 fois durant la cuisson. Brosser une dernière fois avant de découper et de servir.

DONNE 6 PORTIONS

CÔTELETTES DE LONGE DE PORC FUMÉ À LA SAUCE AUX PRUNES

1 – 2 livres	1 – 900 g	côtelettes de porc fumé, la coupe du centre
1 tasse	250 mL	jus d'orange
¼ tasse	60 mL	eau -de-vie de prune hongroise
1 tasse	250 mL	confiture de prune
¼ c. à thé	1 mL	gingembre moulu
1 c. à thé	5 mL	fécule de maïs
2 c. à table	30 mL	eau froide

Couper l'échine en six morceaux égaux. Les placer dans un plat à four.

Dans une casserole combiner le jus d'orange, l'eau-de-vie, la confiture et le gingembre. Porter à ébullition. Mélanger la fécule de maïs à l'eau, verser dans la sauce, dès que la sauce recommence à bouillir, la retirer du feu.

Verser sur le porc, couvrir et cuire dans un four préchauffé à 350°F (180°C) pendant 30 minutes. Retirer et servir.

DONNE 6 PORTIONS

PORC SATAY

2 livres	900 g	porc maigre en gros dés
4 c. à table	60 mL	huile d'arachide
1½ c. à table	20 mL	noix du Brésil moulues
½ c. à thé	3 mL	gingembre moulu
1½ c. à thé	8 mL	coriandre moulu
¼ c. à thé	1 mL	de chaque: cayenne, poudre d'ail
½ c. à thé	3 mL	de chaque: poivre, poudre d'oignon
2 c. à thé	10 mL	mélasse
4 c. à thé	20 mL	jus de lime
4 c. à thé	20 mL	jus de citron
3 c. à table	45 mL	eau chaude

Embrocher la viande avec des brochettes de bambou. Placer dans une casserole peu profonde.

Mélanger dans un bol le reste des ingrédients.

Verser la marinade sur les brochettes, les garder couvertes au réfrigérateur pendant 3½ - 4 heures.

Griller les brochettes à grand feu pendant 10-12 minutes ou jusqu'à ce que la viande soit cuite, en brossant fréquemment avec la marinade.

Servir avec le riz Bombay (voir page 709).

DONNE 6 PORTIONS

Côtelettes de Longe de Porc Fumé à la Sauce aux Prunes

GIGOT D'AGNEAU RÔTI

1 5 - 7 livres	1 2-3 kg	gigot d'agneau sans jarret
1	1	gousse d'ail
½ c. à thé	3 mL	de chaque: poudre d'oignon, paprika, sel, poivre, thym, marjolaine, basilic, moutarde en poudre
2 c. à table	30 mL	huile d'olive

Préchauffer le four à 350°F (180°C).

Faire une petite incision dans la viande près de l'os et insérer la gousse d'ail. Mélanger l'assaisonnement. Brosser l'agneau avec l'huile, saupoudrer d'assaisonnement. Rôtir pendant e 2½-3 heures.

Découper et servir.

DONNE 8 PORTIONS

STEAKS DE PORC SAUTÉS À LA SAUCE CLEMENTINE

6 – 6 onces	6 – 170 g	steaks de porc
3 c. à table	45 mL	huile
		sel et poivre selon le goût
¼ tasse	60 mL	jus concentré de mandarine ou d'orange
½ tasse	125 mL	bouillon de poulet (voir page 77)
¼ tasse	60 mL	crème à fouetter
1 c. à thé	5 mL	beurre
1 c. à thé	5 mL	jus de lime

Chauffer l'huile dans un grand récipient. Faire sauter les steaks pendant 6-8 minutes. Assaisonner de sel et de poivre et garder au chaud.

Chauffer le jus de mandarine dans une casserole avec le bouillon de poulet, porter à ébullition et réduire la chaleur. Ajouter la crème et faire mijoter jusqu'à ce que la sauce colle à la cuillère. Retirer du feu. Y fouetter le beurre et le jus de lime.

Placer les steaks sur une assiette, recouvrir de sauce. Servir.

DONNE 6 PORTIONS

AGNEAU AUX CHAMPIGNONS CHINOIS

1½ livres	675 g	agneau sans os
8	8	champignons noirs chinois ou champignons huitres frais
1½ c. à thé	8 mL	fécule de maïs
4 c. à thé	20 mL	sauce soya légère
1	1	blanc d'oeuf
¼ tasse	60 mL	huile de tournesol
1	1	gousse d'ail hachée
2 c. à thé	10 mL	sucre cristallisé
3 c. à table	45 mL	sauce d'huître
2 c. à table	30 mL	vin de riz

Couper l'agneau en fines tranches.

Faire tremper les champignons dans de l'eau tiède pendant 1 heure. Mélanger la fécule de maïs à la sauce soya et au blanc d'oeuf. Verser sur l'agneau et faire mariner 1 heure.

Égoutter les champignons et les couper en fines tranches. Chauffer l'huile dans un wok. Frire l'ail. Ajouter le sucre, la sauce d'huître et le vin. Continuer à frire jusqu'à la presque complète évaporation du liquide. Servir avec du riz cuit à la vapeur.

DONNE 6 PORTIONS

Gigot d'Agneau Rôti

Agneau aux Champignons Chinois

Salade d'Agneau aux Champignons Sauvages

AGNEAU SRI LANKA

1 tasse	250 mL	vin blanc
1 livre	450 g	agneau en gros dés
¼ tasse	60 mL	beurre
1	1	petit oignon en dés
1	1	poivron vert en dés
1	1	tige de céleri en dés
3 c. à table	45 mL	farine tout usage
1 tasse	250 mL	crème épaisse
⅓ tasse	80 mL	sherry
½ c. à thé	3 mL	sel
2 c. à thé	10 mL	poudre de curry
1 tasse	250 mL	tomates pelées, épépinées, hachées

Chauffer le vin dans une petite casserole, ajouter l'agneau et faire doucement mijoter pendant 20 minutes. Égoutter et mettre de côté l'agneau et le bouillon.

Dans une seconde casserole chauffer le beurre, faire sauter l'oignon, le poivron vert et le céleri, ajouter la farine, réduire la chaleur et cuire pendant 2 minutes. Ajouter la crème, le sherry et l'assaisonnement, faire mijoter jusqu'à épaississement.

Ajouter les tomates et l'agneau, faire mijoter pendant 5 minutes. Si la sauce est trop épaisse, l'éclaircir légèrement avec du bouillon.

Placer sur des assiettes et servir avec Aloo Madarasi (voir page 710).

DONNE 4 PORTIONS

SALADE D'AGNEAU AUX CHAMPIGNONS SAUVAGES

1½ livres	675 g	agneau cuit coupé en julienne
⅔ livre	300 g	champignons sauvages
2 c. à table	30 mL	feuilles de basilic hachées
1 c. à table	15 mL	persil
¼ tasse	60 mL	oignon vert haché
½ c. à thé	3 mL	sel
1 c. à thé	5 mL	poivre noir craqué
⅓ tasse	80 mL	jus de citron
1 tasse	250 mL	huile d'olive
1	1	petite tête de laitue "bibb" de Boston
1	1	petite tête de radicchio
1	1	jaune d'oeuf
		fleurs comestibles pour garnir

Mélanger l'agneau et les champignons dans un bol.

Dans un mélangeur, combiner le basilic, le persil, l'oignon vert, le sel, le poivre et le jus de citron. Pendant que l'appareil marche à petite vitesse, y verser lentement l'huile. Mélanger à fond.

Verser la moitié de la vinaigrette sur l'agneau et les champignons, mariner dans le réfrigérateur pendant une heure.

Laver la laitue et le radicchio. Hacher en gros morceaux. Placer sur des assiettes. Mettre par-dessus l'agneau mariné.

Placer le jaune d'oeuf dans un mélangeur. Pendant que l'appareil est en marche, verser lentement le reste de la vinaigrette. Dès formation d'une mayonnaise fine, verser sur la salade et servir. Garnir avec des fleurs.

NOTE: Pour les champignons sauvages, utiliser des chanterelles, des shiitake, des morelles, or des enokitake autrement utiliser des champignons de culture.

DONNE 6 PORTIONS

Agneau Sri Lanka

GIBIER

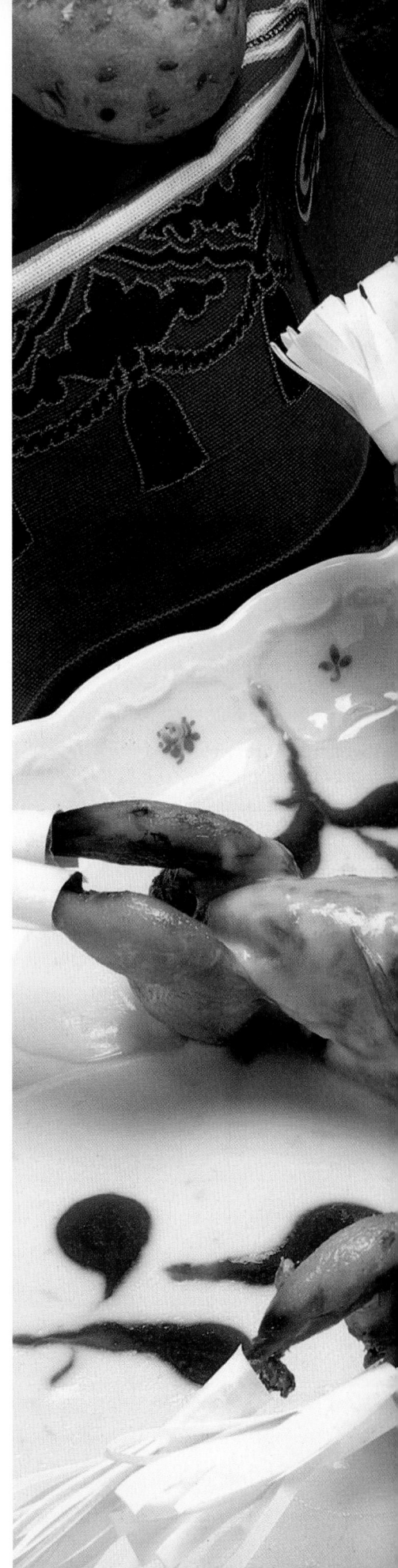

Ceux qui chassent pour survivre, fournissent la nourriture et maintiennent la vie. Ceux qui chassent pour le sport font fausse route. Participer à la tuerie d'animaux sans défense simplement par désir de chasser et sans aucune intention de consommation ne sert personne sinon un désir pervers de cupidité. Ceux qui chassent dans le but de s'approvisionner, devraient être en mesure de préparer la nourriture qu'ils tuent. La façon la plus appropriée d'honorer ce qui a donné sa vie afin de maintenir celle d'un autre est d'apprêter le gibier avec goût et avec flair.

Préparer une nourriture de haute qualité est notre point de mire dans *Tout Simplement Délicieuse 2*. Apprêter adroitement les gibiers ne fait que mettre en valeur ce but. N'ayant moi-même jamais chassé, j'ai dû acheter les viandes présentées dans les recettes de ce chapitre. En général, l'élevage commercial est fait à travers la plupart des pays, rendant le gibier aussi disponible que le boeuf ou le poulet. Si vous demandez à votre fournisseur local de viandes (boucher), il ou elle devrait être en mesure d'obtenir ce que vous désirez.

La cuisson du gibier introduit chez soi l'aventure extérieure et traite le convive avec toutes les délices d'une nourriture terre-à-terre, au goût naturel à son meilleur. Traditionnellement les gibiers étaient servis lors de dîners d'état formels, des bois où ils ont été pris. Nous avons choisis de concentrer notre sélection sur des mets de tous les jours. Que votre choix se porte sur l'orignal stroganoff ou le faisan à la sauce au vin rouge, vos convives apprécieront des délices qu'ils n'auront jamais auparavent associées avec ce genre de repas.

Comme de nouvelles variétés de gibier deviennent disponibles, le cuisinier faisant preuve de créativité est en mesure d'accroître les choix de son menu et d'étonner ses convives grâce à la saveur distincte de ces viandes. Non seulement sont-elles exquises pour le palais, mais elles constituent des choix plus nourrissants que les sélections traditionnelles. Ainsi le bison et le boeuf musqué, contiennent moins de gras, de calories et de cholestérol que le boeuf ou le porc. La viande de chevreuil, d'orignal et de caribou procure une saveur unique qui ne peut provenir d'aucune autre sélection.

Pour la préparation d'un mets singulier ayant un flair réellement distinct, la sélection doit être la viande de gibier. Vos convives seront unanimes pour reconnaître que le choix de votre menu était *Tout Simplement Délicieux.*

Cailles avec Sauce aux Clémentines

PINTADES MARENGO

2	2	pintades, coupées en quartiers
⅓ tasse	80 mL	huile de tournesol
4	4	carottes pelées et tranchées
2	2	branches de céleri coupées en dés
1	1	petit oignon coupé en dés
6	6	tranches de bacon
⅓ tasse	80 mL	farine tout usage
4 tasses	1 L	tomates pelées, épépinées, coupées en dés
¼ tasse	60 mL	sherry
½ c. à thé	3 mL	sel
¼ c. à thé	1 mL	poivre
1	1	bouquet garni (voir Glossaire)
¼ livre	115 g	champignons tranchés
2 c. à table	30 mL	persil haché
3 tasses	750 mL	riz cuit à la vapeur

Préchauffer le four à 350°F (180°C).

Faire sauter les pintades dans l'huile pendant 5 minutes. Retirer et placer dans une cocotte.

Couper le bacon en dés et le faire sauter dans un poêlon, ajouter la farine, réduire le feu et cuire pendant 4 minutes. Ajouter les légumes et poursuivre la cuisson jusqu'à ce que les légumes soient tendres. Ajouter les tomates, le sherry et les épices, et cuire pendant 10 minutes à feu doux.

Verser la sauce et le bouquet garni sur les pintades, recouvrir de champignons et cuire pendant 1 heure.

Parsemer de persil et servir accompagnées de riz chaud.

DONNE 4 PORTIONS

FAISAN AUX AMANDES & AU PARMESAN

¼ tasse	60 mL	farine tout usage
⅛ c. à thé	pincée	de chaque: sel, poivre, paprika, thym, basilic
1	1	oeuf
¼ tasse	60 mL	lait
¼ tasse	60 mL	amandes moulues
¼ tasse	60 mL	fromage Parmesan fraîchement râpé
½ tasse	125 mL	chapelure fine
6 – 4 onces	6 – 120 g	poitrines de faisan, désossées
3 c. à table	45 mL	beurre fondu

Mélanger ensemble la farine et les épices. Mélanger l'oeuf avec le lait. Mélanger ensemble les amandes, le Parmesan et la chapelure. Saupoudrer les poitrines de faisan de farine, les tremper dans le lait et les enrober de chapelure.

Faire chauffer le beurre dans une grande poêle et faire sauter le faisan pendant 4 à 5 minutes de chaque côté jusqu'à ce qu'il soit doré. Ce met est délicieux accompagné de la sauce au sherry et aux champignons sauvages (voir page 105)

DONNE 6 PORTIONS

BISON HACHÉ

1 livre	450 g	viande de bison hachée
⅓ livre	150 g	graisse de boeuf
5	5	grosses pommes, pelées et hachées
7 livres	3 kg	raisins
2 tasses	500 mL	cidre de pomme
1 tasse	250 mL	mélasse
4 c. à table	60 mL	écorce de citron coupée en fine julienne
4 c. à table	60 mL	écorce d'orange coupée en fine julienne
1 c. à thé	5 mL	cannelle moulue – ou plus au goût

Cuire le bison dans la graisse de boeuf. Refroidir et retirer le gras.

Mélanger ensemble tous les autres ingrédients avec la viande dans une cocotte. Cuire doucement pendant 2 heures. Laisser refroidir et utiliser pour des pâtés ou des tatelettes.

DONNE 3 TARTES de 9"

Faisan aux Amandes & au Parmesan

ORIGNAL STROGANOFF

2¼ livres	1 kg	viande d'orignal, coupée en cubes de ¾"
¼ tasse	60 mL	huile
3 c. à table	45 mL	beurre
2	2	branches de céleri tranchées
1	1	oignon tranché
1	1	poivron vert tranché
½ livre	225 g	champignons
⅓ tasse	90 mL	farine tout usage
1¼ tasses	310 mL	bouillon de boeuf (voir page 85)
¾ tasse	180 mL	sherry
2 c. à table	30 mL	sauce Worcestershire
2 c. à table	30 mL	moutarde de Dijon
¼ tasse	60 mL	pâte de tomates
1	1	feuille de laurier
2 c. à thé	10 mL	paprika
½ c. à thé	3 mL	thym
¼ c. à thé	1 mL	poivre
1 tasse	250 mL	crème sure

Faire chauffer ensemble l'huile et le beurre. Faire brunir la viande d'orignal et faire sauter les légumes. Ajouter la farine en brassant et cuire pendant 2 minutes. Ajouter le bouillon de boeuf, le sherry, la sauce Worcestershire, la moutarde, la pâte de tomate et les épices.

Couvrir et laisser mijoter pendant 1¼ heure. Incorporer la crème sure. Servir sur des nouilles aux oeufs.

DONNE 8 PORTIONS

Orignal Stroganoff

CÔTES LEVÉES DE BISON ÉPICÉES

2¼ livres	1 kg	côtes levées de bison
4 c. à table	60 mL	huile de tournesol
2 c. à table	30 mL	beurre
1	1	oignon coupé en dés fins
2 c. à table	30 mL	jus de citron
1 c. à table	15 mL	sucre brun
½ tasse	125 mL	ketchup
1 c. à table	15 mL	sauce Worcestershire
1 c. à thé	5 mL	moutarde de Dijon
¼ c. à thé	1 mL	de chaque: poivre blanc, poivre noir, sel, paprika
½ c. à thé	3 mL	de chaque: basilic, thym, marjolaine
⅛ c. à thé	pincée	cayenne

Faire brunir les côtes dans l'huile. Égoutter l'excès d'huile. Faire fondre le beurre dans une casserole, faire frire l'oignon et ajouter les autres ingrédients. Verser sur les côtes.

Couvrir et laisser mijoter à feu doux pendant 2 heures ou jusqu'à ce qu'elles soient tendres.

Servir accompagnées de riz.

DONNE 4 PORTIONS

STEAK DE CHEVREUIL AU POIVRE

2 livres	900 g	bifteck à l'intérieur de la ronde de chevreuil
3 c. à table	45 mL	huile de tournesol
1 c. à thé	5 mL	racine de gingembre pelée, hachée fin
2	2	poivrons verts coupés en julienne
1 tasse	250 mL	champignons tranchés
¼ tasse	60 mL	sauce soya
1 c. à table	15 mL	sucre
2 c. à table	30 mL	sherry
1 c. à thé	5 mL	fécule de maïs

Couper la viande en minces lanières.

Faire chauffer l'huile dans un wok. Ajouter le gingembre et cuire pendant 1 minute. Faire brunir la viande et ajouter ensuite le poivrons et les champignons. Faire frire pendant 5 minutes. Ajouter la sauce soya et le sucre. Mélanger ensemble le sherry et la fécule de maïs et incorporer au mélange dans le wok. Cuire pendant 1 minute.

Servir accompagné de riz.

DONNE 6 PORTIONS

CHILI AU BISON

3 c. à table	45 ml	huile de tournesol
2¼ livres	1 kg	viande de bison hachée
3	3	gros oignons coupés en dés
1	1	poivron vert coupé en dés
3	3	piment jalapeño coupé en dés
8 tasses	2 L	tomates pelées, épépinées et coupées en dés
2 c. à table	30 mL	poudre de chili
2	2	gousses d'ail hachées fin
1 c. à table	15 mL	sucre granulé
2 c. à thé	10 mL	sel
8 tasses	2 L	haricots rouges en boîte
2 tasses	500 mL	jus de légumes

Faire chauffer l'huile dans une poêle électrique. Faire brunir la viande. Ajouter les oignons et les poivrons, et les faire sauter jusqu'à ce qu'ils soient tendres. Ajouter tous les autres ingrédients, couvrir et laisser mijoter pendant 4 heures en brassant de temps à autre.

Servir accompagné de pain à l'ail et au fromage.

DONNE 8 PORTIONS

BOULETTES DE RENNE

2 livres	900 g	viande de renne hachée
3	3	oeufs battus
3 c. à table	45 mL	fromage Parmesan fraîchement râpé
2 c. à table	30 mL	chapelure
1 c. à thé	5 mL	basilic
1	1	gousse d'ail finement hachée
½ c. à thé	3 mL	sel
½ c. à thé	3 mL	poivre

Bien mélanger ensemble tous les ingrédients. Former des boulettes de la grosseur d'une balle de golf.

Cuire pendant 15 minutes dans un four préchauffé à 350°F (180°C). Servir accompagné d'une sauce tomate (voir page 106) ou d'une sauce aux champignons sur un lit de nouilles ou de riz.

DONNE 6 PORTIONS

NOTE: Si la viande de renne n'est pas disponible dans votre région, vous pouvez utiliser de la viande de chevreuil, de caribou, de wapiti ou d'orignal.

CARIBOU BOURGUIGNON

3 livres	1.5 kg	viande de caribou, coupée en minces lanières
¼ tasse	60 mL	huile d'olive
1	1	gousse d'ail écrasée
3 tasses	750 mL	vin rouge – de Bourgogne
20	20	oignons perlés
20	20	petits champignons
1 c. à thé	5 mL	sel
⅛ c. à thé	pincée	pepper
2	2	feuilles de laurier
2	2	clous de girofle
1 tsp	5 mL	marjolaine
½ tsp	3 mL	romarin
2 tbsp	30 mL	beurre
2 tbsp	30 mL	farine

Faire brunir la viande dans une poêle électrique avec l'ail. Égoutter l'excès de gras. Ajouter le vin, les oignons, les champignons et les épices, couvrir et laisser mijoter pendant 2½ heures.

Faire chauffer le beurre dans une petite casserole, ajouter la farine et cuire à feu doux pendant 4 minutes, ou jusqu'à ce que la farine devienne brun dorée. Incorporer à la sauce. Laisser mijoter pendant 15 autres minutes.

Servir sur un nid de nouilles aux oeufs.

DONNE 6 PORTIONS

Caribou bourguignon

Chili au Bison

Schnitzel au Bison

ROULADES DE VENAISON

4 – 6 onces	4 – 170 g	steaks de venaison désossés
¼ c. à thé	1 mL	de chaque: sel, poivre, paprika, poudre d'ail
1 livre	450 g	viande de venaison maigre, hachée
8	8	tranches de bacon
8	8	pointes de cornichons marinés
4 c. à table	60 mL	huile de tournesol
2 tasses	500 mL	bouillon de boeuf (voir page 85)
2 c. à table	30 mL	beurre
1 tasse	250 mL	champignons tranchés
2 c. à table	30 mL	farine

Aplatir les steaks de venaison très mince à l'aide d'un maillet à viande.

Mélanger les épices avec la viande hachée et étendre le tout sur les steaks. Étendre 2 tranches de bacon et 2 pointes de cornichons sur chaque steak. Rouler le tout ensemble et attacher pour bien maintenir fermés.

Faire chauffer l'huile dans une grande poêle. Faire brunir les steaks de tous les côtés et retirer l'excès de gras. Verser le bouillon de boeuf, couvrir et laisser mijoter pendant 3 heures.

Retirer les roulades et les cordes. Conserver au chaud. Faire chauffer le beurre dans une casserole et faire sauter les champignons. Parsemer de farine, réduire le feu et cuire pendant 2 minutes. Ajouter le bouillon et laisser mijoter jusqu'à l'obtention d'une sauce.

Placer les roulades dans un plat de service, verser la sauce et servir.

DONNE 4 PORTIONS

FAISAN CACCIATORE

4	4	poitrines de faisan désossées
½ tasse	125 mL	farine
¼ tasse	60 ml	huile d'olive
1	1	gousse d'ail
½ c. à thé	3 mL	de chaque: sel, thym, origan, basilic
¼ c. à thé	1 mL	poivre et paprika
1	1	poivron vert coupé en julienne
1	1	oignon espagnol tranché
3 tasse	750 mL	tomates
1 tasse	250 mL	champignons tranchés

Saupoudrer les poitrines de faisan de farine. Faire chauffer l'huile dans une grande poêle et faire brunir les poitrines, ajouter l'ail, les épices et les légumes. Couvrir et laisser mijoter pendant 1¾ heures.

Retirer le couvercle et poursuivre la cuisson pendant 30 autres minutes.

Servir accompagné de riz ou de nouilles.

DONNE 4 PORTIONS

SCHNITZEL AU BISON

6 – 4 onces	6 – 120 g	escalopes de bison
1	1	oeuf
¼ tasse	60 mL	lait
½ tasse	125 mL	farine
1 tasse	250 mL	chapelure assaisonnée
¼ tasse	60 mL	huile de tournesol
1	1	citron coupé en quartiers

Aplatir les escalopes très minces.

Mélanger l'oeuf avec le lait. Parsemer les escalopes de farine, les tremper dans le lait et les enrober de chapelure.

Faire chauffer l'huile dans un poêlon. Faire frire les escalopes jusqu'à ce qu'elles soient dorées de chaque côté. Servir accompagné d'un quartier de citron.

DONNE 6 PORTIONS

Roulades de Venaison

POITRINES DE FAISAN GRILLÉES AUX MÛRES & AU BRANDY

2 tasses	500 mL	mûres
1½ tasses	375 mL	sucre granulé
½ tasse	125 mL	brandy aux mûres
1 c. à table	15 mL	huile de tournesol
4 – 6 onces	4 – 175 g	poitrines de faisan désossées

Réduire les mûres en purée dans un robot culinaire. Les presser dans un tamis pour retirer les graines.

Mélanger ensemble la pulpe de mûres, le sucre et le brandy dans une casserole. Amener à ébuillition, réduire le feu et laisser mijoter jusqu'à ce que la sauce s'épaississe.

Badigeonner les poitrines de faisan d'huile et faire griller pendant 6 minutes de chaque côté. Badigeonner fréquemment avec la sauce. Badigeonner une dernière fois avant de servir.

DONNE 4 PORTIONS

TOURNEDOS DE BISON AU POIVRE

6 – 8 onces	6 – 225 g	tournedos de bison
¼ tasse	60 mL	mélange aux trois poivres
¼ tasse	60 mL	beurre
2 c. à table	30 mL	brandy
1 tasse	250 mL	demi-glace (voir page 123)
2 c. à table	30 mL	sherry
¼ tasse	60 mL	crème à fouetter

Dégraisser les tournedos. Parsemer les tournedos de grains de poivre.

Faire chauffer le beurre et faire sauter jusqu'au degré de cuisson désiré. Retirer de consever au chaud.

Verser le brandy dans une poêle et faire flamber tout en faisant bien attention. Ajouter la sauce demi-glace, le sherry et la crème. Bien mélanger. Verser la sauce sur les steaks et servir.

DONNE 6 PORTIONS

DINDON SAUVAGE À LA PROVENÇALE

6 – 6 onces	6 – 175 g	poitrines de dindon sauvage, désossées, tranchées
4 c. à table	60 mL	beurre
3	3	gousses d'ail finement hachées
1	1	poivron vert tranché
1	1	oignon tranché
3 tasses	750 mL	tomates pélées. épépinées, hachées
¼ tasse	60 mL	sherry
1 c. à thé	5 mL	paprika
½ c. à thé	3 mL	sel
¼ c. à thé	1 mL	poivre

Dans un poêlon, faire frire le dindon dans le beurre pendant 4 à 6 minutes de chaque côté selon l'épaisseur de la poitrine. Retirer et conserver au chaud.

Ajouter l'ail, le poivron et l'oignon et faire sauter jusqu'à ce qu'ils soient tendres. Ajouter les tomates et amener à ébuillition, réduire le feu et laisser mijoter pendant 10 minutes. Ajouter le sherry et les épices et poursuivre la cuisson jusqu'à ce que le liquide se soit évaporé.

Placer les poitrines de dindon sur une plat, verser la sauce sur le dindon et servir accompagné d'un riz pilaf au citron.

DONNE 6 PORTIONS

Tournedos de Bison au Poivre

Dindon Sauvage à la Provençale

TOURTIÈRE CANADIENNE

2	2	tranches de bacon – coupées en dés
1½ livres	675 g	viande de venaison maigre, hachée ou de porc, ou la moitié de chaque
½ tasse	125 mL	oignon haché
½ tasse	125 mL	céleri haché
1	1	gousse d'ail finement haché
2 c. à table	30 mL	farine tout usage
1 tasse	250 mL	bouillon de boeuf (voir page 85)
1 c. à table	5 mL	sel
½ c. à thé	3 mL	cerfeuil
¼ à thé	1 mL	macis
1	1	feuille de laurier écrasée
1 quan	1	pâte nature (voir page 616)
1	1	oeuf battu

Faire chauffer le bacon dans une grande poêle. Ajouter la viande, l'oignon, le céleri et l'ail et cuire jusqu'à ce que la viande soit brune. Saupoudrer de farine et cuire pendant 2 minutes à feu doux. Ajouter le bouillon de boeuf et les épices. Bien mélanger, couvrir et cuire pendant 30 minutes. Laisser refroidir à la température de la pièce.

Abaisser la moitié de la pâte et la placer dans un moule à tarte de 9" (23 cm). Remplir du mélange à la viande. Abaisser l'autre moitié de la pâte, humecter le rebord de la pâte avec l'oeuf battu et en recouvrir la garniture. Replier la bordure en dessous de l'autre abaisse et presser ensemble pour former un bord. Inciser la pâte afin que la vapeur puisse s'échapper durant la cuisson. Badigeonner avec l'oeuf.

Cuire dans un four préchauffé à 375°F (190°C) pendant 40 minutes.

Servir froid ou chaud.

DONNE 6 PORTIONS

Hamburgers au Chevreuil

HAMBURGERS AU CHEVREUIL

1½ livres	675 g	viande de chevreuil, maigre, hachée
1	1	oeuf
¼ tasse	60 mL	lait
½ tasse	125 ml	chapelure assaisonnée
1 c. à thé	5 mL	sauce Worcestershire
1 c. à thé	5 mL	moutarde de Dijon
1 c. à table	15 mL	soya sauce
1 c. à thé	5 mL	sel
½ tsp	3 mL	de chaque: basilic, marjolaine, poivre, paprika
6	6	petits pains kaiser

Mélanger ensemble tous les ingrédients et façonner des boulettes. Faire griller jusqu'au degré de cuisson désiré au-dessus d'une braise moyenne.

Servir sur des pains kaiser. Garnir de la même façon qu'un hamburger.

DONNE 6 PORTIONS

NOTE: Vous pouvez utiliser n'importe quelle sorte de viande de mammifères sauvages; cerf, caribou, wapiti, etc.

SAUTÉ DE DINDON SAUVAGE

8 onces	225 g	viande de dindon sauvage désossée
2 c. à table	30 mL	huile de tournesol
1	1	petit oignon finement coupé en dés
½ tasse	125 mL	poivron vert finement coupé en dés
½ tasse	125 mL	poivron rouge finement coupé en dés
20	20	petits champignons
G tasse	60 mL	sauce aux huîtres*
2 c. à table	30 mL	sauce soya
1 c. à thé	5 mL	fécule de maïs
1 c. à table	15 mL	sherry ou eau

Couper le dindon en dés.

Faire chauffer l'huile dans un wok ou une grande poêle. Faire frire le dindon pendant 3 minutes. Ajouter les légumes et faire frire jusqu'à ce qu'ils soient tendres.

Ajouter la sauce aux huîtres et la sauce soya. Laisser mijoter pendant 2 minutes.

Mélanger la fécule de maïs avec le sherry et incorporer au mélange, laisser mijoter jusqu'à ce qu'il s'épaississe. Servir sur du riz ou des nouilles.

DONNE 2 PORTIONS

*La sauce aux huîtres est un porduit commercial qui se retrouve dans la section des produits orientaux au supermarché.

RAGOÛT D'ORIGNAL

2¼ livres	1 kg	viande d'orignal, coupée en cubes de ¾"
1 tasse	250 mL	farine
3 c. à table	45 mL	huile
20	20	oignons perlés
1 tasse	250 mL	carottes coupée en dés
1 tasse	250 mL	navets
1 tasse	250 mL	céleri coupé en dés
2 tasses	500 mL	bouillon de boeuf (voir page 85)
1 tasse	250 mL	vin rouge
2 tasses	500 mL	tomates pelées, épépinée et coupées en dés
¼ c. à thé	1 mL	de chaque: sel, poivre, basilic, thym, paprika
1 c. à thé	5 mL	sauce Worcestershire
4 tasses	1 L	pommes de terre coupées en dés

Saupoudrer la viande d'orignal de farine. Faire chauffer l'huile dans un poêlon électrique et faire brunir la viande. Ajouter tous les autres ingrédients à l'exception des pommes de terre. Réduire la chaleur, couvrir et laisser doucement mijoter pendant 1½ à 2 heures. Ajouter les pommes de terre et laisser mijoter pendant 30 autres minutes.

Servir accompagné d'une salade verte.

DONNE 8 PORTIONS

PINTADES GRILLÉES

⅔ tasse	160 mL	huile d'olive
⅓ tasse	80 mL	jus de citron
⅓ tasse	80 mL	sherry
2 c. à table	30 mL	romarin écrasé
2 c. à table	30 mL	feuilles de basilic
1 c. à table	15 mL	feuilles de thym
½ c. à thé	3 mL	de chaque: sucre, poivre, sel
4 – 6 onces	4 – 175 g	poitrines de pintades désossées

Combiner tous les ingrédients à l'exception des poitrines dans un bol.

Placer les pintades dans un plat peu profond et les recouvrir de sauce. Couvrir et réfrigérer pendant 6 heures.

Griller les pintades au-dessus d'une braise moyenne pendant 6 minutes de chaque côté en les badigeonnant fréquemment de marinade. Badigeonner une dernière fois avant de servir.

DONNE 4 PORTIONS

ORIGNAL GRILLÉ DU CHEF K

1 tasse	250 mL	sucre brun
½ tasse	125 mL	sauce chili
½ tasse	125 mL	huile de tournesol
¼ tasse	60 mL	vinaigre
¼ tasse	60 mL	jus de citron
1 c. à thé	5 mL	moutarde de Dijon
1 c. à thé	5 mL	jus d'oignon
¼ c. à thé	1 mL	sauce Tabasco™
1 c. à thé	5 mL	sauce Worcestershire
¼ c. à thé	1 mL	de chaque: poudre d'ail, paprika, poudre de chili
½ c. à thé	3 mL	sel et poivre
4½ livres	2 kg	steaks d'orignal de ½" d'épaisseur

Placer tous les ingrédients à l'exception des steaks dans un mélangeur et bien mélanger.

Mettre les steaks dans un grand plat peu profond, et les recouvrir de marinade. Couvrir et réfrigérer pendant 24 heures.

Griller dans un barbecue au-dessus d'une braise moyenne pendant 20 minutes (10 de chaque côté) ou jusqu'au degré de cuisson désiré. Badigeonner plusieurs fois durant la cuisson avec la marinade, servir immédiatement.

DONNE 8 PORTIONS

Ragoût d'Orignal

Steaks de Chevreuil Grillés

POITRINES DE FAISAN GRILLÉES CUMBERLAND

6 – 6 onces	6 – 170 g	poitrines de faisan désossées
3 tbsp	45 mL	beurre fondu
		sel et poivre au goût

Sauce:		
¾ tasse	180 mL	gelée de groseilles
¾ tasse	180 mL	jus d'orange
¼ tasse	60 mL	jus de citron
¼ c. à thé	1 mL	gingembre moulu
2 c. à table	30 mL	fécule de maïs
2 c. à table	30 mL	eau

Badigeonner les poitrines de faison avec le beurre. Assaisonner de sel et de poivre. Griller au-dessus d'une braise moyenne pendant pendant 6 à 7 minutes de chaque côté.

Pendant la cuisson du faison, faire chauffer la gelée de groseilles dans une casserole. Ajouter le jus d'orange et de citron ainsi que le gingembre. Amener à ébuillition. Mélanger la fécule de maïs avec l'eau et incorporer à la sauce. Laisser mijoter jusqu'à ce que la sauce s'épaississe.

Badigeonner le faisan de sauce pendant la cuisson et une dernière fois avant de servir.

Ce mets constitue un délicieux dîner accompagné de la salade à l'orange et aux amandes (voir page 133).

DONNE 6 PORTIONS

STEAKS DE CHEVREUIL GRILLÉS

1 tasse	250 mL	huile de tournesol
¼ tasse	60 mL	vinaigre d'ail
2 c. à table	30 mL	jus de citron
2 c. à table	30 mL	oignon finement haché
1	1	gousse d'ail finement hachée
1 c. à thé	5 mL	de chaque: sel, thym, marjolaine, basilic
½ c. à thé	3 mL	poivre noir moulu
6 – 8 onces	6 – 225 g	steaks de chevreuil

Mélanger ensemble tous les ingrédients à l'exceptionel des steaks. together. Placer les steaks dans un grand plat peu profond et incorporer la marinade. Couvrir et laisser mariner au réfrigérateur pendant 4 à 6 heures.

Faire griller les steaks dans un barecue au-dessus d'une braise moyenne jusqu'au degré de cuisson désiré.

DONNE 6 PORTIONS

PAIN DE VIANDE AU BISON

4 livres	1.75 kg	viande de bison hachée
1	1	oignon finement haché
½	½	poivron vert finement haché
3	3	branches de céleri hachées
3	3	oeufs battus
1 tasse	250 mL	flocons d'avoine cuits
½ tasse	125 mL	craquelins écrasés
½ tasse	125 mL	ketchup
1 c. à table	15 mL	sauce Worcestershire

Mélanger ensemble tous les ingrédients et façonner un pain. Cuire sur une tôle à biscuits peu profonde dans un four préchauffé à 350°F (180°C) pendant 1¼ heures.

Servir accompagné de la sauce au sherry et aux champignons sauvages (voir page 105).

DONNE 8 PORTIONS

Pain de Viande au Bison

GOULACHE À LA VENAISON

2 c. à table	30 mL	beurre
½ tasse	125 mL	oinion finement coupé en dés
3	3	gousses d'ail finement hachées
3 c. à table	45 mL	paprika
2¼ livres	1 kg	viande de chevreuil coupée en dés
4 tasses	1 L	bouillon de boeuf (voir page 85)
1 c. à thé	5 mL	graines de cumin
½ c. à thé	3 mL	poivre noir
2 tasses	500 mL	tomates pelées, épépinées et hachées
8 onces	225 g	petits champignons
½ c. à thé	3 mL	origan
1 c. à table	15 mL	fécule de maïs

Faire chauffer l'huile dans une grande poêle électrique. Ajouter l'oignon, l'ail et le paprika, et faire sauter jusqu'à ce que l'oignon soit tendre. Faire brunir la viande dans la poêle et ajouter le bouillon, le cumin et le poivre. Couvrir et laisser mijoter pendant 1½ heures.

Ajouter les tomates, les champignons et l'origan et poursuivre la cuisson pendant 40 minutes. Mélanger la fécule de maïs avec un peu d'eau et ajouter à la goulache. Laisser mijoter jusqu'à ce que le mélange soit épais.

Servir sur des nouilles ou du riz.

DONNE 8 PORTIONS

STEAKS DE BOEUF MUSQUÉ AU BARBECUE AVEC BEURRE À L'AIL & AU CILANTRO

6 – 8 onces	6 – 225 g	steaks tenderloin de boeuf musqué
1 c. à table	15 mL	poudre de chili
½ c. à thé	3 mL	de chaque: feuilles d'origan, feuilles de thym, feuilles de basilic, poudre d'ail, poudre d'oignon, sel, poivre blanc, poivre noir
¼ c. à thé	1 mL	cayenne
½ tasse	125 mL	beurre
4	4	gousses d'ail finement hachées
½ tasse	125 mL	cilantro fraîchement haché
1 c. à thé	5 mL	moutarde de Dijon
1 c. à thé	5 mL	écorce de citron râpée
2 c. à thé	30 mL	huile d'olive

Dégraisser les steaks et les placer dans un plat peu profond.

Combiner toutes les épices et parsemer les steaks. Couvrir et réfrigérer pendant 1 heure.

Combiner le beurre avec l'ail, le cilantro, la moutarde et le citron. Étendre sur une feuille de papier ciré et rouler en forme de cigare. Mettre au congélateur pendant 1 heure.

Badigeonner les steaks avec l'huile. Griller au-dessus d'une braise moyenne jusqu'au degré de cuisson désiré. (medium est ce qu'il y a de meilleur pour le boeuf).

Trancher le beurre en ronds épais. Place un rond sur chaque steak et servir immédiatement.

DONNE 6 PORTIONS

Goulache à la Venaison

Faisan au Vin

CAILLE À LA SAUCE AUX CLÉMENTINES

12	12	cailles
		sel et poivre au goût
3 c. à table	45 mL	huile de tournesol
⅓ tasse	80 mL	jus concentré de clémentine, de tangerine, d'orange ou d'autre
½ tasse	125 mL	bouillon de poulet (voir page 77)
¼ tasse	60 mL	crème à fouetter
1 c. à thé	5 mL	beurre
1 c. à thé	5 mL	jus de lime

Couper les cailles en partant du dos et les assaisonner légèrement de sel et de poivre.

Faire chauffer l'huile dans une grande poêle. Faire sauter les cailles pendant 6 minutes de chaque côté et conserver au chaud.

Faire chauffer le jus de clémentine dans une casserole avec le bouillon de poulet. Amener à ébuillition et réduire le feu. Ajouter la crème et laisser mijoter jusqu'à ce que la sauce puisse enduire une cuillère. Retirer du feu. Ajouter le beurre et le jus de lime en brassant.

Placer les cailles sur un plat de service et couvrir de la sauce. Servir.

DONNE 6 PORTIONS

FAISAN AU VIN

4 livres	8 kg	faisan– coupé en morceaux
4 c. à table	60 mL	farine tout usage
¼ tasse	60 mL	beurre
¼ tasse	60 mL	brandy
½ tasse	125 mL	vin rouge
1 c. à thé	5 mL	thym
1 c. à thé	5 mL	paprika
2 c. à thé	10 mL	sel
1½ tasses	375 mL	bouillon de poulet (voir page 77)
4	4	tranches de bacon
20	20	oignon perlés
20	20	petits champignons

Saupoudrer le faisan de farine. Dans une grande poêle, faire brunir le faisan dans le beurre à feu doux. Tout en gardant la poêle à distance, ajouter le brandy et le faire flamber. Ajouter le vin rouge, les épices et le bouillon de boeuf. Couvrir et laisser mijoter jusqu'à ce que le faisan soit tendre, environ 40 minutes.

Dans une casserole, faire brunir le bacon et sauté les oignons et les champignons. Égoutter l'excès d'huile. Incorporer au faisan et laisser mijoter pendant 5 autres minutes. Couvrir et pousuivre la cuisson pendant environ 40 minutes.

Servir avec du riz cuit à la vapeur ou des nouilles.

DONNE 8 PORTIONS

FAISAN CORDON BLEU

6 – 6 onces	6 – 175 g	poitrines de faisan désossées
6 onces	175 g	jambon fôret noire
6 onces	175 g	fromage suisse
2	2	oeufs
¼ tasse	60 mL	lait
½ tasse	125 mL	farine tout usage
2 tasses	500 mL	chapelure assaisonnée
½ tasse	125 mL	huile de tournesol
1 tasse	250 mL	sauce Mornay (voir page 111)

Aplatir les poitrines de faisan.

Placer 1 once(28 g) de jambon et 1 once (28 g) de fromage sur le faisan. Rouler les poitrines pour enfermer la garniture. Placer sur une tôle à biscuits et congeler pendant ½ heure.

Mélanger les oeufs avec le lait. Saupoudrer les poitrines de farine, les tremper dans le lait et les enrober de chapelure.

Faire chauffer l'huile dans une grande poêle. Faire brunir le faisan de chaque côté. Remettre sur la tôle à biscuits.

Cuire dans un four préchauffé à 350°F (180°C) pendant 10 minutes. Placer sur un plat de service, recouvrir de sauce et servir immédiatement accompagné d'un riz pilaf.

DONNE 6 PORTIONS

GOURMET FACILE

J'ai intitulé ce chapitre "Gourmet facile" parce qu'il y a dans ces pages parmi les plus faciles et les plus délicieuses recettes dont vous aurez jamais comblé vos invités. J'ai tenté de vous donner une tranche de repas exceptionnels pour n'importe quel moment de la journée où vous voudrez recevoir.

Pour le souper gourmet, impressionnez l'invité le plus difficile avec des plats tels que Poulet Dermott ou Chausson de poulet en sauce au vin. Au dîner vous pouvez triompherde toute critique avec des entrées telles que Cioppino Louisiana ou Grillade de crevettes en mayonnaise au piment. Au dîner du dimanche vos invités s'égayeront avec un Boeuf rôti au Coca Cola ou une Dinde fumée et Lasagna au Gorgonzola. Peut-être avez-vous la tâche de présenter des collations d'après-party; une collationde Pépites de poulet aux pommes ou de Coquille Saint-Jacques grillées est certainement l'attraction de la de la réception. Faites de l'oriental et servez une variété de sushis tels que Rouleau californien ou Saumon grillé Temaki, ou bien offrez-leur un régal thailandais tel que Poulet grillé et Crevette Satay.

Être gourmet ne veut pas dire être un perfectionniste pédant. C'est l'art de cuisiner ce qu'il faut, quand il faut et au bon moment, pour les gens comme il faut. Gourmet facile vous permet de servir de la cuisine exceptionnelle juste au bon moment.

Peut-être vos invités ont-ils follement envie de pâtes. Servez-leur un Fettucini Vongolé ou un Spaghetti Ragu à la bolognese. Quelle que soit la sélection gourmet que vous fassiez, sachez avec certitude que ce sera facile avec *Tout simplement délicieux*.

Hamburger Satay

SAUMON ROYAL

¼ tasse	60 mL	beurre
½ tasse	125 mL	poivron vert en dés
½ tasse	125 mL	poivron rouge en dés
4 onces	115 g	champignons tranchés
½ tasse	125 mL	farine
½ c.à thé	3 mL	sel
¼ c.à thé	1 mL	poivre blanc
1 tasse	250 mL	bouillon de poulet (voir page 77)
1 tasse	250 mL	lait
3 tasses	750 mL	saumon cuit
1	1	jaune d'oeuf
3 tasses	750 mL	riz cuit à la vapeur

Dans une grande casserole, chauffer le beurre. Faire sauter les poivrons et les champignons. Saupoudrer de farine et cuire pendant 2 minutes.

Ajouter le sel, le poivre, le bouillon et le lait, réduire la chaleur et faire mijoter jusqu'à épaississement de la sauce.

Ajouter le saumon et continuer à faire mijoter pendant 5 minutes.

Retirer du feu et y battre le jaune d'oeuf. Servir sur du riz.

DONNE 4 PORTIONS

CONTREFILETS NEW YORK GRILLÉS

½ tasse	125 mL	vinaigre de vin rouge
1 c.à table	15 mL	sauce Worcestershire
1 c.à thé	5 mL	de chaque: feuilles de basilic, feuilles de thym, feuilles d'origan
½ tasse	125 mL	ketchup aux tomates
2	2	gousses d'ail hachées
½ c.à thé	3 mL	fumée liquide
1 c.à table	15 mL	sucre cristallisé
6 – 8 onces	6 – 225 g	steaks de contrefilet New York

Combiner dans une casserole tous les ingrédients, sauf, bien entendu, les steaks.

Ôter toute la graisse des steaks. Couper toute la petite bande de cartilage, cela empêchera les steaks de se recroqueviller en cuisant. Verser la marinade sur les steaks et réfrigérer, couvert pendant 6 heures.

Griller les steaks au charbon moyen jusqu'à cuisson désirée. Brosser fréquemment avec de la marinade.

DONNE 6 PORTIONS

BARBECUE SAUTÉ

½ livre	225 g	filet de porc en dés
½ livre	225 g	grosses crevettes, pelées et déveinées
½ livre	225 g	grosses coquilles Saint-Jacques
2 c.à table	30 mL	beurre
2 c.à table	30 mL	huile de tournesol
1 tasse	250 mL	sauce barbecue (recette suivra)

Frire la viande et les produits de mer dans le beurre et dans l'huile, dans une grande poêle. Verser la sauce sur la viande et faire mijoter 10 minutes. Servir sur du riz ou sur des nouilles.

DONNE 6 PORTIONS

Sauce:		
2	2	gousses d'ail
1	1	oignon espagnol haché
2 c.à table	30 mL	beurre
2 c.à table	30 mL	huile
1 tasse	250 mL	sucre brun
2 c.à thé	10 mL	sauce Worcestershire
½ c.à thé	3 mL	de chaque: feuilles dethym feuilles d'origan feuilles de cerfeuil, cumin, paprika, poivre noir, poivre blanc
1 c.à table	15 mL	poudre chili
1 c.à thé	5 mL	sel
2 tasses	500 mL	ketchup aux tomates
2 c.à thé	10 mL	jus de citron

Dans une casserole, faire sauter l'ail et l'oignon dans le beurre et l'huile. Combiner le reste des ingrédients et ajouter. Réduire la chaleur et faire mijoter 15 - 20 minutes, en remuant de temps en temps.

DONNE 3 TASSES (750 mL)

Saumon Royal

Barbecue Sauté

ROULEAUX DE LASAGNES

Sauce:

3 c. à table	45 mL	huile d'olive
1	1	gousse d'ail hachée
1	1	oignon moyen en dés fins
2	2	tiges de celeri en dés fins
4 onces	115 g	champignons tranchés
1 c. à thé	5 mL	de chaque: sel, feuilles de basilic basil
½ c. à thé	3 mL	de chaque: feuilles de thym, origan, paprika, poivre
1¼ c. à thé	1 mL	piment cayenne
3 livres	1.3 kg	tomates pelées, épépinées et hachées

Les pâtes:

1 quan	1	Pasta Verde (voir page 436)
1½ tasses	375 mL	fromage Ricotta
1½ tasses	375 mL	Cheddar râpé
3 c.à table	45 mL	ciboulette hachée
1 c. à thé	5 mL	feuilles de basilic
½ c. à thé	3 mL	de chaque: poivre noir concassé, sel
2	2	oeufs

Poulet Grillé à l'Eau-de-Vie de Mûres

Sauce:

Dans une grande casserole, chauffer l'huile. Ajouter l'ail, l'oignon, le céleri et les champignons, faire sauter jusqu'à ce que ce soit tendre.

Ajouter l'assaisonnement et les tomates. Faire mijoter à feu doux pendant 3 heures ou jusqu'à épaisseur désirée.

Les pâtes:

Procéder pour la pâte selon les indications, couper en lasagnes.

Dans un bol, mélanger les fromages avec l'assaisonnement et les oeufs.

Mettre une cuillérée du mélange sur les lasagnes et ler rouler comme des rouleaux de gelée.

Placer sur un plat à four, recouvert de sauce et cuire dans un four préchauffé à 375°F (190°C) pendant 30 minutes, couvert. Retirer le couvercle et continuer à cuire pendant 15 minutes de plus. Servir.

DONNE 6 PORTIONS

POULET GRILLÉ À L'EAU-DE-VIE DE MÛRES

2 tasses	500 mL	mûres
1½ tasses	375 mL	sucre cristallisé
½ tasse	125 mL	eau-de-vie de mûres
1 c.à table	15 mL	huile
4 – 6 onces	4 – 175 g	ailes de poulet désossées

Mettre les mûres dans un robot culinaire. Passer au tamis pour enlever les graines.

Mélanger la pulpe des mûres, le sucre et l'eau de vie dans une casserole.

Chauffer jusqu'à ébullition, réduire le feu et faire mijoter jusqu'à épaississement de la sauce.

Brosser l'huile sur le poulet. Griller le poulet pendant 8 minutes de chaque côté, en brossant fréquemment avec la sauce. Brosser une dernière fois avant de servir.

DONNE 4 PORTIONS

SUSHI

Voici un choix de 4 différentes variétés du fameux plat japonais.

RIZ SUSHI

1 tasse	250 mL	eau
¾ tasse	180 mL	riz au grain court
1½ c. à table	25 mL	vinaigre
1½ c. à table	25 mL	jus de citron
12 c. à table	30 mL	sucre
½ c. à thé	3 mL	sel

Amener le riz à ébullition et ajouter le riz. Réduire la chaleur. Couvrir et cuire jusqu'à ce que le riz ait absorbé le liquide.

Dans une petite casserole, combiner le vinaigre, le jus de citron, le sucre et le sel. Amener à ébullition, réduire la chaleur et remuer jusqu'à ce que le sucre soit dissous.

Verser sur le riz. Laisser reposer jusqu'à ce que le liquide soit absorbé par le riz. Refroidir.

SUSHI EN ROULEAU CALIFORNIEN

1	1	feuille de nori coupée en deux
1 tasse	250 mL	riz Sushi (voir recette à cette page)
1 c. à thé	5 mL	moutarde de Dijon
1 petit	1 petit	concombre finement tranché
1	1	avocat finement tranché
1 tasse	250 mL	chair de crabe cuite

Étendre à plat le nori, le tartiner d'une fine couche de riz.

Le retourner et le tartiner de moutarde.

Ajouter des couches de concombre, d'avocat et de chair de crabe. Rouler sous forme de rouleau à la gelée.

Envelopper avec de la pellicule plastique. Enrouler serré, retirer la pellicule et couper en 8 tranches. Servir.

DONNE 4 PORTIONS

CREVETTES EBI

1 livre	454 g	grosses crevettes
4 tasses	1 L	eau
1 tasse	250 mL	vin blanc
1	1	citron
1	1	petit oignon
1	1	tige de céleri
1 c. à thé	5 mL	sel
½ c. à thé	3 mL	poivre en grains
1½ tasses	375 mL	riz Sushi (voir recette à cette page)

Embrocher les crevettes sur des brochettes de bambou le long du dessous de la crevette. Porter à ébullition dans un grand récipient l'eau, le vin, le citron, l'oignon, le céleri et l'assaisonnement.

Placer les crevettes embrochées dans le liquide bouillant. Retirer les crevettes dès qu'elles flottent. Les tremper dans de l'eau glacée. Dès qu'elles sont refroidies, retirer les brochettes et les décortiquer, en laissant le bout de la queue.

Façonner les crevettes en papillon en coupant le long de la médiane du dessous. Ne pas couper complètement.

Placer de petites quantités de riz dans l'ouverture et les envelopper avec la crevette.

Servir immédiatement.

DONNE 4 PORTIONS

Sushi en Rouleaux Californiens, Crevettes Ebi et Saumon Sushi Grillé Temaki

SUSHI AU SAUMON FUMÉ ET CRÈME DE FROMAGE

1	1	morceau de nori de 7" x 8" (18 x 20 cm)
1½ tasses	375 mL	riz Sushi (recette page précédente)
2 onces	60 g	saumon fumé
4 onces	115 g	fromage de crème
1	1	oignon printanier coupé en julienne

Placer un morceau de nori sur une serviette légèrement humide. Mettre du riz par-dessus. Serrer fermement.

Placer une portion généreuse de saumon le long d'une extrémité courte. A côté, placer une bande de fromage de crème et d'oignon.

Rouler, à la manière d'un rouleau à la gelée. En utilisant un couteau très aigu, couper en tranches de 1" (2.5 cm). Servir.

DONNE 8 PORTIONS

SUSHI AU SAUMON GRILLÉ TEMAKI

8 onces	225 g	filet de saumon
1	1	feuille de norinori
1 tasse	250 mL	riz Sushi (recette en page précédente)
1	1	carotte épluchée, coupée en julienne
1 petit	1 petit	concombre coupé en julienne
1 onces	28 g	luzerne

Faire cuire sur le gril ou dans une rôtissoire le saumo, le côté de la peau en bas. Dès qu'il est cuit, couper le poisson en bandes julienne.

Couper le nori en 8 morceaux. Placer de petites quantités du reste des ingrédients sur le nori et envelopper en une forme conique. Servir.

DONNE 4 PORTIONS

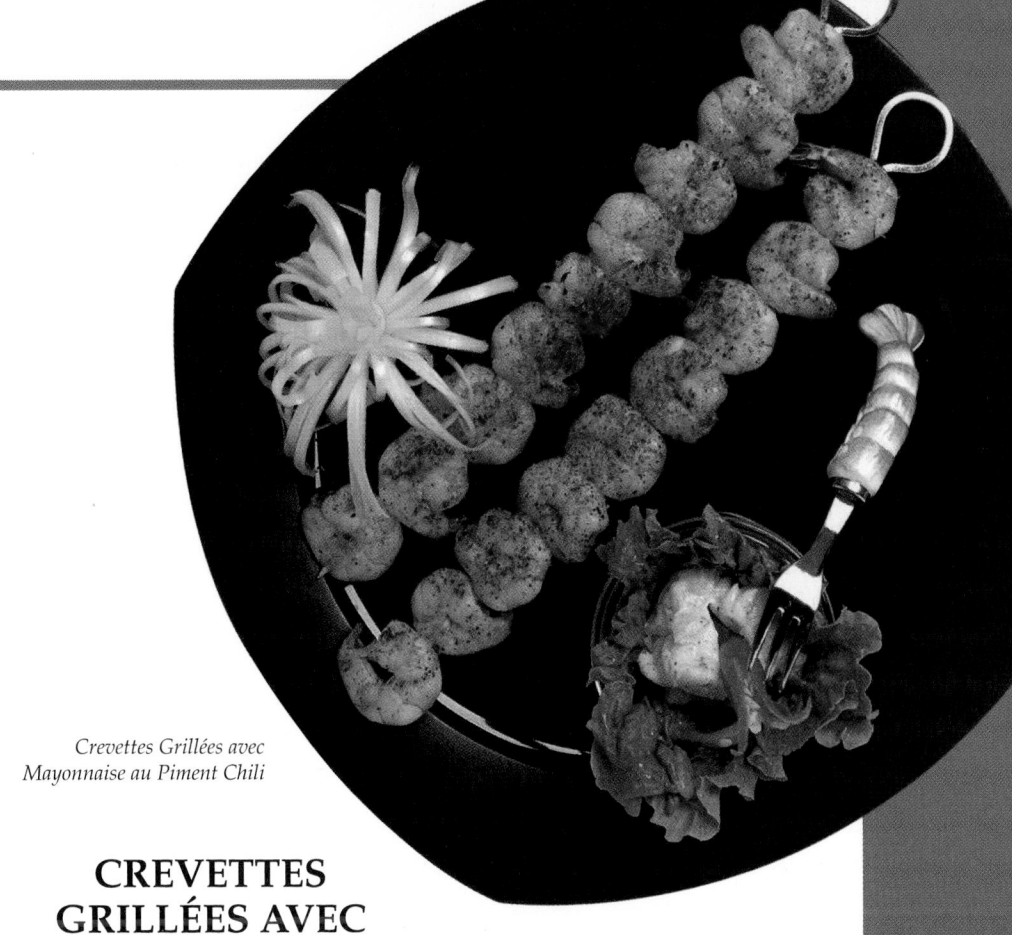

Crevettes Grillées avec Mayonnaise au Piment Chili

CREVETTES GRILLÉES AVEC MAYONNAISE AU PIMENT CHILI

Crevette:		
2 livres	900 g	grosses crevettes
1 c.à table	15 mL	poudre chili
½ c. à thé	3 mL	de chaque: feuilles de basilic, feuillesd'origan, feuilles de thym, poudre d'oignon, poudre d'ail, piment de cayenne, poivre noir
1c.à thé	5 mL	sel

Mayonnaise:		
2	2	jaunes d'oeuf
1 tasse	250 mL	huile de tournesol
1 c. à table	15 mL	jus de citron
¼ c. à thé	1 mL	sel
1 c. à table	15 mL	poudre chili
3 gouttes	3 gouttes	sauce Tabasco™

Crevettes:

Décortiquer et déveiner les crevettes. Les mettre en broche sur des brochettes de bambou.

Mélanger l'assaisonnement.

Saupoudrer d'assaisonnement les crevettes et griller pendant 4 minutes de chaque côté. Servir avec de la mayonnaise.

Placer les oeufs dans un mélangeur. Pendant que l'appareil marche très lentement, ajouter l'huile jusqu'à formation d'une sauce épaisse. Ajouter le jus de citron, le sel, la poudre de chili et le tabasco. Arrêter l'appareil, verser la sauce dans un petit bol, servir avec les crevettes.

DONNE 6 PORTIONS

Poulet Dermott

CIOPPINO LOUISIANA

3 c. à table	45 mL	beurre
1	1	poivron rouge en tranches
1	1	poivron vert en tranches
1	1	petit oignon tranché
1	1	gousses d'ail hachées
1 c. à table	15 mL	persil frais haché
2 tasses	500 mL	tomates pelées, épépinées, hachées
4 tasses	1 L	bouillon de poisson (voir page 76)
2 tasses	500 mL	vin blanc
¼ livre	115 g	crevettes pelées et déveinées,
½ livre	225 g	vivaneau en tranches
¼ livre	115 g	queues d'écrevisses
¼ livre	115 g	palourdes, en coquilles
¼ livre	115 g	pinces de crabe
1	1	bouquet garni (voir Glossaire)

Cioppino Louisiana

Dans une grande cocotte ou chaudron, chauffer le beurre. Ajouter les légumes et faire sauter jusqu'à ce que ce soit tendre. Ajouter le persil, les tomates, le bouillon et le vin. Porter à ébullition, réduire la chaleur et faire mijoter pendant 10 minutes.

Ajouter le poisson, les crustacés et le bouquet garni. Couvrir et faire mijoter pendant 15 minutes.

Mettre au rebut le bouquet garni et servir le ragoût.

DONNE 6 PORTIONS

POULET DERMOTT

6 – 6 onces	6 – 175 g	ailes de poulet désossées
½ tasse	125 mL	chair de crabe
4 onces	115 g	fromage à la crème au saumon fumé
1	1	oeuf
¼ tasse	60 mL	lait
⅓ tasse	80 mL	farine
1½ tasses	375 mL	chapelure assaisonnée
½ tasse	125 mL	huile de tournesol
½ tasse	125 mL	confiture de groseille
¼ tasse	60 mL	vin de Marsala
2 c. à thé	10 mL	jus de citron
12 onces	345 g	framboises
1 c. table	15 mL	fécule de maïs
2 c. à table	30 mL	eau
½ c. à thé	3 mL	poivre noir concassé

Placer les ailes de poulet entre deux feuilles de papier ciré et les aplatir.

Mettre sur le poulet 2 cuillères à table (30 mL) de chaque: chair de crabe et fromage. Rouler ensemble et congeler pendant 30 minutes.

Combiner les oeufs et le lait. Saupoudrer le poulet de farine, le tremper dans le lait et le rouler dans la chapelure de pain.

Chauffer l'huile dans une poêle et frire le poulet jusqu'à ce qu'il devienne brun doré. Le placer sur une tôle à four et cuire dans un four préchauffé à 375°F (190°C) pendant 35 minutes.

Pendant que le poulet cuit, placer la confiture de groseilles dans une petite casserole. Ajouter le vin et le jus de citron et faire mijoter à feu doux.

Réduire les groseilles en purée dans un robot culinaire, puis les passer au tamis pour ôter les graines. Ajouter à la sauce et porter à ébullition.

Mélanger la fécule de maïs avec l'eau, ajouter à la sauce et faire mijoter jusqu'à épaississement de la sauce. Y incorporer le poivre.

Retirer le poulet du four, le placer sur des assiettes. Couvrir le poulet avec de la sauce et servir.

DONNE 6 PORTIONS

CROQUETTES DE POULET

1 livre	450 g	poitrines de poulet désossées
2 tasses	500 mL	fine chapelure de pain
2 c. à thé	10 mL	feuilles d'origan, séchées
2 c. à thé	10 mL	feuilles de basilic, séchées
1 c. à thé	5 mL	sel
1 c. à table	15 mL	poudre chili
1 c. à thé	3 mL	de chaque: paprika, poivre, poudre d'oignon, poudre d'ail
2	2	oeufs
¼ tasse	60 mL	lait
½ tasse	125 mL	farine
4 tasses	1 L	huile de tournesol
1 tasse	250 mL	sauce aux prunes de typecommercial

Couper les poitrines de poulet en bandes de 1" (2.5 cm).

Mélanger la chapelure avec l'assaisonnement.

Battre les oeufs dans le lait. Placer la farine dans un petit bol.

Préchauffer l'huile à 375°F (190°C).

Saupoudrer de farine les bandes de poulet. Les plonger dans le mélange à oeufs. Les rouler dans la farine.

Frire les bandes dans l'huile pendant 10 minutes. Les placer sur une serviette en papier pour en absorber l'exédent de graisse. Transférer sur un plat, Servir avec de la sauce au prunes sur le côté.

DONNE 4 PORTIONS

Crevettes Noircies avec des Linguines au Parmesan et à l'Ail

CREVETTES NOIRCIES AVEC DES LINGUINES AU PARMESAN ET À L'AIL

Faites ceci dehors sur votre barbecue à gaz. Il y a beaucoup de fumée.

1 quan	1	Pâte au poivre noir concassé (voir page 432)
1 livre	454 g	grosses crevettes décortiquées et déveinées
1 c. à table	15 mL	de chaque: sel, poudre chili
1 c. à thé	5 mL	de chaque: feuilles de thym, feuilles d'origan, basilic poivre noir, paprika, cerfeuil
½ c. à thé	3 mL	de chaque: poivre blanc, poivre de cayenne
¼ tasse	60 mL	huile de tournesol
⅓ tasse	80 mL	beurre
3	3	gousses d'ail hachées
3 c. à table	45 mL	jus de citron
½ tasse	125 mL	fromage Parmesan râpé
2 c. à table	30 mL	persil frais haché

Préparer la pâte selon les instructions, couper en linguini.

Rincer les crevettes à l'eau froide. Égoutter. Mélanger ensemble l'assaisonnement.

Saupoudrer les crevettes d'assaisonnement. Cuire l'huile très chaud, juste avant le point de fumée. Frire les crevettes dans l'huile chaude pendant 3 minutes. Transférer sur un plat et réserver.

Cuire la pâte dans un grand chaudron plein d'eau bouillante. Pendant que la pâte cuit, chauffer le beurre dans une poêle. Ajouter l'ail et le jus de citron et cuire pendant 3 minutes. Égoutter la pâte et mettre du beurre dessus. Recouvrir de crevettes et saupoudrer de persil. Servir.

DONNE 4 PORTIONS

Croquetes de Poulet

Côtes Sour Mash de Jack Daniel

HAMBURGER SATAY

1 livre	454 g	boeuf haché maigre
¼ tasse	60 mL	chapelure de pain assaisonnée
1	1	oeuf
¼ tasse	60 mL	huile d'arachide
1½ c. à table	20 mL	noix du Brésil moulues
½ c. à thé	3 mL	gingembre moulu
½ c. à thé	3 mL	coriandre moulue
2 c. à thé	10 mL	mélasse
½ c. à thé	3 mL	de chaque: poivre noir, paprika, piment de cayenne, sel, feuilles de thym, d'origan, flocons de piment rouge
4 c. à thé	20 mL	jus de lime
3 c. à table	45 mL	eau chaude

Mélanger dans un bol le boeuf avec la chapelure et l'oeuf. Former de petites boules et les embrocher sur des brochettes de bambou. Les placer sur une tôle à four.

Mélanger le reste des ingrédients ensemble dans un bol. Verser sur les boules de viande. Réfrigérer pendant 3 heures ½.

Griller les brochettes à feu moyen pendant 10-12 minutes ou jusqu'à ce que la viande soit complètement cuite.

Servir immédiatement.

DONNE 4 PORTIONS

CÔTES SOUR MASH DE JACK DANIEL

Sauce:		
3 c. à table	45 mL	beurre
3 c. à table	45 mL	huile
1	1	oignon haché
1	1	gousse d'ail hachée
⅔ tasse	160 mL	ketchup aux tomates
⅔ tasse	160 mL	whisky Sour Mash de Jack Daniel
½ tasse	125 mL	vinaigre de cidre
½ tasse	125 mL	jus de pêches
½ tasse	125 mL	sirop de pêches
⅓ tasse	80 mL	mélasse légère
1 c. à table	15 mL	sauce Worcestershire
½ c. à thé	3 mL	de chaque: feuilles de thym, feuilles de basilic, cerfeuil, feuilles d'origan, poudre d'ail, poivre noir concassé, poivre blanc, paprika, sel
½ c. à thé	3 mL	parfum de fumée

Côtes:		
10 livres	4.4 kg	côtes danoises ou petites côtes de dos de porc
½ c. à thé	3 mL	de chaque: feuilles de thym, feuilles d'origan, feuilles de basilic, sariette, sauge
1 c. à thé	5 mL	de chaque: poivre, paprika, poudre chili, sel

Sauce:

Chauffer le beurre dans une casserole avec l'huile, ajouter l'oignon et l'ail. Faire sauter jusqu'à ce que ce soit tendre. Incorporer le reste des ingrédients et porter à ébullition. Réduire la chaleur et faire mijoter jusqu'à ce que la sauce soit très épaisse. Refroidir.

Les côtes:

Couper les côtes en 5 sections d'os.

Mélanger l'assaisonnement et en saupoudrer les côtes.

Cuire dans un four préchauffé à 350°F (180°C) pendant ½ heure.

Griller sur charbon à feu moyen, en brossant fréquemment avec la sauce pendant 10 minutes. Brosser une dernière fois puis servir.

DONNE 8 PORTIONS

Hamburger Satay

POULET MARENGO

1	1	poulet à frire, coupé en 8 morceaux
⅓ tasse	80 mL	huile de tournesol
4	4	carottes épluchées, en tranches
2	2	tiges de céleri en dés
1	1	petit oignon en dés
6	6	tranches minces de bacon
⅓ tasse	80 mL	farine
4 tasses	1 L	tomates pelées, épépinées, en dés
¼ tasse	60 mL	sherry
½ c. à thé	3 mL	sel
¼ c. à thé	1 mL	poivre
1	1	bouquet garni*
¼ livre	115 g	champignons en tranches
2 c. à table	30 mL	persil haché
3 tasses	750 mL	riz cuit à la vapeur

Préchauffer le four à 350°F (180°C).

Faire sauter le poulet dans l'huile pendant 5 minutes. Retirer et et le placer dans un plat à four.

Couper le bacon en dés et le faire sauter dans une casserole, ajouter la farine, réduire la chaleur et cuire pendant 4 minutes. Ajouter les légumes et continuer à cuire jusqu'à ce que les légumes soient tendres. Ajouter les tomates, le sherry et l'assaisonnement, cuire pendant 10 minutes à feu doux. Verser la sauce et le bouquet garni sur le poulet, mettre les champignons par-dessus, couvrir et cuire pendant 1 heure.

Saupoudrer de persil et servir avec du riz chaud.

DONNE 4 PORTIONS

* Le bouquet garni pour le poulet est fait de feuilles de thym, feuilles d'origan, basilic, une feuille de laurier, un brin de romarin, de la marjolaine et 6 grains de poivre, le tout lié ensemble dans une toile de coton.Une toile J conviendrait aussi bien.

ROSBIF AU COCA-COLA PAUL NORTHCOTT

5 livres	2kg	ronde de gîte à la noix
1 c.à table	15 mL	de chaque: sel, poudre chili
1 c. à thé	5 mL	de chaque: feuilles de thym, feuilles de basilic, feuilles d'origan, paprika, poivre noir, cerfeuil, moutarde en poudre
1 c. à table	15 mL	sauce Worcestershire
2 tasses	500 mL	Coca-Cola – ne pas utiliser diet cola

Placer le rôti sur un grand plat à rôtir. Mélanger les assaisonnements ensemble. Verser le Worcestershire sur le boeuf et le saupoudrer d'assaisonnement. Verser le coke le long des côtés du boeuf.

Cuire dans un four préchauffé à 375°F (190°C) pendant 30 minutes, réduire la température à 300°F (150°C) et continuer à cuire pendant 3 heures.

Retirer le boeuf, couper en tranches et servir.

DONNE 8 PORTIONS

Poulet Marengo

Rosbif au Coca-Cola Paul Northcott

FETTUCCINI VONGOLÉ

1 quan	1	Pasta Verde (voir page 436)
3 c. à table	45 mL	beurre
3 c. à table	45 mL	farine
1¼ tasses	310 mL	nectar de palourdes ou bouillon de poulet (voir page 77)
1¼ tasses	310 mL	crème moitié et moitié
1½ tasses	375 mL	palourdes hachées
½ c. à thé	3 mL	sel
½ c. à thé	3 mL	poivre blanc
⅔ tasse	160 mL	fromage Romano fraîchement râpé

Travailler la pâte selon les directions. La couper en fettucini. Chauffer le beurre dans une casserole et ajouter de la farine. Réduire la chaleur et cuire pendant 2 minutes.

Ajouter le nectar de palourdes et la crème, faire mijoter en une sauce épaisse. Ajouter les palourdes et l'assaisonnement, continuer à faire mijoter pendant 10 minutes.

Cuire les nouilles dans une grande marmite d'eau salée. Égoutter et placer sur des assiettes.

Ajouter la moitié du fromage à la sauce, servir à la louche la sauce sur les nouilles. Parsemer du reste du fromage et servir immédiatement.

DONNE 6 PORTIONS

FAJITAS AU STEAKS ET AU POULET

12 onces	340 g	surlonge
12 onces	340 g	poulet désossé
3	3	gousses d'ail hachées
2	2	oignons espagnols hachés
2	2	piments serrano hachés
¼ tasse	60 mL	cilantro haché
⅓ tasse	80 mL	jus de lime
⅓ tasse	80 mL	jus de citron
3 c. à table	45 mL	beurre
1	1	poivron vert en tranches
1	1	poivron rouge en tranches
1	1	poivron jaune en tranches
3 onces	85 g	champignons en tranches
1 c. à table	15 mL	de chaque: sel, poudre chili
2 c. à thé	10 mL	de chaque: paprika, poudre d'oignon, d'ail, feuilles de basilic
1 c. à thé	5 mL	de chaque: moutarde en poudre, cumin, poivre noir, poivre blanc, feuilles de thym
12	12	grandes tortillas
½ tasse	125 mL	crème sure
1 tasse	250 mL	sauce Salsa (voir page 115)

Couper les steaks et le poulet en fines lanières. Placer chacun dans des bols distincts. Couvrir chacun de la moitié des tranches d'oignon, des piments, du cilantro, du jus de citron et de lime. Faire mariner pendant 4 heures

Griller la viande au charbn, à feu moyen pendant 2-3 minutes.

Dans une grande poêle, fondre le beurre et faire sauter le reste de l'oignon, des poivrons et les champignons.

Mélanger ensemble les assaisonnements et assaisonner les viandes et les légumes pendant qu'ils cuisent.

Placer les viandes et les légumes sur des assiettes très chaudes, servir avec des tortillas, de la crème sure et de la salsa afin que vos invités puissent construire leur propre fajita. Bon aussi avec la sauce Guacamole (voir page 115).

DONNE 6 PORTIONS

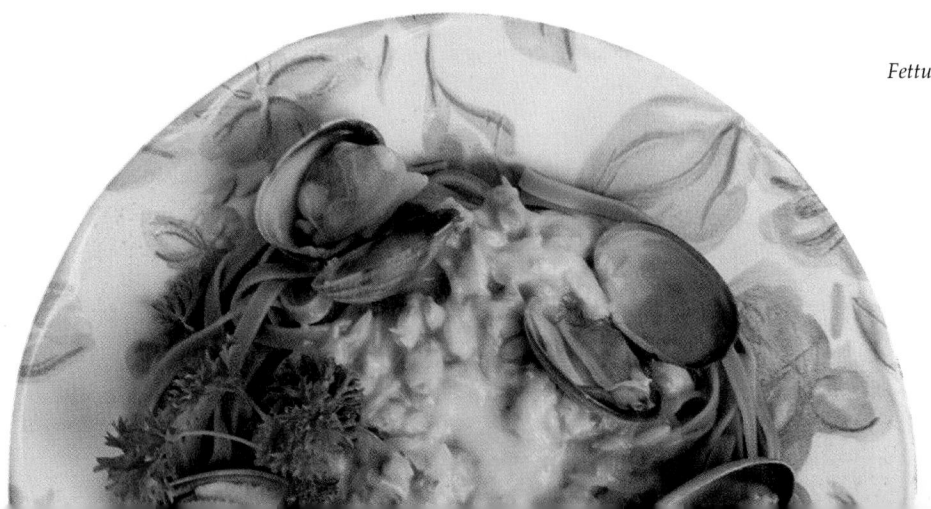

Fettuccini Vongolé

Fajitas au Steak et au Poulet

POULET GRILLÉ ET CREVETTES SATAY

12 onces	340 g	grosses crevettes décortiquées et déveinées
12 onces	340 g	poulet désossé, en cubes
3 c. à table	45 mL	beurre
¼ tasse	60 mL	huile d'olive
4	4	oignon vert haché
2	2	gousses d'ail hachées
1 c. à table	15 mL	persil haché
1 tasse	250 mL	vin blanc
2 c. à table	30 mL	jus de citron
2 c. à table	30 mL	jus de lime

Sauce:

¼ tasse	60 mL	beurre
1	1	oignon espagnol en dés fins
1 c. à thé	5 mL	de chaque: feuilles de thym, basil, sel, romarin écrasé
¼ c. à thé	1 mL	poivre decayenne
2 tasses	500 mL	bouillon de poulet (voir page 77)
1 c. à table	15 mL	jus de citron
1 c. à table	15 mL	jus de lime
2 tasses	500 mL	beurre d'arachide style croquant -ne pas utiliser de substitut
3 c.à table	45 mL	sucre brun

Embrocher les crevettes et le poulet sur des brochettes de bambou ayant trempé dans l'eau. Placer dans une grande casserole peu profonde.

Chauffer le beurre et l'huile dans une casserole et faire sauter les oignons verts et l'ail jusqu'à ce qu'ils soient tendres. Placer dans un bol, combiner avec le persil, le vin blanc et les jus. Verser sur les brochettes. Mariner pendant 4 heures.

Sauce:

Chauffer le beurre dans une petite casserole et faire sauter les oignons jusqu'à ce qu'ils soient tendres. Ajouter le reste des ingrédients et faire mijoter 20 minutes, en remuant constamment.

Griller les brochettes pendant 3 minutes de chaque côté au charbon à feu moyen. Brosser avec la sauce et servir. Servir le restant de sauce sur le côté.

DONNE 6 PORTIONS

PÂTÉ CHINOIS

3 c. à table	45 mL	huile de tournesol
1 livre	450 g	boeuf maigre haché
1	1	onion haché
2	2	tiges de céleri hachées
2	2	carottes épluchées, hachées
3 onces	85 g	champignons en tranches
1	1	gousses d'ail hachées
¼ tasse	60 mL	farine
1½ tasses	375 mL	bouillon de boeuf (voir page 85)
2 c. à table	30 mL	concentré de tomate
1 c. à thé	5 mL	sauce Worcestershire
½ c. à thé	3 mL	de chaque: feuilles de thym, cerfeuil, sel paprika, poivre
2 tasses	500 mL	maïs en crème
4 tasses	1 L	purée de pommes de terre chaudes
2 tasses	500 mL	Cheddar fort râpé

Chauffer l'huile dans une grande poêle. Frire le boeuf haché. Ajouter les légumes et fasire sauter jusqu'à ce que les légumes soient tendres.

Saupoudrer de farine et continuer à cuire pendant 2 minutes. Ajouter le bouillon, le concentré de tomates, le Worcestershire et l'assaisonnement. Faire mijoter jusqu'à consistance épaisse.

Déposer à la cuillèrée dans une grande casserole. Couvrir le mélange avec la crème de maïs. Étendre la purée de pommes de terre sur le maïs. Parsemer de fromage au-dessus.

Cuire dans un four préchauffé à 400°F (200°C) pendant 15 minutes ou jusqu'à ce que le fromage soit brun-doré.

DONNE 6 PORTIONS

Pâté chinois

Poulet Grillé et Crevettes Satay

Dinde Fumée et Lasagna au Gorgonzola

DINDE FUMÉE ET LASAGNA AU GORGONZOLA

1 quan	1	préparation de base pour pâte (voirpage 462)
3 c. à table	45 mL	beurre
3 c. à table	45 mL	huile d'olive
1	1	oignon espagnol
3	3	tiges de céleri en dés
1	1	poivron rouge en dés
1	1	poivron vert en dés
3 onces	85 g	champignons en tranches
¼ livre	115 g	saucisse italienne piquante
3 tasses	750 mL	tomates pelées, épépinées, hachées
½ c. à thé	3 mL	de chaque: feuilles de thym, feuilles de basilic, poudre d'oignon, poudre d'ail, paprika, poivre noir
1 c. à thé	5 mL	de chaque: sel, poudre chili
2 c. à thé	10 mL	sauce Worcestershire
½ livre	225 g	dinde fumée, en dés
1 tasse	250 mL	fromage Ricotta
¾ tasse	180 mL	Gorgonzola émietté
2	2	oeufs
2 tasses	500 mL	fromage Mozzarella râpé
¾ tasse	180 mL	fromage Cheddar râpé
⅓ tasse	80 mL	fromage Parmesan râpé

Préparer la pâte selon les instruction. La couper en nouilles lasagnes.

Dans un grand chaudron ou une cocotte, chauffer le beurre et l'huile. Ajouter les légumes et la saucisse. Faire sauter jusqu'à ce que les légumes soient tendres. Ajouter les tomates, l'assaisonnement et le Worcestershire. Réduire la chaleur et faire mijoter pendant 35 minutes. Ajouter la dinde et continuer à faire mijoter pendant 25 minutes.

Combiner la Ricotta, le Gorgonzola et les oeufs.

Dans un grand plat à four graissé, faire alterner des couches de pâtes, la sauce et le mélange à fromage. S'assurer de terminer avec une couche de sauce.

Saupoudrer le reste des fromages au-dessus. Cuire pendant 45 minutes dans un four préchauffé à 375°F (190°C). Retirer du four et servir.

DONNE 8 PORTIONS

Coquilles Saint-Jacques Grillées

COQUILLES SAINT-JACQUES GRILLÉES

24	24	grosses coquilles Saint-Jacques
12	12	fines tranches de bacon fumé hickory
½ tasse	125 mL	oignon haché
3 c. à table	45 mL	huile de canola
1 tasse	250 mL	sauce tomate
⅓ tasse	80 mL	eau
3 c. à table	45 mL	jus de citron
2 c. à thé	10 mL	sauce Worcestershire
½ c. à thé	3 mL	sauce Tabasco™
5 mL	1 c.à thé	feuilles de basilic
½ c. à thé	3 mL	de chaque: poudre chili, paprika, thym, poivre, sel

Laver et sécher les coquilles Saint-Jacques. Couper le bacon en deux. Envelopper une pétoncle avec un morceau de bacon. Embrocher six pétoncles sur des brochettes de bambou. Griller sur une grille ou dans un four pendant 10 minutes, en tournant fréquemment.

Faire sauter les oignons dans une petite casserole avec de l'huile. Ajouter le reste des ingrédients. Porter à ébullition, réduire la chaleur et faire mijoter pendant 15 minutes. Brosser les pétoncles avec de la sauce. Servir immédiatement.

DONNE 4 PORTIONS

CAILLES EN SAUCE AU VIN

4 – 12 onces	4 – 345 g	cailles, coupées en deux
24	24	petits oignons blancs
4	4	carottes coupées en julienne
¼ tasse	60 mL	beurre
1 tasse	250 mL	vin rouge
½ tasse	125 mL	sherry
¼ tasse	60 mL	brandy
½ tasse	125 mL	bouillon de poulet (voir page 77)
24	24	champignons en bouton
½ c. à thé	3 mL	sel
¼ c. à thé	1 mL	poivre
¼ livre	115 g	bacon en dés
3 c. à table	45 mL	farine

Dans un grand chaudron ou une cocotte, chauffer le beurre. Faire sauter les cailles jusqu'à ce qu'elles deviennent brunes, retirer et mettre de côté. Ajouter les légumes au beurre et faire sauter. Saupoudrer de farine, réduire la chaleur et cuire pendant 4 minutes ou jusqu'à ce que cela devienne brun-doré.

Retourner les cailles, verser les liquides par-dessus. Ajouter les champignons et l'assaisonnement. Faire mijoter pendant 20 minutes.

Dans une poêle, frire le bacon, Saupoudrer de farine et cuire pendant 2 minutes, incorporer au poulet.Verser le poulet dans un grand plat, couvrir et cuire dans un four pendant 1 heure. Servir avec du riz et une demi-caille par personne.

DONNE 8 PORTIONS

CROQUETTES DE POULET AUX POMMES

2 livres	900 g	poulet désossé
½ c. à thé	3 mL	de chaque: feuilles d'origan,feuilles de thym, basilic , poudre d'ail, poudre d'oignon, paprika,
2 c. à thé	10 mL	de chaque: sel, poudre chili
2 tasses	500 mL	farine
1½ tasses	375 mL	lait
4 tasses	1 L	huile de tournesol
1 livre	454 g	pommes vidées de leur coeur
3 c. à table	45 mL	beurre
1 c. à table	15 mL	jus de citron
1 c. à table	15 mL	jus de lime
¼ tasse	60 mL	sucre cristallisé

Couper le poulet en cubes égaux. Combiner l'assaisonnement avec la farine.

Tremper le poulet dans le lait puis dans la farine. Chauffer l'huile à 375°F (190°C). Jeter le poulet dans l'huile et le frire pendant 2-3 minutes. Réserver chaud.

Placer les pommes dans une grande casserole. Ajouter le beurre, les jus et le sucre. Couvrir et cuire à basse température jusqu'à ce que les pommes soient tendres. Faire une purée avec un robot culinaire.

Servir le poulet avec la sauce aux pommes sur le côté.

DONNE 8 PORTIONS

Croquettes de Poulet aux Pommes

SPAGHETTI RAGÙ A LA BOLOGNESE

3 c. à table	45 mL	Huile d'olive
10 onces	280 g	boeuf extra maigre haché
4 onces	115 g	porc haché
4 onces	115 g	veau haché
4 onces	115 g	bacon en dés
1	1	gros oignon espagnol en dés fins
2	2	grosses carottes épluchées, en dés fins
2	2	tiges de céleri en dés
1	1	gousse d'ail hachée
½ tasse	125 mL	persil fraîchement haché
¼ tasse	60 mL	concentré de tomate
1 tasse	250 mL	bouillon de boeuf (voir page 85)
1½ tasses	375 mL	vin blanc
1 c. à thé	5 mL	sel
½ c. à thé	3 mL	de chaque: origan, thym, basilic, poivre noir
1	1	feuille de laurier
1 c. à thé	5 mL	sauce Worcestershire
4 tasses	1 L	eau salée
½ quan	0.5	préparation pour la pâte (voir page 426) coupée en spaghetti
⅓ tasse	80 mL	fromage Parmesan râpé

Dans une grande poêle, chauffer l'huile. Frire les viandes à fond,égoutter l'excédent d'huile. Ajouter les légumes et continuer à cuire jusqu'à ce que les légumes soient tendres. Ajouter le persil, la tomate, le bouillon, le vin, l'assaisonnement et le Worcestershire. Réduire la chaleur et faire mijoter pendant 30 minutes. Mettre au rebut la feuille de laurier.

Pendant que la sauce mijote, bouillir l'eau dans un grand pot ou une cocotte. Cuire les spaghetti pendant 9 minutes ou jusqu'à ce qu'ils soient croquants, si l'on utilise la pâte sèche; la moitié du temps pour la pâte fraîche; égouter et placer sur des assiettes. Mettre de la sauce par-dessus, saupoudrer de fromage et servir immédiatement.

DONNE 4 PORTIONS

Cailles en Sauce au Vin

PLATS AUX OEUFS

Des oeufs—au déjeuner, au dîner et au souper. Les oeufs ont pris leur véritable position culinaire et se sont imposés dans les rangs d'une cuisine délicieuse. Bien des cuisiniers qui ont relégué l'oeuf à un endroit d'où il ne sort que pour le déjeuner, ou pour la pâtisserie, l'utilisent de façon très limitée. D'emballantes nouvelles gâteries culinaires créées par des cuisiniers imaginatifs ont transformé l'humble oeuf en un mets sans pareil.

Les oeufs sont offerts aux convives sous les formes les plus extravagantes leur démontrant toutes les possibilités nouvelles et classiques de ce qui avait été gardé dans l'ignominie. Les oeufs ont atteint de nouvelles hauteurs que les plus parfaits soufflés ne pourraient imaginer.

Dans *Tout Simplement Délicieux 2*, nous vous avons donné de nouvelles façons de démontrer à vos convives ce qui vous incite réellement. Ils s'exclameront en louanges tandis qu'ils dégusteront des mets tels que les Oeufs pochés à la bourguignonne ou encore l'Omelette à la jardinière.

Les oeufs ne sont pas difficiles à préparer; cela ne prend que quelques minutes, mais offre à vos convives l'expérience d'une vie. Alors éclatez-vous et faites de votre prochain plat aux oeufs un qui sera *Tout Simplement Délicieux*.

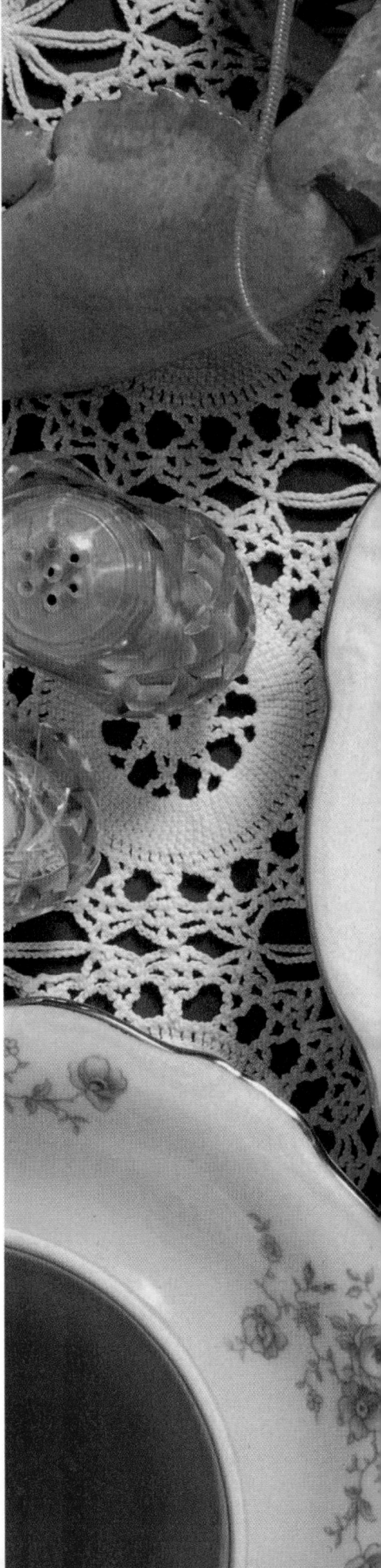

Oeufs Bellay

OEUFS NÉRON

1 livre	450 g	viande de poulet cuite, hachée
¼ tasse	60 mL	oignon vert haché
2 c. à table	30 mL	beurre
½ tasse	125 mL	farine
½ tasse	125 mL	crème épaisse
¼ tasse	60 mL	sherry
1 c. à table	15 mL	persil haché
1 c. à thé	5 mL	cerfeuil haché
7	7	oeufs
¼ tasse	60 mL	lait
1½ tasses	375 mL	chapelure assaisonnée
½ tasse	125 mL	huile de tournesol
2 tasses	500 mL	sauce tomate II chaude (voir page 117)

Mélange oudrer les croquettes avec le restant de farine, tremper dans le lait et les enrober de chapelure.

Faire chauffer l'huile dans une poêle et faire frire les croquettes jusqu'à ce qu'elles soient dorées de chaque côté.

Pendant la cuisson des croquettes, faire pocher les autres oeufs. Place un peu de sauce dans un plat de service, déposer une croquette. Placer l'oeuf sur la croquette et servir.

DONNE 6 PORTIONS

Oeufs Néron

OEUFS DUBARRY

1 tasse	250 mL	chou-fleur finement haché
1½ tasses	375 mL	sauce Mornay chaude (voir page 111)
8	8	oeufs
8- 3"	8- 7.5 cm	fonds de tarte cuits
1 tasse	250 mL	fromage cheddar mi-fort râpé

Faire cuire le chou-fleur à la vapeur jusqu'à ce qu'il soit très tendre.

Incorporer le chou-fleur à la sauce Mornay.

Faire pocher les oeufs. Placer un oeuf dans chaque pâte à tarte et recouvrir de sauce. Parsemer de fromage. Faire griller dans un four préchauffé jusqu'à ce que le fromage ait fondu. Servir très chaud.

DONNE 4 PORTIONS

OEUFS BALTIQUES

8	8	oeufs
8 – 3"	8 – 3"	fonds de tarte cuits
2 c. à table	30 mL	caviar rouge
2 c. à table	30 mL	caviar noir
1½ tasses	375 mL	sauce Mornay chaude (voir page 111)
1 tasse	250 mL	fromage cheddar fort râpé

Faire poché les oeufs, les placer dans un fond de tarte et les parsemer de caviar. Placer les fonds de tarte sur une tôle à biscuits.

Couvrir les oeufs de sauce Mornay et parsemer de fromage. Placer sous l'élément chauffant d'un four préchauffé et faire griller jusqu'à ce que le fromage ait fondu. Servir très chaud.

DONNE 4 PORTIONS

Oeufs Dubarry

Oeufs Bombay

OEUFS DU CHEF K

8 - 3"	8 - 7.5 cm	fonds de tarte cuits
1 tasse	250 mL	queues d'écrevisses cuites ou chair de crevettes
1 tasse	250 mL	fromage cheddar mi-fort râpé
8	8	oeufs
1½ tasses	375 mL	sauce au fromage chaude
2 c. à table	30 mL	caviar rouge
2 c. à table	30 mL	caviar noir

Placer les queues d'écrevisses dans les fonds de tarte. Parsemer de fromage et cuire dans un four préchauffé à 400°F (200°C) pendant 4 à 5 minutes.

Pendant la cuisson des fonds de tarte, faire pocher les oeufs. Placer 1 oeuf dans chaque fond de tarte. Recouvrir de sauce au fromage, parsemer de caviar et servir immédiatement.

DONNE 4 PORTIONS

OMELETTE FERMIÈRE

2	2	oeufs
2 c. à table	30 mL	crème légère
1 c. à table	15 mL	oseille hachée
1 c. à table	15 mL	huile de tournesol
4	4	tranches de bacon coupées en dés
⅓ tasse	80 mL	pommes de terre, bouillies, refroidies et tranchées
⅓ tasse	80 mL	fromage cheddar mi-fort râpé

Battre les oeufs avec la crème et l'oseille.

Faire chauffer l'huile dans une poêle, ajouter le bacon et faire frire jusqu'à ce qu'il soit croustillant. Retirer le bacon et conserver le gras. Faire frire les pommes de terre dans la graisse jusqu'à ce qu'elles soient dorées. Incorporer le mélange aux oeufs en pliant. Parsemer de bacon. Cuire 1 côté jusqu'à ce que l'omelette soit prise et la retourner pour terminer la cuisson.

Parsemer de fromage et faire griller pendant 1 minute sous l'élément chauffant d'un four préchauffé. Servir plat.

DONNE 1 PORTION

OEUFS BOMBAY

RIZ:

2 c. à table	30 mL	beurre
1	1	petit oignon, finement coupé en dés
¼ tasse	60 mL	poivron rouge, coupé en dés fins
¼ tasse	60 mL	poivron vert, coupé en dés fins
½ tasse	125 mL	champignons tranchés
¼ tasse	60 mL	céleri coupé en dés fins
1 c. à thé	5 mL	poudre de curry
1 tasse	250 mL	riz à grain court
3½ tasses	875 mL	bouillon de poulet (voir page 77) ou bouilllon de légumes (voir page 92)

Faire chauffer le beurre dans une grande poêle. Ajouter les légumes et le curry. Faire sauter jusqu'à ce qu'ils soient tendres. Ajouter le riz et le bouillon, couvrir et laisser mijoter jusqu'à ce le riz soit bien cuit.

OEUFS:

1 c. à thé	5 mL	poudre de curry
2 tasse	500 mL	sauce Mornay chaude (voir page 111)
8	8	oeufs

Battre le curry dans la sauce Mornay. Faire pocher les oeufs. Étendre le riz sur un plat de service. Diposer les oeufs sur le riz, les recouvrir de sauce et servir immédiatement.

DONNE 4 PORTIONS

Omelette Fermière

OEUFS DU PASTEUR

6 - 3"	6 - 7.5 cm	fonds de tarte cuits
2 tasses	500 mL	chair de crevettes cuite
6	6	oeufs
1 tasse	250 mL	sauce hollandaise (voir page 114)
1 tasse	250 mL	fromage Havarti râpé

Disposer la chair de crevettes en part égale dans les fonds de tarte.

Faire pocher les oeufs et les disposer sur les oeufs. Recouvrir de sauce et parsemer de fromage. Placer sur une tôle à biscuits. Placer sous l'élément chauffant du four et faire griller jusqu'à ce que le dessus soit doré. Servir chaud.

DONNE 6 PORTIONS

OMELETTE AUX FINES HERBES ET AU FROMAGE

3	3	oeufs
3 c. à table	45 mL	crème légère
¼ c. à thé	1 mL	de chaque: ciboulettes cerfeuil, basilic, persil
⅛ c. à thé	pincée	sel et poivre
1 c. à thé	5 mL	beurre
¼ tasse	60 mL	fromage cheddat mi-fort râpé

Battre les oeufs avec la crème et les épices.

Faire chauffer le beurre dans une poêle. Verser le mélange aux oeufs et le faire cuire jusqu'à ce qu'il soit pris. Retourner et parsemer de fromage. Placer sous l'élément chauffant du four et cuire jusqu'à ce que le fromage ait fondu. Plier en deux. Mettre dans un plat de service et servir très chaud.

DONNE 1 PORTION

OEUFS DU BOUCHER

1½ livres	675 g	filet de boeuf
1 tc. à thé	5 mL	de chaque: sel, sucre, basilic, origan, thym, poudre de chili
½ c. à thé	3 mL	de chaque: poudre d'oignon, poudre d'ail, paprika, graines de coriandre
¼ c. à thé	1 mL	de chaque: poivre blanc, poivre noir, cayenne
3 c. à table	45 mL	huile d'olive extra vierge
½ tasse	125 mL	champignons tranchés
1 c. à table	15 mL	beurre
½ tasse	125 mL	chopped green onions
1 tasse	250 mL	demi-glace (see page 123)
¼ tasse	60 mL	sherry
⅓ tasse	80 mL	crème épaisse
12	12	oeufs

Trancher les filets de boeuf en lanières.

Mélanger ensembles les herbes et les épices et parsemer la viande. Faire chauffer l'huile à haute intensité et faire rapidement cuire le boeuf. Retirer du feu et conserver au chaud.

Ajouter les champignons et le beurre dans la poêle et faire sauter jusqu'à ce qu'ils soient tendres. Ajouter les oignons, la sauce demi-glace, le sherry et la crème. Réduire le feu et laisser mijoter pendant 5 minutes.

Pendant que la sauce mijote, pocher les oeufs. Placer les filets de boeufs sur des assiettes de service et disposer un oeuf sur le dessus. Recouvrir de sauce et servir très chaud.

DONNE 6 PORTIONS

Omelette aux fines herbes & au fromage

Oeufs du Boucher

Oeufs Pochés à la Hollandaise

OEUFS BROUILLÉS DE L'ARCHIDUCHESSE

POMMES DE TERRE:

2 tasses	500 mL	purée de pommes de terre chaude
3 c. à table	45 mL	crème légère
¼ c. à thé	1 mL	paprika
¼ tasse	60 mL	fromage Parmesan fraîchement râpé

Mélanger les pommes de terre avec la crème, le paprika et le fromage, et disposer le mélange sur les rebords d'un plat allant au four.

OEUFS:

3 c. à table	45 mL	beurre
1 tasse	250 mL	jambon coupé en dés
1 tasse	250 mL	champignons tranchés
9	9	oeufs
½ tasse	125 mL	crème
¼ c. à thé	1 mL	paprika
½ c. à thé	3 mL	sel
⅛ c. à thé	pincée	poivre

Faire chauffer le beurre dans une poêle. Ajouter le jambon et les champignons et faire sauter pendant 3 minutes. Battre les oeufs avec la crème et les épices. Mettre dans la poêle et faire sauter tout en mêlant les oeufs. Placer les oeufs dans le plat au centre du mélange de pommes de terre.

SAUCE:

½ c. à thé	3 mL	paprika
2 tasses	500 mL	sauce Mornay chaude (voir page 111)
2 tasses	500 mL	pointes d'asperges blanchies

Incorporer le paprika à la sauce Mornay. Verser sur les oeufs. Parsemer de pointes d'asperges et cuire dans un four préchauffé à 500°F (250°C) pendant 3 à 4 minutes.

DONNE 4 PORTIONS

Oeufs Pochés à la Bourguignonne

OEUFS POCHÉS À LA HOLLANDAISE

8	8	tranches de pain
3 c. à table	45 mL	beurre
6 onces	170 g	saumon fumé
8	8	oeufs
1½ tasses	375 mL	sauce hollandaise (see page 114)
1 tasse	250 mL	chair de crevettes cuite
1	1	petit oignon rouge tranché
1 c. à table	15 mL	câpres

Retirer la croûte du pain et le couper en ronds. Faire chauffer le beurre dans une poêle et faire frire le pain jusqu'à ce qu'il soit doré de chaque côté.

Placer 1 once (30 g) saumon finement tranché sur chaque crouton. Faire pocher les oeufs et les déposer sur le saumon.

Recouvrir de la sauce hollandaise. Parsemer de crevettes, de ronds d'oignon et de câpres. Servir immédiatement.

DONNE 4 PORTIONS

OEUFS POCHES À LA BOURGUIGNONNE

4	4	tranches de pain
4 c. à table	60 mL	beurre
8	8	oeufs
2 tasses	500 mL	vin blanc doux
4 c. à thé	20 mL	farine
1 tasse	250 mL	demi-glace chaude (voir page 123)

Retirer la croûte des tranches de pain. Faire chauffer 2 c. à table (30 mL) de beurre dans un poêle et faire frire le pain jusqu'à ce qu'il soit doré de chaque côté.

Amener le vin à ébuillition dans une casserole. Faire pocher les oeufs dans le vin. Placer 2 oeufs sur chaque crouton et conserver au chaud. Égoutter le vin.

Faire chauffer le restant de beurre et ajouter la farine. Cuire pendant 2 minutes à feu doux. Ajouter 1 tasse (250 ml) de vin; laisser mijoter pendant 2 minutes. Incorporer la sauce demi-glace en brassant; laisser mijoter jusqu'à ce que la sauce s'épaississe.

Verser la sauce sur les oeufs et servir très chaud.

DONNE 4 PORTIONS

OEUFS BELLAY

8	8	oeufs
2 tasses	500 mL	sauce Mornay chaude (voir page 111)
2 c. à table	30 mL	beurre
1 tasse	250 mL	fromage cheddar fort râpé
1 tasse	250 ml	chair de homard coupée en dés fins
1 tasse	250 mL	champignons finement hachés
¼ tasse	60 mL	Parmesan fraîchement râpé

Cuire les oeufs durs.

Mélanger la sauce Mornay avec le fromage cheddar.

Faire sauter le homard et les champignons dans le beurre.

Couper les oeufs en deux dans le sens de la longueur. Retirer le jaunes d'oeufs et les mélanger avec ½ tasse (125 mL) de sauce au fromage. Ajouter le homard et les champignons. Farcir les oeufs.

Placer dans un plat de service allant au four et recouvrir du restant de sauce au fromage. Parsemer de fromage Parmesan. Faire griller dans un four préchauffé pendant 1 minute. Servir très chaud.

DONNE 4 PORTIONS

OEUFS BROUILLÉS À L' ITALIENNE

RIZ:

3 c. à table	45 ml	beurre
2 onces	60 g	prosciutto coupé en julienne
2 onces	60 g	jambon coupé en julienne
½ tasse	125 mL	champignons tranchés
½	0.5	poivron rouge coupé en dés fins
½	0.5	poivron vert coupé en dés fins
1	1	oignon vert coupé en dés fins
1	1	céleri coupé en dés fins
1¼ tasses	310 mL	riz à grain long
1 tasse	250 mL	vin blanc
4 tasses	1 L	bouillon de poulet (voir page 77)
1 tasse	250 mL	sauce tomate II (voir page 117)
½ tasse	125 mL	fromage Romano fraîchement râpé

Dans une casserole, faire chauffer le beurre et ajouter le prosciutto, le jambon et les légumes. Faire sauter jusqu'à ce que les légumes soient tendres. Ajouter le riz, le vin et le bouillon de poulet. Couvrir et laisser mijoter jusqu'à ce que le riz ait absorbé le liquide.

Retirer de feu, incorporer la sauce tomate et le fromage. Disposer le riz en forme de nid dans un plat allant au four.

OEUFS:

9	9	oeufs
½ tasse	125 mL	crème légère
3 c. à table	45 mL	beurre
1 tasse	250 mL	mozzarella râpé
1 tasse	250 mL	fromage cheddar fort râpé

Battre les oeufs avec la crème. Faire chauffer le beurre dans une poêle et bien faire cuire les oeufs. Placer les oeufs à l'inteerieur du nid de risotto. Parsemer de fromage. Griller dans un four préchauffé jusqu'à ce que le fromage ait fondu. Servir très chaud.

DONNE 4 PORTIONS

Oeufs Bellay

OMELETTE JARDINIÈRE

1 c. à table	15 mL	carotte blanchie coupé en julienne
1 c. à table	15 mL	poivron rouge coupé en julienne
1 c. à table	15 mL	céleri coupé en julienne
1 c. à table	15 mL	champignon tranché
2 tsp	10 mL	oignon vert haché
2 c. à table	30 mL	beurre
2 c. à thé	10 mL	farine
½ tasse	125 mL	crème légère
¼ c. à thé	1 mL	feuilles de basilic
¼ c. à thé	1 mL	sel
⅛ c. à thé	pincée	poivre
2 c. à table	30 mL	fromage Parmesan fraîchement râpé
2	2	oeufs

Faire sauter les légumes dans 1 c. à table (15 mL) de beurre. Saupoudrer de farine et cuire pendant 2 minutes à feu doux. Incorporer la crème sauf 2 c. à table (30 mL). Ajouter les épices et le fromage et laisser mijoter jusqu'à l'obtention d'une sauce épaisse.

Incorporer le restant de crème aux oeufs.

Faire chauffer le restant de beurre dans une poêle. Faire frire les oeufs jusqu'à ce qu'ils soient pris. Retourner et couvrir de la moitié de la sauce. Plier l'omelette en deux. Mettre dans un plat de service. Recouvrir du restant de sauce et servir.

DONNE 1 PORTION

Oeufs Mercedes

OEUFS MERCEDES

6	6	petits pains ovales
1 tasse	250 mL	tomates pelées, épépinées et hachées
2 c. à table	30 mL	ciboulette hachée
1 c. à table	15 mL	huile de tournesol
8	8	oeufs
⅓ tasse	80 mL	crème légère
3 c. à table	45 mL	beurre
¼ c. à thé	1 mL	sel
⅛ c. à thé	pincée	poivre
1½ tasses	375 mL	sauce tomate II chaude (voir page 117)
1 tasse	250 mL	fromage cheddar mi-fort râpé

Couper le dessus des pains et retirer la mie.

Mélanger ensemble les tomates et la ciboulette.

Faire chauffer l'huile dans une poêle et cuire les tomates jusqu'à ce que le liquide se soit évaporé. Diviser les tomates entre les petits pains.

Battre ensemble les oeufs et la crème. Faire chauffer le beurre dans une poêle et bien faire cuire les oeufs. Remplir les petits pains avec les oeufs. Assaisonner de sel et de poivre. Couvrir de sauce tomate et de fromage; disposer sur une tôle à biscuits. Griller dans un four préchauffé jusqu'à ce que le fromage ait fondu. Servir très chaud.

DONNE 6 PORTIONS

OEUFS DE L'AMIRAL

3 c. à table	45 mL	beurre
3 onces	85 g	champignons
4 c. à thé	20 mL	farine
1 tasse	250 mL	crème légère
¼ tasse	60 mL	sherry
2	2	oignons verts hachés
½ livre	225 g	chair de homard cuite coupée en dés
8	8	oeufs
4	4	muffins anglais
1 c. à table	15 mL	cilantro haché

Faire chauffer le beurre dans une petite casserole. Faire sauter les champignons jusqu'à ce qu'ils soient bien cuits. Saupoudrer de farine et cuire pendant 2 minutes à feu doux. Incorporer la crème et le sherry; laisser mijoter jusqu'à ce que la sauce s'épaississe.

Ajouter les oignons verts et le homard et poursuivre la cuisson pendant 5 autres minutes.

Pendant que la sauce est en train de mijoter, faire pocher les oeufs et rôtir les muffins. Placer les muffins sur un plat de service, placer un oeuf poché sur chaque moitié de muffin et recouvrir de sauce.

Parsemer de cilantro et servir.

DONNE 4 PORTIONS

OEUFS JASON GRAHAM

5	5	oeufs
2 c. à table	30 mL	beurre
½ tasse	125 mL	farine
½ tasse	125 mL	crème légère
½ tasse	125 mL	chair de crevettes cuite
½ c. à thé	3 mL	cerfeuil
¼ c. à thé	1 mL	sel
⅛ c. à thé	pincée	poivre
¼ tasse	60 mL	lait
1½ tasses	375 mL	chapelure assaisonnée
2 tasses	500 mL	huile de tournesol

Faire bouillir quatre oeufs jusqu'à ce qu'ils soient durs. Laisser refroidir et les couper dans le sens de la longueur.

Faire chauffer le beurre dans une casserole, ajouter 2 c. à table (30 mL) de farine et cuire pendant 2 minutes à feu doux. Ajouter la crème, les crevettes et les épices et laisser mijoter jusqu'à ce que la sauce soit très épaisse. Laisser refroidir à la température de la pièce.

Mélanger les jaunes d'oeufs dans la sauce. Farcir les oeufs de la sauce aux crevettes.

Mélanger les autres oeufs avec le lait. Saupoudrer les oeufs du restant de farine, les tremper dans le lait et les enrober de chapelure assaisonnée.

Faire chauffer l'huile à 375°F (190°C). Faire frire les oeufs pendant 3 à 4 minutes ou jusqu'à ce qu'ils soient dorés. Servir très chaud.

DONNE 4 PORTIONS

Oeufs Jason Graham

Oeufs de l'Amiral

SPÉCIALITÉS DU CHEF K

Dans le dernier restaurant où j'ai opéré, nous avions une fois par mois un souper à cinq services, qui était toujours réservé au complet trois mois d'avance. La raison en était de délicieux plaisirs gastronomiques créateurs qu'on ne pouvait trouver nulle part ailleurs que là. Les prix ne soulevaient pas d'objections et le plaisir n'était jamais limité.

Dans ce chapitre vous et vos invités pourrez goûter des meilleures présentations les plus créatrices au grand plaisir de votre palais. Ces plats ont été créés en l'honneur de personnes bien respectées ou en l'honneur du plat lui-même. De toute manière l'honneur est le principal ingrédient de chaque recette.

Plusieurs de ces mets incluent l'utilisation de fruits frais qui réjouissent le coeur, plaisent au palais et ravissent les yeux - en d'autres termes, accomplissent tout ce qui a trait au goût.

Vous trouverez il est vrai des fruits de mer, de l'agneau, du boeuf et du porc, mais vos découvertes iront bien plus loin. En offrant à vos invités des plats exquis comme le " Poulet Kenneth et Gloria " ou les " Crevettes tigres Peri-Peri " vous causerez chez vos invités une telle révolution de leur palais qu'ils ne voudront peut-être jamais quitter votre demeure.

Les recettes de ce chapitre ne sont pas pour le cuisinier ordinaire, et ce sont des recettes qui plairont le plus à vos invités. Quand il s'agit d'une occasion toute spéciale, ce sont les recettes qui font les délices de chacun.

Oubliez les repas pris à l'extérieur - restez chez vous et régalez vous avec des délices de gourmet, qui n'ont pas de pairs!

$\mathcal{J}$OURNEDOS ĔPIMĔLĔIA

8 – 4 onces	8 – 115 g	filets
½ c. à thé	3 mL	de chaque: feuilles d'origan, feuilles de thym, feuilles de basilic, poivre de cayenne, poivre noir, poudre d'oignon, poudre d'ail
1 c.à thé	5 mL	de chaque: paprika, sel, poudre chili
5 c.à table	75 mL	beurre
½ tasse	125 mL	champignons en dés
½ tasse	125 mL	oignon verts
1 tasse	250 mL	tomates séchées re-hydratées
1½ tasses	375 mL	demi-glace (voir page 123)
½ tasse	125 mL	sherry
¼ tasse	60 mL	crème épaisse
2 tasses	500 mL	queues d'écrevisses cuites
8	8	biscottes de pain

Retirer des filets la peau bleue et la graisse. Mélanger l'assaisonnement et le frotter sur les filets.

Chauffer 3 cuillères à table (45 mL) de beurre dans une grande poêle et faire sauter les filets jusqu'ils soient tendres comme voulu; mettre en réserve au chaud.

Pendant que les filets cuisent, fondre le beurre dans une casserole; faire sauter les champignons, les oignons verts et les tomates.

Ajouter le demi-glace et le sherry. Réduire la chaleur et faire mijoter jusqu'à la moitié du volume. Ajouter la crème et les queues d'écrevisses; Faire mijoter 5 minutes de plus.

Placer les filets sur les biscottes, recouvrir de sauce et servir.

DONNE 4 PORTIONS

JOURNEDOS SHERWOOD

8 – 4 onces	8 – 115 g	filets de boeuf ou de porc
½ c. à thé	3 mL	de chaque: feuilles d'origan, feuilles de thym, feuilles de basilic, poivre de cayenne poivre noir, poudre d'oignon , poudre d'ail, sel
5 c. à table	75 mL	beurre
1 tasse	250 mL	coeurs d'artichauts blanchis, en dés
½ tasse	125 mL	oignon verts
1 tasse	250 mL	tomates séchées re-hydratées
1½ tasses	375 mL	demi-glace (voir page 123)
½ tasse	125 mL	sherry
¼ tasse	60 mL	crème épaisse
2 tasses	500 mL	poivrons rouges blanchis, coupés en julienne
8	8	biscottes de pain

Retirer la peau bleue et le gras des filets. Mélanger les assaisonnements et les frotter sur les filets.

Chauffer 3 cuillères à table (45 mL) de beurre dans une grande poêle et faire sauter les filets jusqu'à ce qu'ils soient de la tendreté voulue. Mettre de côté au chaud.

Pendant que les filets cuisent, fondre le beurre dans une casserole; faire sauter les artichauts, les oignons verts et les tomates.

Ajouter la sauce demi-glace et le sherry. Réduire la chaleur et faire mijoter les sauces à la moitié de leur volume. Ajouter la crème et les poivrons. Faire mijoter 5 minutes de plus.

Placer les filets sur les biscottes, recouvrir de sauce et servir.

DONNE 4 PORTIONS

ESCALOPE DE VEAU AU SAUMON FUMÉ

6 – 3 onces	6 – 90 g	Côtelettes de veau
12 onces	340 g	saumon fumé
6 onces	170 g	fromage Camembert
1	1	oeuf
¼ tasse	60 mL	lait
⅓ tasse	80 mL	farine tout usage, assaisonnée
1½ tasses	375 mL	chapelure de pain sec
1½ tasses	375 mL	huile de tournesol
1½ tasses	375 mL	sauce Mornay (voir page 111)

Préchauffer le four à 350°F (180°C).

Bien aplatir les côtelettes .Les recouvrir de saumon et de fromage, plier et rouler pour enfermer la farce. Refroidir dans le réfrigérateur pendant une heure.

Mélanger l'oeuf avec le lait. Saupoudrer de farine, Plonger dans l'oeuf et rouler dans la chapelure.

Chauffer l'huile à 375°F (190°C); frire les côtelettes jusqu'à ce qu'elles soient dorées. Placer sur une tôle à four et cuire dans le four pendant 15-20 minutes.

Placer les côtelettes sur des assiettes et verser la sauce Mornay par-dessus. Servir.

DONNE 6 PORTIONS

ƑILETS GRILLÉS DE VIVANEAU

1	1	de chaque: poivron rouge, vert, jaune
6 – 6 onces	6 – 170 g	filets de vivaneau
1	1	gousse d'ail hachée
2 cuillères à thé	10 mL	racine de gingembre hachée
¼ tasse	60 mL	sherry
¼ tasse	60 mL	sauce soya
1 c. à table	15 mL	sauce Worcestershire
½ c.à thé	3 mL	cinq épices chinoises
2 c. à table	30 mL	sucre brun
1 c. à thé	5 mL	fécule de maïs
1 c. à table	15 mL	eau froide
2 cuillères à table	30 mL	huile de tournesol
4 once	115 g	champignons huîtres
8 once	225 g	grosses crevettes décortiquées déveinées

Placer les poivrons sur une tôle à four et rôtir dans un four préchauffé à 400°F (200°C) jusqu'à ce que la peau se boursoufle. Retirer du four, placer dans un sac en papier et laisser échapper la vapeur pendant 20 minutes.

Retirer du sac et enlever la peau. Couper en quartiers, retirer les graines et trancher des bandes en julienne.

Placer les filets de vivaneau dans une casserole peu profonde. Mélanger l'ail, le gingembre, le sherry, le soya, le Worcestershire et les cinq épices. Verser sur le poisson et mariner pendant 30 minutes.

Retirer le poisson et verser la marinade dans une petite casserole avec le sucre brun; chauffer jusqu'à ébullition. Combiner la fécule de maïs avec l'eau et faire mijoter jusqu'à épaississement.

Brosser les filets avec de l'huile et griller sur charbon à feu moyen pendant 10 minutes, en brossant fréquemment avec la sauce.

Pendant que les filets grillent, chauffer l'huile et le beurre dans une grande poêle; faire sauter les champignons et les crevettes jusqu'à ce que les crevettes soient juste cuites. Ajouter les poivrons et continuer à faire sauter pendant 3 minutes.

Brosser les filets une dernière fois et placer sur des assiettes. Mettre le sauté par-dessus et servir immédiatement.

DONNE 6 PORTIONS

FILET DE PORC ASKENCHUCK

½ quantité	0.5	pâte feuilletée (voir page 689)
4 – 4 onces	4 – 115 g	filets de porc
2 c.à table	30 mL	beurre
1 tasse	250 mL	champignons tranchés finement
1 tasse	250 mL	queues d'écrevisses cuites
6 onces	170 g	fromage Camembert
1¼ tasses	310 mL	cerises "Bing" – fraîches ou en conserve
¼ tasse	60 mL	brandy aux cerises
3 c. à table	45 mL	jus de cerise ou jus de pomme
1 c. à table	15 mL	jus de citron
2 c. à table	30 mL	sucre cristallisé

Rouler la pâte feuilletée en épais carrés de ¼" (6 mm). Couper en 4 morceaux égaux.

Retirer toute graisse ou peau bleue des filets.

Chauffer la moité du beurre dans une poêle et dessécher le porc. Ajouter le reste du beurre et les champignons; faire sauter jusqu'à ce que le liquide se soit évaporé.

Disposer en couches le porc, les champignons les queues d'eecrevisses et le fromage sur la pâte feuilletée. Rouler et plier pour enfermer la farce. Pincer les bords pour sceller la farce. Cuire dans un four préchauffé à 375°F (190°C) pendant 35-40 minutes ou jusqu'à obtenir une couleur brun doré.

Pendant que le porc cuit, cuire les cerises dans l'eau de vie de cerises à feu doux jusqu'à ce qu'elles soient très tendres.

Ajouter le jus de cerises, le jus de citron et le sucre. Faire mijoter jusqu'à épaississement.

Placer le porc sur des assiettes et recouvrir de sauce.

DONNE 4 PORTIONS

AIGUILLETTE DE VOLAILLE NOUVEAU

6 – 6 onces	6 – 170 g	ailes de poulet
1 tasse	250 mL	queues d'écrevisses cuites
6 onces	170 g	fromage Camembert
½ c. à thé	3 mL	de chaque: feuilles d'origan, feuilles de thym, feuilles de basilic, poivre de cayenne, poivre noir, poudre d'oignon, poudre d'ail, sel, paprika
2 tasses	500 mL	chapelure fine de pain sec
½ tasse	125 mL	lait
1	1	oeuf
¾ tasses	180 mL	farine tout usage
3 c. à table	45 mL	huile d'olive
1 tasse	250 mL	abricots secs
1 tasse	250 mL	eau
2 c. à table	30 mL	sucre cristallisé
1 c. à thé	5 mL	fécule de maïs
1 c. à table	15 mL	jus de citron
¼ tasse	60 mL	jus de pomme
¾ tasse	180 mL	crème à fouetter
1 tasse	250 mL	figues fraîches hachées
1 c. à table	15 mL	estragon frais haché

Bien aplatir les poitrines de poulet, mettre par-dessus les queues d'écrevisse et 1 once (30 mL) de fromage. Plier et rouler pour enfermer la farce. Réfrigérer pendant une heure.

Mélanger l'assaisonnement avec la chapelure de pain. Combiner le lait et les oeufs. Saupoudrer le poulet de farine, le plonger dans le lait et le rouler dans la chapelure.

Placer sur une tôle à four et brosser avec de l'huile. Cuire dans four préchauffé à 350°F (180°C) pendant 25-30 minutes.

Dans une casserole bouillir les abricots dans l'eau pendant 5 minutes. Transférer les abricots dans un robot culinaire et en faire une purée. Réserver l'eau. Incorporer le sucre à l'eau. Mélanger la fécule de maïs et le jus de citron, ajouter l'eau et faire mijoter jusqu'à épaississement. Verser sur les abricots et mélanger.

Retourner à la casserole et y incorporer le jus de pommes. Chauffer mais ne pas bouillir. Ajouter la crème, les figues et l'estragon; faire mijoter doucement pendant 10 minutes.

Placer les côtelettes sur des assiettes, couvrir de sauce et servir.

DONNE 6 PORTIONS

$\mathcal{P}$OULET LEDGISTER

6 – 6 onces	6 – 170 g	poitrines de poulet sans os,avec la peau
½ tasse	125 mL	sections d'orange
6 onces	170 g	fromage de brie sans croûte
5 c. à table	75 mL	beurre
1 tasse	250 mL	champignons finement tranchés
3 c. à table	45 mL	farine tout usage
½ tasse	125 mL	jus d'orange
½ tasse	125 mL	bouillon de légumes (voir page 77)
½ t asse	125 mL	crème à fouetter
4 c. à table	60 mL	compote de Jalapeño (voir page 701)
¼ tasse	60 mL	miel liquide

Bien aplatir les poitrines de poulet. Étendre les poitrines sur une surface plate, le côté de la peau en-dessous. Mettre des couches de sections d'orange et de fromage. Envelopper et rouler les poitrines pour enfermer la farce.

Faire fondre 2 cuillères à table (30 mL) de beurre et brosser sur le poulet. Cuire dans un four préchauffé à 350°F (180°C) pendant 20 minutes, ou jusqu'à complète cuisson.

Pendant que le poulet cuit, chauffer le reste du beurre dans une casserole. Ajouter les champignons et faire sauter jusqu'à ce qu'ils soient tendres. Incorporer la farine et cuire à feu doux pendant 2 minutes.

Ajouter le jus d'orange et le bouillon de poulet. Faire mijoter pendant 10 minutes. Incorporer la crème, la compote et le miel. Continuer à faire mijoter pendant 10 minutes de plus.

Retirer le poulet du four, le placer sur des assiettes et recouvrir de sauce.

DONNE 6 PORTIONS

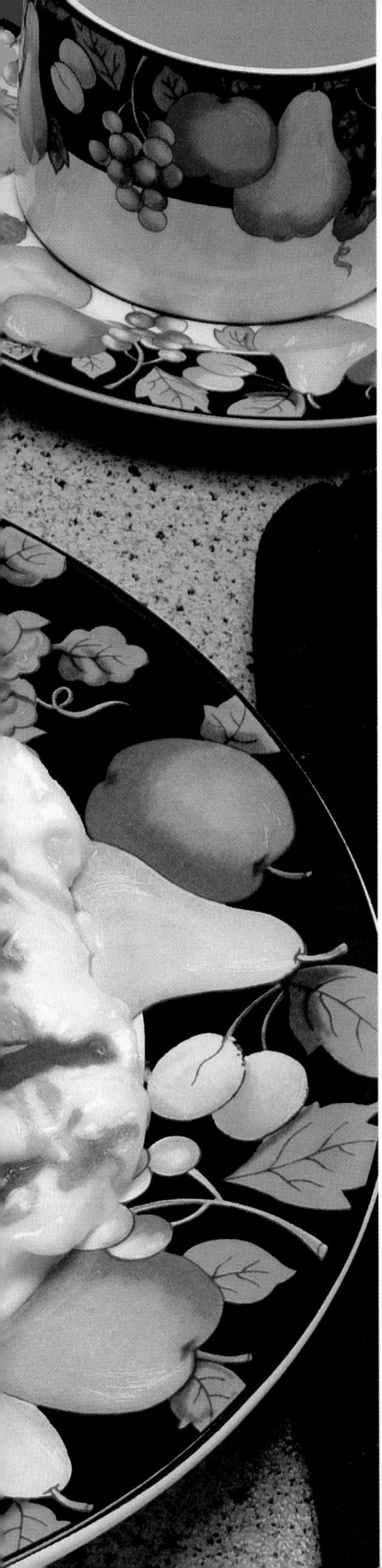

FILET DE PORC PECHÂH

1 livre	450 g	filet de porc
¼ tasse	60 mL	confiture de framboises
3 cuillères à table	45 mL	poivre noir concassé
6 cuillères à table	90 mL	beurre
4	4	pommes à cuire pelées, tranchées
3 c. à table	45 mL	farine tout usage
4 c. à table	60 mL	sucre granulé
¾ tasse	180 mL	jus de pommes
¾ tasse	180 mL	crème à fouetter

Retirer du filet toute peau bleue et toute graisse. Étendre la confiture sur le filet, puis y rouler le poivre concassé. Le placer sur une tôle à four recouverte d'un papier ciré beurré. Fondre 2 cuillèrées à table (30 mL) de beurre et en brosser le filet. Cuire dans un four préchauffé à 350°F (180°C) pendant 20 minutes.

Pendant que le filet cuit, chauffer le reste du beurre dans une casserole. Ajouter la pomme et faire sauter jusqu'à ce soit tendre. Parsemer de farine et cuire pendant 2 minutes à feu doux. Ajouter le sucre et le jus de pommes; Faire mijoter jusqu'à épaisseur. Incorporer la crème et faire mijoter pendant 5 minutes.

Retirer le filet du four et découper. Verser la sauce sur les assiettes, recouvrir de tranches de filets et servir.

DONNE 4 PORTIONS

FILETS DE BEUF EN SAUCE ARUGULA AUX POIVRONS GRILLÉS

1	1	de chaque: poivron rouge, vert, jaune
6 – 6 onces	6 – 170 g	filets
½ c. à thé	3 mL	de chaque: feuilles d'origan, feuilles de thym, feuilles de basili, poivre de cayenne, poivre noir, poudre d'oignon poudre d'ail
1 c. à thé	5 mL	de chaque: paprika, sel, poudre de chili
3 c. à table	45 mL	beurre
1½ tasses	375 mL	champignons finement tranchés
1	1	gousse d'ail hachée
1½ tasses	375 mL	demi-glace (voir page 123)
¾ tasse	180 mL	crème à fouetter
3 c. à table	45 mL	concentré de tomates
2	2	bottes d'aragula haché
½ c. à thé	3 mL	poivre noir concassé

Placer les poivrons sur une plaque à four et les rôtir dans un four préchauffé à 400°F (200°C) jusqu'à ce que la peau se boursoufle. Retirer du four, placer dans un sac en papier pour laisser la vapeur s'échapper pendant 20 minutes.

Retirer du sac et enlever la peau. Couper en quartiers, retirer les graines et couper les quartiers en bandes julienne

Retirer toute graisse des filets. Mélanger les assaisonnements et les frotter sur le boeuf. Griller le boeuf selon le degré de cuisson désiré.

Pendant que les steaks grillent, chauffer le beurre dans une petit casserole et faire sauter les champignons avec l'ail. Ajouter le demi-glace, réduire la chaleur et faire mijoter pendant 15 minutes. Incorporer la crème et le concentré de tomates; faire mijoter pendant 5 minutes. Ajouter le arugula, le poivre, et les poivrons; continuer à faire mijoter pendant 10 minutes.

Mettre les steaks sur un plat et recouvrir de sauce. Servir.

DONNE 6 PORTIONS

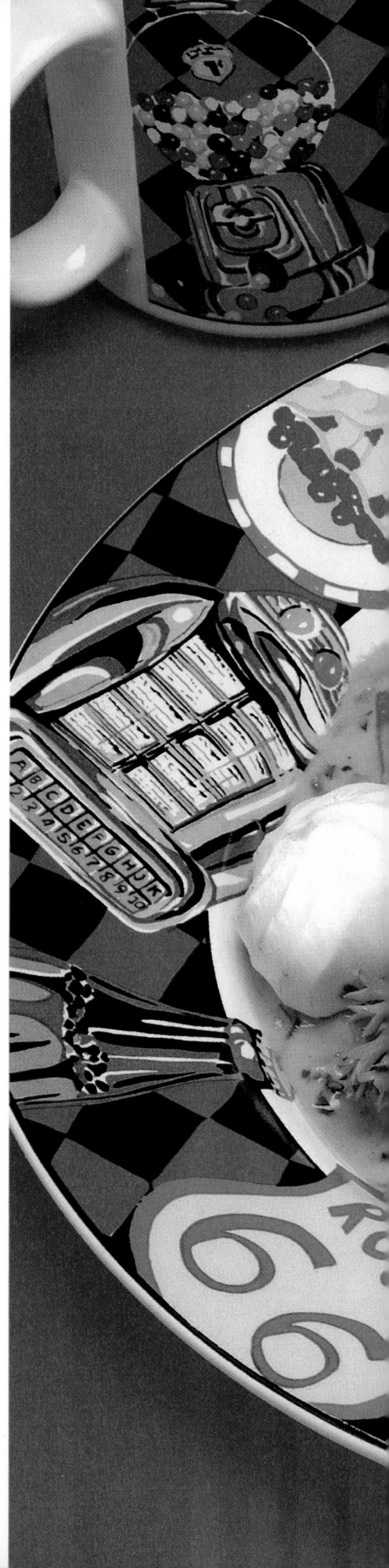

CREVETTES TIGRES PERI-PERI

1 tasse	250 mL	pommes pelées, en tranches
3 c. à table	45 mL	farinetout usage
2 c. à thé	10 mL	poudre de cari
½ tasse	125 mL	jus de pommes
½ tasse	125 mL	bouillon de poulet (voirpage 77)
½ tasse	125 mL	crème épaisse
3 c. à table	5 mL	compote de jalapeño (voir page 701)
16	16	crevettes-" tigres"
5 c. à table	75 mL	beurre
½ c. à thé	3 mL	paprika

Chauffer 3 cuillères à thé (45 mL) de beurre dans une casserole et faire sauter les pommes jusqu'à ce qu'elles soient ramollies. Saupoudrer de farine et de cari et continuer à cuire pendant 2 minutes à feu doux.

Ajouter le jus de pommes et le bouillon de poulet et faire mijoter pendant 10 minutes. Ajouter la crème et la compote et faire mijoter 10 minutes de plus.

Pendant que la sauce mijote, décortiquer en enlevant la veine et aplatir en papillon les crevettes tigres. Fondre 2 cuillerées à table (30 mL) de beurre, 350°F (180°C) 10 minutes ou jusqu'à cuisson complète .

Répandre de la sauce sur les assiettes et faire flotter les crevettes au-dessus. Servir immédiatement.

DONNE 4 PORTIONS

CÔTELETTES NICK KALENIUK

6 – 4 onces	6 – 115 g	côtelettes de veau
6 onces	170 g	fromage de brie sans croûte
6 onces	170 g	chair de homard
18	18	raisins verts sans pépin
1	1	oeuf
¼ tasse	60 mL	lait
¼ tasse	60 mL	farine tout usage
1½ tasses	375 mL	chapelure assaisonnée
2 tasses	500 mL	huile de tournesol
12	12	abricots pelés, écrasés,
½ tasse	125 mL	eau
1 c. à table	15 mL	beurre
¼ tasse	60 mL	poivron rouge en dés fins
1	1	gousse d'ail hachée
¼ tasse	60 mL	sucre brun
1 c. à thé	5 mL	moutarde de Dijon
1 c. à thé	5 mL	paprika

Aplatir très finement les côtelettes, placer par-dessus 1 once (30 g) de fromage, 1 once (30 g) de chair de homard et 3 raisins. Plier et rouler la viande pour enrober la farce. Placer sur une plaque de cuisson et réfrigérer pendant 1 heure.

Mélanger les oeufs au lait.

Rouler le veau dans la farine. Le plonger dans le lait et le rouler dans la chapelure de pain. Chauffer l'huile et brunir les rouleaux de tous côtés.

Cuire dans un four préchauffé à 350°F (180°C) pendant 20 minutes.

Pendant la cuisson des côtelettes, couper les abricots en deux et les placer dans une casserole. Ajouter l'eau et faire mijoter jusqu'à ce que les abricots deviennent tendres. Placer dans un robot culinaire et en faire une purée.

Chauffer le beurre dans une casserole et faire sauter le poivron rouge et l'ail. Incorporer la purée, le sucre brun, la moutarde et le paprika; Faire mijoter pendant 5 minutes.

Servir à la louche la sauce sur des assiettes et recouvrir avec le veau. Servir immédiatement.

DONNE 6 PORTIONS

$\mathcal{P}$ÉTONCLES A LA PROVENÇALE

½ c. à thé	3 mL	de chaque: feuilles d'origan, feuilles de thym, feuilles de basilic, poivre de cayenne, poivre noir, poudre d'oignon poudre d'ail
1 c. à thé	5 mL	de chaque: paprika, sel, poudre chili
3 c. à table	45 mL	beurre
3	3	gousses d'ail hachées
1	1	gros oignon haché
1	1	poivron rouge en dés fins
1	1	poivron vert en dés fins
6	6	grosses tomates pelées, épépinées, hachées
1 tasse	250 mL	demi-glace (voir page 123)
½ tasse	125 mL	crème à fouetter
1½ tasses	375 mL	farine tout usage
¾ tasse	180 mL	lait
1½ livres	675 g	gros pétoncles marins
¼ tasse	60 mL	huile d'olive

Mélanger l'assaisonnement dans un bol.

Chauffer le beurre dans une casserole. ajouter l'ail, l'oignon, et les poivrons et faire sauter jusqu'à ce qu'ils soient tendres. Incorporer la moitié de l'assaisonnement et le demi-glace; continuer à faire mijoter pendant 20 minutes. Ajouter la crème et faire mijoter pendant 5 minutes de plus.

Combiner le reste des ingrédients avec la farine. Plonger les pétoncles dans le lait et les saupoudrer de farine. Chauffer dans une grande poêle et frire les pétoncles jusqu'à ce qu'ilss soient dorés. Placer sur des assiettes, recouvrir de sauce et servir.

DONNE 6 PORTIONS

$\mathcal{C}$OTELETTES DE VEAU AU CHOCOLAT BLANC ET AU BROMAGE BLEU

6-8 onces	6-225 g	côtelettes de veau
½ c. à thé	3 mL	de chaque: sel, poivre, paprika, origan, thym, basilic, cerfeuil
1½ tasses	375 mL	chapelure de pain sec
2	2	oeufs
⅓ tasse	90 mL	lait
½ tasse	125 mL	farine tout usage
3 c. à table	45 mL	huile d'olive
4 c. à table	60 mL	beurre
½ tasse	125 mL	champignons tranchés
1	1	petit oignon en dés fins
¾ tasse	180 mL	bouillon de poulet (voir page 77)
¾ tasse	180 mL	crème légère
2 onces	60 g	chocolat blanc râpé
3 onces	90 g	fromage bleu émietté
¼ tasse	60 mL	de chaque: poivron rouge, vert, jaune, coupé en julienne

Laver et sécher les côtelettes de veau.

Mélanger les assaisonnements avec la farine. Battre les oeufs dans le lait. Saupoudrer les côtelettes d'¼ tasse (60 mL) de farine. Plonger dans les oeufs et saupoudrer de chapelure. Placer sur une plaque à cuisson et brosser avec l'huile. Cuire dans un four préchauffé à 350°F (180°C) pendant 25 minutes.

Pendant que les côtelettes cuisent, préparer la sauce dans une casserole. Ajouter les champignons et l'oignon et faire sauter jusqu'à ce qu'ils soient tendres. Ajouter le restant de farine et cuire pendant 2 minutes à basse température. Incorporer le bouillon et la crème et faire mijoter pendant 15 minutes. Incorporer le chocolat et le fromage; continuer à faire mijoter pendant 5 minutes de plus.

Blanchir les poivrons.

Mettre les côtelettes en plat, recouvrir de sauce et servir en parsemant de poivrons.

   DONNNE 6 PORTIONS.

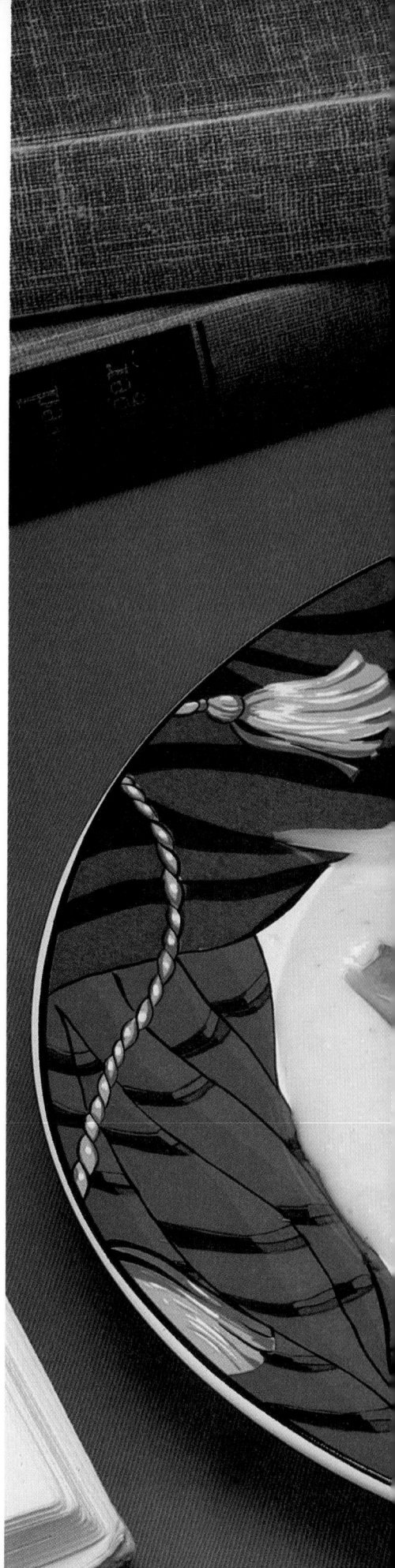

$\mathcal{P}$OULET KENNETH ET GLORIA

1 livre	450 g	fraises lavées, équeutées
½ livre	225 g	framboises lavées, équeutées
½ livre	225 g	mûres lavées, équeutées
1 tasse	250 mL	sucre
2 c. à thé	10 mL	jus de citron
1 c. à thé	5 mL	écorce de citron, râpée
6 - 6 onces	6-170 g	poitrines de poulet sans os, sans peau
2	2	mangues pelées, en dés
6 onces	170 g	fromage Camembert
2 c. à table	30 mL	beurre fondu

Placer les baies dans un robot culinaire. En faire une purée. Presser à travers un tamis fin et les placer dans une saucière. Incorporer le sucre jusqu'à ce qu'il se dissolve. Ajouter le jus de citron et l'écorce. Amener à ébullition, réduire la chaleur et faire mijoter jusqu'à ce que la sauce donne 1 tasse ½ (375 mL).

Bien aplatir les poitrines de poulet; mettre au-dessus les mangues et 1 once (30 g de fromage. Plier et rouler pour enrober complètement la farce; maintenir ensemble avec des cure-dents.

Brosser avec du beurre fondu et recouvrir de papier ciré. Cuire dans un four préchauffé à 350°F (180°C) pendant 20 minutes; retirer les cure-dents.

Mettre en plat le poulet, recouvrir de sauce et servir.

DONNE 6 PORTIONS

CREVETTES FARCIES DU CHEF K

12	12	crevettes "tigres "
4 c. à table	60 mL	beurre
1¾ tasses	430 mL	farine tout usage
1½ tasses	375 mL	lait
2½ tasses	625 mL	chair de crabe cuite
½ c. à thé	3 mL	de chaque: feuilles d'origan, feuilles de thym, feuilles de basilic, poivre de cayenne, poivre noir, poudre d'oignon , poudre d'ail, sel, paprika
2	2	oeufs
2 tasses	500 mL	chapelure de pain
3 c. à table	45 mL	huile d'olive

SAUCE:

3 c. à table	45 mL	beurre
3 c. à table	45 mL	farine tout usage
½ tasse	125 mL	bouillon de poulet (voir page 77)
½ tasse	125 mL	crème épaisse
½ tasse	125 mL	champagne
1 tasse	250 mL	tomates séchées rehydratées
1	1	botte d'aragula haché

Décortiquer les crevettes en enlevant la veine. Trancher vers le centre aux ¾, les aplatir avec un maillet à viande. Les placer sur une plaque à four.

Chauffer le beurre dans une casserole, ajouter la farine, réduire le feu et cuire pendant 2 minutes. Ajouter 1 tasse (250mL) de lait. Cuire en remuant jusqu'à formation d'une sauce très épaisse. Refroidir à la température ambiante. Incorporer la chair de crabe. Placer 2 cuillerées à table (30 mL) de farce sur chaque crevette. Réfrigérer pendant 2 heures.

Mélanger l'assaisonnement avec le restant de farine. Battre les oeufs dans le restant du lait. Saupoudrer les crevettes avec la farine assaisonnée, plonger dans le lait aux oeufs et rouler dans la chapelure.

Brosser avec l'huile. Cuire dans un four préchauffé à 350°F (180°C) pendant 15 minutes. Mettre en plat les crevettes et servir avec la sauce.

SAUCE:

Fondre le beurre dans une casserole. Ajouter la farine et remuer pour en faire une pâte (roux), en cuisant à feu doux.

Ajouter le bouillon de poulet, la crème et le champagne. Faire mijoter pendant 10 minutes à feu moyen. Ajouter en remuant les tomates et l'aragula et faire mijoter pendant 5 minutes de plus.

DONNE 4 PORTIONS

AGNEAU SURPRISE DES ILES FIDJI

2-14 onces	2-420 g	rôtis de côtes d'agneau
½ quantité	0.5	pâte feuilletée (voir page 689)
3 c. à table	45 mL	beurre
1½ tasses	375 mL	mangues en dés
6 onces	170 g	fromage Mascarpone
⅓ tasse	90 mL	raisins sans pépin
⅓ tasse	90 mL	noix de cajou
1 tasse	250 mL	ananas écrasé, jus égoutté et mis en réserve
1 tasse	250 mL	purée de mangues
¼ tasse	60 mL	sucre granulé
1½ c. à table	25 mL	fécule de maïs

Faire retirer par le boucher tous les os des côtes d'agneau et ôter tout le gras. Préchauffer le four à 375°F (190°C).

Rouler la pâte sur une surface légèrement enfarinée jusqu'à une épaisseur de ¼" (6 mm). Couper en deux carrés.

Chauffer le beurre dans une grande poêle et faire durcir l'agneau. Placer sur les carrés de pâtes. Couvrir avec les mangues en dés, le fromage, les raisins et les noix. Plier et rouler les pâtes pour enrober la viande et la farce complètement. Cuire au four pendant 20-30 minutes.

Pendant que l'agneau cuit, réduire l'ananas en purée avec les mangues dans un robot culinaire; passer au tamis dans une petite casserole. Incorporer le sucre.

Mélanger la fécule de maïs dans ¼ tasse (60 mL) du jus d'ananas mis en réserve. Ajouter aux fruits. Cuire à feu doux jusqu'à épaississement de la sauce.

Retirer du four l'agneau, découper et placer sur des assiettes. Couvrir de sauce ou servir séparément.

DONNE 4 PORTIONS

POULET À LA DIJONNAISE

6 – 6 onces	6 – 170 g	poitrines de poulet désossées, sans peau
3 c. à table	45 mL	beurre
¾ tasse	180 mL	mayonnaise
3 c. à table	45 mL	moutarde de Dijon
¼ tasse	60 mL	fromage Parmesan
¼ tasse	60 mL	chapelure de pain sec

Laver et essuyer le poulet.

Chauffer le beurre et faire sauter jusqu'à cuisson complète. La durée dépend de l'épaisseur des poitrines de poulet. Placer sur une plaque à four et préchauffer le four à 400°F (200°C).

Combiner la mayonnaise, la moutarde et le fromage et en tartiner les poitrines. Saupoudrer de chapelure et cuire pendant 10 minutes ou jusqu'à ce que ce soit brun doré.

DONNE 6 PORTIONS

STEAKS DE VEAU AVEC DEUX SAUCES

SAUCE 1:

2 c. à table	30 mL	beurre
¾ tasse	180 mL	fenouil haché
2 c. à table	30 mL	farine tout usage
½ tasse	125 mL	crème légère
½ tasse	125 mL	bouillon de poulet (voir page 77)
¼ c. à thé	1 mL	sel
¼ c. à thé	1 mL	poivre blanc
pincée	pincée	muscade

SAUCE 2:

3 c. à table	45 mL	huile d'olive
3 c. à table	45 mL	farine tout usage
⅔ tasse	160 mL	bouillon de poulet (voir page 77)
⅔ tasse	160 mL	crème légère
⅓ tasse	80 mL	ketchup aux tomates
2 c. à thé	10 mL	sauce Worcestershire
1 c. à thé	5 mL	paprika
3 gouttes	3 gouttes	sauce Tabasco™
1 c.à table	15 mL	jus de citron
3 c. à table	45 mL	arugula haché

STEAKS:

6 – 6 once	6 – 170 g	steaks de veau
½ c.à thé	3 mL	de chaque: feuilles d'origan, feuilles de thym, feuilles de basilic , poivre de cayenne, poivre noir, poudre d'oignon poudre d'ail, sel, paprika
4 c. à table	60 mL	beurre
4 onces	115 g	chanterelles, shiitake, champignons huîtres ou autres

SAUCE 1:

Fondre le beurre dans une casserole. Fatiguer le fenouil. Ajouter la farine et remuer jusqu'à en faire une pâte (roux). Cuire pendant 2 minutes à feu doux. Ajouter la crème et le bouillon. Remuer. Faire mijoter jusqu'^a épaississement. Ajouter l'assaisonnement et faire mijoter 2 minutes de plus.

SAUCE 2:

Chauffer l'huile dans une casserole, ajouter la farine et cuire pendant 2 minutes à feu doux. Incorporer le bouillon et la crème et faire mijoter le reste des ingrédients; continuer à faire mijoter pendant 2 minutes de plus. Retirer du feu. Utiliser selon les besoins.

STEAK:

Frotter les steaks avec le mélange d'assaisonnements .Chauffer la moitié du beurre dans une poêle et faire sauter les steaks jusqu'à cuisson désirée; retirer et mettre en réserve au chaud. Dans une seconde poêle, chauffer le reste du beurre et faire sauter les champignons. Verser à la louche les sauces sur le plat, la moitié de chaque côté. Mettre les steaks par-dessus et entourer de champignons.

CREVETTES EN AMOUR

16	16	crevettes tigres
5 c. à table	75 mL	beurre
½ c. à thé	3 mL	paprika
½ tasse	125 mL	champignons en fines tranches
3 c. à table	45 mL	farine tout usage
½ tasse	125 mL	bouillon de poulet (voir page 77)
½ tasse	125 mL	crème épaisse
½ tasse	125 mL	champagne
¼ tasse	60 mL	Pernod
¾ tasse	190 mL	toutes petites crevettes cuites

Décortiquer, et ouvrir en papillon les crevettes tigres en enlevant la veine. Fondre 2 cuillères à soupe de beurre, brosser les crevettes, saupoudrer de paprika et placer sur une plaque à four. Cuire les crevettes dans un four préchauffé à 350°F (180°C) pendant 10 minutes ou jusqu'à cuisson complète.

Fondre le reste du beurre dans une casserole. Faire sauter les champignons, ajouter la farine et en faire une pâte (roux), en cuisant à feu doux pendant 2 minutes.

Ajouter le bouillon de poulet, la crème, le champagne et le Pernod. Battre ensemble tous les ingrédients. Faire mijoter pendant 10 minutes à feu moyen.

Placer les crevettes sur des assiettes, recouvrir de sauce et parsemer de petites crevettes. Servir.

DONNE 4 PORTIONS

$\mathcal{S}$CAMPI À LA PROVENÇALE

5 c. à table	75 mL	beurre
3	3	gousses d'ail hachées
1	1	gros oignon haché
1	1	poivron rouge en dés fins
1	1	poivron vert en dés fins
6	6	grosses tomates pelées , épépinées, hachées
1 tasse	250 mL	demi-glace (voir page 123)
½ tasse	125 mL	crème à fouetter
1½ livres	675 g	queues de scampi (grosses crevettes)
½ c. à thé	3 mL	paprika

Chauffer 3 cuillerées à table de beurre dans une casserole. Ajouter l'ail, l'oignon et les poivrons et faire sauter jusqu'à ce que ce soit tendre. Ajouter les tomates et continuer à cuire pendant 20 minutes à feu doux. Incorporer le demi-glace; continuer à faire mijoter pendant 20 minutes. Ajouter la crème et faire mijoter 5 minutes de plus.

Pendant que la sauce mijote, couper en deux les scampi le long du dos, retirer la chair de l'écorce et les ouvrir en papillon par-dessus l'écorce. Fondre le reste du beurre et brosser les scampi. Saupoudrer de paprika et cuire dans un four préchauffé à 350°F (180°C)pendant 15 minutes.

Placer les scampi dans la sauce et faire mijoter pendant 5 minutes. Servir avec du riz.

DONNE 4 PORTIONS

POULET SCHOLAZŌ

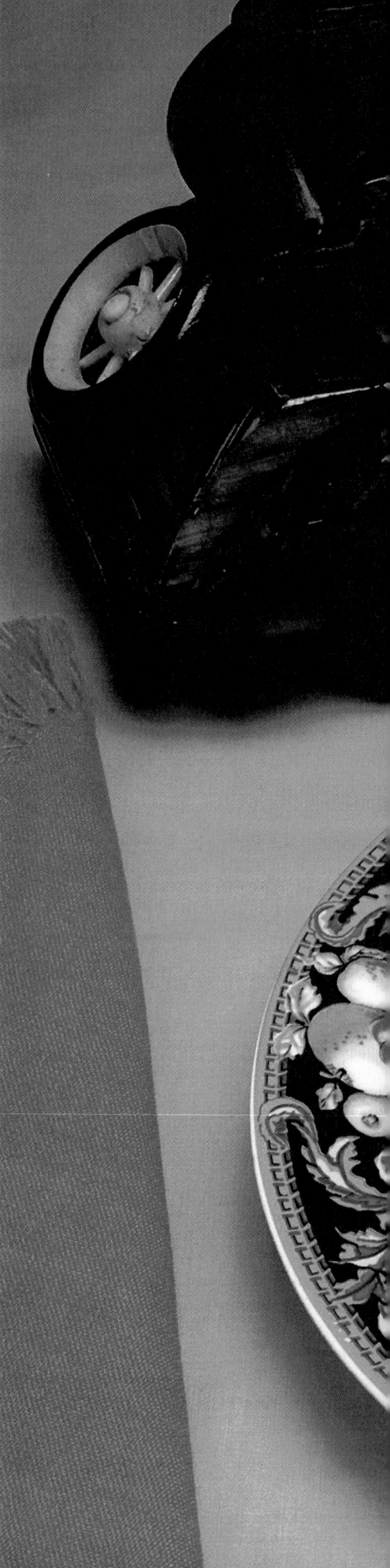

6 - 6 onces	6-170 g	poitrines de poulet sans os, sans peau
6 c. à table	90 mL	beurre
¼ tasse	60 mL	confiture de groseilles
6	6	grosses pêches pelées, écrasées
¼ tasse	60 mL	sucre brun
¾ tasse	190 mL	jus de pommes
1	1	bâton de cannelle
3	3	clous e girofle
3 c. à table	45 mL	farinetout usage
¾ tasse	190 mL	crème à fouetter
1 livre	450 g	framboises fraîches
2 c. à table	30 mL	jus de citron
3 c. à table	45 mL	sucre granulé
3 onces	80 g	chocolat mi-sucré, râpé

Laver et essuyer les poitrines de poulet. Placer sur une plaque à four. Fondre 2 cuillères à table (30 mL) de beurre. En brosser le poulet. Cuire dans un four préchauffé à 350°F (180°C) pendant 30 minutes. Brosser le poulet avec la confiture de groseilles et continuer à cuire pendant 5 minutes de plus.

Pendant que le poule cuit, trancher les pêche. Placer dans une casserole. Ajouter le sucre brun, le jus de pommes le bâton de cannelle et les clous de girofle. Faire mijoter pendant 20 minutes. mettre au rebut le bâton de cannelle et les clous de girofle.

Chauffer 3 cuillerées à table (45 mL) de beurre dans une casserole. Ajouter la farine et cuire pendant 2 minutes à feu doux. Y incorporer la crème et faire mijoter pendant 5 minutes. Incorporer les pêches.

Mettre en purée les framboises dans un robot culinaire. Presser à travers un tamis (pour enlever les graines) dans une petite casserole.

Ajouter le jus de citron et le sucre; porter à ébullition. Réduire la chaleur et faire mijoter jusqu'à réduction à un volume de 1 tasse (250mL). Incorporer le chocolat. Retirer du feu et y battre le reste du beurre.

Retirer le poulet du four.

Verser avec une louche la sauce sur les assiettes, mettre le poulet par-dessus et couvrir de sauce au chocolat.

DONNE 6 PORTIONS

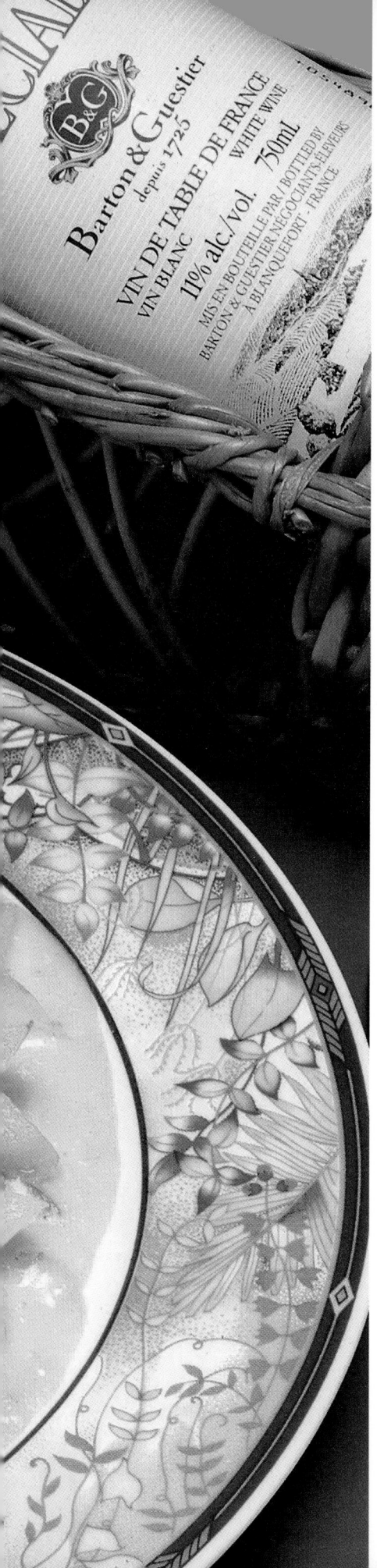

PÂTÉ DE CREVETTES EN SAUCE MORNAY AU CRABE

2	2	pommes de terre moyennes pelées, en dés
1 livre	450 g	chair de crevettes
1¾ tasses	440 mL	crème légère
½ c.à thé	3 mL	basilic frais haché
½ c.à thé	3 mL	sel
¼ c.à thé	1 mL	poivre blanc
1	1	gousse d'ail hachée
½ tasse	125 mL	beurre
3	3	oeufs
3c. à table	45 mL	farine tout usage
¾ tasse	190 mL	bouillon de poulet (voir page 77)
¾ tasse	190 mL	chair de homard hachée
½ tasse	125 mL	fromage Parmesan râpé

Placer les pommes de terre dans une casserole et recouvrir d'eau. Porter à ébullition et cuire pendant 15 minutes. Ajouter les crevettes et continuer à cuire jusqu'à ce que les pommes de terre soient tendres. Égoutter et mettre dans un robot culinaire. Ajouter ½ tasse (125 mL) de crème, le basilic, le sel, le poivre et l'ail; travailler jusqu'à consistance lisse. Fondre la moitié du beurre et ajouter; travailler les oeufs jusqu'à ce qu'ils soient mélangés .

Verser à la cuillère dans des moules légèrement beurrés , placer dans un plat à moitié rempli d'eau et cuire dans un four à 350°F (180°C) pendant 30 minutes.

Pendant que le pâté cuit, chauffer le reste du beurre dans une casserole. Ajouter la farine et cuire 2 minutes à feu doux.

Incorporer le bouillon de poulet et le reste de la crème. Réduire le feu et faire mijoter jusqu'à épaississement. Incorporer le homard et le fromage; faire mijoter 2 minutes de plus.

Retirer le pâté du four, démouler, et le placer sur des assiettes. Recouvrir de sauce et servir.

DONNE 4 PORTIONS

OUGHY ORANGE ANDERSON

½ livre	225 g	framboises
½ tasse	125 mL	beurre
2	2	jaunes d'oeuf
6-6 onces	6-170 g	filets de roughy orange
2 tasses	500 mL	court-bouillon (voir page 117)
24	24	pointes d'asperges blanchies
12 onces	340 g	chair de crabe cuite

Réduire en purée les framboises, égoutter et mettre au rebut la pulpe et les graines. Dans une casserole, faire doucement mijoter le jus jusqu'à réduction à 2 cuillerées à table (30 mL). Refroidir.

Battre ensemble le jus avec les jaunes d'oeuf. Fondre le beurre et le garder chaud. Placer les jaunes d'oeuf au bain marie et y fouetter le beurre jusqu'à obtention d'une belle sauce crémeuse . Ne pas réchauffer.

Cuire à feu doux le roughy orange dans un court -bouillon. Placer sur une plaque à four; recouvrir d'asperges et de chair de crabe. Couvrir avec la hollandaise aux framboises (voir page 108) et placer dans un four préchauffé à 500°F (260°C) jusqu'à ce que la sauce soit brun doré. Servir immédiatement.

DONNE 6 PORTIONS

POULET TAGMA

½ livre	225 g	rhubarbe
2	2	poires pelées, en tranches
2	2	grosses pommes à cuire, pelées, tranchées
1 c.à thé	5 mL	écorce d'orange râpée
¼ tasse	60 mL	sucre granulé
⅓ tasse	90 mL	Calvados
6-6 onces	6-170 g	poitrines de poulet sans os, sans peau
1½ tasses	375 mL	yaourt
4c. à table	60 mL	basilic fraîchement haché
3c.	à table45 mL	fine chapelure de pain
3c. à table	45 mL	fromage Parmesan fraîchement râpé
¼ tasse	60 mL	vin blanc

Laver, nettoyer et couper en dés la rhubarbe. La placer dans une casserole avec les poires, les pommes, l'écorce d'orange, le sucre et le Calvados. Couvrir et faire mijoter pendant 10 minutes, non couvert, et continuer à faire mijoter jusqu'à ce que la compote soit très molle.

Placer le poulet dans un plat de cuisson légèrement graissé.

Combiner ¾ de tasse (190 mL) du yogourt avec 2 cuillères à table (30 mL) de basilic, la chapelure et le fromage. En tartiner le poulet. Cuire dans un four préchauffé à 350°F (180°C) pendant 40 minutes.

Mettre le poulet sur un plat; placer 2 cuillères à table (30 mL) de compote de fruit sur le poulet. Mettre par-dessus une bonne cuillerée du restant du yogourt et parsemer de basilic. Servir.

DONNE 6 PORTIONS

LAPIN FORESTIERE

4 c.à table.	60 mL	huile de tournesol
1½ livres	675 g	lapin coupé en quatre
8	8	tranches de bacon
20	20	champignons en bouton
20	20	petits oignons blancs
3	3	tiges de céleri, en dés
3	3	carottes en dés
4 c. à table	60 mL	farine tout usage
1 tasse	250 mL	tomates, pelées, épépinées:, hachées
2 tasses	500 mL	vin rouge
1 tasse	250 mL	bouillon de boeuf (voir page 85)
2c. à thé	10 mL	sauce Worcestershire
1 c.à table	15 mL	sauce soya
½ c.à thé	3 mL	moutarde de Dijon
¼ c.à thé	1 mL	sel
¼ c.à thé	1 mL	poivre noir concassé
2 c. à table	30 mL	beurre
8 onces	225 g	chanterelles

Chauffer l'huile dans une grande marmite. Ajouter le lapin et brunir. Couper en
dés le bacon et l'ajouter au lapin avec les légumes; faire sauter pendant 3 minutes.
Saupoudrer de farine et cuire pendant 3 minutes. Ajouter le reste des ingrédients,
excepté le beurre et les chanterelles.

Couvrir et faire mijoter lentement pendant une heure ½ . Chauffer le beurre dans
une poêle et faire sauter les chanterelles. Placer le lapin sur le riz et les nouilles et
parsemer de chanterelles.

DONNE 6 PORTIONS

PÂTES

Chaque nation du monde possède quelques recettes sur les pâtes, cependant leur origine demeure inconnue. L'apparition des pâtes alimentaires date d'aussi loin que la dynastie Ming. On dit que Marco Polo aurait introduit les "nouilles" en Italie lors de son retour des lointains pays d'Asie durant sa treizième expédition en Chine.

Les pâtes étaient très connues en Italie avant même cette époque. C'est ainsi que lorsque le prince Theodric de la tribu Teutonique de la région de la Vistule envahit l'Italie vers 405, il apporta avec lui un genre de nouilles. Il y a aussi des preuves que les pâtes existaient avant cette époque. La Rome impériale possédait des nouilles très similaires aux nouilles taglialle (une longue nouille d'un pouce de large, aussi appelée mafalda) connues sous le nom laganum. Ce qui est certain, c'est qu'au retour de Marco Polo, les nouilles sont devenues la denrée principale des Italiens. Partant d'Italie, les pâtes (tagliarini) se sont propagées à travers l'Europe, pour devenir les "nouilles" de France, les "fideos" d'Espagne, les "Nudeln" d'Allemagne et les "noodles" d'Angleterre.

Aujourd'hui, les pâtes mènent le monde à la poursuite de nouveaux horizons culinaires et ne seront jamais satisfaites d'être restreintes aux sauces tomate ou à la crème. Ici dans *Tout simplement délicieux 2*, nous avons sélectionné une collection unique et créative de plats de pâtes que même Marco Polo n'aurait jamais cru possible. Des mets tels que les Gnocchi aux courges ou les Cappelletti au veau avec poulet fumé, Tomates séchées et champignons à la sauce Mornay auraient enchanté l'explorateur, tout comme le seront vos convives.

À travers ce chapitre et dans cette publication en général, nous avons présenté des hors-d'oeuvre, des soupers, des salades, des plats principaux et même des pâtes à dessert. Tout un repas gourmet composé de cinq plats centrés sur les pâtes peut être préparé simplement à partir de la présentation des pâtes qui suit.

Vous n'avez probablement jamais imaginé des plats tels que les Manicotti aux fruits, au homard et aux crevettes. Vous trouverez une recette pour un tel chef-d'oeuvre dans ce chapitre. À moins que vous ne préfériez offrir à vos convives les Fettuccini au chocolat et au curry avec pommes et crevettes. Mais ce qui est encore mieux, c'est d'utiliser nos 15 différentes variétés de pâte pour créer votre propre spécialité. Une chose demeurera toujours constante: c'est que le résultat sera *Tout Simplement Délicieux*.

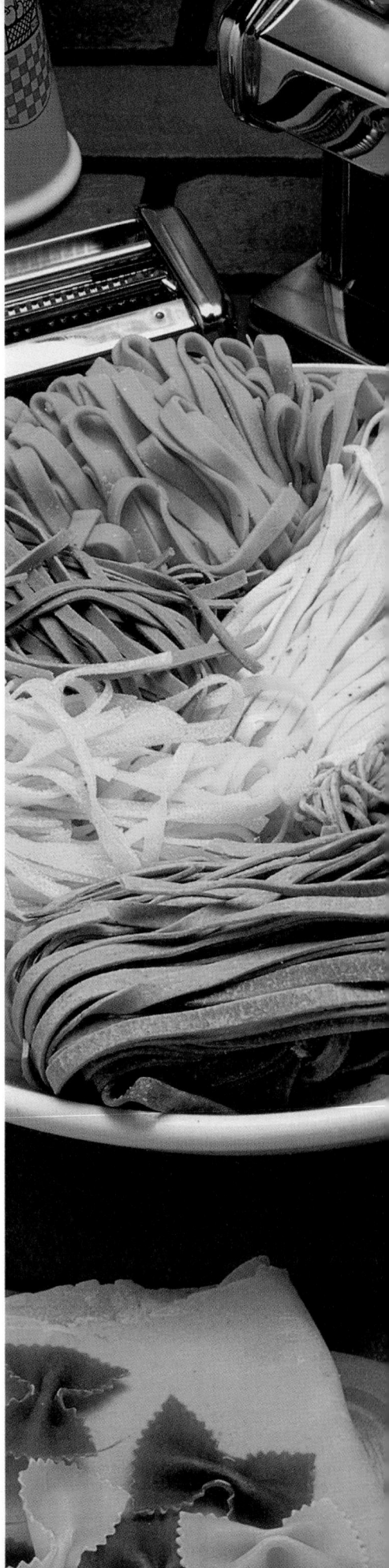

Pâtes assorties

FETTUCCINI AU SAUMON FUMÉ

½ livre	250 g	fettuccini
3 c. à table	45 mL	beurre non salé
2 c. à table	30 mL	farine tout usage
1½ tasses	375 mL	crème légère
¼ tasse	60 mL	sherry
4 onces	120 g	saumon fumé coupé en lanières de ¼"
1 c. à table	15 mL	aneth fraîchement haché
1 c. à thé	5 mL	basilic
½ c. à thé	3 mL	poivre noir craqué

Cuire les nouilles *al dente* dans un chaudron rempli d'eau bouillante salée.

Faire fondre le beurre dans une petite casserole. Ajouter la farine et cuire pendant 2 minutes à feu doux. Ajouter la crème et laisser mijoter jusqu'à ce que la sauce devienne un peu plus épaisse. Ajouter le sherry en brassant et poursuivre la cuisson pendant 5 minutes de plus.

Placer les nouilles dans un grand bol de service. Verser la sauce sur les nouilles et mélanger avec le saumon et les herbes. Servir immédiatement.

DONNE 6 PORTIONS

NOUILLES SINGAPOUR

½ livre	225 g	filets de porc
3 c. à table	45 mL	sauce soya légère
2 c. à table	30 mL	sherry
1 c. à table	15 mL	miel
½ c. à thé	3 mL	poudre d'ail
4 gouttes	4 gouttes	colorant alimentaire rouge
1 quan	1	pâte aux oeufs (voir page 433)
3 c. à table	45 mL	huile d'arachide
½ livre	225 g	crevettes
½ tasse	125 mL	oignon coupé en dés fins
½ tasse	125 ml	céleri coupé en dés fins
½ tasse	125 ml	poivron vert coupé en dés fins
2 c. à thé	10 mL	poudre de curry

Couper le porc en cubes de ½" (1.5 cm) et les mettre dans un bol.

Mélanger ensemble le soya, le sherry, le miel, la poudre d'ail et le colorant alimentaire. Verser sur le porc et laisser mariner pendant 3 heures.

Faire cuire les nouilles dans une poêle. Les égoutter et les mettre de côté. Faire chauffer l'huile dans un wok. Faire rapidement bien frire le porc et les crevettes. Ajouter les légumes et frire pendant 1½ à 2 minutes.

Ajouter les nouilles et bien mélanger. Parsemer de curry et frire pendant 1 minute. Servir.

DONNE 6 PORTIONS

PÂTE DE BASE

4 tasses	1 L	farine de semoule
½ c. à thé	3 mL	sel
4	4	oeufs
1 c. à table	15 mL	huile
⅓ tasse	80 mL	eau froide

Tamiser ensemble la farine et le sel. Mettre dans un bol. Incorporer lentement les oeufs un à la fois. Ajouter lentement l'huile et l'eau jusqu'à l'obtention d'une pâte homogène.

Pétrir la pâte pendant 15 minutes et la laisser reposer pendant 15 autres minutes. Abaisser la pâte. La parsemer légèrement de farine, la plier en trois et l'abaisser de nouveau. Répéter cette opération 6 à 8 fois.

Mettre ensuite la pâte dans la machine à pâte en ajustant les rouleaux jusqu'à l'obtention du degré d'épaisseur désiré. Le résultat devrait être une feuille de pâte lisse, prête à être apprêtée au besoin.

Mettre la pâte dans une machine à pâte, ou la couper à la main de la grandeur désirée. Pour effectuer le procédé à la main, abaisser la pâte et la couper en minces lanières pour les nouilles (fettuccini) ou en bandes plus larges pour la lasagne, les cannelloni, les ravioli, etc.

Procéder en suivant les indications de nos recettes.

NOTE: Utilisez suffisamment de farine pour empêcher la pâte de coller lorsque vous l'abaissez.

DONNE 6 PORTIONS

Fettuccini au Saumon Fumé

Nouilles Singapour

Lasagne aux Cinq Fromages

LASAGNE AUX 5 FROMAGES

1 quan	1 quan	pâte verde (voir page 436)
2	2	oeufs battus
8 onces	225 g	fromage à la crème
8 onces	225 g	fromage cheddar râpé
8 onces	225 g	fromage Havarti râpé
8 onces	225 g	fromage Ricotta
1½ tasses	375 mL	fromage Parmesan râpé
2 c. à table	30 mL	beurre
2 c. à table	30 mL	farine tout usage
1 tasse	250 mL	lait
1 tasse	250 mL	bouillon de poulet (voir page 77)
3 tasses	750 mL	sauce tomate épaisse (voir page 117)

Préparer les pâtes en suivant les indications. Étendre la pâte en de minces feuilles. Couper les feuilles en lanières de 4½ x 11 pouces (11.25 x 27.5 cm).

Mélanger les oeufs avec le fromage, réserver ½ tasse (125 mL) de Parmesan, et mettre au réfrigérateur.

Faire chauffer le beurre dans une casserole. Ajouter la farine et cuire pendant 2 minutes. Ajouter le lait et le bouillon de poulet. Laisser mijoter jusqu'à l'obtention d'une sauce peu épaisse.

Dans un grand plat allant au four, étendre un mince couche de sauce tomate. Recouvrir de nouilles. Étendre une couche de sauce blanche sur les nouilles et la recouvrir de sauce tomate. Étendre une couche de fromage. et la recouvrir de sauces et ensuite de nouilles. Répéter les opérations précédentes et terminer avec une couche de sauce tomate. Parsemer du restant de fromage Parmesan.

Couvrir de papier d'aluminium et cuire dans un four préchauffé à 400°F (200°C) pendant 25 minutes. Retirer le papier d'aluminiun et poursuivre la cuisson pendant 8 minutes de plus. Servir.

DONNE 8 à 10 PORTIONS

PÂTE AU SARRASIN

1 tasse	250 mL	farine de sarrasin
½ tasse	125 mL	farine de semoule
1	1	oeuf, calibre gros, battu
¼ tasse	60 mL	lait froid
		eau froide, au besoin

Mélanger les deux genres de farine dans un bol. Ajouter l'oeuf et le lait. Pétrir jusqu'à l'obtention d'une balle lisse (ajouter un peu d'eau froide au besoin), et procéder en suivant les indications pour la pâte de base. (voir page 426).

NOTE: Lorsque cuit, ce genre de pâte est normalement incorporé à des pâtes de saveur différente.

DONNE 6 PORTIONS

PENNE AU POULET ET AU CURRY

3 c. à table	45 mL	beurre non salé
1	1	poivron vert coupé en dés
1	1	oignon coupé en dés
1	1	gousse d'ail émincée
4 onces	120 g	champignons finement hachés
3 c. à table	45 mL	farine
1 c. à table	15 mL	poudre de curry
2 tasses	500 mL	tomates pelées, épépinées et hachées
1 tasse	250 mL	bouillon de poulet (voir page 77)
1 tasse	250 mL	crème sure
1 livre	450 g	poulet cuit coupé en dés
12 onces	340 g	nouilles penne
½ tasse	125 mL	amandes tranchées rôties

Dans une poêle faire chauffer le beurre. Faire sauter le poivron, l'oignon, l'ail et les champignons jusqu'à ce qu'ils soient tendres. Incorporer la farine et le curry. Poursuivre la cuisson pendant 2 minutes à feu doux. Ajouter les tomates et laisser mijoter pendant 5 minutes. Ajouter le bouillon de poulet et la crème sure et laisser mijoter jusqu'à épaississement.

Incorporer le poulet cuit et laisser mijoter pendant 5 autres minutes.

Pendant que la sauce mijote, cuire les penne dans 3 quarts (3 L) d'eau bouillante salée. Égoutter et transférer dans un bol de service.

Verser la sauce sur les nouilles, parsemer d'amandes et servir.

DONNE 6 PORTIONS

SPAGHETTI AVEC POINTES DE FILETS ET SAUCE MARINARA

1 quan	1	pâte de base (voir page 426)
3 c. à table	45 mL	huile d'olive
1 livre	450 g	filet de boeuf coupé en cubes de ½"
1	1	oignon tranché
4 onces	120 g	petits champignons
½ c. à thé	3 mL	sel
½ c. à thé	3 mL	poivre craqué
3 tasses	750 mL	sauce marinara (voir page 111)

Préparer les pâtes en suivant les indications, et les couper en spaghetti.

Dans une grande poêle faire chauffer l'huile. Faire brunir la viande. Ajouter l'oignon et les champignons et les faire sauter jusqu'à ce qu'ils soient tendres. Assaisonner de sel et de poivre.

Incorporer la sauce marinara au boeuf beef, réduire le feu et laisser pendant 8 à 10 minutes.

Faire cuire les pâtes dans une grande casserole d'eau bouillante salée. Les égoutter et les placer sur des plats de service. Les recouvrir généreusement de sauce et servir. .

DONNE 6 PORTIONS

PÂTE AU CILANTRO

2	2	oeufs battus
1 c. à thé	5 mL	huile de tournesol
½ tasse	125 mL	feuilles de cilantro hachées
2 tasses	500 mL	farine de semoule
		eau froide, au besoin

Mélanger ensemble les oeufs, l'huile et le cilantro. Ajouter la farine et pétrir lentement en forme de balle lisse (ajouter une petite quantité d'eau au besoin). Procéder en suivant les indications pour la pâte de base (voir page 426).

DONNE 6 PORTIONS

PÂTE AU CHOCOLAT

2 tasses	500 mL	farine de semoule
2 c. à table	30 mL	poudre de cacao
¼ tasse	60 mL	sucre granulé
1 c. à thé	5 mL	vanilla extract
3	3	oeufs battus
		eau froide, au besoin

Mélanger ensemble la farine, le cacao et le sucre. Mélanger la vanille avec les oeufs. Pétrir en une balle lisse (ajouter de petites quantités d'eau froide au besoin). Procéder en suivant les indications pour la pâte de base (voir page 426).

DONNE 6 PORTIONS

Penne au Poulet et au Curry

Chang Yo Mein

PÂTE AUX HERBES

1 c. à table	15 mL	sauge, romarin, thym, origan, cerfeuil, marjolaine ou basilic, en choisir une ou une combinaison équivalente au poids
3	3	oeufs
2¾ tasses	675 mL	farine de semoule
1 c. à table	15 mL	huile d'olive
		eau froide, seulement au besoin

Mélanger les épices avec les herbes. Battre les oeufs avec l'huile. Incorporer lentement l'huile et pétrir en une balle lisse (ajouter de petites quantités d'eau froide au besoin). Procéder en suivant les indications pour la pâte de base (voir page 426).

DONNE 6 PORTIONS

Gnocchi aux Tomates

PÂTE À LA SEMOULE DE MAÏS

1½ tasses	375 mL	semoule de maïs finement moulue
1½ tasses	375 mL	farine de semoule
4	4	oeufs
1 c. à table	15 mL	huile de tournesol
		eau froide, au besoin

Mélanger ensemble la semoule de maïs et la farine. Battre l'oeuf avec l'huile dans un bol. Ajouter lentement la farine. Pétrir en une balle lisse (ajouter de petites quantités d'eau froide au besoin). Procéder en suivant les indications pour la pâte de base (voir page 426).

DONNE 6 PORTIONS

CHANG YO MEIN

1 quan	1	pâte aux oeufs (voir page 433)
3 c. à table	45 mL	huile d'arachide
3 c. à table	45 mL	céleri émincé
¼ tasse	60 mL	oignon émincé
¼ tasse	60 mL	poivron vert émincé
1 livre	450 g	crevettes décortiquées
2 c. à table	30 mL	sauce soya légère
2 c. à table	30 mL	sherry

Faire chauffer l'huile dans une wok ou une grande poêle. Faire rapidement frire les légumes et les crevettes. Ajouter la sauce soya et le sherry. Laisser mijoter pendant 1 minute.

Faire cuire les nouilles en suivant les indications pendant la cuisson des autres ingrédients.

Mettre les nouilles chaudes dans un plat de service. Recouvrir de la garniture "stir fry" et servir immédiatement.

DONNE 6 PORTIONS

GNOCCHI AUX TOMATES

1 tasse	250 mL	sauce tomate (voir page 106)
1 livre	450 g	pommes de terre
¼ c. à thé	1 mL	muscade moulue
1 c. à thé	5 mL	feuilles de basilic hachées
2 tasses	500 mL	farine non blanchie

Dans une casserole laisser doucement mijoter la sauce et réduire son volume à ½ tasse (125 mL).

Cuire les pommes de terre à la vapeur jusqu'à ce qu'elles soient tendres. Les réduire en purée et incorporer la sauce tomate, la muscade et le basilic. Ajouter lentement la farine jusqu'à l'obtention d'une pâte lisse et ferme. Former les boulettes de pâte de la taille et de la forme d'une cuillérée à thé. Les placer sur une surface recouverte de farine et les presser avec une fourchette.

Cuire les gnocchi dans un chaudron d'eau bouillante pendant 3 minutes après qu'ils se soient mis à flotter. Servir accompagné d'une sauce tomate légère, d'une sauce à la crème ou avec du beurre fondu et parsemé de fromage Parmesan.

DONNE 6 PORTIONS

LINGUINE AU POIVRE AVEC CALMAR ET CREVETTES

1 quan	1	pâte au poivre noir moulu (voir recette sur cette page)
¼ tasse	80 mL	huile d'olive
1 c. à table	15 mL	jus de citron
¼ c. à table	1 mL	poudre d'ail
¼ c. à thé	1 mL	poudre d'oignon
1 c. à thé	5 mL	feuilles d'origan
½ c. à thé	3 mL	poivre noir moulu
½ c. à thé	3 mL	sel
½ livre	225 g	tentacules de calmar lavés et tranchés
½ livre	225 g	crevettes décortiquées
1	1	gousse d'ail
1 tasse	250 mL	poivron rouge
1 c. à table	15 mL	feuilles de basilic
3 c. à table	45 mL	persil
3 onces	80 mL	fromage Romano râpé
2 tbsp	30 mL	pignes

Préparer les pâtes selon les indications et les couper en linguine.

Mélanger la moitié de l'huile avec le jus de citron et les épices. Mettre le calmar et les crevettes dans un gros bol et incorporer la marinade au citron. Laisser mariner pendant 1 heure.

Dans un robot culinaire ou un mélangeur, réduire l'ail et le poivron rouge en purée et ajouter le restant d'huile. Ajouter le basilic, le persil, le fromage et les pignes. Réduire en purée.

Retirer les fruits de mer de la marinade et les faire griller au-dessus d'une braise moyenne pendant 3 minutes de chaque côté.

Pendant la cuisson des fruits de mer, faire cuire les linguini *al dente* dans un chaudron rempli d'eau bouillante salée. Égoutter les linguine et les mélanger avec le pesto, placer sur des assiettes de service. Recouvrir de fruits de mer et servir.

DONNE 6 PORTIONS

PÂTE AU POIVRE ET AU CITRON

1 c. à thé	5 mL	poivre noir fraîchement moulu
2 c. à table	30 mL	écorce de citron râpée
3	3	oeufs battus
2 tasses	500 mL	farine tout usage
		eau froide, au besoin

Mélanger ensemble le poivre, le citron et les oeufs. Placer dans un bol. Ajouter lentement la farine et pétrir en une balle lisse (ajouter un peu d'eau froide au besoin), et procéder en suivant les indications pour la pâte de base. (voir page 426).

DONNE 4 PORTIONS

PÂTE AU POIVRE NOIR

1 c. à thé	15 mL	poivre noir fraîchement craqué
3	3	oeufs battus
2 tasses	500 mL	farine de semoule
		eau froide, au besoin

Dans un bol, mélanger le poivre et les oeufs. Ajouter lentement la farine et pétrir en une balle lisse (ajouter un peu d'eau froide au besoin), et procéder en suivant les indications pour la pâte de base. (voir page 426).

DONNE 4 PORTIONS

Linguini au Poivre avec Calmar et Crevettes

Agnolotti au Prosciutto & à la Saucisse

PÂTE AUX OEUFS

3	3	oeufs
2 tasses	500 ml	farine de semoule

Bien battre les oeufs. Ajouter lentement la farine. Pétrir pendant 10 minutes. Couvrir et laisser reposer pendant 15 minutes et pétrir une seconde fois. Sur une surface légèrement farinée, abaisser la pâte, la parsemer de farine, la plier et l'abaisser de nouveau. Répéter cette étape plusieurs fois. Le résultat sera l'obtention d'une feuille de pâte lisse. Abaisser la pâte et la couper en minces lanières.

Dans un chaudron, faire bouillir 2 quarts (2 L) d'eau et cuire les pâtes pendant 2 à 3 minutes. Servir au goût.

DONNE 6 PORTIONS

AGNOLOTTI AU PROSCIUTTO & À LA SAUCISSE

1 quan	1	pâte de base (voir page 426)
6 onces	170 g	prosciutto finement haché
6 onces	170 g	saucisse italienne douce
4 c. à table	60 mL	beurre non salé
3	3	oeufs
½ tasse	125 mL	chapelure
¼ tasse	60 mL	fromage Romano fraîchement râpé
1 c. à table	15 mL	huile d'olive
1	1	oignon coupé en dés fins
2 tasses	500 mL	tomates pelées, épépinées et coupées en dés
1	1	gousse d'ail émincée
2 c. à thé	10 mL	feuilles de basilic fraîchement hachées
1 c. à table	15 mL	persil fraîchement haché
3 quarts	4 L	bouillon de poulet (voir page 77)

Préparer la pâte en minces feuilles. Découper 36 ronds de 3" (7.5 cm) et les couvrir d'un linge humide pour les empêcher de sécher.

Bien mélanger la viande avec 3 c. à table (45 mL) de beurre, les oeufs la chapelure et le fromage Romano. Méttre au réfrigérateur pendant 1 heure. Déposer 1 c. à table (15 mL) de garniture sur chaque rond de pâte, humecter les rebords et sceller en pinçant les rebords ensemble.

Faire chauffer l'huile et le restant de beurre dans une casserole. Cuire l'oignon et l'ail jusqu'à ce qu'ils soient tendres. Ajouter les tomates et les herbes. Réduire le feu et laisser mijoter pendant 15 minutes.

Faire chauffer le bouillon de poulet dans un grand chaudron. Mettre les agnolotti dans le bouillon et les faire cuire pendant 3 minutes après qu'ils ont commencé à flotter. Mettre sur un plat de service, recouvrir de sauce et servir.

DONNE 6 PORTIONS

PÂTE AUX BANANES

1 tasse	250 mL	chair de banane
1/3 tasse	80 mL	sucre granulé
1 c. à thé	5 mL	extrait de vanille
1	1	oeuf
2 tasses	500 mL	farine de semoule

Mélanger ensemble les bananes, le sucre, la vanille et l'oeuf. Ajouter lentement la farine et pétrir en façonnant une balle lisse (ajouter un peu d'eau froide au besoin), et procéder en suivant les indications pour la pâte de base. (voir page 426).

DONNE 6 PORTIONS

RAVIOLI AVEC CRÈME AUX TOMATES FRAÎCHES

1 quan	1	pâte aux tomates (voir page 440)
1 c. à table	15 mL	huile d'olive
¾ livre	345 g	épaule de boeuf haché
2 onces	60 g	prosciutto haché
1	1	oeuf
½ c. à thé	3 mL	de chaque: basilic et origan
½ tasse	125 mL	fromage Romano fraîchement râpé
2 tbsp	30 mL	beurre
2 tbsp	30 mL	farine tout usage
1 tasse	250 mL	crème moitié et moitié
2 tasses	500 mL	purée de tomates fraîches

Préparer la pâte en suivant les indications. L'abaisser en minces feuilles et les couvrir d'un linge humide en attendant.

Faire chauffer l'huile dans une poêle et faire brunir le boeuf. Égoutter l'huile et laisser refroidir le boeuf dans un grand bol. Ajouter au boeuf refroidi, le prosciutto, l'oeuf, les épices et le fromage.

Disposer également sur les feuilles de pâte des cuillérées à table de garniture, humecter la pâte entourant la garniture avec un peu d'eau. Placer une deuxième feuille de pâte sur la première. Découper la pâte entre les boulettes de garniture à l'aide d'un couteau à bordure festonnée.

Faire chauffer le beurre dans une casserole, ajouter la farine et cuire pendant 2 minutes à feu doux. Ajouter la crème et laisser mijoter jusqu'à l'obtention d'une sauce épaisse. Incorporer la purée de tomates et laisser mijoter pendant 20 minutes.

Cuire les ravioli dans un grand chaudron rempli d'eau bouillante pendant 2 minutes, ou jusqu'à ce qu'ils flottent. Égoutter, placer sur des assiettes de service et recouvrir de sauce. Servir.

DONNE 6 PORTIONS

Ravioli avec Crème aux Tomates Fraîches

GNOCCHI AUX ÉPINARDS

10 onces	280 g	épinards fraîchement lavés
2 livres	900 g	pommes de terre
1	1	oeuf battu
1½ tasses	375 mL	farine tout usage

Cuire les épinards à la vapeur, les laisser refroidir et les hacher finement.

Éplucher les pommes de terre et les cuire à la vapeur dans un grand chaudron d'eau bouillante jusqu'à ce qu'elles soient tendres. Bien les égoutter, les réduire en purée et incorporer les épinards.

Placer dans un bol, ajouter l'oeuf et 1 tasse (250 mL) de farine. Pétrir la pâte en ajoutant plus de farine au besoin. Les gnocchi devraient être fermes, mais tendres.

Prendre 1 c. à thé (5 mL) de mélange dans une cuillère. Rouler doucement dans vos mains. (Assurez-vous d'avoir enfariné vos mains.) Disposer sur une surface légèrement enfarinée et presser avec une fourchette.

Cuire les gnocchi dans un grand chaudron d'eau bouillante. Ils sont prêts lorsqu'ils flottent.

Servir avec une sauce à la crème, du pesto ou une sauce tomate légère.

DONNE 6 PORTIONS

VERMICELLE AU CRABE

3 c. à table	45 mL	beurre
2 c. à table	30 mL	farine tout usage
½ tasse	125 mL	crème légère
1 tasse	250 mL	tomates écrasées
½ c. à thé	3 mL	poivre noir fraîchement moulu
8 onces	225 g	chair de crabe
½ tasse	125 mL	fromage Parmesan fraîchement râpé
2 c. à thé	10 mL	basilic
1 quan	1	pâte de base (voir page 426), coupée en vermicelle

Faire chauffer le beurre dans une poêle, ajouter la farine et cuire pendant 2 minutes à feu doux. Ajouter la crème en brassant et laisser mijoter jusq'à l'obtention d'une sauce épaisse.

Incorporer les tomates et le poivre en brassant et laisser mijoter pendant 4 minutes. Incorporer la chair de crabe, le fromage et le basilic.

Cuire les nouilles *al dente* dans un chaudron d'eau bouillante, les égoutter et les placer dans un bol de service et verser la sauce. Servir immédiatement.

DONNE 6 PORTIONS

Vermicelle au Crabe

Poulet Lo Mein

PÂTE AU CAFÉ

⅓ tasse	80 mL	eau chaude
3 c. à table	45 mL	café instantané
1	1	oeuf
2 tasses	500 mL	farine tout usage

Dissoudre les grains de café dans l'eau et laisser refroidir. Battre l'oeuf et le mélanger au café. Ajouter la farine et pétrir en façonnant une balle lisse (ajouter un peu d'eau froide au besoin), et procéder en suivant les indications pour la pâte de base. (voir page 426). Servir avec la sauce au chocolat et au café (voir page 112).

DONNE 4 PORTIONS

PÂTE VERDE

1¼ livres	625 g	épinards frais
3 tasses	750 ml	farine de semoule
4	4	oeufs battus
		eau froide, au besoin

Bien laver et rincer les épinards et les hacher finement. Mélanger ensemble la farine et les épinards. Incorporer lentement la farine aux oeufs et pétrir en façonnant une balle lisse (ajouter un peu d'eau froide au besoin), et procéder en suivant les indications pour la pâte de base. (voir page 426).

DONNE 6 PORTIONS

POULET LO MEIN

1 quan	1	pâte aux oeufs (voir page 433)
3 c. à table	45 mL	huile d'arachide
½ livre	225 g	poulet cru coupé en dés
½ tasse	125 mL	champignons tranchés
1 tasse	250 mL	chou coupé en dés fins
½ tasse	125 mL	bouillon de poulet (voir page 77)
2 c. à table	30 mL	sauce soya
1 c. à thé	5 mL	fécule de maïs
2 c. à table	30 mL	piment rouge

Dans un grand chaudron faire bouillir 2 quarts (2 L) d'eau. Ajouter les nouilles et laisser mijoter pendant 3 minutes. Égoutter et mettre dans un plat de service.

Faire chauffer l'huile dans un wok ou une grande poêle. Faire sauter le poulet jusqu'à ce qu'il soit bien cuit. Ajouter les champignons, le chou et le bouillon de poulet. Laisser mijoter pendant 5 minutes.

Mélanger la fécule de maïs avec la sauce soya. Incorporer au poulet et laisser mijoter jusqu'à épaississement.

Verser le poulet sur les nouilles et parsemer de pimento. Servir immédiatement.

DONNE 6 PORTIONS

PÂTE AU SAFRAN

¼ once	8 mL	safran
¼ tasse	60 mL	eau
2	2	oeufs
2½ tasses	625 mL	farine de semoule
		eau froide, au besoin

Faire bouillir le safran dans l'eau et laisser refroidir complètement. Battre les oeufs avec l'eau. Mettre la farine dans un bol et incorporer lentement le liquide. Pétrir en façonnant une balle lisse (ajouter un peu d'eau froide au besoin), et procéder en suivant les indications pour la pâte de base. (voir page 426).

DONNE 4 PORTIONS

STEAK WONG

1 quan	1	pâte aux oeufs (voir page 433)
4 c. à table	60 mL	huile d'arachide
1 livre	450 g	steak de flanc haché
4 onces	120 g	champignons tranchés fin
1 tasse	250 mL	oignon finement tranché
3 c. à table	45 mL	sauce soya
1 c. à table	15 mL	miel
2 c. à table	30 mL	sherry
1 c. à thé	5 mL	fécule de maïs

Faire cuire les nouillles dans un chaudron. Les égoutter et réserver.

Dans un wok ou un grande poêle, faire chauffer à haute intensité 2 c. à table (30 mL) d'huile et faire rapidement frire le steak. Ajouter les champignons et l'oignon et frire pendant 1 minute. Ajouter le restant d'huile et poursuivre la cuisson pendant 1 minute de plus.

Ajouter les nouilles et faire frire jusqu'à ce qu'elles soient brunes. Retourner les . nouilles et poursuivre la cuisson. Mettre dans un plat de service et conserver au chaud.

Mélanger la sauce soya, le miel, le sherry et la fécule de maïs, et faire chauffer dans une casserole jusqu'à épaississement. Verser sur les nouilles et servir.

DONNE 6 PORTIONS

Steak Wong

Orecchiette à la Sauce au Poivron Rouge Rôti

ORECCHIETTE À LA SAUCE AU POIVRON ROUGE RÔTI

1 quan	1	pâte à la semoule de maïs (voir page 431)
1½ livres	625 g	poivron rouge
2 c. à table	30 mL	huile d'olive
1	1	oignon coupé en dés fins
1	1	gousse d'ail émincée
½ c. à thé	3 mL	de chaque: sel, basilic et thym
1 c. à thé	5 mL	poivre noir moulu
2 c. à table	30 mL	jus de citron
¼ tasse	60 mL	sherry
¼ tasse	60 mL	crème moitié et moitié

Pour façonner les orecchiette (petites oreilles) diviser la pâte en 2. Rouler en forme de longue corde et couper en ronds épais de ⅛" (3 mm). Les saupoudrer de farine. Placer un rond dans la paume de la main et denteler le centre avec les doigts. Répéter l'opération avec tous les autres ronds.

Envelopper les poivrons dans du papier d'aluminium. Cuire dans un four préchauffé à 400°F (200°C) pendant 15 minutes. Retirer le papier d'aluminium et retirer la peau des poivrons. Retirer les graines et couper les poivrons en dés fins.

Faire chauffer l'huile dans une casserole et faire sauter l'oignon avec l'ail jusqu'à ce qu'ils soient tendres. Ajouter les épices, le jus de citron et les poivrons, couvrir et laisser mijoter pendant 45 minutes.

Retirer du feu et réduire en purée dans un robot culinaire et remettre dans la casserole. Ajouter le sherry et la crème.

Pendant que la sauce mijote, cuire les pâte dans 3 quarts (3 L) d'eau bouillante salée pendant environ 9 minutes, égoutter et mettre dans un bol de service. Mélanger avec la sauce et servir.

DONNE 6 PORTIONS

Fettuccini au Chocolat et au Curry avec Pommes et Crevettes

FETTUCCINI AU CHOCOLAT ET AU CURRY AVEC POMMES ET CREVETTES

2 tasses	500 mL	pommes pelées, coupées en dés
1 quan	1	pâte de base, coupée en fettuccini (voir page 426)
4 c. à table	60 mL	beurre non salé
3 c. à table	45 mL	farine tout usage
1 c. à thé	5 mL	poudre de curry
½ tasse	125 mL	crème moitié et moitié
1 tasse	250 mL	bouillon de poulet (voir page 77)
4 onces	120 mL	chocolat blanc râpé
½ livres	225 g	petites crevettes cuites

Tremper les pommes dans un peu de jus de citron pour les empêcher de brunir.

Dans une casserole faire chauffer le beurre, ajouter la farine et le curry et cuire pendant 2 minutes, mais ne pas faire brunir. Ajouter la crème, le bouillon de poulet et les pommes. Laisser doucement mijoter jusqu'à épaississement. Ajouter le chocolat en brassant et laisser mijoter pendant 2 minutes de plus.

Retirer du feu, ajouter les crevettes en brassant.

Pendant la cuisson de la sauce, faire cuire les nouilles *al dente* dans un chaudron rempli d'eau bouillante. Égoutter, mettre dans un bol de service. Recouvrir de sauce et bien mélanger. Servir immédiatement.

DONNE 6 PORTIONS

PÂTES

PÂTE DE BLÉ ENTIER

4	4	oeufs battus
1½ tasses	375 mL	farine de blé entier
1½ tasses	375 mL	farine de semoule
2 c. à table	30 mL	huile d'olive
		eau froide, au besoin

Placer les oeufs dans un bol. Tamiser les farines ensemble et incorporer lentement aux oeufs. Mélanger jusqu'à l'obtention d'un pâte lisse. Ajouter l'huile jusqu'à ce qu'elle soit bien incorporée (ajouter un peu d'eau froide au besoin), et procéder en suivant les indications pour la pâte de base. (voir page 426).

DONNE 6 PORTIONS

PÂTE AUX TOMATES

2	2	oeufs
¼ tasse	60 mL	pâte de tomates
1 c. à table	15 mL	huile d'olive
2 tasses	500 mL	farine de semoule
		eau froide au besoin

Mélanger ensemble les oeufs, la pâte de tomates et l'huile. Placer dans un bol. Ajouter lentement la farine et pétrir en façonnant une balle lisse (ajouter un peu d'eau froide au besoin), et procéder en suivant les indications pour la pâte de base. (voir page 426).

DONNE 4 PORTIONS

NOUILLES AU BOEUF ET AU BROCOLI

1 quan	1	pâte aux oeufs (voir page 433)
2 tasses	500 mL	têtes de brocoli
1 c. à table	15 mL	huile d'arachide
1 livre	450 g	steak de flanc finement tranché
3 c. à table	45 mL	sauce aux huîtres

Cuire les nouilles dans un grand chaudron d'eau bouillante. Égoutter, mettre dans un plat de service et conserver au chaud.

Blanchir le brocoli dans de l'eau pendant 2 minutes.

Faire chauffer l'huile dans un wok ou une grande poêle. Faire rapidement frire le steak dans l'huile. Ajouter le brocoli. Frire pendant 1 minute. Ajouter la sauce aux huîtres. Frire pendant 1 minute de plus.

Disposer le boeuf sur les nouilles et servir immédiatement.

DONNE 6 PORTIONS

FARFALLE À LA WESTPHALIENNE

1 livre	450 g	farfalle (pâte en forme de boucle)
1 livre	450 g	jambon coupé en dés
4 c. à table	60 mL	beurre non salé
2 c. à table	30 mL	farine tout usage
1 tasse	250 mL	bouillon de poulet (voir page 77)
½ tasse	125 mL	crème légère
½ c. à thé	3 mL	poivre noir
¼ tasse	60 mL	fromage Parmesan fraîchement râpé
¼ tasse	60 mL	chapelure fine

Faire cuire les nouilles al dente dans un chaudron d'eau bouillante. Égoutter les placer dans un plat graissé de 2 quart (2 L). Incorporer le jambon et conserver au chaud.

Dans une petite casserole faire chauffer la ½ du beurre. Ajouter la farine et cuire pendant 2 minutes à feu doux. Ajouter le bouillon de poulet et laisser mijoter pendant 3 minutes. Ajouter la crème et le poivre. Laisser mijoter jusqu'à épaississement. Verser sur les nouilles. Parsemer de fromage, de chapelure et de morceaux de beurre. Cuire dans un four préchauffé à 500°F (260°C) pendant 7 à 10 minutes ou jusqu'à ce que ce soit doré. Servir immédiatement.

DONNE 6 PORTIONS

Farfalle à la Westphalienne

40

Piroques au Homard avec Sauce aux Crevettes

PIROGUES AU HOMARD AVEC SAUCE AUX CREVETTES

1 quan	1	n'importe quelle sorte de pâte
1 c. à table	15 mL	huile de tournesol
1	1	oignon finement haché
5 onces	150 mL	épinards hachés
¼ c. à thé	1 mL	poivre noir
1½ tasses	375 mL	homard cuit coupé en dés
1 tasse	250 mL	fromage Ricotta
2 c. à table	30 mL	beurre
2 c. à table	30 mL	farine tout usage
1 tasse	250 ml	bouillon de poisson (voir page 76)
1 tasse	250 mL	crème légère
1 tasse	250 mL	chair de crevette cuite
½ c. à thé	3 mL	sel
½ c. à thé	3 mL	paprika
1/4 c. à thé	1 mL	poivre blanc

Préparer les pâtes en suivant les indications. Abaisser la pâte et découper 36 ronds de 4" (10 cm). Couvrir d'un linge humide en attendant.

Faire chauffer l'huile dans une poêle, ajouter l'oignon et faire sauter jusqu'à ce qu'il soit tendre. Ajouter les épinards et poursuivre la cuisson pendant 2 minutes.

Mettre dans un bol et laisser refroidir complètement. Incorporer le poivre noir, le homard et le Ricotta.

Mettre 1¼ c. à table (20 mL) de garniture dans chaque rond de pâte. Humecter les rebords avec de l'eau, plier en deux et pincer pour sceller. Répéter l'opération pour chaque rond.

Amener à ébullition 3 quarts (3 L) d'eau salée. Cuire toutes les pirogues jusqu'à ce qu'elles flottent, environ 3 minutes.

Pour préparer la sauce, faire fondre le beurre, ajouter la farine et cuire pendant 2 minutes à feu doux. Incorporer le bouillon et la crème en brassant. Laisser mijoter jusqu'à épassissement. Ajouter les crevettes et les épices.

Placer les pirogues sur des plats de service, recouvrir de sauce et servir.

DONNE 6 PORTIONS

MANICOTTI AUX FRUITS, AU HOMARD & AUX CREVETTES

½ quan	0.5	pâte de base (voir page 426), coupée pour 12 manicotti
½ tasse	125 mL	fromage cottage
½ tasse	125 mL	fromage cheddar blanc râpé
½ tasse	125 mL	fromage Ricotta
½ tasse	125 mL	fromage à la crème au saumon fumé
½ tasse	60 mL	fromage Parmesan fraîchement râpé
½ c. à thé	3 mL	feuilles de basilic
½ c. à thé	3 mL	poivre noir moulu
½ livre	225 g	homard cuit coupé en dés
½ livre	225 g	crevettes cuites décortiquées
1 tasse	250 mL	ananas coupé en dés
1 tasse	250 mL	mangue coupée en dés
3 c. à table	45 ml	beurre non salé
2 c. à table	30 mL	farine tout usage
1 tasse	250 mL	bouillon de poulet (voir page 77)
1 tasse	250 mL	crème moitié et moitié

Mélanger les fromages, le basilic et le poivre. Incorporer les fruits de mer.

Cuire les manicotti dans 3 quarts d'eau bouillante salée. Égoutter et rincer à l'eau froide.

Farcir les manicotti d'un montant égal de garniture au fromage. Rouler les pâtes et les disposer dans une casserole légèment graissée le joint sur le bas.

Faire chauffer le beurre dans une casserole. Ajouter la farine et cuire pendant 2 minutes à feu doux. Ajouter le bouillon de poulet et la crème et laisser mijoter jusqu'à épaississement. Verser la sauce sur les manicotti. Cuire dans un four préchauffé à 400°F (200°C) pendant 30 minutes. Servir immédiatement.

DONNE 6 PORTIONS

Vermicelle Primavera au Citron Poivré

VERMICELLE PRIMAVERA AU CITRON POIVRÉ

1 quan	1	pâte au citron poivré (voir page 432)
3 c. à table	45 mL	beurre non salé
3 c. à table	45 mL	farine tout usage
2 tasses	500 mL	lait
½ tasse	125 mL	fromage Parmesan
2 c. à thé	10 mL	poivre noir moulu
2 c. à table	30 mL	huile de tournesol
⅓ tasse	80 mL	têtes de brocoli
⅓ cup	80 ml	têtes de chou-fleur
1	1	carotte coupée julienne
3 onces	80 g	petits champignons
3 onces	80 g	poix des neiges
½ tasse	125 mL	courgette coupée en julienne
½ tasse	125 mL	cougette jaune coupée en julienne

Préparer les pâtes en suivant les indications et les couper en vermicelle.

Faire chauffer le beurre dans une casserole, ajouter la farine et cuire pendant 2 minutes à feu doux. Ajouter le lait et laisser mijoter jusqu'à ce que la sauce devienne épaisse. Incorporer le fromage et le poivre et laisser mijoter pendant 5 minutes.

Faire chauffer l'huile dans un wok ou une grande poêle. Ajouter les légumes et les faire sauter jusqu'à ce qu'ils soient tendres. Incorporer la sauce et conserver au chaud.

Faire cuire les nouilles *al dente* dans un chaudron d'eau bouillante. Égoutter, mettre dans des plats de services et recouvrir de sauce. Servir.

DONNE 6 PORTIONS

CAPPELLETTI AU VEAU AVEC POULET FUMÉ, TOMATES SÉCHÉES & SAUCE MORNAY

1 quan	1	pâte de base (voir page 426)
2 c. à table	30 mL	huile d'olive
¾ livre	345 g	veau haché
2 onces	60 g	prosciutto finement haché
½ tasse	125 mL	fromage Parmesan fraîchement râpé
¼ c. à thé	1 mL	romarin
¼ c. à thé	1 mL	poivre noir
1	1	oeuf
1 c. à table	15 mL	beurre non salé
3 onces	80 g	champignons tranchés
½ livre	225 g	viande de poulet fumée, cuite coupée en dés
6	6	tomates séchées au soleil grossièrement coupées
3 tasses	750 mL	sauce Mornay (voir page 111)

Préparer la pâte et l'abaisser. La couper en carrés de 3" (7.5 cm) à l'aide d'un couteau à bordure festonnée.

Faire chauffer l'huile dans une poêle. Faire frire le veau jusqu'à ce qu'il soit bien cuit. Égoutter l'excès d'huile et mettre le veau dans un bol et le laisser refroidir. Incorporer au veau le prosciutto, le fromage, le romarin, le poivre et l'oeuf.

Mettre 1 c. à table de garniture au centre de chaque carré de pâte. Badigeonner les bords avec un peu d'eau. Plier en triangle au-dessus de la garniture et pincer pour sceller. Laisser un rebord de pâte autour de la garniture. Entourer la pâte autour de l'index et sceller les deux bouts à l'aide du pouce et du majeur. Courber la pâte qui dépasse vers l'extérieur. Le résultat devrait être un petit chapeau de pâte (cappelletti).

Cuire les cappelletti dans un grand chaudron d'eau bouillante salée. Ils sont prêts lorsqu'ils se mettent à flotter. Placer sur des plats de service, couvrir de sauce et servir.

POUR PRÉPARER LA SAUCE:

Faire chauffer le beurre dans une casserole. Faire sauter les champignons. Ajouter le poulet, les tomates et la sauce Mornay, réduire le feu. Laisser mijoter pendant 10 minutes.

DONNE 6 PORTIONS

Cappelletti au Veau avec Poulet Fumé, Tomates Séchées & Sauce Mornay

GNOCCHI AUX COURGES ET AU RICOTTA

1 livre	450 g	courge
½ livre	225 g	fromage Ricotta
2	2	oeufs battus
¼ c. à thé	1 mL	muscade moulue
½ c. à thé	3 mL	cannelle moulue
2 tasses	500 mL	farine tout usage
2 c. à table	30 mL	beurre
4 onces	120 g	jambon coupé en julienne
2 tasses	500 mL	radicchio coupé en julienne

Couper les courges en deux. Les envelopper de papier d'aluminium et cuire dans un four préchauffé à 400°F (200°C) pendant 35 à 40 minutes, jusqu'à ce que la chair soit tendre. Retirer du four. Laisser refroidir et retirer la chair à la cuillère.

Réduire la courge et le fromage en purée fine dans un robot culinaire. Ajouter les oeufs et les épices. Ajouter 1 tasse (250 mL) et commencer à pétrir. Ajouter lentement le restant de farine et pétrir jusqu'à l'obtention d'une pâte tendre, mais suffisamment ferme pour conserver sa forme. .

Façonner les gnocchi en laissant tomber une cuillérée à thé de pâte sur une surface légèrement enfarinée, rouler de petites balles et presser avec une fourchette.

Mettre les boulettes de pâte dans un chaudron d'eau bouillante salée. Dès que les gnocchi se mettent à flotter, cuire pendant 3 minutes de plus. Mettre dans un plat de service préchauffé.

Faire chauffer le beurre dans une poêle. Faire sauter le jambon et les radicchio pendant 1 minute, verser sur les gnocchi, mélanger et servir.

DONNE 6 PORTIONS

RAVIOLI AU POULET À LA SAUCE CRÉOLE

1 quan	1	pâte au poivre (voir page 432)
1 livre	450 g	poulet haché cru
⅓ livre	125 g	saucisse italienne forte ou épicée
½ tasse	125 mL	chapelure
1 c. à table	15 mL	huile d'olive
1 tasse	250 mL	oignon finement haché
½ tasse	125 mL	poivron vert finemen haché
1	1	gousse d'ail émincée
2	2	oeufs
¼ c. à thé	1 mL	origan
⅛ c. à thé	pincée	cayenne
2 tasses	500 mL	sauce créole chaude (voir page 121)

Prépare la pâte en suivant les indications. Abaisser la pâte et recouvrir d'un linge en attendant.

Faire chauffer l'huile dans une poêle, faire sauter l'oignon, le poivron et l'ail jusqu'à ce qu'ils soient tendres et que le liquide se soit évaporé. Laisser refroidir.

Mélanger ensemble le poulet, la saucisse, la chapelure, les légumes, les oeufs et les épices.

Sur une feuille de pâte, disposer à distance égale 1 c. à table (15 mL) de garniture. Humecter légèrement la pâte autour de la garniture. Placer une deuxième feuille de pâte sur la première. Découper la pâte autour de la garniture à l'aide d'un couteau à bordure festonnée.

Mettre quelques ravioli à la fois, dans un chaudron d'eau bouillante salée. Cuire pendant 3 à 4 minutes après qu'ils se soient mis à flotter. Mettre dans un plat de service. Verser la sauce créole sur les ravioli et servir.

DONNE 6 PORTIONS

Gnocchi aux Courges et au Ricotta

Ravioli au Poulet à la Sauce Créole

Coquilles Géantes avec Crabe à la Sauce Mornay

COQUILLES GÉANTES AVEC CRABE À LA SAUCE MORNAY

12	12	coquilles de pâte géantes
3 c. à table	45 mL	beurre non salé
1	1	oignon finement coupé en dés
½ tasse	125 mL	champignons tranchés
1 livre	450 g	chair de crabe cuite
½ tasse	125 mL	fromage Ricotta
1	1	oeuf
½ c. à thé	3 mL	poivre noir moulu
2 c. à table	30 mL	farine tout usage
½ tasse	125 mL	crème moitié et moitié
1 tasse	250 mL	bouillon de poulet (voir page 77)
⅓ tasse	80 mL	fromage Parmesan fraîchement râpé

Cuire les coquilles dans 4 quarts (4 L) d'eau bouillanté salée pendant 12 à 14 minutes. Rincer à l'eau froide.

Faire fondre 1 c. à table (15 mL) de beurre dans une grande poêle. Faire sauter l'oignon et les champignons jusqu'à ce qu'ils soient tendres et que le liquide se soit évaporé. Laisser refroidir.

Mélanger le crabe, le ricotta, l'oignon, l'oeuf et le poivre. Farcir chaque coquille en pressant bien la garniture à l'intérieur. Mettre les coquilles dans un plat allant au four légèrement graissé. Faire chauffer le restant de beurre, ajouter la farine et cuire pendant 2 minutes à feu doux. Ajouter le bouillon de poulet et la crème et laisser mijoter jusqu'à épaississement. Ajouter le Parmesan et laisser mijoter pendant 2 minutes de plus.

Verser la sauce sur les coquilles et cuire dans un four préchauffer à 350°F (180°C) pendant 20 minutes. Servir.

DONNE 6 PORTIONS

Pâte au Cilantro avec Poulet Noirci et Sauce Ancho Chile à l'Ail

PÂTE AU CILANTRO AVEC POULET NOIRCI ET SAUCE ANCHO CHILE À L'AIL

1 quan	1	pâte au cilantro (voir page 429)
1 livre	450 g	poitrine de poulet, désossée, coupée en lanières
½ c. à thé	3 mL	de chaque: origan, basilic, thym, poudre d'oignon
1 c. à thé	5 mL	poudre d'ail
¼ c. à thé	1 mL	de chaque: cayenne, poivre noir, poivre blanc
1 c. à thé	5 mL	poudre de chili
1 c. à thé	5 mL	sel
4 c. à table	60 mL	huile d'olive
3	3	piments ancho finement hachés
3	3	gousses d'ail émincées
2 tasses	500 mL	purée de tomates

Préparer les pâtes en suivant les indications et couper selon la forme désirée.

Mélanger toutes les épices ensemble et mettre de côté 1 c. à table (15 mL) du mélange.

Parsemer le poulet du mélange d'épice. Faire chauffer 3 c. à table (45 mL) d'huile à haute intensité. Faire frire quelques lanières de poulet à la fois pendant 2 minutes de chaque côté. Conserver au chaud une fois la cuisson terminée.

Faire chauffer le restant d'huile dans une casserole. Faire sauter les piments et l'ail, ajouter la purée de tomates et le restant d'épices. Laisser mijoter pendant 20 minutes.

Cuire les pâtes *al dente* dans un grand chaudron d'eau bouillante. Égoutter les pâtes et verser la sauce. Recouvrir de lanières de poulet et servir.

DONNE 6 PORTIONS

GNOCCHI AVEC BOEUF À LA SAUCE AU POIVRE VERT

1 quan	1	gnocchi (choisir n'importe quelle saveur de notre selection)
3 tbsp	45 mL	huile d'olive
1	1	oignon finement coupé en dés
4 onces	120 g	champignons tranchés
1½ livres	675 g	filet de boeuf haché
2 c. à table	30 mL	beurre
3 c. à table	45 mL	farine tout usage
2 tasses	500 mL	bouillon de boeuf (voir page 85)
¼ tasse	60 mL	sherry
2 c. à thé	10 mL	grains de poivre vert

Préparer et cuire les gnocchi en suivant les indications.

Faire chauffer l'huile dans une poêle. Ajouter l'oignon et les champignons et faire sauter jusqu'à ce qu'ils soient tendres. Ajouter le boeuf et le faire brunir.

Incorporer le beurre et cuire pendant 1 minute. Ajouter la farine, bien mélanger et poursuivre la cuisson pendant 2 minutes. Ajouter le bouillon de boeuf, le sherry et les grins de poivre. Laisser mijoter doucement jusqu'à ce que la sauce devienne épaisse.

Verser sur les gnocchi aet servir immédiatement.

DONNE 6 PORTIONS

Gnocchi avec Boeuf à la Sauce au Poivre Vert

NOUILLES SHANGHAI

1 livre	450 g	nouilles larges
3 c. à table	45 mL	huile d'arachide
2 c. à thé	10 mL	racine de gingembre finement hachée
1	1	gousse d'ail finement hachée
1 livre	450 g	porc coupé en lanières
½ livre	225 g	crevettes
4 onces	120 g	champignons tranchés
3 c. à table	45 mL	sauce hoisin
½ c. à thé	3 mL	cayenne
2 c. à table	30 mL	sauce soya
1 c. à table	15 mL	sherry
2 c. à thé	10 mL	fécule de maïs

Cuire les nouilles dans un chaudron d'eau bouillante. Les égoutter et les mettre de côté.

Faire chauffer l'huile dans un wok. Faire frire rapidement le gingembre et l'ail. Ajouter le porc, les crevettes et les champignons, et bien cuire. Ajouter les nouilles et frire pendant 1 minute de chaque côté.

Mélanger la sauce hoisin, le cayenne, la sauce soya, le sherry et la fécule de maïs, verser sur les nouilles. Frire pendant 1 `a 2 minutes de plus et servir immédiatement.

DONNE 6 PORTIONS

LINGUINE À L'HUILE D'OLIVE ET AUX HERBES

1 quan	1	pâte verde (see page 436)
3	3	gousses d'ail finement hachées
4 c. à table	60 mL	huile d'olive
1 c. à table	15 mL	feuilles de thym fraîchement hachées
2 c. à table	30 mL	feuilles de cilantro hachées
1 c. à table	15 mL	feuilles de basilic fraîchement hachées

Préparer les pâtes en suivant les indications et les couper en linguine. Les cuire dans un grand chaudron d'eau bouillante salée. Égoutter.

Dans un robot culinaire ou un mélangeur, réduire en purée l'ail, le thym et le cilantro. Ajouter l'huile, et mélanger pendant 10 autres secondes. Mélanger les nouilles avec le pesto. Servir.

DONNE 6 PORTIONS

Linguine à l'Huile d'Olive, à l'Ail et aux Herbes

449

PIZZA

Prenez un morceau de pain, ajoutez un peu de sauce et quelques ingrédients et voyez le monde s'émerveiller. Telle est l'histoire et la réputation de la pizza.

En France elle s'appelle pissaladière, au Moyen-orient c'est une pita, au Mexique c'est une tortilla remplie de délices. En fait, une pizza n'est rien de plus qu'un sandwich ouvert, cuit au four. Mais quel sandwich !

La pizza est une invention culinaire de Naples, Italie (lieu de naissance de cette autre fameuse recette italienne: les spaghetti), et que l'on a d'abord appelée Pizza Napoletana Verace (la véritable pizza napolitaine). Elle consistait à l'origine en un genre de pain plat sur lequel on déposait des tranches de tomates, de l'ail, de l'huile d'olive et de l'origan. On cuisait le tout dans un four très chaud et on le vendait dans les rues. L'addition de fromage est venue plus tard et avec elle, est apparue la première mêlée générale culinaire. Très vite, quels que soient les ingrédients dont on disposait, on pouvait les ajouter à la pizza et s'aventurer sur la route du succès culinaire.

C'est la pizza qui a fait vivre les plus destitués (comme les sans-abris en Italie), qui a diverti les riches (comme c'est la cas chez Spago, le restaurant des vedettes de Wolfgang Puck). Une chose est certaine, avec la pizza les réceptions impromptues seront toujours amusantes, sensationnelles et de bon marché. La pizza est devenue le repas qui scelle à jamais les amitiés. Nourriture la plus populaire au monde, les habitants de tous les pays apprécient la cordialité et la camaraderie qui règnent autour de cette cuisine des plus influentes.

Les pizzas peuvent venir déguisées en calzone ou panzarotti (une sorte de chausson pizza) ou sous la forme d'une tarte dont le remplissage vous est caché par la croûte. Qu'importe le nom que vous lui donnez, vos invités les trouveront *Simplement Délicieuses*.

Attendez-vous à trouver dans ce chapitre une sélection de pizzas qui ne sont servies nulle part ailleurs dans le monde. Chacune est une création originale pleine d'émotions, qui est précisémment ce dont vos invités feront l'expérience dès la première bouchée - exaltation pure, qui les incitera à réclamer encore.

Vous pouvez goûter des délices telles que le Calzone Quattro Stagioni, ou intriguer vos invités avec notre Pizza Intrigue de la Louisiane. Tiens! vous pouvez même amuser avec des pizzas desserts., ou créer votre propre pizza ! Toutes les recettes de base pour faire une pizza originale se trouvent dans ces pages. Le résultat final de votre soirée sera des invités satisfaits, résolus à obtenir vos recettes. Elles sont après tout, *Tout Simplement Délicieuses*.

Quattro Formaggi "Pizza aux Quatre Fromages"

PÂTE À PIZZA DE BASE

1 c.à thé	5mL	sucre granulé
1 tasse	250 mL	eau chaude
1 c. à table	15mL	(sachet) de levure sèche
2 c. à table	30mL	beurre fondu, froid
3½ tasses	875 mL	farine tout usage
⅛ c. à thé	pincée	sel
2	2	œufs battus

Dissoudre le sucre dans un bol avec l'eau chaude. Saupoudrer la levure et laisser reposer 10 minutes ou jusque mousseuse. Incorporer le beurre.

Ajouter la moitié de la farine, une pincée de sel et les œufs, travailler. Ajouter graduellement le reste de la farine pour former une pâte légèrement collante.

Pétrir 5 minutes sur une surface farinée jusqu'à obtenir une consistence lisse et élastique.

Mettre la pâte dans un bol graissé et laisser reposer 15 minutes. Faire tomber la pâte d'un coup de poing ; couper en deux. Abaisser chaque demie en un cercle de 11" (28 cm), laisser lever 15 minutes.

Déposer sur une plaque à pizza de 14" (35 cm). Avec les doigts, presser la pâte, du centre vers l'extérieur, pour couvrir la plaque à demi, laisser reposer 10 minutes. Répéter l'opération pour couvrir entièrement la plaque.

La pâte est maintenant prêt à recevoir la sauce et les ingrédients.

NOTE: Pour faire un appareil sucré, ajouter les ingrédients suivants au mélange de levure, après la première addition de farine. Continuer tel qu'indiqué.

¼ tasse	60 mL	sucre granulé
1 c. à table	15 mL	essence de vanille
1 c. à table	15 mL	écorce de citron
1 c. à thé	5 mL	cannelle

DONNE deux pizza de 14" (35 cm)

PIZZA AUX BLEUETS

12 onces	340 g	fromage à la crème
4	4	œufs
¼ tasse	60 mL	crème épaisse
2 tasses	500 mL	sucre granulé
2 c.à thé	10 mL	écorce de citron
8 tasses	2 L	bleuets frais
½ quan	0.5	pâte sucrée (voir pizza de base, recette précédente)
2 c. à table	30 mL	jus de citron
½ tasse	125 mL	jus de pommes
6 c.à table	90mL	fécule de maïs

Chauffer le four à 350°F (180°C).

Laisser ramollir le fromage et battre très léger. Ajouter les œufs, un à la fois. Ajouter la crème, ½ tasse (100 g) de sucre et l'écorce de citron, incorporer 4 tasses (1 L) de bleuets et 2 c. àtable (30 mL) de fécule de maïs.

*Abaisser la croûte tel qu'indiqué.

Verser le mélange ci-dessus sur la pâte. Cuire au four 45 minutes. Réfrigérer 4 à 6 heures avant de servir.

Mélanger le reste des bleuets, du sucre et le jus de citron dans une casserole. Diluer la fécule de maïs dans le jus de pommes, ajouter à la sauce aux bleuets. Mijoter à feu doux jusqu'à épaississement. Laisser refroidir et verser sur les tranches de pizza au moment de servir.

* Employez un moule à flan pour obtenir des bords ondulés.

DONNEdeux 8" (20 cm) ou
une pizza de 14" (35 cm)

Pizza aux Bleuets (myrtilles)

CROÛTE AUX HERBES

2 c. à table	30 mL.	levure sèche (2 sachets)
1½ tasse	375 mL	eau tiède
4 tasses	1L	environ, de farine forte
1 c. à thé	5mL	sel
½ c. à thé	3mL	de basilic, de thym, d'origan, de cerfeuil de poudre de d'oignon , de poudre d'ail, de poivre noir concassé
¼ tasse	60 mL	huile d'olive

Faire dissoudre la levure dans un bol avec l'eau tiède, laisser reposer 10 minutes. Ajouter 2 tasses (500 mL) de farine avec le sel et l'assaisonnement. Battre en une pâte lisse. Ajouter l'huile, 1 tasse (250 mL) de farine pour former une boule. Ajouter suffisamment de farine pour faire une pâte lisse, non collante.

Pétrir la pâte 5 minutes et laisser reposer 15 minutes. Couper en deux. Abaisser en ronds de 11" (28 cm). Laisser reposer 15 minutes. Déposer sur des plaques à pizza de 14" (35 cm), avec les doigts, pousser la pâte du centre vers les bords jusqu'à couvrir complètement la plaque.

La pâte est maintenant prête à recevoir la garniture.

> DONNE quatre 8" (20 cm) ou deux pizzas de 14" (35 cm)

Pissaladière – Pizza Française

PISSALADIÈRE— PIZZA FRANÇAISE

PÂTE:

2 c. à table	30 mL	levure sèche
¼ tasse	60 mL	eau tiède
2¼ tasses	560 mL	farine tout usage
1 c. à thé	5 mL	sel
⅓ tasse	80 mL	huile d'olive
2	2	œufs

Dissoudre la levure dans un bol avec l'eau tiède, laisser reposer 10 minutes. Ajouter 1 tasse (250 mL) de farine, le sel et l'huile. Bien travailler pour former une pâte lisse. Ajouter ½ tasse (125 mL) de farine et les œufs, bien mélanger.

Renverser sur une surface farinée. Pétrir, en ajoutant graduellement le reste de la farine, jusqu'à obtenir un appareil lisse.

Déposer dans un bol graissé, couvrir et laisser lever 1½ heure. Faire tomber d'un coup de poing et couper en deux. Abaisser en rond et placer sur la plaque. la pâte est maintenant prête à recevoir le reste des ingrédients.

GARNITURE :

6	6	gros oignons d'Espagne
½ tasse	125 mL	huile d'olive
½ c. à thé	3 mL	de basilic, d'origan, de fenouil
20	20	filets d'anchois
1 tasse	125 mL	tranches d'olives noires
½ livre	225 g	Gruyère râpé
½ tasse	125 mL	Parmesan râpé
½ tasse	125 mL	fromage Romano râpé

Pendant que la pâte se lève (1½ heure), hacher les oignons, faire chauffer l'huile dans une poêle et sauter doucement à couvert jusque tendres. Enlever le couvercle, augmenter la chaleur et laisser caraméliser. Bien égoutter les oignons.

Saupoudrer la pâte avec les herbes, étendre les oignons, ajouter les anchois et les olives, couvrir de fromage.

Cuire 15 minutes dans un four préchauffé à 400°F (200°C) ou jusqu'à brunissement. Servir immédiatement.

> DONNE quatre 8" (20 cm)ou deux pizzas de 10" (25 cm)

Calzone Quattro Stagioni "Calzone Quatre Saisons"

SAUCE À PIZZA

3 c. à table	45 mL	huile d'olive, ou végétale
2	2	gousses d'ail hachées
1	1	oignon en petits dés
1	1	branche de céleri en petits dés
½	0.5	poivron vert en petits dés
3 livres	1.3 kg	tomates émondées, épépinées, en dés
1 c. à thé	5 mL	feuilles d'origan
1 c. à thé	5 mL	feuilles de thym
1 c. à thé	5 mL	feuilles de basilic
1 c. à thé	5 mL	sel
½ c. à thé	3 mL	poivre craqué
1 c. à table	15 mL	sauce Worcestershire
⅔ tasse	160 mL	pâte de tomate

Faire chauffer l'huile dans une casserole, sauter les légumes jusque tendres. Ajouter les tomates et les assaisonnements, la sauce anglaise et la pâte de tomate. Baisser le feu, mijoter 2 heures ou jusqu'à épaississement, remuant de temps à autre. Laisser refroidir.

Employer au besoin.

DONNE 2 tasses (500 mL)

QUATTRO FORMAGGI "PIZZA QUATRE FROMAGES"

½ quan	0.5	pâte à pizza de base (voir page 452) ou croûte de farine entière(voir page 456) ou croûte au Parmesan et à l'ail (voir page 460) ou croûte aux fines herbes (voir page 453)
2 tasses	500 mL	sauce à pizza (voir recette cette page)
1½ tasse	375 mL	Mozzarella râpé
1½ tasse	375 mL	fromage Brick râpé
1 tasse	250 mL	Parmesan râpé
1 tasse	250 mL	fromage Provolone râpé

Chauffer le four à 450°F (230°C). Abaisser la pâte à pizza tel qu'indiqué.

Étendre la sauce sur la pâte jusqu'à ½" (1.5 cm) des bords. Saupoudrer uniformément de fromage.

Cuire 15 minutes ou jusqu'à ce que la croûte soit dorée. Enlever de la plaque, trancher et servir.

DONNE deux 8" (20 cm) ou une pizza de 14" (35 cm)

CALZONE QUATTRO STAGIONI "CALZONE QUATRE SAISONS"

1 quan	1	croûte à tarte Gourmet (voir page 455)
1 tasse	250 mL	sauce à pizza (voir recette cette page)
3 onces	80 g	champignons finement tranchés, sautés
6 onces	150 g	julienne de jambon
12 onces	340 mL	cœurs d'artichauts marinés, égouttés, en julienne
½ tasse	125 mL	olives noires tranchées
1 tasse	250 mL	fromage Ricotta
1 tasse	250 mL	Mozzarella râpé
⅓ tasse	80 mL	Provolone râpé
1	1	œuf battu

Abaisser la pâte en quatre ronds. Placer deux ronds sur une plaque à pizza de 8" (20 cm). Chauffer le four à 450°F (230°C).

Étendre la sauce sur ces deux ronds. Couvrir de champignons, de jambon, d'artichauts et d'olives. Mélanger les fromages et couvrir les pizzas.

Déposer les deux autres ronds sur le dessus et pincer les côtés pour sceller. Brosser avec l'œuf. Piquer avec une fourchette pour laisser la vapeur s'échapper.

Cuire 15 à 20 minutes ou jusqu'à obtenir un beau doré.

DONNE 4 PORTIONS

SUGGESTION : Faire cuire les champignons dans la marinade des artichauts.

PIZZA AUX HUÎTRES ET CREVETTES À L'ANIS

4 c. à table.	60 mL.	beurre
2 tasses	500 mL	huîtres écaillées – réserver le liquide
2 tasses	500 mL	grosses crevettes décortiquées sans la veine
¼ tasse	60 mL	liqueur d'anis
3 c. à table.	45 mL.	farine
½ tasse	125 mL	fond de poulet (voir page 77)
1 tasse	250 mL	crème épaisse
½ c. à thé	½ c.àthé	sel
¼ c. à thé	¼ c.àthé	poivre blanc
¼ tasse	60 mL	sherry
1½ tasse	375 mL	fromage Provolone râpé
½ quan	0.5	pâte à pizza de base (voir page 452) ou croûte Gourmet (recette suivante)

Faire chauffer le beurre dans une casserole, sauter les huîtres et les crevettes, cuire à fond, flamber avec la liqueur d'anis. Retirer les huîtres et les crevettes, mettre de côté.

Ajouter la farine et cuire 2 minutes à feu doux. Ajouter le bouillon, la crème, le sel, le poivre et le sherry. Baisser la chaleur et mijoter jusqu'à épaississement. Ajouter les fruits de mer.

Abaisser la pâte à pizza tel qu'indiqué. Déposer le mélange sur la pâte , saupoudrer de fromage.

Cuire 15 minutes dans un four préchauffé à 450°F (230°C) ou jusqu'à ce que la croûte soit dorée. Enlever de la plaque. Trancher et servir.

DONNE deux pizzas de 8" (20 cm)

CROÛTE À TARTE GOURMET

2 c. à table.	30 mL.	sucre granulé
¼ tasse	60 mL	eau tiède
2 c. à table.	30 mL.	levure sèche
2 tasses	500 mL	lait
1 c. àthé	3 mL	sel
3 c . à table.	45 mL.	beurre
6½ tasses	1 L,6	farine
1	1	œuf battu
¼ tasse	60 mL	crème épaisse

Mélanger 1 c. à thé (5 g) de sucre dans l'eau tiède. Dissoudre la levure dans l'eau et laisser reposer 10 minutes.

Mélanger le lait dans une casserole avec le reste du sucre, le sel et le beurre. Échauder, laisser refroidir et transférer dans un bol.

Travailler la levure et 3 tasses (750 mL) de farine. Couvrir. Laisser lever 1 heure, puis ajouter le reste de la farine, l'œuf et la crème épaisse.

Pétrir 8 minutes dans un malaxeur, couvrir et laisser lever.

Couper la pâte en deux ou quatre parties, déposer dans des moules graissés (si la recette de votre pizza l'indique), laisser reposer 15 minutes. Étendre la pâte uniformément dans les moules, en le poussant avec les doigts du centre vers les bords (ou abaisser avec un rouleau à pâtisserie) pour couvrir entièrement.

Employer au besoin, selon votre recette.

DONNE quatre 8" (20 cm) ou deux croûtes de 14" (35 cm)

PANZAROTTI AUX CREVETTES

½ quan	0.5	croûte Gourmet (recette précédente)
2 tasses	500 mL	sauce à pizza (voir page 454)
½ tasse	125 mL	oignon haché
½ tasse	125 mL	poivron vert en dés
½ tasse	125 mL	champignons finement tranchés
2 tasses	500 mL	crevettes décortiquées*et sans la veine
2 tasses	500 mL	Mozzarella râpé
1	1	œuf battu

Préparer la croûte à tarte tel qu'indiqué sans la mettre dans les moules. Abaisser en quatre ronds et étendre la moitié de la sauce sur chacun.

Saupoudrer avec l'oignon, les poivrons, les champignons, les crevettes et le fromage. Plier en deux, pincer les bords pour sceller. Déposer sur une plaque graissée et brosser avec l'œuf.

Cuire 15 minutes dans un four préchauffé à 450°F (230°C) ou jusqu'à ce que la croûte soit dorée. Servir.

*Substituer n'importe quelle autre viande ou si désiré, omettre la viande et ajouter ou changer les légumes.

DONNE 4 PORTIONS

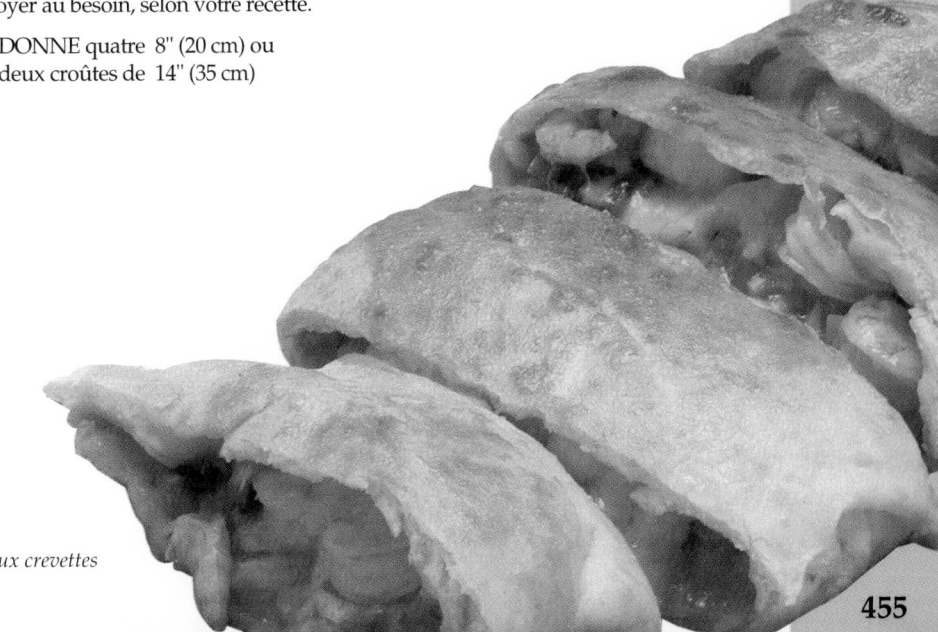

Panzarotti aux crevettes

455

CROÛTE À LA FARINE DE BLÉ ENTIER

1 c. à table.	15 mL	levure sèche
¾ tasse	180 mL	eau tiède
1 tasse	115 g	farine à pâtisserie de blé entier
1½ tasses	375 mL	farine écrue
1	1	œuf
½ c. à thé	3 mL	sel
3 c. à table.	45 mL	huile d'olive

Faire dissoudre la levure dans l'eau, laisser reposer 10 minutes ou jusque mousseuse. Ajouter en remuant la farine de blé entier, ½ tasse (125 mL) de farine écrue, l'œuf, le sel et l'huile pour former une pâte lisse.

Pétrir en incorporant graduellement le reste de la farine et continuer pour former une boule lisse.

Laisser reposer la pâte 15 minutes, couper en deux. Abaisser en ronds sur une surface farinée.

Déposer sur une plaque à pizza, laisser reposer un autre 15 minutes. Avec les doigts, presser du centre vers les bords pour couvrir complètement la plaque.

La pâte est maintenant prête pour la sauce et la garniture.

> DONNE quatre 8" (20 cm) ou deux croûtes de 14" (35 cm)

PIZZA AU POULET CALIFORNIENNE

⅓ tasse	80 mL	huile d'olive
¾ livre	345 g	viande de poulet désossée, en dés
1 c. à thé	5 mL	origan
½ c. à thé	3 mL	dechaque: basilic, thym, poivre, sel
1 quan	1	croûte à la farine brute (recette précédente)
5 onces	150 mL	tomates séchées re-hydratée,s en julienne
2 tasses	500 mL	crevettes cuites décortiquées déveinés
1	1	avocat pelé, en dés
1	1	jalapeño en petits dés
1 tasse	250 mL	confiture de groseilles
3 tasses	750 mL	fromage Monterey Jack râpé

Faire chauffer l'huile dans une poêle. Faire brunir le poulet et cuire complètement, assaisonner avec les herbes et le sel. Enlever l'excédent de gras.

Chauffer le four à 450°F (230°C).

Abaisser la pâte à pizza tel qu'indiqué. Brosser avec le reste de l'huile. Mettre le poulet sur la pâte. Diviser les tomates, les crevettes, l'avocat, le jalapeño au-dessus du poulet. Couvrir avec les groseilles en conserve et saupoudrer de fromage.

Cuire 15 à 20 minutes ou jusqu'à ce que la croûte soit dorée. Enlever de la plaque, couper et servir.

> DONNE deux 8" (20 cm) ou une pizza de 14" (35 cm)

DÉLICE À DEUX CROÛTES

3 c. à table.	45 mL	huile d'olive
1 livre	450 g	bœuf haché maigre
¼ livre	115 g	lard en dés
½ livre	225 g	chair à saucisse
1	1	oignon haché fin
1	1	poivron en petits dés
2	2	branches de céleri en petits dés
3 onces	80 g	champignons finement tranchés
1	1	gousse d'ail haché
½ c. à thé	3 mL	sel
¼ c. à thé	1 mL	de chaque: basilic, origan, thym, poivre noir
1 tasse	250 mL	sauce à pizza (voir page 454)
2 tasses	500 mL	Mozzarella râpé
½ tasse	55 g	Parmesan fraîchement râpé
½ quan	0.5	croûte Gourmet (voir page 455)
1	1	œuf

Chauffer l'huile dans une grande marmite ou une cocotte, faire cuire le bœuf, le lard et la chair à saucisse. Enlever l'excédent de gras. Ajouter les légumes et sauter jusque tendres. Ajouter les assaisonnements et la sauce à pizza. Baisser la chaleur et mijoter 30 minutes. Laisser refroidir à la température ambiante.

Abaisser la pâte et couper en deux. Déposer une moitié dans un moule à ressort de 9" (23 cm), remplir avec le mélange, saupoudrer de fromage. Couvrir avec le reste de la pâte. Pincer les bords pour sceller. Enlever l'excédent de pâte et employer pour décorer. Battre l'œuf et brosser sur la pâte. Cuire 25 à 30 minutes dans un four préchauffé à 450°F (230°C) ou jusqu'à ce que la croûte soit dorée. Enlever du moule, couper et servir.

> DONNE 8 PORTIONS

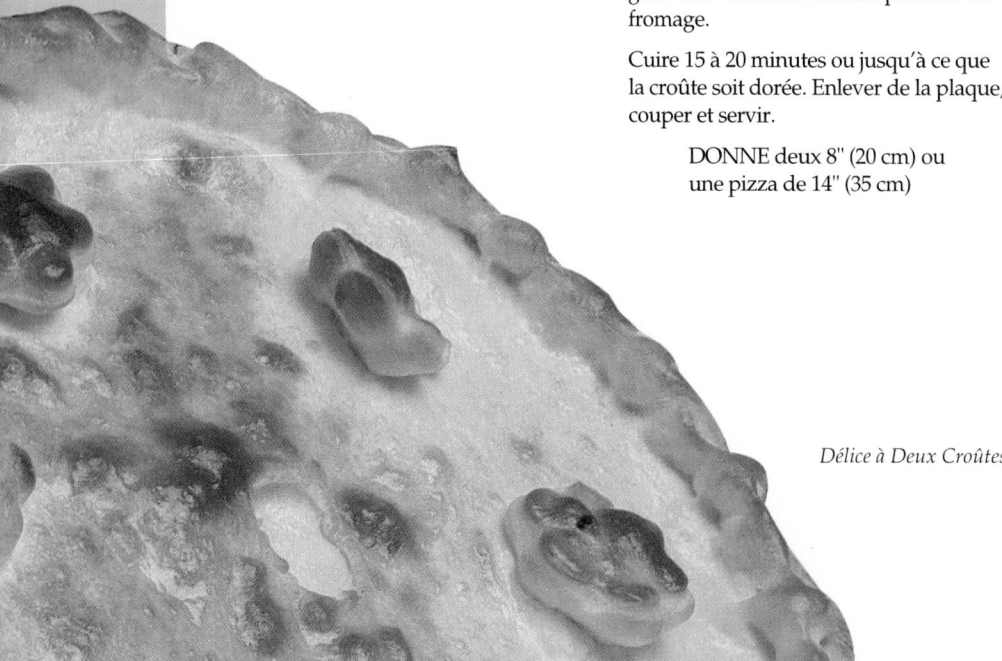

Délice à Deux Croûtes

Pizza au Poulet Californienne

Pizza Texane

PIZZA TEXANE

SAUCE :

½ quan	0.5	croûte aux herbes (voir page 453)
2 livres	900 g	poivrons tomatillos
⅓ tasse	80 mL	eau
5	5	gousses d'ail finement hachées
½ c. à thé	3 mL	graines de cumin
½ c. à thé	3 mL	sel
1 c. à thé	5 mL	poivre noir craqué
½ c. à thé	3 mL	sauce piquante Louisiana (c. à d. Tabasco ™)
1 c. à thé	5 mL	Worcestershire sauce
1	1	oignon haché
1 bouquet	1 bouquet	cilantro haché

Décortiquer les tomatillos, laver et évider. Couper en quartiers. Placer dans une casserole avec l'eau, l'ail, les assaisonnements, la sauce piquante et la sauce anglaise. Mijoter 30 minutes à feu moyen. Ajouter l'oignon et le cilantro (coriandre) et continuer à mijoter un autre 60 minutes ou jusqu'à former une sauce très épaisse.

GARNITURE :

2	2	poivrons rouges
2	2	piments d'Anaheim en dés
½ lb	225 g	bœuf fumé en dés
1 tasse	250 mL	shiitake finement tranchés, sautés
3 tasses	750 mL	fromage Monterey Jack râpé

Placer les poivrons sur une plaque et cuire dans un four préchauffé à 400°F (200°C) ou jusqu'à ce que la peau boursoufle. Déposer dans un sac en papier et bien sceller, laisser reposer 20 minutes. La peau devrait s'enlever facilement, puis couper en julienne.

Abaisser la pâte à pizza tel qu'indiqué.

Étendre la sauce sur la croûte jusqu'à ½" (1.5 cm) du bord. Couvrir avec le bœuf en dés, les poivrons, les piments, les champignons et le fromage.

Cuire 15 minutes dans un four préchauffé à 450°F (230°C) ou jusqu'à ce que la croûte soit dorée et le fromage bouillonne.

Retirer de la plaque à pizza, couper et servir.

DONNE deux 8" (20 cm) ou une pizza de 14" (35 cm)

TARTE PONE

3 c. à table.	45 mL	huile d'olive
1¾ lb	795 g	porc maigre haché
1	1	oignon d'Espagne finement haché
2 c. à thé	10 mL	poudre de chili
1½ c. à thé	8 mL	sel
2 tasses	500 mL	tomates émondées, épépinées, en dés
2 tasses	500 mL	haricots secs, pintos trempés 8 heures
1 tasse	250 mL	sauce à pizza (voir page 454)
½ tasse	125 mL	raisins sans pépins
1½ tasse	375 mL	Cheddar râpé
1½ tasse	375 mL	fromage Monterey jack râpé
½ quan	0.5	croûte au Parmesan et à l'ail (voir page 460)

Chauffer l'huile dans une grande poêle, faire brunir le porc et l'oignon. Cuire à fond et enlever l'excédent de gras. Ajouter le reste des ingrédients sauf le fromage, baisser le feu et mijoter jusqu'à épaississement.

Chauffer le four à 450°F (230°C).

Abaisser la pâte selon les indications. Étendre le mélange sur la croûte. Saupoudrer de fromage. Cuire 15 minutes ou jusqu'à ce que la croûte soit dorée. Retirer de la plaque, couper et servir.

DONNE deux tartes de 14" (35 cm)

Tarte Pone

PIZZA AUX AMANDES, AUX RAISIN ET AUX NOIX

4 tasses	1L	amandes finement hachées
4 tasses	1L	sucre à glacer
2	2	blancs d'œuf
½ tasse	125 mL	liqueur Amaretto
½ quan	0.5	croûte sucrée (voir croûte à pizza de base page 452)
1 tasse	250 mL	confiture de framboises
1 tasse	250 mL	raisins sans pépins
1 tasse	250 mL	amandes grillées en demies

Mélanger les amandes hachées avec le sucre, les blancs d'œuf et la liqueur. Chauffer le four à 350°F (180°C). Abaisser la croûte selon les indications

Couvrir avec les conserves de framboises. Mettre la garniture sur la pâte . Saupoudrer de raisins et d'amandes.

Envelopper les bords dans du papier d'aluminium, cuire 35 à 40 minutes au milieu du four ou jusqu'à obtenir un beau doré. Refroidir avant de servir.

DONNE deux 8" (20 cm) ou une pizza de 14" (35 cm)

CROÛTE AU PARMESAN ET À L'AIL

2 c.à table.	30 mL	levure sèche
1 tasse	250 mL	eau tiède
3½ tasses	875 mL	farine écrue (environ)
4	4	gousses d'ail haché
½ tasse	125 mL	Parmesan fraîchement râpé
2	2	œufs battus
¼ tasse	60 mL	huile d'olive

Dans un grand bol, faire dissoudre la levure dans l'eau tiède. Laisser reposer 10 minutes ou jusque mousseuse. Ajouter 2 tasses (500 mL) de farine avec l'ail, le Parmesan, les œufs et l'huile pour former une pâte lisse.

Pétrir en ajoutant graduellement le reste de la farine ou suffisamment pour former une boule lisse. Placer dans un bol graissé, couvrir et laisser reposer 15 minutes. Enlever le couvercle, couper en deux et abaisser en rond sur une surface farinée. Déposer sur des plaques à pizza, laisser reposer 15 minutes. Étendre avec les doigts, du centre vers l'extérieur, pour couvir toute la plaque.

La pâte est maintenant prête pour la sauce et la garniture.

DONNE quatre 8" (20 cm) ou deux pizzas de 14" (35 cm)

INTRIGUE DE LA LOUISIANE

3 c. à table	45 mL	huile d'olive
½ livre	225 g	poulet désossé, en dés
¼ livre	115 g	saucisse d'andouille fumée, en dés
2	2	gousses d'ail haché
1	1	oignon moyen haché
2	2	poivron vert en dés
1 tasse	250 mL	champignons finement tranchés
4	4	grosses tomates, émondés, épépinées, en dés
½ c. à thé	3 mL	sel
¼ c. à thé	1 mL	poivre noir concassé
¼ c. à thé	1 mL	sauce piquante Louisiana
½ c. à thé	3 mL	de chaque: basilic, thym, d'origan, paprika poudre de chili, poudre d'ail, poudre d'oignon
¼ tasse	60 mL	échalote verte hachée
2 c. à table	30 mL	persil haché
2½ tasses	625 mL	Mozzarella râpé
2 tasses	625 mL	queues d'écrevisses ou crevettes, cuites
½ tasse	125 mL	Parmesan fraîchement râpé
½ quan	0.5	croûte au Parmesan et à l'ail (recette précédente)

Pizza aux Amandes, aux Raisins et aux Noix

Chauffer l'huile dans une grande casserole ou cocotte, faire brunir le poulet et cuire à fond. Ajouter la saucisse, l'ail et les légumes, cuire jusque tendres. Ajouter les tomates, les assaisonnements et la sauce piquante. Baisser le feu et mijoter jusqu'à ce que la sauce soit très épaisse. Ajouter l'échalote et le persil en remuant.

Abaisser la pâte à pizza selon les indications. Étendre le mélange jusqu'à ½" (1.5 cm) du bord. Saupoudrer avec les queues d'écrevisses, couvrir de fromage.

Cuire 15 minutes dans un four préchauffé à 450°F (230°C) ou jusqu'à ce que la croûte soit dorée. Retirer de la plaque, couper et servir.

DONNE deux 8" (20 cm) ou une pizza de 14" (35 cm)

Intrigue de la Louisiane

CRÊPES

Qu'est-ce qui est mince, petit et tellement bon? La mince crêpe française qui ne porte plus l'unique étiquette de dessert. Quel que soit son appellation, et il en existe plusieurs, la crêpe demeure fidèle à ce qu'elle est. C'est ainsi que les Juifs la nomment "Blintz" et les Hongrois "Palacinken". Il est aussi possible de la reconnaître sous le nom "Blini" en Russie, ou encore n'importe quel autre nom puisant ses origines dans un autre pays. La crêpe demeure délicieuse dans n'importe quel coin du monde.

Les crêpes accompagnent parfaitement n'importe quel repas. Elles s'adaptent à n'importe quel budget et, par conséquent, ne devraient pas être un élément négligeable de votre menu. Il est même possible de préparer tout un repas constitué de 5 mets tous à base de crêpes. Par example:

Hors d'oeuvre	*Rouleaux au pâté de foie de poulet*
Soupe	*Consommé Célestine*
Salade	*Rouleaux aux crevettes, aux fruits et au fromage*
Entrée	*Crêpes Fajita ou Crêpes coquille St. Jacques*
Dessert	*Crêpes forêt noire*

Je vous ai donné plus que quelques desserts préparés à base de crêpes. Vous pouvez choisir une nourriture chère comme les Crêpes provençales au lapin, ou un délice plus rafiné comme les Crêpes florentines aux pommes et au saumon fumé. Il y a aussi des innovations comme notre Crêpe au steak et aux champignons, accompagné de la traditionnelle Crêpe Suzette.

Les crêpes sont rapides, simples, et par-dessus tout flexibles. Les cuisiniers créatifs savent que lorsqu'il y a des restants de table, une crêpe est certainement la meilleure façon de les apprêter tout en créant une nouvelle idée qui mène vers l'aventure culinaire. Qu'il s'agisse d'un évènement formel ou d'un repas de tous les jours, on peut avoir une confiance complète en un mets à base de crêpes qui sera servi exactement comme tout le monde le désire, c'est à dire quelque chose de *Tout Simplement Délicieux*.

Crêpes aux Fraises Romanoff

ROULEAUX AUX CREVETTES, AUX FRUITS & FROMAGE

8 onces	225 g	fromage Havarti
8 onces	225 g	fromage à la crème
8 onces	225 g	crevettes cuites, hachées
¼ tasse	60 mL	sherry
½ tasse	125 mL	abricots doux, séchés, tranchés
½ tasse	125 mL	rondelles de pommes séchées, hachées fin
12	12	crêpes (voir page 469)

Travailler les fromages en crème et ajouter au mélange les crevettes, le sherry, les abricots et les pommes.

Étendre sur les crêpes, et les rouler. Trancher en morceaux de 1" (2.5 cm) d'épaisseur et servir.

DONNE 6 PORTIONS

CRÊPES ASIATIQUES

1½ livres	675 g	agneau désossé, maigre
¼ tasse	60 mL	beurre
⅓ tasse	80 mL	oignons émincés
⅓ tasse	80 mL	bouillon de poulet (voir page 77)
½ c. à thé	3 mL	safran
1½ c. à thé	8 mL	coriandre moulue
½ c. à thé	3 mL	de chaque: paprika cumin moulu, gingembre moulu
1 c. à thé	5 mL	sel
½ tasse	125 mL	yogourt
1½ tasses	375 mL	tomates, pelées, épépinées, coupées en dés
12	12	crêpes (voir pâte à crêpe page 469)

Dégraisser l'agneau et le couper en lanières de 2" (5 cm).

Faire chauffer le beurre dans une grande poêle et faire brunir l'agneau. Ajouter l'oignon et faire sauter pendant 3 minutes. Ajouter le bouillon, les épices, le yogourt et les tomates. Réduire le feu et laisser mijoter pendant 1½ heures ou jusqu'à ce que le mélange soit épais.

Répartir la garniture dans les crêpes, et servir immédiatement.

DONNE 6 PORTIONS

CRÊPES SURPRISE AUX FRUITS DE MER

2 c. à table	30 mL	beurre
¼ tasse	60 mL	farine tout usage
2 tasses	500 mL	lait
2 tasses	500 mL	chair de crabe cuite
2 tasses	500 mL	petites crevettes cuites
16	16	crêpes (voir pâte à crêpe page 469)
½ c. à thé	3 mL	de chaque: basilic, feuilles de thym, origan, poivre
1 c. à thé	5 mL	paprika
1 c. à thé	5 mL	sel
3 tasses	750 mL	chapelure fine
2	2	oeufs
4 tasses	1 L	huile de tournesol

Faire chauffer le beurre dans une casserole, ajouter la farine, réduire le feu et cuire pendant 2 minutes. Ajouter 1 tasse (250 mL) de lait et cuire lentement à feu doux jusqu'à l'obtention d'un mélange épais. Laisser refroidir.

Ajouter le crabe et les crevettes, et mélanger. Partager entre les crêpes. Les rouler et les réfrigérer pendant 2 heures.

Mélanger les épices et la chapelure. Battre les oeufs avec le restant de lait. Tremper les crêpes dans le lait, et les enrober de chapelure.

Faire chauffer l'huile à 375°F (190°C). Faire frire deux crêpes à la fois et les conserver au chaud pendant que cuisent les autres crêpes. Servir chaud. Excellent accompagnés de sauce Véronique (voir page 114).

DONNE 8 PORTIONS

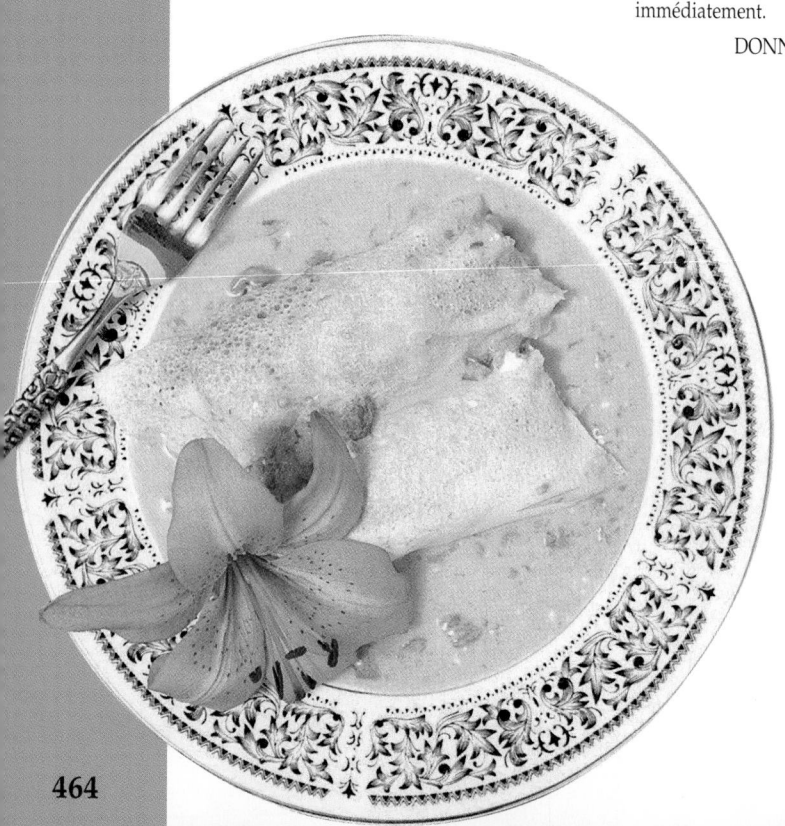

Crêpes Asiatiques

Crêpes Surprise aux Fruits de Mer

Crêpes Forêt Noire

CRÊPES AUX FRUITS DE MER

2 c. à table	30 mL	huile d'olive
1	1	poivron vert finement haché
1	1	petit oignon finement haché
1	1	petite gousse d'ail finement hachée
1 tasse	250 mL	sauce tomate (voir page 106)
2 c. à thé	10 mL	basilicic fraîchement haché
½ c. à thé	3 mL	sel
¼ c. à thé	1 ml	poivre
1 tasse	250 mL	petites têtes de brocoli
½ lb	225 g	grosses crevettes décortiquées
½ lb	225 g	pétoncles
½ tasse	125 mL	crème sure
12	12	crêpes (voir pâte à crêpe page 469)

Faire chauffer l'huile dans une grande poêle, ajouter le poivron, l'oignon et l'ail et faire sauter jusqu'à ce qu'ils soient tendres. Ajouter la sauce tomate et les épices, et laisser mijoter pendant 10 minutes.

Ajouter le brocoli et les fruits de mer, couvrir et laisser mijoter pendant 10 minutes. Ajouter la crème sure et laisser mijoter pendant 5 minutes à découvert.

Verser la garniture sur les crêpes et les rouler. Servir accompagnées d'une salade.

DONNE 6 PORTIONS

Crêpes á l'Orange

CRÊPES À L'ORANGE

3	3	oranges
1 tasse	250 mL	gelée d'abricot
¼ tasse	60 mL	liqueur de Curacao
12	12	crêpes sucrées (voir pâte à crêpe page 469)
¼ tasse	60 mL	sucre à glacer

Peler les oranges et les diviser en quartiers. Retirer les pépins et la peau blanche. Faire chauffer la gelée d'abricot et ajouter les quartiers d'oranges et la liqueur.

Étendre sur les crêpes et les rouler. Saupoudrer de sucre à glacer et servir.

DONNE 6 PORTIONS

CRÊPES FORÊT NOIRE

4 tasses	1 L	crème glacée à la vanille
2 tasses	500 mL	garniture pour tarte aux cerises
12	12	crêpes sucrées (voir pâte à crêpe page 469)
2 tasses	500 mL	sauce au fudge
1 tasse	250 mL	crème à fouetter

Étendre la crème glacée et la garniture aux cerises sur les crêpes et les rouler. Couvrir de sauce et d'une cuillérée de crème à fouetter. Servir.

DONNE 6 PORTIONS

Crêpes aux Cerises

CRÊPES AUX CERISES

1½ tasses	375 mL	crème à fouetter
½ c. à thé	3 mL	essence de vanille
¼ tasse	60 mL	sucre à glacer
12	12	crêpes sucrées (voir pâte à crêpe page 469)
5 c. à table	75 mL	sucre granulé
4 c. à table	60 mL	beurre
2–10 once	2–280 mL	boîte de cerises
¼ tasse	60 mL	brandy aux cerises
1½ c. à thé	8 ml	fécule de maïs

Battre la crème jusqu'à ce qu'elle soit ferme et ajouter la vanille. Incorporer le sucre à glacer en pliant et déposer à la cuillère sur les crêpes. Rouler les crêpes et les réfrigérer.

Dans une casserole, caraméliser le sucre et ajouter le beurre. Égoutter les cerises et conserver le liquide. Mettre les cerises dans la casserole.

Faire flamber les cerises avec le brandy. Mélanger la fécule de maïs avec le liquide des cerises et incorporer aux cerises. Laisser mijoter jusqu'à épaississement.

Placer les crêpes sur des plats de service et les recouvrir de cerises chaudes. Servir immédiatement.

DONNE 6 PORTIONS

CRÊPES À LA CRÈME PATISSIÈRE

2 tasses	500 mL	crème moitié et moitié
1 c. à thé	5 mL	essence de vanille
5	5	jaunes d'oeufs
½ tasse	125 ml	sucre granulé
4 c. à table	60 ml	farine tout usage
1 c. à table	15 ml	beurre
16	16	crêpes sucrées (voir pâte à crêpe page 469)
2 tasses	500 mL	sauce au brandy à l'orange (voir page 107)

Faire chauffer la crème et la vanille dans un bain-marie. Battre les jaunes d'oeufs avec le sucre, et incorporer lentement à la crème chaude.

Travailler en crème la farine et le beurre, et ajouter à la crème en brassant. Passer dans un tamis. Battre le mélange jusqu'à ce qu'il soit refroidi et le réfrigérer.

Étendre la crème sur les crêpes et les rouler. Les disposer sur un plat de service et les recouvrir de sauce à l'orange. Servir.

DONNE 6 PORTIONS

CRÊPES DEJAZET

1½ tasses	375 mL	sucre à glacer
1 c. à table	15 mL	poudre de cacao
⅓ tasse	80 mL	beurre
1 c. à table	15 mL	café très fort, refroidi
12	12	crêpes sucrées (voir pâte à crêpe page 469)
4	4	blancs d'oeufs
1 tasse	250 mL	sucre granulé
1 tasse	250 mL	sauce au brandy à l'orange (voir page 107)

Tamiser le sucre à glacer et le cacao trois fois. Mettre en crème le beurre et le café Ajouter le cacao sucré en pliant et battre jusqu'à l'obtention d'un mélange sucré. Étendre sur les crêpes et les empiler.

Battre les blancs d'oeufs en neige très ferme. Ajouter graduellement le sucre et battre jusqu'à l'obtention d'une meringue. Garnir le dessus des crêpes de la meringue à l'aide d'une douille et faire rapidement brunir, sous l'élément chauffant du four.

Trancher et servir accompagnées de la sauce à l'orange.

DONNE 6 PORTIONS

ROULEAUX AU CHOCOLAT À LA CRÈME

2 tasses	500 mL	fromage Ricotta
1 c. à thé	5 mL	essence de vanille
¼ tasse	60 mL	sucre à glacer
¼ tasse	60 mL	fruits confits
⅓ tasse	90 mL	grains de chocolat
12	12	crêpes sucrées (voir la recette de pâte à crêpe sur cette page)
1 tasse	250 mL	sauce au kiwi et à la papaya (voir page 106)

Dans un robot culinaire, mettre le fromage en crème. Ajouter la vanille et le sucre et continuer à battre. Retirer de la machine et incorporer les fruits et les grains de chocolat au mélange en battant.

Déposer le mélange au fromage à la cuillère sur les crêpes et rouler. Mettre les crêpes dans un plat et recouvrir de sauce. Servir immédiatement.

DONNE 6 PORTIONS

PALACINKEN HONGROIS

1 tasse	250 mL	sucre à glacer
2 c. à table	30 mL	cannelle moulue
1 quan	1	pâte à crêpe (voir page 469)
1 tasse	250 mL	gelée d'abricot chaude

Tamiser ensemble le sucre et la cannelle.

Préparer les crêpes en suivant les indications. Pendant que la crêpe est chaude, étendre la gelée d'abricot et la rouler en forme de cigare. Rouler ensuite la crêpe dans le sucre à la cannelle et servir.

DONNE 6 PORTIONS

PÂTE À CRÊPES

1 tasse	250 mL	farine tout usage
¼ c. à thé	1 mL	sel
2 c. à table	30 mL	huile de tournesol
1 tasse	250 mL	lait
¼ tasse	60 mL	eau gazéifiée
1	1	oeuf
½ c. à thé	3 mL	essence de vanille (pour les crêpes sucrées seulement)

Tamiser ensemble la farine et sel. Incorporer l'huile, le lait et l'eau. Battre l'oeuf et incorporer au mélange. Ajouter la vanille en brassant pour la préparation des crêpes sucrées. Incorporer les ingrédients secs et battre jusqu'à l'obtention d'une pâte claire et lisse.

Pour cuire les crêpes, verser environ 3 c. à table (45 ml) de pâte dans une poêle chaude légèrement beurrée. Cuire environ 1H minutes, retourner la crêpe et cuire 1 minute de plus à feu moyen. Retirer de la poêle et servir telque demandé.

DONNE 16 crêpes

Rouleaux au Chocolat à la Crème

CRÊPES FAJITA

1½ livres	675 g	steak de flanc
3	3	gousses d'ail tranchées
2	2	oignons espagnol tranché
2	2	piments serrano hachés
¼ tasse	60 mL	cilantro haché
⅓ tasse	80 mL	jus de lime
¼ tasse	60 mL	jus de citron
3 c. à table	45 mL	beurre
2 c. à table	30 mL	huile de tournesol
1	1	poivron vert tranché
1	1	poivron rouge tranché
1	1	poivron jaune tranché
3 onces	80 g	champignons tranchés
1 c. à thé	5 mL	sel
1 c. à thé	5 mL	sauce Worcestershire
1 c. à table	15 mL	poudre de chile
12	12	crêpes (voir pâte à crêpe page 469)
½ tasse	125 mL	crème sure
1 tasse	250 mL	sauce Guacamole (voir page 115)
1 tasse	250 mL	sauce Salsa (voir page 115)

Trancher le steak en minces lanières. Dans une casserole étendre le steak, l'ail, 1 oignon, les piments et le cilantro. Verser les jus. Couvrir et réfrigérer pendant 3 à 4 heures. Bien égoutter.

Faire chauffer le beurre et l'huile dans une grande poêle. Faire sauter le deuxième oignon avec les poivrons et les champignons. Assaisonner les légumes avec une peu de sel et la sauce Worcestershire. Mettre dans un plat de service préchauffé et conserver au chaud.

Cuire le steak au-dessus d'une grille chaude pendant 3 à 4 minutes. Assaisonner de poudre de chili et du restant de sel. Transférer dans un deuxième plat préchauffé.

Servir le steak, les légumes, les crêpes, la crème sure, la Guacamole et la Salsa séparément pour permettre à vos invités de les apprêter comme ils le désirent.

* NOTE: Si vous choisissez de servir des crevettes ou du homard, ne les faites pas mariner. Cependant le poulet peut être préparé de la même façon que le boeuf.

DONNE 6 PORTIONS

ROULEAUX AU PÂTÉ DE FOIE DE POULET

1 livre	450 g	foies de poulet
¾ tasse	180 mL	bouillon de poulet (voir page 77)
½ tasse	125 mL	vin blanc
¼ tasse	60 mL	oignon finement haché
1 c. à table	15 mL	cilantro haché
¼ c. à thé	1 mL	gingembre moulu
1 c. à table	15 mL	sauce soya légère
½ c. à thé	3 mL	sauce Worcestershire
¼ c. à thé	1 mL	de chaque: paprika, origan, thym, poivre blanc, basilic
½ c. à thé	3 mL	sel
½ tasse	125 mL	beurre ramolli
1 c. à table	15 mL	brandy
8	8	crêpes (voir pâte à crêpes page 469)

Piquer les foies de poulet et les dégraisser. Les cuire dans le bouillon avec le vin, l'oignon, le cilantro, le gingembre, la sauce soya et la Worcestershire. Laisser refroidir complétement les foies et le liquide. Égoutter et réserver le liquide.

Métre les foies dans un robot culinaire et mélanger avec 2 c. à table (30 mL) du liquide réservé. Ajouter les épices, le beurre et le brandy, et mélanger jusqu'à consistence légère et lisse. Ajouter plus de liquide au besoin, afin de conserver le mélange onctueux. Verser à la cuillère dans un bol froid et réfrigérer jusqu'au moment de servir.

Pour servir, étendre la garniture sur les crêpes, les rouler à la façon de gâteau roulé. Couper en morceaux de 1" (2.5 cm) d'épaisseur. Placer sur un plateau et servir.

DONNE 4 PORTIONS

Rouleaux au Pâté de Foie de Poulet

Crêpes Fajita

Coupes a la Mousse à l'Orange et au Brandy

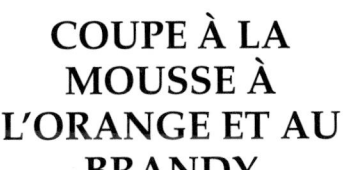

Crêpes Hollandaises au Poulet Grillé

CRÊPES HOLLANDAISES AU POULET GRILLÉ

1 livre	450 g	poitrines de poulet désossées
¼ tasse	60 mL	huile de tournesol
1	1	gousse d'ail émincée
2 c. à table	30 mL	jus de citron
2 c. à table	30 mL	vin blanc
1 c. à thé	5 mL	sel
½ c. à thé	3 mL	poivre blanc
1 c. à thé	5 mL	basilic haché
8	8	crêpes (voir pâte à crêpe page 469)
¾ tasse	180 mL	sauce hollandaise (voir page 114)

Préchauffer le four à 400°F (200°C).

Laver et éponger les poitrines de poulet et les couper en lanières de ½" (1 cm). Les mettre dans un plat peu profond allant au four.

Dans un bol mélanger ensemble l'huile, l'ail, le jus de citron, le vin et le basilic. Verser sur le poulet, couvrir et laisser mariner pendant 1 heure. Égoutter.

Cuire le poulet au-dessus d'une grille chaude pendant 3 à 4 minutes. Le mettre dans les crêpes et les roules.

Placer les crêpes dans un plat graissé, couvrir de sauce hollandaise et cuire dans un four pendant 7 à 10 minutes ou jusqu'à ce que ce soit brun doré.

DONNE 4 PORTIONS

COUPE À LA MOUSSE À L'ORANGE ET AU BRANDY

6	6	crêpes sucrées (voir pâte à crêpe page 469)
2 c. à table	30 mL	beurre fondu
3 onces	90 g	gélatine à saveur d'orange
½ tasse	125 mL	brandy à l'orange
1 tasse	250 mL	jus d'orange très chaud
1 tasse	250 mL	crème à fouetter
½ tasse	125 mL	quartiers d'orange

Placer les crêpes dans des moules et les badigeonner de beurre fondu. Cuire dans un four préchauffé à 350°F (180°C) pendant 10 minutes. Retirer du four et laisser refroidir.

Dissoudre la gélatine dans le brandy à l'orange et incorporer le jus d'orange en brassant. Réfrigérer pour permetttre au liquide de prendre sans être ferme.

Incorporer la crème à la gélatine en pliant. Farcir les crêpes du mélange et leur permettre de prendre.

Placer les crêpes sur un plat de service et les garnir de quartiers d'orange.

DONNE 6 PORTIONS

CRÊPES CONVENTINES

1 tasse	250 mL	eau
½ tasse	125 mL	sucre granulé
6	6	poires, pelées, décortiquées, coupées en dés
12	12	crêpes sucrées (voir pâte à crêpe page 469)
1½ tasses	375 mL	sauce au chocolat
1 tasse	250 mL	amandes rôties, tranchées

Dans une casserole, mélanger l'eau avec le sucre et amener à ébullition. Réduire le feu, laisser mijoter et pocher les poires jusqu'à ce qu'elles soient tendres. Égoutter les poires et les laisser refroidir.

Placer les poires dans les crêpes et les rouler. Couvrir de sauce, parsemer d'amandes et servir.

DONNE 6 PORTIONS

CRÊPES COQUILLES ST. JACQUES

1 tasse	250 mL	vin blanc
1 livre	450 g	gros pétoncles
¼ tasse	60 mL	beurre
1	1	petit oignon coupé en dés
3 once	80 g	champignons tranchés
3 c. à table	45 mL	farine tout usage
1 tasse	250 mL	crème épaisse
⅓ tasse	80 mL	sherry
½ c. à thé	3 mL	sel
½ c. à thé	3 mL	poivre blanc
½ c. à thé	3 mL	paprika
1½ tasses	375 mL	petits crevettes cuites
12	12	crêpes (voir pâte à crêpe page 469)
½ tasse	125 mL	fromage Suisse râpé
½ tasse	125 mL	fromage cheddar mi-fort
¼ tasse	60 mL	fromage Parmesan fraîchement râpé

Faire chauffer le vin dans une casserole, ajouter les pétoncles et laisser mijoter pendans 6 minutes. Retirer les pétoncles du liquide et conserver le liquide au chaud.

Dans une casserole, faire chauffer le beurre, et sauter les légumes jusqu'à ce qu'ils soient tendres. Ajouter la farine et cuire pendant 2 minutes. Ajouter la crème, les cerises, le sherry et les épices. Laisser mijoter jusqu'à épaississement. Égoutter les pétoncles et les ajouter à la sauce avec les crevettes. Préchauffer le four à 400°F (200°C).

Répartir la garniture entre les crêpes et les rouler. Placer sur un grand plat graissé. Parsemer de fromage et cuire pendant 10 minutes. Servir immédiatement.

DONNE 6 PORTIONS

CRÊPES AU BOEUF BOURGUIGNON

3 c. à table	45 mL	huile d'olive
20	20	oignons perlés
1½ livres	675 mL	steak coupé en petits cubes
3 c. à table	45 mL	farine tout usage
2 tasses	500 mL	vin rouge
1 tasse	250 mL	bouillon de boeuf (voir page 85)
3 c. à table	45 mL	pâte de tomates
½ c. à thé	3 mL	thym
1	1	feuille de laurier
1 c. à thé	5 mL	persil haché
½ c. à thé	3 mL	poivre noir moulu
¼ livre	115 g	petits champignons
12	12	crêpes (voir pâte à crêpe page 469)

Dans une grande poêle ou un poêlon électrique, faire chauffer l'huile. Faire sauter les oignons et les retirer de la poêle. Ajouter le boeuf et le faire brunir.

Saupoudrer le boeuf de farine et cuire pendant 2 minutes. Ajouter le vin, le bouillon, la pâte de tomate, le thym, la feuille de laurier, le persil et le poivre. Réduire le beu et laisser doucement mijoter pendant 1½ heures.

Remettre les oignons dans la poêle et ajouter les champignons. Laisser mijoter pendant 30 minutes.

Mettre le boeuf dans les crêpes et les rouler. Servir accompagnées d'un riz pilaf.

DONNE 6 PORTIONS

Crêpes Coquille St. Jacques

CRÊPES AU CHILI CON CARNE

1 livre	450 g	boeuf haché maigre
5 c. à table	75 mL	beurre
2 tasses	500 mL	oignons coupés en dés fins
2	2	gousses d'ail émincées
2	2	branches de céleri coupées en dés fins
1	1	poivron vert coupé en dés fins
1 tasse	250 mL	champignons tranchés
3½ tasses	875 mL	tomates écrasées
3 c. à table	45 mL	pâte de tomates
1½ tasses	375 mL	fèves (ayant trempé dans l'eau pendant 8 heures, ou en boîte)
½ c. à thé	3 mL	de chaque: thym, origan, cerfeuil, poivre, sel, cumin, poudre d'oignon
2 c. à thé	10 mL	de chaque: paprika, poudre de chili
5		5 gouttes sauce Tabasco™
1 c. à thé	5 mL	sauce Worcestershire
12	12	crêpes (voir pâte à crêpes page 469)
1½ tasses	375 mL	fromage cheddar râpé

Faire brunir le boeuf dans une poêle et égoutter l'excès de gras.

Dans une grande poêle ou un poêlon électrique, faire chauffer le beurre et faire sauter les oignons, l'ail, le céleri, le poivron vert et les champignons. Incorporer le boeuf, les tomates, la pâte de tomates et les fèves, et laisser mijoter pendant 1 heure. Ajouter les épices, la sauce Tabasco et la sauce Worcestershire. Réduire le feu et laisser mijoter pendant 1 heure.

Servir sur les crêpes et les rouler. Placer les crêpes dans un plat graissé. Parsemer les crêpes de fromage et cuire dans un four préchauffé à 400°F (200°C) pendant 15 minutes et servir.

DONNE 6 PORTIONS

Crêpes au Chili Con Carne

CRÊPES SOUFFLÉ DU CHEF K

2 tasses	500 mL	sorbet aux papayes fraîches(voir page 658)
2 tasses	500 mL	sorbet au citron (voir page 547)
2 tasses	500 mL	sorbet à l'orange et au chocolat (voir page 571)
12	12	crêpes sucrées (voir pâte à crêpe page 469)
8	8	blancs d'oeufs
1½ tasses	375 mL	sucre granulé
2 tasses	500 mL	sauce aux cerises

Étendre chaque sorbet sur quatre crêpes. Empiler les crêpes en les alternant pour former une pyramid. Mettre dans le congélateur.

Battre les blancs d'oeufs fermes et ajouter graduellement le sucre en battant. Mettre la garniture dans une douille et recouvrir les crêpes. Faire rapidement brunir la meringue dans un four très chaud.

Trancher et servir recouvert de sauce aux cerises.

DONNE 6 PORTIONS

CRÊPES DURORA

3 tasses	750 mL	crème glacée aux fraises
12	12	crêpes sucrées (voir pâte à crêpe page 469)
2 tasses	500 mL	sabayon (voir page 106)
¼ tasse	60 mL	liqueur de Curacao

Verser la crème glacée à la cuillère sur les crêpes, et les rouler.

Mélanger la sauce sabayon avec la liqueur. Verser sur les crêpes et servir.

DONNE 6 PORTIONS

Crêpes Rose Chérie

CRÊPES AU GOÛT DE L'ITALIE

6 onces	170 g	prosciutto finement haché
6 onces	170 g	saucisse italienne
4 c. à table	60 mL	beurre non salé
3	3	oeufs
½ tasse	125 mL	chapelure
¼ tasse	60 mL	fromage Romano fraîchement râpé
12	12	crêpes (voir pâte à crêpes page 469)
1 tasse	250 mL	fromage Ricotta
1 c. à table	15 mL	huile d'olive
1	1	petit oignon coupé en dés
2 tasses	500 mL	tomates pelées, épépinées et coupées en dés
1	1	gousse d'ail émincée
2 c. à thé	10 ml	feuilles de basilic fraîchement hachées
1 c. à table	15 mL	persil fraîchement haché
½ tasse	125 mL	fromage de provolone râpé

Mélanger les viandes avec 3 c. à table (45 mL) de beurre, les oeufs, la chapelure et le fromage Romano. Bien mélanger et réfrigérer pendant 1 heure.

Étendre la garniture également sur chaque crêpe. Diviser également le fromage Ricotta entre les crêpes et les rouler. Les disposer dans un plat graissé.

Faire chauffer l'huile et le restant de beurre dans une casserole. Cuire l'oignon avec l'ail jusqu'à ce qu'ils soient tendres. Ajoute. les tomates et les herbes. Réduire le feu et laisser mijoter pendant 15 minutes. Verser la sauce sur les crêpes. Parsemer de provolone et cuire dans un four préchauffé à 350°F (180°C) pendant 35 minutes.

DONNE 6 PORTIONS

CRÊPES AUX BANANES

3	3	bananes
12	12	crêpes sucrées (voir pâte à crêpe page 469)
5 c. à table	75 mL	beurre
5 c. à table	75 mL	sucre brun
½ c. à thé	3 mL	cannelle moulue
3 c. à table	45 mL	liqueur de banane
5 c. à table	75 mL	rhum brun
¼ tasse	60 mL	noix de Grenoble

Peler et trancher les bananes sur le long en quartiers. Envelopper une crêpe autour de chaque quartier de banane.

Faire chauffer le beurre avec le sucre brun dans une poêle. Ajouter la cannelle et cuire jusqu'à ce que le sucre soit dissout. Ajouter la liqueur et le rhum, éloigner la poêle et faire flamber.

Incorporer les noix en brassant. Placer les crêpes dans la sauce et faire chauffer pendant 2 minutes. Disposer les crêpes sur des plats et les recouvrir de sauce. Servir immédiatement.

DONNE 6 PORTIONS

CRÊPES ROSE CHÉRIE

2 tasses	500 mL	crème à fouetter
¾ tasse	180 mL	sucre à glacer
1 c. à thé	5 mL	extrait de rose
½ c. à thé	3 mL	colorant alimentaire rose
12	12	crêpes sucrées (voir pâte à crêpe page 469)
3 tasses	750 mL	fraises lavées, équeutées et tranchées
¼ tasse	60 mL	sucre granulé
⅛ c. à thé	pincée	cannelle moulue

Battre la crème et incorporer le sucre, l'extrait de rose et le colorant alimentaire. Étendre sur les crêpes et les rouler.

Placer les crêpes sur un plat de service et recouvrir de fraises. Mélanger le sucre avec la cannelle et parsemer les crêpes. Servir.

DONNE 6 PORTIONS

Crêpes au Goût de l'Italie

477

Crêpes Suzette Classiques

CRÊPES SUZETTE CLASSIQUES

5 c. à table	75 mL	sucre granulé
5 c. à table	75 mL	beurre
1 c. à table	15 mL	écorce de citron et d'orange
½ tasse	125 mL	liqueur de Grand Marnier
1 tasse	250 mL	jus d'orange, fraîchement pressé
3 c. à table	45 mL	jus de citron
18	18	crêpes sucrées (voir pâte à crêpe page 469)
6 cuillérées	6	crème glacée à la vanille

Caraméliser le sucre dans une casserole ou dans une poêle sans le faire brûler. Ajouter le beurre et l'écorce des fruits, et brasser jusqu'à ce que tout soit fondu. Tenir la poêle à distance et faire flamber avec la moitié de la liqueur.

Ajouter le jus d'orange et de citron et laisser mijoter jusqu'à ce que le volume soit réduit de moitié. Plier les crêpes pour qu'elles forment des triangles, et les laisser mijoter dans la sauce pendant 1 minute.

Placer 3 crêpes sur un seul plat, verser un montant égal de sauce sur les crêpes. Recouvrir d'une cuillérée de crème glacée.

Verser le reste de la liqueur dans une petite casserole, faire flamber et verser sur les crêpes. Servir immédiatement.

DONNE 6 PORTIONS

CRÊPES AUX NOIX ET AU SIROP D'ÉRABLE

4 tasses	1 L	crème glacée à la vanille
12	12	crêpes sucrées (voir pâte à crêpe page 469)
1 tasse	250 mL	noix de Grenoble en morceaux
1½ tasses	375 mL	sirop d'érable chaud

Mettre la crème glacée dans les crêpes et les rouler. Parsemer de noix et verser le sirop. Servir.

DONNE 6 PORTIONS

CRÊPES LASAGNE

1 livre	450 g	saucisses italiennes
3 c. à table	45 mL	huile d'olive
1	1	oignon coupé en dés fin
1	1	poivron vert coupé en dés fin
1	1	branche de céleri coupée en dés fin
1 tasse	250 mL	champignons finement tranchés
2	2	gousses d'ail émincées
2 tasses	500 mL	sauce tomate (voir page 106)
2 c. à thé	10 mL	basilic
2 tasses	500 mL	fromage Ricotta
1	1	oeuf
¼ tasse	60 mL	persil haché
¼ tasse	60 mL	fromage Parmesan fraîchement râpé
16	16	crêpes (voir pâte à crêpe page 469)
½ tasse	125 mL	fromage Provolone râpé
1¼ tasses	310 mL	fromage Mozzarella râpé

Couper la saucisse en petits cubes. Faire chauffer l'huile dans une grande poêle et faire brunir la saucisse. Ajouter l'oignons, le poivron vert, le céleri, les champignons et l'ail, et faire sauter jusqu'à ce qu'ils soient tendres. Égoutter l'excès de gras.

Ajouter la sauce tomate et le basilic. Réduire le feu et laisser mijoter pendant 30 minutes.

Pendant que la sauce mijote, combiner le Ricotta, l'oeuf, le persil et le fromage Parmesan.

Étendre une mince couche de sauce au fond d'un plat rond. Placer une couche de crêpes, couvrir d'une couche du mélange au fromage, recouvrir d'une couche de crêpes, et ajouter une couche de sauce. Répéter ce procédé en alternant les crêpes, la sauce et le fromage, et finir avec une couche de crêpes.

Parsemer les crêpes de fromage Provolone et Mozzarella et cuire dans un four préchauffé à 400°F (200°C) pendant 30 minutes. Servir avec une salade César.

DONNE 6 PORTIONS

CRÊPES PROVENÇALES AU LAPIN

1 livre	450 g	viande de lapin désossé
1 c. à table	15 mL	beurre
1 c. à table	15 mL	huile de tournesol
¼ livre	115 g	bacon coupé en dés
1	1	gousse d'ail émincée
1	1	oignon espagnol coupé en dés
1	1	poivron vert coupé en dés
3 once	80 g	champignons tranchés
3 c. à table	45 ml	farine tout usage
½ c. à thé	3 mL	basilic fraîchement haché
½ c. à thé	3 mL	feuilles de thym
½ c. à thé	3 mL	marjolaine
1 c. à table	15 mL	persil haché
1 tasse	250 mL	tomates, pelés, épépinées, coupés dés
1½ tasses	375 mL	bouillon de poulet (voir page 77)
2 c. à thé	10 mL	moutarde de Dijon
12	12	crêpes (voir pâte à crêpe page 469)

Couper le lapin en petits dés. Faire chauffer l'huile et le beurre and the oil dans une casserole, ajouter le lapin et le faire brunir.

Faire frire le bacon dans une poêle, retirer l'excès de gras et ajouter au lapin, avec les légumes et faire sauter jusqu'à ce que tout soit tendre. Saupoudrer de farine et pousuivre la cuisson pendant 2 minutes. Ajouter les épices, les tomates, le bouillon et la moutarde.

Réduire le feu et cuire pendant 35 à 40 minutes, ou jusqu'à ce que le lapin soit tendre et la sauce soit épaisse. Mettre la viande et les légumes dans les crêpes, les rouler et servir.

DONNE 6 PORTIONS

Crêpes Lasagne

CRÊPES FLORENTINES AUX POMMES ET AU SAUMON FUMÉ

10 once	280 mL	épinards frais
6 c. à table	90 mL	beurre
3 c. à table	45 mL	farine tout usage
1½ tasses	375 mL	crème légère
1 c. à table	15 mL	basilic fraîchement haché
1½ tasses	375 mL	pommes pelées, décortiqués, coupées en dés
2	2	jaunes d'oeuf
8 once	225 g	saumon fumé, finement haché
12	12	crêpes (voir pâte à crêpe page 469)
1½ tasses	375 mL	fromage Havarti râpé

Laver et sécher les épinards et retirer les queues. Faire chauffer la moitié du beurre dans une casserole et faire sauter les épinards jusqu'à ce qu'ils soient tendres. Laisser de côté pour refroidir.

Faire chauffer le restant de beurre dans une deuxième casserole et ajouter la farine et cuire pendant 2 minutes à feu doux. Ajouter la crème, le basilic et les pommes, et laisser mijoter jusqu'à ce que la sauce ait légèrement épaissi. Retirer du feu et ajouter les jaunes d'oeufs en battant. Incorporer le saumon.

Préchauffer le four à 400°F (200°C). Disposer également la garniture dans chaque crêpes et les rouler. Placer dans un plat graissé allant au four, parsemer de fromage et cuire pendant 10 minutes. Servir.

DONNE 6 PORTIONS

CRÊPES AUX FRAISES ROMANOFF

2 tasses	500 mL	crème à fouetter
¾ tasse	180 mL	sucre à glacer
¼ tasse	60 mL	liqueur de Grand Marnier
3 tasses	750 mL	fraises lavées, équeutées et tranchées
12	12	crêpes sucrées (voir pâte à crêpe page 469)
24	24	fraises trempées dans le chocolat

Fouetter la crème et ajouter en pliant le sucre, la liqueur et les fraises. Garnir les crêpes et les rouler. Placer sur un plat de service et décorer de fraises enrobées en chocolat. Servir.

DONNE 6 PORTIONS

ROULEAUX AUX NOISETTES

2 tasses	500 mL	crème à fouetter
¾ tasse	180 mL	sucre à glacer
½ c. à thé	3 mL	extrait de noisettes ou d'amandes
12	12	crêpes sucrées (voir pâte à crêpes page 469)
½ tasse	125 mL	gelée d'abricot chaude
2 tasses	500 mL	noisettes grossièrement hachées (avelines)

Fouetter la crème et ajouter en pliant le sucre et l'extrait. Étendre sur les crêpes et les rouler.

Badigeonner les crêpes de la gelée d'abricots et les roules dans les noix Servir.

DONNE 6 PORTIONS

Crêpes Florentines aux Pommes et au Saumon Fumé

Rouleaux aux Noisettes

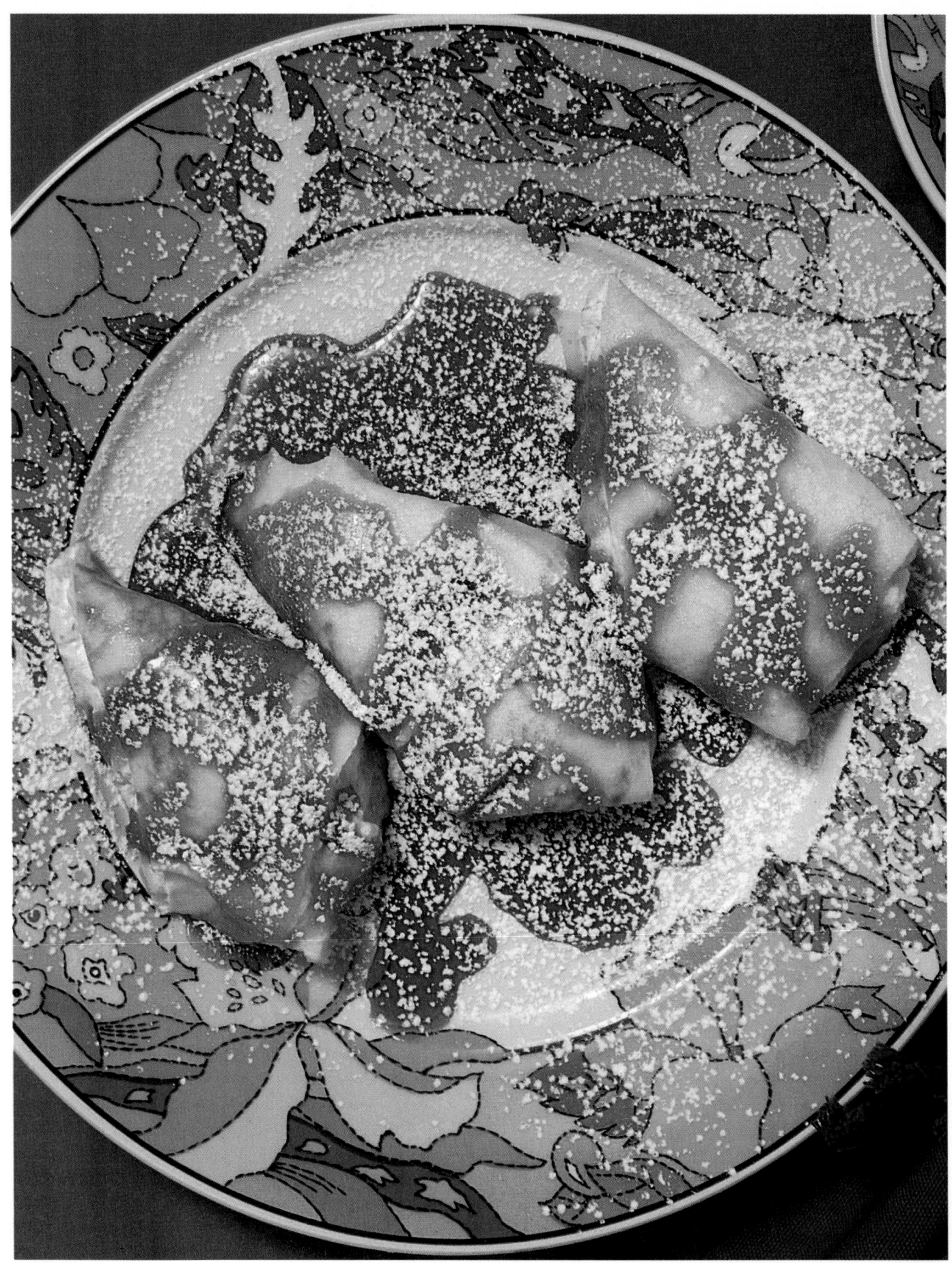

Crêpes de l'Empire

CRÊPES AU STEAK ET AU GINGEMBRE

1½ livres	675 g	contrefilet New York
2 c. à table	30 mL	beurre
1½ c. à thé	8 mL	gingembre frais émincé
2 c. à table	30 mL	amandes blanchies
1 c. à thé	5 mL	poudre de chili
1 c. à thé	5 mL	ail fraîchement émincée
3 c. à table	45 mL	oignon émincé
3 c. à table	45 mL	farine tout usage
1½ tasses	375 mL	bouillon de boeuf (voir page 85)
3 c. à table	45 mL	sherry
3 c. à table	45 mL	gelée de prunes
12	12	crêpes (voir pâte à crêpe page 469)
		brindilles de cilantro pour garnir

Couper le steak en lanières de 2" (5 cm). Chauffer le beurre dans une grande poêle et faire brunir le steak. Ajouter le gingembre, les amandes, la poudre de chili, l'ail et l'oignon, et faire sauter pendant 2 minutes.

Ajouter la farine, cuire pendant 2 minutes. Ajouter le bouillon de boeuf, le sherry et la gelée. Réduire le feu et laisser mijoter jsuqu'à ce que la sauce soit épaisse.

Mettre la garniture dans les crêpes, les rouler, servir immédiatement garni de tiges de cilantro.

DONNE 6 PORTIONS

Crêpes aux Pommes

CRÊPES AUX POMMES

4	4	grosses pommes
3 c. à table	45 mL	beurre
3 c. à table	45 mL	sucre granulé
½ c. à thé	3 mL	cannelle
12	12	crêpes (voir pâte à crêpe page 469)
2 tasses	500 mL	crème fouettée

Peler, décortiquer et trancher les pommes.

Faire chauffer le beurre dans une grande poêle, ajouter les pommes, le sucre et la cannelle et cuire pendant 8 minutes à feu moyen.

Verser la garniture aux pommes sur les crêpes, les rouler et les placer sur un l-plat de service. Couvrir de crème à fouetter et servir.

DONNE 6 PORTIONS

CRÊPES DE L'EMPIRE

1½ tasses	375 mL	crème à fouetter
1 c. à thé	5 mL	essence de vanille
1 tasse	250 mL	macarons écrasés
1 tasse	250 mL	ananas broyé, bien égoutté
½ tasse	125 mL	sucre à glacer
12	12	crêpes sucrées (voir pâte à crêpe page 469)
½ tasse	125 mL	gelée de groseille chaude

Fouetter la crème avec la vanille et incorporer en pliant les macarons, les ananas et le sucre. Étendre la ganiture sur les crêpes et les rouler.

Badigeonner les crêpes de gelée de groseilles et servir.

DONNE 6 PORTIONS

Crêpes au Steak et aux Champignons

CRÊPES AUX POMMES ET AUX MÛRES

1½ tasses	375 mL	pommes, pelées, décortiquées, coupées en dés
2 c. à table	30 mL	beurre
¼ tasse	60 mL	sucre granulé
2 tasses	500 mL	mûres lavées, équeutées
¼ tasse	60 mL	jus de pomme
1 c. à thé	5 mL	fécule de maïs
12	12	crêpes sucrées (voir pâte à crêpe page 469)
2 tasses	500 mL	crème à fouetter

Faire sauter les pommes dans le beurre dans une poêle, saupoudrer de sucre et cuire pendant 3 minutes. Ajouter les mûres et poursuivre la cuisson pendant 5 minutes de plus.

Mélanger le jus de pomme avec la fécule de maïs. Verser le jus sur les fruits, amener à ébullition et réduire le feu. Laisser mijoter jusqu'à ce que la sauce soit épaisse. Étendre sur les crêpes en les empilant les unes par-dessus les autres. Servir chaque tranche accompagnée d'une cuillérée de crème à fouetter.

DONNE 6 PORTIONS

CRÊPES AU STEAK ET AUX CHAMPIGNONS

3 c. à table	45 mL	huile de tournesol
1 livre	450 g	contrefilet New York – coupé en lanières de ¼"
3 once	80 g	champignons tranchés
1 tasse	250 mL	sauce espagnole (voir page 111)
12	12	crêpes (voir pâte à crêpe page 469)

Faire chauffer l'huile dans une grande poêle. Faire rapidement frire le steak et les champignons. Ajouter la sauce espagnole, reduire le feu et laisser mijoter pendant 5 à 8 minutes.

Étendre également la garniture sur les crêpes, les rouler et servir immédiatement.

DONNE 6 PORTIONS

BANANES ROYALES AUX ANANAS

3 c. à table	45 mL	cassonade foncée
2 c. à table	30 mL	fécule de maïs
1½ tasses	375 mL	ananas broyé avec jus
5 c. à table	75 mL	beurre
¼ c. à thé	1 mL	de chaque: écorce de citron et d'orange râpée
6	6	bananes mûres
12	12	crêpes sucrées (voir pâte à crêpe page 469)
3 tasses	750 mL	crème glacée aux fraises et à aux bananes (voir page 641)

Mélanger le sucre avec la fécule de maïs dans une petite casserole. Ajouter les ananas et 1 c. à table (15 mL) de beurre. Amener à ébullition et réduire le feu. Laisser mijoter jusqu'à épaississement. Retirer du feu et ajouter l'écorce des agrumes en brassant.

Couper les bananes en deux, envelopper une crêpe autour de chaque moitié. Faire chauffer le restant de beurre dans une poêle et faire doucement sauter les crêpes pour chauffer les bananes. Les placer sur un plat de service, recouvrir de crème glacée et ensuite de sauce, et servir immédiatement.

DONNE 6 PORTIONS

Bananes Royales aux Ananas

CRÊPES AU HOMARD ET AU CHEDDAR

3 c. à table	45 mL	beurre
1 livre	450 g	chair de homard
1 tasse	250 mL	sauce Mornay (voir page 111)
1 tasse	250 mL	fromage cheddar doux râré
8	8	crêpes (voir pâte à crêpe page 469)

Préchauffer le four à 350°F (180°C).

Faire chauffer le beurre dans une grande poêle, ajoueter le homard, et bien faire sauter. Incorporer la sauce Mornay et la moitié du fromage cheddar, reduire le feu et laisser mijoter pendant 3 minutes.

Étendre également la garniture sur les crêpes et les rouler. Déposer les crêpes dans un plat graissé allant au four. Parsemer duu restant de fromage et cuire dans un four pendant 15 minutes, servir immédiatement.

DONNE 4 PORTIONS

CRÊPES STUFATU

4 c. à table	60 mL	huile d'olive
1	1	gros oignon haché
3	3	gousses d'ail émincées
12 onces	340 g	steak maigre coupé en cube
12 onces	340 g	porc haché maigre coupé en cubes
¼ tasse	60 mL	bacon coupé en cubes
2 tasses	500 mL	tomates pelées, épépinées, hachées
½ tasse	125 mL	vin blanc
1 c. à thé	5 mL	sel
½ c. à thé	3 mL	poivre noir moulu
2 tasses	500 mL	bouillon de boeuf (voir page 85)
12	12	crêpes (voir pâte à crêpe page 469)
¾ tasse	180 mL	fromage Gruyère râpé

Faire chauffer l'huile dans une grande poêle, et faire sauter l'oignon et l'ail jusqu'à ce qu'ils soient tendres. Ajouter le boeuf, le porc et le bacon, et faire brunir. Égoutter l'excès d'huile.

Ajouter les tomates, le vin, les épices et le bouillon et réduire le feu à très faible intensité. Laisser mijoter pendant 2 heures.

Étendre la viande sur les crêpes et les rouler. Les disposer dans un plat graissé allant au four et les parsemer de fromage. Cuire dans un four préchauffé à 350°F (180°C) pendant 15 minutes. Servir.

DONNE 6 PORTIONS

Crêpes au Homard et au Cheddar

CRÊPES AIGRES-DOUCES AU POULET

1½ livres	675 g	poulet désossé, coupé en cubes de ½"
3 c. à table	45 mL	huile de tournesol
2 c. à table	30 mL	farine tout usage
¾ tasse	180 mL	jus d'ananas
3 c. à table	45 mL	poivron vert coupé en dés
½ c. à thé	3 mL	moutarde préparée forte
2 c. à table	30 mL	vinaigre de vin et d'ail
¼ c. à thé	1 mL	poudre d'ail
2 c. à table	30 mL	sauce soya foncée
1 c. à table	15 mL	mélasses
½ tasse	125 mL	sauce chili
12	12	crêpes (voir pâte à crêpe page 469)

Faire chauffer l'huile dans un poêle et faire brunir le poulet. Ajouter la farine et cuire pendant 2 minutes. Ajouter les ingrédients qui restent à l'exception des crêpes. Brasser, réduire le feu et laisser mijoter pendant 15 minutes.

Étendre sur les crêpes, les rouler et les servir.

DONNE 6 PORTIONS

Crêpes Soufflées aux Pétoncles

CRÊPES SOUFFLÉES AUX PÉTONCLES

3 c. à table	45 mL	beurre
3 c. à table	45 mL	farine tout usage
1¼ tasses	310 mL	bouillon de poulet (voir page 77)
1¼ tasses	310 mL	crème moitié et moitié
½ tasse	125 mL	fromage Parmesan fraîchement râpé
3	3	tranches de bacon
1	1	petit oignon coupé en dés fins
1	1	branche de céleri coupée en dés fin
1 tasse	250 mL	pétoncles fraîchement hachés
16	16	crêpes (voir pâte à crêpe page 469)
1½ tasses	375 mL	fromage cheddar râpé

Faire chauffer le beurre dans une casserole. Ajouter la farine et cuire pendant 2 minutes à feu doux.

Incorporer le bouillon de poulet et la crème. Réduire le feu et laisser mijoter jusqu'à épaississement. Incorporer le fromage et laisser mijoter pendant 2 minutes de plus.

Couper le bacon en cubes et le faire frire dans une poêle. Ajouter l'oignon et le céleri et faire sauter jusqu'à ce qu'il soient tendre. Ajouter les palourdes et cuire pendant 3 minutes, Égoutter l'exces de gras et incorporer à la sauce en pliant.

Étendre les crêpes dans un plat rond en alternant avec la sauce. Pasermer de fromage et cuire dans un four préchauffé à 350°F (180°C) pendant 35 minutes. Serve immédiatement.

DONNE 6 PORTIONS

NALESNIKI

2 tasses	500 mL	fromage cottage
1 tasse	250 mL	fromage Ricotta
4	4	oeufs
¼ c. à thé	1 mL	de chaque: sel, poivre, cerfeuil, marjolaine, thym
12	12	crêpes (voir pâte à crêpe page 469)
3 tasses	750 mL	chapelure
1 c. à table	15 mL	paprika
1 c. à thé	5 mL	de chaque: origan, thym, sage, poudre d'ail, poudre d'oignon, poivre noir, marjolaine, poudre de chili
¾ tasse	190 mL	lait
2 tasses	500 mL	huile de tournesol
1½ tasses	375 mL	bacon cuit coupé en dés
1 tasse	250 mL	crème sure

Combiner les fromages avec les oeufs et les premières épices de la liste. Couper les crêpesen deux. Étendre le mélange au fromage sur les crêpes et les rouler.

Mélanger la chapelure avec les autres épices. Battre les deux autres oeufs avec le lait. Tremper les crêpes dans le lait et les enrober de chapelure.

Faire chauffer l'huile à 375°F (190°C) et faire frire les crêpes en petites quantités. Les conserver au chaud pendant que cuisent les autres. Mettre dans un plat de service et servir accompagnées de crème sure et de bacon émietté.

DONNE 6 PORTIONS

CRÊPES MARCHAND DE VIN

2 c. à table	30 mL	beurre
⅓ tasse	80 mL	jambon coupé en dés
⅓ tasse	80 mL	champignons finement hachés
⅓ tasse	80 mL	oignons verts émincés
1 tasse	250 mL	sauce demi-glace (voir page 123)
½ tasse	125 mL	vin rouge
4 c. à table	60 mL	huile de tournesol
1 livre	450 g	pointes de filet de boeuf
1	1	oignon espagnol tranché
8	8	crêpes (voir pâte à crêpe page 469)
3 c. à table	45 mL	persil haché

Faire chauffer le beurre dans une casserole. Ajouter le jambon, les champignons et les oignons, et faire sauter jusqu'à ce qu'ils soient tendres. Ajouter la sauce demi-glace et le vin, réduire le feu et laisser mijoter jusqu'à ce que le volume de la sauce donne 1½ tasses (375 mL).

Faire chauffer l'huile dans une poêle et faire sauter les pointes de filet de boeuf avec l'oignon jusqu'au degré de cuisson désiré. Mettre dans les crêpes et les rouler.

Placer les crêpes dans des plats de service, les recouvrir de sauce et les garnir de persil. Servir.

DONNE 4 PORTIONS

Nalesniki

Crêpes Marchand de Vin

Crêpes au Porc Épicé au Miel

CRÊPES AUX PÊCHES MELBA

1 tasse	250 mL	crème à fouetter
¼ tasse	60 mL	sucre à glacer
12	12	crêpes sucrées (voir pâte à crêpe page 469)
2 tasses	500 mL	confiture de framboises chaude
⅓ tasse	80 mL	pêches tranchées
1½ tasses	375 mL	sauce aux abricots et aux framboises (voir page 108)

Fouetter la crème et incorporer le sucre en pliant. Étendre la confiture de framboises sur les crêpes, faire suivre des pêches et de la crème fouettée. Rouler les crêpes et placer sur des plats de service. Couvrir de sauce aux framboises et servir.

DONNE 6 PORTIONS

CRÊPES AU PORC ÉPICÉ ET AU MIEL

1½ livres	675 g	porc maigre
½ tasse	125 mL	farine tout usage
2 c. à table	30 mL	huile de tournesol
1	1	gros oignon tranché
2	2	gousses d'ail émincées
3	3	tomates pelées, épépinées et hachées
1	1	piment jalapeño, épépiné et coupé en dés fin
½ c. à thé	3 mL	sel
¼ c. à thé	1 mL	de chaque: poivre, cerfeuil, thym, origan, cumin, paprika
2 c. à thé	10 mL	sauce Worcestershire
¼ c. à thé	1 mL	sauce Tabasco™
2 tasse	500 mL	bouillon de poulet (voir page 77)
12	12	crêpes (voir pâte à crêpe page 469)
1½ tasses	375 ml	fromage cheddar râpé

Couper le porc en lanières de 1" (2.5 cm) et les saupoudrer de farine.

Dans une grande poêle ou poêlon électrique, faire chauffer l'huile et faire brunir la viande en petites quantités. Retirer du feu et reserver. Faire sauter l'oignon et l'ail jusqu'à ce qu'ils soient tendres. Incorporer les tomates, le piment jalepeño, les épices, la sauce Worcestershire, la sauce Tabasco et le bouillon en brassant, et amener à ébullition.

Ajouter le porc tout en brassant. Réduire le feu et laisser mijoter pendant 45 minutes.

Mettre la garniture dans les crêpes et les rouler. Les placer dans un plat graissé allant au four. Parsemer de fromage et cuire dans un four préchauffé à 350°F (180°C) pendant 15 minutes. Servir accompagné d'un riz pilaf.

DONNE 6 PORTIONS

Crêpes aux Pêches Melba

DESSERTS

Le désir de tout cuisinier est de faire une différence marquante dans tous ses repas, mais un repas inoubliable est souvent l'affaire de la finale. Le dernier plat servi à vos invités est celui qui vivra le plus longtemps dans leur mémoire, finissez donc avec un dessert mémorable.

Trouver ce dessert n'est plus chose impossible. Feuilletez simplement les pages suivantes et votre recherche sera complète. La préparation est aussi simple que la découverte. Suivez les instructions pas à pas et vous aboutirez à une conclusion qui sera simplement délicieuse. Du simple gâteau au gâteau au fromage, de la tarte aux pâtes desserts (oui, des pâtes desserts), les desserts inoubliables sont désormais à votre portée.

Dans *Tout simplement délicieux 2*, les desserts ont le goût qu'il faut pour montrer à vos invités que vous avez ce qu'il faut. Les desserts grandioses ne sont pas impossibles, ils peuvent être aussi simples que notre coupe de Chocolat aux fraises des bois (voir page 769) ou aussi élaborés que notre Gâteau au fromage aux bananes à trois couches. Il y a un dessert pour toutes les occasions.

Ne pensez jamais que vous ne pourrez pas les préparer, nous les avons rendus parfaits. Nos tartes vous feront penser à celles de Maman, nos gâteaux à ce petit bistrot sympathique où vous allez tous les deux. Les enfants adoreront les biscuits. Et puis, il y a aussi les «parfaits petits desserts légers.» Nos desserts aux fruits sont frais. Il y en a plus de 275, votre favori est problablement parmi eux. Sinon, nous espérons que vous en trouverez un nouveau dans ce chapitre.

Les amateurs de chocolat ne seront pas déçus, nos desserts au chocolat sont parmi les meilleurs. Qu'il s'agisse de la somptueuse Torte au chocolat suisse ou du Gâteau fromage au chocolat et au Grand Marnier, absolument décadent, tous les besoins sont satisfaits avec l'un de nos desserts.

De la Crème glacée aux bleuets, aux Poires flambées, votre conclusion ne sera pas surpassée. Votre secret sera toujours *Tout Simplement Délicieux.*

Tarte au Raisin

Gâteau au Fromage à la Crème de Menthe et au Kahlua

GÂTEAU AU FROMAGE À LA CRÈME DE MENTHE ET AU KAHLUA

CROÛTE :

3½ tasses	875 mL	chapelure de biscuits au chocolat
¼ tasse	60 mL	beurre fondu

GARNITURE :

15 onces	1,25 kg	fromage à la crème
1½ tasse	375 mL	sucre granulé
2½ tasses	625 mL	crème épaisse
4	4	œufs
¼ tasse	60 mL	liqueur de Kahlua
¼ tasse	60 mL	café, fort
¼ tasse	60 mL	crème de menthe

CROÛTE :

Mélanger la chapelure de biscuits avec le beurre. Foncer le fond et le tour d'un moule à ressort, graissé, de 10" (25 cm). Réfrigérer.

GARNITURE :

Fouetter le fromage et le sucre jusqu'à former une crème légère. Incorporer la crème. Ajouter un œuf à la fois en battant bien après chaque addition. Diviser le mélange en deux. Ajouter le Kahlua et le café dans une moitié, la crème de menthe dans l'autre. Verser le mélange au Kahlua dans le moule déjà préparé. Cuire 45 minutes dans un four préchauffé à 325°F (160°C). Ajouter le mélange à la menthe et incorporer avec une lame de couteau. Continuer à cuire 75 minutes. Arrêter le four, entrouvrir la porte. Après 30 minutes transférer sur une grille et laisser refroidir, réfrigérer 12 heures ou toute une nuit. Servir avec une sauce au chocolat.

Gâteau Déjeûner de Singe, Glaçage aux Bananes et au Kahlua

GÂTEAU DÉJEUNER DE SINGE

½ tasse	125 mL	beurre
¾ tasse	180 mL	sucre granulé
2	2	œufs
¾ tasse	60mL	bananes écrasées
¼ tasse	60 mL	crème de liqueur irlandaise
1 c. à thé	5 mL	bicarbonate de soude
2 tasses	500 mL	farine tout usage
1 c. à thé	5 mL	poudre à pâte
⅛ c. à thé	pincée	sel

Fouetter le beurre et le sucre jusqu'à former une crème légère. Ajouter les œufs un à un, bien battre après chaque addition.

Ajouter la banane, bien battre, ajouter la liqueur. Tamiser la poudre à pâte, la farine et le sel, incorporer au mélange.

Verser l'appareil dans un moule à ressort graissé de 9" (23 cm). Cuire 40 minutes dans un four préchauffé à 350°F (180°C). Laisser refroidir 10 minutes et transférer sur une grille, retourner le gâteau et laisser refroidir complètement. Couvrir avec le glaçage aux bananes et au Kahlua (recette suivante).

GLAÇAGE AUX BANANES ET AU KAHLUA

½ tasse	125 mL	beurre
1¼ tasse	310 mL	sucre à glacer
2	2	œufs
1 tasse	250 mL	sucre granulé
¼ tasse	60 mL	farine
¼ c. à thé	2 mL	sel
3 c. à table	45 mL	liqueur de banane
3 c. à table	45 mL	crème de liqueur irlandaise
3 onces	90 g	chocolat mi-sucré, fondu

Mettre le beurre et le sucre à glacer en crème, dans un bol.

Battre les œufs, le sucre, la farine, le sel et les liqueurs dans un bol au bain-marie. Cuire 10 minutes, refroidir. Ajouter au fouet la crème et le beurre. Glacer les gâteaux.

PIZZA AUX FRUITS

CROÛTE :

1 tasse	250 mL	miettes de gâteau blanc
1 tasse	250 mL	macarons – écrasés
¼ c. à thé	1 mL	cannelle
¼ tasse	60 mL	beurre – fondu

Mélanger les ingrédients, foncer une assiette à tarte graissée de 9" (23 cm). Cuire 5 minutes dans un four préchauffé à 350°F (180°C).

REMPLISSAGE :

1 c. à table	15 mL.	gélatine neutre
¼ tasse	60 mL	jus d'orange
6 onces	120 g	fromage à la crème
1 tasse	250 mL	crème à fouetter
½ tasse	125 mL	sucre à glacer
½ c. à thé	3 mL	essence de vanille
1 c. à thé	5 mL	écorce d'orange, râpée

Diluer la gélatine dans le jus d'orange. Faire chauffer dans une casserole jusqu'à dissolution. Battre le fromage en crème avec le jus d'orange. Fouetter la crème, incorporer le sucre, la vanille et la pelure d'orange. Incorporer au fromage. Verser dans la croûte à tarte et réfrigérer 3 heures.

GLAÇAGE :

1 tasse	250 mL	fraises lavées, équeutées et tranchées
1 tasse	250 mL	pêches, tranchées
1 tasse	250 mL	kiwis, pelés, tranchés ou bananes tranchées
1 tasse	250 mL	raisins noirs, en demies, sans pépins
½ tasse	125 mL	gelée de pomme

Déposer les fruits, en couches, au-dessus de la garniture. Faire chauffer la gelée et brosser sur les fruits. Réfrigérer 1 heure avant de servir.

DONNE 6 PORTIONS

GÂTEAU AU FROMAGE AUX BLEUETS

1½ c. à table.	25 mL.	beurre ramolli
2 tasses	500 mL	bleuets frais
½ tasse	125 mL	sucre granulé
1	1	gélatine neutre
⅔ tasse	160 mL	crème à fouetter
1	1	œuf
3	3	(125 g) boîtes de fromage à la crème à la température ambiante
¼ tasse	60 mL	sucre à glacer

Beurrer généreusement une assiette à tarte de 9" (23 cm). Appliquer doucement environ 1½ tasse (375 mL) de bleuets dans le beurre pour foncer l'assiette. Saupoudrer avec 2 c. à table. (30 mL) de sucre granulé.

Diluer la gélatine avec plus de ⅓ tasse (80 mL) de crème dans une casserole. Mélanger les œufs et le reste du sucre granulé, ⅓ tasse (80 mL). Chauffer à feu moyen, en remuant constamment, jusqu'au point d'ébullition et léger épaississement.

Battre le fromage en crème lisse. Ajouter lentement le mélange avec la gélatine, tout en battant pour bien mélanger. Battre le reste de la crème, ⅓ tasse (80 mL), incorporer au mélange de fromage. Verser le tout dans l'assiette à tarte et réfrigérer 3 à 4 heures. Parsemer de bleuets au moment de servir et saupoudrer de sucre à glacer avec un tamis.

Pizza aux Fruits

Gâteau Mocha Italien

GÂTEAU MOCHA ITALIEN

6	6	œufs, séparés
1 tasse	250 mL	sucre granulé
2 c. à table	30 mL	jus de citron
1 c. à thé	5 mL	écorce de citron, râpée
1 c. à thé	5 mL	café instantané
2 c. à table	30 mL	eau chaude
½ tasse	60 g	farine à gâteau
2 c. à thé	10 mL	poudre à pâte
¼ c. à thé	1 mL	sel
16	16	grains de café enrobés de chocolat

Fouetter les jaunes d'œuf avec le sucre, le jus de citron et l'écorce. Ajouter le café dissout dans l'eau chaude.

Tamiser la farine, la levure et le sel. Incorporer aux jaunes d'œuf. Battre les blancs d'œuf en neige ferme. Incorporer au mélange. Ne pas trop mélanger. Verser dans deux moules à gâteau ronds de 9" (23 cm), foncés avec du papier sulfurisé graissé et fariné. Cuire 20 minutes dans un four préchauffé à 350°F (180°C). Transférer sur une grille, laisser refroidir 10 minutes avant de démouler. Laisser refroidir complètement.

Glacer et remplir de Crème mocha (voir page 506). Décorer avec les grains de café.

FONDANTS AU CHOCOLAT

3 onces	80 g	chocolat mi-sucré
1 tasse	250 mL	beurre
2 tasses	500 mL	sucre granulé
2	2	œufs
⅛ c. à thé	pincée	sel
3¾ tasses	930 mL	farine tout usage
2 c. à table	30 mL.	poudre de cacao
1 c. à table	15 mL	poudre à pâte
¾ tasse	180 mL	lait
1 c. à thé	5 mL	essence de vanille

Faire fondre le chocolat au bain-marie. Mettre le beurre en crème avec le sucre et les œufs.

Tamiser le sel, la farine, le cacao et la levure. Incorporer au mélange de beurre en alternant avec le lait. Ajouter la vanille et réfrigérer 4 heures. Rouler en forme de gros cigare, trancher.

Cuire 10 à 12 minutes dans un four préchauffé à 400°F (200°C). Retirer du four et laisser refroidir.

DONNE 2 DOUZAINES

FLAN AU BLEUETS

FLAN :

2½ tasses	625 mL	farine à gâteau
½ tasse	125 mL	sucre granulé
½ tasse	155 mL	beurre ramolli, + 2 c. à table.
3	3	jaunes d'œuf
1 c. à thé	5 mL	écorce de citron, râpée
¼ c. à thé	1 mL	sel

Mettre la farine dans le bol d'un malaxeur électrique. À l'aide du crochet, ajouter le sucre, le beurre puis les jaunes d'œuf. Bien mélanger sans trop travailler. Laisser reposer l'appareil 30 minutes, abaisser à ⅛" (3 mm) d'épaisseur. Foncer un moule à flan de 10" (25 cm). Cuire à vide 15 minutes dans un four préchauffé à 350°F (180°C).

REMPLISSAGE :

1¾ tasse	430 mL	sucre granulé
¼ tasse	60 mL	fécule de maïs
2	2	œufs
1 c. à table	15 mL	beurre
1½ tasse	375 mL	lait
1 c. à thé	5 mL	essence de vanille
3 tasses	750 mL	bleuets frais
¼ tasse	60 mL	gelée de pomme

Mélanger 1 tasse (200 g) de sucre, la fécule de maïs et les œufs dans un bain-marie, ajouter le beurre, le lait et la vanille, cuire jusqu'à épaississement. Verser dans la croûte. Mélanger le reste du sucre avec les bleuets. Couvrir la garniture de crème, mettre au four et cuire 25 minutes. Retirer du four, laisser refroidir. Chauffer la gelée de pommes, badigeonner les bleuets et réfrigérer.

DONNE 8 - 10 PORTIONS

Flan aux Bleuets

ZABAGLIONE AU CHOCOLAT, GELÉ

6	6	jaunes œuf
½ tasse	125 mL	sucre granulé
2 onces	60 g	chocolate mi-sucré
⅓ tasse	80 mL	crème de sherry
¼ tasse	60 mL	crème épaisse

Battre les jaunes d'œuf avec le sucre dans un bain-marie, à doux, jusque crémeux.

Faire fondre le chocolat dans un autre bain-marie. Ajouter le sherry et la crème. Ajouter lentement le mélange de chocolat aux œufs. Continuer à fouetter jusqu'à épaississement, laisser refroidir et réfrigérer. Déposer dans une machine à glace et travailler en suivant les instructions du manufacturier.

DONNE 4 PORTIONS

TARTE À LA CITROUILLE GOURMET

½ quan	0.5	croûte à tarte Gourmet (voir page 541)
1¾ tasses	430 mL	citrouille en boîte
½ tasse	100 g	sucre brun, bien tassé
¼ tasse	60 mL	miel
½ c. à thé	3 mL	gingembre moulu
1 c. à thé	5 mL	canelle
¼ c. à thé	1 mL	clous de girofle moulu
2	2	œufs – battu
1 tasse	250 mL	lait condensé
½ tasse	125 mL	eau

Abaisser la croûte pour foncer une assiette de 9" (23 cm). Pincer le bord.

Mettre la citrouille dans une casserole et cuire 10 minutes. Ajouter le sucre, le miel et les épices en remuant. Enlever du feu. Ajouter les œufs, le lait et l'eau au fouet. Battre jusque lisse. Verser dans l'assiette à tarte. Cuire 45 minutes dans un four préchauffé à 450°F (230°C), ou jusqu'à ce qu'un couteau piqué dans le centre sorte clair de chaque côté.

DONNE 6 PORTIONS

GÂTEAU AU FROMAGE AUX FRAISES

CROÛTE:

2 tasses	500 mL	miettes de gâteau blanc
⅓ tasse	80 mL	chapelure fine
¼ tasse	60 mL	beurre fondu

Mélanger tous les ingrédients. Presser dans un moule à ressort de 9" (23 cm) pour foncer le fond et les bords.

REMPLISSAGE:

2 tasses	500 mL	purée de fraises fraîches
1½ livres	750 g	fromage à la crème
1½ tasses	375 mL	sucre granulé
3	3	œufs
2 c. à thé	10 mL	essence de vanille

Battre en crème les fraises, le fromage et le sucre. Continuer à battre et ajouter les œufs un à un. Ajouter la vanille et verser dans le moule. Cuire 75 minutes dans un four préchauffé à 350°F (160°C). Arrêter le four, entrouvrir la porte et laisser refroidir 30 minutes. Transférer sur une grille et laisser refroidir à la température ambiante.

GLAÇAGE:

2 tasses	500 mL	fraises fraîches, en moitiés
½ tasse	125 mL	confiture d'abricots

Arranger les fraises sur le gâteau refroidi. Faire chauffer l'abricot et badigeonner les fraises. Réfrigérer 6 à 8 heures avant de servir.

Tarte à la Citrouille Gourmet

Gâteau au Fromage aux Fraises

Torte B-52, Glaçage B-52

TORTE B-52

2 c. à table	30 mL.	poudre de cacao
2 tasses	500 mL	farine à gâteau
1 c. à thé	5 mL	poudre à pâte
¼ c. à thé	1 mL	sel
½ tasse	125 mL	beurre
1½ tasse	375 mL	sucre granulé
2	2	œufs battus
3 onces	80 g	chocolat mi-sucré, fondu
⅓ tasse	80 mL	lait
⅛ tasse	30 mL	brandy à l'orange
⅛ tasse	30 mL	liqueur de crème irlandaise
⅛ tasse	30 mL	liqueur de café

Tamiser le cacao, la farine, la poudre à pâte et le sel, trois fois.

Battre en crème légère le beurre et le sucre. Continuer à battre et ajouter les œufs, un à la fois. Mélanger le chocolat, le lait et les liqueurs.

Incorporer la farine et le liquide dans le mélange, en trois étapes. Verser dans deux moules ronds, beurrés et farinés, de 8" (20 cm). Cuire 35 à 40 minutes dans un four préchauffé à 350°F (180°C).

Laisser refroidir 10 minutes, démouler sur une grille. Glacer et garnir avec le glaçage B-52 (recette suivante).

GLAÇAGE B-52

3 onces	85 g	chocolat mi-sucré
1 onces	30 mL	liqueur de crème irlandaise
1 onces	30 mL	brandy à l'orange
1 onces	30 mL	liqueur de café
1 c. à thé	5 mL	beurre fondu
2	2	jaunes d'œuf
2 tasses	500 mL	sucre à glacer

Faire fondre le chocolat avec les liqueurs et le beurre dans un bain-marie. Ajouter les jaunes d'œuf au fouet et continuer à cuire en battant jusqu'à épaississement. Retirer du feu promptement. Mettre dans un robot de cuisine et fouetter avec le sucre. Employer au besoin.

PÂTES CAPPUCCINO

½ quan	0.5	pâtes au café (voir page 436)
½ quan	0.5	pâtes au cacao (voir page 429)
¼ tasse	60 mL	sucre granulé
1 tasse	250 mL	crème moitié et moitié
1 c. à thé	5 mL	essence de vanille
6 onces	170 g	chocolat mi-sucré

Préparer la pâte selon les indications et la couper en capellinis.

Diluer le sucre dans la crème, ajouter la vanille.

Faire chauffer la crème au bain-marie, ajouter le chocolat.

Cuire les pâtes dans une grande cocotte d'eau bouillante. Égoutter et mettre dans les assiettes. Verser la sauce par-dessus. Servir.

DONNE 6 PORTIONS

Gâteau de Savoie

GÂTEAU DE SAVOIE

10	10	blancs d'œuf
1 c. à thé	5 mL	crème de tartre
1 tasse	250 mL	sucre vanillé*
1 tasse	110 g	farine tout usage
¼ c. à thé	2 mL	sel
1 c. à thé	5 mL	essence de vanille

Battre les blancs d'œuf en neige. Ajouter la crème de tartre, puis le sucre graduellement. Tamiser la farine et le sel, quatre fois. Incorporer aux blancs d'œuf. Ajouter la vanille. Verser dans un moule à savarin non graissé. Cuire 35 à 40 minutes dans un four préchauffé à 375°F (190°C). Renverser le moule sur un tube ou un verre et laisser le gâteau se démouler. Une fois refroidi, glacer le gâteau avec le glaçage aux guimauves (page 572), Chocolat double (page 561) ou à votre choix.

* Pour faire un sucre vanillé, mettre 2 tasses de sucre granulé et 3 grains de vanille dans un contenant scellé pendant 2 semaines.

PÂTES AU CAFÉ FRANGELICO

1 quan	1 quan	pâtes au café (voir page 436)
¼ tasse	60 mL	sucre granulé
1 tasse	250 mL	crème moitié et moitié
2 c. à thé	10 mL	café instantané
2 onces	60 g	liqueur Frangelico
2 onces	60 g	chocolat mi-sucré
¼ tasse	60 mL	noisettes hachées (avelines)

Préparer la pâte selon les indications, couper en capellinis.

Mélanger le sucre et la crème dans un bain-marie. Ajouter le café et la liqueur. Faire fondre le chocolat dans la même casserole.

Cuire les pâtes dans une grande casserole d'eau salée bouillante, puis égoutter.

Verser la sauce sur les pâtes, saupoudrer de noix et servir.

DONNE 6 PORTIONS

TARTE AUX POMMES, SUCRE DES BOIS

1 quan	1 quan	croûte à tarte, farine de blé entier (recette suivante)
8	8	grosses pommes à cuire
1 tasse	250 mL	sirop d'érable
1 c. à table	5 mL	farine tout usage
¼ c. à thé	1 mL	muscade et girofle
1 c. à thé	5 mL	cannelle moulue
2 c. à table	30 mL	beurre
1	1	œuf battu

Abaisser la croûte, foncer une assiette de 9" (23 cm). Éplucher, évider les pommes. Mélanger le sucre et les épices, saupoudrer sur la croûte. Remplir l'assiette de pommes et saupoudrer le reste du sucre. Parsemer de noix de beurre. Abaisser le reste de la croûte, déposer sur le dessus. Fermer et sceller les côtés. Découper une ouverture pour permettre à la vapeur de s'échapper. Badigeonner avec l'œuf. Cuire 45 minutes dans un four préchauffé à 425°F (215°C) ou jusque doré. Laisser refroidir avant de servir.

DONNE 6 PORTIONS

CROÛTE À TARTE DE FARINE DE BLÉ ENTIER

1 tasse	250 mL	farine de blé entier
1 tasse	250 mL	farine tout usage
1 c. à thé	5 mL	sel
¾ tasse	180 mL	matière grasse
⅓ tasse	80 mL	eau glacée

Tamiser les farines avec le sel, deux fois. Incorporer la matière grasse. Ajouter l'eau et mélanger, quelques cuillerées à la fois, jusqu'à obtenir une pâte humide. Partager en deux, couvrir et réfrigérer. Utiliser au besoin.

Tarte aux Pommes, Sucre des Bois

TARTE MERINGUE AU CITRON OU À LA LIME

½ quan	0.5 quan	croûte à tarte (voir page 616)
1¼ tasse	310 mL	sucre granulé
⅓ tasse	80 mL	fécule de maïs
1¾ tasse	410 mL	eau bouillante
3	3	œufs – séparés
⅓ tasse	80 mL	jus et pulpe de citron ou limette
1 c. à thé	5 mL	pelure de citron ou de limette, râpée
1 c. à table	15 mL	beurre
2 gouttes	2 gouttes	colorant alimentaire vert (pour lime)

Abaisser la pâte pour foncer un moule de 9" (23 cm), décorer le bord et cuire à vide (voir glossaire pour cuisson à vide). Laisser refroidir.

Mélanger 1¼ tasse (310 mL) de sucre avec la fécule de maïs. Diluer complètement dans l'eau. Cuire à feu moyen jusqu'à épaississement. Retirer du feu, ajouter un jaune d'œuf à la fois. Cuire un autre deux minutes. Ajouter le jus et la chair de citron avec le beurre (colorant pour la lime).

Laisser refroidir complètement. Verser dans la croûte. Battre le blanc d'œuf en neige ferme. Ajouter le reste du sucre, 2 c. à table (30 mL). à la fois. Couvrir la tarte. Cuire 10 à 12 minutes dans un four préchauffé à 450°F (230°C) ou jusqu'à dorer la meringue.

DONNE 6 PORTIONS

GÂTEAU AU CHOCOLAT

2 c à table	30 mL	poudre de cacao
2 tasses	500 mL	farine à gâteau
1 c. à thé	5 mL	poudre à pâte
¼ c. à thé	2 mL	sel
½ tasse	125 mL	beurre
1½ tasse	375 mL	sucre granulé
2	2	œufs
4 onces	120 g	chocolat fondu
1 tasse	250 mL	lait de beurre

Tamiser le cacao, la farine, la levure et le sel, 3 fois. Mettre en crème légère le beurre et le sucre. Ajouter les œufs, un à la fois. Ajouter le chocolat. Incorporer la farine et le lait de beurre en 3 étapes. Verser dans deux moules à gâteau graissés et farinés de 8" (20 cm). Cuire 35 à 40 minutes dans un four préchauffé à 350°F (180°C). Laisser refroidir 10 minutes, démouler sur une grille. Laisser refroidir et glacer avec la garniture crème de mocha (recette suivante).

GARNITURE CRÈME DE MOCHA

½ tasse	125 mL	sucre granulé
¼ tasse	60 mL	café, très fort
¼ tasse	60 mL	liqueur de café
3	3	jaunes œuf
½ tasse +2 c. à table	155 mL	beurre non salé,

Faire chauffer le café, la liqueur et le sucre jusqu'à obtenir un sirop. Fouetter les jaunes d'œuf puis ajouter lentement le sirop.

Mettre le beurre en crème légère. Incorporer au mélange œuf/café. Utiliser au besoin.

NOTE: Pour faire une garniture à la crème irlandaise, substituer la liqueur crème irlandaise au café.

Tarte Meringue au Citron ou à la Lime

Gâteau au Chocolat, Garniture Crème de Mocha

GÂTEAU AU FROMAGE PIÑA COLADA

CROÛTE :

1 tasse	250 mL	noix de coco, râpée
1 tasse	250 mL	noisettes grillées, moulues (avelines)
⅓ tasse	80 mL	sucre granulé
¼ tasse	80 mL	beurre fondu

Mélanger tous les ingrédients. Foncer un moule à ressort de 9" (23 cm). Réfrigérer 10 minutes. Cuire 7 minutes dans un four préchauffé à 350°F (180°C).

REMPLISSAGE :

1½ livres	675 mL	fromage à la crème
1 tasse	200 g	sucre granulé
¼ tasse	60 mL	nectar * crème de noix de coco
1 tasse	250 mL	crème épaisse
1½ tasse	375 mL	ananas écrasé, égoutté
3	3	œufs
¼ tasse	60 mL	rhum de noix de coco (facultatif)
2 c. à thé	10 mL	essence de rhum
1 tasse	100 g	noix de coco grillée, râpée

Battre le fromage en crème avec le sucre, jusque lisse. Ajouter la crème de noix de coco, la crème épaisse et l'ananas. Ajouter les œufs, un à la fois, en battant. Ajouter l'essence de rhum. Verser dans le moule. Cuire 90 minutes dans un four préchauffé à 350°F (160°C). Arrêter le four, entrouvrir la porte et laisser reposer 30 minutes. Saupoudrer de noix de coco. Transférer sur une grille, laisser refroidir à la température ambiante. Réfrigérer 8 heures, ou toute une nuit, avant de servir.

TORTE AU CHOCOLAT BLANC ET AU MIEL

1¼ tasse	310 mL	farine tout usage
2 c. à thé	10 mL	poudre à pâte
½ c. à thé	3 mL	sel
1 tasse	250 mL	sucre granulé
3	3	œufs – séparés
½ tasse	125 mL	lait
¾ tasse	180 mL	huile
2 onces	60 g	chocolat blanc fondu, refroidi
1½ c. à thé	8 mL	essence de vanille
¾ tasse	180 mL	miel
¼ tasse	60 mL	crème de cacao, blanche

Tamiser la farine, la levure et le sel, 2 fois. Mettre en crème le sucre et les œufs. Ajouter en alternant, la farine, le lait et l'huile, en trois étapes. Incorporer le chocolat. Verser le mélange dans un moule à ressort graissé et fariné de 9" (23 cm). Cuire 30 minutes dans un four préchauffé à 350°F (180°C). Transférer sur une grille. Mettre le gâteau sur un grand plat de service. Mélanger le miel et la liqueur, verser sur le gâteau et laisser imbiber 24 heures. Servir avec de la crème fouettée non sucrée.

CARRÉS AU BEURRE

½ tasse	125 mL	beurre
1 tasse	250 mL	farine tout usage
1¾ tasse	430 mL	sucre brun
2	2	œufs, battus
½ tasse	125 mL	flocons d'avoine
¼ c. à thé	1 mL	sel
½ c. à thé	3 mL	poudre à pâte
1 c. à thé	5 mL	essence de vanille
½ tasse	125 mL	noix de pacane, en morceaux
½ tasse	125 mL	raisins secs

Incorporer le beurre à la farine avec 2 c. à table (30 mL). de sucre. Foncer un moule à gâteau graissé de 9" x 9" (22.5 x 23 cm). Cuire 15 minutes dans un four préchauffé à 350°F (180°C).

Battre les œufs avec le reste du sucre. Incorporer les flocons d'avoine, le sel et la levure, bien mélanger. Ajouter la vanille, les noix et les raisins secs. Verser dans le moule, remettre au four et cuire 20 minutes. Laisser refroidir avant de couper en carrés.

DONNE 20 PORTIONS

Torte au Chocolat Blanc et au Miel

GÂTEAU AUX MANDARINES ET AUX NOIX

½ tasse	100 g	beurre
1 tasse	200 g	sucre granulé
2	2	jaunes d'œuf
1½ tasse	170 g	farine à gâteau
2¼ c. à thé	13mL	poudre à pâte
¼ tasse	25 g	poudre de cacao
2 c. table.	10 mL	eau chaude
½ tasse	125 mL	lait
1 c. à thé	5 mL	essence de vanille
½ tasse	125 mL	noix de Grenoble en moreaux
1 tasse	250 mL	quartiers de mandarines

Mettre le beurre en crème, ajouter le sucre et un œuf à la fois. Tamiser la farine et la levure. Ajouter le cacao, l'eau chaude, le lait et la vanille.

Ajouter en remuant, la farine et le lait, en alternant ⅓ à la fois. Ajouter les noix et les oranges. Verser dans deux moules à gâteau de 9" (23 cm), graissés et farinés. Cuire 25 à 30 minutes dans un four préchauffé à 350°F (180°C), ou jusqu'à ce qu'un cure-dents inséré dans le milieu ressorte sec. Laisser refroidir 10 minutes avant de démouler sur une grille. Laisser refroidir complètement avant de glacer avec la garniture crème d'ananas (recette suivante).

GLAÇAGE CRÈME D'ANANAS

1 tasse	250 mL	crème à fouetter
¼ tasse	50 g	sucre à glacer
2½ tasses	625 mL	ananas écrasé, avec le jus
3 onces	90 g	pudding instantané à la vanille ou aux ananas

Fouetter la crème jusqu'à former des pointes molles. Ajouter le sucre à glacer en continuant à fouetter. Mélanger l'ananas dans le pudding, avec un fouet, jusqu'à ce qu'il soit pris. Incorporer à la crème fouettée. Glacer le gâteau.

MOUSSE AU CHOCOLAT

6 onces	120 g	chocolat mi-sucré, râpé
6	6	gros œufs, séparés, à la température de la pièce
¼ c. à thé	1mL	sel

Faire fondre le chocolat au bain-marie. Laisser refroidir légèrement, ajouter les jaunes d'œuf au fouet jusqu'à obtenir une sauce légère et épaisse. Ajouter graduellement le chocolat. Battre en neige ferme les blancs d'œuf avec le sel. Incorporer soigneusement au mélange. Transférer dans les coupes, couvrir de pellicule plastique et réfrigérer 6 heures.

DONNE 6 PORTIONS

Gâteau aux Mandarines et aux Noix, Glaçage Crème d'Ananas

Gâteau au Fromage B-52

Biscuits aux Épices

GÂTEAU FROMAGE B - 52

CROÛTE :

3 tasses	750 mL	chapelure de biscuits au chocolat
3 c. à table	45 mL	sucre granulé
¼ tasse	60 mL	beurre fondu

Mélanger tous les ingrédients. Foncer un moule à ressort beurré de 9" (23 cm).

REMPLISSAGE :

1¾ livre	675 g	fromage à la crème
1 tasse	250 mL	sucre granulé
6	6	œufs
3 onces	85 g	chocolat mi-sucré, fondu
¼ tasse	60 mL	liqueur de Kahlua
¼ tasse	60 mL	Grand Marnier
2 c. à thé	10 mL	écorce d'orange râpée
¼ tasse	60 mL	liqueur de crème irlandaise

Mettre en crème le fromage et le sucre, ajouter les œufs un à la fois, partager la pâte en 3. Ajouter le chocolat et le Kahlua dans une partie, le Grand Marnier et l'écorce d'orange dans l'autre, la liqueur irlandaise dans la dernière.

Verser le mélange au chocolat dans le moule. Cuire 30 minutes dans un four préchauffé à 325°F (160°C). Verser le mélange avec la crème irlandaise sur le dessus, cuire 20 minutes. Verser le mélange au Grand Marnier sur le tout et terminer la cuisson, 45 minutes. Arrêter le four, entrouvrir la porte et laisser reposer 30 minutes. Laisser refroidir, sur une grille, à la température ambiante. Réfrigérer 8 heures ou toute une nuit. Servir avec une sauce au brandy à l'orange (voir page 107).

BISCUITS D'AVOINE AUX NOIX & RAISINS

1 c. à thé	5 mL	poudre à pâte
1 c. à thé	5 mL	bicarbonate de soude
1 c. à thé	5 mL	sel
1 tasse	250 mL	matière grasse
1 tasse	250 mL	sucre brun tassé
1 tasse	250 mL	sucre granulé
2	2	œufs
1 c. à thé	5 mL	essence de vanille
2½ tasses	625 mL	flocons d'avoine à cuisson rapide
½ tasse	125 mL	raisins secs
½ tasse	125 mL	noix de Grenoble en morceaux

Chauffer le four à 350°F (180°C).Tamiser la levure, le bicarbonate et le sel. Battre en crème légère la matière grasse et les sucres. Ajouter les œufs, un à la fois, puis la vanille. Ajouter les ingrédients sec, l'avoine, les raisins et les noix.

Façonner en boulettes et déposer sur une plaque à biscuits beurrée, à 2" (5 cm) de distance. Cuire 10 à 12 minutes.

DONNE 3 DOUZAINES

BISCUITS AUX ÉPICES

¾ tasse	180 mL	beurre
1 tasse	250 mL	sucre brun
2	2	œufs
¾ c. à thé	4 mL	bicarbonate de soude
1 c. à table	15 mL	eau chaude
2½ tasses	625 mL	farine tout usage
½ c. à thé	3 mL	sel
1 c. à thé	5 mL	cannelle
¼ c. à thé	2 mL	muscade
¼ c. à thé	2 mL	clous de girofle moulus
1 tasse	250 mL	raisins secs

Mettre le beurre et le sucre en crème. Battre les œufs, le bicarbonate et l'eau. Incorporer le reste des ingrédients. Déposer 1 c. à table. de l'appareil sur une plaque à biscuits graissée, à 2" (5 cm) de distance. Cuire 10 à 12 minutes dans un four préchauffé à 350°F (180°C).

DONNE 3⅓ DOUZAINES

CARAMEL AU CHOCOLAT

2 onces	60 g	chocolat mi-sucré
⅓ tasse	70 mL	beurre
1 tasse	250 mL	sucre granulé
3	3	œufs
¾ tasse	180 mL	farine
1 c. à thé	5 mL	poudre à pâte
1 c. à thé	5 mL	essence de vanille
1 tasse	250 mL	noix de Grenoble en morceaux
1 quan	1 quan	glaçage au chocolat double (voir page 561)

Faire fondre le chocolat au bain-marie avec le beurre. Retirer du feu et ajouter, au fouet, le sucre et les œufs. Tamiser la farine et la levure, incorporer au mélange. Ajouter la vanille et les noix. Verser dans un moule graissé de 8" (20 cm). Cuire 12 à 15 minutes dans un four préchauffé à 350°F (180°C). Laisser refroidir légèrement, glacer et couper en carrés.

DONNE 2 DOUZAINES

CARRÉS TURTLES

¼ tasse	60 mL	beurre fondu
1 tasse	250 mL	chapelure de biscuits au chocolat
1 tasse	250 mL	noix de coco râpées
10 onces	300 g	perles de chocolat mi-sucré
6 onces	180 g	caramels
2 tasses	500 mL	lait condensé, sucré
1 tasse	250 mL	noix de pacane, en morceaux

Mélanger le beurre et les miettes de chocolat. Foncer un moule graissé de 13" x 9" (32.5 x 23 cm). Saupoudrer de noix de coco, puis la moitié des perles de chocolat et les caramels. Couvrir avec le lait et saupoudrer de noix. Cuire 30 minutes dans un four préchauffé à 350°F (180°C). Laisser refroidir. Faire fondre le reste du chocolat dans un bain-marie et verser sur les carrés. Couper en barres une fois refroidi.

DONNE 24 CARRES

TARTE AUX POMMES ET AUX PÊCHES

TARTE :

½ quan	0.5	croûte à tarte (voir page 616)
4	4	grosses pommes à cuire, épluchées, évidées, tranchées
2 tasses	500 mL	pêches fraîches, tranchées
¼ tasse	60 mL	farine tout usage
½ tasse	125 mL	sucre granulé
½ c. à thé	3 mL	cannelle

GLAÇAGE :

½ tasse	125 mL	farine tout usage
½ c. à thé	3 mL	cannelle
⅓ tasse	80 mL	sucre brun doré
⅓ tasse	80 mL	beurre

TARTE :

Abaisser la pâte et foncer une assiette à tarte de 10" (25 cm). Pincer les bords.

Mélanger les pommes et les pêches. Mélanger la farine, le sucre et la cannelle. Passer les fruits dans la farine et déposer dans la croûte.

GLAÇAGE :

Mélanger la farine, la cannelle et le sucre. Ajouter le beurre, sabler. Saupoudrer au-dessus de la tarte. Cuire 20 minutes dans un four préchauffé à 425°F (215°C), baisser le feu à 325°F (160°C) et continuer à cuire 30 minutes. Retirer du four et laisser refroidir avant de servir.

DONNE 6 PORTIONS

Tarte aux Pommes et aux Pêches

Carrés Turtles

Torte Prinzregenten

TORTE PRINZREGENTEN

GÂTEAU :

1¾ tasse	430 mL	sucre granulé
⅓ tasse	80 mL	eau chaude
3 tasses	750 mL	farine à gâteau
1 c. à table	15 mL	poudre à pâte
¼ c. à thé	2 mL	sel
¾ tasse	180 mL	beurre
3	3	œufs
1 c. à thé	5 mL	essence de vanille
⅔ tasse	160 mL	lait

Mettre ½ tasse (100g) de sucre dans une casserole épaisse, chauffer à feu moyen, en remuant constamment jusqu'à ce que le sucre commence à brunir. Retirer du feu, ajouter l'eau et laisser refroidir. Tamiser la farine, la levure et le sel. Mettre le beurre en crème avec le reste du sucre, battre jusqu'à former une crème légère.

Tout en battant, ajouter les œufs, 1 à la fois. Mélanger le sirop refroidi avec la vanille et le lait. Incorporer la farine et le liquide dans le mélange crémeux, en trois étapes. Couper 8 ronds de 8" (20 cm) en papier ciré et déposer sur une plaque à biscuits. Couvrir d'une quantité égale de la pâte (¾ tasse [180 mL]) à 1½" (4 cm) des bords. Cuire 7 à 8 minutes dans un four préchauffé à 350°F (180°C). Enlever le papier ciré. Laisser refroidir, couvrir de garniture et empiler.

GARNITURE POUR TORTE PRINZREGENTEN

1 tasse	250 mL	sucre granulé
¼ tasse	60 mL	fécule de maïs
2	2	œufs
1½ tasses	375 mL	lait
1 c. à thé	5 mL	essence de vanille
3 onces	85 g	chocolat mi-sucré

Mélanger le sucre, la fécule de maïs et les œufs dans une casserole ou un bain-marie. Ajouter au fouet, le lait et la vanille. Chauffer à feu moyen. Incorporer le chocolat à la cuillère et cuire jusqu'à épaississement. Laisser refroidir et étendre sur les gâteaux.

GLAÇAGE :

10 onces	300 g	chocolat mi-sucré
1½ c. à thé	8 mL	huile

Faire fondre le chocolat au bain-marie, ajouter l'huile. Verser sur le gâteau pendant qu'il est chaud. Réfrigérer 1 heure avant de servir.

Gâteau au Fromage & aux Pommes

GÂTEAU AU FROMAGE & AUX POMMES

CROÛTE :

3½ tasses	875 mL	chapelure de biscuits graham
1 c. à table	15 mL	cannelle
¼ tasse	60 mL	beurre fondu

Mélanger tous les ingrédients. Foncer le fond et les côtés d'un moule à ressort de 10" (25 cm), graissé et fariné. Réfrigérer. Chauffer le four à 320°F (160°C).

REMPLISSAGE :

2 tasses	500 mL	pommes épluchées, évidées, en dés
1 tasse	125 mL	noix de Grenoble brisées
½ tasse	125 mL	raisins secs
1 livre	450 g	fromage à la crème
¾ tasse	180 mL	sucre granulé
4	4	œufs
1 c. à thé	5 mL	essence de vanille

Mélanger les pommes, les noix et les raisins. Étendre uniformément dans le moule. Battre le fromage et le sucre en crème légère. Ajouter les œufs, un à la fois, bien battre. Ajouter la vanille. Verser sur les pommes. Cuire 45 minutes.

GLAÇAGE :

½ tasse	125 mL	farine tout usage
1 c. à thé	5 mL	cannelle
⅓ tasse	80 mL	Sucre brun doré
⅓ tasse	80 mL	beurre

Tamiser la farine, la cannelle et le sucre. Mettre le beurre en crème, ajouter à la farine. Couvrir le dessus du gâteau avec ce mélange. Cuire un autre 45 minutes. Arrêter le four, entrouvrir la porte et laisser reposer 30 minutes. Transférer sur une grille. Laisser refroidir et réfrigérer 6 à 8 heures.

POMMES À LA DIABLE

1¼ tasse	310 mL	sucre granulé
1¼ tasse	310 mL	eau
1	1	graine de vanille
6	6	grosses pommes, épluchées, évidées
1½ tasse	375 mL	crème à fouetter
½ tasse	125 mL	crème sure
½ tasse	125 mL	sucre à glacer
⅓ tasse	80 mL	Calvados

Faire bouillir le sucre dans l'eau, avec les graines de vanille, baisser le feu et cuire en remuant jusqu'à dissolution complète. Faire pocher les pommes jusque tendres. Fouetter la crème, épaisse mais non ferme, ajouter la crème sure et le sucre à glacer. Mettre les pommes dans les assiettes, couvrir de sauce. Faire chauffer le Calvados et flamber, servir immédiatement.

POUR 6 PERSONNES

PAIN AUX POMMES AUX ÉPICES

2 tasses	500 mL	jus de pomme
1½ tasse	375 mL	sucre granulé
1 tasse	250 mL	huile
1 c. à table	15 mL	cannelle
¾ c. à thé	4 mL	clous de girofle
1 c. à thé	5 mL	muscade
1 tasse	250 mL	raisins secs
1½ tasse	375 mL	pommes épluchées évidées, râpées
4 tasses	1 L	farine à gâteau
2 c. à thé	250 mL	poudre à pâte
1 tasse	100 g	pacanes brisées

Mijoter 5 minutes à feu doux, le jus de pommes, le sucre, l'huile, les épices, les raisins et les pommes. Enlever du feu et laisser refroidir à la température de la pièce. Ajouter la farine, la levure et les noix. Bien mélanger. Verser dans un moule à pain graissé et fariné de 10" x 4" (25 x 10 cm). Cuire 1½ heure dans un four préchauffé à 350°F (180°C). Laisser refroidir 15 minutes avant de démouler sur une grille.

Pain aux Pommes aux Épices

Perles aux Pacanes

GÂTEAU AU FROMAGE AUX PÊCHES

CROÛTE :

2 tasses	500 mL	miettes de gâteau blanc
1 tasse	250 mL	chapelure fine
¼ tasse	60 mL	beurre fondu

Mélanger tous les ingrédients. Foncer le fond et les côtés d'un moule à ressort, graissé, de 9" (23 cm). Réfrigérer 5 minutes et cuire 7 minutes dans un four préchauffé à 350°F (180°C). Réfrigérer.

REMPLISSAGE :

1½ tasse	675 g	fromage à la crème
1 tasse	200 g	sucre granulé
3	3	œufs
¼ tasse	60 mL	crème épaisse
2 tasses	500 mL	purée de pêches fraîches
1 c. à table	15 mL	jus de citron
2 c. à thé	10 mL	essence de vanille

Mettre en crème le fromage et le sucre. Ajouter les œufs au fouet, un à la fois. Ajouter la crème, les pêches, le citron et la vanille. Verser dans le moule, cuire 70 minutes dans un four préchauffé à 350°F (180°C). Arrêter le four, entrouvrir la porte et laisser reposer 30 minutes. Transférer sur une grille et laisser refroidir à la température ambiante.

GLAÇAGE :

2 tasses	500 mL	pêches fraîches, tranchées
2 c. à table.	30 mL	jus de citron
¼ tasse	60 mL	confiture d'abricots

Faire tremper les pêches 10 minutes dans le jus de citron. Égoutter et arranger au-dessus du gâteau. Faire chauffer la confiture d'abricots et badigeonner les pêches. Réfrigérer 6 à 8 heures avant de servir.

COUPE DE FRUITS TIMOTHY

CROÛTE :

3 tasses	750 mL	chapelure de biscuits graham
½ c. à thé	3 mL	cannelle moulue
3 c. à table	45 mL	sucre granulé
¼ tasse	60 mL	beurre fondu

Mélanger tous les ingrédients. Foncer le fond et les côtés d'une assiette à tarte beurrée de 9" (23 cm). Cuire 5 minutes dans un four préchauffé à 350°F (180°C). Laisser refroidir et réfrigérer.

REMPLISSAGE :

2 tasses	500 mL	remplissage aux cerises
½ quan	0.5	sorbet aux kiwis et aux mangues (voir page 580)
1 quan	1	crème glacée aux fraises et aux bananes (voir page 641)

Remplir la tarte avec l'appareil aux cerises en alternant avec le sorbet et la crème glacée. Mettre au congélateur 4 heures avant de servir.

DONNE 8 - 10 PORTIONS

PERLES AUX PACANES

¼ tasse	62 mL	beurre
½ tasse	125 mL	sucre granulé
2	2	œufs – séparés
2 c. à thé	10 mL	poudre à pâte
¼ c. à thé	60 mL	sel
1 tasse	250 mL	farine tout usage
1 tasse	250 mL	pacanes brisées
¼ tasse	60 mL	lait
1 c. à thé	5 mL	essence de vanille

Mettre le beurre et le sucre en crème, ajouter les jaunes d'œuf. Battre les blancs d'œuf en neige. Tamiser la levure, le sel et la farine, ajouter au mélange en crème, avec les blancs. Incorporer les noix, le lait et la vanille. Déposer en cuillerées sur une plaque à biscuits beurrée. Cuire 10 à 12 minutes dans un four préchauffé à 350°F (180°C).

DONNE 2½ DOUZAINES

Coupe de Fruits Timothy

GÂTEAU AU FROMAGE BANANA SPLIT

CROÛTE :

1 tasse	250 mL	flocons de noix de coco
1 tasse	250 mL	noisettes grillées, moulues (avelines)
⅓ tasse	80 mL	sucre granulé
¼ tasse	60 mL	beurre fondu

Mélanger tous les ingrédients. Foncer un moule à ressort de 9" (23 cm). Réfrigérer 5 minutes, puis cuire 7 minutes dans un four préchauffé à 350°F (180°C). Laisser refroidir.

REMPLISSAGE :

1½ livres	675 g	fromage à la crème
1 tasse	250 mL	sucre granulé
3	3	œufs
1 c. à thé	5 mL	essence de vanille
½ tasse	125 mL	bananes écrasées
½ tasse	125 mL	purée de fraises
2 onces	60 g	chocolat mi-sucré, fondu
1 c. à table	15 mL	poudre de cacao

Mettre le fromage et le sucre en crème. Ajouter les œufs, tout en battant, un à la fois. Ajouter la vanille. Partager en 3 quantités égales. Ajouter la banane dans l'une, les fraises dans l'autre, le cacao et le chocolat dans la troisième.

Verser la pâte au chocolat dans la croûte, cuire 25 minutes. Verser soigneusement la pâte aux bananes par dessus le chocolat et cuire un autre 25 minutes. Ajouter enfin le tout aux fraises et cuire 30 minutes. Transférer sur une grille et laisser refroidir à la température ambiante. Réfrigérer 8 heures ou toute une nuit. Servir avec la sauce au chocolat.

QUATRE QUARTS AU RHUM

8	8	œufs – séparés
3 tasses	750 mL	sucre granulé
2 tasses	500 mL	beurre
2 c. à thé	10 mL	essence de vanille
3 tasses	750 mL	farine à gâteau
⅓ tasse	80 mL	rhum

Battre les blancs d'œuf en neige. Incorporer 1 tasse 250 mL) de sucre pour former une meringue ferme. Mettre le beurre et le reste du sucre en crème. Ajouter les jaunes d'œuf, un à la fois, en battant. Ajouter la vanille. Incorporer la farine en alternant avec le rhum, en trois étapes. Incorporer la meringue. Mettre dans un moule à pain de 4" x 10" (10 x 25 cm). Cuire 1½ heure dans un four préchauffé à 350°F (180°C). Laisser refroidir 15 minutes et démouler sur une grille. Glacer et décorer au goût.

TARTE AUX BAIES SAUVAGES

1½ quan	1.5 quan	croûte à tarte (voir page 616)
4¼ livres	2 kg	baies mélangées, congelées ou 1½ livres (454 g) de bleuets frais, de fraises et de framboises de Logan
¾ tasse	180 mL	sucre granulé
4 c. à table	60 mL	tapioca
2 c. à table	30 mL	jus de citron
1	1	œuf

Abaisser la pâte et foncer une assiette à tarte de 9" (23 cm). Laver et trier les baies. Mélanger le reste des ingrédients, sauf l'œuf, et ajouter aux baies. Mettre le tout dans l'assiette à tarte. Battre l'œuf et badigeonner les bords. Mettre le couvercle de pâte en place et pincer les bords pour sceller. Brosser le dessus avec le reste de l'œuf. Découper une ouverture pour permettre à la vapeur de s'échapper.

Cuire 45 minutes dans un four préchauffé à 350°F (180°C). Laisser refroidir et réfrigérer.

Quatre Quarts au Rhum

Gâteau au Fromage Banana Split

Mousseline à la Citrouille

MOUSSELINE À LA CITROUILLE

1 c. à table	15 mL	gélatine neutre
2 c. à table	30 mL	sirop d'érable
1½ tasses	375 mL	citrouille
¾ tasse	180 mL	sucre brun
½ c. à thé	3 mL	sel
1 c. à thé	5 mL	cannelle moulue
¼ c. à thé	2 mL	clous de girofle
¼ c. à thé	2 mL	muscade
⅓ tasse	80 mL	lait
3	3	œufs – séparé
⅓ tasse	80 mL	sucre granulé
½ tasse	125 mL	crème à fouetter

Dissoudre la gélatine dans le sirop d'érable. Mélanger la citrouille, le sucre brun, le sel, les épices et le lait dans une casserole. Amener doucement à ébullition à feu doux. Ajouter les jaunes d'œuf au fouet et cuire un autre 2 minutes. Ajouter le sirop d'érable. Réfrigérer jusqu'à ce que le mélange soit presque pris. Battre les blancs d'œuf en neige ferme, ajouter lentement le sucre. Incorporer la citrouille. Battre la crème et incorporer à la citrouille. Verser dans des coupes et réfrigérer pour faire prendre. Servir très froid.

NOTE: Cette garniture peut aussi être utilisée pour la tarte. Préparer ½ recette de croûte à tarte (voir page 616) et foncer une assiette de 9" (23 cm), préparer la mousseline de citrouille sans la gélatine et la crème à fouetter. Verser dans l'assiette à tarte et cuire 45 minutes dans un four préchauffé à 350°F (180°C). Lorsque refroidie, décorer avec la crème chantilly et servir.

DONNE 8 PORTIONS

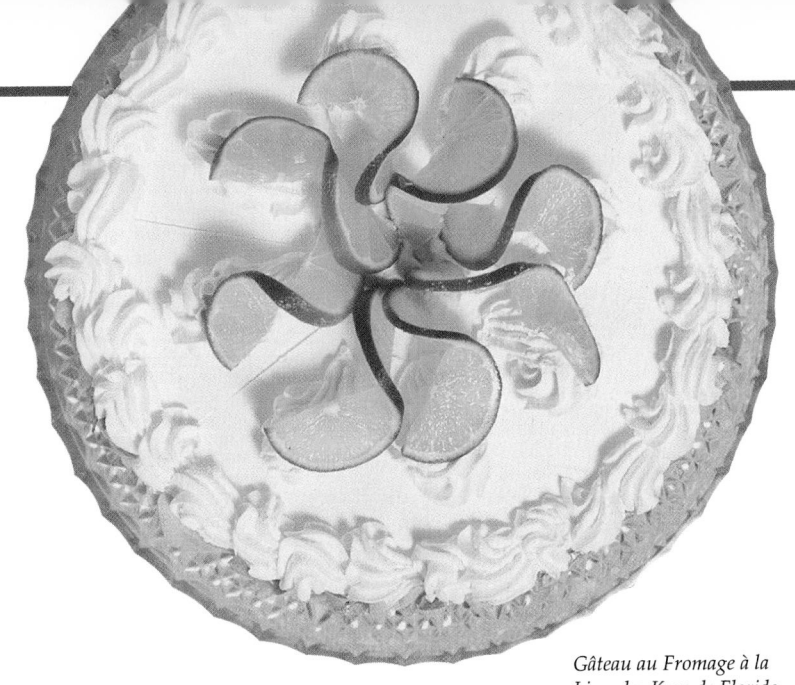

Gâteau au Fromage à la Lime des Keys de Floride

GÂTEAU AU FROMAGE À LA LIME DES KEYS DE FLORIDE

CROÛTE :

2 tasses	500 mL	chapelure de biscuits graham
¼ tasse	60 mL	sucre granulé
⅓ tasse	80 mL	beurre fondu

Mélanger tous les ingrédients et foncer un moule à ressort beurré de 9" (23 cm). Cuire 5 minutes dans un four préchauffé à 350°F (180°C). Laisser refroidir.

REMPLISSAGE :

1½ lb	675 mL	fromage à la crème
¾ tasse	180 mL	sucre granulé
3	3	œufs
⅓ tasse	80 mL	jus de limette
1 c. à thé	5 mL	essence de vanille, claire
1 c. à table	15 mL	écorce de lime, râpée
1 c. à thé	5 mL	essence de citron

Mettre le fromage et le sucre en crème. Ajouter les œufs, en battant, un à la fois. Ajouter le reste des ingrédients. Verser dans le moule et cuire 35 à 40 minutes à 350°F (180°C).

GARNITURE :

2 tasses	500 mL	crème sure
¼ tasse	60 mL	sucre granulé
1 c. à thé	5 mL	essence de vanille

Mélanger tous les ingrédients. Arranger sur le dessus du gâteau et cuire 10 minutes. Laisser refroidir sur une grille 1 heure et appliquer le glaçage final.

GLAÇAGE :

½ tasse	125 mL	sucre granulé
1½ c. à table	25 mL	fécule de maïs
¼ c. à thé	2 mL	sel
½ tasse	125 mL	eau
½ tasse	125 mL	jus de lime
2 c. à thé	10 mL	écorce de lime râpée
1	1	jaunes d'œuf
5 gouttes	5 gouttes	colorant vert
1 c. à table	15 mL	beurre

Mélanger le sucre, la fécule de maïs et le sel dans une casserole. Mettre à feu doux et ajouter le reste des ingrédients, sauf le beurre ; cuire jusqu'à épaississement. Ajouter le beurre au fouet, laisser refroidir tiède et verser au-dessus du gâteau. Réfrigérer 6 à 8 heures avant de servir.

DESSERTS

GÂTEAU ÉPONGE AU CITRON

6	6	œufs – séparé
3 tasses	750 mL	sucre granulé
2 c. à thé	10 mL	écorce de citron râpée
2 c. à table	30 mL	jus de citron
¾ tasse	180 mL	eau
3 tasses	750 mL	farine à gâteau
1 c. à table	15 mL	poudre à pâte
½ c. à thé	3 mL	sel

Battre les blancs d'œuf en neige ferme. Battre les jaunes d'œuf en crème. Ajouter le sucre, l'écorce et le jus de citron, l'eau et la farine - tamisée avec la levure et le sel. Incorporer aux blancs d'œuf. Cuire dans deux moules graissés et farinés de 8" (20 cm), 30 à 35 minutes, dans un four préchauffé 350°F (180°C). Laisser refroidir 10 minutes puis démouler sur une grille. Laisser refroidir, remplir de garniture au citron et décorer avec le glaçage au citron (recette suivante).

GLAÇAGE AU CITRON

2	2	jaunes d'œuf
1¼ tasses	310 mL	sucre à glacer
3 c. à table	45 mL	jus de citron
1 c. à table	15 mL	écorce de citron

Battre les jaunes d'œuf jusque lisses. Ajouter le sucre graduellement. Ajouter le jus et l'écorce de citron, bien battre pour bien mélanger. Employer au besoin.

GARNITURE AU CITRON

2 c. à thé	10 mL	gélatine
1 c. à table	15 mL	eau froide
1½ c. à table	25 mL	eau chaude
2	2	blanc d'œuf
¼ tasse	60 mL	sucre granulé
2 c. à table	30 mL	jus de citron
1 c. à table	15 mL	écorce de citron, râpée

Dissoudre la gélatine dans l'eau froide puis mélanger avec l'eau chaude.

Mettre les blancs d'œuf en neige, ajouter doucement le sucre. Incorporer doucement la gélatine et les écorces de citron. Utiliser pour garnir les gâteaux.

BAISERS DE NOIX DE COCO

1⅓ tasse	340 mL	lait condensé, sucré
1 c. à thé	5 mL	essence de vanille
3 tasses	750 mL	noix de coco râpée
¼ c. à thé	1 mL	sel

Mélanger le lait et la vanille, ajouter la noix de coco et le sel. Déposer en cuillerées sur une plaque à biscuits beurrée. Cuire 10 minutes dans un four préchauffé à 350°F (180°C).

DONNE 2½ DOUZAINES

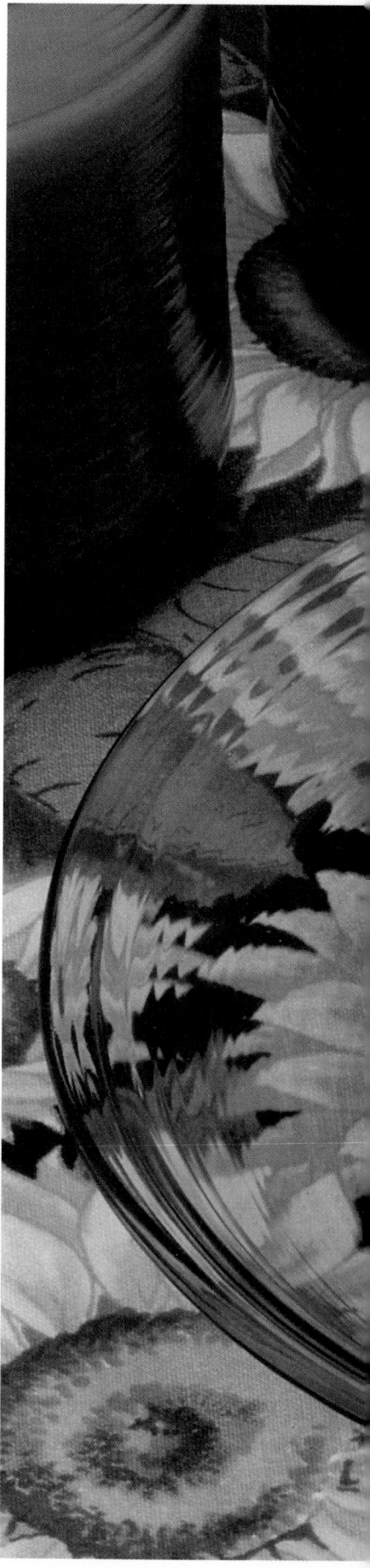

Gâteau Éponge au Citron

CARAMELS AU CHOCOLAT ET AUX NOIX DE PAMELA

2 onces	60 g	chocolat de pâtissier
2 tasses	500 mL	sucre granulé
1 tasse	250 mL	crème légère
1 c. à thé	5 mL	sirop de maïs, blanc
¼ c. à thé	2 mL	sel
2 c. à table	30 mL	beurre
1 c. à thé	5 mL	essence de vanille
1 c. à thé	5 mL	écorce d'orange râpée
½ tasse	125 mL	noix de Grenoble

Mélanger le chocolat, le sucre, la crème, le sirop, le sel et le beurre dans une casserole - à feu doux. Remuer de temps à autre jusqu'à atteindre 234°F (111°C) sur le thermomètre. Ajouter la vanille et l'écorce d'orange. Faire refroidir, dans un bassin d'eau froide, jusqu'à 125°F (50°C). Battre jusqu'à crémeux. Incorporer les noix. Verser dans un moule graissé de 8" x 8" (20 x 20 cm). Tracer les carrés et laisser refroidir.

DONNE 1½ LIVRES

TORTE AUX PACANES

1½ tasse	375 mL	farine à gâteau
2 c. à thé	10 mL	poudre à pâte
¼ c. à thé	1 mL	sel
⅓ tasse	80 mL	beurre
¾ tasse	180 mL	sucre granulé
2	2	œufs
½ tasse	125 mL	lait
1 c. à thé	5 mL	essence de vanille
½ tasse	125 mL	pacanes, brisées

Tamiser la farine, la levure et le sel, 2 fois.

Battre le beurre et le sucre en crème légère. Ajouter les œufs, un à la fois, bien battre. Incorporer la farine et le lait dans le mélange en trois étapes. Ajouter la vanille et les noix.

Verser dans un moule à ressort, graissé et fariné, de 8" (20 cm). Cuire 45 minutes dans un four préchauffé à 350°F (180°C), ou jusqu'à ce qu'un cure-dents piqué dans le centre en ressorte sec. Transférer sur une grille, laisser refroidir 10 minutes. Démouler, laisser refroidir complètement. Couvrir avec le glaçage praliné (recette suivante).

GLAÇAGE PRALINÉ

PRALINES :

2 tasses	500 mL	sucre granulé
¾ tasse	190 mL	lait
1 tasse	250 mL	miel
2 tasses	500 mL	pacanes brisées

Amener le sucre, le miel et le lait à ébullition dans une casserole épaisse. À l'aide d'un thermomètre, cuire au petit boulé, 238°F (113°C). Enlever du feu, faire tiédir en battant avec un fouet jusque crémeux. Ajouter les noix. Étaler sur un papier ciré beurré. Laisser refroidir et durcir puis écraser et incorporer au glaçage.

GLAÇAGE :

1 tasse	250 mL	sucre brun
½ tasse	125 mL	eau bouillante
2	2	blancs d'œuf
1 c. à thé	5 mL	essence de vanille

Chauffer le sucre dans l'eau jusqu'à 244°F (116°C), ou au petit boulé, dans une casserole épaisse. Retirer du feu et laisser refroidir. Battre les blancs d'œuf en neige. Tout en battant, ajouter le sirop en filet. Ajouter la vanille et le praliné. Couvrir la Torte aux pacanes.

Torte aux Pacanes Glaçage aux Praliné

Tarte au Chocolat des Rêves

TERRINE DE FRUITS FRAIS

2 c. à table	30 mL	gélatine neutre
⅓ tasse	80 mL	eau froide
¾ tasse	180 mL	purée d'abricots
¾ tasse	180 mL	sucre à glacer
1½ tasse	375 mL	crème à fouetter
1 c. à thé	5 mL	huile
1½ tasses	375 mL	framboises ou mûres, lavées, équeutées
1 tasse	250 mL	bleuets, lavés
1½ tasses	375 mL	pêches fraîches, tranchées
1½ tasses	375 mL	fraises en moitiés

Dissoudre la gélatine dans l'eau. Mélanger avec la purée d'abricot. Amener à ébullition dans une casserole, baisser le feu et ajouter le sucre. Verser ¾ tasse (180 mL) de crème. Laisser refroidir et réfrigérer jusqu'à épaississement, sans laisser prendre. Fouetter le reste de la crème, incorporer au mélange. Foncer un moule à pain de 7 tasses (1.75 L) avec une feuille de pellicule en plastique. Badigeonner d'huile. Arranger un assortiment de fruits dans le fond et ajouter le reste au mélange. Verser le tout dans le moule et réfrigérer 8 heures. Renverser sur un plat et retirer soigneusement la pellicule de plastique. Servir avec la sauce au chocolat et aux framboises (voir page 115).

TARTE AU CHOCOLAT DES RÊVES

1	1	croûte à tarte de chapelure de biscuits au chocolat
4 onces	120 g	chocolat mi-sucré
2 c. à table	30 mL.	beurre
⅓ tasse	80 mL	farine tout usage
1 tasse	250 mL	sucre granulé
¼ c. à thé	2 mL	sel
2½ tasses	625 mL	lait échaudé
3	3	jaunes d'œuf
1 c. à thé	5 mL	essence de vanille
1 tasse	250 mL	crème à fouetter
¼ tasse	60 mL	grains de chocolat au lait

Faire fondre le chocolat et le beurre dans une casserole. Mélanger la farine, le sucre et le sel, travailler en une pâte lisse. Ajouter le lait en remuant constamment jusqu'à épaississement. Ajouter les jaunes d'œuf au fouet et cuire 2 minutes. Retirer du feu et ajouter la vanille. Verser dans la croûte et réfrigérer. Fouetter la crème et couvrir la tarte à la poche. Saupoudrer de grains de chocolat. Servir.

DONNE 6 PORTIONS

CHOCOQUOI

⅔ tasse	160 mL	lait condensé, sucré
2 tasses	500 mL	noix de coco râpé
1 c. à thé	5 mL	essence de vanille
⅛ c. à thé	pincée	sel
½ tasse	125 mL	noix de Grenoble, en morceaux
2 tasses	500 mL	dates hachées
¼ tasse	60 mL	cerises au marasquin
2 onces	60 g	chocolat mi-sucré, fondu
1½ tasses	375 mL	sucre à glacer
¼ tasse	60 mL	beurre
½ c. à thé	3 mL	essence d'orange
1 c. à table	15 mL	lait
2 onces	60 g	chocolat blanc, fondu

Mélanger le lait condensé, la noix de coco, la vanille, le sel, les noix, les dates, les cerises et le chocolat mi-sucré. Verser le tout dans un moule beurré de 9" x 9" (22.5 x 23 cm). Cuire 30 minutes dans un four préchauffé à 350°F (180°C). Retirer du four et laisser refroidir.

Mélanger le sucre à glacer avec le beurre, l'essence d'orange et le lait. Étendre uniformément sur le gâteau. Asperger de chocolat blanc, laisser refroidir, couper en carrés.

DONNE 36 MORCEAUX

Terrine de Fruits Frais

Gâteau Roulé au Citron

DESSERTS

GÂTEAU ROULÉ AU CITRON

5	5	oeufs – séparés
¾ tasse	180 mL	sucre granulé
¼ c. à thé	2 mL	sel
½ tasse	125 mL	farine à pâtisserie
3 c. à table	45 mL	beurre – fondu
1 c. à thé	5 mL	vanille
1 quan	1	garniture au citron (voir page 526)

Battre les blancs d'oeufs jusqu'à ce qu'ils forment des pics mous.

Combiner les jaunes d'oeufs et le sucre dans un bain-marie. Faire chauffer à environ 140°F (60°C), retirer du feu et battre le mélange jusqu'à ce qu'il forme des pics mous. Mélanger le sel et la farine et incorporer au mélange en pliant. Incorporer le beurre et la vanille, 1 c. à table (15 mL) à la fois. Incoporer les blancs d'oeufs. Étendre la préparation dans une plaque à gâteau roulé de 15 x 10 (37.5 x 25 cm), tapissée de papier ciré. Cuire dans un four préchauffé à 350°F (180°C) pendant 18 minutes.

Retirer du four et démouler sur une feuille de papier ciré recouverte de sucre à glacer. Retirer le papier ciré du gâteau et étendre rapidement la garniture au citron. Couper les bords également. Rouler le gâteau et l'envelopper dans du papier ciré et le laisser refroidir. Retirer le papier ciré et saupoudrer de sucre à glacer. Servir.

Gâteau au Chocolat et à la Guimauve

GÂTEAU AU CHOCOLAT ET À LA GUIMAUVE

¾ tasse	180 mL	beurre
2 tasses	500 mL	sucre granulé
2 tasses	500 mL	farine à pâtisserie
4 c. à thé	20 mL	poudre à pâte
8	8	blancs d'oeufs
½ tasse	125 mL	lait
4 onces	120 g	chocolat mi-sucré – fondu
1 c. à thé	5 mL	essence de vanille

Battre le beurre en crème avec le sucre jusqu'à ce que le mélange soit léger et onctueux. Tamiser la farine avec la poudre à pâte. Ajouter les blancs d'oeufs au beurre. Incorporer la farine, le lait et le chocolat en trois fois. Ajouter la vanille. Verser dans deux moules à gâteau de 9" (22.5 cm) beurré et enfariné. Cuire dans un four préchauffé à 350°F (180°C) pendant 20 à 25 minutes. Laisser refroidir pendant 10 minutes. Disposer sur une grille. Garnir de Glaçage à la guimauve (la recette qui suit).

GLAÇAGE À LA GUIMAUVE

1 tasse	250 mL	guimauves
1 tasse	250 mL	sucre granulé
⅓ tasse	80 mL	eau
2	2	blancs d'oeufs
2 c. à thé	10 mL	jus de citron
1 c. à thé	5 mL	vanille

Faire fondre les guimauves dans un bain-marie. Faire bouillir le sucre et l'eau jusqu'à formation de longs fils. Battre les blancs d'oeufs jusqu'à ce qu'ils forment des pics fermes. Incorporer lentement le sirop aux blancs d'oeufs en battant rapidement. Ajouter le citron et la vanille. Incorporer les guimauves en brassant. Glacer le gâteau.

533

ÎLES AU CHOCOLAT ET AUX FRAMBOISES

4	4	blancs d'oeufs
1 tasse	250 mL	sucre granulé
¼ tasse	60 mL	framboises
2 onces	60 g	chocolat mi-sucré – fondu
2 tasses	500 mL	sauce au brandy à l'orange (voir page 107)

Battre les blancs d'oeufs en neige et ajouter graduellement le sucre en brassant. Ajouter la confiture de framboises et le chocolat en pliant. Mettre une cuillérée comble dans de l'eau mijotante et faire pocher pendant 2 à 3 minutes. Servir sur des assiettes de service nappées de sauce au brandy à l'orange.

DONNE 6 PORTIONS

PÊCHES BAVAROISES

1 c. à table	15 mL	gélatine – sans saveur
¼ tasse	60 mL	eau froide
1 tasse	250 mL	pêches – coupées en dés fins
¼ tasse	60 mL	sirop de pêche
1 c. à table	15 mL	jus de citron
¼ tasse	60 mL	sucre granulé
¾ tasse	180 mL	crème à fouetter

Dissoudre la gélatine dans l'eau froide. Mettre dans une petite casserole avec les pêches, le sirop, le jus de citron et le sucre. Amener à ébullition et retirer du feu. Laisser refroidir jusqu'à ce que le mélange soit épais mais non ferme. Fouetter la crème et l'incorporer aux pêches. Verser dans un moule ou un bol. Laisser refroidir jusqu'à ce que le mélange soit pris. Démouler et servir.

DONNE 4 PORTIONS

GATEAU AUX CAROTTES

4	4	oeufs
1 tasse	250 mL	sucre granulé
1 tasse	250 mL	huile végétale
2 tasses	500 mL	farine tout usage
1½ c. à thé	7 mL	poudre à pâte
1 c. à thé	5 mL	sel
2 c. à thé	10 mL	cannelle
2 tasses	500 mL	carottes – râpées
1½ tasses	375 mL	pommes, pelées, – décortiquées, râpées
1 tasse	250 mL	raisins
1 tasse	250 mL	amandes en morceaux

Dans un gros bol, battre les oeufs jusqu'à ce qu'ils soient très légérs et mousseux. Ajouter le sucre graduellement en battant jusqu'à ce que le mélange soit léger. Ajouter graduellement l'huile en brassant.

Tamiser ensemble la farine avec la poudre à pâte, le sel et la cannelle. Ajouter lentement au mélange aux oeufs. Incorporer les carottes, les pommes, les raisons et les noix en brassant.

Étendre dans un moule carré de 9" (22.5 cm) graissé et cuire dans un four préchauffé à 350°F (180°C) pendant 1½ à 2 heures ou jusqu'à ce qu'un cure-dents inséré au centre du gâteau en ressorte propre.

Laisser refroidir dans le moule pendant 10 à 15 minutes, démouler et laisser refroidir complètement. Glacer avec le Glaçage au fromage à la crème (la recette qui suit).

GLAÇAGE AU FROMAGE À LA CRÈME

9 onces	255 g	fromage à la crème – ramolli
¾ tasse	180 mL	beurre – ramolli
1½ c. à thé	7 mL	essence de vanille
4 tasses	1 L	sucre à glacer tamisé

Battre le fromage, le beurre et la vanille jusqu'à consistance lisse et onctueuse. Ajouter gradullement le sucre à glacer en battant jusqu'à consistance de tartinade.

Pêches Bavaroises

Gâteau aux Carottes avec Glaçage au Fromage à la Crème

Torte Vandermint avec Glaçage au Café Vandermint

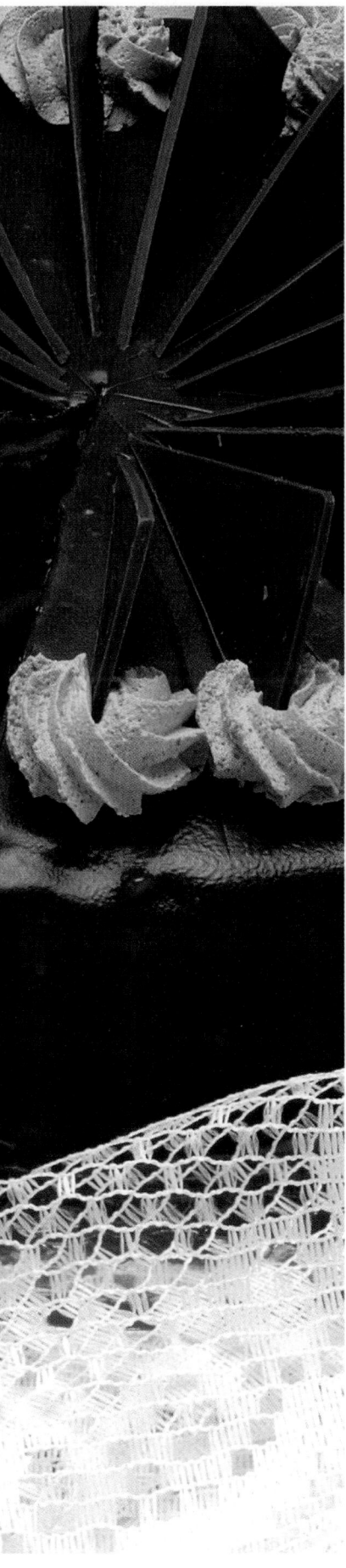

TORTE VANDERMINT

¾ tasse	180 mL	beurre
1¾ tasses	470 mL	sucre brun
3	3	oeufs bien battus
½ tasse	125 ml	eau bouillante
¼ tasse	60 ml	liqueur Vandermint
3 onces	90 g	chocolat mi-amer
2¼ tasses	560 mL	farine à pâtisserie
1½ c. à thé	8 mL	poudre à pâte
¾ c. à thé	4 mL	bicarbonate de soude
¾ c. à thé	4 mL	sel
¾ tasse	180 mL	babeurre

Battre le beurre en crème avec le sucre jusqu'à ce que le mélange soit léger et mousseux. Ajouter les oeufs battus. Verser l'eau et la liqueur sur le chocolat dans une casserole. Faire chauffer à feu moyen jusqu'à l'obtention d'un sirop épais et laisser refroidir. Ajouter le mélange aux oeufs. Tamiser ensemble la farine, la poudre à pâte, le bicarbonate de soude et le sel, trois fois. Incorporer la farine et le babeurre au mélange en alternant. Étendre la pâte dans deus moules ronds de 9" (23 cm) graissés. Cuire dans un four préchauffé à 350°F (180°C) pendant 25 à 30 minutes. Laisser refroidir pendant 10 minutes et démouler les gâteaux sur une grille. Glacer avec le Glaçage au café Vandermint (la recette qui suit).

GLAÇAGE AU CAFÉ VANDERMINT

⅓ tasse	80 mL	crème – légère
1 tasse	250 mL	sucre granulé
3 onces	90 g	chocolat mi-sucré
1 c. à table	15 mL	liqueur Vandermint
½ c. à thé	3 mL	café instantané
1 c. à table	15 mL	eau chaude
2 c. à table	30 mL	beurre

Dans un bain marie, faire chauffer la crème, le sucre, le chocolat, la liqueur et le café qui aura été dissous dans l'eau. Ajouter le beurre et cuire pendant 6 minutes. Battre jusqu'à ce que le glaçage soit épais.

CARRÉS AU BEURRE D'ARACHIDE ET AU CHOCOLAT

½ tasse	125 mL	beurre
¾ tasse	180 mL	beurre d'arachide – crémeux
1½ tasses	375 mL	grains de chocolat mi-sucrés
1 c. à thé	5 mL	vanille
2 tasses	500 mL	guimauves – miniatures

Faire fondre le beurre, le beurre d'arachide, le chocolat et la vanille dans un bain-marie en brassant. Retirer du feu, incorporer les guimauves et étendre dans un moule graissé de 8" x 8" (20 x 20 cm) et réfrigérer. Couper en carrés.

DONNE 20 CARRÉS

TARTE AUX POMMES HOLLANDAISE

TARTE:

½ quan	0.5	pâte nature (voir page 616)
8	8	pommes, cuites, pelées, décortiquées et tranchées
3 c. à table	45 mL	beurre – fondu
¾ tasse	180 mL	sucre granulé
½ c. à thé	3 mL	cannelle

GARNITURE:

½ tasse	125 mL	farine tout usage
½ c. à thé	3 mL	cannelle
⅓ tasse	80 mL	sucre brun léger – tassé
⅓ tasse	80 mL	beurre

TARTE:

Abaisser la pâte et l'insérer dans un moule à tarte de 9" (23 cm). Canneler les bords.

Mélanger ensemble les pommes, le beurre, le sucre et la cannelle. Étendre dans la pâte.

GARNITURE:

Tamiser ensemble la farine, la cannelle et le sucre. Battre le beurre en crème et ajouter au mélange. Étendre sur la tarte.

Cuire la tarte dans un four préchauffé à 425°F (215°C) pendant 20 minutes, réduire à 325°F (160°C) et poursuivre la cuisson pendant 30 minutes. Retirer du four et laisser refroidir avant de servir.

DONNE 6 PORTIONS

Pain aux Dattes et aux Noix

TARTE AUX POMMES À LA MODE D'ANTAN

6	6	grosses pommes
⅔ tasse	160 mL	sucre granulé
¼ c. à thé	1 mL	sel
2 c. à table	30 mL	farine tout usage
1 quan	1	pâte nature (voir page 616)
1 c. à table	15 mL	beurre
2 c. à table	30 mL	lait

Peler et trancher les pommes. Tamiser ensemble le sucre, le sel et la farine.

Couvrir un moule à tarte de 9" (23 cm) avec une abaisse de pâte. Étendre la moitié des ingrédients secs. Étendre l'autre moitié sur les pommes. Remplir le moule des pommes et parsemer de morceaux de beurre. Couvrir d'une abaisse de pâte et sceller les bords. Faire des incisions pour permettre à la vapeur de s'échapper. Badigeonner avec du lait.

Cuire dans un four préchauffé à 425°F (215°C) pendant 10 minutes. Reduire la température à 350°F (180°C) et poursuivre la cuisson pendant 30 minutes jusqu'à ce que la tarte soit dorée. Laisser refroidir avant de servir.

PAIN AUX DATTES ET AUX NOIX

1 tasse	250 mL	beurre
2 tasses	500 mL	sucre brun
4	4	oeufs battus
3 tasses	750 mL	farine à patisserie
1 c. à table	15 mL	poudre à pâte
¼ c. à thé	1 mL	sel
1 c. à thé	5 mL	cannelle moulue
½ c. à thé	3 mL	clou de girofle moulu
½ c. à thé	3 v	muscade moulue
1 tasse	250 mL	eau
2 tasses	500 mL	dattes dénoyautées, hachées
2 tasses	500 mL	raisins secs
1 tasse	250 mL	noix de Grenoble

Battre le beurre en crème avec le sucre brun, et incorporer les oeufs en battant. Tamiser ensemble les ingrédients secs trois fois. Incorporer au beurre en alternant avec l'eau.

Ajouter les dattes, les raisins et les noix en pliant. Verser dans un moule à pain de 5½" x 10" (13.75 x 25 cm) recouvert de papier ciré. Cuire dans un four préchauffé à 300°F (150°C) pendant 2 heures ou jusqu'à ce qu'un cure-dents inséré au centre en ressorte propre. Laisser refroidir pendant 15 minutes avant de démouler le gâteau sur une grille et le laisser refroidir complètement.

Tarte aux Pommes Hollandaise & Tarte aux Pommes à la Mode d'Antan

Tarte aux Bananes et à la Crème de Dianna

Tarte aux Noix de Jack Daniel

TARTE AUX BANANES ET À LA CRÈME DE DIANNA

½ quan	0.5	pâte nature (voir page 616)
5 c. à table	75 mL	farine tout usage
½ tasse	125 mL	sucre granulé
2 tasses	500 mL	lait – chaud
2	2	jaunes d'oeufs
½ c. à thé	3 mL	essence de banane – ou de vanille (blanche)
3	3	bananes mûres – tranchées
2 c. à table	30 mL	jus de citron
1 tasse	250 mL	crème à fouetter
¼ tasse	60 mL	sucre à glacer

Abaisser la pâte et l'insérer dans un moule à tarte de 9" (23 cm). Faire cuire la croûte au four et la laisser refroidir. (Voir glossare pour cuire en chemise). Laisser refroidir

Mélanger la farine, le sucre et le lait dans une casserole à feu moyen jusqu'à ce que le mélange épaississe. Transférer dans un bain-marie. Ajouter les jaunes d'oeufs et l'essence en brassant. Cuire pendant 2 minutes et retirer du feu. Pendant que le mélange refroidit à une température moyenne, mettre les tranches de bananes dans le jus de citron. Lorsque le mélange n'est plus aussi chaud, incorporer les tranches de bananes et verser le tout dans la croûte. Laisser refroidir complètement. Fouetter la crème, ajouter le sucre et garnir la tarte. Servir.

DONNE 6 PORTIONS

TARTE AUX NOIX DE JACK DANIEL

½ quan	0.5	pâte gourmet (la recette qui suit)
3	3	oeufs
½ tasse	125 mL	sucre granulé
1 tasse	250 mL	sirop de maïs foncé
3 c. à table	45 mL	Jack Daniels
1½ tasses	375 mL	noix de Grenoble – en morceaux

Abaisser la pâte et l'insérer dans un moule à tarte de 9" (23 cm). Canneler les bords.

Mélanger les oeufs, le sucre, le sirop et le Jack Daniels. Parsemer le fond de la tarte de noix et les recouvrir du mélange aux oeufs. Cuire dans un four préchauffé à 325°F (160°C) pendant 45 minutes. Laisser refroidir et servir froid.

DONNE 6 PORTIONS

PÂTE GOURMET

4 tasse	1 L	farine tout usage tamisée
1 c. à thé	5 mL	sel
2 c. à thé	10 mL	poudre à pâte
½ tasse	125 mL	graisse végétale
¼ tasse	60 mL	eau chaude
½ tasse	125 mL	beurre
1 c. à thé	5 mL	jus de citron
1	1	jaune d'oeuf – battu

Tamiser ensemble la farine, le sel et la poudre à pâte. Incorporer la graisse végétale. Mélanger l'eau chaude avec le beurre et le jus de citron, et incorporer le jaune d'oeuf en brassant. Incorporer aux ingrédients secs em mélangeant bien. Réfrigérer. Utiliser au besoin.

TERRINE AU CHOCOLAT ET AUX NOIX

8 onces	225 g	chocolat mi-sucré râpé
¾ tasse	180 mL	beurre
½ tasse	125 mL	sucre à glacer
3	3	oeufs séparés, à la température de la pièce
½ c. à thé	3 mL	vanille
⅛ c. à thé	pincée	sel
⅓ tasse	80 mL	noix de Grenoble en morceaux
1 tasse	250 ml	guimauves miniatures
⅓ tasse	80 mL	grains de chocolat mi-sucré

Faire fondre le chocolat râpé dans un bain-marie et le laisser refroidir.

Battre le beurre et le sucre jusqu'à consistence légère et mousseuse. Incorporer un jaune d'oeuf à la fois, tout en continuant de battre jusqu'à consistence crémeuse. Ajouter graduellement tout en continuant de battre le chocolat fondu et la vanille.

Battre les blancs d'oeufs avec le sel jusqu'à ce qu'ils soient fermes. Ajouter au mélange tout en pliant. Ajouter les noix, les guimauves et les grains de chocolat tout en pliant. Verser dans un moule à pain de 4 tasses (1 L), couvrir d'une pellicule de plastique. Réfrigérer pendant toute la nuit.

Démouler, trancher et servir accompagnée de sauce au chocolat.

DONNE 6 PORTIONS

BISCUITS AUX GRAINS DE CHOCOLAT DE JEANNIE

1 tasse	250 ml	beurre
1 tasse	250 ml	sucre granulé
2	2	oeufs
2 c. à thé	10 mL	essence de vanille
2 tasses	500 mL	farine tout usage
1 tasse	250 mL	cacao
1 c. à thé	5 mL	poudre à pâte
½ c. à thé	3 mL	sel
½ tasse	125 mL	grains de chocolat blanc
1 tasse	250 mL	pacanes hachées

Battre les beurre et le sucre en crème. Ajouter lentement les oeufs, un à la fois tout en continuant de battre après chaque addition. Ajouter l'essence. Dans un autre bol, mélanger la farine, le cacao, le bicarbonate de soude, les grains de chocolat blanc et les pacanes. Combiner ensemble les deux mélanges et bien battre.

Laisser tomber par grosse cuillérée sur une plaque à biscuits graissée. S'assurer que la grosseur des biscuits est celle d'une noix. Les biscuits vont doubler de volume durant la cuisson. Cuire dans un four préchauffé à 350°F (180°C) pendant 12 à 15 minutes. Retirer de la plaque immédiatement laisser refroidir.

DONNE 24 BISCUITS

FRAISES VICTORIA

¼ tasse	60 mL	beurre
¼ tasse	60 mL	sucre granulé
3 tasses	750 mL	fraises fraîches, fermes lavées, équeutées,– coupées en deux
⅓ tasse	80 mL	liqueur Curaçao
½ tasse	125 mL	jus d'orange
2 tasses	500 mL	crème glacée au chocolat
1½ tasses	375 mL	Sabayon (voir page 106)

Faire chauffer le beurre avec le sucre et les caraméliser. Mélanger les fraises dans le sirop. Ajouter la liqueur et faire flammer. Ajouter le jus d'orange et laisser mijoter pendant 3 minutes. Diposer des boules de crème glacée dans de très grandes flûtes à champagne, recouvrir de fraises, et ensuite de la sauce Sabayon. Servir immédiatement.

DONNE 4 PORTIONS

Terrine au Chocolat et aux Noix

Biscuits aux Grains de Chocolat de Jeannie

GATEAU AU GRAND MARNIER

¾ tasse	180 mL	beurre
1½ tasses	375 mL	sucre granulé
8	8	oeufs
2¼ tasses	560 mL	farine tout usage
4 c. à thé	20 mL	poudre à pâte
1 tasse	250 mL	lait
½ tasse	125 mL	liqueur de Grand Marnier
¼ c. à thé	1 mL	sel
1 c. à thé	5 ml	essence d'orange

Battre le beurre en crème avec le sucre jusqu'à ce que le mélange soit léger. Ajouter les oeufs, un à un, tout en battant bien après chaque ajout. Mélanger le lait avec le Grand Marnier et l'essence.

Tamiser la farine avec le sel et la poudre à pâte.

Ajouter la farine et le lait aux oeufs en alternant et en mélangeant bien. Verser la préparation dans deux moules à gâteaux de 9" (23 cm) graissé et enfariné. Cuire dans un four préchauffé à 350°F (180°C) pendant 20 à 25 minutes.

Laisser refroidir pendant 10 minutes, démouler les gâteaux sur une grille et les laisser refroidir complètement. Glacer avec le Glaçage au brandy à l'orange (la recette qui suit).

GLAÇAGE AU BRANDY À L'ORANGE

½ tasse	125 mL	beurre
1¼ tasses	310 mL	sucre à glacer
2	2	oeufs
¼ tasse	60 mL	farine tout usage
1 tasse	250 mL	sucre granulé
½ c. à thé	3 mL	sel
1½ tasses	375 mL	lait chaud
¼ tasse	60 mL	brandy à l'orange – ou Grand Marnier
4 onces	120 g	chocolat mi-amer fondu
1 c. à thé	5 mL	vanille

Battre le beurre en crème et ajouter le sucre tout en mélangeant. Battre les oeufs, incorporer la farine, le sucre granulé, le sel, le lait, le brandy à l'orange et le chocolat. Transférer dans un bain-marie et cuire pendant 10 minutes. Laisser refroidir et incorporer la vanille en pliant. Ajouter à la préparation de beurre sucré en pliant. Utiliser pour garnir et glacer le gâteaux.

GATEAU AU FROMAGE À LA VANILLE ET À LA MENTHE

CROÛTE:

3½ tasses	875 ml	chapelure de biscuits graham
1 c. à table	15 ml	cannelle
¼ tasse	60 ml	beurre fondu

GARNITURE:

2½ livres	1 kg	fromage à la crème
2 tasses	500 ml	sucre granulé
1½ tasses	375 ml	crème épaisse
2 c. à table	30 ml	jus de citron
1 c. à table	15 ml	vanille
2 c. à table	30ml	essence de menthe blanche
4	4	oeufs – à température ambiante
1½ tasses	375 ml	crème sure

CROÛTE:

Combiner ensemble tous les ingrédients. Presser au fond et sur les parois d'un moule à parois amovibles, graissé, de 10" (25 cm. Réfrigérer. Préchauffer le four à 325°F (160°C).

GARNITURE:

Battre le fromage en crème et le sucre jusqu'à consistance homogène. Ajouter la crème, le jus de citron, la vanille et l'essence de menthe, et bien mélanger. Ajouter les oeufs un à un, tout en battant. Incorporer la crème sure en brassant.

Verser la préparation dans le moule et cuire au four jusqu'à ce que le centre soit pris environ 90 minutes. Éteindre le four et entrouvrir la porte.

Après 30 minutes, retirer du four et laisser refroidir sur une grille, réfrigérer pendant toute la nuit. Servir tel quel ou avec de la sauce au chocolat et à la menthe.

Gâteau au Fromage à la Vanille et à la Menthe

Gâteau au Grand Marnier

CRÈME GLACÉE AUX NOIX ET À L'ÉRABLE DE DIANNA

3 tasses	750 mL	crème moitié et moitié
2 c. à table	30 mL	farine tout usage
3 c. à table	45 mL	sirop d'érable
3	3	jaunes d'oeufs
1 tasse	250 mL	sucre d'érable
1½ c. à thé	8 mL	essence d'érable
½ tasse	125 mL	noix de Grenoble – en morceaux

Réchauffer la crème dans un bain-marie. Mélanger la farine avec le sirop d'érable et ajouter à la crème. Battre les jaunes d'oeufs avec le sucre et ajouter lentement à la crème. Cuire en brassant contamment jusqu'à ce que le mélange soit épais. Retirer du feu, laisser refroidir, réfrigérer et mettre au congélateur en suivant les directives du fabricant de crème glacée. Lorsque le mélange à consistence d'une neige fondante, ajouter les noix et l'essence, et remettre au congélateur.

DONNE 5 TASSES (1.25 L)

CRÈME GLACÉE À LA VANILLE OU À LA CANNELLE

4 tasses	1 L	crème – moyenne
1	1	graines de vanille*
5	5	jaunes d'oeufs
¾ tasse	180 mL	sucre granulé

Réchauffer la crème avec les graines de vanille dans un bain-marie. Battre les jaunes d'oeufs avec le sucre, et ajouter lentement à la crème tout en poursuivant la cuisson et en battant jusqu'à ce que le mélange soit épais. (Ne pas trop cuire parce que les oeufs pourraient se durcir.) Jeter les graines de vanille. Retirer du feu, laisser refroidir, réfrigérer et mettre au congélateur en suivant les directives du fabricant de crème glacée.

*Pour la crème glacée à la cannelle, utiliser des bâtons de cannelle au lieu des graines de vanille.

DONNE 5 TASSES (1.25 L)

SORBET AU CITRON

½ tasse	125 mL	jus de citron
½ tasse	125 mL	sucre granulé
2 tasses	500 mL	lait

Mélanger le jus de citron avec le sucre dans une casserole. Faire bouillir à feu moyen pendant 2 minutes. Laisser refroidir. Ajouter le lait. Verser dans une machine à crème glacée et réfrigérer et congéler en suivant les directives du fabricant.

DONNE 3 TASSES (750 mL)

BOMBE NAPOLITAINE

½ quan	0.5	sorbet au chocolat et à l'orange (voir page 571)
½ quan	0.5	crème glacée aux bananes et aux fraises (voir page 641)
½ quan	0.5	sorbet au citron (La recette précédente)
½ tasse	125 mL	ananas broyés

Placer à la renverse un moule à bombe de 2 quart (2 L) dans un bol d'eau glacée. Étendre sur les parois du moule, le sorbet au chocolat et à l'orange , suivi d'une couche de crème glacée aux bananes et aux fraises, et terminer avec le sorbet au citron. Placer le couvercle sur le moule ou le recouvrir de papier ciré. Congeler pendant 4 à 6 heures. Pour démouler, tremper le moule brièvement dans de l'eau chaude et le renverser sur un plat de service.

DONNE 8 PORTIONS

Torte aux Pommes Bavaroise

TORTE AUX POMMES BAVAROISE

BASE:

½ tasse	250 mL	beurre fondu
⅓ tasse	75 mL	sucre granulé
¼ c. à thé	1 mL	vanille
1 tasse	250 mL	farine tout usage
¼ tasse	60 mL	confiture de framboises

GARNITURE:

2	2	(250 g) pkgs fromage à la crème à temperature ambiante
½ tasse	125 mL	sucre granulé
1 c. à thé	5 mL	vanille
2	2	oeufs

GLAÇAGE:

⅔ tasse	160 mL	sucre granulé
1 c. à thé	5 mL	cannelle
4 tasses	2 L	pommes tranchées
1 tasse	250 mL	amandes tranchées

BASE:

Battre en crème le beurre, le sucre et la vanille, ajouter la farine et bien mélanger. Presser au fond d'un moule à parois amovibles de 10" (25 cm). Étendre la confiture sur la croûte.

GARNITURE:

Battre le fromage, le sucre et la vanille jusqu'à consistence lisse. Ajouter les oeufs un à un en battant bien entre chaque addition. Étendre uniformément sur la croûte.

GLAÇAGE

Combiner le sucre et la cannelle, mélanger avec les tranches de pommes et étendre sur la garniture au fromage à la crème. Parsemer d'amandes et cuire dans un four préchauffé à 350°F (180°C) pendant 75 minutes ou jusqu'à ce que le mélange soit doré. Réfrigérer pendant 8 heures.

GATEAU AU FROMAGE À LA CITROUILLE ET À L'ÉRABLE

Croûte:

1½ tasses	375 mL	biscuits au gingembre finement écrasés
⅓ tasse	80 mL	beurre – fondu

GARNITURE:

2	2	(250 g) pkgs fromage à la crème à temperature ambiante
1 tasse	250 mL	sucre d'érable
½ tasse	125 mL	sirop d'érable
1¼ c. à thé	6 mL	cannelle
¾ tasse	180 mL	crème à fouetter
1 c. à thé	5 mL	vanille
4	4	oeufs
2 tasses	500 mL	purée de citrouille
¾ tasse	180 mL	crème sure

CROUTE:

Combiner la chapelure de biscuits et le beurre. Presser au fond d'un moule à parois amovibles, graissé, de 9" (23 cm), laisser de côté.

GARNITURE:

Battre le fromage, le sucre et la cannelle jusqu'à consistance lisse. Ajouter graduellement en brassant le sirop d'érable, la crème et la vanille. Ajouter les oeufs un à un, en battant bien après chaque addition. Incorporer la purée de citrouille et la crème sure en brassant.

Verser la garniture dans le moule et cuire au four à 325°F (160°C) pendant 75 minutes. Éteindre le four et entrouvrir la porte. Après 30 minutes déposer le gâteau sur une grille, et laisser refroidir pendant au moins 4 heures. Décorer au goût.

Gâteau au Fromage à la Citrouille et à l'Érable

Tarte au Café Calypso

CRÈME GLACÉE AU CHOCOLAT ET À LA GUIMAUVE

2 onces	60 g	grains de chocolat mi-sucré
2 tasses	500 mL	guimauves–miniatures
2½ tasses	625 mL	crème moitié et moitié
3	3	jaunes d'oeufs
¾ tasse	180 mL	sucre granulé
2 c. à thé	10 mL	vanille

Dans un bain-marie, faire fondre le chocolat, les guimauves et faire chauffer la crèmes. Battre les jaunes d'oeufs avec le sucre et ajouter lentement à la crème avec la vanille. Cuire jusqu'à épaississement, laisser refroidir, réfrigérer et congeler en suivant les directives du fabricant de crème glacée. Garnir avec vos fruits préférés.

DONNE 6 TASSES (1 ½ L)

CARRÉS À LA NOIX DE COCO

½ tasse	125 mL	beurre
1 tasse + 2 c. à table	280 mL	farine tout usage
¼ tasse	60 mL	sucre à glacer
1½ tasse	375 mL	sucre brun
¼ c. à thé	2 mL	sel
1 tasse	250 mL	noix de coco – râpée
2	2	oeufs – battus
¼ c. à thé	2 mL	poudre à pâte
1 c. à thé	5 mL	essence de noix de coco
1 tasse	250 mL	pacanes – en morceaux

Mélanger le beurre, 1 tasse de farine et le sucre à glacer. Presser au fond d'un moule de 13" x 9" (32 x 23 cm). Cuire pendant 20 minutes dans un four préchauffé à 350°F (180°C). Bien mélanger avec les autres ingrédients. Étendre sur la pâte. Cuire pendant 20 minutes de plus. Couper en carrés.

DONNE 32 CARRÉS

TARTE AU CAFÉ CALYPSO

½ tasse	125 mL	beurre
1¼ tasses	310 mL	sucre à glacer
2	2	oeufs
1 tasse	250 mL	sucre – granulé
¼ tasse	60 mL	farine tout usage
¼ c. à thé	2 mL	sel
1 tasse	250 mL	lait – chaud
¼ tasse	60 mL	liqueur de Kahlua
¼ tasse	60 mL	rhum brun
¼ tasse	60 mL	café fort
2 onces	60 g	chocolat mi-sucré
1	1	croûte de tarte ou croûte de biscuits graham
1½ tasses	375 mL	crème à fouetter - fouetté et sucrée
1 tasse	250 mL	copeaux de chocolat

Battre le beurre en crème, ajouter le sucre à glacer. Battre les oeufs, incorporer le sucre granulé, la farine, le sel, le lait, le Kahlua, le rhum, le café et le chocolat. Cuire dans un bain-marie pendant 10 minutes, laisser refroidir et ajouter au beurre en brassant bien. Étendre la garniture dans une croûte de tarte déjà cuite ou une croûte de biscuits graham. Réfrigérer pendant deux heures. Servir garni de crème fouettée sucrée et de rouleaux au chocolat.

Crème Glacée au Chocolat et à la Guimauve

Torte aux Pralines et au Chocolat

SCHWARZWÄLDER KIRSCHTORTE DU CHEF K (GATEAU FORÊT NOIRE)

GATEAU:

2 c. à table	30 mL	poudre de cacao
2 tasses	500 mL	farine à pâtisserie
1 c. à thé	5 mL	poudre à pâte
¼ c. à thé	1 mL	sel
4 onces	120 g	chocolat mi-sucré
½ tasse	125 mL	beurre
1½ tasses	375 mL	sucre granulé
2	2	oeufs
1 tasse	250 mL	lait

Tamiser ensemble le cacao, la farine, la poudre à pâte et le sel trois fois.

Faire fondre le chocolat dans un bain-marie.

Battre en crème le beurre et le sucre jsuqu'à ce que le mélange soit très léger. Ajouter les oeufs unà un en battant bien après chaque addition.

Incorporer au chocolat en brassant. Ajouter la farine et le lait en trois fois en alternant. Verser la préparation dans deux moules à gâteau ronds de 8" (20 cm), beurrés et enfarinés. Cuire dans un four préchauffé à 350°F (180°C) pendant 35-40 minutes. Laisser refroidir pendant 10 minutes, démouler et laisser refroidir complètement sur une grille. Glacer.

GARNITURE ET GLAÇAGE:

2 tasses	500 mL	cerises noires – dénoyautée, en boîte
½ tasse	125 mL	jus provenant des cerises
2 c. à table	3 mL	fécule de maïs
¼ tasse	60 mL	Kirsch ou brandy aux cerises
2 tasses	500 mL	crème à fouetter
½ tasse	125 mL	sucre à glacer
1 tasse	250 mL	copeaux de chocolat

Faire chauffer les cerises dans une casserole. Mélanger le jus de cerises avec la fécule de maïs et incorporer aux cerises et faire bouillir jusqu'à épaississement. Laisser tiédir.

Parsemer les gâteaux de kirsch.

Étendre les cerises sur le premier gâteau et le recouvrir du second. Fouetter la crème, ajouter le sucre et l'étendre à l'aide d'une spatule ou d'une douille sur le gâteau. Garnir de chocolat.

TORTE AUX PRALINES ET AU CHOCOLAT

1 quan	1	pralines
2 tasses	500 mL	crème moitié et moitié
1 c. à thé	5 mL	essence de vanille
5	5	jaunes d'oeufs
½ tasse	125 mL	sucre granulé
¼ tasse	60 mL	farine tout usage
4 onces	115 g	chocolat mi-sucré fondu
16	16	crêpes (voir pâte à crêpe, page 469)

Écraser les pralines. Dans un bain-marie, faire chauffer la crème avec la vanille. Battre les oeufs avec le sucre et la farine et incorporer lentement à la crème en brassant constamment. Incorporer le chocolat en brassant. Cuire jusqu'à ce que le mélange devienne très épais.

Retirer du feu et presser le mélange dans un tamis. Laisser refroidir et ajouter les pralines.

Étendre sur les crêpes, tout en les empilant les unes sur les autres pour former un gâteau. Verser les restant de garniture sur les crêpes et laisser refroidir. Trancher et servir.

DONNE 8 PORTIONS

Schwarzwälder Kirschtorte du Chef K

GATEAU SUCRÉ À L'ORANGE

1 tasse	250 mL	beurre
1 tasse	250 mL	sucre granulé
1 tasse	250 mL	jus d'orange
2	2	oeufs
1 c. à thé	5 mL	vanille
2½ tasses	625 mL	farine à pâtisserie
1 c. à thé	5 mL	bicarbonate de soude
1 c. à thé	5 mL	poudre à pâte
2 c. à thé	10 mL	écorce d'orange râpée
½ tasse	125 mL	noix de Grenoble
1 tasse	250 mL	quartiers d'orange

Battre le beurre et le sucre en crème jusqu'à ce que le mélange soit très léger. Ajouter le jus d'orange, les oeufs et la vanille. Tamiser ensemble la farine, le bicarbonate de soude et la poudre à pâte. Incorporer au liquide en brassant. Ajouter l'écorce d'orange, les noix de Grenoble et les quartiers d'orange. Verser dans un moule huilé et cuire dans un four préchauffé à 350°F (180°C) pendant 50-60 minutes. Laisser refroidir pendant 10 minutes et déposer le gâteau sur une grille. Le glacer avec la garniture au sucre qui suit.

1 tasse	250 ml	sucre granulé
1 tasse	250 ml	jus d'orange

Combiner le jus d'orange avec le sucre et étendre sur le gâteau.

BOMBE AUX FRAMBOISES, AU CHOCOLAT ET À LA GUIMAUVE

1 quan	1 quan	crème glacée à la guimauve et au chocolat (voir page 550)
½ quan	0.5 quan	framboises bavaroises (voir page 666)

Reverser un moule à bombe de 2 quart (2 L) dans un grand bol d'eau glacée. Étendre la crème glacée dans le moule et sur le paroi. Remplir le centre de framboises bavaroises. Étendre le restant de crème glacée sur le fond. Placer le couvercle du moule et le sceller ou recouvrir de papier ciré. Congeler pendant 4 à 6 heures. Tremper le moule dans de l'eau chaude pour le démouler. Trancher et servir à la table.

DONNE 8 PORTIONS

CRÈME GLACÉE AUX PÊCHES DU SUD

3 tasses	750 mL	crème
2 c. à table	30 mL	farine tout usage
2 c. à table	30 mL	lait
3	3	jaunes d'oeufs
1 tasse	250 mL	sucre granulé
1 c. à thé	5 mL	vanille blanche
1½ tasses	375 mL	pêches – pelées, sans noyau, en purée

Chauffer la crème dans un bain-marie, mélanger la farine avec le lait et ajouter à la crème chaude. Battre les oeufs avec le sucre et ajouter à la crème chaude. Incoporer la vanille et cuire jusqu'à ce que le mélange soit épais. Bien laisser refroidir et ajouter les pêches en mélangeant. Congeler en suivant les directives du fabricant de crème glacée.

DONNE 6 TASSES (1.5 L)

Gâteau Sucré à l'Orange

Gâteau aux Bleuets

GATEAU AUX BLEUETS

½ tasse	125 mL	beurre
2 tasses	500 mL	sucre brun
3	3	oeufs – séparés
2 tasses	500 mL	farine à pâtisserie
¼ c. à thé	2 mL	sel
1 c. à thé	5 mL	poudre à pâte
2 c. à thé	10 mL	cannelle – moulue
½ c. à thé	3 mL	clou de girofle
¼ c. à thé	2 mL	muscade
1 tasse	250 mL	babeurre
1 tasse	250 mL	bleuets frais parsemés de farine

Battre le beurre et le sucreen crème jusqu'à consistence légère et mousseuse. Ajouter les jaunes d'oeufs un à un en battant bien après chaque addition. Battre les blancs d'oeufs jusqu'à ce qu'ils soient fermes. Mettre de côté.

Tamiser ensemble les ingrédients secs, deux fois. Incorporer la farine et le babeurre au beurre sucré en trois fois en alternant. Ajouter les blancs d'oeufs et les bleuets en pliant. Verser la pâte dans un moule à gâteau carré de 9" (23 cm), beurré, recouvert de papier ciré et enfariné. Cuire dans un four préchauffé à 350°F (180°C) pendant 60 minutes. Laisser refroidir pendant 10 minutes. Couper le gâteau et servir recouvert de sauce aux bleuets (la recette qui suit) chaude ou froide.

SAUCE AUX BLEUETS

2 livres	900 g	bleuets
1 c. à table	15 mL	fécule de maïs
1 c. à thé	5 mL	cannelle
¼ c. à thé	2 mL	clou de girofle
1 c. à table	15 mL	jus d'orange
¼ tasse	60 mL	sucre granulé

Laver et choisir les bleuets. Conserver 1 tasse (250 mL) de bleuets et reduire le reste en purée dans un robot culinaire. Mélanger la fécule de maïs avec un peu de jus de bleuets. Dans une casserole, amener à ébullition la purée de bleuets, les épices, le jus d'orange et le sucre. Reduire le feu. Incorporer la fécule de maïs et laisser mijoter jusqu'à ce que la sauce devienne épaisse. Laisser refroidir à la températurede la pièce et ajouter les bleuets. Servir sur le Gâteau aux bleuets.

SABLÉ QUI FOND DANS LA BOUCHE

1 tasse	250 mL	beurre
¾ tasse	180 mL	sucre à glacer
2¼ tasses	560 mL	farine à pâtisserie
½ tasse	125 mL	fécule de maïs

Battre en crème le beurre avec le sucre jusqu'à ce que le mélange soit léger.

Tamiser ensemble la farine et la fécule de maïs et incorporer au beurre en pliant. Abaisser la pâte et façonner au goût. Cuire dans un four préchauffé à 225°F (105°C) pendant 35 minutes. Parsemer de sucre granulé si désiré.

DONNE 6 PORTIONS

Sablé qui Fond dans la Bouche

Oops

GATEAU AU FROMAGE TORSADÉ AU CHOCOLAT

CROûTE:

2 tasses	500 mL	farine tout usage
½ tasse	125 mL	sucre granulé
1 c. à thé	5 mL	vanille
¾ tasse	180 mL	beurre – fondu
1	1	jaunes d'oeuf

Mélanger les ingrédients dans un robot culinaire. Presser dans un moule à parois amovibles, beurré de 10" (25 cm). Cuire dans un four préchauffé à 400°F (200°C) pendant 7 minutes. Retirer.

GARNITURE:

2 livres	1 kg	fromage à la crème
1½ tasses	375 mL	sucre granulé
3 c. à table	45 mL	farine tout usage
1 c. à table	15 mL	écorce d'orange
½ c. à thé	3 mL	essence de citron
5	5	oeufs
½ tasse	125 mL	crème à fouetter
3 c. à table	45 mL	poudre de cacao
4 onces	120 g	chocolat mi-sucré – fondu
4 onces	120 g	chocolat blanc fondu

Battre le fromage avec le sucre en crème. Battre la farine, l'écorce d'orange, l'essence et les oeufs, un à un. Incorporer la crème à fouetter. Diviser la pâte en deux parts, ⅔ et ⅓. Dans la plus grande quantité, incorporer le cacao et le chocolat mi-sucre. Ajouter le chocolat blanc dans la plus petite part. Étendre la plus grande part dans le moule et cuire dans un four préchauffé à 350°F (160°C) pendant 20 minutes. Incorporer la préparation au chocolat blanc et poursuivre la cuisson pendant 45 minutes. Éteindre le four et entrouvrir la porte. Y laisser le gâteau pendant 30 minutes avant de le mettre sur une grille. Refrigérer pendant 8 heures ou durant toute la nuit.

OOPS

2 tasses	500 mL	guimauves miniatures
2 tasses	500 mL	grains de chocolat
½ tasse	125 mL	beurre d'arachide
2 c. à table	30 mL	beurre
2½ tasses	650 mL	Rice Krispies™
½ tasse	125 mL	confiture de framboises
¾ tasse	180 mL	sucre à glacer

Dans un bain-marie, faire fondre les guimauves, 1 tasse (250 mL) de grains de chocolat et le beurre d'archides. Ajouter les Rice Krispies en brassant. Presser la moitié de la préparation dans un moule de 8" x 8" (20 x 20 cm) graissé.

Faire fondre le restant de chocolat, le beurre at mélanger avec la confiture de framboises. Incorporer le sucre et étendre sur les Rice Krispies. Réfrigérer pendant 1 heure avant de couper.

DONNE 20 CARRÉS

BROWNIES AU CHOCOLAT

1 tasse	250 mL	beurre
4 onces	115 g	chocolat non sucré
4	4	oeufs
pincée	pincée	sel
2 tasses	500 mL	sucre granulé
1 tasse	250 mL	farine tout usage
1 c. à thé	5 mL	poudre à pâte
1 c. à thé	5 mL	essence de vanille
1 tasse	250 mL	pacanes hachées

Préchauffer le four à 325°F (170°C). Graisser un moule carré de 9" (23 cm).

Faire fondre le beurre et le chocolat dans une petite casserole à feu doux. Bien mélanger et laisser de côté.

Battre les oeufs jusqu'à ce qu'ils deviennent jaune pâle; ajouter le sel, le sucre, la farine et la poudre à pâte. Bien battre. Incorporer la vanille et les pacanes au mélange refroidi de chocolat. Bien mélanger.

Verser la prépararion dans le moule et cuire pendant 35 à 45 minutes ou jusqu'à ce qu'un couteau inséré au centre en ressorte propre.

Laisser refroidir avant de couper.

DONNE 36 CARRÉS

Gâteau au Fromage Torsadé au Chocolat

Sorbet à l'Ananas

GATEAU À LA CRÈME SURE

1 tasse	250 mL	beurre
3 tasses	750 mL	sucre granulé
6	6	oeufs
½ c. à thé	3 ml	essence de rhum
¼ c. à thé	1 ml	essence d'amande
½ c. à thé	3 mL	essence de citron
1 c. à thé	5 mL	essence de vanille
1 c. à thé	5 mL	essence de beurre
3 tasses	750 mL	farine à pâtisserie
¼ c. à thé	2 mL	poudre à pâte
1 c. à thé	5 mL	sel
½ tasse	125 mL	lait
1 tasse	250 mL	crème sure

Battre le beurre et le sucre en crème. Ajouter les oeufs un à un en mélangeant bien après chaque addition. Ajouter les essences en mélangeant. .

Tamiser la farine, la poudre à pâte et le sel. Incorporer au mélange en pliant et en alternant avec le lait et la crème sure. Cuire dans un plat bien graissé, dans un four préchauffé à 300°F (150°C) pendant 1 heure et 10 minutes.

Retirer du four et laisser refroidir pendant 10 minutes avant de déposer sur une grille. Démouler le gâteau et le laisser refroidir complètement. Glacer avec le Glaçage au chocolat (La recette qui suit).

GLAÇAGE AU CHOCOLAT

2 onces	60 g	chocolat mi-amer
2 onces	60 g	lait au chocolat
½ tasse	125 mL	crème – épaisse
1 c. à thé	5 mL	beurre fondu
1	1	jaune d'oeuf
2 tasses	500 mL	sucre à glacer
½ c. à thé	3 mL	vanille

Faire fondre le chocolat dans un bain-marie. Incorporer les autres ingrédients en brassant jusqu'à consitence onctueuse. Utiliser au besoin.

SORBET À L'ANANAS

½ tasse	125 mL	sucre granulé
¾ tasse	180 mL	eau
¼ tasse	60 mL	jus de lime
2 tasses	500 mL	ananas frais, pelé et coupé en dés

Faire chauffer le sucre et l'eau dans une casserole. Mélanger jusqu'à ce que le sucre soit dissous et amener à ébullition. Retirer du feu, laisser refroidir et mettre au réfrigérateur. Mettre le jus de lime et l'ananas dans un robot culinaire et réduire en purée. Incorporer au sirop et bien mélanger. Laisser refroidir et congeler dans une glacière en suivant les directives du fabricant de crème .

DONNE 3½ TASSES (875 ml)

Gâteau à la Crème Sure

LE GATEAU AU CHOCOLAT BLANC

CROÛTE:

1½ tasses	375 mL	amandes
2	2	blancs d'oeufs
¼ tasse	60 mL	beurre
2 c. à table	30 mL	beurre
1 tasse	250 mL	sucre granulé
1½ c. à thé	8 mL	farine à pâtisserie
1 c. à thé	5 mL	cannelle
1 c. à thé	5 mL	écorce de citron râpée
⅛ c. à thé	pincée	sel

Moudre les amandes en une pâte dans le robot culinaire. Battre les blancs d'oeufs jusqu'à ce qu'ils forment des pics fermes.

Battre ¼ tasse de beurre en crème avec le sucre. Ajouter la farine, le sucre vanillé, la cannelle, l'écorce de citron et le sel. Ajouter les blancs d'oeufs et bien mélanger.

Mélanger ensemble les amandes, la farine, le sucre, la cannelle, les blancs d'oeufs, et le sel.

Façonner des balles de 1" (2.5 cm) et les aplatir avec vos mains. Les disposer sur une plaque à biscuits beurrée. Cuire pendant 25 minutes dans un four préchauffé à 350°F (180°C). Ne pas trop faire dorer. Laisser refroidir et écraser. Mélanger avec le restant de beurre. Presser au fond d'un moule à parois amovibles, beurré, de 9" (23 cm). Laisser refroidir.

GARNITURE:

6 onces	120 g	chocolat blanc râpé
¾ tasse	180 mL	beurre – non salé sans colorant
¾ tasse	180 mL	sucre granulé
1 c. à thé	5 mL	essence de vanille blanche
¼ c. à thé	1 mL	sel
6	6	oeufs, séparés à température ambiante
		fruits frais

Faire fondre le chocolat, le beurre, le sucre, la vanille et le sel dans un bain-marie à feu doux. Retirer du feu et laisser refroidir.

Ajouter les jaunes d'oeuf un à un en battant.

Battre les blancs d'oeufs jusqu'à ce qu'ils soient fermes. Ajouter doucement à la pâte en pliant. Étendre dans le moule et cuire pendant 40 minutes dans un four préchauffé à 325°F (160°C). Laisser refroidir sur une grille pendant 1 heure avant de servir, ou couvrir et conserver pendant toute la nuit, sans mettre au réfrigérateur. Le gâteau peut légèrement s'affaiser en refroidissant.

Servir recouvert de fruits frais.

Le Gâteau au Chocolat Blanc

Biscuits au Sucre

BARRES À LA MENTHE

¾ tasse	180 mL	beurre
¼ tasse	60 mL	sucre granulé
1	1	oeuf
¼ tasse	60 mL	poudre de cacao
2 tasses	500 mL	chapelure de biscuits graham
1 tasse	250 mL	noix de coco râpée
½ tasse	125 mL	noix de Grenoble en morceaux
3 c. à table	45 mL	lait
2 c. à table	30 mL	poudre pour pudding instantané à la vanille
2 c. à thé	10 mL	essence de menthe
2 tasses	500 mL	sucre à glacer tamisé
4 onces	120 g	chocolat mi-sucré
1 c. à thé	5 mL	huile

Dans un bain-marie, mélanger ½ tasse (125 mL) de beurre, le sucre, l'oeuf et le cacao en une sauce épaisse. Retirer du feu, incorporer la chapelure de biscuits, la noix de coco et les noix et bien mélanger. Étendre dans un moule à gâteau beurré de 9" x 9" (23 x 23 cm). Battre le beurre en crème, ajouter le lait, l'essence de menthe et la poudre pour pudding. Incorporer le sucre à glacer. Étendre sur la base. Faire fondre le chocolat et ajouter l'huile, étendre sur le gâteau. Mettre au réfrigérateur pendant 1 heure. Trancher et servir.

DONNE 20 CARRÉS

Barres à la Menthe

BISCUITS À LA MERINGUE

4	4	blancs d'oeufs
½ c. à thé	3 mL	crème de tartre
¾ tasse	180 mL	sucre granulé
¼ c. à thé	2 mL	essence d'amande (facultatif)
		décorations sucrées colorées

Préchauffer le four à 400°F (200°C).

Placer les blancs d'oeufs et la crème de tartre dans un bol et battre jusqu'à ce que le mélange forme des pics mous. Ajouter graduellement en battant le sucre jusqu'à ce que la meringue deviennent ferme et que le sucre soit complètement dissout. Incorporer l'essence (si désiré).

Remplir la poche d'une douille à large embouchure étoilée de la préparation à meringue. Former des biscuits de 2" (5 cm) de diamètre sur une plaque à biscuits graissée, tout en tournant la douille à la fin pour créer des dessus attrayants.

Parsemer légèrement de décorations sucrées colorées. Cuire dans un four préchauffé pendant 7 à 8 minutes ou jusqu'à ce qu'ils soient légèrement dorés.

Laisser refroidir à la température de la pièce.

BISCUITS AU SUCRE

1 tasse	250 mL	beurre
1 tasse	250 mL	sucre granulé
2	2	oeufs – séparés
2 tasses	500 mL	farine à pâtisserie
2 c. à thé	10 mL	poudre à pâte
1 c. à thé	5 mL	sel
1 c. à table	15 mL	lait
1 c. à thé	5 mL	vanille blanche

Battre le beurre jusqu'à ce qu'il soit très léger. Incoporer le sucre et le jaune d'oeuf en brassant. Battre les blancs d'oeufs jusqu'à ce qu'ils soient fermes. Tamiser ensemble la farine, la poudre à pâte et le sel. Ajouter à la préparation au beurre avec les blancs d'oeufs en pliant. Ajouter le lait et la vanille. Abaisser la pâte et découper les biscuits à l'aide d'emporte-pièce au forme de votre choix. Les parsemer de sucre et les cuire dans un four préchauffé à 350°F (180°C). Servir telquel ou décorer de façon colorée.

DONNE 2½ DOUZAINES

GATEAU AU CHOCOLAT ET À LA NOIX DE COCO

2 tasses	500 mL	farine à pâtisserie
1 c. à thé	5 mL	poudre à pâte
½ c. à thé	3 mL	sel
1¼ tasses	310 mL	sucre granulé
½ tasse	125 mL	beurre – fondu
½ tasse	125 mL	crème sure
¼ tasse	60 mL	nectar de crème de noix de coco
3	3	oeufs
3 onces	85 g	chocolat mi-sucré fondu, refroidi

Tamiser la farine, la poudre à pâte et le sel ensemble, deux fois. Battre le sucre et le beurre en crème jusqu'à ce que le mélange soit léger et mousseux. Mélanger ensemble la crème sure et le nectar de noix de coco. Ajouter la farine et la crème sure en trois fois en alternant. Incorporer les oeufs un à un en battant. Ajouter le chocolat en pliant. Verser la préparation dans un moule beurré de 8 tasses (2 L). Cuire pendant 50 à 60 minutes dans un four préchauffé à 350°F (180°C). Laisser refroidir pendant 10 minutes, transférer le gâteau sur une grille et glacer avec le Glaçage à la noix de coco (la recette qui suit).

GLAÇAGE À LA NOIX DE COCO

3 c. à table	45 mL	beurre
½ tasse	125 mL	sucre à glacer
4 c. à table	60 mL	lait condensé sucré
1 tasse	250 mL	noix de coco râpé
1½ c. à thé	8 mL	essence de vanille

Battre le beurre en crème avec le sucre. Incorporer les autres ingredients. Étendre sur le gâteau, le placer sous l'élément chauffant du four et griller jusqu'à ce qu'il soit doré.

CRÈME BAVAROISE À L'ORANGE

1 c. à table	15 mL	gélatine sans saveur
¼ tasse	60 mL	eau froide
1 tasse	250 mL	jus d'orange
2 c. à thé	10 mL	jus de citron
½ tasse	125 mL	sucre granulé
¾ tasse	180 mL	crème à fouetter

Mélanger la gélatine dans l'eau froide. Placer dans une petite casserole et faire chauffer jusqu'à ce que la gélatine soit dissoute. Ajouter le jus d'orange, le jus de citron et le sucre, amener à ébullition et retirer du feu. Laisser refroidir jusqu'à ce que le mélange soit épais mais non ferme. Fouetter la crème et l'incorporer à la préparation à l'orange. Verser dans un moule ou un bol et laisser refroidir jusqu'à ce que la préparation soit ferme. Démouler et servir.

DONNE 4 PORTIONS

Crème Bavaroise à l'Orange

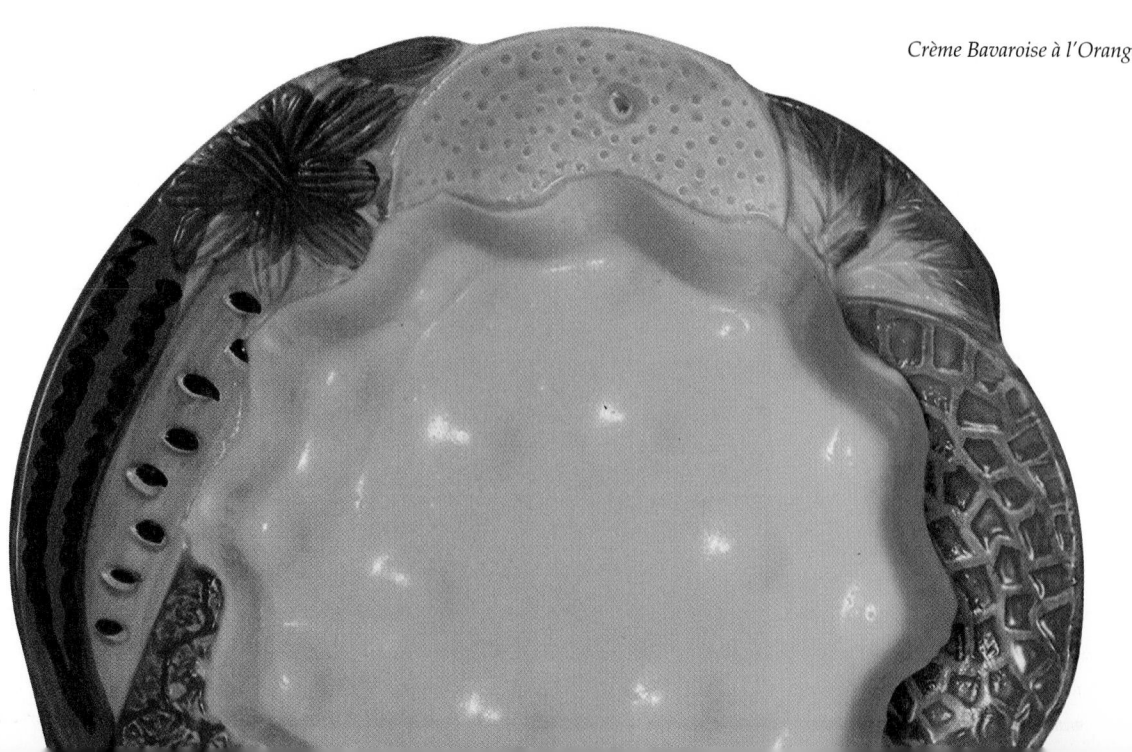

Gâteau au Chocolat et à la Noix de Coco

Copacabana

BISCUITS SANS CUISSON

½ tasse	125 mL	beurre
2 tasses	500 mL	sucre brun
2	2	oeufs
⅓ tasse	80 mL	noix de Grenoble – en morceaux
⅓ tasse	80 mL	dattes – hachées
⅓ tasse	80 mL	raisins secs
1 c. à thé	5 mL	vanille
1 c. à thé	5 mL	crème de tartre
1 c. à thé	5 mL	bicarbonate de soude
2½ tasses	625 ml	farine à pâtisserie
½ c. à thé	3 mL	sel

Battre le beurre et le sucre en crème jusqu'à ce que le mélange soit léger et ajouter les oeufs. Incorporer les autres ingrédients et bien mélanger. Façonner un rouleau de 1½" (4 cm) de diamètre. Envelopper de papier ciré. Réfrigérer pendant 8 heures ou durant toute la nuit. Couper en tranche de 1" (2.5 cm) et disposer sur une plaque à biscuits graissée. Cuire dans un fous préchauffé à 400°F (200°C) pendant 10 à 12 minutes.

DONNE 5 à 6 DOUZAINES

Biscuits sans Cuisson

COPACABANA

6	6	bananes de grosseur moyenne
¼ tasse	60 mL	sucre granulé
¼ tasse	60 mL	brandy
½ c. à thé	3 mL	essence de vanille
4 tasses	1 L	crème glacée à la vanille (voir page 547)
1½ tasses	375 mL	sauce au chocolat (voir page 123)
½ tasse	125 mL	amandes rôties – tranchées

Placer les bananes dans une grande poêle, ajouter le sucre, le brandy et l'essence de vanille, pocher les bananes pendant 3 à 5 minutes. Retirer et laisser refroidir. Disposer sur un nid de crème glacée, recouvrir de sauce au chocolat et parsemer de noix. Servir immédiatement.

DONNE 6 PORTIONS

MOUSSE À L'AMARETTO

2 c. à thé	10 mL	gélatine sans saveur
¼ tasse	60 mL	liqueur d'Amaretto
4 c. à table	60 mL	beurre
5	5	oeufs
1 tasse	250 mL	sucre granulé
1½ tasses	375 mL	crème fouetter
½ tasse	125 mL	amandes rôties tranchées

Dans un bain-marie, dissoudre la gélatine dans la liqueur.

Battre les oeufs avec le sucre et la liqueur. Ajouter le mélange au beurre fondu et cuire en brassant constamment jusqu'à ce que le mélange devienne épais. Laisser refroidir jusqu'à ce qu'il soit très épais. Fouetter la crème et l'incorporer au mélange en pliant. Verser la préparation dans des verres à vin et laisser refroidir. Parsemer d'amandes rôties avant de servir.

DONNE 8 PORTIONS

Mousse au Chocolat et aux Mandarines

MOUSSE AU CHOCOLAT ET AUX MANDARINES

3 tasses	750 mL	guimauves miniatures
½ tasse	125 mL	crème légère
3 onces	80 g	chocolat mi-sucré
2 c. à table	30 mL	jus d'orange concentré
1½ tasses	375 mL	crème à fouetter
2	2	blancs d'oeufs
1 tasse	250 mL	quartiers de mandarines

Dans un bain-marie, faire fondre les guimauves avec la crème et le chocolat. Incorporer le jus d'orange, retirer du feu et laisser refroidir.

Fouetter la crème et l'ajouter au mélange en pliant. Battre les blancs d'oeufs ferme et incorporer au mélange en pliant. Ajouter les quatiers de mandarines en pliant. Verser dans 6 plats de service ou verres à parfait. Réfrigérer pendant 3 heures avant de servir.

DONNE 6 PORTIONS

SORBET AU CHOCOLAT ET À L'ORANGE

2 onces	30 g	chocolat mi-sucré
2 c. à table	30 g	poudre de cacao
1 tasse	250 mL	sucre granulé
2 tasses	500 mL	jus d'orange
4 tasses	1 L	lait

Mélanger le cacao, le sucre et le jus d'orange dans une casserole. Faire bouillir pendant 5 minutes. Ajouter le lait et faire bouillir pendant 7 minutes. Laisser refroidir et congeler dans une glacière en suivant les directives du fabricant.

DONNE 6 TASSES (1.5 L)

DÉLICIEUX GATEAU AU FROMAGE ET À LA LIME

1¼ tasses	310 mL	miettes de toast Zwieback *
2 c. à table	30 mL	sucre granulé
⅓ tasse	80 mL	beurre fondu
1 c. à table	30 mL	gélatine sans saveur ou 2 enveloppes
¼ tasse	60 mL	eau froide
¼ tasse	60 mL	jus de lime
3	3	gros oeufs séparés
½ tasse	125 mL	sucre granulé
1½ c. à thé	8 mL	écorce de lime râpée
16 onces	450 g	fromage Neufchâtel léger, ramolli**
		colorant alimentaire vert
2 tasses	500 mL	garniture fouettée décongelée

Combiner les miettes, le sucre et le beurre; presser au fond d'un moule de 9" (23 cm) à parois amovibles. Cuire dans un four préchauffé à 325°F (170°C) pendant 10 minutes. Laisser refroidir.

Dissoudre la gélatine dans l'eau, à feu doux. Ajouter le jus, les jaunes d'oeufs, ¼ tasse (60 mL) de sucre et l'écorce d'orange; cuire en brassant constamment à feu moyen pendant 5 minutes. Laisser refroidir. Ajouter graduellement la préparation à gélatine au fromage Neufchâtel ramolli jusqu'à ce que le mélange soit homogène. Ajouter quelques gouttes de colorant alimentaire vert.

Battre les blancs d'oeuf jusqu'à ce qu'ils soient mousseux, ajouter graduellement le restant de sucre, battre jusqu'à la formation de pics mous. Ajouter à la préparation au fromage Neufchâtel en pliant, et verser sur la croûte. Laisser refroidir jusqu'à ce que le mélange soit ferme. Garnir avec plus d'écorce de lime râpée si désiré.

DONNE 10 PORTIONS

* Tranches de pain Zwieback, peuvent être trouvées dans la plupart des boulangeries françaises. Découpées de la miche et recuites dans le four elles peuvent être émiettées.

** Petit fromage français en forme de pain fait à partir de lait écrémé. Le fromage est de couleur jaune foncée et est à son meilleur entre les mois d'octobre et de juin. Disponible dans la plupart des épiceries fines.

DESSERTS

GATEAU DORÉ À LA MODE D'ANTAN

¾ tasse	180 mL	beurre
1 tasse	250 mL	sucre granulé
8	8	jaunes oeufs – battus
2½ tasses	625 mL	farine à pâtisserie
1 c. à table	15 mL	poudre à pâte
¼ c. à thé	2 mL	sel
¾ tasse	180 mL	lait
¾ c. à thé	4 mL	vanille

Battre le beurre et le sucre en crème jusqu'à ce que le mélange soit léger et mousseux. Ajouter les jaunes d'oeufs et continuer de battre. Tamiser ensemble la farine, la poudre à pâte et le sel, deux fois. Incorporer au beurre en alternant avec le lait en trois fois. Incorporer la vanille. Verser dans trois moules à gâteau ronds de 9" (23 cm), beurrés et enfarinés. Cuire dans un four préchauffé à 350°F (180°C) pendant 20 minutes. Laisser refroidir pendant 10 minutes, démouler les gâteaux sur des grilles. Garnir et glacer avec la Garniture au chocolat et à la guimauve (la recette qui suit) ou du Glaçage aux pralines (voir page 529).

GARNITURE AU CHOCOLAT ET À LA GUIMAUVE

2 tasses	500 mL	sucre granulé
2 tasses	500 mL	crème
4 onces	120 g	chocolat mi-sucré
¼ tasse	60 mL	beurre
1 c. à thé	5 mL	vanille
1 tasse	250 mL	guimauves

Mélanger le sucre, la crème, le chocolat, le beurre et la vanille dans un bain-marie. Amener à ébullition et cuire jusqu'à ce qu'une goutte du mélange forme une balle molle dans de l'eau froide. Faire fondre les guimauves dans une deuxième bain-marie et mélanger avec le chocolat. Utiliser au besoin.

POMMES CHATELAINES

1¼ tasses	310 mL	eau
1¼ tasses	310 mL	sucre granulé
1	1	graine de vanille
6	6	grosses pommes Granny Smith, pelées décortiquées
3 c. à table	45 mL	beurre – fondu
1 tasse	250 mL	cerises, coupées en deux
½ tasse	125 mL	macarons émiettés
¼ tasse	60 mL	sucre vanillé
4	4	jaunes d'oeufs
2 tasses	250 mL	lait – chaud

Dans une casserole, faire bouillir l'eau, le sucre et la graine de vanille. Réduire le volume à 1¼ tasses (310 mL). Verser dans un plat peu profond, disposer les pommes autour du plat. Badigeonner les pommes de sirop et de beurre. Mélanger les cerises avec les macarons et fracir les pommes. Cuire les pommes dans un four préchauffé à 350°F (180°C) pendant 20 minutes ou jusqu'à ce que les pommes soient tendres. Placer sur un plat de service.

Battre le sucre vanillé avec les jaunes d'oeufs jusqu'à ce que le mélange soit très léger et pâle. Battre dans le lait chaud et cuire dans un bain-marie jusqu'à épaississement. Retirer du feu, verser sur les pommes et servir.

DONNE 6 PORTIONS

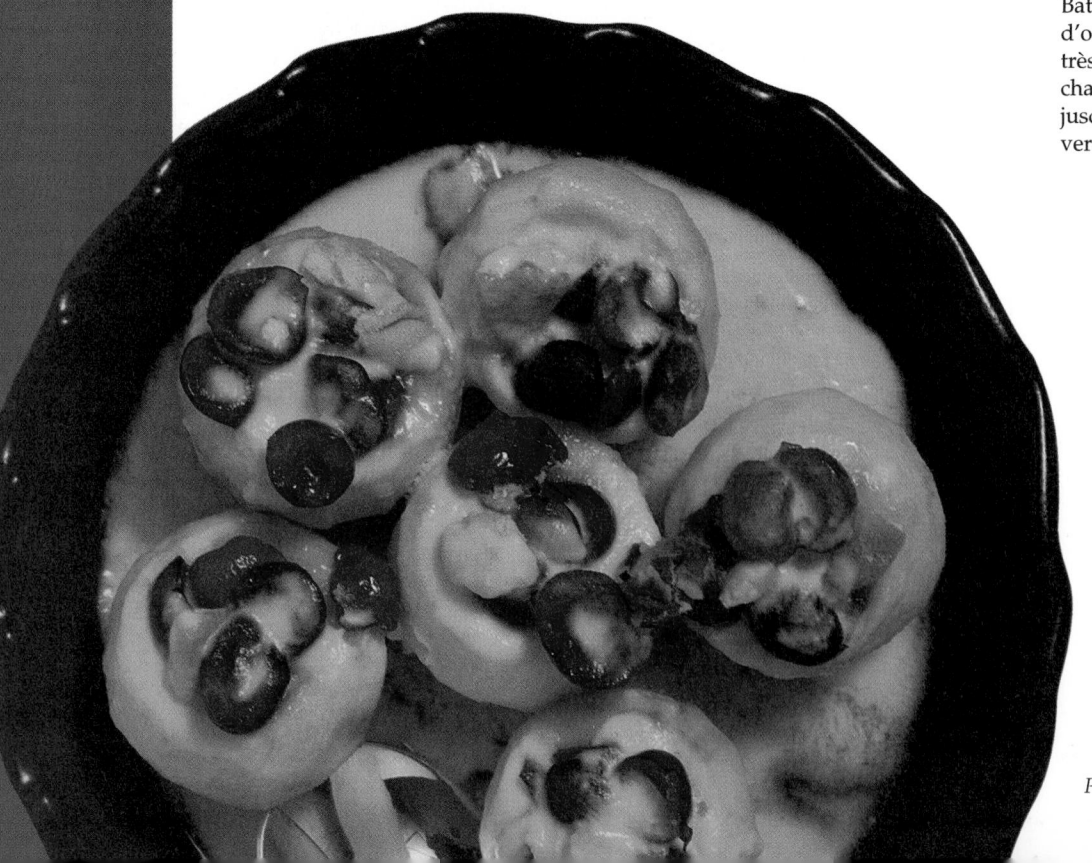

Pommes Chatelaines

Gâteau Doré à la Mode d'Antan

Meringue aux Raisins Secs et aux Noix

CARRÉS RIGOLOS DE JENNIFER

10 onces	300 mL	lait condensé sucré
2 onces	60 g	chocolat non sucré
½ c. à thé	3 mL	sel
2 tasses	500 mL	flocons de noix de coco
½ tasse	125 mL	cerises maraschino
½ tasse	125 mL	noix de Grenoble en morceaux
1 c. à thé	5 mL	essence de vanille

Dans un bain-marie, faire fondre le lait et le chocolat. Incorporer tous les autres ingredients, verser dans un moule carré, beurré, de 8" x 8" (20 x 20 cm). Cuire pendant 18 minutes dans un four préchauffé à 350°F (180°C). Laisser refroidir et glacer avec le Glaçage rigolo de Jennifer (la recette qui suit).

GLAÇAGE RIGOLO DE JENNIFER

3 c. à table	45 mL	beurre
2 tasses	500 mL	sucre à glacer
3 c. à table	45 mL	lait
2 c. à thé	10 mL	essence de menthe
1	1	carré de chocolat mi-sucré
1 c. à thé	5 mL	huile

Battre le beurre en crème et ajouter la moitié du sucre. Ajouter ensuite le restant de sucre en alternant avec le lait. Battre jusqu'à ce que les grumeaux soient disparus. Incorporer l'essence. Étendre sur les carrés. Faire fondre le chocolat et l'huile dans un bain-marie. Parsemer le glaçage. Couper en carrés et servir.

DONNE 24 CARRÉS

MERINGUES AUX RAISINS SECS ET AUX NOIX

2 c. à thé	10 mL	poudre à pâte
2¼ tasses	560 mL	farine à pâtisserie
½ tasse	125 mL	beurre
1 tasse	250 mL	sucre granulé
2	2	oeufs
1 c. à thé	5 mL	essence de vanille
⅓ tasse	80 mL	lait
½ tasse	125 mL	raisins secs
½ tasse	125 mL	noix de Grenobles
		sucre pour parsemer

Tamiser la farine avec la poudre à pâte.

Battre le beurre en crème jusqu'à ce qu'il soit très léger. Incorporer le sucre et les oeufs en battant. Incorporer la farine, la vanille et le lait . Ajouter les raisins et les noix

Laisser tomber la préparation par grosses cuillérée sur une plaque à biscuits graissée. Parsemer de sucre et cuire dans un four préchauffé à 350°F (180°C) pendant 10 à 12 minutes.

DONNE 1½ DOUZAINES

Carrés Rigolos de Jennifer

Dominos

SOUFFLÉ GLACÉ AUX FRAMBOISES ET AUX KIWIS

2 tasses	500 mL	framboises
¼ tasse	60 mL	sucre granulé
2 c. à table	30 mL	gélatine sans saveur
2 c. à table	30 mL	eau froide
¼ c. à thé	2 mL	sel
6	6	blancs d'oeufs
2 tasses	500 mL	crème à fouetter
1½ tasses	375 mL	kiwis, pelés, hachés

Réduire les framboises en purée dans un robot culinaire, les presser dans un tamis pour retirer les pépins. Placer dans une casserole et réduire à ¼ tasse (60 mL) de sauce. Ajouter le sucre, la gélatine qui aura été dissoute dans l'eau avec le sel. Laisser refroidir à la température de la pièce. Battre les blancs d'oeufs jusqu'à ce qu'ils soient fermes et secs. Battre la crème et l'incorporer aux blancs d'oeuf. Incorporer à la sauce avec les kiwis. Verser dans un moule à soufflé de 8 tasse (2 L) avec un rebord d'aluminium de 6" (15 cm). Congeler pendant 6 heures ou toute la nuit. Retirer le rebord et servir.

DONNE 6 PORTIONS

SOUFFLÉ AU CAFÉ ET À LA MENTHE

¼ tasse	60 mL	farine tout usage
1 tasse	250 mL	lait
1 tasse	250 mL	sucre granulé
3 c. à table	45 mL	beurre
1 c. à thé	5 mL	cristaux de café instantané
3 c. à table	45 mL	liqueur de Kahlua
3 c. à table	45 mL	liqueur de Crème de Menthe
4	4	oeufs séparés
2	2	blancs d'oeufs

Beurrer un moule à soufflé de 6 à 8 tasses (1.5–2 L). Saupoudrer le fond et les parois de sucre. Dans une casserole, battre la farine dans le lait et amener à ébullition. Incorporer le sucre, le beurre, le café et les liqueurs. Retirer du feu et ajouter les jaunes d'oeufs un à un en battant. Battre les blancs d'oeufs jusqu'à ce qu'ils soient fermes et les incorporer au mélange en pliant. Cuire dans un four préchauffé à 400°F (200°C) pendant 40 minutes. Servir chaud accompagné de sauce au chocolat.

DONNE 4 PORTIONS

DOMINOS

½ tasses	125 mL	noix de Grenobles hachées
½ tasse	125 mL	amandes tranchées
½ tasse	125 mL	dattes hachées
½ tasse	125 mL	pâte d'amande*
1 c. à thé	5 mL	écorce d'orange râpée
¼ tasse	60 mL	jus d'orange
¼ c. à thé	2 mL	sel
¼ tasse	60 mL	farine à pâtisserie
2 onces	60 g	chocolat mi-sucré fondu
1 c. à thé	5 mL	beurre fondu

Dans un robot culinaire, mélanger les noix, les dattes, la pâte d'amande, l'écorce d'orange, le jus de le sel. Bien mélanger. Tamiser la farine seulement si nécessaire.

Façonner en carrées. Les tremper dans le mélange de chocolat et de beurre.

* Disponible dans la majorité des pâtisserie ou dans les magasins de décorations pour gâteaux.

DONNE 2 DOUZAINES

Soufflé Glacé aux Framboises et aux Kiwis

Gâteau au Fromage au Chocolat sans Cuisson

GATEAU AU FROMAGE AU CHOCOLAT SANS CUISSON

CROUTE:

2 tasses	500 mL	chapelure au biscuits au chocolat
2 c. à table	30 mL	sucre granulé
¼ tasse	60 mL	beurre fondu

Combiner tous les ingrédients, presser au fond d'un moule à parois amvibles de 9" (23 cm). Réfrigérer.

GARNITURE:

1 c. à table	15 mL	gélatine sans saveur
⅔ tasse	160 mL	eau
1 livre	450 g	fromage à la crème ramolli
6 onces	170 g	grains de chocolat fondus
1 tasse	250 mL	lait condensé sucré
1½ c. à thé	8 mL	vanille
¾ tasse	180 mL	crème à fouetter, fouettée
1 tasse	250 mL	copeaux de chocolat
1½ tasses	375 mL	sauce aux framboises (voir page 107)

Mélanger la gélatine dans l'eau, faire chauffer jusqu'à ce que la gélatine soit dissous. Retirer du feu et laisser refroidir.

Battre le fromage en crème avec le chocolat, le lait et la vanille. Incorporer la gélatine et ajouter la crème fouettée en pliant. Verser dans le moule et réfrigérer pendant 4 heures.

Garnir de copeaux de chocolat. Servir accompagné de la sauce aux framboises.

DONNE 8 à 10 PORTIONS

GATEAU AU FROMAGE À L'AMARETTO DU CHEF K

CROUTE:

3½ tasses	875 mL	macarons italiens, moulus
¼ tasse	60 mL	beurre fondu

Combiner les ingrédients. Presser au fond et sur les parois d'un moule à parois amovibes de 9" (23 cm). Réfrigérer. Préchauffer le four à 325°F (160°C).

GARNITURE:

3 tasses	750 mL	fromage à la crème
¾ tasse	180 mL	sucre granulé
4	4	oeufs
2 c. à table	10 mL	essence d'amande
¼ tasse	60 mL	liqueur d'Amaretto

Battre le fromage en crème avec le sucre. Ajouter les oeufs un à un en battant. Incorporer l'essence et la liqueur. Cuire au four pendant 90 minutes. Transférer sur une griller et laisser refroidir à la température de la pièce.

GLAÇAGE:

1 tasse	250 mL	beurre clarifié
8 onces	250 mL	chocolat mi-sucré
½ tasse	125 mL	liqueur d'Amaretto
½ tasse	125 mL	amandes tranchées rôties

Combiner le beurre avec le chocolat dans une casserole. Chauffer sans faire bouillir. Retirer du feu et ajouter l'Amaretto. Étendre le mélange sur le gâteau au fromage. Réfrigérer pendnt 2 heures. Parsemer d'amandes et réfrigérer pendant 6 à 8 heures de plus.

SORBET AUX KIWIS ET À LA MANGUE

¾ tasse	180 mL	sucre granulé
¾ tasse	180 mL	eau
1½ tasses	375 mL	kiwis pelés, coupés en dés, réduits en purée
1½ tasses	375 mL	mangue en purée
¼ tasse	60 mL	jus de lime

Dans une casserole, conbiner le sucre et l'eau. Amener à ébuillition, retirer du feu, laisser refroidire et réfrigérer. Mélanger la mangue, les kiwis et le jus de lime ensemble et refroidir. Mélanger ensuite avec le sirop. Congeler dans une glacière en suivant les directives du fabricant.

DONNE 4 TASSES (1 L)

GATEAU AU FROMAGE AU CHOCOLAT

CROUTE:

½ tasse	125 mL	beurre
½ tasse	125 mL	sucre granulé
1½ tasses	375 mL	chapelure de biscuits graham
1 c. à table	15 mL	poudre de cacao

Mélanger le beurre avec le sucre. Ajouter la chapelure et le cacao. Presser dans un moule à parois amovibles de 9" (23 cm). Cuire dans un four préchauffé à 375°F (205°C) pendant 8 minutes. Retirer du four et laisser refroidir.

GARNITURE:

4 onces	125 mL	chocolat mi-sucré
1 livre	450 g	fromage à la crème
2 tasses	500 mL	crème sure
1 tasse	250 mL	crème à fouetter
1 tasse	250 mL	sucre granulé
1 c. à thé	5 mL	vanille
3	3	oeufs
3 tasses	750 mL	crème à fouetter, fouettée
		copeaux de chocolat

Faire fondre le chocolat dans un bain-marie et laisser refroidir. Battre le fromage jusqu'à ce qu'il soit léger. Ajouter le chocolat refroidi, la crème sure et la crème fouettée. Incorporer le sucre, la vanille et les oeufs, un à un. Verser sur la croûte. Cuire au centre d'un four préchauffé à 375°F (205°C) pendant 50 à 60 minutes. Retirer et laisser refroidrir pendant 6 heures. Décorer de crème fouettée. Parsermer de copeaux de chocolat. Servir.

Gâteau au Fromage au Chocolat

Sorbet aux Kiwis et à la Mangue

Crème Glacée aux Bleuets

BISCUITS AUX FIGUES

BISCUITS:

3 tasses	750 mL	farine tout usage
2 c. à thé	11 mL	poudre à pâte
¼ c. à thé	1 mL	sel
1 tasse	250 mL	sucre granulé
⅓ tasse	80 mL	graisse végétale
2	2	oeufs
⅓ tasse	80 mL	lait
½ c. à thé	3 mL	vanille

Tamiser ensemble la farine, la poudre à pâte et le sel. Battre en crème sucre et la graisse végétale. Incorporer les oeufs, le lait et la vanille. Incorporer la farine en pliant et bien mélanger.

Abaisser la pâte sur une surface légèrement enfarinée à ¼" (6 mm) d'épaisseur. Couper en lanières de 4" (10 cm) de large et étendre la garniture aux figues (la recettes qui suit). Rouler la pâte et la trancher. Cuire pendant 12 à 15 minutes dans un four préchauffé à 325°F (160°C). Laisser refroidir avant de servir.

GARNITURE aux figues:

1½ tasses	375 mL	sucre granulé
¾ tasse	180 mL	eau
6 tasses	1.5 L	figues blanchies
2 tasses	500 mL	dattes hachées
1 c. à table	15 mL	jus de citron
1 c. à thé	5 mL	écorce de citron râpé

Dans une casserole, combiner le sucre et l'eau, ajouter les figues, les dattes et l'écorce de citron. Amener à ébuillition, réduire le feu et laisser doucement mijoter pendant 2½ heures ou jusqu'à ce que le mélange devienne très épais. Laisser refroidir avant d'utiliser.

*NOTE: Si vous utiliser des figues sèches, laissez-les tremper dans de l'eau pendant ½ heure. Réduire le temps de cuisson à 20 minutes, et reduire le mélange en purée dans un robot culinaire.

DONNE 3 DOUZAINES

Biscuits aux Figues

CRÈME GLACÉE AUX BLEUETS

3 tasses	750 mL	crème légère moitié et moitié
2 c. à table	30 mL	farine tout usage
2 c. à table	30 mL	eau
3	3	jaunes d'oeufs
1 tasse	250 mL	sucre granulé
1½ c. à thé	8 mL	essence de vanille blanche
1½ tasses	375 mL	bleuets frais

Dans un bain-marie, faire chauffer la crème. Mélanger la farine avec l'eau et ajouter à la crème. Battre les jaunes d'oeufs avec le sucre et ajouter lentement à la crème avec l'essence. Cuire en brassant constamment jusqu'à ce que le mélange devienne épais. Retirer du feu et laisser refroidir. Suivre les directives du fabricant de glacière. Ajouter les bleuets juste avant que la crème glacée tout à fait prête (les dernières 5 minutes de préparation).

DONNE 6 TASSES (1.5 L)

BISCUITS GRANOLA

½ tasse	125 mL	beurre
½ tasse	125 mL	huile
½ tasse	125 mL	sucre granulé
½ tasse	125 mL	sucre brun
1 c. à thé	5 mL	vanille
½ c. à thé	3 mL	crème de tartre
½ c. à thé	3 mL	bicarbonate de boude
1	1	oeuf
1 tasse	250 mL	granola
½ tasse	125 mL	noix de coco râpée
½ tasse	125 mL	gruau
1¾ tasses	430 mL	farine à pâtisserie
½ tasse	125 mL	raisins secs
¼ tasse	60 mL	noix de grenobles – en morceaux

Battre en crème le beurre avec l'huile jusqu'à ce que le mélange devienne très léger. Ajouter le sucre et la vanille. Incorporer la crème de tartre, le biacarbonate de soude et l'oeuf. Incorporer les ingrédients qui restent. Laisser tomber en boules d'une cuillérée à thé sur une plaque à biscuits graissée. Cuire dans un four préchauffé à 350°F (180°C) pendant 12 à 15 minutes.

DONNE 3 DOUZAINES

PRALINES À LA CRÉOLE

1 tasse	250 mL	sucre brun
1 tasse	250 mL	sucre granulé
½ tasse	125 mL	crème légère
2 c.à table	30 mL	beurre
1 tasse	250 mL	noix de pacanes

Mettre les sucres et la crème dans une casserole, remuer pour faire dissoudre. Chauffer à 238°F (115°C), sur le thermomètre. Enlever du feu, ajouter en fouettant le beurre et les noix, continuer à battre jusqu'à épaississement. Déposer à la cuillerée sur un papier ciré beurré dans une plaque à biscuits. Laisser assez d'espace entre chacune.

DONNE 1½ LIVRES (675 g)

TARTE DE NOËL AU LAIT DE POULE

1 c.à table	15 mL	gélatine neutre
3 c.à table	45 mL	eau froide
1 tasse	250 mL	lait
3	3	œufs, séparés
½ tasse	100 g	sucre granulé
2 c.à thé	10 mL	essence de rhum
¾ tasse	180 mL	crème à fouetter
½ tasse	115 g	fruits confits, hachés
1	1	croûte au gingembre (voir page 603)
2 c.à table	30 mL	pacanes hachées

Diluer la gélatine dans l'eau. Mélanger le lait, les jaunes d'œuf, ½ tasse (100 g) de sucre et l'essence de rhum dans un bain-marie. Retirer du feu quand le mélange commence à s'épaissir, ajouter la gélatine, refroidir jusqu'à épaississement, sans laisser prendre. Fouetter la crème et incorporer au mélange. Battre les blancs d'œuf en neige ferme. Ajouter le sucre et continuer à battre jusqu'à former des pointes molles. Incorporer au mélange. Ajouter les fruits confits. Verser dans la croûte de tarte et réfrigérer jusqu'à ce que la gélatine prenne. Saupoudrer de noix. Servir.

DONNE 6 PORTIONS

GÂTEAU FROMAGE ITALIEN DE FRANK

16 onces	450 g	fromage à la crème
16 onces	450 g	crème sure
16 onces	450 g	fromage Ricotta
4	4	œufs
4 onces	110 g	beurre fondu
3 c.à table	45 mL	farine tout usage
3 c.à table	45 mL	fécule de maïs
1½ tasse	300 g	sucre granulé
1 c.à table	15 mL	essence de vanille
1 c.à table	15 mL	jus de citron

Foncer le fond et le tour d'un moule à ressort de 12" (30 cm) avec une feuille d'aluminium. Beurrer.

Chauffer le four à 325°F (170°C). Mettre les fromages et la crème sure dans un grand bol et battre jusque crémeux. Ajouter les œufs, un à la fois, bien mélanger. Ajouter le beurre fondu.

Mélanger les ingrédients secs. Ajouter au mélange de fromage avec la vanille et le jus de citron. Bien mélanger. Cuire 1½ heure, arrêter le four mais laisser le gâteau à l'intérieur une autre heure (dépendant du four). Ceci permettra au gâteau de prendre.

Réfrigérer une nuit, saupoudrer de sucre à glacer et servir.

Pralines à la Créole

Tarte de Noël au Lait de Poule

Tarte aux Sauterelles

TARTE AUX SAUTERELLES

CROÛTE :

2 tasses	500 mL	chapelure de biscuits au chocolat
⅓ tasse	80 mL	beurre
¾ tasse	180 mL	noix avelines, moulues

Mélanger tous les ingrédients. Foncer une assiette à tarte beurrée de 10" (25 cm). Cuire 7 minutes dans un four préchauffé à 350°F (180°C). Laisser refroidir puis réfrigérer.

GARNITURE :

2 c.à table.	30 mL	eau froide
1 c.à table	15 mL	gélatine neutre
2	2	œufs, séparés
½ tasse	125 mL	lait
1½ tasse	375 mL	petites guimauves
2 c.à thé	10 mL	essence de menthe
1 tasse	250 mL	crème à fouetter
1 c.à thé	5 mL	colorant vert
1 tasse	250 mL	grains de chocolat

Diluer la gélatine dans l'eau froide, mettre au bain-marie. Ajouter les jaunes d'œuf et le lait, cuire jusqu'à épaississement. Faire fondre les guimauves dans un autre bain-marie, incorporer au mélange d'œuf et retirer du feu. Ajouter l'essence de menthe. Laisser refroidir. Fouetter la crème avec le colorant. Incorporer avec le mélange refroidi. Battre les blancs d'œuf en neige et incorporer au mélange. Verser dans la croûte de tarte. Réfrigérer 4 à 6 heures. Garnir avec les grains de chocolat avant de servir.

GÂTEAU AU FROMAGE AU CHOCOLAT BLANC & AU GRAND MARNIER DU CHEF K

CROÛTE :

2 tasses	500 mL	chapelure de biscuits au chocolat
2 c.à table	30 mL	sucre granulé
¼ tasse	60 mL	beurre fondu

Mélanger tous les ingrédients. Foncer le fond et les côtés d'un moule à ressort beurré de 9" (23 cm). Réfrigérer. Chauffer le four à 350°F (180°C).

REMPLISSAGE :

6 onces	180 g	chocolat blanc
1½ livres	750 mL	fromage à la crème
¾ tasse	180 mL	sucre granulé
3	3	œufs
⅓ tasse	80 mL	Grand Marnier

Faire fondre le chocolat au bain-marie. Battre en crème le fromage et le sucre. Ajouter les œufs, tout en battant, un à la fois. Incorporer au chocolat et ajouter la liqueur. Verser dans le moule. Cuire 45 minutes.

GARNITURE :

2 tasses	500 mL	crème sure
3 c.à table	45 mL	sucre granulé
1 c.à thé	5 mL	essence de vanille

Battre tous les ingrédients ensemble jusque lisse. Déposer sur le gâteau, à la cuillerée, et continuer à cuire 10 minutes. Retirer du four, mettre sur une grille, laisser refroidir 1 heure.

GLAÇAGE :

½ tasse	125 mL	sucre granulé
1½ c.à table	25 mL	fécule de maïs
¼ c. à thé	2 mL	sel
½ tasse	125 mL	eau
¼ tasse	60 mL	Grand Marnier
⅓ tasse	80 mL	jus d'orange
1 c.à thé	5 mL	écorce d'orange râpée
1	1	jaune d'œuf battu
1 c.à table	15 mL	beurre fondu

Mélanger le sucre, la fécule de maïs et le sel dans une casserole. Mettre à feu moyen, ajouter le reste des ingrédients au fouet, sauf le beurre. Laisser tiédir, ajouter le beurre. Verser au-dessus du gâteau et réfrigérer 6 heures.

Gâteau au Fromage au Chocolat Blanc & au Grand Marnier du Chef K

CRÈME AU CHOCOLAT & AU GRAND MARNIER

6 onces	120 g	chocolat blanc, râpé
¼ tasse	60 mL	crème de Grand Marnier
¼ tasse	60 mL	sucre granulé
2 tasses	500 mL	crème à fouetter
½ c. à thé	3 mL	essence d'orange
18	18	quartiers d'orange chocolatés

Mélanger le chocolat et la liqueur dans un bain-marie et faire fondre à feu doux. Ajouter le sucre, faire dissoudre, retirer du feu, laisser refroidir et réfrigérer. Fouetter la crème avec l'essence d'orange. Incorporer au mélange de chocolat. Verser dans 6 coupes, couvrir d'un plastic et réfrigérer 8 heures ou toute une nuit. Garnir avec les quartiers d'orange chocolatés (recette suivante).

DONNE 6 PORTIONS

QUARTIERS D'ORANGE CHOCOLATÉS

6 onces	120 g	chocolat mi-sucré
1 c. à table	15mL	beurre fondu
40	40	quartiers d'orange fraîches

Faire fondre le chocolat et le beurre à feu doux, dans un bain-marie. Tremper les quartiers d'orange dans le chocolat et transférer sur un papier ciré. Réfrigérer 10 minutes puis amener à la température ambiante. Servir ou employer comme garniture.

GÂTEAU AU FROMAGE DES TROPIQUES

CROÛTE :

1 tasse	250 mL	chapelure de biscuits graham
3 c. à table	45 mL	sucre brun
¼ tasse	60 mL	beurre fondu

GARNITURE :

2	2	sachets de gélatine neutre
¼ tasse	60 mL	rhum à la noix de coco
1 boîte	1 boîte	(19 onces) morceaux d'ananas, égouttés
⅓ tasse	75 mL	sucre granulé
¼ c. à thé	1 mL	sel
1	1	œuf
1	1	(250 g) fromage à la crème à la température ambiante
¾ tasse	180 mL	crème à fouetter

CROÛTE :

Mélanger la chapelure, le sucre et le beurre. Foncer un moule à ressort beurré de 9" (23 cm). Cuire 5 minutes dans un four préchauffé à 400°F (200°C). Laisser refroidir.

GARNITURE :

Diluer la gélatine dans le rhum. Mélanger l'ananas, le sucre, le sel et l'œuf dans une casserole. Ajouter la gélatine et chauffer, en remuant constamment, jusqu'à épaississement, mettre de côté et laisser refroidir à la température ambiante.

Battre le fromage et la crème jusque lisse. Ajouter le mélange aux ananas et continuer à battre pour bien mélanger, environ 2 minutes. Verser dans le moule préparé et réfrigérer jusqu'à ce que le gâteau soit pris, environ 4 heures.

Crème au Chocolat & au Grand Marnier avec Quartiers d'Orange Chocolatés

Gâteau au Fromage Napolitain

GÂTEAU AU FROMAGE AU CAFÉ ET AUX NOIX

CROÛTE :

3 tasses	750 mL	chapelure de biscuits au chocolat
2 c. à table	30 mL	sucre granulé
¼ tasse	60 mL	beurre fondu

Mélanger tous les ingrédients. Foncer le fond et les côtés d'un moule à ressort de 9" (23 cm). Réfrigérer 5 minutes, cuire 7 minutes dans un four préchauffé à 350°F (180°C).

GARNITURE :

1½ livre	750 g	fromage à la crème
1 tasse	250 mL	sucre granulé
4	4	œufs
½ tasse	60 mL	café très fort
3 onces	90 g	bonbons au caramel, fondus
2 onces	60 g	chocolat mi-sucré fondu
½ tasse	60 g	noix de Grenoble brisées

Mettre le fromage et le sucre en crème, ajouter les œufs, un à la fois. Partager le mélange en deux. Ajouter le caramel dans l'un, Ajouter le café, le chocolat et les noix dans l'autre. Mettre le mélange au chocolat et aux noix dans le moule. Cuire 30 minutes dans un four préchauffé à 350°F (180°C). Verser le mélange au caramel sur le dessus et continuer à cuire un autre 40 minutes. Arrêter le four, entrouvrir la porte et laisser reposer 30 minutes. Transférer sur une grille. Réfrigérer 8 heures ou toute une nuit avant de servir.

Gâteau au Fromage au Café et aux Noix

GÂTEAU AU FROMAGE NAPOLITAIN

CROÛTE :

3 tasses	750 mL	chapelure de biscuits au chocolat
2 c. à table	30 mL	sucre granulé
¼ tasse	60 mL	beurre fondu

Mélanger tous les ingrédients. Foncer un moule à ressort beurré de 9" (23 cm). Cuire 5 minutes dans un four préchauffé à 350°F (180°C). Laisser refroidir.

GARNITURE :

1½ livres	750 mL	fromage à la crème
1 tasse	250 mL	sucre granulé
3	3	œufs
1 c. à thé	5 mL	essence de vanille
2 onces	60 g	chocolat mi-sucré, fondu
1 c. à table	60 g	poudre de cacao
1 tasse	250 mL	purée de fraises

Battre en crème légère le fromage et le sucre. Ajouter les œufs, tout en battant, un à la fois. Ajouter la vanille. Diviser l'appareil en trois parties égales. Ajouter le chocolat et le cacao dans l'une, les fraises dans la seconde.

Verser la préparation au chocolat dans le moule. Cuire 20 minutes, jusqu'à faire prendre le tout. Verser doucement l'appareil aux fraises sur le dessus et cuire 20 minutes. Ajouter le reste du mélange et cuire 35 minutes. Arrêter le four et entrouvrir la porte, laisser reposer 30 minutes. Transférer sur une grille, laisser refroidir à la température ambiante. Réfrigérer 6 à 8 heures avant de servir. Décorer comme suit :

DÉCORATION :

½ tasse	100 g	sucre granulé
1½ c. à table	25 mL	fécule de maïs
¼ c. à thé	2 mL	sel
½ tasse	125 mL	eau
½ tasse	125 mL	jus de lime
2 c. à thé	10 mL	écorce de lime râpée
1	1	jaune d'œuf
5 gouttes	5 gouttes	colorant vert
1 c. à table	15 mL	beurre

Mélanger le sucre, la fécule de maïs et le sel dans une casserole. Chauffer à feu moyen et ajouter le reste des ingrédients, sauf le beurre, cuire jusqu'à épaississement. Ajouter le beurre au fouet, laisser tiédir, verser au-dessus du gâteau et servir.

Gâteau à l'Orange et au Brandy

GÂTEAU À L'ORANGE ET AU BRANDY

8	8	blancs d'œuf
½ c. à thé	3 mL	crème de tartre
½ c. à thé	3 mL	sel
1½ tasse	375 mL	sucre granulé
5	5	jaunes d'œuf
1 tasse	250 mL	farine tout usage
2 c. à table	30 mL	eau
½ c. à thé	3 mL	d'essence d'amande, d'essence de citron, d'essence de vanille claire

Chauffer le four à 350°F (180°C).

Mélanger les blancs d'œuf, la crème de tartre et le sel. Battre en neige ferme. Battre le sucre et les jaunes d'œuf jusqu'à former une crème de couleur claire. Tout en battant, ajouter doucement, en alternant, la farine et l'eau. Ajouter les essences. Incorporer aux blancs d'œuf. Verser le tout dans un moule long. Cuire 60 minutes, retirer du four et retourner. Lorsque refroidi, démouler et glacer avec la sauce à l'orange et au brandy (recette suivante).

Sauce à l'orange et au brandy :

2 c. à table	30 mL	concentré d'orange
2⅓ tasses	560 mL	quartiers de mandarines en conserve
½ tasse	100 g	sucre granulé
4 c. à table	60 mL	brandy à l'orange

Mettre le concentré d'orange dans une casserole avec le jus des mandarines et le sucre. Faire bouillir jusqu'à épaississement. Retirer du feu, ajouter le brandy et les quartiers de mandarines. Servir chaud, avec le gâteau.

NOTE: Vous pouvez substituer 2 c.à table. (30 mL) d'essence de brandy à l'orange et 2 c.à table. (30 mL) d'eau pour le brandy.

QUATRE-QUARTS À L'ANCIENNE

2 tasses	500 mL	sucre granulé
1 tasse	250 mL	beurre
4	4	œufs
2 c. à thé	10 mL	essence de vanille
3 tasses	750 mL	farine tout usage
½ c. à thé	3 mL	poudre à pâte
½ c. à thé	3 mL	bicarbonate de soude
½ c. à thé	3 mL	sel
1 c. à table	15 mL	jus de citron
1 tasse	250 mL	lait

Mettre le beurre et le sucre en crème. Ajouter les œufs, tout en battant, un à la fois, ajouter la vanille. Tamiser la farine avec la levure, le bicarbonate et le sel. Mélanger le jus de citron avec le lait, Incorporer au mélange de beurre en trois étapes, alternant ⅓ de farine puis ⅓ de liquide.

Verser dans un moule graissé de 4"x10" (10 x 25 cm). Cuire 1 heure et 10 minutes dans un four préchauffé à 350°F (180°C). Laisser reposer 10 minutes avant de transférer sur une grille.

Quatre - Quarts à l'Ancienne

Torte Sacher du Chef K

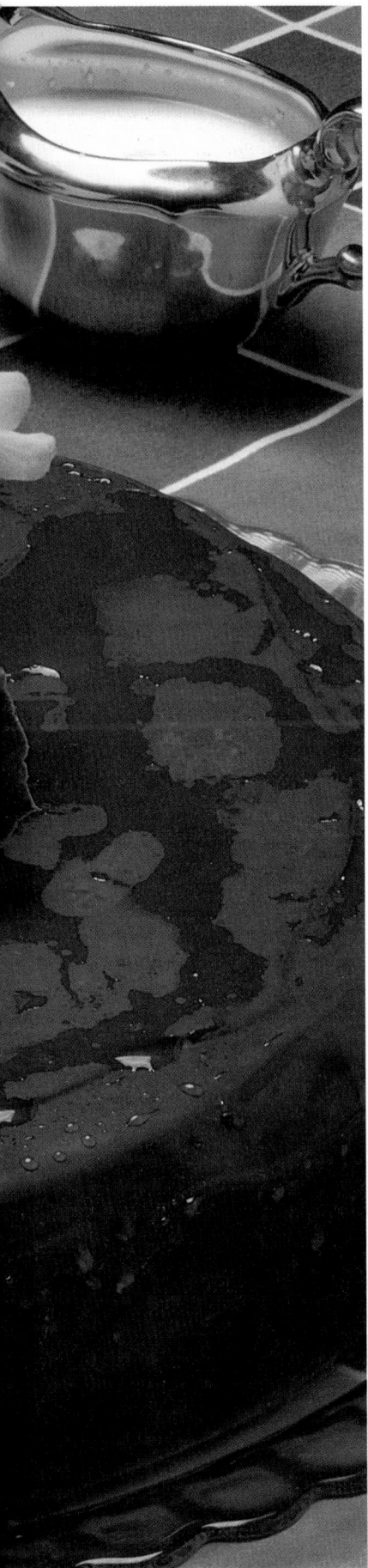

TORTE SACHER DU CHEF K

GÂTEAU :

3 onces	85 g	chocolat non sucré
2 onces	60 g	chocolat mi-sucré
2 tasses	500 mL	farine à gâteau
¼ c. à thé	2 mL	sel
6	6	œufs séparés
½ tasse	125 mL	beurre
1½ tasse	375 mL	sucre granulé

Faire fondre le chocolat dans un bain-marie. Tamiser la farine et le sel, deux fois. Battre les blancs d'œuf en neige. Battre le beurre et le sucre en crème très légère. Ajouter les jaunes d'œuf, tout en battant, un à la fois. Incorporer la farine et le chocolat en trois étapes. Incorporer les blancs d'œuf. Verser dans un moule à ressort beurré et fariné de 9" (23 cm). Cuire 45 minutes dans un four préchauffé à 350°F (180°C) ou jusqu'à ce qu'un cure-dents inséré dans le milieu en ressorte clair. Laisser reposer 10 minutes avant de transférer sur une grille.

GLAÇAGE :

½ tasse	125 mL	confiture d'abricot
½ livre	340 g	pâte d'amande *
10 onces	300 g	chocolat mi-sucré
1½ c. à thé	8 mL	huile
1 tasse	250 mL	crème à fouetter

Faire chauffer la confiture d'abricot jusque fondue, étendre sur le gâteau. Abaisser la pâte d'amande, en feuille mince, sur une surface saupoudrée de fécule de maïs. Couvrir entièrement le gâteau et couper l'excédent.

Faire chauffer le chocolat au bain-marie. Ajouter l'huile et verser le chocolat sur le gâteau. Réfrigérer 1 heure. Fouetter la crème et servir dans un bol, à côté du gâteau.

* La pâte d'amande peut être achetée dans n'importe quelle pâtisserie ou magasin vendant les décorations pour gâteaux.

SORBET AUX FRAISES

2 tasses	500 mL	fraises
2 tasses	500 mL	sucre granulé
2 tasses	500 mL	lait

Laver et équeuter les fraises. Écraser et cuire à feu moyen avec le sucre. Amener à ébullition, et bouillir 10 minutes. Mettre en purée dans un robot de cuisine, passer au tamis pour enlever la chair et les graines.Remettre le jus dans la casserole, ajouter le lait et bouillir 5 minutes. Laisser refroidir et réfrigérer. Congeler dans la machine à glace en suivant les instructions.

DONNE 6 PORTIONS (1.5 L)

GÂTEAU FROMAGE AU BEURRE D'ARACHIDE

CROÛTE :

3 tasses	750 mL	chapelure de biscuits au chocolat
3 c. à table	45 mL	sucre granulé
¼ tasse	60 mL	beurre fondu

Mélanger tous les ingrédients. Foncer le fond et les bords d'un moule à ressort beurré de 9" (23 cm). Réfrigérer.

GARNITURE :

1½ livre	750 g	fromage à la crème
1 tasse	250 mL	sucre granulé
4	4	œufs
3 onces	85 g	chocolat mi-sucré, fondu
1 c. à table	15 mL	poudre de cacao
¾ tasse	180 mL	beurre d'arachide crémeux

Mettre en crème le fromage et le sucre. Ajouter les œufs, tout en battant, un à la fois. Diviser le mélange en deux. Battre le chocolat et le cacao dans une moitié, le beurre d'arachide dans l'autre. Verser l'appareil au chocolat dans le moule et cuire 30 minutes dans un four préchauffé à 350°F (180°C). Verser l'appareil aux arachides par dessus et continuer à cuire 40 minutes. Arrêter le four, entrouvrir la porte et laisser reposer 30 minutes. Transférer sur une grille, laisser refroidir à la température ambiante avant le glaçage.

GLAÇAGE :

¼ tasse	60 mL	sirop de maïs clair
3 c. à table	45 mL	eau
2½ c. à table	38 mL	beurre
5 onces	150 g	perles de chocolat mi-sucré
½ tasse	125 mL	cacahuètes salées
2 tasses	500 mL	crème fouettée

Mélanger le sirop de maïs, l'eau et le beurre dans une casserole. Amener à ébullition en remuant jusqu'à ce que le beurre soit fondu. Retirer du feu. Ajouter le chocolat et remuer jusque fondu, laisser refroidir à la température de la pièce.

Verser le chocolat sur le gâteau. Décorer avec la crème fouettée. Saupoudrer de cacahuètes. Servir.

TARTE AUX BLEUETS

1 quan	1 quan	croûte à tarte (voir page 616)
3 tasses	750 mL	bleuets
3 c. à table	45 mL	farine tout usage
¾ tasse	180 mL	sucre granulé
2 c. à table	30 mL	jus de citron
1 c. à thé	5 mL	essence de vanille
1 c. à table	15 mL	beurre
1	1	œuf

Abaisser la pâte et foncer une assiette à tarte de 9" (23 cm). Laver et trier les bleuets. Mélanger la farine avec le sucre et saupoudrer la moitié sur la croûte. Ajouter le reste de la farine aux bleuets et mettre dans l'assiette. Asperger de jus de citron et de vanille. Déposer des noix de beurre sur le dessus. Abaisser le reste de l'appareil à tarte pour faire le couvercle. Humidifier le tour et envelopper le bord inférieur. Pincer. Découper une ouverture sur le couvercle pour permettre à la vapeur de s'échapper, brosser avec l'œuf. Cuire 15 minutes dans un four préchauffé à 450°F (230°C), baisser la chaleur à 325°F (160°C) et continuer à cuire 20 minutes. Laisser refroidir complètement avant de servir.

DONNE 6 PORTIONS

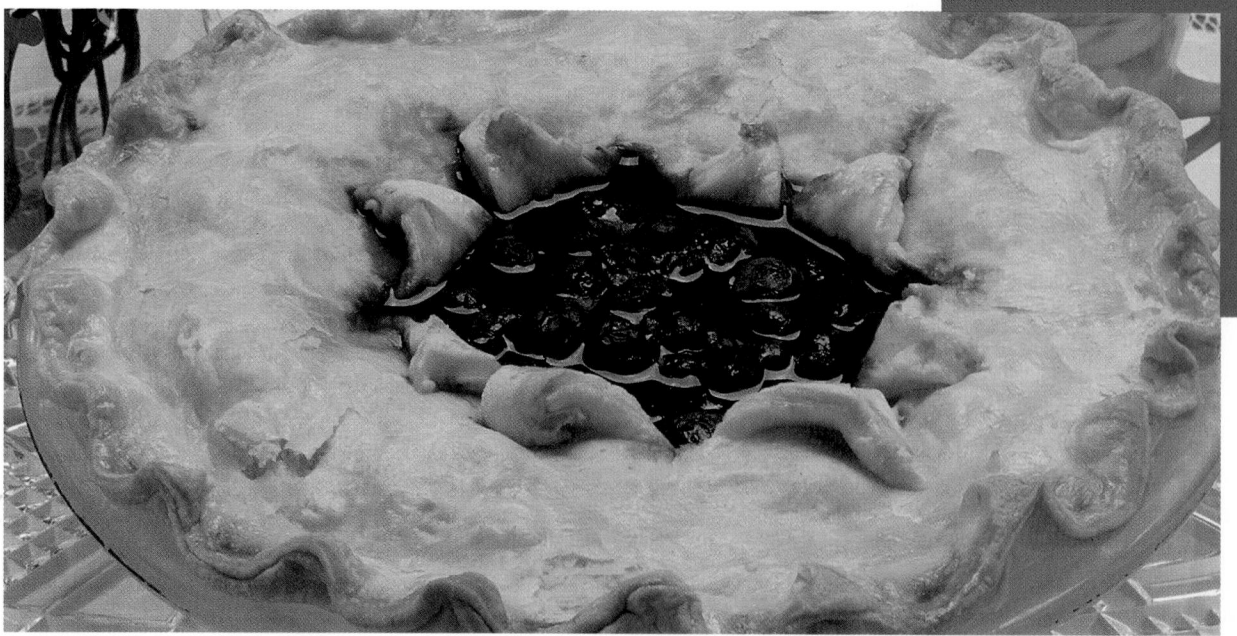

Tarte aux Bleuets

Gâteau au Fromage au Beurre d'Arachide

Torte au Chocolat Suisse, Glaçage au Chocolat au Lait

TORTE AU CHOCOLAT SUISSE

¾ tasse	180 mL	farine à gâteau
½ c. à thé	3 mL	poudre à pâte
¼ c. à thé	1 mL	bicarbonate de soude
½ c. à thé	3 mL	sel
4	4	œufs
¾ tasse	180 mL	sucre granulé
3 onces	80 g	chocolat mi-sucré
1 c. à thé	5 mL	essence de vanille
¼ tasse	60 mL	eau froide

Tamiser la farine, la levure, le sel et le bicarbonate, deux fois.

Battre les œufs et ajouter le sucre graduellement, jusqu'à trois fois le volume. Incorporer à la farine.

Faire fondre le chocolat dans une casserole avec l'eau et la vanille, incorporer au mélange. Le verser l'appareil dans trois moules à gâteau beurrés de 9" (23 cm). Cuire 18 à 20 minutes dans un four préchauffé à 350°F (180°C).

Laisser reposer 10 minutes et transférer sur une grille, renverser les moules, laisser refroidir complètement. Garnir et glacer avec le glaçage au chocolat au lait (recette suivante).

GLAÇAGE AU CHOCOLAT AU LAIT

4 onces	120 g	chocolat au lait
½ tasse	125 mL	beurre non salé
3 tasses	750 mL	sucre à glacer
⅓ tasse	80 mL	lait
2	2	blancs d'œuf à la température ambiante
½ c. à thé	3 mL	essence de vanille

Faire fondre le chocolat et le beurre au bain-marie, à feu doux. Retirer du feu, ajouter le reste des ingrédients au fouet. Mettre sur la glace et fouetter jusqu'à consistence crémeuse.

TARTE AUX PATATES DOUCES

½ tasse	125 mL	sucre granulé
¼ c. à thé	1 mL	sel
1 c. à thé	5 mL	cannelle
1 c. à thé	5 mL	muscade
½ c. à thé	3 mL	gingembre moulu
2 tasses	500 mL	patates douces bouillies, en purée
1 tasse	250 mL	lait
2	2	œufs
½ quan	0.5 quan	croûte à tarte (voir page 616)
2 tasses	500 mL	crème à fouetter

Mélanger les ingrédients secs. Ajouter aux patates douces. Ajouter le lait et les œufs.

Abaisser la pâte pour foncer une assiette à tarte de 9" (23 cm). Remplir avec l'appareil.

Cuire 10 minutes dans un four préchauffé à 450°F (230°C). Baisser la température à 350°F (180°C) et continuer à cuire 35 minutes. Laisser refroidir et réfrigérer.

Mettre la crème fouettée dans une poche et décorer le dessus. Servir.

DONNE 8 PORTIONS

Tarte aux Patates Douces

MENTHES AU CHOCOLAT

2 tasses	500 mL	lait condensé, sucré
2 c.à thé	10 mL	essence de menthe
10 gouttes	10	colorant vert
32 onces	960 mL	sucre à glacer
4 onces	120 g	chocolat mi-sucré
1 onces	30 g	cire comestible

Mélanger le lait, l'essence de menthe et le colorant. Ajouter le sucre, assez pour former un appareil non collant. Façonner en petites boules de même taille. Aplatir. Faire fondre le chocolat dans la cire. Piquer les menthes avec un cure-dents puis tremper dans le chocolat. Déposer sur une plaque à biscuits et laisser durcir le chocolat.

DONNE 64 MENTHES

TARTE À LA MENTHE

CROÛTE :

3 tasses	750 mL	croûtes de biscuits au chocolat
3 c. à table	45 mL	sucre granulé
¼ tasse	60 mL	beurre fondu

Mélanger les biscuits, le sucre et le beurre. Foncer le fond et le tour d'un moule à ressort de 9" (23 cm). Cuire 7 minutes dans un four préchauffé à 350°F (180°C). Laisser refroidir et réfrigérer.

GARNITURE :

6 onces	180 g	grains de chocolat à la menthe
¼ tasse	60 mL	crème
½ quan	0.5 quan	crème glacée au café et à la menthe (voir page 669)
½ quan	0.5 quan	crème glacée à la vanille (voir page 547)

Chauffer les grains de chocolat et la crème dans un bain-marie, cuire jusqu'à épaississement. Laisser refroidir et réfrigérer.

Verser la moitié de la sauce dans le moule. Alterner quatre couches de glace au café et à la menthe avec la vanille. Verser le reste de la sauce sur la dernière couche. Congeler 4 heures avant de servir.

DONNE 8 à 10 PORTIONS

Menthes au Chocolat

Torte Mousse au Chocolat & au Calvados

TORTE MOUSSE AU CHOCOLAT & AU CALVADOS

CROÛTE :

2 tasses	500 mL	chapelure de biscuits au chocolat
¼ tasse	60 mL	beurre fondu

Mélanger tous les ingrédients. Foncer un moule à ressort de 8" (20 cm). Réfrigérer.

REMPLISSAGE :

1 livre	450 g	chocolat mi-sucré, râpé
6	6	gros œufs
¼ tasse	60 mL	Calvados ou brandy aux pommes
2 tasses	500 mL	crème à fouetter
¼ c. à thé	2 mL	sel

Faire fondre le chocolat dans un grand bol au-dessus d'une casserole d'eau bouillonnante. Laisser refroidir. Ajouter au fouet 2 œufs, avec les jaunes. Additionner de Calvados, bien mélanger. Fouetter la crème. Monter 4 blancs d'œuf, avec le sel, en neige ferme. Incorporer, en alternant, la crème et les blancs d'œufs. Verser dans le moule. Congeler 3 à 4 heures. Couvrir le gâteau.

GLAÇAGE :

1 tasse	250 mL	crème à fouetter
3 c. à table	45 mL	sucre à glacer
1 c. à table	15 mL	Calvados
½ tasse	125 mL	spirales de chocolat

Fouetter la crème. Ajouter le sucre et la liqueur. Étendre sur le gâteau et mettre au congélateur 24 heures. Garnir avec les spirales.

TARTE AU CITRON

1 c. à table	15 mL	gélatine neutre
¼ tasse	60 mL	eau froide
4	4	œufs séparés
¾ tasse	180 mL	sucre granulé
¼ c. à thé	2 mL	sel
¼ tasse	60 mL	jus de citron
½ c. à thé	3 mL	écorce de citron, râpée
1	1	croûte au gingembre (recette suivante)

Diluer la gélatine dans l'eau. Mélanger les jaunes d'œuf dans un bain-marie avec ½ tasse (125 mL) de sucre, le sel, le jus de citron et l'écorce de citron, cuire jusqu'à épaississement. Laisser refroidir et réfrigérer sans laisser prendre.

Battre les blancs d'œuf en neige ferme, ajouter graduellement le sucre. Incorporer avec le mélange au citron. Verser dans la croûte de tarte et laisser prendre. Couper et servir.

DONNE 6 PORTIONS

CROÛTE AU GINGEMBRE

1¼ tasse	310 mL	chapelure fine de biscuits au gingembre
¼ tasse	60 mL	beurre ramolli

Bien mélanger les biscuits avec le beurre. Foncer le fond et le tour d'une assiette à tarte de 8" (20 cm). Cuire 10 minutes dans un four préchauffé à 350°F (180°C). Utiliser au besoin.

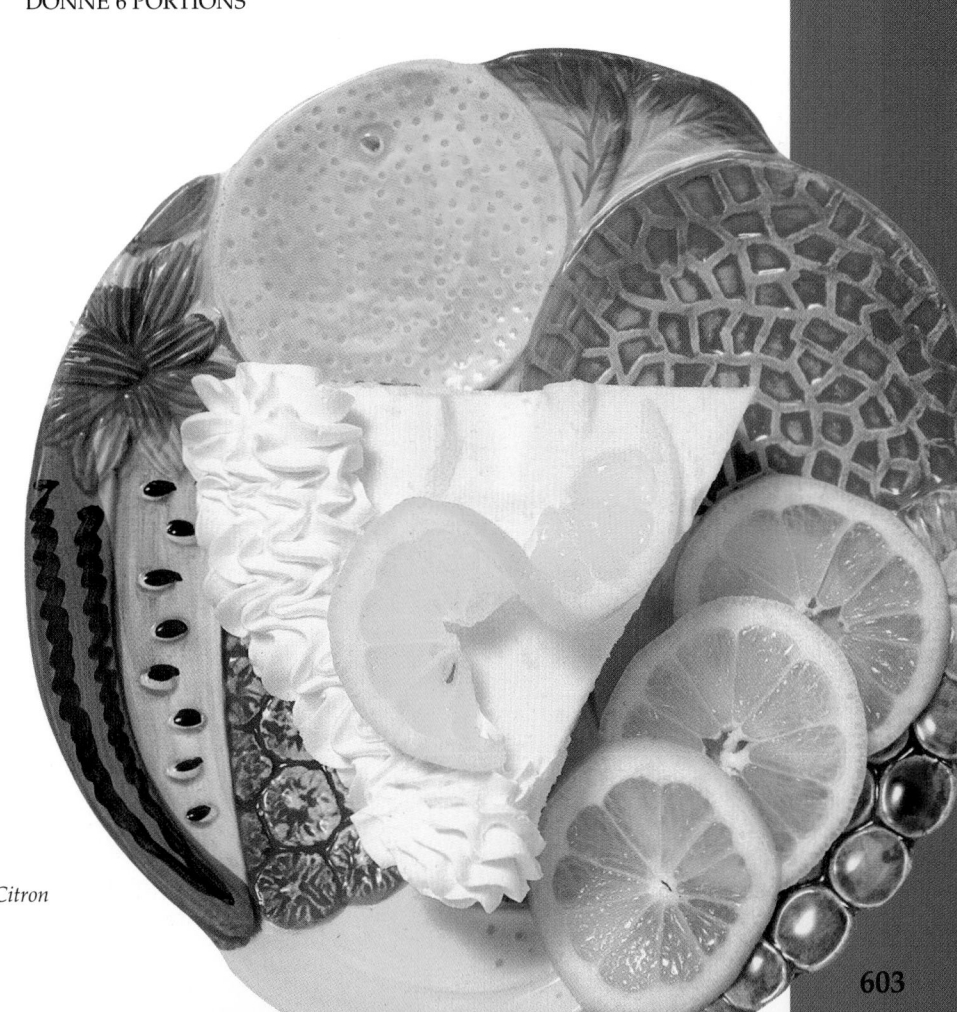

Tarte au Citron

603

TORTE AU KAHLUA & AU RHUM

½ tasse	100 g	beurre
2 tasses	500 mL	sucre brun
3	3	œufs séparés
2 tasses	500 mL	farine à gâteau
¼ c. à thé	2 mL	sel
2 c. à thé	10 mL	poudre à pâte
1 c. à thé	5 mL	cannelle
½ c. à thé	3 mL	girofle
¼ c. à thé	1 mL	muscade
¼ tasse	60 mL	liqueur de Kahlua
¼ tasse	60 mL	rhum noir
½ tasse	125 mL	crème sure

Battre le beurre et le sucre en crème légère. Ajouter les jaunes d'œuf, un à la fois. Battre les blancs d'œuf en neige ferme et mettre de côté. Tamiser la farine, le sel, la levure et les épices, deux fois. Mélanger le Kahlua, le rhum et la crème sure. Incorporer la farine et le liquide au mélange crémeux, en trois étapes et en alternant. Incorporer les blancs d'œuf. Verser le tout dans un moule à gâteau carré, beurré, de 9" (23 cm). Cuire 50 minutes dans un four préchauffé à 350°F (180°C). Laisser reposer 10 minutes, transférer sur une grille. Couper le gâteau en trois dans la longueur, une fois refroidi, garnir de glaçage Calypso (recette suivante).

GLAÇAGE CALYPSO AU CAFÉ

½ tasse	125 mL	beurre à la température ambiante
3 tasses	750 mL	sucre à glacer
1 tasse	250 mL	cacao
2 c.à table	30 mL	lait
¼ tasse	60 mL	liqueur de Kahlua
¼ tasse	60 mL	rhum noir

Battre en crème le beurre et le sucre à glacer. Ajouter, en trois étapes et en alternant, le cacao et les ingrédients liquides. Bien mélanger, battre à grande vitesse 3 minutes, jusque léger et crémeux. Employer au besoin. Excellent glaçage pour la Torte au Kahlua et au rhum.

POIRES BRISTOL

1¼ tasse	310 mL	eau
1¼ tasse	310 mL	sucre granulé
1 c. à thé	5 mL	essence de vanille
6	6	poires pelées, évidées
3 tasses	750 mL	crème glacée à la vanille (voir page 547)
2 tasses	500 mL	sauce aux fraises (voir page 107)
2 tasses	500 mL	très petites fraises, lavées et équeutées
1½ tasse	375 mL	crème fouettée

Mélanger l'eau, le sucre et la vanille dans une casserole, amener à ébullition, baisser le feu, laisser mijoter. Faire pocher les poires dans ce sirop jusque tendres. Égoutter et réfrigérer. Déposer ½ tasse (125 mL) de crème glacée dans des coupes à champagne. Surmonter d'une poire, couvrir de sauce, saupoudrer de fraises. Déposer, à la poche, une rosette de crème fouettée et servir.

DONNE 6 PORTIONS

Torte au Kahlua & au Rhum

Poires Bristol

Gâteau du Mineur d'Argent

BONBON AU CARAMEL ET AU CHOCOLAT

¾ tasse	180 mL	beurre
¾ tasse	180 mL	sucre brun
⅓ tasse	80 mL	sucre granulé
1	1	œuf
1	1	jaune d'œuf
1½ c.à thé	8 mL	essence de vanille
1½ tasse	375mL	farine à gâteau
¾ c.à thé	4 mL	bicarbonate de soude
¾ c.à thé	4 mL	sel
¾ tasse	180 mL	caramels en morceaux
¾ tasse	180 mL	grains de chocolat
¾ tasse	180 mL	noix de Grenoble en morceaux

Battre en crème le beurre, le sucre brun et le sucre jusque léger et pâle. Mélanger au fouet l'œuf, le jaune d'œuf et la vanille. Tamiser la farine, le bicarbonate et le sel, incorporer au mélange crémeux. Ajouter les perles de chocolat et les noix. Verser le tout dans un moule beurré de 9 x 9" (23 x 23 cm). Cuire 40 à 45 minutes dans un four préchauffé à 350°F (180°C) ou jusqu'à obtenir un beau brunissement. Laisser refroidir et couper en carrés.

DONNE 36 CARRES

BARRES HONOLULU

1½ tasse	375 mL	sucre granulé
4	4	œufs battus
½ tasse	125 mL	beurre fondu
1½ tasses	375 mL	farine à gâteau
½ tasse	125 mL	noix de coco, râpée
¾ tasse	180 mL	noix de Macadam en morceaux
½ c. à thé	3 mL	bicarbonate de soude
½ c. à thé	3 mL	sel
2 tasses	500 mL	ananas en morceaux, égoutté

Battre le sucre et les œufs dans un bol. Fouetter le beurre et ajouter le reste des ingrédients. Verser dans un moule graissé de 13" x 9" (32 x 23 cm). Cuire 30 à 35 minutes dans un four préchauffé à 350°F (180°C). Laisser refroidir avant de couper en carrés.

DONNE 2 DOUZAINES

GÂTEAU DU MINEUR D'ARGENT

¾ tasse	180 mL	beurre
2 tasses	500 mL	sucre granulé
2 tasses	500 mL	farine à gâteau
4 c. à thé	20 mL	poudre à pâte
¼ c. à thé	2 mL	sel
8	8	blanc d'œuf
½ tasse	125 mL	lait
1½ c. à thé	7 mL	essence d'amande

Battre en crème le beurre et le sucre. Ajouter au fouet les blancs d'œuf, un à la fois, bien mélanger. Tamiser la farine, la levure et le sel. Ajouter la farine et le lait en trois étapes, en alternant. Ajouter l'essence d'amande. Verser dans deux moules à gâteau ronds, beurrés et farinés, de 9" (23 cm). Cuire 20 à 25 minutes dans un four préchauffé à 350°F (180°C). Laisser refroidir 10 minutes, renverser sur une grille. Remplir et glacer à votre goût.

Bonbon au Caramel et au Chocolat

Croquants Larry Hohn

CROQUANTS LARRY HOHN

½ tasse	125 mL	matière grasse
2 onces	60 g	chocolat aigre-doux
1 tasse	250 mL	sucre granulé
2	2	œufs battus
½ tasse	125 mL	farine à gâteau
¼ c. à thé	1 mL	poudre à pâte
½ c. à thé	3 mL	sel
1 c. à thé	5 mL	essence de vanille
½ tasse	125 mL	noix hachées
2 tasses	500 mL	petites guimauves
3 onces	85 g	chocolat mi-sucré
1 c. à thé	5 mL	beurre fondu

Faire fondre le chocolat aigre-doux dans la matière grasse au bain-marie. Ajouter les œufs et le sucre au fouet et retirer du feu.

Tamiser la farine, la levure et le sel puis incorporer au mélange. Ajouter la vanille et les noix. Verser le tout dans un moule carré de 8" x 8" (20 x 20 cm). Cuire 25 à 30 minutes dans un four préchauffé à 325°F (160°C).

Enlever du four. Saupoudrer de guimauves. Faire fondre le chocolat mi-sucré au bain-marie, ajouter le beurre et verser sur les guimauves. Couper en carrés avant de servir.

DONNE 20 CARRÉS

BOUCHÉES AU CHOCOLAT, AUX NOIX ETÀ LA MENTHE

1½ tasse	375 mL	farine tout usage
½ tasse	125 mL	sucre brun
¾ tasse	180 mL	beurre
¾ tasse	180 mL	noix de coco, râpée
¾ tasse	180 mL	noix de Grenoble en morceaux
3 c.à table	45 mL	crème légère
1½ tasse	375 mL	sucre à glacer
¾ c. à thé	4 mL	saveur de menthe
½ c. à thé	3 mL	colorant vert
3 onces	85 g	chocolat non sucré, râpé
2	2	jaunes d'œuf
¼ tasse	60 mL	sucre granulé
3 c. à table	45 mL	eau
1 c. à thé	5 mL	café instantané

Mélanger la farine et le sucre. Ajouter ¾ tasse (175 mL)de beurre. Incorporer les noix et la noix de coco. Verser le tout dans un moule non graissé de 9 x 9" (23 x 23 cm). Cuire 30 minutes dans un four préchauffé à 350°F (180°C). Retirer du four et laisser refroidir complètement.

Battre la crème, le sucre, la saveur de menthe et le colorant. Étendre sur le gâteau.

Faire fondre le chocolat au bain-marie, à feu doux. Ajouter les jaunes d'œuf au fouet jusque mousseux.

Faire bouillir 1 minute dans une casserole, le sucre, l'eau et le café. Enlever du feu. Ajouter lentement aux jaunes d'œuf, avec un fouet. Fouetter 5 minutes pour mettre en crème. Incorporer le chocolat. Verser au-dessus du gâteau et laisser prendre au réfrigérateur. Couper en 36 morceaux.

Bouchées au Chocolat, aux Noix et à la Menthe

Pommes aux Bleuets des Rocheuses

POMMES AUX BLEUETS DES ROCHEUSES

6	6	grosses pommes rouges
3 c.à table	45 mL	jus de citron
1 tasse	250 mL	sucre granulé
¼ tasse	60 mL	fécule de maïs
2	2	œufs
1 tasse	250 mL	lait
¼ tasse	60 mL	Calvados ou jus de pomme concentré
¼ c.à thé	1 mL	sel
2 pintes	0.5 L	bleuets frais, lavés, équeutés
¼ tasse	60 mL	sucre à glacer

Enlever une tranche sur le dessus des pommes, évider en gardant 2 tasses (500 mL) de la chair. Brosser le dessus et l'intérieur des pommes avec le jus de citron. Mélanger le sucre, la fécule de maïs et les œufs dans un bain-marie. Ajouter le lait et le Calvados, cuire en remuant jusqu'à épaississement. Ajouter la chair de pomme et le sel, remplir les pommes avec le mélange. Laisser refroidir et réfrigérer. Surmonter généreusement de bleuets et saupoudrer de sucre à glacer.

DONNE 6 PORTIONS

GÂTEAU AU COCKTAIL DE FRUITS

2 tasses	500 mL	farine tout usage
1½ tasse	375 mL	sucre granulé
2 tasses	500 mL	cocktail de fruits
2 c.à thé	10 mL	bicarbonate de soude
2	2	œufs battus
pincée	pincée	sel
		glaçage pour Gâteau au cocktail de fruits (recette suivante)

Mélanger tous les ingrédients à la main dans un moule de 9 x 13" (23 x 32 cm). Cuire 40 minutes dans un four préchauffé à 350°F (180°C).

DONNE 8 PORTIONS

GLAÇAGE POUR GÂTEAU AU COCKTAIL DE FRUITS

1½ tasse	375 mL	sucre granulé
6 onces	170 g	beurre
1 tasse	250 mL	lait en poudre
½ tasse	125 mL	pacanes
½ tasse	125 mL	noix de coco, râpée

Cuire le sucre, le beurre et le lait jusqu'à épaississement. Enlever du feu et ajouter les pacanes et la noix de coco. Verser sur le gâteau encore chaud.

BAVAROISE AU CHOCOLAT

1 c.à table	15 mL	gélatine neutre
¼ tasse	60 mL	eau froide
5	5	jaunes d'œuf
½ tasse	125 mL	sucre granulé
1 tasse	250 mL	crème moitié et moitié
1 c. à thé	5 mL	essence de vanille
6 onces	120 g	chocolat mi-sucré, râpé
2 tasses	500 mL	crème à fouetter
½ tasse	125 mL	amandes grillées

Diluer la gélatine dans l'eau froide. Battre les jaunes d'œuf avec le sucre jusque pâles et légers. Chauffer la crème et la vanille dans une casserole, jusqu'au point d'ébullition. Ajouter la gélatine en remuant, puis l'œuf. Cuire jusqu'à épaississement, enlever du feu. Ajouter le chocolat, remuer jusqu'à ce qu'il soit fondu. Laisser refroidir et réfrigérer sans laisser prendre. Fouetter la crème, incorporer au mélange au chocolat. Verser dans un moule ou un bol et réfrigérer jusque pris. Démouler, saupoudrer d'amandes grillées et servir.

DONNE 6 - 8 PORTIONS

Bavaroise au Chocolat

TORTE AUX POIRES ET AU CHOCOLAT DU CHEF K

GÂTEAU :

2 tasses	500 mL	farine à gâteau
¼ tasse	60 mL	sucre granulé
1 tasse	250 mL	beurre
3	3	jaunes d'œuf

Mélanger la farine et le sucre, ajouter le beurre pour faire un appareil grossier. Ajouter les jaunes d'œuf. Foncer le fond et les côtés d'un moule à ressort graissé de 10" (25 cm). Cuire 20 à 25 minutes dans un four préchauffé à 350°F (180°C). Laisser refroidir.

REMPLISSAGE :

½ tasse	125 mL	confiture de framboise
6 onces	180 g	chocolat mi-sucré, râpé
6 onces	180 g	fromage à la crème
3 c. à table	45 mL	lait
3 tasses	750 mL	sucre à glacer
¼ c. à thé	1 mL	sel
1 c. à thé	5 mL	essence de vanille

Étendre la confiture sur le gâteau. Faire fondre le chocolat au bain-marie. Battre en crème le fromage et le lait, ajouter graduellement le sucre, le sel et la vanille. Ajouter le chocolat. Tartiner au-dessus des framboises. Réfrigérer.

GLAÇAGE :

1 tasse	250 mL	eau
1 tasse	250 mL	sucre granulé
1 c. à thé	5 mL	essence de vanille
5	5	poires pelées, évidées, en demies
8 onces	225 g	chocolat mi-sucré, fondu
1 c. à table	15 mL	beurre fondu

Faire chauffer l'eau, le sucre et la vanille dans une casserole, amener à ébullition et laisser mijoter. Pocher les poires jusque tendres. Égoutter et laisser refroidir. Arranger sur le dessus du remplissage. Verser le mélange au chocolat sur les poires. Réfrigérer 1 heure avant de servir.

Torte aux Poires et au Chocolat du Chef K

Barres de Sauce aux Pommes

BARRES DE SAUCE AUX POMMES

⅓ tasse	80 mL	beurre
1 tasse	250 mL	sucre brun, tassé
1	1	œuf
½ tasse	125 mL	sauce aux pommes
2 c. à thé	10 mL	jus de pomme concentré
1¼ tasse	310 mL	farine à gâteau
1 c. à thé	5 mL	poudre à pâte
½ c. à thé	3 mL	bicarbonate de soude
½ c. à thé	3 mL	sel
½ tasse	125 mL	raisins, sans pépins
½ tasse	125 mL	noix de Grenoble en morceaux

Chauffer le beurre et le sucre dans une casserole jusqu'à dissolution. Mélanger au fouet l'œuf, la sauce et le jus de pomme. Tamiser la farine avec la levure, le bicarbonate et le sel. Ajouter à la sauce. Incorporer les raisins et les noix. Verser dans un moule graissé de 9 x 10" (23 x 25 cm). Cuire 25 minutes dans un four préchauffé à 350°F (180°C). Retirer du four et glacer avec le glaçage aux pommes. Couper en barres.

GLAÇAGE AU POMME :

1½ tasse	375 mL	sucre à glacer
2 c. à table	30 mL	jus de pomme, concentré

Mélanger tous les ingrédients, battre jusque lisse, verser sur les barres.

TARTE RÊVEUSE ET CRÉMEUSE AU CITRON

1 tasse	200 g	sucre granulé
⅛ c. à thé	pincée	sel
1½ c. à table	25 mL	fécule de maïs
½ tasse	125 mL	eau froide
1¼ tasse	310 mL	lait
3	3	œufs séparés
½ tasse	125 mL	jus de citron
1 c.à thé	1mL	écorce de citron, râpée

Mélanger le sucre, le sel et la fécule de maïs. Placer dans un bain-marie et ajouter l'eau et le lait. Cuire à couvert.

Ajouter les jaunes d'œuf fouettés avec le jus et la pelure de citron, cuire un autre 2 minutes en remuant constamment. Laisser refroidir à la température ambiante.

Battre les blanc dœuf en neige ferme, incorporer au mélange au citron. Verser dans des verres à vin et réfrigérer 3 heures avant de servir.

DONNE 4 PORTIONS

CARAMELS

2 tasses	500 mL	sucre granulé
¼ c. à thé	1 mL	sel
2 tasses	500 mL	sirop de maïs
½ tasse	125 mL	beurre
2 tasses	500 mL	lait évaporé sucré
1 c. à thé	5 mL	essence de vanille

Mélanger le sucre, le sel et le sirop, amener à ébullition, à feu doux, dans une casserole épaisse, et chauffer à 245°F (118°C) en remuant de temps à autre. Ajouter le beurre et le lait lentement pour ne pas perdre l'ébullition. Continuer à chauffer jusqu'à 245°F (118°C). Retirer du feu et ajouter l'essence en remuant. Verser dans un moule beurré de 9" x 9" (23 x 23 cm). Laisser refroidir complètement avant de couper puis envelopper dans du papier ciré.

DONNE 2 LIVRES (900 g)

TARTE AU FROMAGE ET AUX CERISES 1

½ quan	0.5	croûte simple (recette suivante)
2½ tasses	625 mL	remplissage aux cerises
½ c. à thé	3 mL	essence d'amande
8 onces	225 g	fromage à la crème
1	1	œuf
½ tasse	125 mL	sucre granulé
¼ tasse	60 mL	amandes effilées, grillées

Abaisser la pâte pour foncer une assiette de 9" (23 cm). Cuire la croûte à vide (voir Glossaire pour cuisson à vide). Laisser refroidir.

Mélanger le remplissage aux cerises avec l'essence d'amande. Verser dans la croûte.

Battre ensemble le fromage, l'œuf et le sucre. Verser au-dessus des cerises. Cuire 30 minutes dans un four préchauffé à 350°F (180°C). Saupoudrer d'amandes 5 minutes avant la fin de la cuisson. Laisser refroidir et réfrigérer avant de servir.

DONNE 6 PORTIONS

CROÛTE À TARTE DE BASE

1½ tasse	375 mL	farine tamisée
¼ c. à thé	2 mL	sel
½ tasse	125 mL	matière grasse
4-5 c. à table	60-75 mL	eau

Tamiser la farine et le sel dans un bol. Incorporer la matière grasse avec un couteau ou une fourchette jusqu'à former de petites boules. Ajouter l'eau et travailler juste assez pour lier le mélange. Diviser en deux et réfrigérer, couvert. Employer au besoin.

TARTE AU FROMAGE ET AUX CERISES 2

8 onces	225 g	fromage à la crème
1½ tasse	375 mL	lait condensé, sucré
⅓ tasse	80 mL	jus de citron
1 c. à thé	5 mL	essence de vanille
1	1	croûte à l'avoine (voir page 627)
2½ tasses	625 mL	remplissage aux cerises

Battre le fromage à la crème jus qu'à consistance très légère. Ajouter lentement le lait pendant que vous battez, puis le citron et la vanille. Déposer dans la croûte. Réfrigérer 4 heures. Placer les cerises sur le dessus et servir.

DONNE 6 PORTIONS

BARRES AU CHOCOLAT & AUX GUIMAUVES

2 onces	60 g	chocolat non sucré
½ tasse	125 mL	beurre
1 tasse	250 mL	sucre granulé
2	2	œufs
½ tasse	125 mL	farine à gâteau
1 c. à thé	5 mL	essence de vanille
1 tasse	250 mL	pacanes hachées
16	16	grosses guimauves

Chauffer le four à 350°F (180°C). Graisser un moule de 11½ x 7" (29 x 18 cm).

Faire fondre le chocolat et le beurre dans un bain-marie. Mettre de côté.

Fouetter le sucre et les œufs jusque légers et mousseux. Ajouter la farine. Mélanger. Ajouter le chocolat fondu, bien mélanger. Ajouter la vanille et les pacanes.

Verser le tout dans le moule préparé. Cuire 18 minutes. Retirer du four et couvrir de guimauves. Remettre au four et cuire jusqu'à ce que les guimauves soient légèrement brunies.

Laisser refroidir et couper en barres.

DONNE 16 BARRES

Tarte au Fromage et aux Cerises I

Biscuits aux Pêches et Pacanes à la Mode du Sud

618

TOURTE AUX PÊCHES

1¾ tasse	450 mL	sucre granulé
2 c. à table.	30 mL	fécule de maïs
½ c. à thé	3 mL	cannelle moulue
1 tasse	250 mL	eau
2 c. à table	30 mL	beurre
5 tasses	1250 mL	pêches fraîches, pelées et tranchées
1 tasse	250 mL	farine à gâteau
1 c.à thé	5ml	poudre à pâte
1 c.à thé	5 mL	sel
1	1	œuf
¼ tasse	60 mL	matière grasse
½ tasse	125 mL	crème légère
½ c. à thé	3 mL	essence de vanille

Mélanger 1 tasse (250 mL) de sucre, la fécule de maïs et la cannelle dans l'eau. Amener à ébullition en remuant constamment. Ajouter le beurre au fouet, puis les pêches. Verser dans un moule graissé, peu profond, de 9" x 9" (23 x 23 cm). Tamiser la farine, la levure et le sel. Ajouter le reste du sucre. Mélanger le reste des ingrédients jusqu'à lisse et homogène. couvrir les pêches. Cuire 35 minutes dans un four préchauffé à 350°F (180°C) ou jusque doré. Servir chaud avec de la crème.

DONNE 6 PORTIONS

Tourte aux Pêches

BISCUITS AUX PÊCHES ET PACANES, À LA MODE DU SUD

2½ tasses	625 mL	pulpe de pêches
½ tasse	125 mL	sucre granulé
2 tasses	500 mL	farine tout usage
½ c. à thé	3 mL	sel
2 c. à thé	10 mL	poudre à pâte
½ c. à thé	3 mL	cannelle
1 tasse	125 mL	matière grasse
1 tasse	250 mL	sucre granulé
1	1	œuf battu
1 tasse	250 mL	pacanes brisées

Chauffer la pulpe de pêche et ½ tasse (125 mL) de sucre dans une casserole. Mijoter doucement et laisser réduire à ¾ de tasse (180 mL). Laisser refroidir à la température ambiante. Tamiser la farine, le sel, la levure et la cannelle.

Mettre en crème la matière grasse avec le sucre. Ajoute l'œuf et la sauce au pêches, bien mélanger.

Ajouter la farine et les noix, bien mélanger. Déposer à la cuillerée sur une plaque à biscuits beurrée. Cuire 12 à 15 minutes dans un four préchauffé à 400°F (200°C).

DONNE 4 DOUZAINES

FETTUCCINI AUX BANANES FOSTER

1 quan	1 quan	pâte aux bananes (voir page 433)
3 c.à table	45 mL	beurre non salé
3 c.à table	45 mL	sucre granulé
2	2	bananes tranchées
¼ tasse	60 mL	liqueur de bananae
¼ tasse	60 mL	rhum brun
½ tasse	125 mL	jus d'orange

Préparer la pâte comme indiqué, couper en fettuccinis.

Chauffer le beurre dans une casserole. Ajouter le sucre et cuire jusqu'à léger brunissement (caramélisation).

Ajouter les bananes et cuire 1 minute. Ajouter la liqueur en tenant la casserole éloignée de vous, flamber. Ajouter le jus d'orange et mijoter 5 minutes.

Cuire les pâtes dans une grande marmite d'eau bouillante. Égoutter. Mélanger avec la sauce et servir.

DONNE 6 PORTIONS

Torte aux Abricots du Chef K

TORTE AUX ABRICOTS DU CHEF K

GÂTEAU :

1 tasse	250 mL	sucre granulé
¼ tasse	60 mL	eau
4 onces	120 g	chocolat mi-sucré, râpé
⅓ tasse	80 mL	beurre
8	8	œufs séparés
1¾ tasse	430 mL	noisettes hachées (avelines)
2 c. à table	30 mL	chapelure fine

Mélanger le sucre et l'eau dans une casserole, faire bouillir jusqu'à dissolution, retirer du feu et ajouter le chocolat. Laisser refroidir. Fouetter le beurre en crème, jusque pâle et mousseux. Ajouter les jaunes d'œuf au fouet, un à la fois. Ajouter doucement la moitié du chocolat avec un fouet, puis les noisettes, finir avec le chocolat puis les noisettes et la chapelure. Fouetter les blancs d'œuf en neige ferme, incorporerau mélange . Verser dans un moule à ressort beurré de 10" (23 cm). Cuire 35 à 40 minutes dans un four préchauffé à 350°F (180°C), laisser reposer 15 minutes et transférer sur une grille. Couper en deux, refroidir 2 ou 3 heures.

REMPLISSAGE :

1 tasse	250 mL	sucre granulé
¼ tasse	60 mL	fécule de maïs
2	2	œufs
1 tasse	250 mL	lait
½ tasse	125 mL	abricots en conserve
¼ tasse	60 mL	schnapps aux pêches

Mélanger le sucre, la fécule de maïs et les œufs dans un bain-marie. Ajouter le lait, les abricots et le schnapps, cuire doucement jusqu'à épaississement. Laisser refroidir, étendre entre les couches du gâteau.

GLAÇAGE :

20	20	abricots, épluchés, dénoyautés
⅓ tasse	80 mL	confiture d'abricot, chaude

Couper les abricots en demis, déposer sur le dessus du gâteau. Glacer avec la confiture. Réfrigérer une heure avant de servir.

DONNE 12 PORTIONS

BISCUITS ROB BOY

½ tasse	125 mL	matière grasse
¾ tasse	180 mL	sucre brun
½ c. à thé	3 mL	sel
¼ c. à thé	2 mL	cannelle
¼ c. à thé	2 mL	clous de girofle moulus
⅛ tasse	30 mL	lait de beurre
1	1	œuf
1 tasse + 2 c.à table	250 mL	farine à gâteau
¾ tasse	180 mL	flocons d'avoine à cuisson rapide
½ tasse	100 g	noix de Grenoble brisées
½ tasse	125 mL	raisins
½ tasse	125 mL	dates, hachées
½ c. à thé	3 mL	bicarbonate de soude

Mettre en crème la matière grasse, le sucre brun, le sel et les épices. Ajouter au fouet, le lait et les œufs, puis le reste des ingrédients.

Déposer à la cuillerée sur une plaque à biscuits graissés. Cuire 12 à 15 minutes dans un four préchauffé à 375°F (190°C).

DONNE 3 DOUZAINES

Biscuits Rob Boy

Barres à la Citrouille

BARRES À LA CITROUILLE

2 tasses	500 mL	citrouille
4	4	œufs battus
1 tasse	250 mL	huile
2 tasses	500 mL	farine tout usage
1 tasse	250 mL	sucre brun
1 tasse	250 mL	sucre granulé
¼ c. à thé	2 mL	sel
1 c. à thé	5 mL	poudre à pâte
1 c. à thé	5 mL	bicarbonate de soude
1½ c. à thé	8 mL	cannelle
½ c. à thé	3 mL	girofle
½ c. à thé	3 mL	muscade

Mélanger la citrouille, les œufs et l'huile dans un bol. Mélanger les ingrédients secs puis ajouter à la citrouille. Verser dans un grand moule carré, beurré. Cuire 20 à 25 minutes dans un four préchauffé à 350°F (180°C). Retirer du four et laisser refroidir à la température ambiante avant de glacer avec le glaçage au fromage.

GLAÇAGE AU FROMAGE :

3 onces	85 g	fromage à la crème, ramolli
⅓ tasse	70 g	beurre
½ tasse	85 g	sucre à glacer
½ c. à thé	3 mL	essence de vanille
1½ c. à thé	8 mL	crème légère

Mettre en crème le fromage et le beurre. Ajouter au fouet, le sucre, la vanille et la crème. Étendre sur les barres (ci-dessus).

DONNE 20 BARRES

FETTUCCINI AU CAFÉ ET AMARETTO

1 quan	1 quan	pâte au café (voir page 436)
¼ tasse	60 mL	sucre granulé
¾ tasse	180 mL	jus d'orange
1 c. à table	15 mL	jus de citron
1 c. à table	15 mL	beurre non salé
1 c. à table	15 mL	farine tout usage
1 c. à table	15 mL	écorce d'orange
½ tasse	125 mL	amandes grillées, hachées
¼ tasse	60 mL	Amaretto
¼ tasse	60 mL	grains de chocolat

Préparer la pâte selon les indications et couper en fettuccinis.

Dissoudre le sucre dans le jus d'orange et de citron. Chauffer le beurre dans une casserole. Ajouter la farine et cuire 2 minutes. Ne pas laisser brunir. Ajouter les jus sucrés en remuant à la cuillère de bois, puis l'écorce d'orange, les amandes et l'Amaretto, réduire la chaleur et mijoter jusqu'à obtenir une sauce mince.

Faire bouillir l'eau dans une marmite et cuire les pâtes *al dente*. Mélanger avec la sauce. Saupoudrer de chocolat et servir.

DONNE 6 PORTIONS

Biscuits Arc-en-Ciel à la Crème Sure et aux Épices

BARRES À LA CRÈME DE MENTHE ET AU KAHLUA

¼ tasse	60 mL	beurre
1 tasse	250 mL	sucre brun, tassée
1	1	œuf
¼ tasse	60 mL	liqueur de Kahlua
¼ tasse	60 mL	crème de menthe, blanche
1½ tasse	375 mL	farine à gâteau
½ c. à thé	3 mL	poudre à pâte
½ c. à thé	3 mL	bicarbonate de soude
1 tasse	250 mL	graines de chocolat mi-sucré
2 c. à table	30 mL	crème de menthe, verte
1 tasse	250 mL	sucre à glacer

Battre en crème le beurre, le sucre et l'œuf. Ajouter la liqueur au fouet. Tamiser la farine, la levure et le bicarbonate. Ajouter au mélange crémeux, incorporer les perles de chocolat. Verser le mélange dans un moule beurré de 9" x 9" (23 x 23 cm). Cuire 20 à 25 minutes dans un four préchauffé à 350°F (180°C).

Mélanger la crème de menthe verte et le sucre à glacer, étendre sur le gâteau, réfrigérer et couper en barres.

DONNE 20 BARRES

BISCUITS ARC-EN-CIEL À LA CRÈME SURE ET AUX ÉPICES

½ tasse	125 mL	beurre
2 tasses	500 mL	sucre brun
2 c. à thé	10 mL	cannelle
½ c. à thé	3 mL	clous de girofle
½ c. à thé	10 mL	muscade
¼ c. à thé	2 mL	sel
1 c. à thé	5 mL	essence de vanille
½ tasse	125 mL	crème sure
2	2	œufs
3½ tasses	875 mL	farine tout usage
1 c. à thé	5 mL	poudre à pâte
1 c. à thé	5 mL	bicarbonate de soude
1 tasse	250 mL	grains de chocolat arc-en-ciel

Battre en crème le beurre, le sucre et les épices. Ajouter le sel, la vanille, la crème aigre et les œufs. Tamiser la farine, la levure et le bicarbonate. Incorporer au mélange crémeux, ajouter les grains de chocolat.

Déposer à la cuillerée sur une plaque à biscuits beurrée, cuire 10 à 12 minutes dans un four préchauffé à 350°F (180°C).

DONNE 5 DOUZAINES

MOUSSE DE GROSEILLES À MAQUEREAU

3 tasses	750 mL	groseilles à maquereaux
¾ tasse	180 mL	sucre granulé
1 c. à thé	5 mL	essence de vanille
1½ tasse	375 mL	crème à fouetter

Faire chauffer les groseilles, le sucre et la vanille dans une casserole, à feu doux, jusqu'à épaississement. Mettre en purée dans un robot de cuisine et passer au tamis. Laisser refroidir et réfrigérer. Fouetter la crème et incorporer aux groseilles. Verser dans des coupes à champagne et servir.

DONNE 6 PORTIONS

Barres à la Crème de Menthe & au Kahlua

Poires Flambées

BARRES AUX CAROTTES, AUX POMMES & AUX ÉPICES

½ tasse	125 mL	beurre
1 tasse	250 mL	sucre granulé
2	2	œufs
1 tasse	250 mL	farine à gâteau
1 c. à thé	5 mL	poudre à pâte
½ c. à thé	3 mL	bicarbonate de soude
½ c. à thé	3 mL	sel
1 c. à table	15 mL	poudre de cacao
1 c. à thé	5 ml	cannelle
½ c. à thé	3 mL	muscade moulue
¼ c. à thé	2 mL	clous de girofle
1 tasse	250 mL	flocons d'avoine
1 tasse	250 mL	pommes épluchées, évidées, râpées
¾ tasse	180 mL	carottes épluchées, râpées
½ tasse	115 g	noix de Grenoble en morceaux

Battre le beurre en crème avec le sucre, jusque mousseux. Ajouter au fouet les œufs, un à la fois. Tamiser la farine, la levure, le bicarbonate, le sel, le cacao et les épices. Incorporer au mélange crémeux avec l'avoine. Ajouter les pommes, les carottes et les noix. Verser le tout dans un moule graissé de 12" x 16" (30 x 40 cm). Cuire 25 minutes dans un four préchauffé à 375°F (190°C) ou jusqu'à ce qu'un cure-dents piqué dans le milieu en ressorte sec. Glacer avec le glaçage au fromage (voir Barres à la citrouille, page 623) avant de couper.

DONNE 48 PORTIONS

POIRES FLAMBÉES

4	4	poires Bartlett
¼ tasse	60 mL	beurre
¼ tasse	60 mL	sucre granulé
3 c.à table	45 mL	groseilles
⅓ tasse	80 mL	Calvados
1 c.à thé	5 mL	cannelle
2 tasses	500 mL	crème glacée à la vanille (voir page 547)

Éplucher, évider et couper les poires en quartiers. Chauffer le beurre dans une poêle et faire sauter les poires. Saupoudrer de sucre et continuer à cuire jusqu'à caramélisation. Ajouter les groseilles, la liqueur et la cannelle. Incliner la poêle loin de vous et flamber. Servir immédiatement sur de la crème glacée.

DONNE 4 PORTIONS

CROÛTE À L'AVOINE

1 tasse	250 mL	flocons d'avoine
⅓ tasse	80 mL	farine tout usage
⅓ tasse	80 mL	sucre brun tassé
½ c. à thé	3 mL	sel
⅓ tasse	80 mL	matière grasse, fondue

Chauffer le four à 375°F (190°C).

Mélanger l'avoine, la farine, le sucre et le sel dans un bol. Ajouter la matière grasse et mélanger jusqu'à former de petites boules. Foncer une assiette à tarte de 9" (23 cm), mettre à l'intérieur une assiette à tarte de 8" (20 cm) remplie de haricots ou de pois secs. Cuire 15 minutes. Laisser reposer 5 minutes. Retirer la petite assiette à tarte. Laisser refroidir, employer au besoin.

Barres aux Carottes, aux Pommes et aux Épices

627

GÂTEAU AU FROMAGE AUX CERISES, RÉFRIGÉRÉ

CROÛTE :

2 tasses	500 mL	chapelure de biscuits graham
2 c.à table	30 mL	sucre granulé
1/3 tasse	80 mL	beurre fondu

Mélanger tous les ingrédients, foncer un moule à ressort de 8" (20 cm) et réfrigérer.

REMPLISSAGE :

1 c.à table	15 mL	gélatine neutre
1/3 tasse	80 mL	eau
1 lb	450 g	fromage à la crème
1 1/2 tasse	375 mL	lait condensé
2 c.à thé	10 mL	essence de vanille, blanche
1 tasse	250 mL	crème fouettée
32 onces	900 g	remplissage aux cerises

Diluer la gélatine dans l'eau, chauffer jusqu'à dissolution complète. Retirer du feu et laisser refroidir.

Mettre en crème le fromage, le lait et la vanille. Ajouter la gélatine au fouet. Incorporer la crème fouettée. Verser dans la croûte au chocolat et réfrigérer 4 heures.

Étendre uniformément les cerises sur le dessus et servir.

DONNE 10 PORTIONS

Biscuits aux Noisettes et au Miel

BISCUITS AUX NOISETTES ET AU MIEL

1/2 tasse	125 mL	beurre
1/4 tasse	60 mL	sucre brun
1/2 tasse	125 mL	miel
1	1	œuf
1 c. à thé	5 mL	essence de vanille
1 1/2 tasse	375 mL	farine à gâteau
1 c. à thé	5 mL	poudre à pâte
1/2 c. à thé	3 mL	bicarbonate de soude
1/2 tasse	125 mL	noisettes en morceaux (avelines)

Mettre le beurre en crème avec le sucre, le miel et l'œuf. Ajouter la vanille.

Tamiser la farine, la levure et le bicarbonate, incorporer au mélange avec les noix. Déposer à la cuillerée sur une plaque à biscuits beurrée. Cuire 12 à 15 minutes dans un four préchauffé à 400°F (200°C).

DONNE 3 DOUZAINES

PUDDING AU CARAMEL

1 tasse	250 mL	sucre brun
2 tasses	500 mL	lait
1/4 tasse	60 mL	farine tout usage
2	2	œufs
1 tasse	250 mL	crème à fouetter

Mélanger le sucre dans 1 1/2 tasse (375 mL) de lait. Ébouillanter au bain-marie jusqu'à dissolution du sucre. Ajouter la farine et le reste du lait battu dans les jaunes d'œuf. Ajouter le lait chaud et continuer à cuire jusqu'à épaississement. Battre les blancs d'œuf et incorporer dans le mélange refroidi. Réfrigérer jusqu'à ce qu'il soit pris. Fouetter la crème et servir avec le pudding.

DONNE 8 PORTIONS

Gâteau au Fromage aux Cerises, Réfrigéré

Gâteau aux Fruits

GÂTEAU AUX FRUITS

1 tasse	250 mL	matière grasse
1 tasse	250 mL	sucre granulé
4	4	œufs
1 tasse	250 mL	mélasse
1 tasse	250 mL	café fort ou rhum
3½ tasses	875 mL	farine tout usage
1 c. à thé	5 mL	de chaque: sel, muscade, bicarbonate de soude, cannelle
¼ c. à thé	2 mL	clous de girofle
1 tasse	250 mL	confiture de fraises
8 onces	225 g	cerises confites
8 onces	225 g	fruits mélangés
2 livres	900 g	de raisins, de dates, de groseilles
1 livre	450 g	pâte d'amande

Mettre en crème la matière grasse et le sucre, ajouter les œufs battus, la mélasse et le café ou le rhum. Bien mélanger. Incorporer les épices à la farine et ajouter au mélange. Ajouter la confiture de fraises et les fruits en dernier. Partager dans deux moules graissés et farinés. Cuire 3 heures dans un four préchauffé à 275-300°F (150-160°C). Abaisser la pâte d'amande et couvrir le gâteau. Réfrigérer tout une nuit ou utiliser au besoin.

NOTE: Si vous employez du rhum au lieu du café, faites tremper les fruits toute une nuit pour un meilleur goût.

BARRES MUESLI AUX ANANAS

5	5	barres granola
¼ tasse	60 mL	beurre
1½ tasse	375 mL	crème à fouetter
¼ tasse	60 mL	sucre à glacer
½ c.à thé	3 mL	essence de vanille
2 tasses	500 mL	ananas en morceaux, égoutté
4	4	blancs d'œuf
1 tasse	250 mL	sucre granulé

Écraser le muesli et mélanger avec le beurre. Foncer le fond et les côtés d'un moule beurré de 9 x 9". Fouetter la crème, incorporer le sucre à glacer, la vanille et l'ananas. Verser dans le moule. Battre les blancs d'œuf en neige ferme et ajouter lentement le sucre. Incorporer à l'ananas. Cuire 7 à 10 minutes dans un four préchauffé à 500°F (260°C). Servir.

DONNE 6 PORTIONS

FOND DE MERINGUE

4	4	blancs d'œuf
¼ c. à thé	1 mL	sel
¼ c. à thé	2 mL	crème de tartre
1 tasse	250 mL	sucre granulé
1 c. à thé	5 mL	essence de vanille, claire

Chauffer le four à 275°F (150°C). Graisser une assiette à tarte de 9" (23 cm).

Battre les blancs d'œuf avec le sel jusque mousseux, tout en fouettant, ajouter la crème de tartre jusqu'à obtenir une neige molle. Ajouter le sucre, 2 c.à table. (30 mL) à la fois. Continuer à fouetter jusqu'à épuisement du sucre et la meringue est ferme. Ajouter la vanille. Remplir l'assiette à tarte à l'aide d'une poche à décorer. Cuire au four 45 minutes, sans laisser brunir. Dégager la meringue, démouler, laisser refroidir et utiliser au besoin.

TARTE AUX PÊCHES NIAGARA

½ quan	0.5 quan	croûte à tarte (voir page 616)
2 livres	900 g	pêches épluchées, dénoyautées, en demies
½ tasse	125 mL	sucre granulé
3 c. à table	45 mL	fécule de maïs
¾ c. à thé	4 mL	cannelle
¾ tasse	180 mL	crème épaisse
1 c. à thé	5 mL	essence de vanille

Abaisser la pâte pour foncer une assiette de 9" (23 cm). Pincer les bords.

Disposer les pêches à l'intérieur.

Mélanger le sucre, la fécule de maïs, la cannelle, la crème et la vanille, verser au-dessus des pêches. Cuire 40 minutes dans un four préchauffé à 400°F (200°C). Réfrigérer avant de couper et servir.

DONNE 6 PORTIONS

TARTE AUX FRAISES FRAÎCHES

½ quan	0.5 quan	croûte à tarte (voir page 616)
4 tasses	1 L	fraises lavées, équeutées, en demies
1 tasse	250 mL	sucre granulé
1 c. à thé	5 mL	essence de vanille claire
⅓ tasse	80 mL	fécule de maïs
1 c. à table	15 mL	jus de citron
1 tasse	250 mL	crème fouettée
¼ tasse	60 mL	sucre à glacer

Abaisser la pâte pour foncer une assiette à tarte de 9" (23 cm). Pincer les bords et cuire à vide (voir glossaire pour cuisson à vide). Laisser refroidir.

Mettre les fraises dans un bol. Saupoudrer de sucre et réfrigérer 6 heures. Égoutter. Ajouter assez d'eau au liquide pour faire 1¾ tasse (440 mL), ajouter la vanille.

Diluer la fécule de maïs dans le liquide, avec le jus de citron. Faire cuire en remuant jusqu'à éclaircissement. Transférer au bain-marie et continuer à cuire 15 minutes.

Verser sur les fraises et laisser refroidir. Mettre dans la croûte à tarte. Fouetter la crème, ajouter le sucre et couvrir les fraises à la poche à décorer. Garnir de fraises entières. Servir.

DONNE 6 PORTIONS

Tarte aux Fraises Fraîches

Tarte aux Pêches Niagara

LES TRUFFES DE MARY

½ tasse	125 mL	sirop de maïs léger
¼ tasse	60 mL	eau
⅓ tasse	80 mL	beurre
12 onces	340 g	carrés de chocolat mi-sucrés

Combiner le sirop de maïs, l'eau et le beurre dans une casserole. Amener rapidement à ébillition en brassant jusqu'à consistence de sucre. Faire bouillir pendant 3½ minutes, retirer du feu.

Ajouter le chocolat en brassant, laisser légèrement refroidir et laisser tomber la préparation en grosses cuillérées sur une feuille de papier ciré beurré. Façonner en balles bien rondes et laisser refroidir. Mettre les truffes au réfrigérateur pendant quelques heures jusqu'à ce qu'elles deviennent dures.

VARIATION:

Après que la préparation au chocolat s'est légèrement refroidie, ajouter 1 c. à table (15 mL) de rhum et laisser refroidir. Façonner la préparation en balles de la grosseur d'une noix de Grenoble et les rouler dans des pastilles au chocolat. Laisser refroidir et servir.

PUDDING AU RIZ À LA MODE D'ANTAN

⅓ tasse	80 mL	riz à grain court
4 tasses	1 L	lait
¼ c. à thé	2 mL	sel
⅓ tasse	80 mL	sucre granulé
2 c. à table	30 mL	beurre
½ tasse	125 mL	raisins secs
1 c. à thé	5 mL	cannelle

Combiner tous les ingrédients à l'exception de la cannelle dans un moule carré de 9" x 9" (23 x 23 cm). Cuire dans un four préchauffé à 300°F (148°C) pendant 1½ - 2 heures. Brasser à tous les 15 minutes. Parsemer de cannelle. Servir chaud ou froid.

DONNES 6 PORTIONS

LES TRUFFES LES PLUS RICHES

12 onces	340 g	chocolat mi-sucré
¾ tasse	180 mL	beurre, non salé clarifié
¼ tasse	60 mL	crème épaisse
½ tasse	125 mL	poudre de cacao pour garnir

Faire fondre le chocolat avec le beurre dans une casserole à fond épais. Ne pas faire bouillir. Laisser refroidir légèrement. Incorporer la crème au mélange au chocolat. Réfrigérer pendant plusieurs heures (en brassant de temps à autre, jusqu'à ce que le chocolat soit suffisamment dur pour être travaillé entre vos mains légèrement beurrées).Façonner en petites balles irrégulières. Les rouler dans la poudre de cacao. Réfrigérer. Servir directement du réfrigérateur.

36 MORCEAUX

Les Truffes de Mary & les Truffes les Plus Riches

Pudding au Riz à la Mode d'Antan

Blanc-Manger aux Noix de Grenoble

CARRÉS AU MARASQUIN

1 tasse	250 mL	farine à pâtisserie
½ tasse	125 mL	beurre
2 c. à table	30 mL	sucre à glacer
1½ tasses	375 mL	sucre brun
½ c. à thé	3 mL	vanille
2	2	oeufs
½ tasse	125 mL	cerises maraschino, coupées en dés
½ tasse	125 mL	noix de coco râpée
½ tasse	125 mL	pacanes en morceaux
½ c. à thé	3 mL	poudre à pâte

Mélanger ensemble la farine et le beurre avec le sucre. Étendre dans un moule à gâteau de 9" x 9" (23 x 23 cm). Cuire pendant 10 minutes dans un four préchauffé à 350 °F (180 °C).

Mélanger le sucre, la vanille et les oeufs. Incorporer les cerises, la noix de cocos, les noix et la poudre à pâte. Verser dans le moule et cuire pendant 30 minutes à 350°F (180°C). Laisser refroidir avant de servir..

DONNE 20 CARRÉS

MERINGUE AUX PÊCHES ET À LA CRÈME

2 tasses	500 mL	pêches en boîte, – égouttées et tranchées
1	1	meringue (voir page 632)
3 onces	85 mL	gélatine aux pêches
½ tasse	125 mL	jus d'orange chaude
8 onces	225 g	fromage à la crème
1¾ tasses	440 mL	crème à fouetter
1 tasse	250 mL	glace concassée

Mettre les pêches dans les meringues. Mélanger la gélatine, le jus d'orange et le fromage à la crème dans un robot culinaire. Pendant que la machine fonctionne à petite vitesse, ajouter la crème et la glace. Mélanger jusqu'à ce que la préparation devienne épaisse. Verser dans les meringues et réfrigérer jusqu'à ce que la préparation soit ferme. Servir.

DONNE 6 PORTIONS

BLANC-MANGER AUX NOIX DE GRENOBLE

1¾ tasses	440 mL	lait
¼ tasse	60 mL	sirop d'érable
¼ c. à thé	2 mL	sel
¼ tasse	60 mL	sucre d'érable
2 c. à table	30 mL	fécule de maïs
1	1	oeuf – battu
½ tasse	125 mL	crème à fouetter
½ tasse	125 mL	noix de Grenoble en morceaux

Faire chauffer 1½ tasse (375 mL)de lait dans un bain-marie. Ajouter le sirop. Mélanger le sel, le sucre et la fécule de maïs avec le restant de lait. Incorporer au lait chaud et cuire en brassant constamment jusqu'à ce que le mélange soit lisse. Ajouter l'oeuf en battant et retirer du feu. Laisser refroidir. Fouetter la crème et l'incorporer la moitié avec les noix au mélange en pliant. Verser dans des coupes à dessert et garnir du restant de crème. Refroidir jusqu'au moment de servir.

DONNE 4 PORTIONS

Carrés au Marasquin

FLAN AUX FRAMBOISES ET AUX MÛRES

GÂTEAU:

2 tasses	500 mL	farine tout usage
¼ tasse	60 mL	sucre
1 tasse	250 mL	beurre
3	3	jaunes d'oeufs

Combiner la farine et le sucre, ajouter le beurre en coupant pour obtenir une pâte granuleuse. Ajouter les jaunes d'oeufs en battant. Presser le mélange au fond sur les parois d'un moule à parois amovibles, beurré de 1½" (4 cm) et 10" (23 cm). Cuire dans un four préchauffé à 350°F (180°C) pendant 20-25 minutes. Laisser refroidir.

GARNITURE:

1	1	oeuf
3	3	jaunes d'oeufs
½ tasse	125 mL	sucre granulé
1 c. à table	15 mL	farine tout usage
1 tasse	250 mL	lait
¾ tasse	180 mL	amandes – moulues
1 c. à table	15 mL	beurre
2 c. à thé	10 mL	essence d'orange
1 c. à thé	5 mL	essence de rhum

Battre l'oeuf, les jaunes d'oeufs, le sucre et la farine jusqu'à consistance lisse. Faire bouillir le lait avec les amandes, retirer du feu et laisser reposer pendant 10 minutes. Passer dans un tamis et battre les amandes dans le mélange aux oeufs Ajouter le lait chaud au mélange aux oeufs en battant. Placer dans un bain-marie et battre jusqu'à épaississement. Incoporer le beurre et les essences. Étendre dans la croûte. Laisser refroidir et réfrigérer.

DÉCORATION:

½ livre	225 g	framboises fraîches lavées, équeutées
½ livre	225 g	mûres fraîches lavées, équeutées
⅓ tasse	80 mL	gelée de pomme chaude

Disposer les fuits sur la préparation. Badigeonner de gelée de pomme et réfrigérer pendant 2 heures avant de servir.

BLANC-MANGER AUX FRAISES

1¾ tasses	440 mL	lait
¼ tasse	60 mL	sirop de fraises
¼ c. à thé	2 mL	sel
¼ tasse	60 mL	sucre granulé
2 c. à table	30 mL	fécule de maïs
1	1	oeuf – battu
½ tasse	125 mL	crème à fouetter

Faire chauffer 1½ tasses (375 mL) de lait dans un bain-marie. Incorporer le sirop. Ajouter le sel, le sucre et la fécule de maïs au restant de lait en brassant. Incorporer au lait chaud en brassant jusqu'à ce que le mélange soit épais et onctueux. Retirer du feu et ajouter l'oeuf en battant. Laisser refroidir. Fouetter la crème, ajouter la moitié à la préparation en pliant et verser dans des coupes à dessert. Garnir du restant de crème. Réfrigérer jusqu'au moment de servir.

DONNE 4 PORTIONS

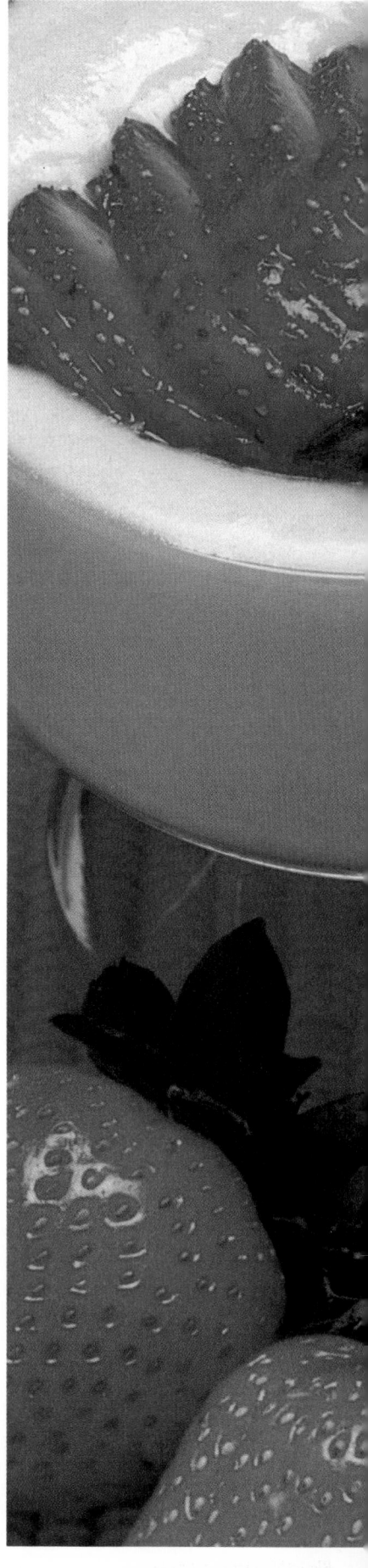

Blanc-Manger aux Fraises

Crème Glacée Classique au Caramel

CROÛTE AUX BISCUITS GRAHAM OU AU BISCUITS AU CHOCOLAT

1¾ tasses	430 mL	biscuits graham ou biscuits au chocolat réduits en miettes
¼ tasse	60 mL	amandes – moulues
½ c. à thé	3 mL	cannelle – moulue
¼ c. à thé	1 mL	quatre épices moulues
½ tasse	125 mL	beurre – fondu

Combiner tous les ingrédients et bien mélanger. Presser au fond et sur les parois d'un moule de 9" (23 cm) à parois amovibles. Réfrigérer et utiliser au besoin.

Crème Glacée aux Bananes et aux Fraises

TARTE AU MACARON

1¼ tasses	310 mL	biscuits soda – finement écrasés
½ tasse	125 mL	dattes finement écrasées
1 tasse	250 mL	sucre granulé
1 tasse	250 mL	pacanes en morceaux
3	3	blancs d'oeufs

Bien mélanger ensemble les biscuits soda, les dattes, le sucre et les nuts.

Fouetter les blancs d'oeufs jusqu'à ce qu'ils soient très fermes. Incorporer au mélange aux biscuits soda en pliant.

Verser dans un moule à tarte bien graissé de 9" (23 cm). Cuire dans un four préchauffé à 350°F (180°C) pendant 30 minutes. Laisser refroidir et servir.

DONNE 8 PORTIONS

CRÈME GLACÉE AUX BANANES ET AUX FRAISES

3 tasses	750 mL	crème moitié et moitié
1 tasse	250 mL	bananes – écrasées
3	3	jaunes d'oeufs
¾ tasse	180 mL	sucre granulé
1 c. à thé	5 mL	essence de vanille blanche
1 tasse	250 mL	fraises en purée

Faire chauffer la crème avec les bananes dans un bain-marie. Battre les jaunes d'oeufs avec le the sucre. Ajouter lentement à la crème chaude et poursuirvre la cuisson jusqu'à épaississement. Incoporer la vanille et les fraises. Laisser refroidir, réfrigérer et congeler en suivant les directives de la glacière.

DONNE 6 TASSES (1½ L)

CRÈME GLACÉE CLASSIQUE AU CARAMEL

3¾ tasses	940 mL	lait
1½ tasses	375 mL	sucre vanillé
5	5	oeufs
4	4	jaunes d'oeufs
1 c. à table	15 mL	vanille

Faire chauffer le lait et le laisser refroidir pendant 20 minutes. Dans une casserole faire fondre ¾ tasse (180 mL) de sucre et cuire jusqu'à ce qu''il devienne foncé en brassant constamment. Faire attention de ne pas le brûler. Verser dans un moule chaud et en couvrir le fond et les parois. Battre les oeufs et les jaunes d'oeufs avec le restant de sucre. Ajouter lentement au lait avec la vanille en brassant. Verser dans le moule glacé au caramel. Placer moule dans un bol rempli d'eau chaude à moitié. Cuire pendant 45 minutes au four à 325°F (160°C). Laisser refroidir et réfrigérer. Pour servir, renverser sur un plat de service.

DONNE 6 PORTIONS

Torte aux Cerises à la Mode d'Antan

TORTE AUX CERISES À LA MODE D'ANTAN

½ tasse	125 mL	sucre granulé
2 c. à table	30 mL	fécule de maïs
½ tasse	125 mL	jus de cerise
2 tasses	500 mL	cerises sures en boîte
1½ tasses	375 mL	farine tout usage
2 c. à thé	10 mL	poudre à pâte
½ c. à thé	3 mL	sel
⅓ tasse	80 mL	sucre brun
½ tasse	125 mL	graisse végétale
1	1	oeuf battu
2 c. à table	30 mL	lait
1 c. à table	15 mL	beurre fondu
2 c. à thé	10 mL	essence de vanille

Dans une casserole, combiner le sucre, la fécule de maïs, le jus et les cerises. Laisser mijoter jusqu'à épaississement. Verser dans un moule beurré de 9"x 9" (23 x 23 cm).

Mélanger la farine, la poudre à pâte et le sel ensemble. Incorporer 3 c. à table (45 mL) de sucre brun. Ajouter la graisse végétale en coupant. Mélanger l'oeuf avec le lait, le beurre et la vanille, et incorporer au mélange.

Abaisser la pâte et étendre les cerises. Parsemer avec le restant de sucre.

Cuire dans un four préchauffé à 400°F (200°C) pendant 25-30 minutes ou jusqu'à ce que ce soit doré.

DONNE 6 PORTIONS

GÂTEAU AU CHOCOLAT ET À LA MENTHE DE MARY GIFFORD

Il faut deux gâteaux au chocolat de 9" (23 cm) coupés horizontalement en deux (donnant ainsi quatre moitiés)

GARNITURE:

2 tasses	500 mL	lait
½ tasse	125 mL	fécule de maïs
1 tasse	250 mL	sucre granulé
¼ c. à thé	2 mL	essence de menthe
		colorant alimentaire vert
1½ tasses	375 mL	beurre, à temperature ambiante

Combiner ½ tasse (125 mL) de lait, la fécule de maïs et le sucre dans un petit bol. Dans une casserole, amener à ébullition le restant de lait. Ajouter le mélange de fécule de maïs dans le lait bouillant en brassant constamment jusqu'à ce que le mélange soit lisse et épais.

Retirer du feu et ajouter le colorant alimentaire et l'essence. Laisser le pudding refroidir en le plaçant sur de la glace et en brassant constamment.

Battre le beurre et l'ajouter lentement au pudding refroidi. Placer une moitié de gâteau, la partie coupée au-dessus, sur un plat de service. Étendre ⅓ de la garniture sur le gâteau. Couvrir d'une autre moitié de gâteau, la partie coupée au-dessus. Étendre ⅓ de la garniture sur le gâteau. Couvrir de la troisième moitié de gâteau, la partie coupée au-dessus et glacer avec le restant de garniture. Placer le dernier gâteau le côté coupé au-dessous.

GLAÇAGE AU CHOCOLAT :

1 tasse	250 mL	sirop de maïs léger
½ tasse	125 mL	eau
⅔ tasse	160 mL	beurre
2–12 onces	750 ml	grains de chocolat mi-sucré

Combiner le sirop de maïs, l'eau et le beurre dans une casserole. Amer à ébullition et poursuivre la cuisson penant 2½ minutes. Retirer du feu et incorpore le chocolat en brassant. Couvrir pendant que le glaçage refroidi à la température de la pièce. Verser la glaçage sur le gâteau au chocolat et la menthe.

NOTE: Pour trancher un gâteau à la crème, tremper un couteau bien aiguisé dans de l'eau chaude avant de découper chaque tranche.

Gâteau au Chocolat et à la Menthe de Mary Gifford

643

Gâteau au Fromage au Pina Colada avec Garniture à l'Ananas et aux Noix

GÂTEAU AU FROMAGE AU PINA COLADA AVEC GARNITURE À L'ANANAS ET AUX NOIX

CROÛTE:

1 tasse	250 mL	flocons de noix de coco
1 tasse	250 mL	avelines moulues, rôties
⅓ tasse	80 mL	sucre granulé
¼ tasse	60 mL	beurre fondu

GARNITURE:

1½ livres	680 g	fromage à la crème
1 tasse	250 mL	sucre granulé
½ tasse	60 mL	crème nectar* de noix de coco
1 tasse	250 mL	crème à fouetter
1½ tasses	375 mL	ananas broyés, bien égouttés
3	3	oeufs
2 c. à thé	10 mL	essence de rhum

GLAÇAGE:

1 tasse	250 mL	jus d'ananas
1 tasse	250 mL	sucre brun
6 c. à table	90 mL	fécule de maïs
6 c. à table	90 mL	gélatine à l'ananas
1 tasse	250 mL	eau bouillante
3 tasses	750 mL	morceaux d'ananas
1 tasse	250 mL	noix de Grenoble en morceaux
1½ tasses	375 mL	noix de coco rôtie, râpée

CROÛTE:

Combiner ensemble tous les ingrédients. Presser dans un moule graissé, à parois amovibles de 9 " (23 cm). Réfrigérer pendant 10 minutes. Cuire dans un four préchauffé à 350°F (180°C) pendant 7 minutes

GARNITURE:

Battre le fromage en crème avec le sucre jusqu'à l'obtention d'un mélange lisse. Incorporer la crème de noix de coco crème, la crème et les ananas. Ajouter les oeufs, un à un, en battant. Ajouter l'essence et bien mélanger. Étendre dans le moule. Cuire au four à 350°F (180°C) pendant 90 minutes.

Transférer sur une grille. Laisser refroidir et réfrigérer pendant 8 heures.

GLAÇAGE:

Dans une casserole, combiner le jus, le sucre, la fécule de maïs et la gélatine. Amener à ébullition. Incorporer l'eau bouillante, poursuivre la cuisson jusqu'à épaississement.

Ajouter les morceaux d'ananas et les noix. Laisser refroidir et étendre sur le gâteau froid. Parsemer de noix de coco rôtie. Servir.

DONNE 8 PORTIONS

DESSERTS

TARTE AUX POMMES, AU CARAMEL ET AUX NOIX

½ quan	0.5 quan	pâte nature (voir page 616)
3 tasses	750 mL	pommes tranchées
20	20	caramels
½ c. à thé	3 ml	vanille
⅓ tasse	80 mL	farine tout usage
¼ c. à thé	2 mL	cannelle
3 c. à table	45 mL	sucre granulé
3 c. à table	45 mL	beurre
⅓ tasse	80 mL	pacanes– hachées

Abaisser la pâte et l'insérer dans un moule à tarte de 9" (23 cm), canneler les bords.

Disposer les pommes dans la croûte. Faire fondre les caramels dans un bain-marie et incorporer la vanille. Verser sur les pommes.

Mélanger ensemble la farine, la cannelle et le sucre et y couper le beurre. Ajouter les pacanes et mélanger jusqu'à ce que le mélange soit grumeleux. Parsemer les pommes de la préparation. Cuire dans un four préchauffé à 350°F (180°C) pendant 40 minutes. Laisser refroidir avant de servir.

DONNE 6 PORTIONS

CARRÉS AUX NOIX ET À L'ÉRABLE

1 tasse	250 mL	sucre d'érable
½ tasse	125 mL	eau
1 c. à table	15 mL	beurre
1 c. à thé	5 mL	sel
1 c. à thé	5 mL	essence d'érable
½ tasse	125 mL	noix de cajou
½ tasse	125 mL	arachides
½ tasse	125 mL	avelines

Combiner le sucre, l'eau, le beurre et le sel dans une casserole. Faire chauffer à feu moyen jusqu'à 300°F (149°C) sur un thermomètre à bonbons. Incorporer les noix. Verser dans un moule à pâtisserie graissé. Laisser la préparation durcir et la briser pour la retirer. Ajouter l'essence d'érable une fois que la prépation est cuire.

DONNE 1½ LIVRES

TARTE AUX RAISINS SECS

1 quan	1 quan	pâte de tarte à la farine de blé entier (voir page 504)
2 tasses	500 mL	raisins secs sans pépins
2 tasses	500 mL	eau bouillante
⅓ tasse	80 mL	miel
⅓ tasse	80 mL	sucre brun
2⅛ c. à table	35 mL	fécule de maïs
¼ c. à thé	1 mL	sel
1 c. à table	15 mL	écorce de citron râpée
¼ tasse	60 mL	jus d'orange
2 c. à table	30 mL	beurre

Abaisser la pâte et l'insérer dans un moule à tarte de 9" (23 cm).

Dans une casserole, mélanger les raisins, l'eau et le miel. Faire bouillir pendant 5 minutes, ajouter le sucre, la fécule de maïs et le sel en brassant. Melanger et amener de nouveau à ébullition pendant 1 minute. Incorporer l'écorce de citron et le jus d'orange. Verser dans le moule à tarte. Abaisser le restant de pâte et couvrir la garniture. Canneler les bords et les sceller.Faire fondre le beurre et badigeonner la tarte. Faire des incisions pour permettre à la vapeur de s'échapper. Cuire dans un four préchauffé à 425°F (215°C) pendant 40 minutes. Laisser refroidir à la température de la pièce avant de servir.

DONNE 6 PORTIONS

Carrés aux Noix et à l'Érable

Tarte aux Pommes, au Caramel et aux Noix

Biscuits aux Dattes

SOUFFLÉ AU CHOCOLAT

2 onces	60 g	chocolat mi-sucré râpé
¼ tasse	60 mL	farine tout usage
1 tasse	250 mL	lait
⅓ tasse	80 mL	sucre granulé
3 c. à table	45 mL	beurre
1 c. à thé	5 mL	essence de vanille
4	4	oeufs séparés
2	2	blanc d'oeufs

Beurrer et sucrer le fond et les parois d'un moule à soufflé de 6 à 8 tasses (1.5–2 L). Dans une casserole, amener à ébullition le chocolat, la farine et le lait. Incorporer le sucre, le beurre et la vanille et retirer du feu. Ajouter les jaunes d'oeufs, un à un, en battant. Battre les blancs d'oeufs jusqu'à ce qu'ils soient ferment. Incoporer à la préparation en pliant et verser dans le moule. Cuire pendant 40-45 minutes dans un four préchauffé à 400°F (200°C). Servir accompagné de sauce aux framboises (voir page 107).

DONNE 4 PORTIONS

TARTE AUX PACANES ET AUX RAISINS SECS

½ quan	0.5	pâte nature (voir page 616)
3	3	oeufs séparés
3 c. à table	45 mL	beurre fondu
1 c. à thé	5 mL	vanille
1 tasse	250 mL	sucre brun
½ tasse	125 mL	raisins secs
½ tasse	125 mL	pacanes en morceaux

Abaisser la pâte et l'incérer dans un moule à tarte de 9" (23 cm).

Mélanger les jaunes d'oeufs, le beurre, la vanille, le sucre, les raisins secs et les pacanes. Faire chauffer dans un bain-marie en brassant constamment jusqu'à épaississement. Retirer du feu et laisser refroidir.

Battre les blancs d'oeufs jusqu'à ce qu'ils soient fermes et les incorporer à la préparation. Verser dans la pâte de tarte. Cuire dans un four préchauffé à 375°F (190°C) pendant 45 minutes. Laisser refroidir et servir.

DONNE 6 PORTIONS

BISCUITS AUX DATTES

1½ tasses	375 mL	sucre brun
1 tasse	250 mL	crème sure
2	2	oeufs
1 c. à thé	5 mL	bicarbonate de soude
⅛ c. à thé	pincée	sel
2 tasses	500 mL	farine à pâtisserie
1 c. à thé	5 mL	cannelle
½ c. à thé	3 mL	clous de girofle
¼ c. à thé	1 mL	muscade
½ livre	225 g	dattes hachées
¾ tasse	180 mL	noix de Grenoble en morceaux

Fouetter ensemble le sucre, la crème sure et les oeufs.

Tamiser ensemble le bicarbonate de soude, le sel, la farine et les épices. Incorporer au mélange à la crème en pliant et ajouter les dattes et les noix. Laisser tomber la préparation en boule d'environ une cuillérée à thé sur une plaque à biscuits beurrée. Cuire pendant 10 à 12 minutes dans un four préchauffé à 350°F (180°C).

DONNE 3 DOUZAINES

Tarte aux Pacanes et aux Raisins Secs

GÂTEAU BROWNIES

½ tasse	125 mL	beurre
½ tasse	125 mL	huile
1 tasse	250 mL	eau
4 c. à table	60 mL	cacao non sucré
2 tasses	500 mL	farine tout usage
2 tasses	500 mL	sucre granulé
2	2	oeufs
1 c. à thé	5 ml	bicarbonate de soude
½ tasse	125 ml	babeurre
1 c. à thé	5 mL	essence de vanille

Glaçage:

½ tasse	125 mL	beurre
3 c. à table	45 mL	cacao non sucré
⅓ tasse	80 mL	babeurre
4 tasses	1L	sucre à glacer
1 tasse	250 mL	noix de Grenoble hachées
1 c. à thé	5 mL	essence de vanille

Préchauffer le four à 350°F (180°C). Graisser et enfariner un moule de 9" x 13" (23 x 33 cm).

Mélanger ensemble le beurre, l'huile, l'eau et le cacao dans une petite casserole. Amener à ébullition. Ajouter ce mélange à la farine et au sucre et battre jusqu'à consistence lisse.

Ajouter les oeufs, le bicarbonate de soude, le babeurre et la vanille. Bien mélanger. Verser dans le moule. Cuire pendant 20 minutes. Préparer le glaçage pendant la cuisson des brownies. Mettre tous les ingrédients pour le glaçage dans une casserole de grandeur moyenne. Faire chauffer sans faire bouillir.

Glacer le gâteau immédiatement après l'avoir retiré du four. Couper en carrés lorsque refroidi.

DONNE 24 BROWNIES

Torte à la Meringue aux Fraises

BLANC-MANGER À LA MODE D'ANTAN

2 tasses	500 mL	lait
¼ c. à thé	2 mL	sel
¼ tasse	60 mL	sucre granulé
1½ c. à table	28 mL	fécule de maïs
1	1	oeuf battu
1½ c. à thé	8 mL	vanille
½ tasse	125 mL	crème à fouetter

Dans un bain-marie, faire chauffer 1¾ tasse (430 mL) de lait. Mélanger le restant de lait avec le sel, le sucre et la fécule de maïs, et incorporer au lait chaud. Cuire en brassant constamment jusqu'à ce que le mélange soit homogène. Retirer du feu. Ajouter l'oeuf et la vanille en battant. Laisser refroidir. Fouetter la crème et incorporer la moitié. Verser dans des coupes à dessert et garnir du restant de crème fouettée. Laisser refroidir avant de servir.

DONNE 4 PORTIONS

TORTE À LA MERINGUE AUX FRAISES

1	1	Gâteau de mineur d'argent (voir page 607)
3 tasses	750 mL	fraises
4	4	blancs d'oeufs
¼ c. à thé	1 mL	sel
¼ c. à thé	2 mL	crème of tartre
1 tasse	250 mL	sucre granulé
1 c. à thé	5 mL	vanille
½ tasse	125 mL	gelée d'abricot

Trancher le gâteau en deux. Choisir les 12 plus belles fraises et les mettre de côté. Réduire les autres en purée et étendre sur l'une des moitiés du gâteau. Couvrir de la deuxième moitié.

Battre les blancs d'oeufs jusqu'à ce qu'ils forment des pics moux. Ajouter le sel et la crème de tartre. Ajouter graduellement le sucre et la vanille. Étendre sur le dessus du gâteau à l'aide d'une douille et disposer les fraises. Mettre au four à 450°F (220°C) jusqu'à ce que la meringue devienne dorée. Retirer. Chauffer la gelée, y tremper les fraises et les disposer en cercle sur le gâteau.

Blanc-Manger à la Mode d'Antan

Crème Brûlée au Chocolat

Tarte à la Crème et à la Noix de Coco

TARTE À LA CRÈME ET À LA NOIX DE COCO

¼ tasse	60 mL	sucre granulé
¼ tasse	60 mL	farine tout usage
¼ c. à thé	2 mL	sel
2 tasses	500 ml	crème légère
1 c. à thé	5 mL	vanille
3	3	jaunes oeufs
1 tasse	250 mL	noix de coco râpé
1	1	Croûte de flocons d'avoine (voir page 627)
1 tasse	250 mL	crème à fouetter
¼ tasse	60 mL	sucre à glacer
¼ tasse	60 mL	noix de coco rôtie

Combiner le sucre, la farine, le sel et la crème dans un bain-marie et battre jusqu'à consistence onctueuse. Ajouter la vanille, les jaunes oeufs et la noix de coco. Cuire jusqu'à épaississement. Verser dans la croûte de tarte et laisser refroidir. Fouetter la crème, ajouter le sucre et garnir la tarte. Parsemer de noix de coco rôtie. Trancher et servir.

DONNE 6 PORTIONS

CRÈME BRÛLEE AU CHOCOLAT

5	5	jaunes oeufs
4 c. à table	60 mL	sucre granulé
1½ c. à thé	8 mL	fécule de maïs
1¼ tasses	310 mL	crème à fouetter
4 onces	120 g	chocolat mi-sucré râpé
¾ tasse	180 mL	sucre à glacer tamisé

Battre les jaunes d'oeufs en crème avec le sucre et la fécule de maïs dans une casserole à feu doux. Ajouter lentement la crème et le chocolat en brassant. Cuire pendant 10 minutes en brassant constamment. Verser dans des moules. Réfrigérer jusqu'à ce que le mélange soit ferme. Démouler le flan sur des plats de service, saupoudre de sucre à glacer ou placer dans des verres à parfait en alternant avec des couches de crème fouettée ou de pudding à la vanille.

DONNE 4 PORTIONS

BISCUITS AUX AMANDES

2¾ tasses	680 mL	farine à pâtisserie
1 tasse	250 mL	sucre granulé
½ c. à thé	3 mL	bicarbonate de soude
½ c. à thé	3 ml	sel
1 tasse	250 mL	graisse végétale
1	1	oeuf légèrement battu
2 c. à table	30 mL	lait
1 c. à thé	5 mL	essence d'amande
24	24	amandes blanchies, coupées en deux

Mélanger ensemble la farine, le sucre, le soda et le sel. Ajouter la graisse végétale en coupant jusqu'à ce que le mélange soit grumeleux. Combiner l'oeuf, le lait et l'essence; ajouter à la farine. Bien mélanger. Façonner la pâte en balles de 1" et les disposer à intervalle de 2" sur une plaque à biscuits non graissée. Placer une moitié d'amande sur chaque biscuit et les aplatir légèrement. Cuire dans un four préchauffé à 325°F (170°C) pendant 16-18 minutes.

DONNE 48 BISCUITS

GÂTEAU CHIFFON À L'ORANGE

2 tasses	500 mL	farine tout usage
1½ tasses	375 mL	sucre granulé
1 c. à table	15 mL	poudre à pâte
1 c. à thé	5 mL	sel
½ tasse	125 mL	huile végétale
5	5	jaunes oeufs
½ tasse	125 mL	orange juice
¼ tasse	60 mL	eau
1 c. à thé	5 mL	vanille
2 c. à table	30 mL	écorce d'orange finement râpée
1 tasse	250 mL	blanc d'oeuf
½ c. à thé	3 mL	crème de tartre

Préchauffer le four à 325°F (170°C). Choisir un moule à tube de 10" (25 cm) qui est bien propre.

Mélanger la farine, le sucre, la poudre à pâte et sel dans un bol. Ajouter l'huile, les jaunes oeufs, le jus d'orange, l'eau, la vanille et l'écorce d'orange. Batttre jusqu'à ce que le mélange soit onctueux. Dans un autre bol, battre les blancs d'oeufs jusqu'à qu'ils soient mousseux. Parsemer de crème de tartre. Continuer de battre jusqu'à formation de pics fermes. Ne pas trop battre. Ajouter graduellement la préparation aux blancs d'oeufs en neige en pliant. Étendre la pâte dans le moule. Insérer un couteau dans la pâte pour élimiter les poches d'air.

Cuire au four pendant 1¼ heures. Retourner le gâteau immédiatement après l'avoir retiré du four. Le laisser ainsi jusqu'à ce qu'il soit refroidi. Détacher le gâteau à l'aide d'un couteau ou d'une spatule et le libérer doucement du moule en le brassant. Glacer avec le Glaçage crémeux à l'orange (la recette qui suit).

GLAÇAGE CRÉMEUX À L'ORANGE

2 c. à table	30 mL	beurre ramolli
½ tasse	125 mL	sucre à glacer
pincée	pincée	sel
1	1	jaune d'oeuf
2 c. à thé	10 mL	écorce d'orange finement râpée
1 c. à table	15 mL	jus d'orange
1½ tasses	375 mL	sucre à glacer

Battre le beurre en crème, ajouter le sucre et le sel. Battre jusqu'à ce que le mélange soit crémeux. Ajouter le jaune d'oeuf, l'écorce d'orange et le jus d'orange en mélangeant bien. Ajouter graduellement le sucre en battant. Battre jusqu'à consistance crémeuse.

PEUT GLACER UN
GÂTEAU DE 1-9" (23 CM)

TARTE AUX PACANES

½ quan	0.5	pâte nature (voir page 616)
1 tasse	250 mL	sirop de maïs léger
½ tasse	125 mL	sucre brun tassé
¼ c. à thé	2 mL	sel
1 c. à thé	5 mL	vanille
1 c. à table	15 mL	jus de citron
3	3	oeufs battu
1½ tasses	375 mL	pacanes en morceaux et entières
2 tasses	500 mL	crème fouettée

Abaisser la pâte, insérer dans un moule à tarte et canneler les bords. Préchauffer le four à 425°F (215°C).

Mélanger ensemble tous les autres ingrédients, sauf la crème fouettée. Verser dans le moule à tarte. Cuire au four pendant 10 minutes. Réduire le feu et poursuivre la cuisson pendant 40 minutes ou jusqu'à ce que la garniture soit ferme. Garnir de crème fouettée. Laisser refroidir complètement avant de servir.

DONNE 6 PORTIONS

Tarte aux Pacanes

Abricots en Chemise

Rouleaux au Sucre Trempés dans le Chocolat

GATEAU AU FROMAGE AU CHOCOLAT ET AUX FRAMBOISES

1½ tasses	375 mL	miettes* de biscuits fourrés à la crème
2 c. à table	30 mL	beurre fondu
32 onces	900 g	fromage à la crème, ramolli
1¼ tasses	310 mL	sucre granulé
3	3	oeufs
1 tasse	250 mL	crème sure
1 c. à thé	5 mL	essence de vanille
6 onces	170 g	grains de chocolat mi-sucré, fondu
⅓ tasse	60 mL	crème à fouetter
½ tasse	125 mL	framboises fraîches
4	4	feuilles de menthe fraîches

Combiner les miettes et les beurres; presser au fond d'un moule à parois amovibles de 9" (23 cm).

Mélanger ⅔ du fromage à la crème et le sucre, en battant `¡a vitesse moyenne jusqu'à ce que le mélange soit homogène. Ajouter les oeufs, un à un, en battant bien après chaque addition. Incorporer la crème sure et la vanille; étendre sur la croûte. Combiner le restant de fromage à la crème avec le chocolat fondu et bien mélanger. Ajouter la confiture et bien mélanger. Laisser tomber des grosses cuillérées de la préparation de fromage à la crème au chocolat dans la première préparation, ne pas mélanger. Cuire dans un four préchauffé à 325°F (170°C) pendant 1 heure et 25 minutes. Détacher le gâteau des parois et le laisser refroidir, avant de retirer les parois du moule.

Faire fondre les morceaux de chocolat et la crème à fouetter à feu doux en brassant jusqu'à consistence homogène. Étendre sur le gâteau au fromage. Réfrigérer. Garnir de plus de crème fouettée, de framboises et de feuilles de menthe, si désiré.

*Les miettes de biscuits devraient provenir de 18 biscuits fourrés à la crème qui ont été finement écrasés.

DONNES 10 PORTIONS

ROULEAUX AU SUCRE TREMPÉS DANS DU CHOCOLAT

½ tasse	125 mL	beurre
1 tasse	250 mL	sucre à glacer
½ tasse	125 mL	lait
1¾ tasses	430 mL	farine à pâtisserie
1 c. à thé	5 mL	vanille
¼ c. à thé	1 mL	sel
3 onces	85 g	chocolat mi-sucré
1 c. à table	15 mL	beurre fondu

Battre le beurre en crème jusqu'à ce qu'il soit léger et mousseux. Incorporer le sucre et le lait en battant. Ajouter la farine, la vanille et le sel en battant. Étendre en couche mince sur une plaque à pâtisserie beurrée. Cuire dans un four préchauffé à 400°F (200°C) pendant 8-10 minutes. Faire fondre le chocolat dans un bain-marie et incorporer le beurre. Démouler la pâte pendant qu'elle est encore chaude, la couper en carrés et les rouler en forme de cigare. Tremper les extrémités dans le chocolat fondu.

DONNE 2 DOUZAINES

ABRICOTS EN CHEMISE

12	12	abricots frais, pelés, sans noyau, coupés en deux
1 tasse	250 mL	sucre granulé
1 livre	450 g	pâte feuilletée (voir page 689)
2	2	oeufs
¼ tasse	60 mL	lait
¼ tasse	60 mL	sucre à glacer

Saupoudrer les abricots avec le sucre. Abaisser la pâte à ¼" d'épaisseur. Couper en carrés et insérer les moitiés d'abricots dans la pâte. Plier les rebord et sceller.

Mélanger les oeufs avec le lait et badigeonner les pâtisseries. Les cuire pendant 15 à 20 minutes dans un four préchauffé à 350°F (180°C). Les parsemer de sauce à glacer pendant qu'elles sont chaudes. Servir chaud ou froid.

DONNE 24 PÂTISSERIES

SORBET AUX PAPAYES FRAÎCHES

¾ tasse	180 mL	sucre granulé
¾ tasse	180 mL	eau
3 c. à table	45 mL	jus de citron
3 c. à table	45 mL	jus de lime
2½ tasses	625 mL	purée de papaye

Dans une casserole, faire chauffer le sucre et l'eau. Amener à ébullition en brassant constamment. Retirer du feu et laisser refroidir à la température de la pièce. Combiner le sirop, le citron et la lime. Réfrigérer ou congeler le mélange pour qu'il soit très froid. Ajouter la purée de papayes en brassant. Verser dans une glacière et congeler en suivant les directives du fabricant.

DONNE 4 TASSES (1 L)

CARRÉS AUX DATTES À LA MODE D'ANTAN

¼ tasse	60 mL	beurre
1 tasse	250 mL	sucre brun
1	1	oeuf
3 onces	85 g	chocolat mi-sucré fondu
¾ tasse	180 mL	farine tout usage
½ tasse	125 mL	pacanes en morceaux
½ tasse	125 mL	noix de Grenoble en morceaux
½ tasse	125 mL	amandes en lamelles
¼ c. à thé	2 mL	sel

Battre le beurre en crème jusqu'à ce qu'il soit léger. Incorporer le sucre et l'oeuf en brassant. Incorporer le chocolat, la farine, les noix et le sel en mélangeant bien. Étendre dans un moule à gâteau beurré de 8" (20 cm) . Cuire dans un four préchauffé à 350°F (180°C) pendant 20 minutes. Retirer du four et trancher pendant que c'est chaud.

DONNE 2 DOUZAINES

GÂTEAU AU FROMAGE AU MOKA

2¼ tasses	540 mL	chapelure de biscuits graham
2 tasses	500 mL	grains de chocolat mi-sucré
2⅓ tasses	580 mL	beurre, fondu et refroidi
½ tasse	125 mL	lait
4 c. à thé	20 mL	café refroidi
1	1	enveloppe gélatine sans saveur
16 onces	450 g	fromage à la crème, ramolli
14 onces	400 g	lait condensé sucré
2 tasses	500 mL	crème à fouetter, fouettée

Dans un grand bol, combiner la chapelure de biscuits graham, 1 tasse (250 mL) de grains de chocolat et le beurre, bien mélanger. Presser dans un moule à parois amovibles de 9" (23 cm), couvrir le fond et les parois à 2½" (6.5 cm) de hauteur. Laisser de côté.

Dans une petite casserole, combiner le lait et le café instantané, saupoudrer la gélatine au-dessus. Laisser de côté pendant 1 minute. Cuire à feu doux en brassant constamment jusqu'à ce que la gélatine soit complètement dissoute. Laisser de côté.

Dans un gros bol, battre le fromage à la crème jusqu'à ce qu'il soit crémeux. Ajouter le mélange de lait et de gélatine. Ajouter la crème fouettée et le restant, 1 tasse (250 ml) de grains de chocolat.Verser dans le moule. Réfrigérer jusqu'à ce qu'il soit ferme. (environ 2 heures). Passer un couteau tout autour du gâteau pour le détacher des parois du moule, avant de le démouler.

DONNE 10 PORTIONS

Carrés aux Dattes à la Mode d'Antan

Sorbet aux Papayes Fraîches

Biscuits au Beurre d'Arachide

GÂTEAU AU FROMAGE SUPREME DU NORD-OUEST

1 tasse	250 mL	chapelure de biscuits graham
1 c. à table	15 mL	sucre granulé
1 c. à table	15 mL	beurre fondu
32 onces	900 g	fromage à la crème, ramolli
1 tasse	250 mL	sucre granulé
1 c. à table	15 mL	farine tout usage
4	4	oeufs
1 tasse	250 ml	crème sure
1 c. à thé	5 mL	essence de vanille
21 onces	605 g	garniture aux cerises

Soufflé Glacé au Grand Marnier

Combiner la chapelure, le sucre et le beurre, et presser au fond d'un moule à parois amovibles de 9" (23 cm). Cuire dans un four préchauffé à 325°F (170°C) pendant 10 minutes.

Combiner le fromage à la crème, le sucre et la farine, en mélangeant à vitesse moyenne. Ajouter les oeufs, un à un, en mélangeant bien après chaque addition. Incorporer la crème sure et la vanille; étendre sur la croûte. Cuire dans un four préchauffé à 450°F (220°C) pendant 10 minutes. Réduire la température à 250°F (140°C), et poursuivre la cuisson pendant 1 heure. Détacher le gâteau des parois du moule dans de le démouler; laisser refroidir. Garnir avec la garniture aux cerises juste avant de servir.

VARIATION: Remplacer 1 1/2 tasses (375 mL) de noix finement hachées et 2 c. à table (30 mL) de sucre granulé à la chapelure de biscuits graham et au sucre.

DONNE 10 PORTIONS

BISCUITS AU BEURRE D'ARACHIDE

1 tasse	250 mL	sucre granulé
1 tasse	250 mL	sucre brun
1 tasse	250 mL	beurre
1 tasse	250 mL	beurre d'arachide
3	3	oeufs
1/2 c. à thé	3 mL	sel
2 c. à thé	10 mL	bicarbonate de soude
3 tasses	750 mL	farine tout usage
56	56	petits becs au chocolat Hershey

Battre en crème les sucres, le beurre d'arachide et le beurre ensemble. Incorporer les oeufs. Tamiser le sel, le soda et la farine ensemble et incorporer au mélange à la crème. Bien mélanger. Rouler en balles de 1" (2.5 cm), écraser légèrement avec la paume de votre main en les déposant sur la plaque à biscuits graissée. Placer un petit bec au chocolat au centre de chaque biscuit. Cuire dans un four préchauffé à 325°F (160°C) pendant 15 à 18 minutes.

DONNE 4 1/2 DOUZAINES

SOUFFLÉ GLACÉ AU GRAND MARNIER

3 c. à table	45 mL	sucre granulé
2 c. à table	30 mL	gélatine sans saveur
1/4 tasse	60 mL	liqueur de crème de Grand Marnier
1/4 c. à thé	2 mL	sel
6	6	blancs d'oeufs
2 tasses	500 mL	crème à fouetter

Dans une casserole, combiner le sucre, la gélatine, la liqueur et le sel. Cuire à feu en brassant constamment jusqu'à ce que le sucre soit dissous. Laisser refroidir. Battre les blancs d'oeufs jusqu'à ce qu'ils soient fermes et secs. Fouetter la crème et l'incorporer en pliant aux blancs d'oeufs. Ajouter la liqueur au mélange. Verser dans un moule à soufflé de 8 tasses (2 L) ayant un collet d'aluminium de 6" (15 cm). Congeler pendant 6 heures ou pendant toute la nuit. Retirer le collet et servir.

DONNE 6 PORTIONS

TARTE AUX GRAINS DE CHOCOLAT ET AU BEURRE D'ARACHIDE

1 c. à table	15 mL	gélatine sans saveur
1 tasse	250 mL	eau froide
3	3	oeufs séparés
½ tasse	125 mL	miel
½ c. à thé	3 mL	sel
½ tasse	125 mL	beurre d'arachide doux
½ c. à thé	3 mL	vanille
¼ tasse	60 mL	sucre granulé
½ tasse	125 mL	grains de chocolat
1	1	croûte aux biscuits Graham (voir page 641)

Tarte aux Grains de Chocolat et au Beurre d'Arachide

Mélanger la gélatine dans ¼ tasse (60 mL) d'eau. Combiner ¼ tasse (60 mL) d'eau, les jaunes d'oeufs, le miel et le sel dans un bain-marie, et ajouter à la gélatine. Fouetter jusqu'à ce que le mélange soit épais et mousseux à l'aide d'un batteur à main.

Dans un bol, fouetter le beurre d'arachide, ½ tasse (125 mL) d'eau et la vanille jusqu'à consistance lisse. Ajouter le mélange aux oeufs en pliant. Laisser refroidir jusqu'à ce que le mélange soit épais mais non ferme. Fouetter les blancs d'oeufs jusqu'à ce qu'ils soient fermes et ajouter graduellement le sucre. Ajouter au mélange au beurre d'arachide en pliant. Incorporer les grains de chocolat et verser dans le moule à tarte. Réfrigérer jusqu'à ce que le mélange soit ferme. Trancher et servir.

DONNE 6 PORTIONS

TARTELETTES AUX AMANDES ET AUX ABRICOTS

TARTELETTES:

2½ tasses	625 mL	farine tout usage
½ tasse	125 mL	beurre
½ tasse	125 mL	sucre granulé
1	1	oeuf
1 c. à thé	5 mL	écorce de citron râpée

Mélanger la farine avec le beurre, ajouter le sucre, l'oeuf et l'écorce de citron, et bien mélanger sans trop travailler la pâte. Laisser reposer pendant 30 minutes et abaisser en un carré de ⅛" (3 mm) d'épaisseur. Découper des ronds à l'aide d'un emporte-pièce de 2½" (5 cm). Disposer la pâte dans des moules à tartelettes de 1½" (3.75 cm). Cuire la pâte pendant 15 minutes dans un four préchauffé à 350°F (180°C). Laisser refroidir.

GARNITURE:

1 tasse	250 mL	sucre granulé
¼ tasse	60 mL	fécule de maïs
2	2	oeufs
1½ tasses	375 mL	lait
1 c. à table	15 mL	beurre
¼ c. à thé	1 mL	sel
1 c. à thé	5 mL	essence d'amande

Combiner le sucre, la fécule de maïs et les oeufs dans un bain-marie. Ajouter le beurre et le lait, et cuire jusqu'à ce que le mélange soit épais. Incorporer le sel et l'essence. Remplir les tartelettes et refroidir.

DÉCORATION:

8	8	abricots frais, pelés, sans noyau, coupés en deux
½ tasse	125 mL	gelée d'abricot
1 tasse	250 mL	amandes rôties tranchées

Garnir chaque tartelette d'un demi abricot. Glacer avec la gelée et parsemer le rebord des tartelettes d'amandes.

DONNE 15 TARTELETTES

Tartelettes aux Amandes et aux Abricots

Ambroisie

AMBROISIE

2	2	bananes mûres, tranchées
1	1	pomme rouge, décortiquée, tranchée
1	1	poire décortiquée, tranchée
2	2	oranges en quartiers
1 tasse	250 mL	morceaux d'ananas frais
2 c. à table	30 mL	jus de citron
1 tasse	250 mL	Sabayon – voir sauces
1¼ tasses	320 mL	flocons de noix de coco

Mélanger les fruits avec le jus de citron. Réfrigérer pendant 1 heure. Incoporer le Sabayon et la noix de coco juste avant de servir.

DONNE 6 PORTIONS

GÂTEAU FARFELU

1½ tasses	375 mL	farine tout usage
1 tasse	250 mL	sucre granulé
3 c. à table	45 mL	cacao
1 c. à thé	5 mL	bicarbonate de soude
½ c. à thé	3 mL	sel
1 c. à thé	5 mL	essence de vanille
1 c. à thé	5 ml	vinaigre
5 c. à table	75 mL	huile végétale
1 tasse	250 mL	eau froide

Mélanger la farine, le sucre, le cacao, le soda et le sel. Former trois puits dans le mélange de farine. Mettre la vanille dans l'un d'entre eux; dans l'autre le vinaigre, et dans le troisième l'huile. Verser l'eau froide sur le tout et mélanger jusqu'à ce qu'il n'y ait plus de grumeaux. Il n'est pas nécessaire de battre. Verser dans un moule de 8" x 8" (20 x 20 cm). Cuire dans un four préchauffé à 350°F (180°C) jusqu'à ce qu'il gonfle, environ 30 minutes.

DONNE 4 PORTIONS

GÂTEAU AU FROMAGE AU CAPPUCCINO

1½ tasses	375 mL	noix finement hachées
2 c. à table	30 mL	sucre granulé
3 c. à table	45 mL	beurre fondu
32 onces	900 g	fromage à la crème, ramolli
1 tasse	250 mL	sucre granulé
3 c. à table	45 mL	farine tout usage
4	4	oeufs
1 tasse	250 mL	crème sure
1 c. à table	15 mL	café instantané
¼ c. à thé	1 mL	cannelle
¼ tasse	60 mL	eau bouillante

Combiner les noix, le sucre et le beurre; presser au fond d'un moule à parois amovible de 9" (23 cm). Cuire dans un four préchauffé à 325°F (170°C) pendant 10 minutes. Hausser la température du four à 450°F (220°C).

Combiner le fromage à la crème, le sucre et la farine, mélanger à vitesse moyenne jusqu'à ce que tout soit bien mélanger. Ajouter les oeufs, un à un, en battant bien après chaque addition. Incorporer la crème sure. Dissoudre le café et la cannelle dans l'eau. Laisser refroidir, et ajouter graduellement au mélange au fromage à la crème, en s'assurant que le mélange est homogène. Étendre sur la croûte. Cuire à 450°F (220°C) pendant 10 minutes. Réduire la température du four à 250°F (140°C) et poursuivre la cuisson pendant 1 heure. Détacher le gâteau des parois, le laisser refroidir avant de le démouler. Réfrigérer. Garnir de crème fouettée et de grains de café si désiré.

DONNE 10 PORTIONS

Framboises Bavaroises

TARTELETTES AUX CERISES FRAÎCHES

15	15	tartelettes (voir tartelettes aux amandes et aux abricots page 662)
½ tasse	125 mL	beurre
½ tasse	125 mL	sucre granulé
1 tasse	250 mL	amandes moulues
1 c. à thé	5 mL	farine à pâtisserie
3	3	oeufs
3 c. à table	45 mL	brandy au cerise
2 tasses	500 mL	chapelure de gâteau blanc
1⅛ livres	560 g	cerises fraîches, dénoyautées
½ tasse	125 mL	gelée de groseilles

Battre le beurre en crème avec le sucre jusqu'à ce que le mélange soit léger et pâle. Incorporer les amandes et la farine en pliant. Ajouter les oeufs un à un en battant avec 2 c. à table (30 mL) de brandy au cerises. Parsemer les tartelettes de chapelure de gâteau, remplir de cerisess et couvrir de préparation aux amandes. Cuire dans un four préchauffé à 400°F (200°C) pendant 20 minutes. Couvrir de papier d'aluminium et cuire pendant 20 minutes de plus ou jusqu'à ce qu'elles soient brunes. Faire chauffer la gelée avec le restant de brandy. Arroser les tartelettes immédiatement.

DONNE 15 TARTELETTES

FRAMBOISES BAVAROISES

3 tasses	750 mL	framboises
1 c. à table	15 mL	gélatine sans saveur
¼ tasse	60 mL	eau froide
⅓ tasse	80 mL	sucre granulé
¼ c. à thé	1 mL	sel
¾ tasse	180 mL	crème à fouetter

Réduire les framboises en purée dans un robot culinaire, passer au tamis pour retirer les graines.Mettre dans une casserole. Faire chauffer et réduire à 1 tasse (250 mL). Dissoudre la gélatine dans l'eau froide, l'ajouter aux framboises avec le sucre et le sel. Retirer du feu dès que la préparation s'est remise à bouillir. Laisser refroidir et réfrigérer jusqu'à ce que le mélange soit épais mais non ferme. Fouetter la crème et l'ajouter au mélange en pliant. Verser dans un moule ou un bol, réfrigérer jusqu'à ce que le mélange soit ferme. Démouler et servir.

DONNE 4 PORTIONS

GATEAU AU FROMAGE AU LAIT DE POULE DES FÊTES

1 tasse	250 mL	chapelure de biscuits graham
¼ tasse	60 mL	sucre granulé
¼ c. à thé	1 mL	muscade
¼ tasse	60 mL	beurre fondu
1	1	enveloppe de gélatine sans saveur
¼ tasse	60 mL	eau froide
8 onces	225 g	fromage à la crème, ramolli
¼ tasse	60 mL	sucre granulé
1 tasse	250 mL	lait de poule
1 tasse	250 mL	crème à fouetter, fouettée

Combiner la chapelure, le sucre, la muscade et le beurre; presser au fond d'un moule à parois amovible de 9" (23 cm).

Dissoudre la gélatine dans l'eau; faire chauffer à feu doux jusqu'à ce qu'elle soit dissoute. Combiner le fromage à la crème et le sucre jusqu'à ce que tout soit bien mélanger. Ajouter graduellement la gélatine et le lait de poule, en mélangeant jusqu'à ce que tout soit homogène. Laisser refroidir jusqu'à ce que le mélange devienne légèrement épais et incorporer la crème fouettée en pliant. Étendre sur la croûte et refroidir jusqu'à ce que la préparation soit ferme.

VARIATION: Augmenter le sucre à 1⁄3 tasse (80 mL). Remplacer le lait de poule par du lait. Ajouter 1 c. à thé (5 mL) vanille and 3⁄4 c. à thé (4 mL) d'essence de rhum. Poursuivre en suivant les directives.

DONNE 10 PORTIONS

Tartelettes aux Cerises Fraîches

Pommes Hélène

CRÈME GLACÉE AU CAFE ET À LA MENTHE

4 tasses	1 L	crème moitié et moitié
1½ c. à table	28 mL	café instantané
1 tasse	250 mL	sucre granulé
4	4	jaunes d'oeufs
2 c. à thé	10 mL	essence de menthe

Dans un bain-marie, faire chauffer la crème avec le café. Battre le sucre avec les oeufs. Ajouter lentement à la crème. Cuire jusqu'à ce que le mélange soit épais, ajouter l'essence de menthe et laisser refroidir et congeler en suivant les directives du fabricant de glacière.

DONNE 5 TASSES (1¼ l)

POMMES HÉLÈNE

1 tasse	250 mL	sucre granulé
1 tasse	250 mL	eau
1 c. à thé	5 mL	vanille blanche
3	3	grosses pommes pelées, décortiquées, coupées en deux
3 onces	85 g	chocolat mi-sucré fondu
1 c. à table	15 mL	beurre fondu
4 tasses	1 L	crème glacé à la vanille (voir page 547)
1 tasse	250 mL	sauce au chocolat (voir page 123)

Faire bouillir le sucre, l'eau et la vanille jusqu'à ce que le sucre soit dissous, réduire le feu et faire pocher les pommes jusqu'à ce qu'elles soient tendres. Retirer et égoutter. Mélanger le chocolat avec le beurre, tremper les pommes dans le chocolat pour les enrober. Servir des boules de crème glacée dans de larges verres à champagne, couvrir d'une demie pomme et servir la sauce au chocolat sauce séparément.

DONNE 6 PORTIONS

CARRÉS ELIZABETH

1 tasse	250 mL	eau bouillante
1 tasse	250 mL	dattes hachées
¼ tasse	60 mL	beurre
½ c. à thé	3 mL	sel
1 tasse	250 mL	sucre granulé
1 c. à thé	5 mL	bicarbonate de soude
1	1	oeuf
1½ tasses	375 mL	farine tout usage
1 c. à thé	5 mL	poudre à pâte
½ tasse	125 mL	noix hachées
¾ tasse	180 mL	sucre brun
1 c. à thé	5 mL	essence de vanille
6 c. à table	90 mL	beurre
4 c. à table	60 mL	lait
1 tasse	250 mL	noix de coco, râpée

Combiner l'eau et les dattes dans une casserole, cuire à feu moyen jusqu'à ce que les dattes soient cuites. Laisser refroidir. Combiner le beurre, le sel, le sucre, le bicarbonate de soude, l'oeuf, la farine, la poudre à pâte et les noix. Étendre uniformément dans un moule graissé de 9" x 12" (23 x 30 cm). Étendre les dattes refroidies sur la première couche. Cuire dans un four préchauffé à 350°F (180°C) pendant 30 minutes. Pendant la cuisson, combiner le sucre, la vanille, le beurre et le lait dans une casserole. Amener à ébullition pendant 5 minutes, retirer du feu et incorporer la noix de coco. Retirer les carrés du four et étendre le glaçage uniformément sur le mélange aux dattes. Remettre au four pendant 5 minutes ou jusqu'à ce que la préparation fasse des bulles.

Crème Glacée au Café et à la Menthe

Crème Anglaise à la Vanille et à la Cannelle

CRÈME ANGLAISE À LA VANILLE ET À LA CANNELLE

4	4	oeufs
2 tasses	500 mL	sucre granulé
1 tasse	250 mL	crème légère
2 c. à table	30 mL	beurre fondu
¼ c. à thé	2 mL	sel
2 c. à thé	10 mL	vanille
½ c. à thé	3 mL	cannelle
4 c. à table	60 mL	farine tout usage

Battre les oeufs dans un bol. Incorporer tous les autres ingrédients en battant. Verser dans un moule carré de 9" x 9" (23 x 23 cm) et cuire pendant 45 minutes dans un four préchauffé à 300°F (160°C).

DONNE 6 PORTIONS

TARTE AUX FRAISES FRAÎCHES 2

1 qt	1.25 L	fraises fraîches
1¼ tasses	310 ml	sucre granulé
1 c. à table	15 ml	fécule de maïs
1½ tasses	375 ml	eau
3 c. à table	45 ml	jus de citron
3 onces (1 pkg)	85 g	gélatine aux fraises
1	1	croûte de tarte cuite de 9"

Laver et équeuter les fraises.

Dans une casserole moyenne, combiner le sucre et la fécule de maïs; ajouter l'eau et le jus de citron. Amener à ébullition. Réduire le feu; cuire en mélangeant jusqu'à ce que le mélange soit légèrment épaissi et clair, environ 4 à 5 minutes. Ajouter la gélatine, et mélanger jusqu'à ce qu'elle soit dissoute. Laisser refroidir à la température de la pièce. Ajouter les fraises et verser dans la croûte. Laisser refroidir pendant 4 à 6 heures ou jusqu'à ce que la garniture soit ferme. Servir avec de la crème fouettée si désiré.

DONNE 6 PORTIONS

PAIN AU GINGEMBRE RAPIDE

3	3	oeufs
1 tasse	250 mL	sucre granulé
1 tasse	250 mL	mélasse
1 c. à thé	5 mL	de chaque: cannelle, clous de girofle, gingembre, sel
1 tasse	250 mL	huile à salade
2⅛ tasses	530 mL	farine tout usage
2 c. à thé	10 mL	bicarbonate de soude
2 c. à table	30 mL	eau tiède
1 tasse	250 mL	eau chaude

Combiner les oeufs, le sucre, la mélasse, les épices, le sel et l'huile. Bien mélanger. Tamiser la farine et continuer de battre jusqu'à ce que le mélange soit mousseux. Dissoudre le soda dans l'eau tiède; ajouter à la préparation et bien mélanger. Dernièrement, ajouter l'eau chaude et battre légèrement et rapidement. Verser dans un moule graissé de 9" x 13" (23 x 23 cm). Cuire dans un four préchauffé à 350°F (180°C) pendant 40 minutes ou jusqu'à ce qu'un cure-dents inséré au centre en ressorte propre. Servir chaud avec de la crème fouettée.

VARIATIONS: Faire cuire le pain au gingembre dans des plaques à biscuits pendant 25 minutes. Retirer du four et étendre aussitôt des guimauves sur le dessus de l'un des pain. Couvrir de l'autre pain et remettre au four pendant 3 minutes de plus. Servir chaud avec de la crème fouettée.

Durant la saison des bleuets, en ajouter 1 tasse (250 mL) à la pâte avec 1 c. à table (15 mL) farine tout usage.

Bonbons aux Pralines et au Chocolat

MUFFINS CROQUANTS AUX POMMES

1½ tasses	375 mL	farine tout usage
½ tasse	125 mL	sucre granulé
2 c. à thé	10 mL	poudre à pâte
½ c. à thé	1 mL	sel
1½ c. à thé	8 mL	cannelle
¼ tasse	60 mL	graisse végétale
1	1	oeuf légèrement battu
½ tasse	125 mL	lait
1 tasse	250 mL	pommes lavées, décortiquées, râpées
		Garniture croquante aux noix

Tamiser ensemble la farine, le sucre, la poudre à pâte, le sel et la cannelle dans un bol.

Couper la graisse végétale dans les ingrédients secs à l'aide d'un coupe-pâte jusqu'à qu'à ce que le mélange devienne grumeleux. Combiner l'oeuf et le lait. Ajouter aux ingrédients secs en une seule fois en brassant suffisamment pour le le mélange soit humecté. Ajouter les pommes. Répartir la préparation dans des moules à muffins de 2½" (6.5 cm) doublé de moules en papier en les remplissant au ⅔. Parsemer de la garniture croquante aux noix.

Cuire dans un four préchauffé à 375°F (190°C) pendant 25 minutes ou jusqu'à ce qu'ils soient dorés. Servir chaud avec du beurre et de la confiture ou de la gelée maison.

GARNITURE CROQUANTE AUX NOIX: Mélanger ensemble ¼ tasse (60 mL) de sucre brun tassé, ¼ tasse (60 mL) de pacanes hachées ½ c. à thé (3 mL) de cannelle moulue dans un petit bol.

DONNE 4 PORTIONS

MERINGUE À LA NOIX DE COCO ET À L'ANANAS

1 c. à table	15 mL	gélatine sans saveur
¼ tasse	60 mL	eau froide
¾ tasse	180 mL	jus d'ananas
¼ tasse	60 mL	crème de nectar de noix de coco
¼ tasse	60 mL	sucre granulé
¾ tasse	180 mL	crème à fouetter

Mettre la gélatine dans l'eau. Placer dans une petite casserole et ajouter le jus d'ananas, amener à ébullition. Retirer du feu et incorporer la crème de noix de coco et le sucre. Laisser refroidir pour que le mélange devienne épais sans être ferme. Fouetter la crème et incorporer à la préparation en pliant. Verser dans un moule ou un bol et laisser refroidir pour que le mélange devienne ferme. Démouler et servir.

DONNE 4 PORTIONS

BONBONS AUX PRALINES ET AU CHOCOLAT

1 tasse	250 mL	sucre brun
1 tasse	250 mL	sucre granulé
1½ tasses	375 mL	grains de chocolat
½ tasse	125 mL	crème légère
2 c. à table	30 mL	beurre
1 tasse	250 mL	pacanes

Dans une casserole, faire dissoudre les sucres et les grains de chocolat dans la crème. Chauffer à 238°F (115°C) sur un thermomêtre à bonbon. Retirer du feu, ajouter le beurre et les noix en brassant. Poursuivre la cuisson jusqu'à ce que le mélange devienne épais. Laisser tomber en cuillérée sur une plaque à pâtisserie recouverte de papier ciré beurré tout en laissant suffisamment d'espace entre les bonbons.

DONNE 2 LIVRES

Meringue à la Noix de Coco et à l'Ananas

Soufflé aux Framboises et aux Abricots

Fraises Enrobées de Chocolat aux Pralines

MUFFINS À LA MÉLASSE

4 tasses	1 L	farine tout usage
2 c. à thé	10 mL	bicarbonate de soude
1 c. à thé	5 mL	de chaque: cannelle, gingembre, sel
¼ c. à thé	1 mL	de chaque moulu: quatre épices, muscade, clous de girofle
1⅓ tasses	330 mL	graisse végétale
1 tasse	250 mL	sucre granulé
4	4	oeufs légèrement battus
1 tasse	250 mL	mélasse
1 tasse	250 mL	beurre
1 tasse	250 mL	lait sure
1 tasse	250 mL	raisins secs

Tamiser ensemble la farine, le bicarbonate de soude, le sel, la cannelle, le gingembre, les clous de girofle, les quatre épices et la muscade, et laisser de côté.

Battre en crème la graisse végétale et le sucre dans un bol, jusqu'à ce que le mélange soit léger et mousseux. Ajouter les oeufs et bien battre.

Incorporer la mélasse, le beurre et le lait sure. Ajouter les ingrédients secs en une seule fois et mélanger suffisamment pour humecter. Ajouter les raisins secs. Répartir la préparation dans des moules à muffins de 3" (7.5 cm) en les remplissant à ½.

Cuire dans un four préchauffé à 350°F (180°C) pendant 20 minutes ou jusqu'à ce qu'ils soient d'un brun doré. Servir chaud avec du beurre et de la confiture.

DONNE 12 MUFFINS

SOUFFLÉ AUX FRAMBOISES ET AUX ABRICOTS

¼ tasse	60 mL	farine tout usage
1 tasse	250 mL	lait
½ tasse	125 mL	sucre granulé
½ tasse	125 mL	abricots en purée
¼ tasse	60 mL	confiture de framboises
2 c. à table	30 mL	beurre
4	4	oeufs
2	2	blancs d'oeufs

Beurrer un moule à soufflé de 6 à 8 quart (1.5–2 L). Saupoudrer le fond et les parois de sucre.

Dans une casserole, fouetter la farine dans le lait et chauffer jusqu'à ébullition. Ajouter les abricots, les framboises et le beurre en brassant. Ramener à ébullition et retirer du feu immédiatement. Ajouter les jaunes d'oeufs un à un en battant. fouetter les blancs d'oeufs en neige ferme et incorporer au mélange en pliant. Verser dans le moule à soufflé et cuire pendant 40 minutes dans un four préchauffé à 400°F (200°C). Servir accompagné d'une sauce au brandy aux abricots.

DONNE 4 PORTIONS

FRAISES ENROBÉES DE CHOCOLAT AUX PACANES

25	25	grosses fraises fraîches
4 onces	120 g	chocolat mi-sucré râpé
1 c. à table	15 mL	beurre fondu
1½ tasses	375 mL	morceaux de pacanes finement hachés

Laver et sécher les fraises. Dans un bain-marie, faire fondre le chocolat et incorporer le beurre. Tremper les fraises dans le chocolat et ensuite dans les noix. Les placer sur une feuille de papier ciré et les laisser durcir avant de les disposer sur un plat. Ne pas réfrigérer.

PAIN AUX BANANES ET AUX PACANES

½ tasse	125 mL	graisse végétale ou beurre
¾ tasse	180 mL	sucre brun
¼ tasse	60 mL	sucre granulé
pincée	pincée	sel
1	1	oeuf
1 tasse	250 mL	bananes très mûres, en purée
1¼ tasses	310 mL	farine à pâtisserie
½ c. à thé	3 mL	poudre à pâte
½ tasse	125 mL	beurre
1 tasse	250 mL	sucre brun
¾ tasse	180 mL	pacanes entières

Battre le beurre en crème avec les sucres et le sel jusqu'à ce que le mélange soit léger et onctueux. Ajouter l'oeuf et les bananes en brassant. Tamiser ensemble la farine et la poudre à pâte. Ajouter à la préparation aux bananes en pliant.

Faire chauffer le beurre dans une casserole et ajouter le sucre brun. Cuire jusqu'à ce que le mélange devienne lisse. Graisser et enfariner un moule à pain de 9" x 5" (23 x 12 cm) y étendre la sauce. Parsemer la sauce de pacanes et étendre la préparation aux bananes. Mettre dans un four préchauffé à 375°F (190°C) pendant30 à 35 minutes.

Le caramel qui s'est formé au fond du moule prend du temps se démouler. Il faut donc retourner le pain sur une grille à gâteau et le laisser reposer pendant 30 secondes avant de retirer le moule. Les noix vont être incrustées dans le pain et le caramel chaud va le pénètrer et se raffermir.

NEIGE À L'ANANAS

1 c. à table	15 mL	gélatine sans saveur
¼ tasse	60 mL	eau froide
1 tasse	250 mL	ananas broyés égouttés
½ tasse	125 mL	sirop d'ananas
½ tasse	125 mL	jus d'ananas
2 c. à table	30 mL	jus de citron
2	2	blancs d'oeufs
¼ tasse	60 mL	sucre granulé

Dissoudre la gélatine dans l'eau froide. Mettre dans une casserole avec l'ananas broyé, le sirop et les jus, et amener à ébullition, et retirer du feu. Laisser refroidir jusqu'à ce que le mélange soit presque ferme. Battre les blancs d'oeufs en neige ferme et ajouter graduellement le sucre. Ajouter aux ananas en pliant. Verser dans un moule ou un bol. Réfrigérer jusqu'à ce que le mélange soit ferme. Démouler et servir.

DONNE 4 PORTIONS

PAINS AUX BANANES

1¾ tasses	430 mL	farine tout usage non tamisée
½ c. à thé	3 mL	bicarbonate de soude
1½ c. à thé	8 mL	poudre à pâte
¾ tasse	180 mL	sucre granulé
5 onces	145 g	boules de gomme, coupées en morceaux
1	1	oeuf,battu
¼ tasse	60 mL	huile
1 tasse	250 mL	bananes écrasées (environ 3)
½ tasse	125 mL	lait
2 c. à thé	10 mL	écorce d'orange râpée

Mesurer et tamiser les ingrédients secs dans un bol et incorporer les morceaux de boules de gomme. Combiner les autres ingrédients et les ajouter aux ingrédients secs en brassant. Brasser jusqu'à ce que le mélange soit homogène et verser dans un moule graissé de 9" x 5" (23 x 12 cm). Cuire dans un four préchauffé à 350°F (180°C) pendant 50 minutes.

DONNE 1 PAIN

Neige à l'Ananas

Tarte aux Pommes et aux Cerises

POMMES FARCIES AUX MÛRES

6	6	grosses pommes rouges
3 c. à table	45 mL	jus de citron
1 tasse	250 mL	sucre granulé
¼ tasse	60 mL	fécule de maïs
2	2	oeufs
1 tasse	250 mL	lait
¼ tasse	60 mL	liqueur de Calvados ou jus de pomme concentré
⅛ c. à thé	pincée	sel
2 pintes	0.5 L	mûres fraîches, lavées équeutées
¼ tasse	60 mL	sucre à glacer

Couper le dessus des pommes, retirer la pulpe, en réserver 2 tasses (500 mL). Badigeonner l'intérieur des pommes avec du jus de citron.

Combiner le sucre, la fécule de maïs et les oeufs dans un bain-marie. Ajouter le lait et le Calvados. Cuire en brassant jusqu'à ce que le mélange devienne trrès épais. Incorporer la pulpe des pommes et le sel. Remplir les pommes de la garniture. Laisser refroidir et réfrigérer.

Placer sur des assiettes de service, garnies de mûres et parsemer de sucre à glacer.

DONNE 6 PORTIONS

TARTE AUX POMMES ET AUX CERISES

1	1	pâte nature (voir page 616)
2 tasses	500 mL	pommes tranchées
2 tasses	500 mL	cerises rouges, sures
½ c. à thé	3 mL	essence d'amande
⅓ tasse	80 mL	farine tout usage
¼ c. à thé	2 mL	cannelle
¾ tasse	180 mL	sucre granulé
3 c. à table	45 mL	beurre

Abaisser la pâte et l'insérer dans un moule à tarte de 9" (23 cm).

Mettre les pommes et les cerises dans la pâte.

Mélanger l'essence, la farine, la cannelle et le sucre ensemble. Ajouter le beurre en coupant jusqu'à la formation d'un mélange grumeleux. Étendre sur les fruits.

Humecter les bords de la pâte avec de l'eau. Abaisser le restant de pâte et la découper en lanières de ½" (1.5 cm). Disposer les lanières sur la tarte à la façon de treillis, en humectant la pâte là où il est nécessaire de la sceller. Canneler les bords.

Cuire dans un four préchauffé à 350°F (180°C) pendant 45 minutes, ou jusqu'à ce que la pâte soit dorée et que les cerises soient tendres. Laisser refroidir avant de servir.

DONNE 6 PORTIONS

BONBONS À LA GUIMAUVE

2 tasses	500 mL	sucre granulé
∠ tasses	500 mL	crème
8 onces	225 g	chocolat mi-sucré, fondu
¼ tasse	60 mL	beurre
1 c. à thé	5 mL	vanille
1 tasse	250 mL	guimauves
2 onces	60 g	chocolat blanc, fondu

Mélanger le sucre, la crème, 5 onces (120 g) de chocolat, le beurre et la vanille dans une casserole. Amener à ébullition et cuire jusqu'au niveau de balle molle (238°F or 114°C). Faire fondre la guimauve dans une bain-marie et ajouter la préparation au chocolat.

Verser la préparation sur une plaque à biscuits graissée. Tandis que le melange refroidi, le briser en morceaux de la grosseur d'une noix de Grenoble et les rouler pour former des balles lisses. Disposer les balles sur une plaque à biscuits et les laisser refroidir. Les tremper dans le restant de chocolat et les parsemer de chocolat blanc.

DONNE 24 BONBONS

PAINS

La majorité d'entre-nous se souvient du pain que notre grand-mère avait l'habitude de cuire dans sa cuisine accueillante. Des pains dorés, odorants — croustillants, tendres et délicieux. De nos jours, il est plus rare de préparer le pain à la maison, et c'est dommage parce que c'est une tâche si agréable et étonnamment facile.

La consommation du pain est devenue presque universelle en plus d'être un élément indispensable au régime quotidien de la majorité des individus. Préparé à partir de son, de riz, de blé, de maïs ou de seigle, le pain est la seule nourriture présente sur la table du début à la fin du repas. Le pain constitue le mets d'accompagnement traditionnel de tous les plats, en ralentissant la consommation de la nourriture, il facilite la digestion et soulage la faim.

Il n'y a que deux éléments essentiels pour préparer un pain réussi: il faut sélectionner les ingrédients avec soin et maîtriser nos procédures simples à suivre qui garantissent un produit *Tout Simplement Délicieux*. Votre réussite aura une croûte croustillante et douce, ainsi qu'une attrayante couleur dorée - les indices d'un pain couronné de succès.

Dans *Tout Simplement Délicieux 2*, nous avons pris le temps de vous fournir les principes de base de l'art de préparer le pain, nécessitant de la farine à pain blanche et de la farine de blé entier. Dès que vous aurez réalisé à quel point il est facile de préparer vos propres pains, expérimentez avec différents genres de farine et transformez votre pain blanc en pain au son croustillant, ou encore en pain viennois ou allemand, pour n'en nommer que quelques uns. Juste avant la cuisson, placer le dessus du pain dans les graines de pavot, de sésame, ou de cumin. Pour préparer le pain français en lui donnant une nouvelle tournure, tressez-le et placez-le sur une plaque à biscuits légèrement parsemée de farine de maïs. Les variétés sont grandes, l'effort est petit, et le résultat, comme toujours, recevra les louanges de vos convives qui demanderont qu'on leur passe le pain *Tout Simplement Délicieux*.

Bagels

Biscuits aux Groseilles pour le Thé

PAIN AUX DATTES

½ tasse	125 mL	mélasse
2 tasses	500 mL	lait tiède
1¾ tasses	440 mL	eau tiède
¼ tasse	60 mL	beurre fondu
3 tasses	750 mL	dattes hachées
3 c. à table	45 mL	levure instantanée
½ c. à thé	3 mL	sel
6 tasses	1.5 L	farine de blé entier
6 tasses	1.5 L	farine à pain

Mélanger ensemble la mélasse, le lait, l'eau, le beurre et les dattes.

Combiner la levure et le sel.

Mélanger ensemble les farines et mettre 2 tasses de côté. Tamiser le reste avec la levure. Incorporer le mélange liquide et mélanger jusqu'à l'obtention d'une pâte lisse. Incorporer le restant de farine en petites quantités jusqu'à l'obtention d'une pâte élastique qui ne colle pas aux parois du bol (utiliser suffisamment de farine pour obtenir cette pâte), pétrir pendant 5 minutes.

Mettre le bol contenant la pâte dans un bol rempli d'eau chaude pour permettre à la pâte de lever. Démouler la pâte sur une surface légèrement enfarinée, l'ecraser et former 3 pains individuels. Placer dans 3 moules à pain bien graissés, laissé la pâte lever jusqu'à ce qu'elle ait doublé de volume.

Cuire dans un four préchauffé à 350°F (180°C) pendant 40 minutes ou jusqu'à ce que la pâte soit dorée et ferme au centre. Retirer du four et laisser reposer pendant 10 minutes. Démouler sur une grille pour laisser refroidir à la température de la pièce avant de servir.

DONNE 3 PAINS

Pain aux Dattes

BISCUITS AUX GROSEILLES POUR LE THÉ

2½ tasses	625 mL	farine à pain
2 c. à thé	10 mL	poudre à pâte
½ c. à thé	3 mL	sel
5 c. à table	75 mL	beurre
½ tasse	125 mL	lait
1 c. à thé	5 mL	écorce d'orange râpée
1	1	jaune d'oeuf battu
4 c. à table	60 mL	gelée de groseille

Tamiser ensemble la farine, la poudre à pâte et le sel deux fois.

Incorporer le beurre en coupant à la fourchette jusqu'à la formation de grumeaux. Retirer ⅓ du mélanger et mélanger le restant avec le lait. Pétrir jusqu'à la formation d'une pâte lisse.

Ajouter l'écorce d'orange, l'oeuf et la gelée tout en continuant de pétrir la pâte. Mélanger les deux boules de pâte ensemble. Sur une surface légèrement enfarinée abaisser la pâte à ½" (1.5 cm) d'épaisseur. À l'aide d'un petit emporte-pièce enfariné découper les biscuits.

Cuire pendant 15 à 18 minutes dans un four préchauffé à 400°F (200°C).

DONNE 16 BISCUITS

BISCUITS AU CHEDDAR À LA MODE D'ANTAN

2 tasses	500 mL	farine à pain
2 c. à thé	10 mL	poudre à pâte
⅛ c. à thé	pincée	sel
2 c. à table	30 mL	beurre
1 tasse	250 mL	fromage Cheddar moyen râpé
¾ tasse	190 mL	lait

Tamiser ensemble la farine, la poudre à pâte et le sel. Incorporer le beurre et le fromage en coupant. Ajouter graduellement le lait jusqu'à l'obtention d'une pâte lisse.

Mettre la pâte sur une surface légèrement enfarinée et la pétrir légèrement (30 secondes). Abaisser la pâte en un large carré de ¼" (6 mm) d'épaisseur. Découper les biscuits à l'aide d'un emporte-pièce ou couper des carrés de grandeur égale.

Mettre sur une plaque à pâtisserie non graissée et cuire dans un four préchauffé à 400°F (200°C) pendant 15 à 18 minutes.

DONNE 12 BISCUITS

ROULEAUX À LA CANNELLE

1 quan	1 quan	pâte gourmet (voir page 541)
2 tasses	500 mL	sucre brun
5 c. à thé	25 mL	cannelle
2 tasses	500 mL	pacanes finement hachées

Dans un moule à muffins de grandeur moyenne graissé de 12 tasse (3 L), diviser également ½ tasse (125 mL) de sucre brun et ½ tasse (125 mL) de pacanes. Préchauffer le four à 375°F (190°C).

Abaisser la pâte sur une surface légèrement enfarinée et former un carré de 9" (23 cm).

Saupoudrer la pâte de 1½ tasses (375 ml) de sucre, de cannelle et de 1½ tasses (375 ml) de pacanes. Rouler la pâte et sceller les bouts.

Couper douze épaisses tranches de ¾" (2 cm) et les disposer sur le côté plat dans le moule à muffins graissé. Cuire pendant 12 à 15 minutes. Retirer du moule immédiatement.

DONNE 12 ROULEAUX

PETITS PAINS AUTRICHIENS

3¾ tasses	940 mL	farine à pain
1 c. à thé	5 mL	sel
1 c. à table	15 mL	levure instantanée
1 c. à thé	5 mL	sucre granulé
1½ tasses	375 mL	crème de table
1	1	oeuf battu
2 c. à table	30 mL	beurre fondu

Tamiser ensemble la farine, le sel, la levure et le sucre. Ajouter la crème et l'oeuf et pétrir jusqu'à l'obtention d'une pâte lisse. Couvrir pour permettre à la pâte de lever et de doubler de volume.

Mettre la pâte sur une surface légèrement enfarinée et la diviser en 18 morceaux de grosseur égale. Façonner les morceaux de pâte en boules et les placer sur une plaque à biscuits légèrement graissée et laisser lever et doubler de volume.

Badigeonner les petits pains de beurre fondu, et les cuire dans un four préchaufffé à 425°F (220°C) pendant 15 à 17 minutes. Servir chauds ou froids.

DONNE 18 PETITS PAINS

BEIGNETS CROQUANTS AU CHOCOLAT ET AUX NOIX

1 c. à table	15 mL	poudre de cacao
3 tasses	750 mL	farine tout usage
1 tasse	250 mL	sucre granulé
¾ tasse	180 mL	lait
2	2	oeufs
2 c. à table	30 mL	graisse végétale
2 c. à thé	10 mL	poudre à pâte
1 c. à thé	5 mL	bicarbonate de soude
1 c. à thé	5 mL	sel
2 onces	60 g	chocolat mi-sucré
½ tasse	125 mL	noix de Grenoble en morceaux

Mélanger ensemble dans un bol le cacao, la moitié de la farine et le sucre. Incorporer les autres ingrédients en brassant. Tout en brassant incorporer graduellement le restant de farine. Réfrigérer pendant 1 heure. Abaisser la pâte pour qu'elle atteigne ¼" (6 mm) d'épaisseur. Découper en forme de restangle. Frire les rectangles dans l'huile à 375°F (190°C). Les retourner une seule fois et les égoutter sur du papier absorbant. Parsemer de sucre granulé.

DONNE 24 BEIGNETS

Rouleaux à la Cannelle

Biscuits aux Noix de Cajou et à l'Érable

PAINS

BEIGNETS AUX POMMES ÉPICÉES

1¼ tasses	310 mL	farine tout usage
1½ c. à thé	8 mL	poudre à pâte
3 c. à table	45 mL	sucre
1 c. à thé	5 mL	cannelle
2	2	oeufs
¼ c. à thé	2 mL	sel
1 c. à thé	5 mL	vanille
½ tasse	125 mL	lait
1 tasse	250 mL	pommes – pelées décortiquées et coupées en dés

Tamiser la farine, la poudre à pâte, le sucre et la cannelle. Battre les oeufs avec le sel, la vanille et le lait. Incoporer à la farine en brassant et ajouter les pommes. Laisser tomber la préparation par grosses cuillérées dans l'huile chauffée à 375°F (190°C) et frire jusqu'à ce qu'elle soit dorée. Retirer et égoutter sur du papier essuie-tout. Parsemer de sucre à la cannelle (la recette qui suit) pendant que c'est encore chaud.

SUCRE À LA CANNELLE

2 tasses	500 mL	sucre à glacer
1 c. à table	15 mL	cannelle moulue

Mélanger ensemble.

DONNE 1 DOUZAINE

BISCUITS AUX NOIX DE CAJOU ET À L'ÉRABLE

3 c. à table	45 mL	beurre fondu
½ tasse	125 mL	sirop d'érable
¼ c. à thé	1 mL	cannelle moulue
2 tasses	500 mL	farine à pain
1 c. à table	15 mL	poudre à pâte
½ c. à thé	3 mL	sel
¼ tasse	60 mL	beurre
⅓ tasse	90 mL	lait
½ tasse	125 mL	noix de cajou en morceaux

Combiner le beurre, le sirop et la cannelle. Mettre ½ c. à table (8 mL) dans 8 moules à muffins.

Mélanger la farine, la poudre à pâte et le sel, et tamiser une fois. Découper le beurre dans la farine jusqu'à l'obtention d'un mélange granuleux. Incorporer le lait.

Mettre la pâte sur une surface légèrement enfarinée et pétrir légèrement pendant (30 secondes). Abaisser en un carré de 9" x 9" (23 x 23 cm). Verser le restant du sirop sur la pâte et parsemer de noix. Rouler la pâte bien serrée et la couper en huit morceaux de grosseur égale.

Disposer le côté dans les moules à muffins. Cuire pendant 15 minutes dans un four préchauffé à 400°F (200°C).

DONNE 8 BISCUITS

TORSADES AU BABEURRE

2 c. à table	30 mL	sucre granulé
2 c. à table	30 mL	sucre brun
2 tasses	500 mL	babeurre
1 c. à thé	5 mL	sel
2 c. à table	30 mL	levure instantanée
5 tasses	1.25 L	farine de pain
½ c. à thé	3 mL	bicarbonate de soude
½ tasse	125 mL	beurre fondu chaud

Combiner ensemble le sucre et le babeurre.

Tamiser ensemble deux fois, le sel, la levure, la farine et le bicarbonate de soude. Ajouter le mélange liquide et mélanger jusqu'à l'obtention d'une pâte lisse. Badigeonner de beurre, couvrir et laisser lever jusqu'à ce que la pâte ait doublé de volume.

Mettre la pâte sur une surface légèrement enfarinée et l'abaisser jusqu'à ce qu'elle soit très mince. La badigeonner de beurre, la plier trois fois et la couper en bandes de 2" (5 cm). Rouler les bandes en torsade et les déposer sur une plaque légèrement graissée. Laisser lever jusqu'à ce que le volume ait doublé.

Badigeonner de beurreet cuire pendant 20 à 25 minutes dans un four préchauffé à 375°F (190°C).

DONNE 3 DOUZAINES DE TORSADES

685

ROULEAUX AUX RAISINS ET AUX PACANES

3 tasses	45 mL	farine à pain
2 c. à table	30 mL	poudre à pâte
2 c. à table	30 mL	sucre granulé
1	1	oeuf battu
1 tasse	250 mL	crème de table
1 c. à thé	5 mL	sel
⅓ tasse	90 mL	beurre
1 tasse	250 mL	sucre brun
1 c. à thé	5 mL	cannelle moulue
½ tasse	125 mL	pacanes en morceaux
½ tasse	125 mL	raisins secs sans pépins

Tamiser ensemble la farine, la poudre à pâte, le sucre et le sel.

Battre l'oeuf avec la crème.

Mettre en crème ¼ tasse (60 mL) de beurre jusqu'à consistance légère, ajouter la farine en alternant avec la crème.

Abaisser la pâte sur une surface légèrement enfarinée. Étendre le restant de beurre sur la pâte.

Combiner le sucre brun, la cannelle, les pacanes et les raisins, et étendre le tout sur la pâte. Rouler la pâte bien serrée et la couper en 10 ou 12 morceaux. Les déposer sur une plaque graissée à ¼" (6 mm) d'écart et cuire dans un four préchauffé à 350°F (180°C) pendant 20 à 25 minutes. Servir chaud ou froid.

DONNE 10-12 GROS ROULEAUX

Biscuits au Babeurre et au Miel

BISCUITS AU BABEURRE ET AU MIEL

2 tasses	500 mL	farine à pain
2 c. à thé	10 mL	poudre à pâte
¼ c. à thé	1 mL	bicarbonate de soude
½ c. à thé	3 mL	sel
¼ tasse	60 mL	graisse végétale
½ tasse	125 mL	babeurre
¼ tasse	60 mL	miel liquide

Tamiser ensemble la farine, la poudre à pâte, le bicarbonate de soude et le sel. Incorporer la graisse végétale jusqu'à ce que le mélange devienne grumeleux.

Incorporer le babeurre et le miel et pétrir jusqu'à l'obtention d'une pâte lisse. Abaisser la pâte en un carré de ½" (1.5 cm) d'épaisseur. Découper à l'aide d'un emporte-pièce enfariné. Cuire pendant 15 à 18 minutes dans un four préchauffé à 400°F (200°C).

DONNE 12 BISCUITS

BISCUITS CAMPAGNARDS AU FROMAGE COTTAGE

1 tasse	250 mL	fromage cottage passé au tamis
2 c. à table	30 mL	crème moitié et moitié
1	1	oeuf battu
2 c. à table	30 mL	beurre
⅛ c. à thé	pincée	basilic
2 tasses	500 mL	farine à pain
½ c. à thé	3 mL	sel
4 c. à thé	20 mL	poudre à pâte

Mettre en crème le fromage, la crème, l'oeuf et le beurre.

Combiner ensemble le basilic, la farine, le sel et la poudre à pâte.

Incorporer le mélange à la crème dans la farine en pliant et pétrir jusqu'à l'obtention d'une pâte lisse. Abaisser la pâte sur une surface légèrement enfarinée en un carré de ½" (1.5 cm) d'épaisseur. Couper à l'aide d'un emporte-pièce enfariné et déposer sur une plaque à biscuits graissée. Cuire pendant 15-18 minutes dans un four préchauffé à 400°F (200°C).

DONNE 12 BISCUITS

Rouleaux aux Raisins et aux Pacanes

PAIN CALIFORNIEN

1 tasse	250 mL	pâte à la levure (la recette qui suit)
1½ tasses	375 mL	eau chaude
2 c. à table	30 mL	sucre granulé
6 tasses	1.5 L	farine tout usage
1 c. à table	15 mL	sel
½ c. à thé	3 mL	bicarbonate de soude

Combiner la pâte, l'eau, le sucre et 3 tasses de farine dans un grand bol. Couvrir hermétiquement d'une pellicule de plastique et laisser reposer pendant 8 à 12 heures ou pendant la nuit. .

Combiner le sel et le bicarbonate de soude avec 1 tasse (250 mL) de farine, et former une pâte. Pétrir en incorporant suffisamment de farine qui reste pour que la pâte se tienne. Pétrir pendant 10 minutes. Former deux boules et les déposer sur une plaque à biscuits. À l'aide d'un couteau bien aiguisé faire des incisions de ¼" (6 mm) de profondeur (au besoin). Couvrir la pâte et la laisser lever pendant 2 heures.

Asperger légèrement d'eau, cuire dans un four préchauffé à 350°F (180°C) pendant 40 à 45 minutes.

DONNE 2 PAINS

PÂTE À LEVURE

2 tasses	500 mL	farine tout usage
1 c. à table	15 mL	levure déshydratée
1 c. à table	15 mL	sucre granulé
2 tasses	500 mL	eau

Combiner les ingrédients dans un grand bol de verre. Couvrir et laisser reposer pendant 48 heures dans un endroit chaud. Utiliser au besoin ou couvrir et réfrigérer. Pour remplir de nouveau incorporer 1 tasse (250 ml) de farine et 1 tasse (250 ml) d'eau en brassant. Laisser reposer dans un endroit chaud pendant 48 heures avant de couvrir et de réfrigérer.

Pain Californien

BEIGNETS À L'ORANGE, AU MIEL ET À LA CRÈME SURE

½ tasse	125 mL	miel liquide
2	2	oeufs
¼ c. à thé	2 mL	sel
½ tasse	125 mL	crème sure
2 tasses	500 mL	farine tout usage
2 c. à thé	10 mL	poudre à pâte
1 c. à table	15 mL	écorce d'orange râpée
1 c. à table	15 mL	jus de citron
½ tasse	125 mL	jus d'orange

Mélanger le miel, les oeufs, le sel et la crème sure. Tamiser ensemble la farine et la poudre à pâte, incorporer au mélange à la crème. Ajouter l'écorce d'orange, le jus de citron et le jus d'orange. Laisser tomber des cuillérées dans l'huile chaude à 375°F (190°C). Les faire frire jusqu'à ce qu'elles soient dorées. Les retirer et les égoutter sur du papier absorbant. Badigeonner de glaçage à l'orange (la recette qui suit).

GLAÇAGE À L'ORANGE

| 1 tasse | 250 mL | sucre granulé |
| ½ tasse | 125 mL | jus d'orange |

Combiner les ingrédients dans une casserole. Amener à ébuillition et réduire le feu. Laisser mijoter pendant 5 minutes. Badigeonner les beignets chauds.

DONNE 24 BEIGNETS

PAIN BRIOCHÉ AU SUCRE

¾ tasse	190 mL	lait
½ tasse	125 mL	beurre
¾ tasse	190 mL	sirop d'érable
3½ tasses	875 ml	farine à pain
1 c. à table	15 mL	levure instantanée
½ c. à thé	3 mL	sel
1	1	oeufs
½ tasse	125 mL	sucre brun
⅓ tasse	90 mL	sucre d'érable
½ c. à thé	3 mL	cannelle moulue
½ tasse	125 mL	noix de Grenoble hachées

Réchauffer le lait et le beurre dans une petite casserole avec ¼ tasse (60 mL) de sirop d'érable. Laisser refroidir à la température de la pièce.

Tamiser 3 tasses (750 mL) de farine, avec la levure et le sel.

Battre les oeufs, les ajouter au liquide refroidi et les incorporer à la farine en brassant jusqu'à l'obtention d'une pâte lisse. Incorporer suffisamment de la farine qui reste pour obtenir une pâte qui se tienne. Couvrir la pâte et la laisser lever jusqu'à ce qu'elle double son volume.

Pendant que la pâte lève, combiner le sucre brun avec le sucre d'érable. Battre en crème le restant de beurre et l'incorporer aux sucres en pliant. Incorporer en brassant, le restant de sirop d'érable, 2 c. à table (30 mL) de farine, la cannelle et les noix.

Diviser la pâte en deux parts et et les abaisser en carré de 12" x 12" (30 x 30 cm). Étendre la garniture à l'érable. Rouler les deux carrés de pâte bien serré et couper chacun en 10 morceaux. Placer les rouleaux sur une plaque à biscuits graissée. Laisser lever jusqu'à ce que le volume ait doublé. Cuire dans un four préchauffé à 350°F (180°C) pendant 35 à 40 minutes. Servir chaud ou froid.

DONNE 20 ROULEAUX

PAIN AUX POMMES ET AUX GROSEILLES

2 tasses	500 mL	farine à pain
½ c. à thé	3 mL	sel
1 c. à thé	5 mL	poudre à pâte
½ c. à thé	3 mL	cannelle moulue
½ tasse	125 mL	beurre
1 tasse	250 mL	sucre granulé
1	1	oeuf battu
½ tasse	125 mL	crème moitié et moitié
1 tasse	250 mL	pommes pelées, décortiquées et finement tranchées
½ tasse	125 mL	groseilles fraîches ou congelées, hachées

Tamiser ensemble la farine, le sel, la poudre à pâte et la cannelle.

Battre en crème le beurre et le sucre jusqu'à ce que le mélange soit léger et homogène. Ajouter l'oeuf en brassant. Incorporer la farine en alternant avec la crème. Incorporer les pommes et les groseilles.

Verser la pâte dans un moule à pain bien graissé de 9" et cuire pendant 75 minutes dans un four préchauffé à 350°F (180°C) ou jusqu'à ce qu'un cure-dents inséré dans le centre en ressorte propre. Retirer du four et laisser refroidir pendant 10 minutes. Démouler le pain et le laisser refroidir à la température de la pièce avant de servir.

DONNE 1 PAIN

PÂTE FEUILLETÉE

2 tasses	500 mL	farine à pâtisserie
½ livre	125 mL	beurre
½ c. à thé	3 mL	sel
½ tasse	125 mL	eau froide

Placer la farine dans un bol et incorporer 2 c. à table (30 mL) de beurre en coupant. Ajouter en brassant le sel et suffisamment d'eau pour obtenir une pâte qui se tienne. Pétrir la pâte pendant 5 minutes.

Sur une surface légèrement enfarinée, abaisser la pâte à ¼" (6 mm) d'épaisseur en forme de rectangle. Parsemer le tiers de la pâte avec le restant de beurre, plier en trois (la partie non beurrée sur la partie beurrée et la troisième partie sur les deux autres). Couvrir d'une serviette et laisser refroidir pendant 1 heure.

Abaisser la pâte de nouveau à ¼" (6 mm) d'épaisseur, la replier, la couvrir et la réfrigérer pendant 1 heure. Répéter ces opérations 4 à 8 fois indépendamment de la consistance de la pâte feuilletée désirée.

Dérouler la pâte et l'utiliser au besoin, cuire à 425°F (215°C) pendant 5 minutes, réduire la température à 375°F (190°C) et pousuivre la cuisson pendant 25 à 30 minutes.

BAGELS

Pain aux Pommes et aux Groseilles

Muffins aux Bleuets Sauvages de l'Ontario

BAGELS

4-5 tasses	1-1.25 L	farine tout usage
1 c. à table	15 mL	levure instantanée
2 c. à thé	10 mL	sel
1½ tasses	375 mL	eau chaude 130°F (55°C)
2 c. à table	30 mL	miel
1	1	blanc d'oeuf
1 c. à table	15 mL	eau froide

Bagels

Tamiser ensemble 4 tasses (1 L) de farine, avec la levure et le sel. Incorporer au mélange en brassant l'eau chaude et le miel, et ajouter suffisamment de la farine restante pour former une pâte lisse. Pétrir pendant 5 minutes.

Couvrir la pâte et la laisser reposer pendant 15 minutes.

Diviser la pâte en 12 parts égales. Les rouler en boule et les aplatir. Percer un trou au centre, et étirer la pâte pour que le trou s'élargisse et atteigne 1½" (3.75 cm) de grandeur. Placer sur une surface légèrement enfarinée, couvrir et laisser lever pendant 20 minutes.

Dans une grande poêle ou un poêlon électrique, mettre suffisamment d'eau pour qu'elle remplisse 2" (5 cm) du fond, et l'amener à ébullition. Laisser mijoter quelques bagels à la fois dans l'eau pendant 7 minutes. Les retirer de l'eau, les éponger et les mettre sur une plaque à biscuits.

Mélanger le blanc d'oeuf avec l'eau froide et badigeonner les bagels. Les parsemer de graines de pavot et cuire dans un four préchauffé à 375°F (190°C) pendant 30 minutes ou jusqu'à ce qu'ils soient dorés ou bien cuits. Excellents avec du fromage à la crème et du saumon fumé.

DONNE 12 BAGELS

MUFFINS AUX BLEUETS SAUVAGES DE L'ONTARIO

1 tasse	250 mL	sucre granulé
½ tasse	125 mL	beurre
2	2	oeufs
⅓ tasse	90 mL	lait
½ c. à thé	3 mL	essence de vanille
2 tasses	500 mL	farine tout usage
2 c. à thé	10 mL	poudre à pâte
½ c. à thé	3 mL	sel
1 tasse	250 mL	bleuets sauvages frais, lavés et triés

Combiner ensemble le sucre, le beurre, les oeufs, le lait et la vanille.

Tamiser ensemble la farine, la poudre à pâte et le sel. Incorporer le mélange liquide aux ingrédients secs et brasser jusqu'à l'obtention d'une pâte lisse. Incorporer les bleuets en pliant.

Avec une cuillère, répartir la préparation dans 12 gros moules à muffins bien graissés. Cuire dans un four préchauffé à 375°F (190°C) pendant 20 à 25 minutes. Servir chauds ou froids.

DONNE 12 MUFFINS

BISCUITS AUX DATTES ET AUX NOIX

2 tasses	500 mL	farine à pain
1 c. à table	15 mL	poudre à pâte
¼ c. à thé	1 mL	sel
¼ tasse	60 mL	graisse végétale
¾ tasse	190 mL	lait
½ tasse	125 mL	dattes hachées
¼ tasse	60 mL	noix de Grenoble hachées

Tamiser ensemble la farine, la poudre à pâte et le sel.

Mélanger la graisse végétale avec la farine jusqu'à l'obtention d'un mélange grumeleux. Incorporer le lait en mélangeant jusqu'à l'obtention d'une pâte lisse. Pétrir pendant 30 secondes en ajoutant les dattes et les noix.

Sur une surface légèrement enfarinée, abaisser la pâte pour qu'elle ait ¼" (6 mm) d'épaisseur. Découper les biscuits à l'aide d'un emporte-pièce enfariné. Les déposer sur une plaque à biscuits non graissée.

Cuire pendant 15 à 18 minutes dans un four préchauffé à 400°F (200°C).

DONNE 16 BISCUITS

BEIGNES AUX BANANES

2½ tasses	625 mL	farine tout usage
1½ c. à thé	8 mL	poudre à pâte
½ c. à thé	3 mL	bicarbonate de soude
1 c. à thé	5 mL	sel
½ c. à thé	3 mL	muscade
3 c. à table	45 mL	graisse végétale
½ tasse	125 mL	sucre granulé
2	2	oeufs
⅓	90 mL	bananes écrasées
¼ tasse	60 mL	babeurre
1 c. à thé	5 mL	essence de vanille

Tamiser ensemble la farine, la poudre à pâte, le bicarbonate de soude, le sel et la muscade trois fois. Battre en crème la graisse végétale et le sucre, et incorporer les oeufs, les bananes, le babeurre et la vanille. Ajouter les ingrédients secs en mélangeant pour obtenir une pâte à consistance lisse. Diviser la pâte en deux parts. Sur une surface légèrement enfarinée, les abaisser à ¼" (6 mm) d'épaisseur. Découper les beignes à l'aide d'un emporte-pièce de 2½" (6 cm) enfariné. Frire à 375°F (190°C) dans une friteuse profonde jusqu'à ce qu'ils soient dorés. Égoutter sur du papier absorbant.

DONNE 20 BEIGNES

BISCUITS À L'ORANGE ET AUX PACANES

2 tasse	500 mL	farine à pain
1 c. à thé	5 mL	sel
2 c. à thé	10 mL	poudre à pâte
2 c. à thé	10 mL	écorce d'orange râpée
3 c. à table	45 mL	pacanes finement hachées
6 onces	170 g	fromage à la crème
1 tasse	250 mL	beurre
½ tasse	125 mL	jus d'orange
18	18	moitiés de pacanes

Tamiser ensemble la farine, le sel et la poudre à pâte deux fois et incorporer l'écorce d'orange et les pacanes hachées.

Battre en crème le fromage et le beurre. Incorporer aux ingrédients secs et pétrir en une pâte à consistance lisse.

Ajouter le jus d'orange et pétrir pendant 3 minutes.

Mettre la pâte sur une surface légèrement enfarinée. L'abaisser en un carré de ¼" (6 mm) d'épaisseur. Découper à l'aide d'un petit emporte-pièce enfariné. Déposer sur une plaque à biscuits non graissée et garnir chaque biscuit d'une moitié de pacane.

Cuire dans un four préchauffé à 400°F (200°C) pendant 15 à 20 minutes.

DONNE 12 BISCUITS

PAIN AU SON, AUX POIRES & AUX CAROTTES

1 tasse	250 mL	poires pelées et râpées
¼ tasse	60 mL	carottes pelées et râpées
2	2	gros oeufs battus
1 tasse	250 mL	son
1½ tasses	375 mL	farine à pain
½ tasse	125 mL	sucre granulé
1 c. à thé	5 mL	poudre à pâte
½ c. à thé	3 mL	sel
½ c. à thé	3 mL	bicarbonate de soude
¼ tasse	60 mL	beurre
½ tasse	125 mL	pacanes hachées

Combiner ensemble les poires, les carottes, les oeufs et le son et laisser reposer pendant 15 minutes.

Tamiser ensemble la farine, le sucre, la poudre à pâte, le sel et le bicarbonate de soude deux fois. Mélanger le beurre avec la farine jsuqu'à ce que le mélange fasse des grumeaux. Incorporer la préparation aux fruits et bien mélanger. Incorporer les noix et verser le mélange dans un moule à pain de 8½ x 4½ x 2½" (21 x 10 x 5 cm). Laisser reposer pendant 25 minutes.

Cuire dans un four préchauffé à 350°F (180°C) pendant 75 minutes ou jusqu'à ce qu'un cure-dents inséré dans le pain en ressorte sec. Laisser reposer pendant 10 minutes, démouler et laisser refroidir complètement sur une grille avant de servir.

DONNE 1 PAIN

Biscuits à l'Orange et aux Pacanes

Pain au Son, aux Poires et aux Carottes

Beignets Créoles

PAIN À L'ORANGE ET AU BRANDY

1 tasse	250 mL	eau tiède
¼ tasse	60 mL	brandy à l'orange (facultatif, peut être remplacé par une quantité égale de jus d'orange)
¾ tasse	190 mL	jus d'orange
2 c. à thé	10 mL	écorce d'orange râpée
1 c. à thé	5 mL	sel
2 c. à table	30 mL	sucre granulé
1	1	jaune d'oeuf battu
1 c. à table	15 mL	levure instantanée
4 tasses	1 L	farine à pain
2 c. à table	30 mL	beurre fondu

Combiner ensemble l'eau, le brandy, le jus d'orange, l'écorce d'orange, le sel, le sucre et l'oeuf.

Tamiser la levure avec la farine deux fois.

Incorporer au mélange liquide et pétrir jusqu'à l'obtention d'une pâte lisse. Couvrir le bol contenant la pâte et le mettre dans un autre bol rempli d'eau chaude. Laisser la pâte lever jusqu'à ce que son volume double. Retirer la pâte, l'aplatir et la diviser en 2 parts. Les déposer dans deux moules à pain graissés de 9" (23 cm) et les laisser doubler de volume.

Badigeonner les pains de beurre fondu et les cuire dans un four préchauffé à 350°F (180°C) pendant 40 minutes ou jusqu'à ce qu'ils soient dorés et fermes au centre. Retirer du four, les laisser refroidir pendant 10 minutes, les démouler et les laisser refroidir complètement sur une grille avant de les servir.

DONNE 2 PAINS

Pain à l'Orange et au Brandy

BEIGNETS CRÉOLES

1 tasse	200 mL	lait chaud, non bouilli
2 c. à table	30 mL	beurre
1 c. à table	15 mL	sucre brun
1 c. à table	15 mL	sucre granulé
3 tasses	750 mL	farine tout usage
1 c. à thé	5 mL	muscade
1 c. à table	15 mL	levure instantanée
1 c. à thé	5 mL	sel
1	1	oeuf
1 c. à thé	5 mL	vanille
1 tasse	250 mL	sucre à glacer

Combiner le lait, le beurre et les sucres. Mélanger jusqu'à ce que les sucres soient dissous. Laisser refroidir à la température de la pièce. Tamiser ensemble la farine, la muscade, la levure instantanée et le sel. Mélanger la moitié des ingrédients secs avec le lait jusqu'à l'obtention d'une pâte lisse. Incorporer en pliant le restant de la farine. Couvrir et laisser reposer dans un endroit chaud jusqu'à ce que le volume double. Aplatir la pâte et la placer sur une surface légèrement enfarinée. La découper en carrés et la laisser lever de nouveau. Frire dans l'huile à 375°F (190°C). Frire un côté du beigne jusqu'à ce qu'il soit doré avant de le retourner. Saupoudrer de sucre à glacer si désiré.

DONNE 24 BEIGNES

PETITS PAINS AU FROMAGE À LA MODE D'ANTAN

¾ tasse	190 mL	purée de pommes de terre froide
¼ tasse	60 mL	fromage Parmesan râpé
1 tasse	250 mL	farine à pain
3 c. à table	45 mL	poudre à pâte
1 c. à thé	5 mL	sel
2 c. à table	30 mL	beurre
½ tasse	125 mL	lait froid

Mélanger les pommes de terre avec le fromage.

Tamiser ensemble la farine, la poudre à pâte et le sel. Mélanger le beurre avec la farine, incorporer les pommes de terre et travailler la pâte jusqu'à ce que le mélange soit homogène. Incorporer le lait pour que la pâte devienne lisse.

Sur une surface légèrement enfarinée, abaisser la pâte pour qu'elle ait ½ " (1.5 cm) d'épaisseur. La découper en carrés de grosseur égale. Les déposer sur une plaque à biscuits non graissée et cuire pendant 12 à 15 minutes dans un four préchauffé à 400°F (200°C).

DONNE 12 BISCUITS

CONSERVES

Rien ne remplace la fraîcheur du fruit que l'on cueille directement de l'arbre ou de la vigne. Durant les longs mois d'hiver, les gens recherchent ce goût. La meilleure façon de le retrouver est de le préserver à son meilleur. Le temps de la récolte est aussi le temps des conserves et le plaisir de sélectioner les meilleurs fruits et légumes que le marché puisse offrir.

Le meilleur moyen d'obtenir ce goût de «fraîchement cueilli» c'est de le cueillir soi-même. Si ce n'est pas possible, sélectionnez vous-même les fruits au marché local, en prenant soin de ne choisir que les meilleurs. Ceux qui sont tachés ou abîmés ne doivent pas être utilisés pour les conserves. La saveur du fruit est affectée par la tache et sera renforcée par la mise en conserve. Assurez-vous tout aussi de bien brosser tous les fruits, de les équeuter, les laver et les nettoyer avant de commencer la mise en conserve.

Utilisez votre imagination durant la mise en conserve. Mélangez l'exotique et le populaire et créez de nouvelles combinaisons. Gardez en tête une règle : «si c'est un fruit que j'apprécie, il peut être mis en conserve.» Mélanger des papayes, des mangues, des kiwis, des fruits étoiles ou autres fruits exotiques avec des fraises, des framboises, des pommes ou des oranges dans les marmelades, les confitures ou les gelées sera une surprise agréable pour vos invités. Ce sera aussi pour vous toute une expérience de découvrir leur unique combinaison de saveurs.

Vous acquerrez ces connaissances dans ce chapitre lorsque vous ferez l'expérience de conserves comme les confitures de fraises et de papayes ou d'abricots et de kiwis. Ne vous limitez pas à la médiocre expérience d'étendre ces confitures sur une tranche de pain, employez-les dans tous les domaines de la cuisine. Pour hors d'œuvre, une soupe froide de confiture de merises, "relevée" d'une gelée de piments Jalapeños est garantie de faire s'écarquiller les yeux d'invités sans méfiance, mais ils ne l'aimeront que mieux.

Profitez donc de l'été, mais soyez certain de mettre un peu de sa saveur de côté pour rendre les autres saisons *Tout Simplement Délicieuses*.

CONFITURE DE FRAMBOISES

4½ livres	2 kg	framboises
2¼ livres	1 kg	sucre

Laver et trier les framboises. Mettre dans une casserole, chauffer à feu doux et écraser. Ajouter le sucre et amener à ébullition. Bouillir 30 minutes. Verser dans des bocaux stérilisés, sceller et étiqueter avec la date de cuisson.

DONNE 8 bocaux de 8 onces (250 mL)

PÊCHES EN CONSERVE

4½ livres	2 kg	pêches *
2 tasses	500 mL	eau
3 c.à table	45 mL	jus de citron
1½ livre	675 g	sucre granulé

Éplucher et dénoyauter les pêches. Mettre l'eau dans une grande casserole. Ajouter le jus de citron, le sucre et les pêches. Amener à ébullition ; baisser la chaleur et mijoter jusqu'à ce que les pêches soient tendres.

Placer dans des bocaux, couvrir avec le sirop et sceller. Étiqueter avec la date de cuisson.

DONNE 4 à 6 bocaux de 8 onces (250 mL)

* NOTE: Cette recette est valable aussi pour les abricots, les poires, les prunes ou l'ananas.

CERISES AU BRANDY

4½ livres	2 kg	cerises
2 tasses	500 mL	eau
3 livres	1.3 kg	sucre granulé
2 tasses	500 mL	brandy

Laver et dénoyauter les cerises ; mettre dans une casserole. Ajouter l'eau et le sucre, remuer jusqu'à dissolution complète du sucre. Amener à ébullition et cuire 10 minutes. Retirer du feu et laisser reposer 8 heures.

Mettre les cerises dans des bocaux stérilisés ; couvrir avec un montant égal de sirop et de brandy. Sceller et étiqueter avec la date de cuisson.

Laisser reposer un minimum de 2 semaines avant usage.

DONNE 4 à 6 bocaux de 8 onces (250 mL)

POMMES ET ABRICOTS EN CONSERVE

4 tasses	1 L	pommes parées, évidées, en cubes
4 tasses	1 L	abricots pelés, dénoyautés
4 tasses	1 L	sucre
1 c.à table	15 mL	écorce d'orange râpée
1 tasse	250 mL	eau

Mélanger tous les ingrédients dans une casserole. Remuer jusqu'à dissolution complète du sucre. Amener à ébullition, baisser la chaleur et mijoter jusque très épais.

Verser dans des bocaux stérilisés, couvrir et étiqueter avec la date de cuisson.

DONNE 4 bocaux de 8 onces (250 mL)

Conserve de Pommes et d'Abricots

Cerises au Brandy

Cocktail de Fruits

MARMELADE DE JALAPEÑOS

¾ livre	340 g	oranges
¼ tasse	60 mL	jus de citron
3 tasses	750 mL	eau
8	8	jalapeños
6	6	graines de coriandre
1½ livre	675 g	sucre granulé

Laver les oranges, couper en moitiés. Presser le jus des oranges et mettre de côté, avec les graines et la chair.

Mettre le jus dans une grande casserole, ajouter le jus de citron et l'eau.

Couper les jalapeños en demies. Enlever les graines et couper en petits dés.

Mettre les graines, la chair d'orange et la coriandre dans un linge étamine. Ajouter dans la casserole. Trancher la pelure d'orange en julienne. Ajouter dans la casserole, chauffer et mijoter jusqu'à réduction de moitié.

Ajouter le sucre et remuer jusqu'à dissolution. Amener à ébullition et bouillir 12 minutes. Ajouter les jalapeños; bouillir 3 autres minutes.

Écumer et laisser reposer 15 minutes. Verser dans des bocaux propres et stérilisés. Laisser refroidir à la température ambiante et sceller. Étiqueter avec la date de cuisson.

DONNE 4 tasses (1 L)

GELÉE DE JALAPEÑOS

1 livre	450 g	jalapeños frais
½ tasse	125 mL	vinaigre de vin
½ tasse	125 mL	eau
2½ tasses	625 ml	sucre granulé

Laver les jalapeños. Retirer les queues. Couper en deux dans la longueur.

Mettre dans une casserole avec le vinaigre et l'eau. Amener à ébullition, baisser la chaleur et mijoter jusque tendres. Mettre en purée dans un robot de cuisine.

Placer dans une toile à fromage double et laisser égoutter dans un bol 8 heures ou toute une nuit.

Verser 3 tasses (750 mL) de liquide dans une casserole. Dissoudre le sucre dans le liquide. Faire chauffer et cuire rapidement 5 minutes. Verser dans des bocaux stérilisés et sceller. Assurez-vous d'étiqueter avec la date de cuisson.

DONNE 3 bocaux de 4 onces (115 mL)

ATTENTION : Certains piments ont une forte teneur en huile, responsable du degré de chaleur de l'épice. Manipulez les piments avec des gants de caoutchouc et lavez-vous soigneusement les mains une fois terminé.

COCKTAIL DE FRUITS

½ livre	225 g	cerises dénoyautées
½ livre	225 g	ananas en cubes
1 livre	450 g	pommes épluchées, évidées, en cubes
1 livre	450 g	poires épluchées, évidées, en cubes
½ livre	225 g	pêches épluchées, dénoyautées, tranchées
½ livre	225 g	quartiers de mandarines
¼ tasse	60 mL	jus de citron
4 livres	1.8 kg	sucre granulé
2 tasses	500 mL	eau

Mettre tous les fruits, sauf l'orange, dans une marmite ou une cocotte. Ajouter le jus de citron, le sucre et l'eau. Amener à ébullition, baisser le feu et mijoter 10 minutes.

Ajouter les oranges et continuer à mijoter un autre 5 minutes.

Remplir des bocaux propres, stérilisés avec les fruits. Couvrir de sirop, sceller et étiqueter avec la date de préparation.

DONNE 8 à 10 bocaux de 8 onces (250 mL)

Marmelade de Jalapeños

Confiture de Kiwis et d'Abricots

CONFITURE DE MÛRES

4½ livres	2 kg	mûres
2¼ livres	1 kg	sucre

Laver et trier les mûres. Mettre en purée dans un robot de cuisine. Passer au tamis. Mettre la purée dans une casserole, mélanger le sucre. Amener à ébullition ; cuire 30 minutes.

Verser dans des bocaux stérilisés, sceller et étiqueter avec la date de préparation.

DONNE 8 bocaux de 8 onces (250 mL)

CONFITURE DE KIWIS ET D'ABRICOTS

6 tasses	1.5 L	abricots pelés, dénoyautés
5 tasses	1.25 L	kiwis pelés
2 c.à table	30 mL	jus de citron
5 tasses	1.25 L	sucre granulé

Hacher les abricots et les kiwis. Asperger de jus de citron. Mettre dans une casserole. Ajouter le sucre. Amener à ébullition, écumer. Bouillir 25 minutes.

Verser dans des bocaux stérilisés. Sceller et étiqueter avec la date de préparation.

DONNE 4 bocaux de 8 onces (250 mL)

CONFITURE DE BLEUETS AUX ÉPICES

4½ livres	2 kg	bleuets
2¼ livres	1 kg	sucre granulé
1 c.à thé	5 ml	cannelle moulue
½ c.à thé	3 ml	quatre-épices moulues
¼ c.à thé	1 ml	clous de girofle moulus

Laver et trier les bleuets. Mettre dans une grande casserole. Ajouter le sucre et les épices. Amener à ébullition, cuire 30 minutes.

Verser dans des bocaux stérilisés, sceller et étiqueter avec la date de préparation.

DONNE 8 bocaux de 8 onces (250 mL)

GELÉE DE GOYAVE, EVELYN HOHN

2¼ livres	1 kg	goyaves
15 onces	420 mL	eau
2 livres	900 g	sucre granulé

Enlever les queues et les fleurs des goyaves. Ne pas éplucher.

Mettre les goyaves dans une casserole avec l'eau. Faire chauffer et écraser. Cuire doucement jusqu'à ce que le fruit soit tendre.

Mettre dans une toile à fromage. Laisser égoutter dans un bol, 8 heures ou toute une nuit.

Dissoudre le sucre dans 6 tasses (1,5 L) de jus. Verser dans une casserole et amener à ébullition. Bouillir à grand feu 6 à 8 minutes. Verser dans des bocaux propres et stérilisés. Sceller et étiqueter avec la date de préparation.

DONNE 6 bocaux de 8 onces (250 mL)

Confiture de Bleuets aux Épices

CONFITURE DE MERISES DE VIRGINIE

12 tasses	4 L	merises de Virginie
6 tasses	1.5 L	sucre granulé
3 c. à table	45 mL	jus de citron

Laver et trier les cerises. Mettre dans une casserole, chauffer et écraser. Passer au tamis pour enlever les noyaux. Remettre la chair dans la casserole. Ajouter le sucre et le jus de citron. Amener à ébullition, cuire 30 minutes.

Verser dans des bocaux, sceller et étiqueter avec la date de préparation.

DONNE 4 à 6 bocaux de 8 onces (225 mL)

CONFITURE DE FRAISES ET DE PAPAYES

8 tasses	2 L	chair de papaye
1 c.à table	15 mL	jus de citron
8 tasses	2 L	fraises lavées et équeutées
1 c.à thé	1 c.à thé	écorce de citron
8 tasses	1.6 kg	sucre granulé
1 tasse	250 mL	jus de pomme

Laisser tremper les papayes dans le jus de citron. Mettre dans une grande casserole avec les fraises. Ajouter l'écorce de citron, le sucre et le jus de pomme. Amener à ébullition et cuire 25 minutes.

Verser dans des bocaux stérilisés, sceller et étiqueter avec la date de préparation.

DONNE 8 bocaux de 8 onces (250 mL)

CONSERVES DE POIRES

2	2	limes
2¼ livres	1 kg	poires
1 c.à thé	5 mL	coriandre moulue
6	6	clous de girofle
4 tasses	1	sucre granulé

Laver les limes. Couper en deux et presser dans une grande casserole.

Éplucher les poires, évider et couper en quartiers. Mettre dans une casserole avec juste assez d'eau pour les couvrir. Ajouter la coriandre et les clous de girofle ; faire mijoter et laisser réduire de moitié. Enlever les poires.

Ajouter le sucre. Remuer jusqu'à dissolution complète. Amener à ébullition, bouillir 15 à 20 minutes. Remettre les poires dans la casserole. Continuer à cuire jusqu'à ce que le liquide recommence à bouillir. Enlever du feu.

Placer les poires dans des bocaux propres. Couvrir de liquide. Sceller et étiqueter avec la date de préparation.

DONNE 4 bocaux de 8 onces (250 mL)

MARMELADE DE QUATRE AGRUMES

10 tasses	2.8 L	eau
1 c.à thé	5 mL	acide citrique
¾ livre	340 g	pamplemousse
½ livre	225 g	citrons
1 livre	450 g	clémentines
¼ livre	115 g	kumquats
6 livres	2.75 kg	sucre granulé

Mettre l'eau, avec l'acide citrique, dans une grande casserole.

Laver tous les fruits. Éplucher le pamplemousse et les citrons. Retirer la chair. Hacher avec les pelures. Mettre dans la casserole. Hacher les kumquats et ajouter dans la casserole.

Couper les oranges en deux et presser le jus dans la casserole. Couper la pelure en julienne. Mettre la chair et les graines dans un linge étamine, lier et déposer dans la casserole.

Amener à ébullition, baisser la chaleur et mijoter. Laisser réduire de moitié.

Enlever le linge étamine, rincer à l'eau froide, ouvrir et mettre de côté.

Continuer à mijoter le reste des fruits 1½ heure à feu doux.

Ajouter le sucre et la pelure d'orange qui était réservée, amener à ébullition. bouillir à grand feu 20 minutes. Écumer. Laisser reposer 30 minutes avant de mettre dans les bocaux. Remplir les bocaux, couvrir et étiqueter avec la date de préparation.

DONNE 4 bocaux de 8 onces (250 mL)

Conserves de Poires

Marmelade de Quatre Agrumes

*L*ÉGUMES, RIZ & METS VÉGÉTARIENS

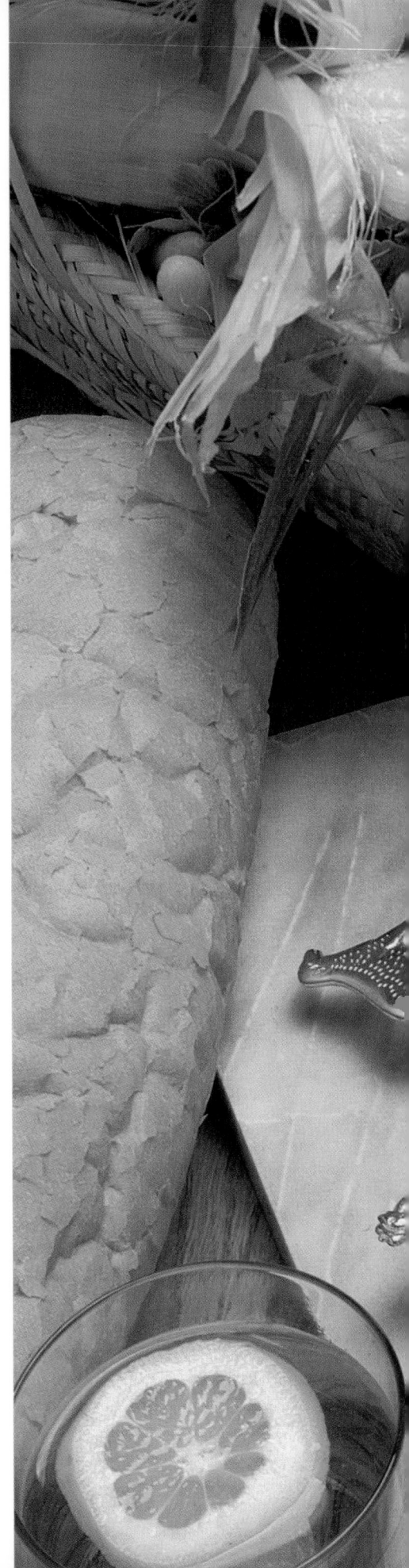

Traditionnellement, un régime équilibré signifiait la consommation régulière d'aliments appartenant aux quatre groupes majeurs: produits laitiers, viande et oeufs, pain et céréales, et fruits et légumes. Cela n'est cependant plus le cas. Un repas équilibré est celui qui fournit la somme adéquate l'éléments nutritifs à l'individu. On croit maintenant que les légumes riches en protéines peuvent remplir la plupart des exigences diététiques de l'homme sans avoir à consommer de viande.

Aujourd'hui le cuisinier progressif sait que la viande n'est plus l'élément principal d'un menu créatif. L'objectif doit, et devrait toujours être, centré vers le goût, qui lui ne requiert pas nécessairement de viande. Pour mieux comprendre ce principe, voyez l'avant-propos de ce livre.

L'objectif de la cuisine végétarienne en est souvent un d'expression et de créativité. La personne qui espère rencontrer de la viande à chaque repas n'a pas encore développé une appréciation pour une cuisine qui balaie le monde entier. La cuisine végétarienne est la plus vieille façon connue de l'homme, d'apprêter les aliments. Ainsi, Adam dans la Bible était végétarien. Ce ne fut qu'après le déluge que Noé, par conséquent l'homme, obtint la permission de consommer de la viande. La cuisine végétarienne bénéficie aussi d'une histoire riche en style et en traditions. Les pays orientaux ont apprêté leurs plats avec très peu de viande pendant plus de 5000 ans. Nous avons appris de ces cultures que la consommation de moins de gras, de moins de calories et de moins d'hydrates de carbone est souvent liée à une meilleure santé. De plus, l'emploi d'épices et d'assaisonnements provenant d'autres continents ajoute au charme et à l'intérêt que suscitent ces divers plats.

L'importance de la fraîcheur est impérative à la bonne préparation des légumes. Parce qu'ils sont si facilement disponibles toute l'année, l'achat des légumes devrait se faire quotidiennement lorsque c'est possible. Les Américans peuvent apprendre des Européens qui achètent une grande partie de leur nourriture tous les jours. Aussitôt, leurs mets procurent plus de goût, plus de vigueur et plus d'éléments nutritifs.

Dans *Tout Simplement Délicieux 2*, explorez avec impatience et anticipation les mets les plus créatifs et expressifs à base de légumes, de riz et d'aliments sans viandes que vous aurez jamais l'occasion de goûter. Essayer des plats tels que les Risotto alla certosina ou les Asperges avec sauce à la mangue et au poivre rose. À moins que vous n'essayiez un Finocchio au gingembre et à l'ananas? Il y a même un ragoût de tortue marine pour les aventureux. Tout ces plats forment un complément exquis à votre répertoire gastronomique. Autrement dit, ils sont *Tout Simplement Délicieux*.

Brochettes de Légumes Colorés

Riz Bombay

RIZ AU CURRY

1 tasse	250 mL	riz à grain long
½ tasse	125 mL	riz brun
¼ tasse	60 mL	riz sauvage
4 tasses	1 L	bouillon de poulet (voir page 77)
1½ tasses	375 mL	poulet cuit coupé en dés
½ tasse	125 mL	oignon coupé en dés fins
½ tasse	125 mL	céleri coupé en dés fins
½ tasse	125 mL	poivron rouge coupé en dés fins
½ tasse	125 ml	poivron vert coupé en dés fins
¼ tasse	60 mL	pois verts
2 c. à table	30 mL	beurre
2 c. à table	30 mL	huile de tournesol
2 c. à thé	10 mL	poudre de curry
¼ tasse	60 mL	amandes rôties tranchées

Amener les trois sortes de riz à ébullition dans le bouillon de poulet, et couvrir.

Laisser mijoter jusqu'à ce que le riz soit tendre. Égoutter l'excès de liquide.

Pendant la cuisson du riz, faire sauter le poulet et les légumes dans le beurre et l'huile. Saupoudrer les légumes avec la poudre de curry.

Incorporer le mélange au riz. Ajouter les amandes, placer dans un bol de service et servir.

DONNE 6 PORTIONS

CROSSES DE FOUGÈRE À LA SAUCE À LA CRÈME

1 livre	454 g	crosses de fougères
2 c. à table	30 mL	beurre
2 c. à table	30 mL	farine tout usage
1 tasse	250 mL	lait
¼ c. à thé	1 mL	sel
¼ c. à thé	1 mL	poivre blanc
pincée	pincée	muscade

Laver les crosses de fougère et retirer les bouts fanés. Les faire bouillir pendant 12 à 15 minutes et les mettre dans un plat de service.

Pendant la cuisson des crosses de fougères, faire fondre le beurre dans une casserole. Ajouter la farine et mélanger jusqu'à l'obtention d'une pâte (roux) cuire pendant 2 minutes à feu doux.

Ajouter le lait et mélanger; laisser mijoter jusqu'à épaississement. Ajouter les épices et laisser mijoter pendant 2 minutes de plus. Verser la sauce sur les crosses de fougères et servir immédiatement.

DONNE 4 PORTIONS

RIZ BOMBAY

¼ tasse	60 mL	huile de tournesol
2 tasses	500 mL	poulet coupé en dés
1 tasse	250 mL	champignons tranchés
1	1	poivron vert coupé en dés
1	1	petit oignon tranché
2 tasses	500 mL	pois des neiges
4 tasses	1 L	riz à grain long cuit
1 c. à thé	5 mL	poudre de curry
¼ c. à thé	1 mL	sel

Dans un wok ou une grande poêle, faire chauffer la moitié de l'huile. Bien faire frire le poulet, les champignons, le poivron, l'oignon les pois. Retirer du feu et conserver au chaud.

Faire chauffer le restant d'huile. Ajouter le riz et les épices et frire pendant 3 minutes. Placer sur un plat de service.

Verser le poulet et les légumes sur le riz. Servir.

DONNE 6 PORTIONS

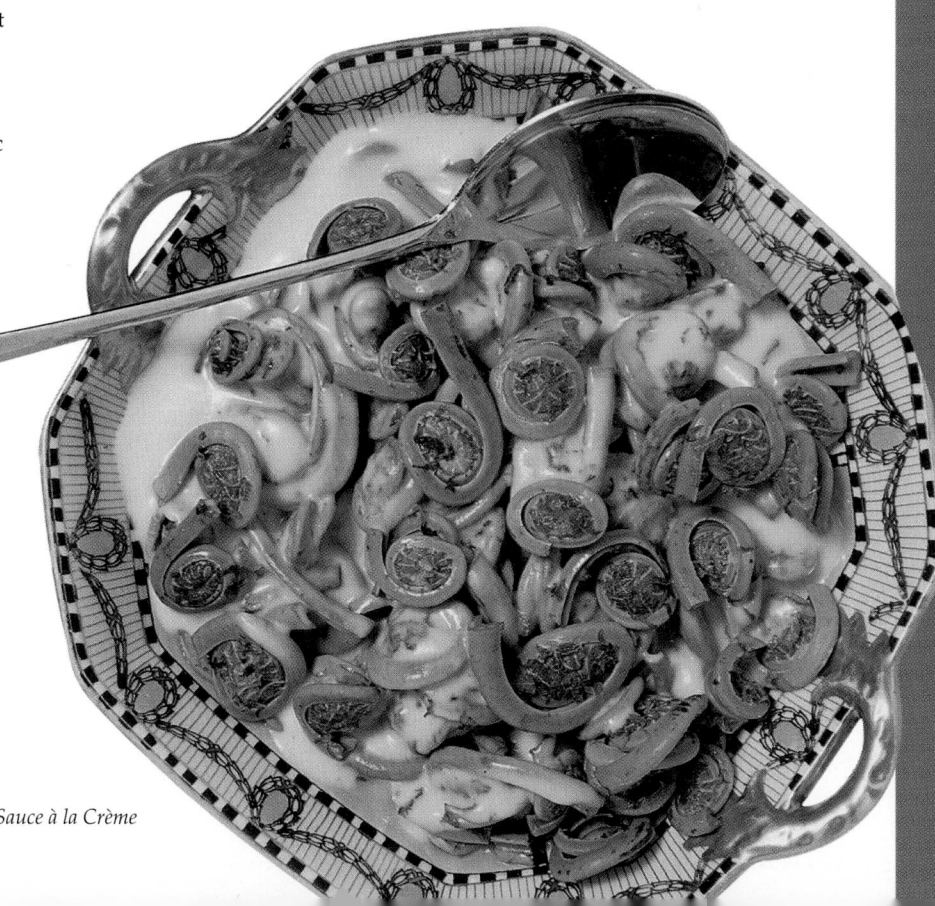

Crosses de Fougère à la Sauce à la Crème

Kartoffelpuffer (Crêpes aux Pommes de Terre)

RIZ AUX POMMES, AUX DATTES ET AUX AMANDES

1½ tasses	375 mL	riz à grain long
4 tasses	1 L	jus de pomme
¾ tasse	180 mL	dattes dénoyautées et hachées
½ tasse	125 mL	amandes rôties, tranchées

Amener le riz à ébullition dans le jus de pomme, couvrir réduire le feu et laisser mijoter. Laisser mijoter jusqu'à ce que le liquide soit absorbé.

Incorporer les dattes et les amandes en brassant. Servir immédiatement.

DONNE 4 PORTIONS

ALOO MADARASI

2 c. à table	30 mL	huile d'olive
1	1	oignon espagnol coupé en dés
1 c. à thé	5 mL	moutarde sèche
1 c. à table	15 mL	poudre de curry
3 tasses	750 mL	pommes de terre pelées, finement coupées en dés
1 tasse	250 mL	bouillon de légumes (voir page 92)
1 c. à thé	5 mL	écorce de citron râpée
1 c. à thé	1 mL	cannelle moulue
2 c. à table	30 mL	beurre

Faire chauffer l'huile dans une casserole, ajouter l'oignon et cuire jusqu'à ce qu'il soit tendre. Parsemer de moutarde et de curry et cuire pendant 2 minutes à feu doux.

Ajouter les pommes de terre, le bouillon, le citron et la cannelle. Couvrir et laisser mijoter pendant 15 minutes. Découvrir et laisser mijoter pendant 15 minutes de plus.

Transférer dans un plat de service, parsemer de beurre et servir.

DONNE 6 PORTIONS

KARTOFFELPUFFER (CRÊPES AUX POMMES DE TERRE)

2 c. à table	30 mL	farine tout usage
1 c. à thé	5 mL	sel
¼ c. à thé	1 mL	poudre à pâte
¼ c. à thé	1 mL	poivre noir moulu
6	6	pommes de terre de grosseur moyenne
2	2	oeufs
1	1	gousse d'ail émincée
1 c. à table	15 mL	oignon râpé
¼ tasse	60 mL	beurre
½ tasse	125 mL	bacon émietté
1½ tasses	375 mL	crème sure

Combiner ensemble la farine, le sel, la poudre à pâte et le poivre dans un bol

Peler et râper les pommes de terre, et les bien les sécher. Les incorporer aux ingrédients secs et ajouter les oeufs en brassant. Ajouter l'ail et l'oignon.

Faire chauffer le beurre dans une poêle et faire frire les petites crêpes jusqu'à ce qu'elles soient dorées de chaque côté. Servir avec du bacon et de la crème sure.

DONNE 4 PORTIONS

AUBERGINE PANÉE AVEC SAUCE AU CILANTRO

½ tasse	125 mL	crème sure
½ tasse	125 mL	crème fouettée
2 tasses	500 mL	cilantro lavé et haché
2	2	gousses d'ail
1 c. à thé	5 mL	sel
½ c. à thé	3 mL	poivre noir moulu
½ tasse	125 mL	farine tout usage
½ c. à thé	3 mL	de chaque: thym, basilic, marjolaine, sel, paprika, poudre de chili, poudre d'oignon, poudre d'ail, poivre blanc
2	2	aubergines de grosseur moyenne
2 tasses	500 mL	huile végétale

Dans un robot culinaire, mélanger la crème sure, la crème fouettée, le cilantro, l'ail, le sel et le poivre noir jusqu'à consistance homogène.

Mélanger la farine et les épices dans un petit bol. Peler les aubergines, les couper en tranches, et les enrober de farine.

Faire chauffer l'huile dans une grande poêle et faire frire les aubergines jusqu'à ce qu'elles soient dorées. Placer sur un plat de service préchauffé accompagnées de sauce.

DONNE 6 PORTIONS

Riz aux Pommes, aux Dattes et aux Amandes

POMMES DE TERRE DU CHANCELIER

1½ livres	675 g	pommes de terre
2 c. à table	30 mL	beurre
2 c. à table	30 mL	farine tout usage
1 tasse	250 mL	lait
¼ c. à thé	1 mL	sel
¼ c. à thé	1 mL	poivre blanc
pincée	pincée	muscade

Peler les pommes de terre. À l'aide d'une cuillère parisienne découper des boulettes de pommes de terre (pommes de terre parisienne). Faire bouillir dans de l'eau salée pendant 15 minutes.

Pendant la cuisson des pommes de terre, faire fondre le beurre dans une casserole. Ajouter la farine et mélanger jusqu'à l'obtention d'une pâte (roux) cuire pendant 2 minutes à feu doux.

Ajouter le lait et brasser; laisser mijoter jusqu'à épaississement. Ajouter les épices et laisser mijoter pendant 2 minutes de plus.

Mélanger ensemble la sauce et les pommes de terre et verser dans un bol de service. Servir.

DONNE 4 PORTIONS

RAPINI RUBIS

1 livre	454 g	tête de rapini*
2 c. à table	30 mL	beurre
2 c. à table	30 mL	farine tout usage
½ tasse	125 mL	bouillon de poulet (voir page 77)
4 tasses	60 mL	crème épaisse
¼ tasse	60 mL	champagne
2 c. à thé	10 mL	paprika doux moulu

Cuire les rapini à la vapeur pendant 15 minutes et les transférer dans un plat de service.

Pendant la cuisson des rapini, faire fondre le beurre dans une casserole. Ajouter la farine et mélanger jusqu'à l'obtention d'une pâte (roux) et cuire à feu doux pendant 2 minutes.

Ajouter le bouillon de poulet, la crème, le champagne et le paprika. Bien mélanger tous les ingrédients. Laisser mijoter pendant 10 minutes à feu moyen.

Verser la sauce sur les rapini et servir immédiatement.

DONNE 4 PORTIONS

*Le rapini est un brocoli italien.

HAMBURGERS VÉGÉTARIENS

⅔ tasse	160 mL	bouillon végétarien à saveur de poulet
3 c. à table	45 mL	ketchup
2 c. à thé	10 mL	jus de citron
1 c. à thé	5 mL	sauce Worcestershire
½ c. à thé	3 mL	de chacun: paprika, romarin, poudre d'ail, poudre d'oignon, thym, basilic, savoyard
½ c. à thé	3 mL	sel
2 c. à table	10 mL	sauce soya légère
1 livre	450 g	tofu ferme
½ tasse	125 mL	farine de blé entier
¼ tasse	60 mL	huile d'olive
4	4	pains kaiser de blé entier
4	4	feuilles de laitue
4	4	tomates tranchées
⅓ tasse	80 mL	mayonnaise

Mélanger le bouillon, le ketchup, le jus de citron, la sauce Worcestershire, ¼ c. à thé (1 mL) de chacune des épices et la sauce soya dans un bol.

Couper le tofu en 4 tranches de grandeur égale. Les laisser mariner dans la sauce pendant 1 heure.

Les égoutter et les envelopper dans un linge pour les faire sécher.

Mélanger les épices restantes avec la farine et enrober le tofu de ce mélange.

Faire chauffer l'huile dans une grande poêle et frire le tofu jusqu'à ce qu'il soit brun doré de chaque côté.

Couper les kaiser en deux.

Déposer une tranche de tofu sur chaque kaiser avec une feuille de laitue, une tranche de tomate et un peu de mayonnaise.

DONNE 4 PORTIONS

Hamburgers Végétariens

Carottes aux Abricots

POMMES DE TERRE NOSTIZ

1 livre	450 g	pommes de terre
2 c. à table	30 mL	beurre
4	4	oeufs
¼ tasse	60 mL	crème épaisse
1 tasse	250 mL	fromage Parmesan fraîchement râpé
1 tasse	250 mL	farine tout usage
½ c. à thé	3 mL	de chaque: sel, poudre de chili, poivre, paprika, thym
2 tasses	500 mL	chapelure fine
4 tasses	1 L	huile de tournesol

Peler et faire bouillir les pommes de terre. Les réduire en une purée onctueuse à l'aide d'une passoire ou d'un robot culinaire.

Ajouter le beurre, 1 jaune d'oeuf, la crème et le fromage, et mélanger jusqu'à consistance homogène.

Façonner des carrés de 2" (5 cm) de grandeur égale, et laisser refroidir.

Mélanger la farine avec les épices. Battre les oeufs qui restent.

Parsemer les pommes de terre de farine, les tremper dans les oeufs et les enrober de chapelure.

Faire chauffer l'huile. Faire frire les pommes de terre jusqu'à ce qu'elles soient dorées.

DONNE 6 PORTIONS

CAROTTES AUX ABRICOTS

1 livre	454 g	carottes
1 tasse	250 mL	abricots séchés
1 tasse	250 mL	eau
2 c. à table	30 mL	sucre granulé
1 c. à thé	5 mL	fécule de maïs
1 c. à table	15 mL	jus de citron
¼ tasse	60 mL	jus de pomme

Peler les carottes et les couper en bâtonnets. Les cuire à la vapeur pendant 12 à 15 minutes, transférer dans un plat de service et conserver au chaud.

Pendant la cuisson des carottes, faire bouillir les abricots dans de l'eau pendant 5 minutes dans une petite casserole. Mettre les abricots dans un robot culinaire et conserver l'eau. Mélanger le sucre dans l'eau en brassant. Mélanger la fécule de maïs avec le jus de citron, ajouter à l'eau et laisser mijoter jusqu'à épaississement. Verser sur les abricots et mélanger.

Mettre le mélange dans la casserole et y incorporer le jus de pomme, faire chauffer sans faire bouillir.

Verser la sauce sur les carottes et servir immédiatement.

DONNE 4 PORTIONS

BETTRAVES À LA MOUTARDE

1 livre	454 g	très petites bettraves
1 livre	454 g	feuilles de moutarde, lavées et taillées
4 c. à table	60 mL	beurre
1 c. à thé	5 mL	moutarde de Dijon
1 c. à thé	5 mL	sucre granulé
1 c. à table	15 mL	jus de citron

Cuire les bettraves dans de l'eau salée, les égoutter, retirer la pelure avec les doigts et les conserver au chaud.

Faire chauffer 3 c. à table (45 mL) de beurre dans une grande poêle, ajouter les feuilles de moutarde et les faire cuire jusqu'à ce qu'elles soient tendres. Les mettre dans un plat de service et les recouvrir de bettraves.

Faire chauffer le restant de beurre dans une petite casserole, ajouter la moutarde, le sucre et le jus de citron en brassant. Cuire jusqu'à ce que le sucre se soit dissous. Verser sur les bettraves et servir immédiatement.

DONNE 6 PORTIONS

COURGETTES AUX QUATRE FROMAGES

3 c. à table	45 mL	huile d'olive
1	1	oignon finement tranché
1	1	gousse d'ail émincée
1 c. à thé	5 mL	basilic
3½ tasses	875 mL	courgettes finement tranchées
⅓ tasse	80 mL	bouillon de légumes (voir page 92)
2 c. à table	30 mL	beurre
2 c. à table	30 mL	farine tout usage
1 tasse	250 mL	lait
1	1	jaune d'oeuf – battu
2 c. à table	30 mL	crème à fouetter
3 c. à table	45 mL	fromage Parmesan fraîchement râpé
¼ tasse	60 mL	fromage Cheddar râpé
¼ tasse	60 mL	fromage Mozzarella râpé
¼ tasse	60 mL	fromage Provolone râpé

Faire chauffer l'huile dans une grande poêle. Ajouter l'oignon, l'ail, le basilic et la courgette, et faire sauter pendant 3 à 5 minutes. Ajouter une cuillérée de bouillon à la fois pour les empêcher de sécher.

Faire fondre le beurre dans une casserole. Ajouter la farine et cuire à feu doux pendant 2 minutes.

Incorporer le lait et brasser jusqu'à ce que la sauce devienne épaisse. Retirer du feu.

Battre le jaune d'oeuf dans une petite quantité de sauce. Incorporer au restant de sauce et cuire pendant 2 minutes de plus, sans faire bouillir. Ajouter la crème et les fromages. Verser sur les courgettes et servir.

DONNE 4 À 6 PORTIONS

Haricots Californiens

POMMES DE TERRE NORMANDES

1	1	oignon espagnol
1	1	poireau
1½ livres	675 g	pommes de terre
4 onces	120 g	beurre
3 c. à table	45 mL	farine tout usage
2 tasses	500 mL	lait chaud
2 c. à thé	10 mL	sel
½ c. à thé	3 mL	poivre blanc
½ tasse	125 mL	fromage Parmesan fraîchement râpé

Trancher l'oignon. Laver et hacher le poireau. Peler et trancher finement les pommes de terre.

Faire chauffer le beurre Dans une grande poêle et faire sauter l'oignon et le poireau jusqu'à ce qu'ils soient tendres. Ajouter la farine et poursuivre la cuisson pendant 2 minutes. Transférer dans un plat graissé allant au four de 2 quart (2 L). Incorporer le lait, le sel et le poivre. Parsemer de fromage.

Cuire dans un four préchauffé à 375°F (190°C) pendant 45 minutes ou jusqu'à ce que les pommes de terre soient tendres.

DONNE 6 PORTIONS

HARICOTS CALIFORNIENS

1 livre	454 g	haricots verts
3 c. à table	45 ml	huile d'olive
3 c. à table	45 mL	farine tout usage
⅔ tasse	160 mL	bouillon de poulet (voir page 77)
⅔ tasse	160 mL	crème légère
⅓ tasse	80 mL	ketchup aux tomates
2 c. à thé	10 mL	sauce Worcestershire
1 c. à thé	5 mL	paprika
3 gouttes	3 gouttes	sauce Tabasco™
1 c. à table	15 mL	jus de citron

Parer et laver les haricots. Les faire cuire à la vapeur pendant 15 à 20 minutes et les transférer dans un plat de service.

Faire chauffer l'huile dans une casserole, ajouter la farine et cuire pendant 2 minutes à feu doux.

Ajouter le bouillon et la crème en brassant et laisser mijoter jusqu'à épaississement.

Incorporer les autres ingrédients en brassant et laisser mijoter pendant 2 minutes de plus.

Verser la sauce sur les haricots et servir immédiatement.

DONNE 4 PORTIONS

Courgettes aux Quatre Fromages

Brochettes de Légumes Colorés

ROULEAUX KOHLRABI AUX TROIS RIZ

⅓ tasse	80 mL	riz brun
⅓ tasse	80 mL	riz à grain long blanc
⅓ tasse	80 mL	riz sauvage
3 tasses	750 mL	bouillon de poulet (voir page 77)
1	1	oignon espagnol coupé en dés finss
2	2	branches de céleri coupées en dés finss
1	1	poivron vert coupé en dés finss
8	8	tranches de bacon émiettées
20-25	20-25	grande feuilles de kohlrabi
2 tasses	500 mL	sauce tomate II (voir page 117)

Amener les 3 riz à ébullition dans le bouillon de poulet, couvrir et laisser mijoter jusqu'à ce qu'ils soient tendres.

Pendant la cuisson du riz, faire sauter l'oignon, le céleri et le poivron vert avec le bacon. Égoutter l'excès de gras. Mélanger avec le riz cuit.

Laver et parer les feuilles de kohlrabi et les faire cuire à la vapeur pendant 1½ à 2 minutes.

Placer 1 bonne cuillérée à table de riz sur chaque feuille. Les plier en deux. Plier les côtes vers l'intérieur et rouler. Les mettre dans une casserole légèrement graissée et les recouvrir de sauce tomate.

Couvrir et cuire dans un four préchauffé à 350°F (180°C) pendant 45 minutes. Servir.

DONNE 6 PORTIONS

BROCHETTES DE LÉGUMES COLORÉS

1	1	poivron vert
1	1	poivron jaune
1	1	poivron rouge
2	2	oignons rouges
2	2	petite courgette, coupée en cubes de 1"
3 onces	80 g	petits champignons
1 livre	450 g	tofu ferme, coupé en cubes de 1" (2.5 cm)
1½ tasses	375 mL	sauce barbecue au vin

Couper les poivrons et les oignons en quartiers. Embrocher les courgettes, les poivrons, les oignons, les champignons et le tofu, en alternant le tofu avec les légumes. Placer dans un plat peut profond, couvrir de sauce barbecue et laisser mariner pendant 3 heures.

Faire griller les brochettes au-dessus d'une grille chaude en les badigeonnant de marinade. Les badigeonner une dernière fois avant de les servir accompagné d'un riz pilaf.

DONNE 4 PORTIONS

CROSSES DE FOUGÈRE À LA POMPADOUR

1 livre	454 g	crosses de fougère
¼ livre	115 g	beurre
¼ c. à thé	1 mL	sel
¼ c. à thé	1 mL	poivre
⅛ c. à thé	pincée	de chaque: macis et de cayenne
1 c. à thé	5 mL	farine tout usage
3	3	jaunes d'oeufs
1 c. à table	15 mL	sherry

Laver et parer les crosses de fougère et les cuire à la vapeur pendant 15 minutes.

Faire fondre le beurre dans un bain-marie et incorporer les épices en brassant.

Incorporer la farine, les jaunes d'oeufs et le sherry en brassant. Cuire en brassant constamment jusqu'à ce que la sauce devienne épaisse et retirer immédiatement du feu.

Transférer les crosses de fougère dans un plat de service et les recouvrir de sauce. Servir immédiatement.

DONNE 4 PORTIONS

Rouleaux Kohlrabi aux Trois Riz

Crêpes au Maïs

CRÊPES AU MAÏS

2 tasses	500 mL	maïs en grain frais
½ tasse	125 mL	crème de table
3	3	oeufs séparés
½ c. à thé	3 mL	sel
¼ c. à thé	1 mL	muscade

Dans un bol, mélanger la crème et les jaunes d'oeufs.

Battre les blancs d'oeufs jusqu'à ce qu'ils soient fermes et les incorporer au mélange avec les épices.

Cuire sur une plaque chauffante bien graissée ou une poêle jusqu'à ce que chaque côté soit bien doré. Servir avec du sirop d'érable ou de la sauce aux mûres (voir page 118).

DONNE 4 PORTIONS

FRIJOLES REFRITOS CON QUESO (FÈVES AU FROMAGE)

2 tasses	500 mL	fèves pinto froides (voir page 731)
2 c. à table	30 mL	beurre
2 c. à thé	10 mL	poudre de chili
1 c. à thé	5 mL	paprika
1 c. à thé	5 mL	sauce Worcestershire
½ c. à thé	3 mL	sel
1 c. à table	15 mL	huile de tournesol
1 tasse	250 mL	fromage Monterey Jack râpé

Réduire les fèves en purée. Incorporer le beurre, les épices et la sauce Worcestershire.

Faire chauffer l'huile dans une poêle et faire frire les fèves jusqu'à ce qu'elles soient brunes.

Parsemer de fromage, retirer du feu et servir dès que le fromage est fondu.

DONNE 4 PORTIONS

POMMES DE TERRE DAUPHINOISES

1⅛ livres	510 g	pommes de terre
½ tasse	125 mL	beurre
7	7	oeufs
1¼ c. à thé	6 mL	sel
½ c. à thé	3 mL	poivre blanc
¼ c. à thé	1 mL	muscade
1 tasse	250 mL	eau
1 tasse	250 mL	farine tout usage
¼ tasse	60 mL	beurre fondu

Peler les pommes de terre et les cuire dans de l'eau bouillante jusqu'à ce qu'elles soient tendres. Les mettre dans un robot culinaire et les réduire en puré.

Ajouter ¼ tasse (60 mL) de beurre, 1 oeuf, 2 jaunes d'oeufs, 1 c. à thé (5 mL) de sel, de poivre et de muscade. Mélanger jusqu'à consistance homogène.

[POUR LA PÂTE À CHOUX] Amener l'eau à ébullition. Ajouter le restant de beurre et de sel et incorporer la farine en brassant..

Cuire jusqu'à la consistance de pommes de terre en purée.

Ajouter les oeufs qui restent, un à la fois en brassant bien après chaque addition.

Diviser le mélange en deux parts et en mélanger une avec les pommes de terre (utiliser la seconde pour la pâte feuilletée aux pois, voir page 752). Laisser le mélange se refroidir complètement.

Diviser la pâte aux pommes de terre en ronds de grosseur égale, les mettre sur une plaque à biscuits et les badigeonner de beurre. Cuire dans un four préchauffé à 350°F (180°C) pendant 15 `à 20 minutes jusqu'à ce que la pâte soit dorée. Les pommes de terre peuvent aussi être enrobées de farine et cuites dans l'huile. Servir thès chaud.

DONNE 6 PORTIONS

Pommes de Terre Dauphinoises

TOMATES ET FÈVES

10 onces	300 mL	tomates séchées
1 livre	454 g	haricots verts
2 c. à table	30 mL	beurre
2 c. à table	30 mL	farine tout usage
½ tasse	125 mL	lait
½ tasse	125 mL	bouillon de poulet (voir page 77)
¼ c. à thé	1 mL	sel
¼ c. à thé	1 mL	poivre blanc

Réhydrater les tomates en les laissant tremper dans l'eau chaude pendant 20 minutes.

Laver et équeuter les haricots et les faire cuire à la vapeur pendant 20 minutes.

Pendant la cuisson des haricots, faire chauffer le beurre dans une petite casserole et cuire à feu doux pendant 2 minutes. Incorporer les autres ingédients en brassant et laisser mijoter jusqu'à ce que la sauce deviennent épaisse.

Hacher les tomates et les incorporer à la sauce. Transférer les haricots dans un plat de service, recouvrir de sauce et servir.

DONNE 4 PORTIONS

CHOUX AUX PRALINES DE TOM POUCE

1½ livres	625 g	choux de Bruxelles
½ tasse	125 mL	beurre
2 tasses	500 mL	sucre brun foncé
½ tasse	125 mL	crème à fouetter
1 c. à table	15 mL	jus de citron
¼ tasse	60 mL	pacanes hachées
1 c. à thé	5 mL	essence de vanille

Retirer les feuilles fanées des choux de Bruxelles et couper le bout de la queue. Les cuire à la vapeur pendant 20 minutes.

Pendant la cuisson des choux de Bruxelles, faire fondre le beurre dans un bain-marie. Incorporer le sucre et la crème en battant, jusqu'à l'obtention d'un mélange homogène. Incorporer le jus de citron, cuire pendant 45 minutes au-desssus d'une eau qui mijote en brassant de temps à autre.

Retirer du feu, ajouter les noix et la vanille.

Mettre les choux de Bruxelles sur un plat de service, les recouvrir de sauce et servir immédiatement.

DONNE 6 PORTIONS

ENDIVES AUX KIWIS ET AUX PAPAYES

6	6	kiwis pelés, hachés
2 tasses	500 mL	pulpe de papaye
¼ tasse	60 mL	sucre granulé
1½ c. à table	24 mL	fécule de maïs
⅓ tasse	80 mL	jus de pomme
12	12	endives belges
⅓ tasse	90 mL	beurre
¼ tasse	60 mL	eau
1 c. à table	15 mL	jus de citron
½ c. à thé	3 mL	sel
¼ c. à thé	1 mL	poivre blanc

Réduire les kiwis en purée avec la papaye dans un robot culinaire. Presser dans un tamis au-dessus d'une petite casserole. Incoporer le sucre en brassant. Mélanger la fécule de maïs avec le jus de pomme et ajouter aux fruits. Laisser mijoter jusqu'à ce que la sauce devienne épaisse. Incorporer 2 c. à table (30 mL) de beurre.

Retirer les feuilles fanées des endives et les rincer à l'eau froide.

Dans une grande poêle, faire chauffer le restant de beurre, d'eau, de jus de citron, de sel et de poivre. Ajouter les endives et laisser mijoter pendant 15 minutes. Transférer dans un plat de service, recouvrir de sauce et servir immédiatement.

DONNE 6 PORTIONS

Choux aux Pralines de Tom Pouce

Endives aux Kiwis et aux Papayes

Potage Jacob

CHICORÉE DE BRUXELLES À LA POLONAISE

12	12	endives belges
½ tasse	125 mL	beurre
¼ tasse	60 mL	eau
1 c. à table	15 mL	jus de citron
½ c. à thé	3 mL	sel
¼ c. à thé	1 mL	poivre blanc
3	3	oeufs cuits dur hachés
2 c. à table	30 mL	persil frais haché
⅓ tasse	90 mL	chapelure assaisonnée

Retirer les feuilles fanées des endives et les rincer à l'eau froide.

Dans une grande poêle faire chauffer ¼ tasse (60 mL) de beurre, l'eau, le jus de citron, le sel et le poivre, ajouter les endives et laisser mijoter à feu doux pendant 15 minutes. Transférer dans un plat allant au four, parsemer de morceaux d'oeufs, de persil et de chapelure.

Faire fondre le restant de beurre et le verser sur la chapelure, cuire dans un four préchauffé à 350°F (180°C) pendant 15 à 20 minutes ou jusqu'à le dessus soit doré.

DONNE 6 PORTIONS

ASPERGES AVEC SAUCE À LA MANGUE AU POIVRE ROSE

2 livres	900 g	asperges
2 c. à table	30 mL	beurre
2 c. à table	30 mL	farine tout usage
1 tasse	250 mL	crème légère
1 tasse	250 mL	pulpe de mangue en puréed
1 c. à table	15 mL	grains de poivre rose

Retirer la peau extérieure des asperges et retirer le bout dur de la queue. Les faire cuire à la vapeur pendant 8 à 10 minutes.

Pendant que les asperges cuisent, faire chauffer le beurre dans une casserole et ajouter la farine, reduire le feu et cuire pendant 2 minutes. Ajouter la crème ent brassant et laisser mijoter jusqu'à épaississement.

Ajouter la mangue en brassant et poursuivre la cuisson pendant 3 minutes. Incorporer les grains de poivre.

Placer les asperges dans un plat de service, les recouvrir de sauce et les servir immédiatement.

DONNE 4 PORTIONS

POTAGE JACOB

2 tasses	500 mL	lentilles
6 tasses	1.5 L	bouillon de poulet (voir page 77)
2	2	carottes
1	1	oignon
1	1	kohlrabi
1	1	branche de céleri
3 c. à table	45 mL	huile d'olive
¾ livre	345 g	agneau coupé finement en dés
1	1	gousse d'ail
1 c. à thé	5 mL	sel
½ c. à thé	3 mL	poivre noir
1 c. à table	15 mL	farine tout usage
1	1	bouquet garni (voir Glossaire)

Laver et rincer les lentilles. Les placer dans un grand chaudron avec suffisamment de bouillon pour les recouvrir. Amener à ébullition, retirer du feu et égoutter immédiatement.

Couper les légumes en dés fins.

Faire chauffer l'huile dans un grand chaudron et faire brunir l'agneau. Ajouter les légumes et l'ail et cuire jusqu'à ce qu'ils soient tendres. Ajouter le sel, le poivre et la farine en brassant.

Ajouter les lentilles et juste assez de bouillon pour recouvrir celles-ci. Ajouter le bouquet garni. Couvrir et laisser mijoter pendant 1¼ à 1½ heures en brassant de temps à autre. Ajouter de l'eau ou du bouillon au besoin pour empêcher le ragoût de coller et de brûler.

Retirer le bouquet, placer dans des bols de service et servir.

DONNE 4 PORTIONS

AUBERGINES ROUMAINES

2 c. à table	30 mL	huile d'olive
2	2	gousses d'ail émincées
1	1	poivron coupé en dés
1	1	oignon coupé en dés
2	2	branches de céleri coupées en dés
4 onces	120 g	champignons tranchés
1 c. à thé	5 mL	sel
½ c. à thé	3 mL	poivre
1 c. à thé	5 mL	feuilles de basilic
½ c. à thé	3 mL	feuillees d'origan
½ c. à thé	3 mL	feuilles de thym
½ c. à thé	3 mL	paprika
¼ c. à thé	1 mL	cayenne
3 livres	1.35 kg	tomates pelées, épépinées et hachées
6	6	très petites aubergines
3 tasses	750 mL	oignons tranchés
2 c. à table	30 mL	beurre

Faire chauffer l'huile dans une casserole. Faire sauter l'ail, le poivron vert, l'oignon, le céleri et les champignons jusqu'à ce qu'ils soient tendres. Ajouter les épices et les tomates, et laisser mijoter pendant 3 heures.

Retirer les queues des aubergines et les placer dans un plat allant au four. Ajouter la moitié des oignons, couvrir de sauce et cuire dans un four préchauffé à 350°F (180°C) pendant 45 minutes.

Pendant la cuisson des aubergines, faire chauffer le beurre dans une poêle et faire cuire les oignons qui restent à feu doux jusqu'à ce qu'ils soient bruns. Faire une incision dans les aubergines et les farcir d'oignons dorés. Servir ensuite les aubergines recouvertes de sauce.

DONNE 6 PORTIONS

KARTOFFELSPÄTZLE (BOULETTES DE POMMES DE TERRE)

2 c. à table	30 mL	beurre
2 c. à table	30 mL	farine tout usage
1 tasse	250 mL	lait
¼ c. à thé	1 mL	sel
¼ c. à thé	1 mL	poivre blanc
pincée	pincée	muscade
4 tasses	1 L	pommes de terre cuites, froides, râpées
½ tasse	125 mL	chapelure
2	2	oeufs
½ tasse	125 mL	bacon cuit, émietté
1½ tasses	375 mL	crème sure

Faire fondre le beurre dans une casserole. Ajouter la farine et mélanger jusqu'à l'obtention d'une pâte (roux) cuire pendant 2 minutes à feu doux.

Ajouter le lait et mélanger; laisser mijoter jusqu'à épaississement. Ajouter les épices et laisser mijoter pendant 2 minutes de plus. Incorporer les pommes de terre et la chapelure. Ajouter les oeufs en battant.

Laisser tomber des cuillérées de pâte dans de l'eau bouillante salée et cuire les boulettes pendant 2 minutes à partir du moment qu'elles se mettent à flotter. Servir accompagnées de crème sure et de bacon émietté.

DONNE 6 PORTIONS

AMANDES, POMMES, HARICOTS VERTS AVEC SAUCE À LA MOUTARDE

4 c. à table	60 mL	beurre
1 c. à table	15 mL	farine tout usage
½ tasse	125 mL	crème légère
1 c. à table	15 mL	moutarde de Dijon
2	2	grosses pommes Granny Smith
2 tasses	500 mL	haricots verts blanchis
⅓ tasse	80 mL	amandes rôties, tranchées

Dans une casserole, faire chauffer 1 c. à table (15 mL) de beurre, parsemer de farine et cuire à feu doux pendant 2 minutes. Ajouter la crème et la moutarde en brassant et laisser mijoter jusqu'à épaississement. Conserver au chaud.

Peler les pommes, retirer le trognon et les couper en julienne.

Faire chauffer le restant de beurre dans une grande poêle, ajouter les pommes et les fèves et les faire sauter pendant 3 minutes. Ajouter les amandes et poursuivre la cuisson pendant 2 minutes. Transférer dans un plat de service, verser la sauce sur les légumes et servir.

DONNE 4 PORTIONS

Aubergines Roumaines

RIZ BRUN FLORENTIN AU FETA

1½ tasses	375 mL	riz brun
3 tasses	750 mL	bouillon de poulet (voir page 77)
1	1	oignon espagnol
10 onces	280 mL	épinards
3 c. à table	45 mL	beurre
1 tasse	250 mL	fromage Feta

Amener le riz et le bouillon de poulet à ébullition. Couvrir et laisser mijoter jusqu'à ce que le riz soit tendre.

Pendant que le riz cuit, trancher finement l'oignon en dés. Laver les épinards. Faire chauffer le beurre dans une poêle, ajouter l'oignon et faire sauter jusqu'à ce qu'il soit tendre. Ajouter les épinards et cuire rapidement.

Lorsque le riz est cuit, égoutter l'excès de liquide. Incorporer le mélange à l'oignon avec le fromage. Servir immédiatement.

DONNE 6 PORTIONS

CAROTTES AU BRANDY AUX CERISES

1 livre	450 g	carottes
1¼ tasses	310 mL	cerises Bing – fraîches ou en boîte, dénoyautées
¼ tasse	60 mL	brandy aux cerises
3 c. à table	45 mL	liquide de cerises ou jus de pomme
1 c. à table	15 mL	jus de citron
2 c. à table	30 mL	sucre granulé

Peler les carottes et les couper en tranches. Les faire cuire à la vapeur pendant 10 à 12 minutes. Les transférer dans un plat de service et les conserver au chaud.

Dans une petite casserole, faire chauffer à feu doux, les cerises dans le brandy aux cerises jusqu'à ce qu'elles soient très tendres. Les presser dans un tamis au-dessus d'une autre casserole.

Ajouter les ingrédients qui restent et laisser mijoter jusqu'à épaississement. Verser la sauce sur les carottes et servir immédiatement.

DONNE 4 PORTIONS

RIZ À L'ORANGE ET AUX NOIX DE CAJOU

3 tasses	750 mL	jus d'orange
1¼ tasses	310 mL	riz à grain long
1½ c. à table	20 mL	beurre
2 c. à table	30 mL	sucre granulé
2 c. à table	30 mL	zeste d'une orange
½ tasse	125 mL	noix de cajou, non salées, en morceaux

Amener le jus d'orange à ébullition. Ajouter le riz, couvrir et laisser mijoter jusqu'à ce que le liquide ait été absorbé.

Incorporer le beurre, le sucre, le zeste d'orange et les noix. Servir.

DONNE 4 PORTIONS

RIZ AUX CINQ FROMAGES

1 tasse	250 mL	riz à grain long
3 tasses	750 mL	lait
½ tasse	125 mL	de chaque fromage râpé: Cheddar, Mozzarella, Havarti
¼ tasse	60 mL	de chaque fromage fraîchement râpé: Parmesan, Romano
½ c. à thé	3 mL	sel
1 c. à table	15 mL	ciboulette hachée
1 c. à table	15 mL	persil haché

Laisser mijoter le riz dans le lait jusqu'à ce que le liquide soit absorbé.

Incorporer les ingrédients qui restent et servir.

DONNE 4 PORTIONS

Riz Brun Florentin au Feta

Riz à l'Orange aux Noix de Cajou

Asperges Smitane

Steaks Végétariens

ASPERGES SMITANE

1 livre	454 g	asperges
1 c. à table	15 mL	beurre
2 c. à table	30 mL	oignon râpé
½ tasse	125 mL	vin blanc
1¼ tasses	310 mL	crème sure
⅓ tasse	90 mL	bacon cuit émietté
¼ tasse	60 ml	fromage Parmesan fraîchement râpé

Peler les asperges et retirer l'extrémité de la racine. Cuire les asperges dans de l'eau bouillante salée pendant 15 minutes, tout en conservant les pointes hors de l'eau*. Égoutter et conserver au chaud.

Faire fondre le beurre dans une petite casserole et faire cuire les oignons jusqu'à ce qu'ils soient tendres et transparent. Ajouter le vin et laisser mijoter jusqu'à ce que le liquide se soit évaporé. Ajouter la crème sure en brassant, amener à ébullition, réduire le feu et laisser mijoter pendant 3 minutes. Égoutter à travers un fins tamis.

Transférer les asperges dans un plat de service, les recouvrir de sauce et parsemer de bacon et de fromage avant de servir.

DONNE 4 PORTIONS

*Pour conserver les pointes des asperges hors de l'eau pendant qu'elle mijote, il suffit de simplement les attacher en botte et de les faire tenir droites pendant qu'elles cuisent.

BETTRAVES AVEC SAUCE À L'ORANGE ET AUX CAROTTES

1 livre	450 g	très petites bettraves
3	3	oranges
1 tasse	250 mL	gelée d'abricot
¼ tasse	60 mL	liqueur de Curaçao

Cuire les bettraves dans de l'eau bouillante salée jusqu'à ce qu'elles soient tendres. Les égoutter, retirer la pelure en utilisant les doigts et les conserver au chaud.

Râper le zeste des oranges, les diviser en quartiers, retirer les noyaux et la peau blanche.

Dans une petite casserole, faire chauffer la gelée d'abricot et incorporer les quartiers d'orange avec la liqueur. Laisser mijoter pendant 3 minutes.

Placer les bettraves dans un plat de service, les recouvrir de sauce et garnir de zeste d'orange.

DONNE 4 PORTIONS

STEAKS VÉGÉTARIENS

⅓ tasse	80 mL	sucre brun
1 c. à thé	5 mL	gingembre moulu
½ c. à thé	3 mL	poudre d'ail
1 tasse	250 mL	bouillon de légumes (voir page 92)
⅓ tasse	80 mL	sauce soya à faible teneur en sodium
1 c. à thé	5 mL	moutarde sèche
1 livre	450 g	tofu ferme
1 c. à table	15 mL	fécule de maïs
2 c. à table	30 mL	sherry

Dans un bol, dissoudre le sucre, le gingembre et l'ail dans le bouillon de légumes et la sauce soya. Ajouter le sucre et la moutarde.

Couper le tofu en 8 tranches. Les placer dans la marinade, couvrir et réfrigérer pendant 1½ heures.

Égoutter la marinade dans une casserole, amner à ébullition. Mélanger la fécule de maïs dans le sherry et ajouter à la sauce. Laisser mijoter jusqu'à épaississement.

Faire griller le tofu pendant 3 minutes de chaque côté, en badigeonnant fréquemment avec la marinade. Servir immédiatement.

DONNE 4 PORTIONS

PAIN AUX CAROTTES ET AUX CHOUX-FLEURS

2 tasses	500 mL	têtes de chou-fleur cuites
2 tasses	500 mL	carottes cuites coupées en dés
1½ tasses	375 mL	crème à fouetter
1 tasse	250 mL	fromage Jarlsberg râpé
5	5	oeufs battus
3 c. à table	45 mL	beurre
1	1	petit oignon coupé en dés
1	1	pomme pelée, sans trognon, coupée en dés
2 c. à table	30 mL	farine tout usage
1 c. à table	15 mL	poudre de curry
¼ tasse	60 mL	lait de noix de coco
⅔ tasse	160 mL	bouillon de poulet (voir page 77)
½ tasse	125 mL	crème légère
½ c. à thé	3 mL	sel
¼ c. à thé	1 mL	poivre blanc

Préchauffer le four à 350°F (180°C).

Dans un robot culinaire, réduire en purée le chou-fleur et les carottes ensemble.

Transférer dans un bol et incoporer la crème, le fromage et les oeufs, et bien mélanger. Verser le mélange dans un moule à pain de 9" (22 cm) graissé.

Cuire pendant 40 à 45 minutes dans un récipient plus grand contenant de l'eau.

Faire fondre le beurre dans une casserole, ajouter l'oignon et la pomme et faire sauter jusqu'à ce qu'elles soient tendres. Ajouter la farine et le curry et poursuivre la cuisson pendant 2 minutes à feu doux. Incorporer le lait de noix de coco, le bouillon et la crème, et laisser mijoter jusqu'à ce que la sauce devienne épaisse. Ajouter le sel et le poivre.

Retirer le pain du four, le démouler sur un plateau, le couvrir de sauce et servir.

DONNE 6 PORTIONS

Pain aux Carottes et aux Choux-Fleurs

CAROTTES À LA MANGUE ET AUX ANANAS

1 livre	450 g	carottes pelées, coupées en julienne
1 tasse	250 mL	ananas broyés, égouttés, mettre de côté le jus
1 tasse	250 mL	pulpe de mangue
¼ tasse	60 mL	sucre granulé
1½ c. à table	24 mL	fécule de maïs

Cuire les carottes à la vapeur pendant 12 à 15 minutes, transférer dans un plat de service.

Réduire les ananas et la mangue en purée dans un robot culinaire et les presser dans un tamis au-dessus d'une petite casserole. Incorporer le sucre en brassant.

Mélanger la fécule de maïs avec ¼ tasse (60 mL) de jus d'ananas mis de côté. Ajouter aux fruits. Cuire à feu doux jusqu'à ce que la sauce devienne épaisse.

Verser la sauce sur les carottes et servir immédiatement.

DONNE 4 PORTIONS

ENDIVES BELGES AVEC CRÈME AU BRANDY AUX PRUNES

12	12	petites endives belges
3 c. à table	45 mL	beurre
¼ c. à thé	1 mL	sel
3 c. à table	45 mL	sucre granulé
4	4	jaunes d'oeuf
1¾ tasses	430 mL	crème légère chaude
¼ tasse	60 mL	gelée de brandy aux prunes. ou confiture aux prunes

Retirer les feuilles fanées des endives. Les blanchir dans de l'eau salée pendant 5 à 6 minutes. Faire chauffer le beurre dans une casserole, réduire le feu, ajouter les endives et laisser mijoter pendant 30 minutes.

Pendant que les endives mijotent, battre le sel et le sucre avec les jaunes d'oeufs. Placer dans un bain-marie et ajouter la crème en battant. Battre jusqu'à ce que la sauce ait épaissi, retirer du feu. Ajouter la gelée en brassant.

Transférer les endives dans un plat de service, recouvrir de sauce. Servir immédiatement.

DONNE 4 PORTIONS

Carottes à la Mangue et aux Ananas

Brocoli Almandine

FÈVES PINTO

1 livre	450 g	fèves pinto
⅓ tasse	80 mL	sucre brun
½ tasse	125 mL	miel liquide
⅓ tasse	80 mL	sirop d'érable
2 c. à thé	10 mL	moutarde sèche
½ c. à thé	3 mL	de chaque: cannelle, quatre épices, muscade, gingembre
1 c. à thé	5 mL	poivre noir moulu
1	1	oignon coupé en dés
8 onces	225 g	jambon fumé coupé en dés
1	1	jarret de jambon fumé concassé
6 onces	170 g	porc salé, ou bacon

Laisser tremper les fèves pendant 8 heures ou durant toute la nuit. Les égoutter et les mettre dans une casserole et les couvrir d'eau. Les amener à ébullition et retirer du feu. Laisser reposer pendant 1 heure. Les égoutter, mais conserver l'eau. Mettre les fèves dans un pot de terre-cuite.

Incorporer le sucre, le miel, le sirop, la moutarde, les épices, l'oignon et le jambon. Placer le jarret de jambon au centre et le recouvrir du mélange. Étendre une couche de porc salé au-dessus. Bien couvrir.

Cuire dans un four préchauffé à 275°F (140°C) pendant 6 à 8 heures. Vérifier la cuisson périodiquement pour empêcher que le mélange ne sèche. Ajouter suffisamment d'eau pour couvrir lorsque nécessaire. Retirer le porc salé, le couper en dés et l'incorporer aux fèves si désiré. Servir.

DONNE 6 PORTIONS

CHOUX-FLEURS AVEC SAUCE AURORE

2 c. à table	30 mL	beurre
2 c. à table	30 mL	farine tout usage
1 tasse	250 mL	bouillon de poulet (voir page 77)
½ c. à thé	3 mL	sel
¼ c. à thé	1 mL	poivre blanc
3 c. à table	45 mL	crème à fouetter
3 c. à table	45 mL	pâte de tomates
3 tasses	750 mL	chou-fleur

Faire chauffer le beurre dans une casserole. Ajouter la farine et cuire pendant 2 minutes à feu doux. Ajouter le bouillon, le sel et le poivre, et laisser mijoter jusqu'à ce que la sauce soit épaisse.

Faire cuire le chou-fleur à la vapeur pendant la préparation de la sauce.

Placer le chou-fleur dans un bol de service, couvrir de sauce et servir immédiatement.

DONNE 4 PORTIONS

BROCOLI ALMANDINE

1 livre	454 g	têtes de brocoli
¼ tasse	60 mL	beurre
⅓ tasse	90 mL	amandes en morceaux
2 c. à table	30 mL	jus de citron
1 c. à thé	5 ml	écorce d'orange râpée

Faire cuire le brocoli à la vapeur pendant 15 minutes ou jusqu'à ce qu'il soit tendre.

Faire fondre le beurre dans une petite casserole, ajouter les amandes et faire sauter jusqu'à ce qu'elles soient dorées. Incorporer le jus de citron et l'écorce d'orange.

Transférer le brocoli dans un plat de service et les recouvrir de sauce, servir immédiatement..

DONNE 4 PORTIONS

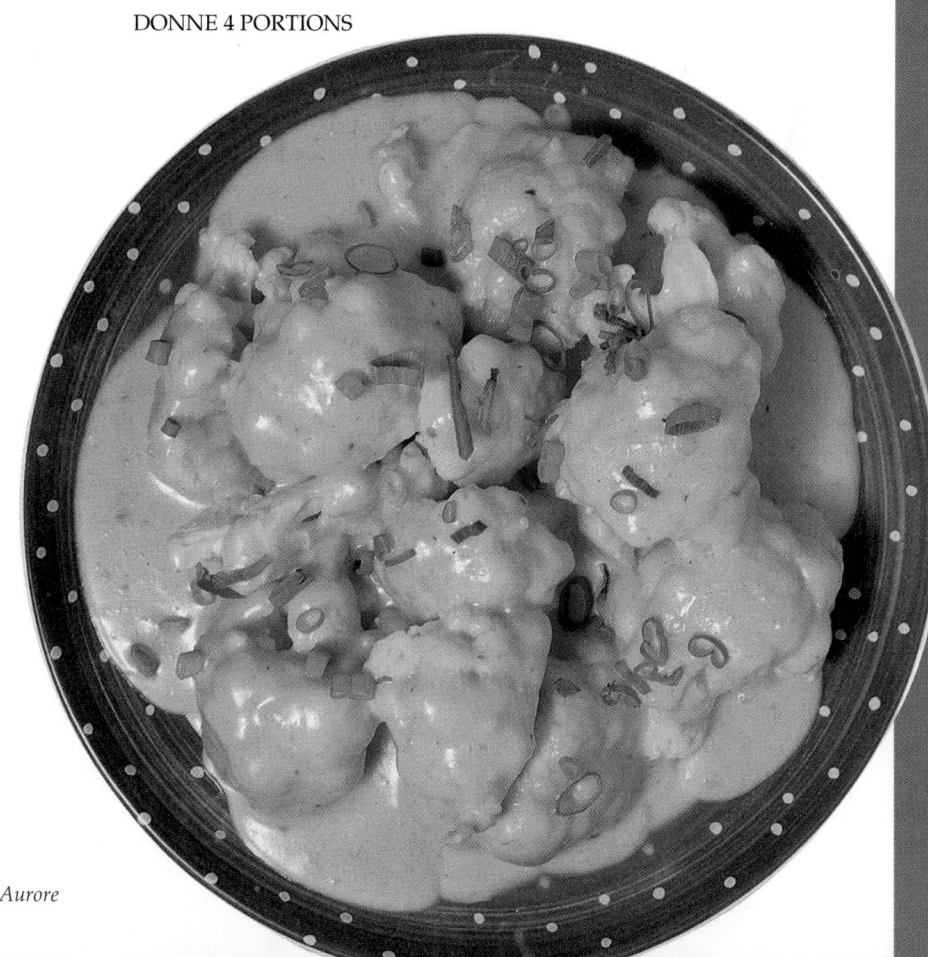

Choux-Fleurs avec Sauce Aurore

ARTICHAUTS AVEC SAUCE AUX OEUFS ET AU CURRY

8	8	petits artichauts
3	3	jaunes d'oeufs cuits dur
1 c. à thé	5 mL	moutarde de Dijon
1 tasse	250 mL	huile d'olive
1½ c. à table	20 mL	vinaigre de vin
1 c. à table	15 mL	poudre de curry
3 c. à table	45 mL	crème à fouetter fouettée

Tailler les artichauts, retirer leurs queues. Tailler et arrondir les feuilles, (des ciseaux font très bien l'affaire). Laver les artichauts. Les placer dans un grand chaudron d'eau bouillante salée. Les cuire pendant 30 à 45 minutes, jusqu'à ce qu'ils soient tendres. Les égoutter et les laisser refroidir.

Dans un robot culinaire, mélanger les oeufs en une pâte lisse avec la moutarde. Ajouter lentement l'huile pendant que la machine fonctionne. Incorporer lentement le vinaigre. Verser la sauce dans un petit bol, ajouter le curry et incorporer la crème en pliant.

Placer les artichauts sur un plat de service, les recouvrir de sauce et servir.

DONNE 4 PORTIONS

PUDDING AU MAÏS

2 c. à table	30 mL	beurre
2 c. à table	30 mL	farine tout usage
1 tasse	250 mL	lait
¼ c. à thé	1 mL	sel
¼ c. à thé	1 mL	poivre blanc
pincée	pincée	muscade
2 tasses	500 mL	grains de maïs frais
2	2	oeufs

Faire fondre le beurre dans une casserole. Ajouter la farine et brasser jusqu'à l'obtention d'une pâte (roux) cuire pendant 2 minutes à feu doux.

Ajouter le lait et mélanger; laisser mijoter jusqu'à épaississement. Ajouter les épices et laisser mijoter pendant 2 minutes de plus.

Incorporer les grains de maïs à la sauce et ajouter les oeufs en brassant. Transférer dans un petit plat allant au four et mettre celui-ci dans un second plat rempli d'eau chaude. Cuire dans un four préchauffé à 350°F (180°C) pendant 35 minutes. Servir à même du plat.

DONNE 4 PORTIONS

AUBERGINES HÔTELIÈRES

3	3	aubergines
4	4	tomates pelées, épépinées, coupées en dés
1	1	petit oignon finement coupé en dés
4 c. à table	60 mL	huile d'olive
¼ c. à thé	1 mL	de chaque: marjolaine, cerfeuil, basilic, thym, poivre blanc
1 c. à thé	5 mL	sel
2 tasses	500 ml	chapelure fine
2	2	oeufs
¼ tasse	60 mL	fromage Parmesan fraîchement râpé
2 c. à table	30 mL	beurre fondu

Peler une des aubergines et la couper finement en dés. La mélanger avec les tomates et les oignons.

Faire chauffer l'huile dans une grande poêle et faire sauter les légumes jusqu'à ce que le liquide se soit évaporé. Les placer dans un bol. Ajouter les épices, la chapelure, les oeufs et le fromage, et bien mélanger.

Peler et trancher les deux autres aubergines en gros morceaux dans le sens de la longueur. Les badigeonner de beurre et les recouvrir abondamment du mélange. Placer sur une plaque à biscuits et cuire dans un four préchauffé à 350°F (180°C) pendant 20 à 25 minutes ou jusqu'à ce qu'elles soient dorées.

DONNE 6 PORTIONS

Artichauts avec Sauce aux Oeufs et au Curry

Aubergines Hôtelières

BROCOLI AVEC SAUCE MOUSSELINE

1 livre	450 g	têtes de brocoli
½ tasse	125 mL	beurre
2	2	jaunes d'oeufs
2 c. à thé	10 mL	jus de citron
pincée	pincée	cayenne
¼ tasse	60 mL	crème à fouetter

Cuire le brocoli à la vapeur pendant 15 minutes.

Pendant la cuisson du brocoli, faire fondre le beurre jusqu'à ce qu'il soit très chaud.

Placer les jaunes d'oeufs dans un bain-marie au-dessus d'un feu doux. Ajouter lentement le jus de citron, en s'assurant qu'il est incorporé au mélange. Retirer du feu, et battre lentement avec le beurre chaud.

Ajouter le cayenne et la crème à fouetter.

Placer brocoli dans un plat de service, recouvrir de sauce et servir immédiatement.

DONNE 4 PORTIONS

CAROTTES AU CHAMPAGNE

1 livre	454 g	carottes
3 c. à table	45 mL	beurre
3 c. à table	45 mL	farine tout usage
1½ tasses	375 mL	bouillon de poulet (voir page 77)
½ tasse	125 mL	crème épaisse
½ tasse	125 mL	champagne

Peler les carottes et les couper en bâtonnets. Faire cuire les carottes à la vapeur pendant 15 minutes.

Pendant la cuisson des carottes, faire fondre le beurre dans une casserole. Ajouter la farine et mélanger jusqu'à l'obtention d'une pâte (roux) tout en cuisant à feu doux.

Ajouter le bouillon de poulet, la crème et le champagne. Battre ensemble tous les ingrédients.

Laisser mijoter pendant 10 minutes à feu moyen. Verser la sauce sur les carottes et servir.

DONNE 4 PORTIONS

CROQUETTES AU CRABE ET AUX CHAMPIGNONS

½ livre	225 g	champignons
3 c. à table	45 mL	huile d'olive
2 c. à table	30 mL	beurre
2¼ tasses	560 mL	farine tout usage
1 tasse	250 mL	lait
¼ c. à thé	1 mL	sel
¼ c. à thé	1 mL	poivre blanc
½ c. à thé	3 mL	de chaque: thym, marjolaine, basilic
½ livre	225 g	chair de crabe cuite
2	2	oeufs
¼ tasse	60 mL	crème légère
2 tasses	500 mL	chapelure fine
1 tasse	250 mL	huile de tournesol

Laver et hacher finement les champignons.

Faire chauffer l'huile dans une grande poêle et faire sauter les champignons jusqu'à ce que le liquide se soit évaporé.

Faire fondre le beurre dans une casserole. Ajouter ¼ tasse (60 mL) de farine et brassant jusqu'à l'obtention d'une pâte (roux) cuire pendant 2 minutes à feu doux.

Ajouter le lait et mélanger; laisser mijoter jusqu'à épaississement. Ajouter les épices et laisser mijoter pendant 2 minutes de plus.

Ajouter les champignons et le crabe à la sauce en pliant et bien mélanger. Laisser refroidir à la température de la pièce.

Façonner 8 boulettes rondes et les placer sur une plaque à biscuits recouverte de papier ciré et réfrigérer pendant 2 heures.

Battre les oeufs avec la crème. Parsemer les boulettes du restant de farine, les tremper dans les oeufs et les enrober de chapelure.

Faire chauffer l'huile dans une grande poêle et faire frire les croquettes jusqu'à ce qu'elles soient dorées.

Servir accompagnées de sauce au vin de Madère (voir page 112).

DONNE 4 PORTIONS

Brocoli avec Sauce Mousseline

ENDIVES BELGES

12	12	petites endives belges
½ c. à thé	3 mL	de chaque: marjolaine, basilic, ciboulette, sauge, grains de poivre, thym
1 c. à table	15 mL	échalotes émincées
¼ tasse	60 mL	vin blanc
3 c. à table	45 mL	beurre
3 c. à table	45 mL	farine tout usage
¾ tasse	180 mL	bouillon de poulet (voir page 77)
½ tasse	125 mL	crème légère
1 c. à table	15 mL	cerfeuil fraîchement haché

Retirer les feuilles fanées des endives. Les blanchir dans de l'eau bouillant salée pendant 5 à 6 minutes. Égoutter et conserver au chaud.

Dans une petite poêle, combiner les épices, les échalotes et le vin. Amener à ébullition et réduire le volume du liquide de moitié. Passer dans un filet à fromage ou un fin tamis. Conserver le liquide.

Faire chauffer le beurre dans une deuxième casserole, ajouter la farine et cuire pendant 2 minutes à feu doux. Ajouter le liquide mis de côté, le bouillon et la crème, laisser mijoter jusqu'à épaississement. Incorporer le cerfeuil.

Verser la sauce sur les endives et servir.

DONNE 4 PORTIONS

Choux de Bruxelles avec Sauce Suzette

RIZ AUX FINES HERBES

2 c. à table	30 mL	beurre
⅓ tasse	80 mL	oignon finement coupé en dés
¼ tasse	60 mL	céleri finement coupé en dés
¼ tasse	60 mL	poivron rouge finement coupé en dés
5 tasses	1.25 L	bouillon de poulet (voir page 77)
2 tasses	500 mL	riz à grain long
½ c. à thé	3 mL	de chaque: basilic, thym, origan, cerfeuil
1 c. à table	15 mL	ciboulette hachée
2 c. à table	30 mL	persil haché

Faire chauffer le beurre dans une casserole. Ajouter les légumes et les faire sauter jusqu'à ce qu'ils soient tendres. Ajouter le bouillon de poulet et le riz. Amener à ébullition, réduire le feu et laisser mijoter. Cuire jusqu'à ce que le riz ait absorbé le liquide.

Incorporer les herbes and servir.

DONNE 6 PORTIONS

CHOUX DE BRUXELLES AVEC SAUCE SUZETTE

1 livre	450 g	choux de Bruxelles
1	1	orange
½ tasse	125 mL	beurre
½ tasse	125 mL	sucre granulé
3 c. à table	45 mL	brandy à l'orange

Laver les choux et retirer les feuilles fanées, ainsi que la queue. Cuire les choux dans de l'eau bouillante salée pendant 10 minutes. Égoutter et conserver au chaud dans un bol de service.

Pendant que les choux cuisent, retirer l'écorce de l'orange et en extraire le jus et le conserver de côté.

Faire chauffer le beurre dans une casserole, ajouter le sucre, et cuire jusqu'à ce qu'il soit caramélisé. Ajouter l'écorce d'orange. Maintenir la poêle à distance et faire flamber le brandy. Ajouter le jus de l'orange, cuire pendant 2 minutes à feu doux. Verser sur les choux de Bruxelles et servir.

DONNE 4 PORTIONS

POMMES DE TERRE KALENUIK

1½ livres	675 g	pommes de terre pelées
⅓ livre	150 g	bacon coupé en dés
1	1	oignon espagnol coupé en dés
½ tasse	125 mL	poivron vert coupé en dés
1 tasse	250 mL	champignons tranchés
4 c. à table	60 mL	beurre
3 c. à table	45 mL	farine tout usage
1 tasse	250 mL	tomates pelées, épépinées, hachées
1½ tasse	375 mL	bouillon de boeuf (voir page 85)
¼ tasse	60 mL	sherry
1 c. à thé	5 mL	sauce Worcestershire
1 c. à table	15 mL	soya sauce
1 c. à thé	5 mL	sel
½ c. à thé	3 mL	pepper
¼ c. à thé	1 mL	de chaque: thym, basilic, origan, paprika, poudre de chili, poudre oignon, poudre d'ail
1 tasse	250 mL	fromage Cheddar fort– râpé

Poivrons Rôtis avec Champignons Sautés

POIVRONS RÔTIS AVEC CHAMPIGNONS SAUTÉS

1	1	poivron rouge
1	1	poivron jaune
1	1	poivron vert
3 onces	80 g	petits champignons coupés en deux
3 c. à table	45 mL	beurre
1 tasse	250 mL	sauce ailloli (voir page 102)

Préchauffer le four à 400°F (200°C). Placer les poivrons sur une plaque à biscuits. Cuire dans le four pendant 20 minutes en les tournant fréquemment. Retirer du four et mettre les poivrons dans un sac de papier et bien le sceller. Les conserver dans le sac pendant 20 minutes ou jusqu'à ce que la pelure devienne lâche. Retirer la peau. Couper les poivrons en deux et retirer les membranes et les pépins. Les couper en julienne.

Pendant que les poivrons sont dans le sac, faire chauffer le beurre dans une casserole. Ajouter les champignons et les faire sauter jusqu'il n'y ait plus de moisissure. Ajouter les poivrons et les faire sauter pendant 2 minutes. Placer les poivrons et les champignons dans un plat, les couvrir de sauce ailloli et servir.

DONNE 4 PORTIONS

POMMES DE TERRE FARCIES DU CHEF

6	6	grosses pommes de terre cuites
5 onces	140 g	épinards frais
3 c. à table	45 mL	beurre
1	1	gousse d'ail émincée
½ c. à thé	3 mL	de chaque: basilic, thym, origan
2 c. à thé	10 mL	sel
1 c. à thé	5 mL	poivre
1 tasse	250 mL	fromage Parmesan râpé

Couper le dessus des pommes de terre pendant qu'elles sont encore chaudes. Retirer la pulpe, la réduire en purée et la mettre de côté.

Laver les épinards, retirer la queue et les hacher finement.

Préchauffer le four à 450°F (230°C).

Faire chauffer le beurre dans une poêle et faire sauter les épinards avec la gousse d'ail. Ajouter la purée de pommes de terre avec les épices et le fromage. Farcir les pommes de terre.

Placer sur une plaque à biscuits et les faire chauffer jusqu'à ce qu'elles soient chaudes et d'un brun doré.

DONNE 6 PORTIONS

Couper les pommes de terre en tranches, les faire partiellement bouillir, les égoutter et les placer dans un plat de 12 tasses (3L) graissé.

Faire frire le bacon dans une poêle, égoutter l'excès de gras. Conserver 2 c. à table (30 mL).

Dans une casserole, faire sauter l'oignon, les champignons et le poivron dans le beurre, et consever le gras. Ajouter le bacon, parsemer de farine et cuire pendant 2 minutes. Ajouter tous les autres ingredients, à l'exception du fromage. Reduire le feu et laisser mijoter jusqu'à ce que la sauce devienne épaisse.

Verser sur les pommes de terre et les cuire dans un four préchauffé à 375°F (190°C) pendant 15 minutes. Parsemer de fromage et cuire pendant 5 minutes de plus. Servir.

DONNE 6 PORTIONS

BROCOLI AU CITRON ET AUX NOIX

1 livre	454 g	têtes de brocoli
2 c. à thé	10 mL	fécule de maïs
¾ tasse	180 mL	sucre granulé
1¾ tasses	430 mL	eau bouillante
¼ tasse	60 mL	jus de citron
1 c. à table	15 mL	écorce de citron râpée
2 c. à table	30 mL	beurre
¼ tasse	60 mL	amandes rôties, tranchées

Cuire le brocoli à la vapeur pendant 12 à 15 minutes, transférer dans un plat de service.

Mélanger la fécule de maïs avec le sucre. Ajouter à l'eau bouillante en brassant et laisser mijoter jusqu'à épaississement. Incorporer le jus et l'écorce en brassant et poursuivre la cuisson pour que la sauce devienne épaisse de nouveau.

Retirer du feu et ajouter le beurre en brassant. Verser la sauce sur les brocoli, parsemer d'amandes et servir.

DONNE 4 PORTIONS

TOFU AIGRE-DOUX

1 livre	450 g	tofu ferme
2 c. à table	30 mL	huile d'olive
1	1	gousse d'ail
1	1	petit oignon coupé en dés
1	1	petit poivron rouge coupé en dés
¼ tasse	60 mL	tomates pelées, épépinées, coupées en dés
4 c. à thé	20 mL	sucre brun
4 c. à thé	20 mL	sauce soya légère
⅔ tasse	160 mL	bouillon de poulet (voir page 77)
1 c. à table	15 mL	jus de citron
1 c. à table	15 mL	vin de riz (facultatif)
⅔ tasse	160 mL	morceaux d'ananas
2 c. à thé	10 mL	fécule de maïs
2 c. à thé	10 mL	eau

Envelopper le tofu dans un linge pour retirer l'excès de liquide et le couper en cubes de 1" (2.5 cm).

Faire chauffer l'huile dans un wok, ajouter l'ail, l'oignon, le poivron et faire rapidement frire. Ajouter le tofu et frire pendant 1 minute. Incorporer les tomates, le sucre, la sauce soya, le bouillon, le jus de citron et le vin. Amener à ébullition. Ajouter les ananas.

Mélanger la fécule de maïs avec l'eau et ajouter au mélange. Cuire jusqu'à épaississement.

Servir sur du riz.

DONNE 4 PORTIONS

Brocoli au Citron et aux Noix

Légumes Marinés Grillés

LÉGUMES MARINÉS GRILLÉS

1	1	aubergine
1	1	grosse courgette
1	1	poivron rouge
1	1	poivron jaune
2	2	grosses carottes pelées
1	1	oignon espagnol
¾ tasse	190 mL	huile d'olive
¼ tasse	60 mL	jus de citron
1 c. à table	15 mL	oignon râpé
1	1	gousse d'ail émincée
½ c. à thé	3 mL	sel
¼ c. à thé	1 mL	de chaque: basilic, thym, origan, poivre, paprika
1 c. à table	15 mL	sherry
1 c. à thé	5 mL	sauce Worcestershire

Nettoyer les légumes et les couper en tranches larges. Les mettre dans un bol.

Combiner tous les autres ingrédients et verser sur les légumes. Laisser mariner pendant 1 heure.

Faire griller les légumes au-dessus d'une braise moyenne pendant 10 minutes, badigeonner plusieurs fois avec la marinade. Badigeonnner une dernière fois et servir.

DONNE 4 PORTIONS

Choux de Bruxelles Aegir

CHOUX DE BRUXELLES AEGIR

1 livre	450 g	choux de Bruxelles
½ tasse	125 mL	beurre
2	2	jaunes d'oeufs
2 c. à thé	10 ml	jus de citron
1 c. à thé	5 ml	moutarde sèche
pincée	pincée	cayenne

Retirer les queues et les feuilles fanées des choux. Les cuire pendant 10 minutes dans de l'eau bouillante salée.

Faire fondre le beurre jusqu'à ce qu'il soit très chaud.

Pendant la cuisson des choux, placer les jaunes d'oeufs dans un bain-marie à feu doux. Ajouter le jus de citron et la moutarde, et bien mélanger. Faire chauffer en brassant constamment jusqu'à ce que le mélange soit épais et crémeux. Retirer immédiatement du feu.

Ajouter graduellement le beurre fondu tout en brassant. Ajouter la cayenne.

Placer les choux dans un plat de service et les recouvrir de sauce. Servir immédiatement.

DONNE 4 PORTIONS

ENDIVES BEULEMANNS

12	12	endives belges
¼ tasse	60 mL	beurre
¼ tasse	60 mL	eau
1 c. à table	15 mL	jus de citron
½ c. à thé	3 mL	sel
¼ c. à thé	1 mL	poivre blanc
½ tasse	125 mL	jambon coupé en dés
1 tasse	250 mL	champignons cuits, tranchés
1 tasse	250 mL	sauce demi-glace (voir page 123)
¼ tasse	60 mL	crème épaisse

Retirer les feuilles fanées des endives et les rincer à l'eau froide.

Dans une grande poêle, faire chauffer le beurre, l'eau, le jus de citron, le sel et le poivre. Ajouter les endives et laisser mijoter à feu doux pendant 15 minutes.

Dans une petite casserole faire chauffer le jambon, les champignons, la sauce demi-glace et la crème à feux doux.

Transférer les endives dans un plat de service, les recouvrir de sauce et servir.

DONNE 6 PORTIONS

CAROTTES CAMPAGNARDES

1½ livres	675 g	carottes
4 c. à table	60 mL	beurre
3 c. à table	45 mL	farine tout usage
1 tasse	250 mL	lait
1 tasse	250 mL	bouillon de poulet (voir page 77)
½ c. à thé	3 mL	sel
¼ c. à thé	1 mL	poivre noir moulu

Peler les carottes, les couper en bâtonnets et les cuire à la vapeur pendant 15 minutes. Les transférer dans un plat de service.

Faire fondre le beurre dans une casserole, ajouter la farine et cuire pendant 2 minutes à feu doux. Ajouter le lait, le bouillon, le sel et le poivre en brassant, réduire le feu et laisser mijoter jusqu'à ce que le mélange soit homogène.

Verser la sauce sur les carottes et servir immédiatement.

DONNE 8 PORTIONS

ASPERGES AU BRANDY À L'ORANGE

1 livre	450 g	pointes d'asperges
2 c. à thé	10 mL	fécule de maïs
½ tasse	125 mL	sucre granulé
1½ tasses	375 mL	jus d'orange
½ tasse	125 mL	liqueur de Grand Marnier
2 c. à thé	10 mL	zeste d'orange
1½ c. à table	24 ml	beurre

Peler les asperges et retirer le bout des queues. Les cuire dans de l'eau bouillante salée pendant 15 minutes, tout en conservant les pointes hors de l'eau. Égoutter et conserver au chaud.

Mélanger la fécule de maïs avec le sucre. Amener le jus d'orange et la liqueur à ébullition. Incorporer le sucre, réduire le feu et laisser mijoter jusqu'à épaississement. Retirer du feu et incoporer le zeste et le beurre.

Transférer les asperges dans un plat de service, les recouvrir de sauce et servir immédiatement.

DONNE 4 PORTIONS

RISOTTO ALLA CERTOSINA

1	1	oignon espagnol coupé en dés fins
3 c. à table	45 mL	huile d'olive extra vierge
1 tasse	250 mL	riz à grain long
1 tasse	250 mL	orzo*
4 tasses	1 L	bouillon de poisson (voir page 76)
½ tasse	125 mL	poivron rouge coupé en dés fins
½ tasse	125 mL	poivron vert coupé en dés fins
3 c. à table	45 mL	beurre
2 c. à table	30 mL	farine tout usage
2 tasses	500 mL	chair de crevettes cuite
2 tasses	500 mL	crème moitié et moitié
¼ c. à thé	1 mL	de chaque: sel, basilic, cerfeuil, marjolaine
¼ c. à thé	1 mL	poivre blanc
⅔ tasse	160 mL	fromage Parmesan râpé
2 c. à table	30 mL	persil haché

Dans une grande poêle ou une casserole, faire sauter l'oignon dans l'huile. Ajouter le riz et l'orzo et faire sauter en brassant jusqu'à ce que le mélange prenne une couleur dorée. Ajouter le bouillon de poisson, couvrir et laisser mijoter jusqu'à ce tout le liquide ait été absorbé.

Dans une petite casserole, faire sauter les poivrons dans le beurre. Parsemer de farine, cuire pendant 2 minutes à feu doux. Ajouter les crevettes, la crème et les épices. Laisser mijoter pendant 8 à 10 minutes. Incorporer le fromage.

Ajouter la sauce au riz. Placer dans un bol de service. Garnir de persil et servir.

DONNE 6 PORTIONS

*L'orzo est une pâte sèche en forme de riz que l'on retrouve dans la section des pâtes de la majorité des épiceries.

Asperges au Brandy à l'Orange

Risotto Alla Certosina

POMMES DE TERRE À LA BARBANÇONNE

2¼ livres	1 kg	pommes de terre
3 c. à table	45 mL	beurre
3 c. à table	45 mL	farine tout usage
1¼ tasses	310 mL	bouillon de poulet (voir page 77)
1¼ tasses	310 mL	crème moitié et moitié
½ tasse	125 mL	fromage Parmesan fraîchement râpé
3 c. à table	45 mL	ciboulettes émincées
3 c. à table	45 mL	persil fraîchement haché

Peler les the pommes de terre et les couper en tranches épaisses. Les faire bouillir dans de l'eau salée jusqu'à ce qu'elles soient cuites, mais fermes. Égoutter.

Faire chauffer le beurre dans une casserole. Ajouter la farine et cuire pendant 2 minutes à feu doux. Incorporer le bouillon de poulet et la crème en brassant. Réduire le feu et laisser mijoter jusqu'à épaississement. Ajouter le fromage, la ciboulette et le persil en brassant, et laisser mijoter pendant 2 minutes de plus.

Étendre en alternant les pommes de terre et la sauce dans une grosse charlotte et cuire dans un four préchauffé à 350°F (180°C) pendant 35 minutes. Retirer du moule et servir.

DONNE 6 PORTIONS

RIZ CHINOIS AUX FRUITS DE MER

¼ tasse	60 mL	huile de tournesol
¼ livre	60 g	crevettes décortiquées
¼ livre	115 g	chair de homard
¼ livre	115 g	chair de crabe
1	1	oignon moyen, coupé en dés fins
1	1	poivron rouge coupé en dés fins
20	20	petits champignons
4 tasses	1 L	riz à grain long cuit
1 c. à table	15 mL	sauce soya
1 c. à table	15 mL	sherry

Dans un wok ou grande poêle, faire chauffer la moitié de l'huile. Ajouter les fruits de mer et les faire frire rapidement. Retirer du wok et conserver au chaud.

Ajouter le restant d'huile dans le wok. Faire frire l'oignon, les poivrons et les champignons. Ajouter le riz et frire pendant 1 minute. Incorporer les fruits de mer et mélanger.

Ajouter la sauce soya et le sherry. Bien mélanger et servir.

DONNE 6 PORTIONS

RIZ À LA NOIX DE COCO

1 tasse	250 mL	riz à grain long
3½ tasses	875 mL	lait
¾ tasse	180 mL	flocons de noix de coco
¼ tasse	60 mL	sucre granulé

Amener le riz et le lait à ébullition, incorporer la noix de coco et le sucre. Couvrir et laisser mijoter jusqu'à ce que le liquide ait été absorbé. Servir avec des mets polynésiens.

DONNE 4 PORTIONS

Pommes de Terre à la Barbançonne

Riz à la Noix de Coco

POMMES DE TERRE DU DAUPHIN

8	8	grosses pommes de terre pelées
½ c. à thé	3 mL	sel
½ c. à thé	3 mL	poivre blanc
⅔ tasse	160 mL	beurre fondu

Préchauffer le four à 400°F (200°C).

Couper les pommes de terre en fine julienne. Rincer à l'eau froide. Égoutter.

Arranger the pommes de terre en couches dans un plat carré allant au four et assaisonner.

Verser le beurre fondu sur les pommes de terre. Cuire dans le four in the oven pendant 30 à 45 minutes, jusqu'à ce qu'elles soient tendres. Démouler sur un plat de service carré. Servir chaud.

DONNE 6 PORTIONS

FINOCCHIO (FENOUIL) AU GINGEMBRE ET À L'ANANAS

8	8	petit finocchio (fenouil)
4 c. à table	60 mL	beurre
½ tasse	125 mL	jus de pomme
2 c. à table	30 mL	jus de citron
2 c. à thé	10 mL	racine de gingembre râpée
3 c. à table	45 mL	fécule de maïs
1 c. à table	15 mL	sucre brun
½ tasse	125 mL	ananas en morceaux

Retirer les branches vertes des finocchio et couper la base. Enlever les feuilles fanées.

Faire fondre le beurre dans un casserole, ajouter le jus de pomme et le finocchio, laisser mijoter pendant 20 minutes.

Pendant que le finocchio mijote, mélanger le jus de citron avec le gingembre. Mélanger la fécule de maïs et le sucre ensemble. Incorporer au liquide. Amener à ébullition, ajouter les ananas, réduire le feu et laisser mijoter jusqu'à ce que la sauce épaississe.

Transférer le finocchio dans un plat de service, couvrir de sauce et servir.

* Excellent plat d'accompagnement pour le poisson.

DONNE 4 PORTIONS

POMMES DE TERRE BERNY

1 livre	454 g	pommes de terre
2 c. à table	30 mL	beurre
4	4	oeufs
¼ tasse	60 mL	crème
1 tasse	250 mL	farine tout usage
1¼ c. à thé	6 mL	sel
½ c. à thé	3 mL	poivre blanc
¼ c. à thé	1 mL	muscade
¼ tasse	60 mL	lait
2 tasse	500 mL	amandes en morceaux
¼ tasse	60 mL	beurre fondu

Peler les pommes de terre et les cuire dans de l'eau bouillante jusqu'à ce qu'elles soient tendres. Les mettre dans un robot culinaire et les réduire en purée.

Ajouter le beurre, 1 jaune d'oeuf et la crème; mélanger jusqu'à consistence lisse.

Diviser en ronds sur une plaque à biscuits recouverte de papier ciré, laisser refroidir complètement. Façonner les ronds en forme de cigare.

Mélanger la farine avec les épices. Battre les autres oeufs avec le lait.

Enrober les pommes de terre de farine, les tremper dans le lait et les rouler dans les amandes. Les placer sur une plaque à biscuits, les badigeonner de beurre et cuire dans un four préchauffé à 350°F (180°C)pendant 15 à 20 minutes ou jusqu'à ce qu'elles soient dorées. On peut aussi faire frire les pommes de terre dans l'huile.

DONNE 4 PORTIONS

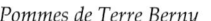

Pommes de Terre Berny

TARTE AUX CAROTTES DE NADINE

½ quan	0.5	pâte gourmet (voir page 541)
1¾ tasses	430 mL	carottes cuites, en purée
½ tasse	125 mL	sucre brun tassé
¼ tasse	60 mL	sirop d'érable
½ c. à thé	3 mL	gingembre moulu
1 c. à thé	5 mL	cannelle moulue
pincée	pincée	clous de girofle moulus
2	2	oeufs battus
1 tasse	250 mL	lait évaporé
½ tasse	125 mL	eau

Abaisser la pâte et la foncer dans un moule à tarte de 9" (22 cm). Canneler les rebords.

Mettre la purée de carottes dans un robot culinaire, ajouter le sucre, le sirop et les épices, et mélanger. Incorporer les oeufs, le lait et l'eau. Mélanger jusqu'à consistance lisse.

Verser dans la pâte à tarte et cuire dans un four préchauffé à 450°F (230°C) pendant 10 minutes. Réduire la température à 300°F (140°C) et poursuivre la cuisson pendant 45 minutes ou jusqu'à ce qu'un couteau inséré dans le milieu en ressorte propre.

Retirer du four et laisser refroidir avant de servir. Délicieux accompagnée de crème fouettée.

DONNE 6 PORTIONS

Tarte aux Carottes de Nadine

ARTICHAUTS DE JÉRUSALEM GRATINÉS

1½ livres	675 g	artichauts de Jérusalem
2 c. à table	30 mL	beurre
2 c. à table	30 mL	farine tout usage
1 tasse	250 mL	bouillon de poulet (voir page 77)
½ tasse	125 mL	crème moitié et moitié
¼ tasse	60 mL	fromage Parmesan fraîchement râpé
1 tasse	250 mL	fromage Cheddar moyen
¼ tasse	60 mL	chapelure

Peler les artichauts, les couper en tranches épaisses et les cuire à la vapeur pendant 15 minutes.

Pendant la cuisson des artichauts, faire chauffer le beurre dans une casserole. Ajouter la farine et cuire à feu doux pendant 2 minutes.

Incorporer le bouillon de poulet et la crème. Réduire le feu et laisser mijoter jusqu'à ce que le mélange épaississe. Incorporer le fromage Parmesan et laisser mijoter pendant 2 autres minutes.

Dans un plat graissé, étendre les artichauts et la sauce en alternant et finir avec la sauce. Parsemer de fromage Cheddar et de chapelure. Cuire dans un four préchauffé à 350°F (180°C) pendant 35 minutes. Servir.

DONNE 4 PORTIONS

RAPINI MORNAY

1 livre	454 g	têtes de rapini
2 c. à table	30 mL	beurre
2 c. à table	30 mL	farine
1 tasse	250 mL	bouillon de poulet (voir page 77)
½ tasse	125 mL	crème moitié et moitié
¼ tasse	60 mL	fromage Parmesan fraîchement râpé

Cuire les rapini à la vapeur pendant 15 minutes et les transférer dans un plat de service.

Pendant la cuisson des rapini, faire chauffer le beurre dans une casserole. Ajouter la farine et cuire pendant 2 minutes à feu doux.

Incorporer le bouillon de poulet et la crème. Réduire le feu et laisser mijoter jusqu'à épaississement. Incorporer le fromage et laisser mijoter pendant 2 autres minutes.

Verser la sauce sur les rapini et servir immédiatement.

DONNE 4 PORTIONS

Soufflé au Brocoli

SOUFFLÉ AU BROCOLI

3 c. à table	45 mL	beurre
3 c. à table	45 mL	farine tout usage
1¼ tasses	310 mL	lait
1 tasse	250 mL	fromage Suisse râpé
⅓ tasse	80 mL	fromage Parmesan râpé
½ c. à thé	3 mL	sel
¼ c. à thé	1 mL	poivre
6	6	gros oeufs séparés, à la température de la pièce
1 tasse	250 mL	têtes de brocoli

Préchauffer le four à 375°F (190°C).

Dans une casserole, faire chauffer le beurre, ajouter la farine et cuire pendant 2 minutes à feu doux. Incorporer le lait et laisser mijoter jusqu'à ce que la sauce épaississe. Incorporer les fromages, le sel et le poivre. Retirer du feu et laisser refroidir.

Beurrer un moule à soufflé de 2½ quart (2.5L).

Battre les jaunes d'oeufs dans un bol. Les incorporer à la sauce et ajouter le brocoli en pliant.

Battre les blancs d'oeufs ferme. Les ajouter au mélange en pliant. Verser le mélange dans le moule à soufflé. Cuire pendant 40 minutes ou jusqu'à le soufflé ait levé bien haut. Servir immédiatement, (rapidement).

DONNE 4 PORTIONS

POMMES DE TERRE SAVOYARDES

⅔ livre	150 g	bacon
1	1	oignon espagnol
3 c. à table	45 mL	beurre
1 livre pelées,	450 g	pommes de terre tranchées
2 tasses bouillon	500 mL	bouillon de légumes (voir page 92) ou de boeuf (voir page 85)
½ c. à thé	3 mL	sel
½ c. à thé	3 mL	poivre
1 tasse	250 mL	fromage Parmesan râpé
1 tasse	250 mL	fromage Gruyère râpé

Couper le bacon en dés et le faire frire dans une grande poêle. Retirer le gras.

Trancher l'oignon et le faire sauter dans la poêle avec le beurre. Ajouter les pommes de terre et cuire pendant 10 minutes en mélangeant. Transférer dans un plat graissé allant au four de 8 tasses (2L).

Couvrir de bouillon, assaisonner et incorporer le Parmesan. Cuire dans un four préchauffé à 375°F (180°C) pendant 20 minutes. Parsemer de Gruyère et poursuivre la cuisson pendant 15 minutes de plus ou jusqu'à ce que les pommes de terre soient tendres.

DONNE 6 PORTIONS

POIS YEUX-NOIRS DE PAMELA

1½ livres	675 g	pois yeux-noirs
4 tasses	1 L	bouillon de poulet (voir page 77
3 tasses	750 mL	sauce Mornay chaude (voir page 111)
1½ tasses	375 mL	poulet cuit coupé en dés
1½ tasses	375 mL	queues d'écrevisse cuites
1 c. à thé	5 mL	paprika
2 c. à table	30 mL	persil haché

Laisser mijoter les fèves dans le bouillon pendant 1-1½ heures jusqu'à ce qu'elles soient tendres. Égoutter. Mettre dans un plat allant au four de 8 tasse (2L).

Préchauffer le four à 350°F (180°C).

Mélanger la sauce Mornay avec le poulet et les écrevisses. Étendre sur les fèves. Parsemer de paprika. Cuire pendant 30 minutes.

Retirer du four, garnir de persil et servir.

DONNE 6 PORTIONS

Pois Yeux-Noirs de Pamela

Riz Saint Denis

RIZ ÉPICÉ AU POULET

1 tasse	250 mL	riz à grain long
¾ tasse	180 mL	orzo
3 c. à table	45 mL	huile de tournesol
1	1	petit oignon coupé en dés fins
1	1	branche de céleri coupée en dés fins
1 tasse	250 mL	champignons tranchés
½ tasse	125 mL	poivron vert coupé en dés fins
4 tasses	1 L	bouillon de poulet chaud (voir page 77)
1½ tasses	375 mL	viande de poulet cuite coupée en dés
½ c. à thé	3 mL	sel
¼ c. à thé	1 mL	de chaque: paprika, poudre d'ail, poudre d'oignon, poudre de chili, feuilles d'origan, feuilles de thym, feuilles de basilic
⅛ c. à thé	pincée	de chaque: cayenne, poivre noir, poivre blanc
2 c. à table	30 mL	beurre

Dans une grande casserole ou une poêle, faire brunir le riz et l'orzo l'huile. Ajouter l'oignon, le céleri, les champignons et le poivron vert. Faire sauter jusqu'à ce qu'ils soient tendres. Incorporer le bouillon de poulet et couvrir. Réduire le feu et laisser mijoter jusqu'à ce que le liquide ait été absorbé.

Incorporer le poulet, les épices et le beurre au riz chaud. Placer dans des bols de service et servir.

DONNE 6 PORTIONS

Riz Espagnol

RIZ SAINT DENIS

4 onces	120 g	champignons
2 tasses	500 mL	riz à grain long
4 tasses	1 L	bouillon de boeuf (voir page 85)
2 tasses	500 mL	sauce demi-glace chaude (voir page 123)
⅔ tasse	160 mL	fromage Parmesan fraîchement râpé

Laver les champignons et les couper en dés. Placer dans une casserole, ajouter le riz et le bouillon de boeuf. Amener à ébullition, couvrir et réduire le feu et laisser mijoter. Cuire le riz jusqu'à ce qu'il soit tendre et que le liquide ait été absorbé.

Disposer en tas au centre d'une assiette de service ronde. Verser la sauce demi-glace tout autour du rebord de l'assiette. Garnir de fromage et servir.

DONNE 6 PORTIONS

RIZ ESPAGNOL

8	8	tranches de bacon coupées en dés
1	1	gros oignon espagnol finement coupé en dés
1	1	poivron vert finement coupé en dés
2	2	branches de céléri
2 tasses	500 mL	bouillon de poulet (voir page 77)
1 tasse	250 mL	riz à grain long
2 tasses	500 mL	tomates pelées, épépinées et hachées
2 c. à thé	10 mL	poudre de chili
½ c. à thé	3 mL	sel
¼ c. à thé	1 mL	de chaque: poivre, paprika

Faire cuire le bacon dans une grande casserole. Ajouter les légumes et faire sauter jusqu'à ce qu'ils soient tendres.

Ajouter le bouillon de poulet, le riz, les tomates et les épices. Couvrir, amener à ébullition, réduire le feu et laisser mijoter. Cuire jusqu'à ce que le liquide ait été absorbé. Servir.

DONNE 4 PORTIONS

CHOUX DE TOM POUCE 2

1 livre	454 g	choux de Bruxelles
⅓ tasse	90 mL	beurre
1 c. à thé	5 mL	jus de citron
1 c. à table	15 mL	cerfeuil frais, haché
2	2	oeufs cuits durs, râpés

Couper les queues des choux et retirer les feuilles extérieures. Les cuire à la vapeur pendant 10 minutes. Transférer dans un plat de service.

Faire chauffer le beurre dans une petite casserole jusqu'à ce qu'il soit mousseux. Ajouter le jus de citron et le cerfeuil, et cuire pendant 1 minute. Verser sur les choux.

Parsemer d'oeufs râpés et servir.

DONNE 4 PORTIONS

CAROTTES AUX NOIX ET AU SIROP D'ÉRABLE

2	2	jaunes d'oeufs
½ tasse	125 mL	sirop d'érable
½ tasse	125 mL	crème à fouetter – fouettée
¼ tasse	60 mL	noix de Grenoble en morceaux
1 livre	454 g	carottes pelées, coupées en julienne

Battre les jaunes d'oeufs. Incorporer le sirop, place dans une bain-marie et cuire jusqu'à épaississement. Retirer du feu et laisser refroidir à la température de la pièce.

Incorporer la crème et les noix en pliant.

Faire cuire les carottes à la vapeur pendant 12 minutes et les transférer dans un plat de service. Verser la sauce sur les carottes et les servir immédiatement.

DONNE 4 PORTIONS

RAGOÛT AUX FÈVES

1½ livres	675 g	fèves noires
¼ livre	115 g	jambon coupé en dés
¼ livre	115 g	bacon coupé en dés
2	2	gousses d'ail émincées
1	1	oignon tranché
2	2	branches de céleri coupées en dés
2 tasses	500 mL	tomates pelées, épépinées, hachées
4 tasses	1 L	bouillon de boeuf (voir page 85)
1 c. à thé	5 mL	sauce Worcestershire
¼ c. à thé	1 mL	sauce Tabasco™
¼ c. à thé	1 mL	de chaque: poivre, origan, thym, basilic, poudre d'oignon cayenne
1 c. à thé	5 mL	de chaque: paprika, sel
½ c. à thé	3 mL	poudre de chili

Faire tremper les fèves noires pendant 8 heures ou durant toute le nuit.

Dans une grande casserole, faire cuire le jambon et le bacon. Faire sauter l'ail, l'oignon et le céleri jusqu'à ce qu'ils soient tendres. Ajouter les tomates, le bouillon, les fèves, la sauce Worcestershire, la sauce Tabasco™ et les épices. Amener à ébullition, réduire le feu et laisser mijoter pendant 2½ à 3 heures. Servir.

DONNE 6 PORTIONS

Choux de Tom Pouce 2

Ragoût aux Fèves

POMMES DE TERRE BOULANGÈRE

¼ tasse	60 mL	beurre
1	1	oignon espagnol tranché
1 livre	450 g	pommes de terre pelées, tranchées
2 tasses	500 mL	bouillon de poulet (voir page 77)
½ c. à thé	3 mL	sel
½ c. à thé	3 mL	poivre blanc

Faire chauffer le beurre dans une grosse casserole et faire sauter l'oignon. Ajouter les pommes de terre et cuire pendant 10 minutes tout en remuant. Transférer dans un plat allant au four de 8 tasse (2L).

Couvrir de bouillon et assaisonner de sel et de poivre. Cuire dans un four préchauffé à 375°F (180°C) pendant 45 minutes ou jusqu'à ce que les pommes de terre soient tendres.

DONNE 6 PORTIONS

CHOUX DE BRUXELLES LYONNAIS

1 livre	450 g	choux de Bruxelles
½ tasse	125 mL	lait
½ tasse	125 mL	crème légère
¼ c. à thé	1 mL	muscade
¼ c. à thé	1 mL	sel
¼ c. à thé	1 mL	poivre blanc
1	1	oignon espagnol moyen
3 c. à table	45 mL	beurre
3 c. à table	45 mL	farine tout usage
⅓ tasse	80 mL	vin blanc doux

Retirer les queues des choux, ainsi que les feuilles fanées. Les cuire dans de l'eau bouillante salée pendant 10 minutes. Égoutter et conserver au chaud dans un bol de service.

Combiner le lait, la crème, la muscade, le sel, le poivre et l'oignon dans une casserole. Amener à ébullition et cuire jusqu'à ce que les oignons soient mous.

Faire fondre le beurre dans une deuxième casserole, ajouter la farine et cuire pendant 2 minutes à feu doux en brassant constamment. Ajouter l'oignon, la crème et le vin, et laisser mijoter pendant 8 à 10 minutes ou jusqu'à ce que le mélange soit épais. Verser sur les choux et servir immédiatement.

DONNE 4 PORTIONS

PÂTE FEUILLETÉE AUX POIS

½ quan	0.5	pâte à choux (voir pommes de terre dauphinoises, page 719)
2 c. à table	30 mL	beurre
2 c. à table	30 mL	farine tout usage
1 tasse	250 mL	lait
¼ c. à thé	1 mL	sel
¼ c. à thé	1 mL	poivre blanc
pincée	pincée	muscade
1½ tasses	375 mL	pois cuits
½ tasse	125 mL	jambon haché finement (facultatif)

Préchauffer le four à 400°F (200°C).

Sur une plaque à biscuits légèrement graissée, laisser tomber des cuillérée à table (15 mL) de pâte à choux à 2" (5 cm) de distance les unes des autres.

Cuire dans le four pendant 20 minutes ou jusqu'à ce qu'elles soient dorées.

Pendant la cuisson des pâte à choux, faire fondre le beurre dans une casserole. Ajouter la farine et brasser jusqu'à l'obtention d'une pâte (roux) cuire pendant 2 minutes à feu doux.

Ajouter le lait et mélanger; laisser mijoter jusqu'à épaississement. Ajouter les épices et laisser mijoter pendant 2 autres minutes. Incorporer les pois et le jambon en brassant.

Couper le dessus des pâtes à choux, les remplir du mélange crémeux aux pois, replacer le dessus et servir.

DONNE 4 PORTIONS

Pâte Feuilletée aux Pois

Cassoulet du Chef K

CASSOULET DU CHEF K

¼ livre	115 g	fèves pinto
¼ livre	115 g	grosses fèves de Lima
¼ livre	115 g	fèves noires
1½ livres	675 g	agneau coupé en dés
¾ livre	345 g	saucisse fumée
¼ tasse	60 mL	huile d'olive
4 tasses	1 L	bouillon de boeuf (voir page 85)
3 c. à table	45 mL	sucre brun
½ c. à thé	3 mL	moutarde séchée
½ c. à thé	3 mL	sel
¼ c. à thé	1 mL	poivre noir moulu
1	1	oignon tranché en anneaux
1 tasse	250 mL	sauce tomate (voir page 106)

Faire tremper les fèves dans de l'eau pendant 8 heures ou durant toute la nuit. Cuire dans un large chaudron d'eau bouillante jusqu'à ce qu'elles soient mi-tendres.

Dans un grande poêle, faire brunir l'agneau et la saucisse dans l'huile. Couvrir avec 2 tasses (500 mL) de bouillon et laisser mijoter jusqu'à ce qu'ils soient tendres.

Transférer dans un plat allant au four. Égoutter les fèves et mélanger avec la viande. Ajouter le restant de bouillon et les autres ingrédients, et bien mélanger.

Cuire dans un four préchauffé à 350°F (180°C) pendant 1½ heures. Retirer du four et servir.

DONNE 6 PORTIONS

SALADE AUX ARTICHAUTS DE JÉRUSALEM ET AUX HARICOTS VERTS

¾ livre	345 g	artichauts de Jérusalem*
¾ livre	345 g	haricots verts
3 c. à table	45 mL	poivron rouge finement coupé en dés
1 c. à thé	5 mL	de chaque: persil, ciboulette hachée, cerfeuil, câpres et cornichons
½ tasse	125 mL	huile d'olive
3 c. à table	45 mL	jus de citron

Peler et trancher les artichauts, les cuire à la vapeur pendant 10 minutes ou jusqu'à ce qu'ils soient tendres.

Laver et retirer les bouts des haricots verts et les cuire à la vapeur pendant 20 minutes.

Dans une petites casserole faire chauffer (sans faire bouillir) les autres ingrédients.

Mélanger les haricots avec les fèves dans un plat de service, recouvrir de sauce et servir. On peut aussi laisser mariner la salade avant de la servir.

DONNE 4 PORTIONS

*L'artichaut de Jérusalem n'est pas du tout apparenté à la famille des artichauts. Il s'agit de la racine tubulaire des tournesols.

RAPINI ALLA ROMANA

4 tasses	1 L	têtes de rapini*
4 c. à table	60 mL	huile d'olive
½ tasse	125 mL	oignon coupé en dés
½ tasse	125 mL	poivron rouge coupé en dés
2 c. à thé	10 mL	ail émincée
3 c. à table	45 mL	jus de citron
1 tasse	250 mL	tomates pelées, épépinées, hachées
1 c. à thé	5 mL	basilic doux
½ c. à thé	3 mL	sel
¼ c. à thé	1 mL	poivre
½ tasse	125 mL	fromage Parmesan fraîchement râpé

Blanchir les rapini dans de l'eau bouillante salée pendant 2 minutes. Égoutter et mettre de côté.

Chauffer l'huile dans une casserole, ajouter l'oignon, le poivron rouge, l'ail et faire sauter jusqu'à ce que ce soit tendre. Incorporer le jus de citron, les tomates, le basilic, le sel et les poivrons. Réduire le feu et laisser mijoter pendant 10 minutes.

Incorporer les rapini et poursuivre la cuisson pendant 5 minutes. Transférer dans un plat de service. Parsemer de fromage et servir.

DONNE 6 PORTIONS

*Le rapini est un brocoli italien.

LÉGUMES, RIZ ET METS VÉGÉTARIENS

Pommes de Terres Delmonico

ENDIVES À LA MORNAY

12	12	endives belges
⅓ tasse	90 mL	beurre
¼ tasse	60 mL	eau
1 c. à table	15 mL	jus de citron
½ c. à thé	3 mL	sel
¼ c. à thé	1 mL	poivre blanc
2 c. à table	30 mL	farine tout usage
1 tasse	250 mL	bouillon de poulet (voir page 77)
½ tasse	125 mL	crème moitié et moitié
¼ tasse	60 mL	fromage Parmesan fraîchement râpé

Retirer les feuilles fanées des endives et les rincer à l'eau froide.

Dans une grande poêle faire chauffer ¼ tasse (60 mL) de beurre, l'eau, le jus de citron, le sel et le poivre, ajouter les endives et laiser mijoter à feu doux pendant 15 minutes.

Pendant la cuisson des endives, faire chauffer le restant de beurre dans une casserole. Ajouter la farine et cuire pendant 2 minutes à feu doux.

Incorporer le bouillon de poulet et la crème. Reduire le feu et laisser mijoter jusqu'à épaississement. Incorporer le fromage et laisser mijoter pendant 2 minutes de plus.

Transférer les endives dans un plat de service, recouvrir de sauce et servir.

DONNE 6 PORTIONS

POMMES DE TERRE ALPHONSE

6	6	grosses pommes de terre
4 c. à table	60 mL	beurre
¼ c. à thé	1 mL	de chaque: basilic, origan, thym, sauge, poivre noir
1 c. à thé	5 mL	sel
1½ tasses	375 mL	fromage Gruyère râpé

Bien laver les pommes de terre, et ensuite les faire bouillir. Égoutter et laisser refroidir. Retirer la pelure et la conserver, et trancher les pommes de terre.

Préchauffer le four à 400°F (200°C).

Placer les pommes de terre dans un plat graissé allant au four. Les parsemer de beurre et les saupoudrer d'épices. Cuire pendant 20 minutes.

Parsemer de fromage et cuire pendant 5 minutes de plus. Servir.

DONNE 4 PORTIONS

POMMES DE TERRE DELMONICO

1½ livres	675 g	pommes de terre
2 c. à table	30 mL	beurre
2 c. à table	30 mL	farine tout usage
1 tasse	250 mL	lait
¼ c. à thé	1 mL	sel
¼ c. à thé	1 mL	poivre blanc
pincée	pincée	muscade
¼ tasse	60 mL	piment coupé en dés
½ tasse	125 mL	chapelure
¼ tasse	60 mL	beurre

Peler les pommes de terre et les couper en cubes de ½". Les faire cuire dans de l'eau bouillante salée pendant 15 minutes.

Pendant la cuisson des pommes de terre, Faire fondre le beurre dans une casserole. Ajouter la farine et mélanger jusqu'à l'obtention d'une pâte (roux) cuire pendant 2 minutes à feu doux.

Ajouter le lait, mélanger et laisser mijoter jusqu'à épaississement. Ajouter les épices et laisser mijoter pendant 2 minutes de plus. Incorporer le piment.

Enrober les pommes de terre de sauce et les mettre dans un plat graissé. Les parsemer de chapelure et de beurre. Cuire dans un four préchauffé à 350°F (180°C) pendant 30 minutes. Servir.

DONNE 4 PORTIONS

Endives à la Mornay

Riz Matriciana

Asperges et Crevettes Framboisées

RIZ MATRICIANA

8	8	tranches de bacon
1	1	gousse d'ail émincée
1	1	petit oignon finement haché
2 tasses	500 mL	tomates pelées, épépinées, hachées
2 tasses	500 mL	riz à grain long
4 tasses	1 L	bouillon de poulet (voir page 77)
2 tasses	500 mL	jus de tomate
1 c. à thé	5 mL	cerfeuil
½ c. à thé	3 mL	sel
¼ c. à thé	1 mL	poivre

Couper le bacon en dés fins et le faire cuire avec l'ail et l'oignon. Ajouter les tomates et cuire doucement jusqu'à ce que tout le liquide se soit évaporé.

Incorporer le riz. Ajouter le bouillon de poulet, le jus de tomate et les épices. Couvrir et laisser mijoter jusqu'à ce que le riz soit tendre et que le liquide ait été absorbé. Servir.

DONNE 6 PORTIONS

ASPERGES ET CREVETTES FRAMBOISÉES

6 c. à table	90 mL	vinaigre de framboises
4 c. à thé	20 mL	moutarde Dijon
4 c. à thé	20 mL	sucre granulé
¾ c. à thé	4 mL	sel
¼ c. à thé	1 mL	poivre
¾ tasse	190 mL	huile d'olive
1½ livres	675 g	pointe d'asperges
2 tasses	500 mL	petites crevettes cuites

Mélanger ensemble le vinaigre, la moutarde, le sucre, le sel et le poivre. Incorporer lentement l'huile en brassant.

Peler les asperges et retirer les bouts des racines, les blanchir pendant 7 minutes tout en conservant les pointes hors de l'eau. Rincer à l'eau froide et éponger.

Placer les asperges sur un plat de service, les recouvrir de sauce et les laisser mariner au réfrigérateur.

Parsemer les asperges de crevettes et servir.

DONNE 4 PORTIONS

$\mathcal{B}$OISSONS

Qu'est-ce qu'un repas sans boissons ? Un orphelin ! C'est pourquoi je vous ai présenté une sélection intéressante de boissons contemporaines, certaines alcoolisées, d'autres non-alcoolisées.

Des boissons fraîches, aux fruits, naturelles, pour les fêtes et pour les moments de relaxation. Toutes se trouvent dans les pages suivantes et sont absolument *Tout Simplement Délicieuses*. Des cafés et des chocolats comme personne ne vous en a jamais offerts, et que vous n'avez jamais goûtés. Vous deviendrez aussi populaire que le barman de votre restaurant préféré.

Bien sûr, le goût est la règle finale, et ces boissons satisfont toutes les exigences du goût. Même une boisson peut être manquée, si l'on n'utilise pas les meilleurs ingrédients. Suivez la recette et évitez la défaite. Chaque boisson est conçue pour obtenir le meilleur goût ; un peu trop ou un peu moins d'un ingrédient peut abaisser un très bon mélange au rang de médiocre. Expérimentez par tous les moyens avec vos boissons. Utilisez votre imagination pour vous assurer le meilleur pour vous-même et vos invités.

Beaucoup considèrent les boissons comme le moindre de leur soucis dans la préparation d'un grand repas, pourtant, les boissons vont aux lèvres de vos invités plus souvent que tout autre mets. C'est pourquoi il faut leur donner une considération au moins égale. Une sélection variée de boissons offertes durant le repas du soir, rend le repas d'autant plus mémorable.

Au cours d'un dîner, il est possible de goûter jusqu'à quatre vins différents. Pourquoi ne pas remplacer les vins par quatre boissons différentes?. Elles vous vaudront autant de compliments et vos invités auront autre chose à espérer que faire sauter un bouchon.

Des boissons *Tout Simplement Délicieuses* mettront de la vie dans toutes les célébrations, vous réchaufferont les soirs d'hiver ou vous rafraîchiront les jours de grande chaleur. Vous pouvez choisir parmi plus de quarante boissons, ou inventer pour servir la boisson appropriée au bon moment. Gardez toujours en tête que les meilleures boissons sont celles qui sont *Simplement Délicieuses*.

Northern & CNR

YO YO

1 once	30 mL	rhum
1 once	30 mL	Tia Maria
1	1	cerise au marasquin

Combiner dans un verre droit, sur de la glace. Garnir avec la cerise et servir.

1 PERSONNE

RÉGAL AU MELON

½	0.5	melon d'Antibes, épépiné
½	0.5	cantaloup, épépiné
1	1	orange

Mettre la chair des melons dans un mélangeur. Battre légèrement, lever les quartiers d'orange et ajouter dans le verre. Servir.

2 PERSONNES

BEAU CHOCOLAT

2 onces	60 g	chocolat mi-sucré, râpé
¼ tasse	60 mL	sucre granulé
½ tasse	125 mL	eau bouillante
2½ tasses	625 mL	lait ébouillanté
1 c. à table	15 mL	cristaux de café instantané
⅓ tasse	80 mL	cognac
⅓ tasse	80 mL	Amaretto
½ tasse	125 mL	crème à fouetter
¼ tasse	60 mL	amandes effilées, grillées

Mélanger le chocolat, le sucre et l'eau dans une petite casserole, amener à ébullition, baisser le feu et mijoter 2 minutes.

Ajouter au fouet, le lait, le café, le cognac, l'Amaretto et mijoter un autre 2 minutes.

Verser dans quatre grandes tasses. Fouetter la crème et déposer sur le dessus. Saupoudrer avec les amandes et servir.

4 PERSONNES

BÂTONS DE RÉGLISSE

3 onces	80 g	chocolat blanc, râpé
¼ tasse	60 mL	sucre granulé
2 tasses	500 mL	lait
1 tasse	250 mL	crème légère
¼ tasse	60 mL	liqueur de Pernod
¼ tasse	60 mL	liqueur Anisette
6	6	bâtons de réglisse noire

Mélanger le chocolat, le sucre, le lait, la crème et les liqueurs dans une petite casserole. Chauffer, mais sans bouillir. Verser dans de grandes tasses, garnir avec les bâtons de réglisse et servir.

4 PERSONNES

GÂTEAU AU FROMAGE AUX AMANDES

2 onces	60 mL	Amaretto
½ tasse	125 mL	crème légère
1 tasse	250 mL	crème glacée aux amandes
2 c. à table	30 mL	sirop de sucre
¼ c. à thé	1 mL	essence d'amandes
2 c. à thé	10 mL	amandes effilées, grillées

Dans un mélangeur, battre jusque lisse, la liqueur, la crème, la crème glacée, le sirop et l'essence d'amande.

Verser dans deux verres tube, garnir avec les amandes et servir.

2 PERSONNES

Yo Yo

Régal au Melon

Noix Zut Alors!

BAR 50-50

3 onces	80 g	chocolat mi-sucré, râpé
2 tasses	500 mL	lait
1 tasse	250 mL	crème légère
¼ tasse	60 mL	Galliano
¼ tasse	60 mL	Triple Sec
¼ tasse	60 mL	jus d'orange concentré
½ tasse	125 mL	crème à fouetter
4	4	bâtons de chocolat et orange

Mélanger le chocolat, le lait, la crème, les liqueurs et le jus d'orange dans une casserole. Chauffer sans faire bouillir.

Verser dans de grandes tasses

Fouetter la crème et déposer sur le dessus. Garnir avec les bâtons de chocolat, servir.

4 PERSONNES

Bar 50-50

COCKTAIL CUBAIN

⅔ onces	20 mL	brandy
⅓ onces	10 mL	brandy aux abricots
1 c. à thé	5 mL	jus de lime
2 gouttes	2 gouttes	bitter à l'orange

Verser les ingrédients sur de la glace concassée dans un shaker. Remuer, filtrer dans un verre à cocktail.

1 PERSONNE

NOIX ZUT ALORS!

¼ tasse	60 mL	amandes blanchies
½ tasse	125 mL	yaourt aux ananas
½ tasse	125 mL	jus d'ananas
1 goutte	1 goutte	essence d'amande
1 c. à thé	5 mL	amandes effilées, grillées

Mélanger tous les ingrédients dans un mélangeur, battre jusque lisse. Verser dans des verres à champagne et servir.

1 PERSONNE

VISION AU KAHLUA

2 onces	60 mL	Kahlua
1 c. à table	15 mL	sucre en poudre
2 c. à table	30 mL	café extra fort
½ tasse	125 mL	crème légère
1 tasse	250 mL	crème glacée au café

Mélanger tous les ingrédients dans un mélangeur jusque lisses. Verser dans deux verres tube et servir.

2 PERSONNES

VISION AUX PÊCHES

2 c. à table	30 mL	miel
1 tasse	250 mL	pêches fraîches, tranchées
½ tasse	125 mL	yaourt nature
1 tasse	250 mL	nectar de pêche ou d'abricot

Mettre tous les ingrédients dans un mélangeur, battre jusque lisse. Verser dans de grands verres droits et servir.

2 PERSONNES

AGGRAVATION

1 once	30 mL	scotch
1 once	30 mL	Kahlua
1 once	30 mL	crème

Combiner dans un verre, sur de la glace. Servir.

1 PERSONNE

BANANE RUSSE

3 onces	80 g	chocolat mi-sucré, râpé
1½ tasse	375 mL	café fort
1 tasse	250 mL	crème moitié et moitié
¼ tasse	60 mL	sucre granulé
¼ tasse	60 mL	vodka
¼ tasse	60 mL	Kahlua
2	2	bananes écrasées
½ tasse	125 mL	crème à fouetter
¼ tasse	60 mL	grains de chocolat

Mélanger le chocolat, le café, la crème, le sucre, les liqueurs et les bananes dans une casserole. Chauffer sans bouillir.

Verser dans de grandes tasses. Fouetter la crème, la déposer sur le dessus. Garnir avec les grains de chocolat et servir.

4 PERSONNES

CAFÉ MEXICO

3 tasses	750 mL	café
⅓ tasse	80 mL	tequila
⅓ tasse	80 mL	Kahlua
¼	0.25	citron
¼ tasse	60 mL	sucre granulé
½ tasse	125 mL	crème à fouetter
12	12	grains de café au chocolat

Faire chauffer le café, la tequila et le Kahlua. Frotter le tour des tasses avec le citron puis tremper dans le sucre. Remplir avec le café. Fouetter la crème et déposer sur le dessus. Garnir chaque tasse avec 4 graines de café et servir.

4 PERSONNES

DAME D'HONOLULU

2 onces	60 mL	Calvados
1 once	30 mL	lait de noix de coco
1 once	30 mL	jus de citron
1 c. à table	15 mL	Grenadine
3 onces	90 mL	limonade au citron et limette
½ c. à thé	3 mL	sucre en poudre
1	1	bâton d'ananas
1	1	cerise au marasquin

Remplir à demi un verre tubes avec de la glace concassée, verser les liquides sur le dessus, ajouter le sucre et remuer. Piquer l'ananas et la cerise avec un cure-dents, utiliser comme garniture.

1 PERSONNE

Vision aux Pêches

Café Mexico

COCCINELLE AU CHOCOLAT

3 onces	80 g	chocolat blanc, râpé
¼ tasse	60 mL	sucre granulé
2 tasses	500 mL	lait ébouillanté
1 tasse	250 mL	crème légère
⅓ tasse	80 mL	liqueur Crèmede banane
⅓ tasse	80 mL	liqueur Triple Sec
1 c. à table	15 mL	Grenadine
¼ tasse	60 mL	grains de chocolat

Mélanger le sucre et le lait dans une casserole et chauffer sans bouillir. Ajouter la crème et les liqueurs, mijoter 3 autres minutes.

Faire couler quatre filets de Grenadine à l'intérieur d'une grande tasse de cristal. Remplir avec le liquide et déposer les grains de chocolat sur le dessus. Servir.

4 PERSONNES

RENARD ROUX

1¼ onces	35 mL	bourbon
½ onces	15 mL	Bénédictine
1	1	cerise maraschino

Combiner dans un verre droit, sur de la glace. Garnir avec la cerise et servir.

1 PERSONNE

GENOUX D'ABEILLE

1 once	30 mL	vodka
½ onces	15 mL	miel
½ onces	15 mL	jus de lime

Verser les liquides sur de la glace concassée dans un shaker. Bien secouer, filtrer dans un verre à cocktail, servir.

1 PERSONNE

SIDECAR

1 once	30 mL	Cointreau
1 once	30 mL	brandy
1 once	30 mL	jus de citron

Verser les liquides sur de la glace concassée dans un shaker. bien secouer, filtrer dans un verre à cocktail, servir.

1 PERSONNE

COCKTAIL ALEXANDRE

2 onces	60 mL	Crème de Cacao
4 onces	120 mL	gin
2 onces	60 mL	crème à fouetter

Verser les ingrédients sur de la glace concassée dans un shaker. Bien secouer, filtrer dans 2 verres à cocktail.

2 PERSONNES

BOURBON CASSIS

1 once	30 mL	bourbon
½ onces	15 mL	vermouth sec
1 c. à thé	5 mL	Crème de cassis
1 c. à thé	5 mL	jus de citron
1	1	écorce de citron râpée

Combiner les ingrédients sur de la glace dans un verre droit. Garnir avec l'écorce de citron.

1 PERSONNE

Coccinelle au Chocolat

VISION DE NOIX DE COCO

2 onces	60 g	chocolat mi-sucré, râpé
¼ tasse	60 mL	nectar crème de noix de coco
2 tasses	500 mL	lait
¼ tasse	180 mL	crème moitié et moitié
¼ tasse	60 mL	rhum de noix de coco
½ tasse	125 mL	crème à fouetter
⅓ tasse	80 mL	noix de coco râpée grillée

Mélanger le chocolat, la crème de noix de coco, le lait, la crème et le rhum dans une casserole. Chauffer sans faire bouillir.

Verser dans de grandes tasses de cristal. Fouetter la crème et déposer sur le dessus, saupoudrer avec la noix de coco grillée. Servir.

4 PERSONNES

POMME GRENADE

3	3	pommes grenade
1½ tasse	375 mL	jus de pomme

Couper les pommes grenades en demies, enlever les graines, hacher la chair dans un robot culinaire. Battre 1 minute. Laisser égoutter en gardant le liquide. Ajouter le liquide des pommes grenade avec le jus de pomme. Verser sur la glace concassée dans les verres collins. Servir.

2 PERSONNES

GRAND CAFÉ GALLIANO

3 tasses	750 mL	café
¼ tasse	60 mL	Grand Marnier
¼ tasse	60 mL	liqueur Galliano
½ tasss	125 mL	crème à fouetter
¼ tasse	60 mL	grains de chocolat

Chauffer le café et les liqueurs. Verser dans les verres dont les bords ont été sucrés. Fouetter la crème et la déposer sur le dessus du café. Garnir avec les grains de chocolat. Servir.

4 PERSONNES

Vision de Noix de Coco

Champs de Fraises

Café au Chocolat Vandermint

CAFÉ XYZ

3 tasses	750 mL	café noir
⅓ tasse	80 mL	Bénédictine
⅓ tasse	80 mL	bourbon
¼	0.25	orange
¼ tasse	50 g	sucre granulé
½ tasse	125 mL	crème à fouetter
4	4	cerises au marasquin

Faire chauffer le café et les liqueurs dans une casserole. Frotter le bord des tasses avec l'orange, tremper dans le sucre. Remplir de le café.

Fouetter la crème et déposer sur le dessus. Garnir avec une cerise et servir.

4 PERSONNES

CHAMP DE FRAISES

3 onces	80 g	chocolat blanc, râpé
2 tasses	500 mL	lait
1 tasse	250 mL	crème moitié et moitié
¼ tasse	50 g	sucre granulé
1 tasse	250 mL	fraises en purée
½ tasse	125 mL	crème à fouetter
4	4	grosses fraises

Mélanger le chocolat, le lait, la crème, le sucre et la purée de fraises dans une casserole. Chauffer sans bouillir, verser dans quatre grandes tasses.

Fouetter la crème et déposer sur le dessus. Garnir avec une fraise et servir.

4 PERSONNES

CAFÉ AU CHOCOLAT VANDERMINT

2 onces	60 g	chocolat mi-sucré, râpé
2 tasses	500 mL	café
¼ tasse	60 mL	sucre granulé
1 tasse	250 mL	crème moitié et moitié
⅓ tasse	80 mL	liqueur au chocolat Vandermint
¼ tasse	60 mL	Crème de cacao
½ tasse	125 mL	crème à fouetter
4	4	cerises au marasquin
4	4	bâton de menthe au chocolat

Mélanger dans une casserole le chocolat, le café, le sucre et la crème. Amener à ébullition, baisser le feu et mijoter 2 minutes. Ajouter les liqueurs et mijoter une autre minute.

Verser dans de grandes tasses. Fouetter la crème et déposer sur le dessus. Garnir avec une cerise et un bâton de menthe, servir.

4 PERSONNES

FLEUR DE POMMIER

2 onces	60 mL	Calvados
1 c. à table	15 mL	jus de lime
1 c. à thé	5 mL	jus de citron
4 onces	120 mL	jus de pomme
1	1	pomme en tranches

Remplir un verre tube à demi avec de glace, verser les liquides sur le dessus, garnir avec les tranches de pommes.

1 PERSONNE

FRANCE 95

1¼ onces	35 mL	bourbon
2 c. à table	30 mL	jus de citron
½ once	15 mL	limonade
3 onces	80 mL	champagne
1	1	tranche de lime

Combiner sur la glace dans un verre tube. Garnir avec la lime et servir.

1 PERSONNE

LAIT FRAPPÉ À L'ORANGE

2 onces	60 mL	Grand Marnier
2 onces	60 mL	jus d'orange concentré
½ tasse	125 mL	crème légère
1 tasse	250 mL	sorbet à l'orange
2	2	tranches d'orange

Battre la liqueur, le concentré, la crème et le sorbet dans un mixer jusque lisse.

Verser dans les verres tube, garnir avec une tranche d'orange, servir.

2 PERSONNES

FLEUR DE CERISIER

1 once	30 mL	brandy
¾ onces	20 mL	brandy aux cerises
1 c. à thé	5 mL	Curaçao
1 c. à thé	5 mL	Grenadine
3 onces	80 mL	limonade
1	1	cerise au marasquin

Combiner dans un verre tube sur de la glace concassée. Garnir avec la cerise et servir.

1 PERSONNE

LE QUATRIÈME DEGRÉ

⅓ onces	10 mL	vermouth blanc
⅓ onces	10 mL	vermouth rouge
⅓ onces	10 mL	gin
1 c. à thé	5 mL	Anisette

Verser les ingrédients sur de la glace concassée dans un shaker. Bien secouer, filtrer dans un verre à cocktail.

1 PERSONNE

Gâteau au Fromage et aux Bleuets

DESTRUCTION BLANCHE

3 onces	85 g	chocolat blanc, râpé
2 tasses	500 mL	lait échaudé
1 tasse	250 mL	crème moitié et moitié
¼ tasse	60 mL	sucre granulé
¼ tasse	60 mL	brandy
¼ tasse	60 mL	Crème de cacao
¼ tasse	60 mL	Crème de menthe
½ tasse	125 mL	crème à fouetter

Mélanger le chocolat, le lait, la crème, le sucre et les liqueurs dans une casserole. Chauffer sans faire bouillir. Verser dans de grandes tasses.

Fouetter la crème et déposer sur le dessus. Servir.

4 PERSONNES

GÂTEAU AU FROMAGE ET AUX BLEUETS

½ tasse	125 mL	bleuets lavés, triés
½ tasse	125 mL	crème légère
1 tasse	250 mL	crème glacée à la vanille
2 onces	60 mL	liqueur Parfait Amour
¼ tasse	60 mL	fromage à la crème, ramolli

Mettre une douzaine de bleuets de côté, le reste dans un mélangeur. Ajouter le reste des ingrédients, battre jusque lisse.

Verser dans deux verres tube, garnir avec les bleuets et servir.

2 PERSONNES

Fleur de Cerisier

COCKTAIL AU COINTREAU

1 once	30 mL	Cointreau
1 once	30 mL	brandy
1 once	30 mL	jus de citron
		écorce d'orange

Verser les ingrédients sur de la glace concassée dans un shaker. Bien secouer, filtrer dans un verre à cocktail. Garnir avec l'écorce d'orange.

1 PERSONNE

CAFÉ AUX BANANES

¼ tasse	60 mL	Crème de banane
¼ tasse	60 mL	Crème de cacao
3 tasses	750 mL	café chaud
¼	0.25	citron
¼ tasse	60 mL	sucre granulé
½ tasse	125 mL	crème à fouetter

Faire chauffer les liqueurs et ajouter au café. Frotter le bord de quatre grandes tasses avec le citron, tremper dans le sucre.

Remplir les tasses. Fouetter la crème et déposer sur le dessus.

4 PERSONNES

CHOCOLAT CHAUD

3 onces	80 mL	chocolat mi-sucré, râpé
¼ tasse	60 mL	sucre granulé
1 tasse	250 mL	eau
½ tasse	125 mL	lait condensé, sucré
2 tasses	500 mL	lait échaudé
⅛ c. à thé	pincée	sel
¼ c. à thé	1 mL	essence de vanille
½ tasse	125 mL	crème à fouetter

Mélanger le chocolat, le sucre, l'eau et le lait condensé dans une casserole. Amener à ébullition, baisser le feu et mijoter 2 minutes. Ajouter le lait, le sel et l'essence de vanille. Battre au mélangeur 1 minute.

Verser dans 4 grandes tasses. Fouetter la crème et déposer sur le dessus. Servir.

4 PERSONNES

FRAPPEUR AUX POMMES

2	2	œufs
1½ tasse	375 mL	jus de pomme
½ tasse	125 mL	crème légère
2 c. à thé	10 mL	miel
½ c. à thé	3 mL	cannelle

Battre tous les ingrédients dans un mixer jusque lisse. Verser dans des verres droits et servir.

2 PERSONNES

Cocktail au Cointreau

Lever de Soleil aux Pommes

LEVER DE SOLEIL AUX POMMES

1¼ onces	35 mL	Calvados
1¼ onces	35 mL	jus d'orange
2 onces	30 mL	jus de citron
2 onces	30 mL	cordial à la lime
1 c. à thé	5 mL	Grenadine
1	1	quartier de pomme

Combiner sur de la glace concassée dans un verre tube, verser la grenadine sur le dessus. Garnir avec le quartier de pomme, servir.

1 PERSONNE

LAIT AU MIEL

1 tasse	250 mL	lait froid
1	1	œuf
1½ c. à table	22 mL	miel
1 c. à thé	5 mL	essence de vanille

Verser les ingrédients sur de la glace concassée dans un mélangeur. Battre jusque lisse, filtrer dans une grande tasse en cristal et servir.

1 PERSONNE

COUCHER DE SOLEIL SUD-AFRICAIN

1½ onces	45 mL	brandy
½ onces	15 mL	vermouth blanc
½ onces	15 mL	jus de citron
½ onces	15 mL	jus d'orange

Verser les liquides sur de la glace concassée dans un shaker. Bien secouer, filtrer dans un verre à cocktail, servir.

1 PERSONNE

Sauterelle au Chocolat

SAUTERELLE AU CHOCOLAT

3 onces	80 mL	chocolat blanc, râpé
¼ tasse	60 mL	sucre granulé
2 tasses	500 mL	lait
1 tasse	250 mL	crème moitié et moitié
¼ tasse	60 mL	Crème de menthe verte
¼ tasse	60 mL	Crème de cacao blanche
¼ c. à thé	1 mL	colorant vert
½ tasse	125 mL	crème à fouetter
4	4	bonbons feuille de menthe
4	4	bâtons de chocolat à la menthe

Mélanger le chocolat, le sucre, le lait, la crème, les liqueurs et le colorant dans une casserole. Chauffer sans bouillir. Verser dans de grandes tasses.

Fouetter la crème et déposer sur le dessus. Garnir avec les bonbons et les bâtons de chocolat, servir.

4 PERSONNES

SAUCE AUX POMMES

1 once	30 mL	gin
1 once	30 mL	Calvados
1 c. à table	15 mL	poudre de citron
1 c. à table	15 mL	poudre de lime
1 once	30 mL	jus d'orange
2 onces	60 mL	glace concassée
1	1	cerise

Mélanger tous les ingrédients dans un mélangeur, sauf la cerise. Verser dans un verre tube. Garnir avec la cerise.

1 PERSONNE

SIROP DE MENTHE

1¼ onces	35 mL	bourbon
1 c. à thé	5 mL	Crème de menthe verte
1 c. à thé	5 mL	eau de seltz
		feuilles de menthe

Combiner dans un verre tube sur de la glace concassée. Garnir avec les feuilles de menthe.

1 PERSONNE

CAFÉ PELOUSE

3 tasses	750 mL	café
⅓ tasse	80 mL	Grand Marnier
⅓ tasse	80 mL	Crème de banane
½ tasse	125 mL	crème à fouetter
¼ tasse	60 mL	grains de chocolat

Faire chauffer le café et les liqueurs. Verser dans des verres dont le bord est sucré. Battre la crème, déposer sur le dessus. Garnir avec les grains de chocolat.

4 PERSONNES

APHRODISIAQUE À L'AVOCAT

1	1	avocat médium
1	1	concombre, long
¼ tasse	60 mL	jus de citron
2 c. à thé	10 mL	Worcestershire
2 tasses	500 mL	glace concassée

Éplucher et dénoyauter l'avocat. Lever l'écorce du concombre et trancher. Mettre le concombre dans un mélangeur sauf deux tranches pour garniture. Ajouter l'avocat et le reste des ingrédients, mettre en purée.

Verser dans de grands verres flutés, garnir avec l'écorce et les tranches du concombre.

Servir.

2 PERSONNES

Aphrodisiaque à l'Avocat

BARRACUDA

¾ onces	20 mL	whiskey Jack Daniel
1 c. à thé	5 mL	Orgeat
1 once	30 mL	jus d'orange
1c.`a table	35 mL	citron en poudre
1	1	quartier d'orange

Mélanger tous les ingrédients dans un mélangeur. Verser dans des verres tube remplis de glace concassée. Garnir avec un quartier d'orange et servir.

1 PERSONNE

L'AIGUILLON

1 once	30 mL	Crème de Menthe
1 once	30 mL	brandy

Verser les liquides sur de la glace concassée dans un shaker. Bien secouer, filtrer dans un verre à cocktail, servir.

1 PERSONNE

BLOODY CAESAR

1	1	tranche de citron
½ c. à thé	3 mL	sel
1 tbsp	35 mL	vodka
2 onces	60 mL	nectar de palourde
2 onces	60 mL	jus de tomate
¼ c. à thé	1 mL	Worcestershire
goutte	goutte	sauce piquante
pincée	pincée	poivre
pincée	pincée	épices Cajun
1	1	branche de céleri

Frotter le bord d'un verre tube avec le citron, tremper dans le sel. Remplir le verre de glace concassée. Ajouter la vodka, le nectar de palourde, le jus de tomate, la sauce piquante, le poivre et les épices. Remuer. Garnir avec le céleri et servir.

1 PERSONNE

NORTHERN ET CNR

1 once	30 mL	rhum
1 once	30 mL	brandy
2 onces	60 mL	jus d'ananas
1 c. à table	15 mL	jus de citron

Mélanger tous les ingrédients sur de la glace concassée dans un shaker. Bien secouer, filtrer dans un verre à cocktail.

1 PERSONNE

SPUMANTE AU CITRON

6 c. à table	90 g	sucre en poudre
1 tasse	250 mL	eau
½ tasse	125 mL	jus de citron
4 tasses	1 L	Asti Spumante

Mélanger le sucre, l'eau et le jus de citron dans une casserole, amener à ébullition, laisser refroidir à la température ambiante. Verser dans des bacs à glace, congeler.

Mettre les cubes de glace au citron dans 6 verres tube, ajouter le vin et servir.

6 PERSONNES

MÉLODIE DE BROADWAY

½ onces	15 mL	gin
½ onces	15 mL	vermouth blanc
½ onces	15 mL	Grand Marnier

Combiner les ingrédients sur de la glace concassée dans un shaker. Bien secouer, filtrer dans un verre à cocktail.

1 PERSONNE

Spumante au Citron

RENOUVEAU AU RAISIN

1 tasse	250 mL	jus de raisin concentré
2 tasses	500 mL	eau
4 tasses	1 L	Asti Spumante

Mélanger le jus de raisin avec l'eau, verser dans des bacs à glace et congeler.

Mettre les cubes de glace au raisin dans 6 verres tubes, ajouter le vin et servir.

6 PERSONNES

BOISSON NATURELLE

1 tasse	250 mL	quartiers d'orange
1 tasse	250 mL	lait
1	1	œuf
1	1	banane
½ tasse	125 mL	jus d'orange
½ tasse	125 mL	jus d'ananas
1 c. à thé	5 mL	sirop d'érable
1 c. à table	15 mL	blé germé

Mettre tous les ingrédients dans un mélangeur, battre jusque lisse. Verser dans des verres droits et servir.

2 PERSONNES

ALEXANDRE ROYAL

1 once	30 mL	Crème de cacao
1 once	30 mL	brandy
1 once	30 mL	crème fraîche
½ onces	15 mL	vermouth blanc, sec

Combiner tous les ingrédients sur de la glace concassée dans un shaker. Bien secouer, filtrer dans un verre à cocktail.

1 PERSONNE

Renouveau au Raisin

ROI DE CŒUR AU CHOCOLAT

2 onces	60 g	chocolat mi-sucré, râpé
2 tasses	500 mL	café
¼ tasse	60 mL	sucre granulé
1 tasse	250 mL	crème moitié et moitié
¼ tasse	60 mL	vodka
¼ tasse	60 mL	Galliano
¼ tasse	60 mL	Grand Marnier
½ tasse	125 mL	crème à fouetter
¼ tasse	60 mL	grains de chocolat

Mélanger le chocolat, le café et le sucre dans une casserole. Amener à ébullition, baisser le feu et mijoter 2 minutes. Ajouter la crème et les liqueurs, continuer à mijoter 3 minutes. Verser dans de grandes tasses.

Fouetter la crème et déposer sur le dessus. Garnir avec les grains de chocolat, servir.

4 PERSONNES

CAFÉ CALYPSO

1 c. à table	15 mL	sucre granulé
3 tasses	750 mL	café
⅓ tasse	80 mL	rhum
⅓ tasse	80 mL	Kahlua
½ tasse	125 mL	crème à fouetter
4	4	cerise au marasquin, avec les queues

Faire chauffer le sucre, le café, le rhum et le Kahlua. Verser dans de grandes tasses dont le bord a été sucré. Fouetter la crème et déposer sur le dessus. Garnir avec une cerise et servir.

4 PERSONNES

Anamelon

QUIZ CANADIEN

1 tasse	250 mL	yaourt
2 tasses	500 mL	jus d'ananas
1 tasse	250 mL	bleuets
2 c. à table	30 mL	sirop d'érable

Battre les ingrédients dans un mélangeur jusque lisse. Verser dans des verres droits et servir.

2 PERSONNES

PATTES DE TIGRE

3 onces	80 mL	chocolat blanc
2 tasses	500 mL	lait
1 tasse	250 mL	crème légère
⅓ tasse	80 mL	Anisette
⅓ tasse	80 mL	jus d'orange concentré
¼ tasse	50 g	sucre granulé
1 c. à table	15 mL	Grenadine
1 c. à table	15 mL	mélasse

Mélanger le chocolat, le lait, la crème, la liqueur, le concentré et le sucre dans une petite casserole. Chauffer sans bouillir.

Verser des filets de grenadine à l'intérieur de grandes tasses de cristal, remplir avec le liquide et servir.

4 PERSONNES

WAHOO HAWAÏEN

2 onces	60 mL	gin
2 onces	60 mL	brandy aux cerises
2 onces	60 mL	jus d'ananas
1 c. à thé	5 mL	Grenadine
1	1	quartiers d'ananas

Verser les liquides sur de la glace concassée dans un shaker. Bien secouer, filtrer dans de grandes coupes à champagne, garnir avec l'ananas.

1 PERSONNE

SAUT DE FRAISES

1 tasse	250 mL	fraises tranchées
½ tasse	125 mL	yaourt aux fraises
1 tasse	250 mL	lait
½ tasse	125 mL	jus de pomme

Mettre tous les ingrédients dans un mixer, bien battre. Verser dans des verres tubes et servir.

2 PERSONNES

ANAMELON

1 tasse	250 mL	jus de pomme
1 tasse	250 mL	cubes de melon d'Antibes
1 tasse	250 mL	cubes de cantaloup

Battre les ingrédients dans un mélangeur jusque lisse. Verser dans deux verres droits et servir.

2 PERSONNES

AU NORD DU 49e PARALLÈLE

2 c. à table	30 mL	sirop d'érable
1 tasse	250 mL	bleuets lavés
½ tasse	125 mL	yaourt
1 tasse	250 mL	jus de pomme

Battre tous les ingrédients dans un meelangeur jusque lisse. Verser dans des verres droits, servir.

2 PERSONNES

CAPITAINE MORGAN

1 once	30 mL	rhum
1 c. à thé	5 mL	jus de lime
½ c. à thé	3 mL	Cointreau
1	1	olive, verte

Mélanger les liquides sur de la glace concassée dans un shaker. Bien secouer, filtrer dans un verre à cocktail, garnir avec l'olive.

1 PERSONNE

Wahoo Hawaïen

Glossaire
des termes de cuisine

Ce qui suit est un rassemblement des définitions des termes communs utilisés dans la préparation des aliments.

ABATS: Spécialités de boucher telles que les ris, les cervelles, les coeurs, les foies et les gésiers de volaille.

ABSORPTION: Le fait de retenir une substance par une autre.

ACIDULER: Ajouter une substance acide, comme du vinaigre ou du jus de citron, à un liquide comme de l'eau.

ÂGER: Un terme appliqué à la viande conservée à une température de 34°F à 36°F (1-2 °C) pendant 14 à 21 jours, pour améliorer sa tendreté.

AIL: Un membre important et odorant de la famille des oignons.

À LA CARTE: Expression française — "Selon le menu."

À LA MODE: Signifie une façon spécifique selon laquelle un plat est servi, e.g. - pâté ou rôti de boeuf à la cocotte.

ALBUMEN: Le principal constituant du blanc de l'oeuf.

ALUN: Produit chimique servant à rendre les cornichons plus croquants.

ANCHOIS: Petit poisson de mer, normalement mis en boîte dans une huile très épicée.

ARROSER: Humecter l'extérieur des aliments durant la cuisson pour empêcher qu'ils ne sèchent et pour améliorer la saveur et l'apparence.

ASPIC: Plat composé de viande et de poisson froid enfermés dans une gélatine moulée fortement aromatisée .

AU GRATIN: Aliments: fruits de mer, poulet ou légumes préparés avec une sauce, parsemés de morceaux de beurre, ou de morceaux de beurre et de fromage, et placés sous l'élément chauffant du four.

AU JUS: Le jus naturel de la viande rôtie.

BADIGEONNER: Recouvrir de beurre, d'oeuf, etc à l'aide d'une brosse.

BAIN-MARIE: Une casserole contenant de l'eau bouillante - utilisée pour cuire ou conserver chaudes diverses préparations - recouverte d'une seconde casserole servant à y mettre la préparation en question.

BARBECUE: Faire rôtir lentement un aliment au-dessus de charbons de bois. Normalement enrobé d'une sauce fortement épicée, se réfère aussi à la nourriture fumée servie dans le centre et au sud des États-Unis.

BATTRE:	Mélanger énergiquement tout en faisant des mouvements circulaires et en soulevant le mélange à l'aide d'une cuillère ou d'un fouet.
BATTRE EN CRÈME:	Battre une matière grasse à laquelle on ajoute du sucre, à l'aide d'une cuillère ou d'un batteur pour qu'elle devienne plus légère..
BEIGNETS	Un mélange d'oeufs, de farine et de lait, dans lequel de la viande, des fruits ou des légumes ont été incorporés, et qui est ensuite frit.
BEURRE CLARIFIÉ:	Beurre qui a été fondu, la partie caillée retirée, ne laissant que le gras doré.
BICARBONATE DE SOUDE:	Utilisé avec la poudre à pâte ou seul pour faire lever les gâteaux, etc. Doit être cuit immédiatement.
BISCOTTES:	Ronds de pain légèrement grillés.
BISQUE:	Une soupe épaisse et crémeuse aux fruits de mer. .
BLANCHIR:	Passer un aliment à l'eau bouillante, puis ensuite à l'eau froide.
BLANC MANGE:	Pudding rendu épais avec de la fécule de maïs.
BOUCHÉE:	Petite croûte feuilletée garnie de viande, de poulet ou de poisson.
BOUILLIR :	La cuisson de n'importe quel liquide, losqu'il se met à former des bulles sous l'action de la chaleur, la température d'ébullition de l'eau est de 212°F (100°C) au niveau de la mer.
BOUILLON:	Liquide dans lequel de la viande, du poisson ou des légumes ont été cuits: une soupe légère.
BOUQUET-GARNI:	Un mélange ayant un minimun de trois herbes, attachées dans une toile à fromage, servant à donner du goût à la viande, aux soupes etc. Pour les recettes dans ce livre, utiliser 2 c. à table de persil, de thym et de marjolaine, ½ c. à thé de grains de poivre et 1 feuille de laurier à moins que les indications dans la recette soient différentes.
BRAISER:	Faire brunir dans un récipient chaud, dans une petite quantité de matière grasse, couvrir et cuire lentement dans une petite quantité de liquide.
BRUNOISE:	Aliment coupé en très petits dés — environ ⅛ de pouce (.32 cm).
CALORIE:	Unité de mesure de la valeur énergétique des aliments.
CANAPÉ:	Hors d'oeuvre, toujours préparé avec pour base une tranche de pain, de craquelin sur laquelle on dresse certains mets.
CARAMÉLISER:	Réduire en caramel en partant du sucre, ou tout autre aliment contenant du sucre, que l'on fait chauffer jusqu'à ce qu'il devienne brun.
CAVIAR:	Oeufs ou laitance de poisson, noirs s'ils proviennent de l'estrugeon ou rouges s'ils proviennent du saumon. Le caviar est un mets salé et mariné.
CÈPES:	Variété de champignons.
CHALEUR SÈCHE:	Terme utilisé lorsque la cuisson se fait sans liquide.
CHANTERELLES:	Variété de champignons.
CHÂTEAUBRIAND:	Filet de boeuf de 16 onces (450 g).

CHILI CON CARNE: Terme espagnol signifiant piment avec de la viande.

CLARIFIER: Rendre un liquide plus clair en retirant les éléments de gras ou de bouilllon en suspension.

COCKTAIL: Un hors d'oeuvre qui peut être préparé à partir de fruits de mer et servi en petites quantités.

COMBINER: Mélanger les ingrédients.

COMPOTE: Une combination de fruits.

CONFIRE: Conserver ou préserver en bouillant avec du sucre, en glaçant ou en enrobant de sucre.

CONSOMMÉ: Une soupe claire faite à partir de viande et de légumes assaisonnés, égouttés et clarifiés.

CORNED: Méthode utilisée pour conserver le boeuf dans une saumure.

CUIRE À FEU DOUX: Cuire lentement, sous le point d'ébullition.

CUIRE À LA VAPEUR: Cuire à la vapeur en appliquant ou non de pression.

CUIRE EN RAGOÛT: Laisser mijoter dans un liquide jusqu'à consistance tendre.

CONDIMENTS: Aliments servant à assaisonner comme le sel, le poivre, le vinaigre, les herbes et les épices.

COURT-BOUILLON: Bouillon composé d'eau, de vin blanc et d'épices dans lequel on fait cuire du poisson, de la viande et des légumes.

CRÈME DE TARTRE: Un résidu du vin qui est une substance acide qui était très utilisé avant que l'usage de la poudre à pâte devienne courant. C'est un ingrédient important lorsque les blancs d'oeufs font partie de la cuisson.

CROQUETTES: Une combinaison d'aliments cuits hachés maintenus ensemble grâce à des oeufs ou une sauce épaisse. Façonnées, trempées dans un mélange d'oeufs, enrobées de chapelure et frites.

CROÛTONS: Petits cubes de pain grillés.

CORNICHONS: Petits concombres doux, marinés.

CÔTELETTES: Un petite tranche de viande désossée.

COUPER: Incorporer une matière grasse solide dans une viande maigre grâce à de petites incisions permettant au gras de demeurer en petites particules; découper les aliments à l'aide d'un couteau ou de ciseaux.

COUPER EN CUBES: Couper en cubes de ¼ "(0.64 cm) ou plus petits.

CUBE: Couper approximativement à ¼ pouce (0.64 cm).

CUIRE: Cuire à l'aide d'une source de chaleur sèche indirecte, normalement celle du four: pour les viandes il s'agit de rôtir.

CUIRE À BLANC: Cuisson d'une pâte à tarte vide. Canneler les rebords de la pâte suivant votre goût. Faire des incisions à l'aide d'un fourchette, à 1" (2.3 cm) d'intervalle. Cuire dans un four préchauffé à 450°F (220°C) pendant 10 à 12 minutes ou jusqu'à ce que la pâte soit dorée. Laisser refroidir avant d'ajouter la garniture.

DÉCHIQUETER:	Couper en minces lanières.
DÉGLACER:	Diluer le jus d'un rôti avec un liquide.
DÉGRAISSER:	Retirer l'excès de gras — d'un bouillon, d'une sauce, d'une soupe, d'un ragoût.
DISSOUDRE:	L'absorbtion d'un corps solide par un corps liquide.
DUXELLES:	Oignons et champignons hachés, sautés dans le beurre et l'huile, jusqu'à ce que le liquide se soit complètement évaporé.
ÉCHALOTE:	Légume appartenant à la famille des oignons.
ÉCHAUDER:	La cuisson d'aliment jusqu'à leur point d'ébullition. Le lait atteint au moins 185°F (85°C).
ÉGOUTTER:	Retirer une substance solide d'un liquide.
ÉMIETTER:	Brisé en légers petits morceaux..
ÉMINCER:	Couper en tranches minces.
ÉMULSION:	Mélange hétérogène de deux liquides ou plus, qui ne sont pas solubles. Si les deux liquides sont mélangés ensemble, l'un va se diviser en globules qui vont être entourés par l'autre. Comme l'oeuf est entouré de beurre fondu dans la sauce hollandaise.
EN BROCHETTE:	Morceaux de viande ou de légumes enfilés sur un bâtonnet de bambou ou de métal.
ENROBER:	Saupoudrer ou rouler légèrement dans de la chapelure ou d'autres ingrédients en miettes.
ENTRÉE:	Dans l'Amérique du Nord anglophone, il s'agit du plat principal, mais dans l'Amérique du Nord francophone et en France, il s'agit d'un amuse-gueule.
ÉPLUCHER:	Retirer la pelure.
ESCALOPER:	Cuire des ingrédients dans une sauce à la crème ou un autre liquide.
ÉTAMINE:	Toile à fromage, tissu pour filtrer, égoutter.
FAIRE CUIRE À DEMI:	Faire bouillir ou mijoter jusqu'à ce que l'aliment soit partiellement cuit. La cuisson est complétée par une autre méthode.
FAIRE FONDRE:	Faire fondre un corps gras en le chauffant lentement.
FÉCULE DE MAÏS	Substance composée d'amidon, utilisée pour épaissir les puddings.
FILET:	Un morceau de viande maigre ou de poisson, désossé.
FINES HERBES:	Herbes finement hachées, persil, ciboulette, cerfeuil.
FINNIAN HADDIE:	Aiglefin ou morue fumé, aussi appelé le haddock.
FLEURONS:	Pâte feuilletée cuite en forme de croissants et autres formes similaires.
FOIE GRAS:	Foie d'oie engraissée.
FOND:	Le bouillon de base aux sauces et aux soupes.
FONDRE:	Rendre liquide grâce à l'effet de la chaleur.

FOUETTER: Battre rapidement une matière tout en la soulevant afin d'accroître son volume en incorporant de l'air.

FRICASSER: Cuire en faisant sauter, puis en faisant mijoter dans un bouillon ou une sauce.

FRIRE: Cuire dans une matière grasse chaude. Faire sauter ou sauter signifie cuire dans une petite quantité de gras. Faire frire signifie cuire dans suffisamment de matière grasse pour recouvrir les aliments.

FUMET: Le liquide obtenu en faisant mijoter la viande, les os ou les légumes, pour utiliser dans les soupes ou les sauces.

GARNIR: Décorer le plat principal de petites particules d'aliment de couleur différente contrastant avec le mets.

GÉLATINE: Substance obtenue à partir des os et de la moelle d'animaux. Utilisée pour les desserts, les aspics et pour mouler les viandes et les salades.

GLACER: Recouvrir des gâteaux ou des biscuits de sucre à glacer.

GLAÇAGE Recouvrir un aliment d'une couche de sucre ou d'une gelée comme une gelée de groseille, afin de le décorer.

GLACER: L'application de sucre à glacer ou de glaçage; certaines sortes de desserts glacés.

G.M.S: (Glutamate de monosodium) — produit chimique utilisé pour préserver la saveur des aliments, dérivé du sucre de la bettrave, du maïs et du son. Il faut faire attention à la quantité employée dans la préparation des aliments.

GLUTEN: Une substance qui se retrouve dans la farine de blé entier et qui confère à la pâte sa qualité élastique.

GOURMET: Une personne qui aime bien manger et bien boire.

GRAISSER: Étendre un corps gras sur une surface.

GRAISSES: Les restants de graisse qui s'écoule dans la lèche-frite après la cuisson du rôti.

GRILLER: Faire cuire grâce à une chaleur indirecte sur une surface solide. Cuire à la chaleur directe de charbons de bois dans un poêle à gaz ou électrique.

GOMBO: Une sorte de soupe ou de ragoût qui est légèrement épaissi avec de l'okra.

HORS D'OEUVRE: Petites portions de nourriture servies avant le repas ou le plat principal.

HUMIDITÉ: Teneur en matière d'eau dans l'air qui peut afffecter le résultat de certains produits de pâtisserie.

INFUSION: Action d'infuser dans un liquide l'essence d'une substance solide; comme le thé et le café.

INGRÉDIENT: Élément qui entre dans la préparation d'un mélange.

JULIENNE: Couper un légume en minces bâtonnets, comme une allumette. Vient du nom du chef français "Jean Julienne."

HACHER: 1. Couper les aliments en petits morceaux 2. Une certaine coupe de viande i.e.côtelette de porc, côtelette d'agneau.

HARENGS SAURS: Hareng fumé ou séché.

LAIT: Produit alimentaire naturel provenant de la vache. Peut être trouvé sous différentes formes comme le babeurre, le lait condensé, en poudre, évaporé, etc.

LAITANCE: Oeufs de poisson.

LARD: Graisse animale ferme.

LARDER: Couvrir la viande maigre, la volaille ou le poisson de lanières de gras avant la cuisson, ou insérer à l'aide d'un bâtonnet ou d'une aiguille à lard.

LAVER: Un liquide badigeonné à la surface d'un aliment non-cuit, ou un mélange de liquides (e.g. - mélange aux oeufs) dans lequel est trempé un aliment non-cuit avant sa cuisson.

LÉGUMES: Terme qui englobe les légumes frais et séchés comme les fèves, les pois et les lentilles.

LENTILLE: Graine plate rouge ou verte, utilisée dans les soupes.

LEVAIN: Pâte de farine qu'on a mélangé à de la levure et qu'on laisse lever. Alléger un aliment grâce à l'air, la vapeur, le gaz (dioxide de carbone), résultat obtenu grâce à de la levure, de la poudre à pâte ou du bicarbonate de soude.

LEVURE: Agent disponible sous forme sèche active, instantanée, ou dans des gâteaux compressés. 1 c. à table de levure sèche ou instantanée équivaut à 1 once (30 mL) de gâteau compressé. La levure instantané peut être utilisée directement dans la préparation de l'aliment sans avoir à être trempée dans de l'eau sucrée. 1 once (30 mL) de levure peut faire lever environ 3½ livres (1.6 kg) de farine.

LEVULOSE: Sucre d'origine végétale, connu sous le nom de fructose. Constitue une part du sucre inverti.

LIER: Agglomérer avec un mélange de crème et de jaunes d'oeufs.

MACÉDOINE: Un mélange de légumes ou de fruits coupés en formes définies.

MACÉRER: Extraire la saveur en ajoutant de l'eau bouillante et en laissant reposer.

MARINADE: Liquide acide et aromatisé, servant à macérer un aliment qui absorbe la saveur du liquide.

MÉLANGER Bien combiner ensemble deux ingrédients ou plus.

MELBA: Mets créé par Auguste Escoffier en l'honneur de la grande chanteuse d'opéra Nellie Melba.

MERINGUE: Préparation très légère à base de blancs d'oeufs battus en neige et de sucre.

METTRE EN BOTTE: Attacher ensemble.

MIJOTER: Faire cuire un liquide à 185°F (85°C), ou cuire les aliments de la même manière.

MIREPOIX:	Un mélange d'oignons, de carottes, de céleri et de poivrons, généralement coupés en dés.
MISE - EN - PLACE:	Préparer à l'avance (bouillons, sauces, viandes, légumes, pâtes).
MOCHA:	Une variété de café utilisée pour donner du goût à des aliments. Peut aussi être une combinaison de chocolat et de café.
MOUDRE:	Action de broyer un aliment en petits morceaux en le mettant dans un hachoir.
MOUSSE:	Dessert glacé préparé à partir de crème fouettée.
ORANGE ROUGHY:	Un petit poisson d'Australie, à chair tendre et blanche, similaire au pompano.
PANER:	Terme culinaire: enrober de chapelure, de farine de maïs ou de craquelins.
PARFAIT:	Un dessert composé de crème glacée, de fruits et de crème fouettée.
PARSEMER:	Placer de petits morceaux de beurre, de fromage etc., sur la surface de la nourriture. Saupoudrer légèrement de farine ou de sucre.
PÂTE:	1. Un mélange de farine ou de fécule de maïs et d'eau. 2. Un mélange d'ingrédients hachés jusqu'à consistence lisse. 3. Un mélange constitué de farine, de liquide et d'autres ingrédients, utilisé pour faire les gâteaux, les beignets, etc.
PÂTÉ:	Ingrédients finement hachés, maintenus ensemble dans deux abaisses de tarte.
PELER:	Retirer la pelure des pommes de terre, pommes, etc., à l'aide d'un couteau pointu.
PETITS - FOURS:	Petits gâteaux individuels, glacés et décorés.
PÉTONCLE:	Une espèce de fruits de mer.
PÉTRIR:	Presser, étirer, remuer fortement et en tous sens une pâte consistante.
PIQUANT:	Nourriture ou sauces très assaissonnées, synonyme de la sauce salsa "forte".
PLANCHER:	Faire griller la viande et la servir sur une planche qui sert spécifiquement à cet effet.
PLIER:	Mélanger en deux mouvements; couper verticalement dans le mélange et le retourner en glissant l'instrument à travers le fond du bol à chaque fois.
POCHER:	Cuire dans suffisamment d'eau mijotante, mais non bouillante pour recouvrir l'aliment.
POÊLER:	Cuire à découvert, dans une poêle chaude ou sur une plaque chauffante en retirant la graisse losqu'elle s'accumule. i
POINT DE FUSION:	Température à laquelle un sorps solide devient liquide.
POIVREAU:	Un légume long et mince appartenant à la famille des oignons.
POTAGE:	Soupe épaisse.
POUDRE À PÂTE:	SAS phosphate: souvent appelé poudre à action double. Réagit premièrement au contact de la pâte puis ensuite durant la cuisson.

PRINTANIER:	Désigne normalement les premiers légumes du printemps, coupés de diverses façons.
PURÉE:	Passer à travers un tamis.
RAISINS:	Gamay, raisin rouge, utilisé pour le Beaujolais et le vin rosé. Pinot Noir, raisin rouge aussi utilisé à Champagne. Sémillion, raisin blanc, utilisé pour le Sauternes. Chenin Blanc, raisin blanc. Riesling raisin blanc. Chardonnay, raisin blanc, utilisé pour le Bourgogne blanc et le Champagne. Muscat, raisin blanc sucré. Grenache,raisin rouge sucré. Cabernet Sauvignon, raisin rouge. Sauvignon Blanc, raisin blanc. Zinfadel, raisin rouge.
RAISINS SULTANA:	Raisins secs provenant de raisins sans pépins.
RÂPER:	Réduire une substance en petits morceaux au moyen d'une râpe.
RÉDUIRE:	Réduire le volume d'un liquide en le laissant mijoter.
REMUER:	Mélanger légèrement comme pour une salade.
RÔTIR	Faire brunir la surface d'un aliment grâce à l'application de chaleur directe.
ROMAINE:	Une sorte de laitue utilisée pour les salades.
RÔTI BRAISÉ:	Cuire un gros morceau de viande en le braisant.
RÔTIR:	La même chose que cuire, mais s'applique aux viandes.
ROULADE:	Viande roulée avec de la garniture.
ROUX:	Un mélange cuit de farine et de gras servant à épaissir les soupes et les sauces.
SAISIR:	Faire très rapidement brunir la surface de la viande à feu vif.
SALADE DE CHOU:	Salade constituée de choux, de carottes dans une vinaigrette.
SALAMANDRE:	Le grilloir, c'est-à-dire les éléments de cuisson du four sous lesquels on place la nourriture pour la faire cuire.
SALPICON:	Mélange d'aliments divers coupés généralement en dés et liés avec une sauce.
SAUTER:	Faire frire dans une poêle dans une petite quantité de gras.
SAUTEUSE:	Poêlon.
SAUCISSE D'ANDOUILLE:	Saucisses créoles ou cajun très épicées. Disponible dans la majorité des charcuteries ou à travers commande spéciale.
SAUMURE:	Une solution composée de sel et d'eau, avec ou sans autres agents de conservation, utilisée pour la conservation des viandes, des légumes, etc.
SCAMPI:	Un fruit de mer qui ressemble à une crevette, mais plus grand.
SON DE BLÉ:	La partie extérieure qui couvre le grain de blé entier, et qui est retirée lors de la moulure.
SUCRE DE CANNE:	Un hydrate de carbone obtenu de la canne à sucre raffinée ou non raffinée.

GLOSSAIRE

SUCRE INVERTI:	Sucre à l'état simple. Un mélange de glucose et de levulose; e.g. miel.
SUPRÊME:	Qui est le meilleur, le plus délicat, aussi nom donné aux filets ou aux poitrines de poulet.
TAMISER:	Passer les ingrédients secs dans un tamis.
TEXTURE:	Structure intérieure d'un produit. La sensation de la substance sous les doigts ou dans la bouche.
TOMATES CONCASSÉES:	Tomates pelées, épépinées, coupées en dés de ¼ " (.64 cm).
TRUFFES:	Tubercule souterrain qui ressemble à un champignon, normalement très dispendieux.
VARIÉTÉS D'ORANGES:	Seville, Valencia, Navel, Temple, Tangerine, Clémentine, Mandarine, Satsuma, Kumquat, Ugli (Tangelo).
VARIÉTÉS DE POMMES:	Baldwin, Cortland, Empire, Golden & Red Delicious, Gala, Granny Smith, Gravenstein, Greening, Ida Red, Jonathan, Lodi, Macintosh, Macoun, Milton, Newton, Pippin, Northern Spy, Rome Beauty, Russet, Stayman, Winesap, York Imperial, sont toutes des pommes excellentes pour la consommation individuelle, et la majorité peut être employée pour la cuisson. Il faut toujours employer les fruits disponibles les plus frais.
VOLAILLE:	Terme général désignant tous les oiseaux domestiques, poulet, dinde, poulette, oie, etc.
VOL-AU-VENT:	Pâte feuilletée de grandeur variée indépendamment de la recette.
ZESTE:	Terme français "pelure", l'écorce extérieure de tous les agrumes.
ZWIEBACK:	Terme allemand pour double-cuisson, un pain sucré, coupé en tranches et rôti.

TABLE DE CONVESION

Impérial	Américan	Métrique	Australien
1 c.s.	1 c.s.	15 ml	20 ml
¼ tasse	¼ tasse	60 ml	2 c.s.
⅓ tasse	⅓ tasse	80 ml	¼ tasse
½ tasse	½ tasse	125 ml	⅓ tasse
⅔ tasse	⅔ tasse	170 ml	½ tasse
¾ tasse	¾ tasse	190 ml	⅔ tasse
1 tasse	1 tasse	250 ml	¾ tasse
1¼ tasse	1¼ tasse	310 ml	1 tasse

TEMPÉRATURES

Électrique	F	C	Gaz	F	C
très bas	250	120	très bas	250	120
bas	300	150	bas	300	150
mod. bas	325	160	mod. bas	325	160
moyen	350	180	moyen	350	180
mod. chaud	425	210	mod. chaud	375	190
chaud	475	240	chaud	400	200
très chaud	525	260	très chaud	450	230

$\mathcal{I}$NDEX

LÉGUMES, RIZ ET REPAS VÉGÉTARIENS

REMERCIEMENTS

*Nous tenons à remercier les commanditaires suivants
pour leur généreuses contributions.*

SYLVIA COOK
KIM GRIFFITHS
ASHBROOKS
BOWRINGS LTD.
COUNTRY'S REACH
DANSK GIFTS/HIEDI ROSS
LE GNOME GALLERIA INC.
LONDON DRUGS LTD.
EATONS OF CANADA
STOKES INC.
WOODCRAFTERS/HOME ACCENTS
TOTALLY TROPICAL INTERIORS INC.
HALLMARK CARD SHOPS
PRINCESS HOUSE OF CANADA/ELAINE VADER
Printed on 60 lb Stora matte.